Hommage à Raphaël

Raphaël et l'art français

Hommage à Raphaël

Galeries nationales du Grand Palais, Paris
15 novembre 1983 - 13 février 1984

RAPHAEL

et l'art français

Ministère de la Culture
Éditions de la Réunion des musées nationaux

Cette exposition a été organisée par la Réunion des musées nationaux
avec le concours des équipes techniques du musée du Louvre
et des galeries nationales du Grand Palais

La présentation en a été conçue et réalisée
par Jean-Paul Boulanger et Geneviève Renisio

Expositions organisées en Hommage à Raphaël,
à l'occasion du cinquième centenaire de sa naissance

par la Réunion des musées nationaux :

Raphaël dans les collections françaises
Raphaël et l'art français
Galeries nationales du Grand Palais, Paris,
15 novembre 1983 - 13 février 1984

Autour de Raphaël, dessins et peintures
Pavillon de Flore, Musée du Louvre, Paris,
24 novembre 1983 - 13 février 1984

par l'Institut de France :

Raphaël au Musée Condé
Château de Chantilly
17 novembre 1983 - 13 février 1984

par la ville de Bayonne :

Raphaël, dessins
Bayonne, Musée Bonnat
1er juillet - 31 août 1983

par la ville de Lille :

Dessins de Raphaël du Musée des Beaux-Arts de Lille
Lille, Musée des Beaux-Arts
28 avril - 27 juin 1983

ISBN 2.7118.0243-4

10, rue de l'Abbaye, 75006 Paris

Commissaire

Jean-Pierre Cuzin
Conservateur au Département des peintures

assisté de
Dominique Cordellier
Conservateur au Cabinet des dessins

Administrateur des galeries nationales du Grand Palais :
Germaine Pélegrin

Que toutes les personnalités qui ont permis par leur généreux concours la réalisation de cette exposition trouvent ici l'expression de notre gratitude et tout particulièrement :

S.M. la reine Élisabeth II

M. Avigdor Arikha
M. Michel Caffin-Destailleur
M. Roman Cieslewicz
Mme Marianne Feilchenfeldt
M. et Mme Walter Feilchenfeldt
Dott. Alberto T. Galimberti
Mr. et Mrs. Norman D. Hutchinson
Mr. et Mrs. J. Seward Johnson
M. et Mme Pierre Mesenge
M. J.M. Peycelon
Mme Marina Picasso
M. André Rochet
Ian Woodner family

ainsi que toutes celles qui ont préféré garder l'anonymat.

Nos remerciements s'adressent également aux responsables des collections suivantes :

Autriche

Vienne	Graphische Sammlung Albertina

Espagne

Barcelone	Fundación Joan Miró
Madrid	Museo del Prado
	Patrimonio nacional - Palacio Real

États-Unis d'Amérique

Baltimore	The Walters Art Gallery
Birmingham	Birmingham Museum of Art
Cambridge	Fogg Art Museum - Harvard University
Chapell Hill	The Ackland Art Museum - The University of North Carolina
Notre Dame	Snite Museum of Art - Mr. & Mrs. Noah L. Butkin Collection
Oberlin	Allen Memorial Art Museum - Oberlin College

France

Agen	Musée des beaux-arts
Alençon	Musée des beaux-arts et de la dentelle
Angers	Musée des beaux-arts
Avignon	Chapelle des Pénitents noirs
	Musée Calvet
Bagnols-sur-Cèze	Musée Léon Alègre
Bayonne	Musée Bonnat
Beauvais	Musée départemental de l'Oise
Besançon	Musée des beaux-arts et d'archéologie
Béziers	Musée des beaux-arts
Blois	Château-musée
Bourges	Musées de la ville

Cambrai	Musée municipal
Châlons-sur-Marne	Musées
Chartres	Musée des beaux-arts
Cherbourg	Musée Thomas Henry
Compiègne	Musée national du Château
Dijon	Musée des beaux-arts
Écouen	Église paroissiale
	Musée national de la Renaissance
Évreux	Église Saint-Taurin
Fontainebleau	Musée national du château
Grasse	Musée Fragonard
Gray	Musée Baron Martin
Langres	Musées
La Roche-s.-Yon	Musée municipal
Lille	Musée des beaux-arts
Limoges	Musée municipal
	Musée national Adrien Dubouché
Lyon	Fonds régional d'art contemporain Rhône-Alpes
	Musée des beaux-arts
	Musée historique des tissus
	Musée lyonnais des arts décoratifs
Meaux	Musée Bossuet
Montargis	Bibliothèque municipale Durzy
	Musée Girodet
Montauban	Cathédrale
	Musée Ingres
Montpellier	Musée Fabre
Moulins	Musée
Nantes	Musée des beaux-arts
Nolay	Maison de retraite
Orcemont	Église paroissiale
Orléans	Musée des beaux-arts
Paris	Bibliothèque de l'Arsenal
	Bibliothèque nationale
	Cabinet des estampes
	Département des manuscrits
	Cabinet des médailles
	Cathédrale Notre-Dame
	Centre de recherches sur les monuments historiques
	Comédie française
	École nationale supérieure des beaux-arts
	Église Saint-Étienne du Mont
	Fondation Custodia, Institut néerlandais
	Mobilier national
	Musée d'art moderne de la ville de Paris
	Musée des arts décoratifs
	Musée Carnavalet
	Musée du Louvre
	Cabinet des dessins
	Département des objets d'art
	Département des peintures
	Service d'étude et de documentation du Département des peintures
	Département des sculptures
	Musée Gustave Moreau
	Musée national des arts et traditions populaires
	Musée du Petit Palais
Rennes	Musée des beaux-arts
Rouen	Musée des beaux-arts
Saint-Germain-en-Laye	Bibliothèque municipale
	Musée départemental du Prieuré
	Musée municipal
Saint-Gilles-du-Gard	Château d'Espeyran - Direction des Archives de France
Saint-Quentin	Musée Antoine Lécuyer
Sèvres	Manufacture nationale de Sèvres - Archives
	Musée national de céramique
Toulouse	Musée des Augustins
Troyes	Musée des beaux-arts
Valenciennes	Musée des beaux-arts
Versailles	Musée national du château

Grande-Bretagne

Londres	British Museum
Oxford	The Ashmolean Museum

Hongrie

Budapest	Musée des beaux-arts

Irlande

Dublin	National Gallery of Ireland

Pays-Bas

Haarlem	Teylers Museum
Rotterdam	Museum Boymans-van-Beuningen

République fédérale allemande

Berlin	Staatliche Museen Preussischer Kulturbesitz - Kupferstichkabinett
Brême	Kunsthalle Bremen
Hambourg	Hamburger Kunsthalle
Stuttgart	Graphische Sammlung-Staatgalerie Stuttgart

Suède

Stockholm	Nationalmuseum

Suisse

Genève	Musée d'art et d'histoire

U.R.S.S.

Moscou	Musée des beaux-arts Pouchkine
Leningrad	Musée de l'Ermitage

Nous exprimons enfin une gratitude particulière pour l'aide qu'ils nous ont apportée à :

M. l'Administrateur général de la Bibliothèque nationale qui a consenti un prêt particulièrement important (87 œuvres)

ainsi qu'à M. le Directeur du Patrimoine.

Sommaire

Raphaël et la France : Présence d'un peintre

A la mémoire de CESARE GNUDI
absent, mais plus que jamais parmi nous...

Raphaël est-il français ? Il serait absurde de répondre oui, même au figuré. Serait-il ridicule de dire : Raphaël est un peu français ?

Entre Raphaël et la France les siècles ont lentement tissé tant de liens de toutes sortes que Raphaël n'y est plus tout à fait un peintre étranger. Son œuvre a été si longtemps scruté par nos artistes, de Poussin à Ingres, qu'une sorte de filiation s'est établie, non point seulement picturale, mais spirituelle. La vision, la pensée française, pour autant que ces mots aient un sens, ont en Raphaël une de leurs références nécessaires. Au point que pour un Français sa peinture a perdu cette saveur singulière, ces accents inattendus et par là-même exaltants ou séduisants que conservent, après une longue familiarité, Rubens, Rembrandt, ou Michel-Ange lui-même. Raphaël n'est plus senti en France comme parlant un langage étranger. Depuis fort longtemps. Eût-on sans cela conservé depuis un siècle et demi, comme seul décor de la salle du Palais-Bourbon, une tapisserie d'après l'*École d'Athènes ?* Pourrait-on citer un autre pays où l'assemblée nationale délibère devant l'œuvre d'un peintre sans liens directs avec son histoire ? Or personne ne semble même avoir fait cette remarque, tant Raphaël d'Urbin paraît, au même titre que les écrivains latins et les philosophes grecs, l'une des sources de l'art et de l'esprit français.

L'histoire des relations entre la France et Raphaël n'a de parallèle pour aucun autre génie, y compris, malgré l'importance du théâtre en France, pour Shakespeare. Quelque influence que Raphaël ait pu avoir sur l'art allemand, anglais ou espagnol, on n'en retrouverait l'équivalent dans aucun autre pays. Elle s'étend sans interruption sur plus de quatre siècles, elle intéresse le collectionneur autant que l'érudit, le littérateur autant que l'artiste ; et peut-être est-ce à la France que Raphaël doit la pleine affirmation d'une préséance que lui eût volontiers contestée le « campanilisme » italien. De là une sorte d'alliance, fondée sur des affinités électives, si durable et d'effet si réciproque, qu'on peut la dire un véritable mariage entre le génie de Raphaël et le génie français.

Mais les unions les mieux assorties ont leurs vicissitudes. De la lune de miel aux noces d'or, la passion n'y brûle pas toujours des mêmes feux. Aux moments d'exaltation succèdent parfois les malentendus, voire les querelles :

une parfaite égalité n'existe que pour les sentiments tièdes. Essayons d'évoquer, de façon très incomplète et très imparfaite, les principaux épisodes de ce roman.

I

L'histoire commence sans éclat. Rien ne semble d'abord annoncer des liens privilégiés. Un Léonard vient s'installer en France, y reçoit les faveurs du roi, y laisse ses tableaux, ses écrits, des disciples. Raphaël n'y a pas mis les pieds. A Rome, il connaît sans doute quelques Français, comme le Cardinal Gouffier, pour qui semble peint le *Saint Jean-Baptiste* du Louvre. Sur la fin de sa courte carrière, il exécute plusieurs tableaux qu'il sait destinés à la Cour de France. Le *Saint Michel,* la grande *Sainte Famille* de François Ier établissent en France sa renommée, et peut-être auraient-ils provoqué des liens plus directs sans la disparition de l'artiste. Cette mort, le sac de Rome, l'arrivée à Fontainebleau du Rosso, puis du Primatice, conduisent la peinture française, pendant près d'un siècle, sur des chemins voisins mais sensiblement différents.

Longtemps la gloire de Raphaël reste en France mal définie. Il y est connu, parfois imité, mais sans prédilection bien sensible. Un Jean Pélerin, homme d'une génération nettement plus ancienne, semble ne pas ignorer Raphaël. Lorsqu'il introduit dans la troisième édition de son *De Artificiali Perspectiva,* en 1521, la liste des

> « ... *bons amis trespassez et vivens,*
> « *Grans esperiz zeusins, apelliens*
> « *Decorans france, almaigne et italie* »,

il a soin d'y glisser le vers célèbre :

> « *Vuastele, urbain, et l'ange micael* »[1].

On ne saurait guère douter que cet « Urbin » ne soit Raphaël d'Urbain, mort l'année précédente, et dont le nom trouve déjà sa place naturelle auprès de Michel-Ange : mais c'est entre « Vuastele », probablement le peintre strasbourgeois Hans Wechtelin, et l'architecte Simon du Mans, né vers 1450 ; c'est après Fouquet, Mantegna et Hans Baldung Grien. Les gloires du passé balancent les réputations récentes, et l'art européen n'est pas encore réduit à l'art italien. La perspective dut peu changer jusqu'en 1550, où les *Vies* de Vasari désignèrent la peinture italienne pour la seule qui méritât l'attention, et Raphaël pour l'un des grands génies de la peinture.

Ne disposant d'aucune autre référence historique, ouverte à tous les prestiges ultramontains, la France accepte ce dogme. Mais elle est encore bien loin de faire de Raphaël le parangon de tout peintre. Elle s'accorde avec Vasari pour placer en premier le génie de Michel-Ange. Un Blaise de Vigenère, homme d'immense savoir et d'universelle expérience, ne méconnaît pas le mérite de Raphaël. Il cite le *Banquet des dieux* de la Farnésine et loue l'expression des personnages de la *Transfiguration* : mais comme au passage.

Toute son admiration va à Michel-Ange, *« le plus accomply des modernes »* tant en peinture qu'en sculpture, celui *« qui a surpassé en l'une et l'autre toute cette dernière vollée d'excellens maistres depuis que les bonnes arts et sciences commencèrent à se resveiller »*[2].

La figure même de l'artiste reste vague. Chiche en détails, la vie de Vasari n'a pas encore imposé l'image du beau jeune homme aux dons faciles, enclin aux plaisirs et tout particulièrement à ceux de l'amour. En 1559 le Lorrain Pierre Woeiriot grave assez gauchement en hommage à Raphaël un buste apparenté à celui qui se voit dans le prétendu *Portrait de Raphaël et de son maître d'armes* du Louvre ; mais il l'interprète dans le sens de la *terribilità* : tête barbue et chevelue, sourcil froncé et front barré de trois rides. Ce Raphaël-là est manifestement sous le signe de Jupiter ou de Saturne, non de Vénus.

Comment, de ce statut incertain, un siècle après la mort de l'artiste, peut se dégager en France la figure rayonnante du prince de la peinture ? Plusieurs conditions vont jouer, qui dès le départ, en fait, se trouvaient plus favorables à Raphaël qu'on n'eût pu le croire.

Jusque dans la seconde moitié du XVIIe siècle il n'existera pas en France, répétons-le, d'histoire de l'art. Rien ne viendra donc remettre en cause la prééminence italienne affirmée par Vasari. Il suffira que la réaction contre le courant maniériste, longtemps dominant, modifie le goût et modère l'admiration envers Michel-Ange, pour que Raphaël apparaisse le recours naturel. Or les collections royales possédaient, conservé à Fontainebleau où les jeunes peintres n'avaient jamais cessé de venir étudier, un ensemble admirable d'œuvres de Raphaël. Il peut nous paraître aujourd'hui moins important que la série des Léonard, unique au monde : mais enfin François Ier avait réuni le *Saint Michel,* la *Sainte Marguerite,* la *Sainte Famille* et le *Portrait*

I. Henri Testelin, d'après Raphaël
La Sainte Famille de François Ier

II. A. Voet, d'après Poussin
La Sainte Famille

III. Poussin
La Sainte Famille, Ermitage

de Jeanne d'Aragon, auxquels se joignit assez vite la *Belle Jardinière.* C'était assez pour proposer aux artistes comme aux amateurs des exemples divers et prestigieux de l'art de Raphaël. Un Jean Boucher de Bourges, né en 1568, l'un des premiers Français à suivre l'exemple de Pulzone et à rejeter l'enseignement maniériste, trouve dans la *Sainte Famille* de François Ier l'incarnation même de l'idéal que traduira tout son œuvre ; en 1602, revenu depuis peu de Rome où il a étudié Raphaël, il copie amoureusement, dans un beau dessin, la tête de la Vierge et de l'ange, dont le souvenir réapparaîtra souvent dans ses grands retables religieux.

N'en fut-il pas de même, vers 1614-1620, pour Nicolas Poussin ? Tout indique qu'il étudia à Fontainebleau, et il semble de son côté hanté par l'image de cette *Sainte Famille.* On croirait même volontiers que sur la fin de sa vie, volontairement ou inconsciemment, il tenta d'en donner une version personnelle avec les deux *Sainte Famille* peintes pour Chantelou et pour Pointel. Mais nous sommes sûrs qu'il travailla aussi d'après les gravures reproduisant les compositions de Raphaël. Là se trouve un des autres privilèges de celui-ci. Son œuvre avait fait l'objet de nombreuses estampes : or les Français en sont particulièrement avides, des collectionneurs apparaissent très tôt à Paris, et la gravure est en France le plus sûr appui d'une renommée, l'intermédiaire naturel de toute influence. Les feuilles de Marc-Antoine, de Bonasone ou Giorgio Ghisi contribuèrent, bien plus que ses toiles ou ses dessins, à la gloire de Raphaël. L'exemple de Poussin, une fois de plus, en est l'illustration précise. Courtois, Mathématicien du Roi, et qui, au dire de Bellori, habitait dans la galerie du Louvre, *« ayant recueilli en abondance des plus rares estampes de Raphaël et de Jules Romain, les insinua dans l'âme de Nicolas, lequel, avec tant d'ardeur et d'exacte diligence les imitait, qu'il se pénétra du dessin et des formes, non moins que des mouvements et inventions et des autres parties admirables de ces maîtres. Pour cette raison, dans la manière de raconter et d'exprimer une histoire, il parut élevé dans l'école de Raphaël, dont assurément il but le lait, et par lequel il naquit à la vie de l'art »*[3].

Quelques années plus tard, il allait continuer ses études devant les fresques du Vatican. Et là encore nous rencontrons une autre chance de Raphaël : Rome contenait ses plus belles œuvres. Or Rome, par excellence, est la ville fréquentée par les Français. Le courant des voyageurs est continu. Au passage il leur arrive de regarder les trésors de Florence, Venise ou Milan : mais c'est à Rome que les intérêts diplomatiques, religieux ou matériels les conduisent, qu'ils séjournent et parfois s'établissent. C'est avec la Ville Éternelle, où les témoignages de l'Antiquité s'unissent aux chefs-d'œuvre modernes, que se nouent les liens artistiques les plus forts, et ce sont les collections romaines qui servent d'école aux peintres français. Imaginons l'œuvre de Raphaël conservé dans toute autre ville italienne, fût-ce Venise : nul doute que son rayonnement sur l'art français s'en fût trouvé bien moindre.

Michel-Ange mis à part, nul autre artiste ne réunissait pareils avantages. Ils vont jouer à plein dès que le milieu parisien, longuement paralysé par les guerres religieuses, retrouve dans un même élan une économie vigoureuse et sa traditionnelle passion pour les arts. En 1627 encore, un Jules César Boulenger peut hésiter sur le rang de Raphaël. Dans un ouvrage imprimé à Lyon et qu'on néglige d'ordinaire parce qu'il est écrit en latin, les *De Pictura, Plastice, Statuaria libri duo,* parlant des peintres modernes, il déclare hardiment qu'ils ont *« ravi la palme à Apelle et Protogène »* et cite Raphaël d'Urbin pour sa manière agréable d'utiliser les couleurs *(in coloribus suaviter admovendis) :* mais au sein d'une trinité qui comprend Michel-Ange pour la science des contours *(in delineatione),* et d'autre part le Parmesan *« qui dépassait tous les autres pour l'invention » (Parmesanus inventione omnes superabat)*[4]. Boulenger, homme d'une génération ancienne, s'attarde aux admirations de l'école de Fontainebleau. En fait les années 1630 vont voir les hiérarchies se transformer très vite. Il ne sera plus question de cette trinité : entre 1640 et 1655 Raphaël devient définitivement pour les Français le premier de tous les peintres, le modèle insurpassé, le génie même de la peinture.

II

Les symptômes apparaissent de tous côtés. Les amateurs sont peut-être les premiers à entrer en jeu. Tableaux et dessins de Raphaël deviennent la fleur des collections. Il n'est pas besoin d'ajouter qu'en ce temps où la documentation était rare et les circuits commerciaux plongés dans une complète obscurité, spéculations et tricheries se donnèrent libre cours, jusque dans le domaine de l'estampe. En 1651 le graveur Daret pouvait admirer *« la quantité des Tableaux de Raphaël qui sont maintenant à Paris (et) leur continuel changement de mains »* : mais aussi déplorer *« les droguistes ou maquignons de tableaux et de stampes qui en apportent des balles en France pour tromper nos curieux »*, et *« les continuelles falsifications dont les Curieux regratiers accablent incessamment les œuvres de Raphaël Sansio d'urbain pour en tirer du profit ». « La pluspart de ces marchands »*, s'écrie-t-il, *« ignorant la perfection de ces divines œuvres, luy attribuent tous les jours des choses qui ne sont pas de luy, ne faisant point de scrupule de ternir la splendeur de son nom, qu'ils appliquent impudemment sur les ouvrages des autres Maistres anciens, et mesme sur des choses qui sont incompatibles avec sa belle manière de déseigner »*[5]. Gageons que certaines falsifications étaient assez habiles pour nous abuser encore aujourd'hui. Il naquit de là bien des disputes, dont les plus notables ont laissé un écho chez Loménie de Brienne et Félibien. Or les querelles piquent l'intérêt : celles-là ne manquèrent pas d'aviver, dans tout le milieu français, la passion pour Raphaël.

On ne pouvait acquérir tous ses chefs-d'œuvre, chèrement défendus par l'Italie. On se mit à les copier à force. Rappelons quel tracas donne à Poussin, vers 1643, l'équipe des peintres chargés d'exécuter pour Chantelou des répliques de la *Transfiguration,* de la *Madone de Foligno,* et autres tableaux insignes. Ces copies, dues à d'excellentes mains comme celles de Chaperon, d'Errard ou de Pierre Mignard, étaient jugées dignes de figurer dans les plus grands cabinets. On put bientôt, sans faire le voyage de Rome, avoir une idée assez précise de presque tous les chefs-d'œuvre de Raphaël. Non point seulement à Paris, mais en province. Cette assiduité à reproduire Raphaël ne cessera qu'à la fin du XIXe siècle. Il en subsiste quelque trace aujourd'hui : un musée comme celui de Dijon conserve à lui seul, dans ses réserves, non moins d'une vingtaine de copies d'après Raphaël, dont deux *Transfiguration* et trois *École d'Athènes*... Plusieurs — dont assurément les meilleures — datent du XVIIe siècle.

Mais dans la diffusion de l'œuvre l'estampe joue un rôle encore plus efficace. Dès 1635 Rémy Vuibert, peut-être à l'instigation de Poussin, grave à Rome quatorze pièces des allégories de la Chambre de Constantin au Vatican, et les quatre sujets rectangulaires de la Chambre de la Signature. En 1636 Sébastien Vouillemont publie une suite des Apôtres, puis deux épisodes du *Massacre des innocents* en 1641, le *Parnasse,* et divers autres sujets. Scalberge en 1637 reproduit le *Sacrifice d'Abraham* de la Chambre d'Héliodore et le *Jugement de Salomon* de la Chambre de la Signature. Bientôt, vers 1640, Perrier copie en quatorze planches le plafond et les écoinçons de la Farnésine, et Nicolas Chaperon, arrivé à Rome vers la même date, publie enfin le gros recueil des cinquante-quatre morceaux des Loges qui assurera sa renommée : ni Borgianni, ni Lanfranco et Badolocchio, qui l'avaient précédé, n'avaient réussi à rendre comme lui, sinon la grâce, du moins la richesse et l'harmonie de ces compositions. François de la Guertière complètera l'ensemble par dix-sept planches de grotesques, qu'il dédiera à Jabach. En 1660 Guillaume Chasteau ajoutera encore les quatre *Prophètes* de S. Maria della Pace. C'est l'essentiel des grandes œuvres décoratives de Raphaël qui, en quelques années, se trouve ainsi mis par la gravure à la portée de tous. Que l'on considère les diverses Vierges ou autres tableaux que des graveurs comme Rousselet, Boulanger ou Poilly ajouteront au gré des occasions : après les gravures contemporaines de Raphaël, avant l'ère du néo-classicisme et sa campagne systématique de reproduction, on assiste bien, dans ces années 1635-1660, à une seconde vague de diffusion par l'estampe, non moins abondante, non moins efficace que les deux autres. Il faut reconnaître qu'elle est presque entièrement due à des graveurs français.

Dans le même temps, l'image de l'artiste se modifie. La troisième édition de Vasari, publiée en 1647 à Bologne, met soudain à la portée des Français ce texte fondamental, devenu fort rare, et que les artistes, les amateurs, les lettrés mêmes, ne connaissaient souvent qu'indirectement. Pierre Daret, dès 1651, s'empresse de donner une traduction séparée de la vie de Raphaël en un joli petit in-12 de 132 pages[6]. La première monographie d'artiste parue en France se trouve ainsi être celle du peintre d'Urbin. D'un style alerte et précis, cet *Abrégé de la vie de Raphaël Sansio* n'élude ni les listes de tableaux, ni les allusions à la vie amoureuse de Raphaël, à sa maîtresse et à ses *« dérèglements »*. Il va rendre plus familière l'image de l'artiste, et modifier son visage

IV. Pierre Woeriot, 1559
Portrait de Raphaël

même. En 1649 Chaperon avait encore présenté en frontispice à son recueil des Loges un buste de Raphaël, moins sévère sans doute que celui de Woeiriot, mais enfin grave et barbu. Pour son petit volume, Daret, recopiant la gravure sur bois de l'édition des *Vies,* montre un visage lourd, mais imberbe, environné de longs cheveux bouclés, et d'aspect juvénile. La suite des portraits de Moncornet, vers 1660, va préférer, pour représenter le peintre, le tableau Czartoryski, où la jeunesse se joint à l'élégance la plus raffinée. La *terribilità* michelangelesque s'efface : le peintre apparaît, sous le double signe féminin que lui confèrent la suite des Madones et le cycle de Psyché, comme le symbole même de la grâce. Désormais le mot revient sans cesse. Félibien pourra écrire en 1666 : *« Outre qu'il estoit (...) beau et bien fait de corps, il avoit une grâce, une bonté, et une douceur qui gagnoit le cœur de tous ceux qui le voyoient... »,* ou encore : *« On rapporte de luy qu'il sembloit qu'à sa naissance les Grâces fussent descenduës du Ciel pour le suivre par tout, et luy servir de fidelles compagnes pendant sa vie, ayant toûjours paru gracieux dans ses actions et dans ses mœurs aussi bien que dans ses tableaux »*...[7].

Il restait à ratifier dûment et par écrit une primauté admise désormais, mais enfin qu'avait déniée Vasari. C'est chose faite en 1662 avec l'*Idée de la perfection de la peinture* publiée par Fréart de Chambray.

L'offensive est menée avec une violence qui peut encore surprendre. Vasari, champion de Michel-Ange, est déclaré sans jugement ni sens commun. Tout au plus est-il bon à transmettre les circonstances de la vie des peintres : mais dès qu'il prétend commenter, il fait *« plutôt le personnage d'un Pascariel et d'un Harlequin que d'un Historien ».* En un mot Vasari ne doit être regardé que comme l'*asinus portans mysteria.* Michel-Ange, ainsi privé de son champion, ne saurait plus résister longtemps. Une analyse vigoureuse du *Jugement dernier,* largement inspirée par les vieilles diatribes de Gilio, démontre qu'il

V. Nicolas Chaperon, vers 1649
Chaperon et le buste de Raphaël, détail

VI. Pierre Daret, 1651
Portrait de Raphaël

VII. Anonyme, vers 1650-60
Portrait de Raphaël

n'est qu'un *« génie stérile et pauvre »,* qu'il *« n'a pas le moindre Talent de peintre »* et que, tout *« bon desseignateur »* qu'il soit, *« par l'impertinence de son Esprit en ce qui concerne l'Invention, et ses idées cérébrines qui ne formoient que des expressions vilaines et ridicules »,* il ne saurait prendre rang parmi les maîtres du pinceau. La place est libre pour Raphaël, *« la douceur et la grâce même ».* A *« la pesanteur rustique et lourde »* de Michel-Ange, il oppose *« une gentillesse d'invention noble et poétique »* : c'est lui *« le plus parfait Peintre des Modernes, et le plus universellement reconnu pour tel par ceux de la Profession »*[8].

Pareille intransigeance ne laissa pas de choquer, et plus d'un bon esprit, en France et en Italie, se refusa à dénier tout mérite au peintre de la Sixtine. Félibien en premier, qui crut bon de préciser en 1666 que loin d'être *« de ceux qui ne le croyent pas mériter le nom de Peintre »,* il l'estimait au contraire *« un des grands hommes qui ayent esté »*[9]. Mais le coup avait porté. Michel-Ange était délogé du premier rang, quitte à le conserver dans la sculpture, où l'on trouvait difficilement un rival à lui opposer. Raphaël devenait le prince de la peinture. On ne peut ni s'étonner de cette révolution de palais, ni l'attribuer à la seule humeur belliqueuse de Chambray : depuis plusieurs décennies elle était virtuellement accomplie tant à Rome qu'à Paris. Le pamphlet de 1662 développe des idées qui sont proches de celles de Poussin en 1642 ; et de 1642 à 1656, ne l'oublions pas, la brève carrière de Le Sueur s'était toute entière déroulée sous le patronage de Raphaël.

III

Raphaël, dieu de la peinture ; cette opinion, encore incertaine vers 1635, en 1665 est devenue un dogme. Rapidement le culte s'organise, et la croyance trouve sa justification théorique.

L'étude approfondie de Raphaël avait marqué directement la génération des peintres français qui commencent leur carrière vers 1635-1645 : Le Sueur, certes, mais aussi Bourdon, Le Brun, Loyr. Son patronage va être adopté par l'Académie royale de peinture et de sculpture lorsqu'en 1663, avec la réorganisation provoquée par Colbert, et en 1665, avec la fondation de l'Académie de France à Rome, elle met en place les fondements de l'enseignement moderne des arts. C'est au *Saint Michel* de Raphaël qu'est consacrée la première des Conférences de l'Académie, le 7 mai 1667[10]. C'est pour une bonne part la méditation des tableaux de Raphaël qui sert à Testelin pour établir les tables de préceptes qui composent l'in-folio des *Sentiments,* parus en 1680, et que viennent illustrer, gravés au traits, le *Saint Michel* et la *Sainte Famille* de François I[er][11]. L'une des premières tâches réclamées aux pensionnaires du roi à Rome est de copier les tapisseries de Raphaël au Vatican : de ce travail, précise à Colbert le duc de Chaulnes, le 11 février 1670, on tirera plusieurs avantages simultanés : *« le premier que le Roy pourra avoir de plus belles tapisseries que celles qui sont icy ; le deuxième, que les tableaux seront un bel ornement partout où l'on voudra les mettre, et le troisième que ce sera une escolle pour les peintres, où ils pourront beaucoup profitter »* [12]. A leur tour voici que les pensionnaires de l'Académie de France se mettent à reproduire Raphaël, et ils copieront et recopieront deux siècles durant tous les morceaux conservés à Rome ; jamais peintures au monde n'ont sans doute été plus exactement et plus durablement interrogées par de jeunes artistes que la *Transfiguration*, l'*École d'Athènes* ou la *Galatée*.

Placé au cœur de la pédagogie, Raphaël l'est aussi au cœur de la réflexion. Faisant écho à Chambray, Le Brun lui-même, en 1667, déclare que *« jamais peintre n'a sçû exprimer un sujet avec plus de grandeur, plus de beauté et plus de bienséance que Raphaël »* : et il cherche à montrer à propos du *Saint Michel*, comme Nicolas Mignard à propos de la *Sainte Famille*, que tous les problèmes posés au peintre trouvent chez Raphaël leur juste solution. L'année précédente, dans ses *Entretiens*, André Félibien avait consacré au maître italien un éloge qui demeure l'un de ses plus beaux morceaux. Lui aussi prenait soin de souligner les mérites si divers du peintre : le choix même de ses sujets *« une beauté d'ordonnance qui ne se rencontre point ailleurs »*, un parti admirable dans *« la disposition des attitudes, des airs de teste, les accomodemens de draperies »*, et sa façon de *« traiter ses sujets avec toute la convenance nécessaire, soit en représentant les coustumes différentes des nations, soit dans les habits, dans les armes, dans les ornemens, dans le choix des lieux, et enfin dans tout ce qui regarde cette partie de bienséance que Castelvetro nomme dans sa Poétique* il costume, *et qui doit estre commune aux grands Poëtes et aux grands Peintres »*. Ces qualités le cèdent pourtant à sa science dans l'expression des passions : *« On voit dans toutes ses figures les actions du corps et les mouvements de l'âme si bien exprimez, qu'il n'y a personne qui ne connoisse d'abord tout ce qu'elles veulent représenter. Et ce qui est tout particulier à cet excellent homme, c'est qu'on ne voit rien de luy où l'on ne puisse remarquer une sage conduite, une force de jugement, une beauté et une grâce admirable : de sorte que non seulement tout y paroist naturel, mais dans un beau naturel »* [14].

Ces mots, d'apparence banale, sont à prendre dans leur plus grande force. Le peintre du Vatican est maître d'une rhétorique sans égale. Pourquoi ? Parce que son langage de peintre emprunte les apparences les plus *naturelles*, donc les plus accessibles à tous et les plus universelles qu'il se peut ; mais ce langage est en fait au service d'une haute inspiration, de ces *idées*, au sens platonicien du mot, où le Beau ne se sépare pas du Vrai et du Bien. Il parut, dit Félibien *« comme une Aigle généreuse s'élever au dessus de toutes les choses visibles, pour contempler des idées plus parfaites dont il formoit ses ouvrages »* [15]. Nous voici loin des règles : au plus secret de l'esthétique « classique » et de sa quête fondamentale. Peut-être aussi au plus près de la création raphaélienne.

Tant que la peinture cherchera l'impossible et nécessaire union des « idées » du peintre et des formes « naturelles », tant qu'elle s'obstinera à traduire l'ineffable de l'inspiration par un langage aussi proche que possible de la réalité, Raphaël restera la référence nécessaire, le point d'équilibre que nul ne peut retrouver, mais qui désigne l'expérience essentielle. L'époque « romantique » le comprendra aussi bien que l'époque « classique », et Delacroix, tout compte fait, parlera de Raphaël à peu près dans les mêmes termes que Le Brun. Au début du XVIIIe siècle la sage versification d'Antoine Coypel ne dit pas autre chose :

« Par les charmes touchans des simples veritez
« Il s'élevoit toujours aux sublimes beautez...[17]

et en 1832 le génie de Balzac, dans l'éblouissant développement du *Chef d'œuvre inconnu,* lui rend le même hommage : chez lui, dit-il, la forme est *« un truchement pour se communiquer des idées, des sensations, une vaste poésie. Toute figure est un monde, un portrait dont le modèle est apparu dans une vision sublime, teint de lumière, désigné par une voix intérieure, dépouillé par un doigt céleste... »*[18].

C'est peut-être parce qu'elle avait clairement conçu ce privilège de Raphaël que la France demeura si profondément attachée à son génie.

IV

Cette fidélité ne signifie pas une admiration totale et sans nuances. A mesure que les goûts et les courants se succèdent, les sentiments se modifient quelque peu. Il est des moments où la passion pour Raphaël renaît plus forte et plus sincère que jamais ; d'autres où elle tend à devenir simple révérence qui procède surtout de l'habitude et de la convention. Il arrive même que cette gloire paraisse bien encombrante.

Sur la fin du XVIIe siècle la peinture française incline vers des intérêts nouveaux. Le souci de moderniser l'inspiration et de renouveler les charmes du pinceau passe au premier rang : or il fallait pour cela oublier quelque chose de la grande tradition. Watteau, Boucher ou Fragonard ne la renieront jamais : et c'est dans la tension entre le besoin de liberté et de détente et le rappel aux exigences les plus hautes que leur génie trouvera ses plus parfaites expressions. Reste qu'en tout cela Raphaël pourrait bien gêner. Quand en 1756 Fragonard, nommé pensionnaire à l'Académie de France, se rend à Rome, son maître Boucher lui donne ce conseil : *« Mon cher Frago, tu vas voir en Italie les ouvrages de Raphaël et de Michel-Ange ; mais je te le dis en confidence et comme ami : Si tu prends ces gens-là au sérieux, tu est un garçon f... »*. Le mot est-il apocryphe ? Il est vrai que le baron Portalis, qui le rapporte, ne donne pas ses sources[19]. Mais Lenoir, témoin plus proche, déclare qu'à peine arrivé en Italie Fragonard fut saisi, découragé, paralysé par les exemples des grands maîtres : *« En voyant les beautés de Raphaël, j'étais ému jusqu'aux larmes, et le crayon me tombait des mains... »*[20]. Il lui fallut trouver des intercesseurs comme le Baroche, Cortone, Solimène ou Tiepolo. Par quoi le bon Frago rendait à Raphaël l'hommage le plus éclatant : mais un hommage ambigu. La même distance se retrouverait sans doute chez bien des peintres, depuis le temps de

La Fosse jusqu'à celui de Doyen. Elle apparaît parfois dans la critique d'art, assortie d'hommages réitérés.

Roger de Piles avait montré l'exemple. Lorsqu'il s'était posé — dès 1665-1670 — en admirateur inconditionnel de Rubens, lorsqu'il avait, à l'Académie même, livré bataille réglée pour faire reconnaître sa gloire et imposer la préséance du coloris sur les autres mérites de la peinture, il avait bien pris garde à ne pas pousser trop loin la critique de Raphaël. C'est contre les sages Poussinistes que la cohorte des Rubénistes va lutter ; c'est le culte de Poussin que tentent d'incriminer leurs critiques. Quant à Raphaël, pour l'essentiel on se contente de rappeler que touchant le coloris il ne saurait être invoqué comme une autorité incontestable : *« Un grand nombre de Curieux et d'Amateurs de la Peinture »*, soulignera de Piles en 1699 dans son *Idée du Peintre parfait, « ont conservé sur la foy d'autruy ou sur l'autorité des Auteurs cette première Idée qu'ils ont reçûe, savoir que toute la Perfection de la peinture étoit dans les Ouvrages de Raphaël. Les Peintres Romains sont aussi demeurés la plûpart dans cette opinion, et l'ont insinuée aux Étrangers... (Or) quoy que Raphaël ait inventé très ingénieusement, qu'il ait dessiné d'une Correction et d'une Élégance achevée, qu'il ait exprimé les passions de l'âme avec une force et une grâce infinie, qu'il ait traité ses sujets avec toute la convenance et la noblesse possible, et qu'aucun Peintre ne luy ait disputé l'avantage de la primauté dans le grand nombre des parties qu'il a possédées, il est constant néanmoins qu'il n'a pas pénétré dans le Coloris assez avant pour rendre les objets bien vrais et bien sensibles, ni pour donner l'idée d'une parfaite imitation »*[21]. Pour se voir refuser l'absolu de la perfection, Raphaël n'en est pas moins traité avec égards. Les réflexions que de Piles ajoute sur son œuvre se terminent elles aussi par ce mot-clef : *la Grâce. « Ce don de la Nature luy avoit été fait avec tant de plénitude, qu'il l'a répandue généralement dans tout ce qui est sorti de son Pinceau, et qu'il n'y a personne qui luy puisse disputer, si ce n'est le Corrège ; et si la Grâce a réparé ce qui manquoit à celuy-cy du côté de la régulatité du Dessein, Raphaël en a fait un usage qui a mis dans un beau jour la profonde connoissance qu'il avoit, non seulement dans cette partie, mais dans toutes celles qui luy ont attiré la réputation du premier Peintre du monde »*[22].

En 1708 Roger de Piles publiera sa *Balance des peintres,* qui lui a valu tant de railleries, et qu'il faut comprendre davantage comme un divertissement que comme un classement de pédant[23]. On y trouve résumée l'opinion du vieux critique qui a tracé la voie à tout le XVIIIe siècle. Chose remarquable, Raphaël est le seul peintre qui obtient deux fois — pour le « dessein » et pour l' « expression » — la note 18, réservée à ceux qui *« ont le plus approché de la perfection »*. Rubens lui-même ne l'atteint qu'une seule fois (à égalité avec le Guerchin, mais le chiffre est suspect) pour la « composition », où Raphaël n'a que 17. Un 12 pour le « coloris » (mais Poussin n'obtient que 6, et Le Sueur 4) rabaisse fort le total de Raphaël ; il arrive pourtant au même que Rubens, 65, soit bien loin devant tous les autres peintres : 58 seulement pour les Carraches et le Dominiquin, 56 pour Le Brun, 55 pour Van Dyck, 53 pour le Corrège, Poussin et... Francesco Vanni. Le Titien n'arrive qu'à 51, et Rembrandt, pourtant une découverte de Roger de Piles, à 50. Visiblement l'auteur de la *Balance* n'a pas voulu détrôner Raphaël : mais plutôt proposer à la peinture un dieu *bifrons*, qui semble préfigurer la division en « classique » et « baroque » inventée par notre temps.

La plus rude attaque surgit d'un autre côté : le nationalisme. Il fallait bien qu'il intervînt quelque jour. Or ce ne fut pas au XVIIe siècle, au temps où la France cherche à ravir à l'Italie la palme des arts ; ce ne fut pas au XIXe, alors que tous les pays se referment sur leurs traditions particulières : mais en plein Siècle des lumières.

Un petit ouvrage paru en 1752, les *Réflexions critiques sur les différentes écoles de peintures par M. le Marquis d'Argens*, prétend secouer toutes les vieilles traditions, ouvrir sur l'art un œil sans préjugé, et du même coup revendiquer la préséance des Français sur les étrangers, Italiens comme Flamands. Il le fait avec toute la bonne conscience d'une peinture française qui connaît sa supériorité actuelle sur tous les autres pays, et qui croit à la modernité et au progrès. Dénonçant la jalousie des Italiens contre les peintres français, la constante partialité des Français en faveur de l'Italie, et la passion aveugle des collectionneurs, d'Argens n'hésite pas à rallumer, cette fois sur le territoire de la peinture, la querelle des Anciens et des Modernes. *« Il y a en France »*, écrit-il, *« comme partout ailleurs, des gens qui sont partisans si outrés de l'antiquité, que rien n'est beau, selon eux, que ce qui n'a point été fait dans leur siècle ; il est donc naturel que ces gens donnent la préférence aux anciens Peintres Italiens qui sont, eu égard à nos Peintres François, ce que les Grecs et les Latins sont à nos Orateurs et nos Poètes, puisqu'il ne nous reste rien des anciens Peintres de la Grèce et de Rome... »*[24].

Voilà qui vise directement Raphaël. La démonstration s'ouvre donc sur un parallèle entre Raphaël et Le Sueur. Chaque point est examiné à son tour. *« Les pensées de Raphaël sont simples, élevées, naturelles : celles de Le Sueur le sont aussi. — Le dessein de Raphaël est correct, varié selon les convenances et toujours avec goût ; celui de Le Sueur a les mêmes qualités. (...) — Raphaël a montré son génie dans de grandes compositions ; Le Sueur n'a pas moins fait éclater le sien dans de très grands ouvrages, comme dans le tableau de S. Paul prêchant à Ephèse (...). — Le Sueur a peu connu le clair obscur ; Raphaël en a peut-être eu encore moins de connoissance (...). — Le Sueur a eu la couleur foible ; Raphaël l'a eu aussi, et quelquefois moins suave. — Le Sueur, à force de vouloir paroitre délicat, a quelquefois donné une proportion trop foible à ses figures ; Raphaël, à force de vouloir être correct, a donné de la sécheresse à ses contours, et les a marqués un peu durement. — Le faire de Le Sueur n'est point aussi beau que celui de quelques peintres qui ont excellé dans cette partie ; le pinceau de Raphaël est sec, de l'aveu même de M. de Piles. — Les païsages de Le Sueur sont d'un bon goût ; ceux de Raphaël, au jugement du même M. de Piles, sont très médiocres (...) Non seulement Le Sueur entendoit mieux le Païsage que Raphaël, mais (...) il composoit même quelquefois d'une façon plus galante et plus pictoresque que le Peintre Romain »*. Et d'Argens de conclure : *« Nous ne doutons pas que la comparaison que nous venons de faire ne paroisse, je ne dis pas singulière, outrée, mais même insensée à plusieurs Italiens. Comment cela ne serait-il pas, puisque, lorsqu'on leur parle de Le Sueur, ils affectent non seulement de n'en connoître pas les Ouvrages, mais même le nom. Nous leur conseillons donc, avant de nous croire dépourvus de goût et de connoissance, de venir voir à Paris les Ouvrages de Le Sueur, comme nous allons à Rome voir ceux de Raphaël. Alors, s'il est possible qu'ils se défassent de leur préjugé, ils verront que nous avons à Paris un Peintre, qui peut être justement comparé à Raphaël »*[25]. Ici encore, il s'agit moins d'un paradoxe tout original que d'une pensée qui se dessinait depuis longtemps. La renommée de Le Sueur ne cessait de croître, dépassant celle de Le Brun et de Poussin lui-même. Le temps de Boucher trouvait dans ce Français du XVIIe siècle une référence plus accessible que l'œuvre d'un maître italien vieux de quelque deux siècles et demi, et dont bien des intentions devenaient difficiles à pénétrer.

Le plaidoyer ne passa pas inaperçu, et l'on pourrait en découvrir des échos durables. Quelque cent ans plus tard, en 1853, quand Victor Cousin parle des cartons de Raphaël conservés à Hampton Court, il professe plus pour eux la plus haute admiration, et déclare qu' *« on n'en peut parler, on n'en peut faire la moindre critique qu'à genoux (...) Rien de plus noble, de plus magnifique, de plus imposant, de plus majestueux... »* Mais il avoue que, d'une certaine manière, il préfère Le Sueur. Devant ces cartons *« l'esprit est saisi, charmé à la fois et transporté ; mais l'âme, avouons-le, la nôtre du moins, n'est pas aussi satisfaite. Nous supplions qu'on veuille bien comparer le sixième carton, évidemment un des plus beaux, représentant la prédication de saint Paul à Ephèse, avec le tableau de Le Sueur (...) L'un, du premier coup et dès le premier aspect, vous emporte dans les régions de l'idéal ; l'autre frappe moins d'abord, mais attendez, considérez-le bien, étudiez tous les détails puis revenez sur l'ensemble : peu à peu l'émotion vous gagne, et elle va sans cesse en augmentant (...) Soyez sincère, et dites de quel côté est l'effet moral... »*[26]. Plus d'un Français, ouvertement ou secrètement, sentait comme le philosophe.

Mais si la gloire de Le Sueur gagnait à ce parallèle, celle de Raphaël n'y perdait guère. Le livre du marquis d'Argens, à la vérité, était tombé mal à propos. Déjà se dessinait le retour à la grande peinture d'histoire, dont la conséquence naturelle fut un regain de prestige pour le peintre des *Stances*. L'œuvre de Vien, Suvée, Ménageot ou Peyron ne se conçoit pas sans la méditation de Raphaël. L'appel simultané à Poussin, à Le Sueur, loin de lui nuire, ramène vers lui les regards ; le voici débarrassé de ses vrais rivaux, rétabli seul prince de la peinture. Pour les jeunes artistes français il redevient le patron naturel et nécessaire, d'autant moins suspect que justement il est étranger et d'un siècle déjà lointain. Un Diderot, qui le connaît assez mal, semble-t-il, ne perd pas une occasion d'invoquer son nom pour accabler Hallé ou Van Loo, Pierre ou Parrocel. Bientôt le triomphe de David et le grand courant néo-classique portent l'enthousiasme et la vénération à un point jamais atteint, même peut-être au temps de Mazarin. Les doutes et les réserves qui se multiplient depuis un siècle ne sont plus de mise. *« Raphaël, homme divin ! »*, s'écrie de nouveau David, et il paraît naturel à Taillasson d'écrire en

1807 : *« En parcourant une galerie de tableaux, lorsqu'une fois on a été vivement touché par les beautés d'un ouvrage de l'Apelle moderne, on est bien refroidi sur ceux de presque tous les autres peintres ; ce qu'on avoit admiré un instant avant ne fait plus aucune sensation ; et tout ce qui n'est qu'ordinaire et mortel est repoussé par un esprit rempli de beautés célestes (...) Si tout doit périr, et les productions des hommes et ldeurs noms ; s'il est vrai que tout ce qui fut la richesse, l'honneur et l'amour de tant de siècles doive disparaître pour jamais, le nom fameux de Raphaël est celui de tous les peintres modernes qui surnagera le plus longtemps sur l'océan terrible de l'oubli »*[27].

V

Ce ne sont pas là des propos vides. Taillasson était peintre : et la peinture presque tout entière revient alors à l'*École d'Athènes* et à la *Tranfiguration* comme à des fontaines de Jouvence. Une nouvelle fois l'art de Raphaël — représenté au Louvre durant l'Empire comme il ne le fut et ne le sera jamais — marque l'art français de son empreinte. L'œuvre entier d'Ingres va en apparaître comme la méditation, et d'une certaine manière la recréation. Ce tempérament puissant et sensuel cherchera constamment à unir aux recherches modernes la grâce et la « solitude calme » de Sanzio. Baudelaire y verra un *« adultère agaçant »,* et Gustave Planche un échec, mais un de ces échecs d'où naît la grandeur de l'artiste. Jamais sans doute peintre n'a reçu d'un autre génie, à trois siècles de distance, un hommage plus total que Raphaël de la part d'Ingres.

Nous pardonnera-t-on de reprendre ici une anecdote dont nous n'avons pu vérifier le détail ? Rioux de Maillou, dans les *Souvenirs des autres,* raconte longuement et fort joliment la colère furieuse d'Ingres devant la restauration décidée par Nieuwerkerke de ce tableau sacré entre tous qu'était le grand *Saint Michel* du Louvre[28]. Le vieux maître se précipite dans un fiacre, arrive en trombe à Saint-Cloud, tempête pour voir à l'instant Napoléon III, obtient que l'Empereur sorte du conseil des ministres, exige sur le champ une défense absolue de toucher au tableau de son cher Raphaël. L'empereur signa la défense, et Ingres, vainqueur et calmé, put la rapporter à Paris. Peu importe que les bonnes langues aient sans doute un peu dramatisé la chose, et que Rioux l'ait contée avec plus d'esprit que de scrupule historique. Peu importe qu'Ingres se soit peut-être fourvoyé, et que la restauration ait été moins criminelle qu'il l'avait d'abord pensé. L'histoire donne la mesure, et de la passion d'Ingres pour Raphaël, et de la vénération de tout le siècle. Ce vieil artiste qui oublie les convenances pour un tableau en danger, cet empereur quittant le conseil des ministres pour complaire à un grand peintre et parce qu'un Raphaël est en jeu : l'anecdote vaut bien celle de Charles-Quint ramassant le pinceau du Titien.

Qu'elle ait couru d'atelier en atelier suffirait à prouver que, de Napoléon Ier à Napoléon III, la gloire de Raphaël — *« Dieu descendu sur la terre »,* disait Ingres à son tour[29] — demeure à son zénith. N'imaginons pas pour autant cette divinité figée désormais dans une froideur néo-classique. Le XIXe siècle est le siècle de l'Histoire : loin de se contenter d'un Raphaël hors du temps, il va donner à son image une dimension nouvelle.

C'est pour une part, comme on peut s'y attendre, l'œuvre de l'érudition. En 1824 Quatremère de Quincy, répondant avec quelque retard aux souhaits du néo-classicisme, publie un gros volume de 480 pages, aussi documenté qu'il était alors concevable[30]. La grande étude de Passavant, publiée à Leipzig en 1838, et dont l'érudition attentive substitue à l'œuvre de Quatremère une biographie et un catalogue tout modernes, est traduite en français et publiée à Paris en 1860, dans une version considérablement corrigée et augmentée, qui constitue la véritable somme sur l'artiste, et qu'on peut, aujourd'hui encore, consulter avec intérêt[31]. Vingt ans plus tard, en 1881, Eugène Müntz publie à son tour un gros volume qui fait date[32]. L'œuvre apparaît désormais dans toute son ampleur, et la figure du peintre commence à trouver sa vérité historique. A ce travail essentiel la France avait aussi apporté une contribution de premier rang.

Mais l'histoire n'était pas seule à remodeler la figure de Raphaël. Le temps était venu, où le créateur intéressait par lui-même. L'artiste devient sujet de tableau pour l'artiste. Comment Raphaël, prince de la peinture, eût-il échappé à cette passion nouvelle ? Vasari n'avait pas légué sur lui des anecdotes aussi frappantes que celle du jeune Giotto gardant son troupeau, ou de Filippo Lippi séduisant une nonne. Sur le thème des enfances du peintre, il fallait se contenter de l'apprentissage chez le Pérugin : Evariste Fragonard montre le vieux maître accueillant l'enfant conduit par son père, et les sculpteurs évoquent jusque sur les pendules ou comme dessus-de-cheminée le page bouclé plus savant déjà que les plus savants peintres. A l'autre bout de la carrière, la mort de Raphaël offre à Harriet, pour le Salon de 1800, à Monsiau pour celui de 1804, à Bergeret pour celui de 1806, l'occasion de donner une réplique à la mort de Léonard de Vinci peinte pour le Salon de 1781 par Ménageot. La leçon très morale de l'amitié entre artistes pousse Odevaere à prendre pour thème Bramante introduisant Raphaël à la cour de Jules II. Mais c'est principalement Raphaël peintre de la femme qui va retenir les artistes. Horace Vernet, en 1832, évoque Raphaël en train de dessiner dans la cour du Vatican une jeune romaine et son enfant saisis dans la pose d'une madone. En 1812 Ingres avait choisi le Cardinal Bibiena offrant sa nièce en mariage, symbole de la récompense du génie. Avec moins de réserve, on brodait sur les quelques lignes où Vasari faisait allusion aux amours du peintre, et sur le portrait de femme demi-nue où la tradition reconnaissait sa maîtresse. Ingres, qui avait projeté de peindre toute une série illustrant la vie de Raphaël, songe à d'autres liens que ceux du mariage lorsqu'il décrit le peintre assis devant son chevalet et tendrement enlacé par la Fornarina. Léon Bénouville médite longuement la première rencontre de Raphaël et de sa maîtresse : et c'est pour traduire non sans naïveté l'émoi d'un jeune rapin devant la belle boulangère aux formes plantureuses et à l'indifférence équivoque...

VIII. Ingres
Les fiançailles de Raphaël
Paris, Louvre, Cabinet des Dessins

IX. Ingres
Raphaël et la Fornarina
Columbus, Museum of Art

X. Delaroche
Raphaël
Paris, Louvre, Cabinet des Dessins

En marge de Vasari s'organisait ainsi une sorte de biographie illustrée de Raphaël que l'érudition dénonçait vainement comme suspecte. Combinant et recomposant les reflets de ses œuvres sur le mode poétique, elle installait dans la pensée du public un personnages conforme au goût du XIXe siècle pour le luxe, le calme et la volupté. Cette grâce souveraine, dont on avait fait le privilège de l'artiste, se confondait peu à peu avec la grâce physique, et l'inspiration du peintre avec la vocation amoureuse. Un témoignage fort oublié, mais fort révélateur, est offert par Méry dans son *Raphaël, Comédie historique en trois actes et en vers,* qui fut publiée à Paris en 1851[33].

Méry n'était ni poète, ni historien : mais bon versificateur, il connaissait son public, et lui offrit l'image qui pouvait lui plaire. On est d'abord quelque peu surpris par l'intrigue, brochée sur la phrase où Vasari affirme que Chigi, pour obtenir que Raphaël achevât le décor de la Farnésine, y logea sa maîtresse. Avec Méry, le banquier Chigi devient le comte Farnèse, amoureux des arts comme ne peut l'être qu'un grand de la Renaissance. Raphaël lui a promis de peindre sa galerie, mais oublie ses pinceaux, épris qu'il est de Rosa, sorte d'Agnès enfermée par un vieillard de comédie. L'intrigue repose tout entière sur les moyens plus ou moins recommandables qui permettent à Farnèse, entremetteur improvisé, d'offrir à Raphaël l'objet de son amour et de lui rendre ainsi le goût de la peinture. Singulier portrait : d'un bout à l'autre de la pièce apparaît un Raphaël indolent, frivole, égoïste et adulé :

> « ... *Oh, les yeux d'une femme,*
> « *Sourire, volupté, voilà ce qui m'enflamme,*
> « *Voilà ce qui me fait artiste !* »

Pourtant son amour même n'est qu'un caprice que déguisent mal les beaux prétextes platoniciens, et le Comte n'a guère d'illusions :

« Beppo, l'amour de l'âme est une belle chose ;
« Mais je connais ton maître, et déjà ce moment
« Du chaste adorateur fait un profane amant... »

La pièce s'achève sur une sorte d'apothéose — le paradis païen de la Farnésine transformé en tableau final pour Folies-Bergères — et sur ces paroles de Raphaël :

« L'art, la femme, le bal, la gloire, la folie,
« Toutes ces choses-là, c'est nous, c'est l'Italie ».

Cette fois, chez le peintre des plus fameuses Vierges, plus rien qui ressemble à la spiritualité d'un Fra Angelico. Derrière le jeune voluptueux de Méry se devinent l'ombre redoutable de l'Arétin, le fâcheux souvenir des scènes libertines de Jules Romain, des planches libres de Marc-Antoine, dont les convenances bourgeoises professaient hautement l'horreur. Comment concilier ce personnage-là avec la *Sainte Cécile,* avec la *Madone de saint Sixte ?*

Dans la version du *Raphaël et la Fornarina* conservée à Colombus, répétition destinée à l'architecte Duban et datée de 1840, Ingres, derrière le couple enlacé, place bien en évidence, contrastant avec les épaules nues de la Fornarina, le tableau religieux le plus fameux du peintre, la *Transfiguration.* Qu'a-t-il voulu par ce rapprochement ? Évoquer l'alliance de l'amour profane et de l'amour sacré, ou leur antagonisme ? Montrer l'artiste inspiré par l'amour, ou détourné par l'amour d'un chef-d'œuvre qu'il n'achèvera jamais ? Faut-il lire l'envie ou la réprobation dans le regard que jette sur les amants la silhouette vêtue de bure qui passe dans le fond (et qui ne ressemble guère au Jules Romain qu'on y veut parfois reconnaître) ? Le privilège du peintre est de ne pas répondre. Mais l'intention ne peut faire de doute. Car d'autres, à cette date, mêlant problèmes plastiques et jugements moraux, entraînaient la gloire de Raphaël dans un nouvel avatar.

VI

Le XIXe siècle apporte, avec le développement des perspectives historiques, la redécouverte des peintres « primitifs ». A l'exemple du cardinal Fesch, collectionneurs et artistes s'intéressent chaque jour davantage aux siècles de peinture qui ont précédé Raphaël. Dans l'atelier même de David, le groupe des « Barbus » se passionne pour les vases « étruques » et les peintures « gothiques », et y découvre un type de beauté qui s'écarte aussi bien de l'*Incendie du Bourg* que de l'*Enlèvement des Sabines.* Se contente-t-il de rappeler, comme Artaud de Montor, que *« quatre siècles avant Raphaël, on avait su déjà mettre de la grâce dans les compositions (et dessiner) avec correction et pureté*[34] », de condamner, comme un Paillot de Montabert, l'époque qui suit Raphaël ? Lorsqu'on voit Maurice Quai s'écrier à propos d'Euripide *« Van Loo !*

Pompadour ! Rococo ! », et prêcher le retour direct à Homère, on peut penser que Raphaël, au moins le Raphaël des Stances, lui apparaissait aussi l'exemple d'un art décadent. L'immense *École d'Apelle* de Jean Broc, peinte en 1800, demeure un hommage à l'*École d'Athènes* de Raphaël ; mais à la même date l'*Ossian chantant ses poèmes* de Duqueylar rejette tout ce qui pouvait paraître l'apport essentiel des fresques du Vatican : l'organisation du récit, l'enchaînement des formes, la subtilité des équilibres et du jeu coloré. Ingres lui-même avait-il entièrement échappé à cette recherche d'un art « déraphaélisé » ? Il ne renia pas, nous dit Amaury-Duval, l'étrange *Vénus blessée par Diomède,* peinte peut-être vers 1805, qu'il déclarait seulement « un péché de jeunesse »[35]. Or il y a dans cette peinture bien plus qu'une stylisation à la Flaxmann, et les chevaux s'inspirent davantage des vases à figures rouges que de la *Rencontre de saint Léon et d'Attila.* Certains de ses élèves, tel Amaury-Duval lui-même, donnèrent facilement dans ce qu'on commençait à nommer le « gothique » ou le « chinois », juxtaposant les teintes plates, filant une arabesque musicale, refusant de « muscler ». Il faudra faire l'histoire plus précise de ces « Nazaréens français », qui regardent, comme les Nazaréens allemands, Fra Angelico plutôt que le Raphaël de la *Transfiguration.* Mais ce qui restait une tentation plastique et ne semblait pas menacer une gloire universellement reconnue, va prendre un sens polémique par un amalgame plus complet avec le sentiment religieux.

En 1836 un François Rio, l'une des figures les plus originales de la pensée artistique française du XIXe siècle, mais aussi, par ses voyages et sa connaissance des langues, de la pensée européenne, fit paraître à Paris un livre intitulé *De la poésie chrétienne*[36]. L'ouvrage traitait en réalité de l'art en Italie. Il faisait l'étude et l'éloge de toute la peinture qui va des catacombes à Raphaël et Michel-Ange : mais s'arrêtait avec ces deux maîtres, c'est-à-dire, pour Rio, au seuil de la grande décadence. *« Tous deux »*, écrit-il, *« déposèrent dans leurs écoles respectives des germes dont le développement fut à la fois cause et symptôme de la dépravation du goût public »*. Raphaël avait donné de grands exemples d'art chrétien : *« le domaine de l'idéal mystique (qu'il a) si glorieusement exploité »* trouve avec ses Madones quelques-uns de ses plus hauts chefs-d'œuvre. Mais a-t-il jusqu'au bout cultivé cet idéal ? *« Le contraste est si frappant entre le style de ses premiers ouvrages et celui qu'il adopta dans les dix dernières années de sa vie, qu'il est impossible de regarder l'un comme une évolution ou un développement de l'autre. Évidemment, il y a eu solution de continuité, abjuration d'une foi antique en matière d'art, pour embrasser une foi nouvelle »*. On ne saurait parler tout uniment de Raphaël : cette courte vie voit se succéder deux maîtres, l'un *« sublime »*, l'autre engagé déjà dans les ténèbres de la corruption.

Montalembert, rendant compte du livre de Rio à qui le liait une vive et profonde amitié, s'empare aussitôt de cette idée et pousse la démonstration à ses conséquences logiques : *« Nous admettrions volontiers avec M. Rio (que Raphaël) a porté l'art chrétien à son plus haut degré de perfection, si nous n'étions attristés et révoltés, même en présence de ses chefs-d'œuvre les plus purs, par la*

XI. Savinien Petit
Étude d'Ève, 1840
Paris, coll. part.

pensée de sa déplorable défection. Il est certain que nul n'a réuni à un si haut point que lui toutes les qualités les plus variées, pendant les dix premières années de sa carrière : mais c'est justement parce qu'il a le mieux conçu et le mieux pratiqué la sainte vérité, qu'il est plus coupable d'avoir volontairement embrassé des erreurs profanes. Quoique les tableaux de sa première manière soient les plus beaux du monde, on ne doit pas dire qu'il a été le plus grand des peintres, pas plus qu'on ne pourrait dire qu'Adam a été le plus saint des hommes, parce qu'il a été sans péché dans le paradis ». Car il y a eu reniement et chute. *« Le rapprochement entre la* Dispute du Saint Sacrement *et le poème du Dante est naturel et juste : cette fresque est en effet un véritable poème en peinture. Pourquoi faut-il qu'aussitôt après l'avoir terminée, Raphaël ait cédé aux suggestions du serpent ? »* Et Montalembert de conclure en réclamant de Rio la suite de son ouvrage : *« Nous avons hâte de lui voir porter, au nom de la foi et de la poésie chrétienne, un jugement logique et sévère sur Raphaël, le Raphaël de la* Fornarina *et de la* Transfiguration *»*[37].

Cette *Transfiguration* que Félibien avait porté si haut et que Poussin tenait, si l'on en croit Bellori, avec la *Communion de saint Jérôme* du Dominiquin, pour le plus haut chef-d'œuvre de la peinture ! Cette *Transfiguration* qu'Ingres, précisément dans l'année qui suit la parution du livre de Montalembert, met en évidence derrière la Fornarina... Voilà renversées toutes les idées sur Raphaël. On le louait d'avoir pleinement rétabli la peinture : on l'accuse à présent d'en avoir préparé la ruine. On admirait, à la suite de Vasari, que de la manière « sèche » de ses premiers tableaux il se fût si vite haussé au grand style des Stances : c'est maintenant la première période qui fait tout son mérite, et il faut détourner les yeux de ses derniers tableaux. *« Il commence par le* Sposalizio *et finit à la* Dispute du Saint Sacrement *»*, affirme Rio : après quoi l'on ne constate plus que *« la dégradation précoce du génie »*. On avait cru voir en lui l'alliance de la grâce humaine et de la grâce divine : il devient celui qui, après s'être élevé au plus sublime, a sombré dans les bassesses du *« paganisme »* et du *« matérialisme ignoble »*.

Ces mots, ces idées traduisaient une foi militante, et le grand effort de rechristianisation de la France. Leur écho est d'abord à chercher auprès des artistes qui y participent directement, comme le groupe réuni autour de Lacordaire et du Père Besson, et les adeptes de la Société de saint Jean, dont Rio fut l'un des fondateurs. Mais le milieu de la peinture parisienne dans son ensemble, même si les commandes religieuses abondaient, s'en tenait le plus souvent à une foi mesurée, quand il ne conservait pas les vieux principes voltairiens ou maçonniques, bien représentés à l'Institut. Ces attaques trouvèrent leur véritable résonance en Angleterre avec les Préraphaélites. Rio, familier des salons de Londres, y avait obtenu plus d'audience qu'en France. C'est Ruskin qui, reprenant au compte de l'esthétique les critiques de Rio, dénoncera à son tour *« les beautés écœurantes de Raphaël »* et *« son art à la fois insipide et empoisonné »*, qui désignera la Chambre de la Signature comme le lieu même *« où la décadence intellectuelle et la décadence de l'art ont commencé pour l'Italie »*[38]. Henri Delaborde, au nom de la France, lui répliquera durement dans la *Revue des Deux-Mondes,* en ajoutant : *« Quelles qu'aient pu être en matière d'art les erreurs de la critique française, jamais on n'a eu à lui reprocher de pareilles témérités. Si même un homme se fût rencontré parmi nous qui, pour la nouveauté du fait, eût imaginé de s'en prendre au génie de Raphaël, sa fantaisie, à coup sûr, n'eût pas trouvé de complices »*[39]. On était alors en 1858, et peut-être Delaborde était-il de bonne foi en négligeant les propos de Rio et de Montalembert.

Il en restait pourtant des traces, d'autant plus profondes que peu visibles. La gloire de Raphaël avait sans doute peu souffert, sa prééminence n'était guère remise en cause : mais de plus en plus les tableaux des dernières années passaient pour suspects d'annoncer les Carraches, et tout un XVIIe siècle jugé comme la décadence de l'art. Les frères Goncourt, en 1855, n'hésitent pas à louer publiquement Raphaël (peut-être pour mieux critiquer Ingres...) ; son nom suffit pour eux à dire *« la ligne, toute la ligne, ses élégances et ses puretés, et ses virginités, le trait divin presque, la conquête humaine du beau... »*[40]. Mais leur *Journal,* à la page du 4 mai 1867, révèle des sentiments bien différents à la vue de la *Transfiguration : « La plus désagréable impression de papier peint que puisse donner une peinture à l'œil d'un peintre... Dans tout cela, pas une lueur, pas seulement l'instinct du sentiment qui chez les moindres primitifs, chez tous ceux qui précédèrent Raphaël, chez Pérugin, chez le Pinturicchio et chez tous, donne à ces scènes l'expression d'émotion et presque de componction, cette sainte placidité dans l'étonnement du miracle, angélisant, pour ainsi dire, les yeux de ceux qui regardent. Chez Raphaël, la Résurrection est purement académique, le paganisme y passe partout (...) Cela, chrétien ? Je ne connais pas de tableau donnant au catholicisme un style qui lui est plus contraire et le défigurant plus par l'image de la matérialité. Cela, plus une représentation d'un fait surnaturel, d'une légende divine ? Je ne connais pas de toile qui l'ait traduit dans une page plus commune et dans une beauté plus vulgaire »*[41]. Il est clair que depuis 1855 les Goncourt ont lu Rio, sans doute dans l'édition de 1861, bien plus répandue que celle de 1836.

De plus en plus les Français vont porter sur Raphaël un regard prévenu par Fra Angelico et le Pérugin, et qui désormais distingue mal dans ses œuvres les plus célèbres cette « grâce » dont il demeure portant le symbole. La contradiction est sentie. Une solution s'offrait : attribuer cette « matérialité » aux « attouchements ignobles » de Jules Romain. Historiens et amateurs, dans leur souci plus ou moins conscient de retrouver un Raphaël « pur », renvoient bientôt tout ce qui compromet l'image traditionnelle au compte des collaborateurs. Les « connaisseurs » triomphent, et les tableaux des dix dernières années sont péremptoirement découpés entre deux ou plusieurs mains. Mais le premier Raphaël trouve lui-même, avec les primitifs de Sienne ou de Toscane, des rivaux aux charmes plus divers, et qui prêtent à l'enthousiasme de la découverte. A partir du livre de Müntz, paru en 1881, et de la célébration en 1884 du IVe Centenaire de la naissance de Raphaël, commence, au sein d'une gloire en apparence intacte, une lente désaffection.

VII

Au long de ce siècle les critiques vont devenir de moins en moins fréquentes : mais pareillement les éloges. Les Français révèrent toujours Raphaël : ils le regardent de moins en moins. Sa présence ne cesse guère de s'estomper.

Relayant copies et gravures, la photographie multiplie à l'infini les œuvres de Raphaël : mais elle les rend banales. Le grand emploi qu'en fait longtemps la propagande religieuse les englobe dans cette masse où se confondent le meilleur et le pire et qu'on raille ou dénonce sous le terme d' « art sulpicien ». Le sublime de la *Vierge de saint Sixte* sert à trop de médailles ou d'image de première communion pour être encore senti comme sublime. De son côté l'intérêt des amateurs, des marchands, des érudits mêmes, peu à peu se trouve étouffé par la célébrité du peintre. Désormais les tableaux sont presque tous entrés dans des musées. Il avait fallu l'énergie et la fortune du duc d'Aumale pour ramener en France, en 1869 et 1885, deux Raphaël d'entre les plus illustres : et ces coups d'éclat ne se renouvelèrent plus. La plupart des originaux sont clairement désignés parmi les multiples versions, et le tri semble fait entre attributions bonnes ou douteuses. La dernière grande querelle remonte à 1850, lorsqu'apparut le petit *Apollon et Marsyas,* considéré comme un Timoteo Viti par Passavant, par d'autres comme un Francia, exalté par Morris Moore comme un chef-d'œuvre de la jeunesse de Raphaël, accepté comme tel par nombre de critiques et presque tous les peintres (dont Ingres, Delacroix et Flandrin), et entré sous ce nom prestigieux au Louvre en 1883. Débat passionné, qui dura plus de quarante ans et n'est pas entièrement clos de nos jours, mais qui, en fin de compte, compromit quelque peu la gloire du maître : il fallut un jour convenir que cette poésie subtile, cette délicatesse de pinceau qu'on venait de louer comme désignant nécessairement la main de Raphaël, revenaient peut-être au Pérugin ou à quelque peintre du même temps[42]. Quant aux dessins, bien rares ceux qui se trouvaient encore en collection particulière, plus rares encore les enchères qui en offraient à la convoitise des collectionneurs. Léon Bonnat put en trouver quelques-uns à Milan, Francfort, Vienne, ou même Paris : mais c'était Bonnat, et sa passion n'hésita pas à donner dix mille francs, à la fin du siècle dernier, pour cette simple *Étude de deux jeunes hommes nus* qui avait appartenu à Mariette et à Chennevières, et qui est aujourd'hui l'une des perles de son musée. Il fut le dernier Français qui réunit quelques belles feuilles de Raphaël. Or c'est toujours une épreuve difficile pour la gloire d'un artiste que le moment où le marché de l'art se détache de lui.

Dans le même temps les artistes se détournent de Raphaël. Ils cessent assez vite d'interroger ses compositions, comme si les problèmes posés par le peintre des Stances ne les intéressaient plus. Le *Traité de la figure* d'André Lhote, si intelligent et si juste, fait appel aux frères Limbourg, à Van Eyck, à Signorelli, au Tintoret : mais Raphaël n'apparaît pas dans l'illustration du livre. On fait souvent commencer la peinture contemporaine au *Déjeuner sur l'herbe* de Manet, exposé au Salon des refusés de 1863 : œuvre symbolique.

Manet emprunte sa composition à un détail du *Jugement de Pâris* de Raphaël gravé par Marc-Antoine, puisant à cette source illustre comme tant d'autres peintres français l'avaient fait durant trois siècles ; mais il en nie tout ce qui était proprement raphaélien, la liaison harmonieuse des formes, le refus de l'anecdote, le souci de rejoindre l'universel. Peu importe que par d'autres voies et sous d'autres espèces il ait réussi à retrouver ce qu'il avait lui-même rejeté : c'est dans cette direction que la peinture française poursuit sa course, c'est en tournant le dos à Raphaël que les Impressionnistes, les Nabis, les Fauves, les Cubistes, ont cherché et trouvé leurs idées et leur langage. Mépris qui n'était souvent que prévention : on sait l'étonnement de Renoir lorsqu'il aperçut au Pitti la *Vierge à la chaise : « J'étais allé à ce tableau pour « rigoler » : et voilà que je me trouve devant la peinture la plus libre, la plus solide, la plus merveilleusement simple et vivante qu'il soit possible d'imaginer, des bras, des jambes avec de la chair vraie, et quelle touchante expression de tendresse maternelle ! Et lorsque, revenu à Paris, je parle à Huysmans de la* Vierge à la Chaise, *celui-ci de s'écrier : « — Allons, bon ! encore un qui est pris par le bromure de Raphël ! ». Et cet autre, n'est-ce pas Gervex ? qui, toujours à propos de mon admiration pour Raphaël : « Quoi ! vous allez maintenant donner dans l'art pompier ? »*[43]. Mais peut-être cette prévention était-elle nécessaire pour qu'une inspiration neuve pût apparaître, et que fussent explorées toutes les possibilités d'un langage nouveau...

On devine que le temps des copies est fini. Les toiles du Louvre, jadis sacrées, ne sont plus guère regardées, et bientôt leur présence dans les salles n'apparaît plus tout à fait indispensable. Le *Saint Michel,* dont la restauration avait naguère provoqué tant de bruit, put quitter les cimaises sans que personne y prit garde. Il suffit bientôt de trois ou quatre Raphaël pour satisfaire le public. Le Louvre d'aujourd'hui est le musée de la *Joconde :* non pas celui de la *Sainte Famille,* ni même de la *Belle Jardinière.* Mais n'en va-t-il pas de même du Vatican ? Le développement du tourisme, depuis 1960, a mis à la portée de tous les Français ces trésors romains que tant d'artistes, jadis, n'avaient pu voir qu'au prix de longues privations. Mais la foule des visiteurs passe vite dans les Stances, et — belle revanche pour Michel-Ange — c'est à la Sixtine qu'est réservée toute l'émotion. Quant à la Farnésine, située à l'écart des grands circuits touristiques, combien se soucient d'aller y voir l'*Histoire de Psyché* et la si fameuse *Galatée ?*

Depuis un siècle, Raphaël n'a pas suscité une passion française. Barrès réserve son enthousiasme pour le Greco, et Foucault pour Velasquez : d'autres pour Vermeer ou La Tour, Goya ou Cézanne. Il y aura encore quelques belles pages écrites en langue française sur Raphaël : toutes, d'Henri Focillon à André Chastel, sont dues à des historiens d'art. Dans les *Voix du Silence,* qui servirent de Bible artistique à la génération de l'après-guerre, Malraux n'accorde à Raphaël qu'une très petite part. Piero della Francesca, Léonard, Michel-Ange, Franz Hals, Vermeer, Manet ou Delacroix l'arrêtent longuement : Raphaël est évoqué comme par hasard, à propos d'autres peintres. Mais, lucide, André Malraux reconnaît qu'une longue faveur et des imitations sans nombre empêchent désormais de sentir chez Raphaël *« l'accent corrosif de la création » : « Supposons le nom de Raphaël oublié comme l'était celui de* Vermeer *lorsque Thoré vit pour la première fois la* Vue de Delft, *et qu'on retrouve, dans quelque église écartée ou au grenier du Pitti, la* Vierge à la chaise : *on éprouverait aussitôt le sentiment qu'éprouvent devant ce tableau les spectateurs peu sensibles à Raphaël dont je suis : celui du génie »*[44].

Aveu, qui est sans doute un plus bel hommage que tant d'éloges convenus. Mais en même temps un diagnostic, désignant avec sûreté le malaise et les causes du malaise. Raphaël, peintre de la grâce, peintre des équilibres subtils et des nuances ineffables, a mal supporté un siècle de vulgarisation.

VIII

Cette longue histoire de Raphaël et la France s'achève-t-elle sous nos yeux ? Nous voici parvenus au cinquième centenaire de sa naissance. Les manifestations serviront-elles seulement à dissimuler un vide, à marquer une fin ?

Non, sans doute, pour l'érudition. L'histoire de l'art devrait de nouveau s'attacher à préciser la figure d'un peintre que sa célébrité même a trop souvent soustrait à ses recherches, et l'on souhaite que la France reprenne ici la place qui était jadis la sienne. Au demeurant, elle n'arrivera pas aux cérémonies d'anniversaire les mains vides. La masse de documents nouveaux apportés dans ce catalogue même par Jean-Pierre Cuzin et Dominique Cordellier suffirait à le prouver. Et, tout compte fait, sera-t-il un autre pays qui, pour cette commémoration, puisse inscrire au catalogue de l'artiste deux tableaux retrouvés, un précieux fragment du retable de *Nicolas de Tolentino* récemment identifié par Sylvie Béguin et acquis par le Louvre, et surtout le plus important de tous les tableaux perdus, cette très fameuse *Madone de Lorette* disparue depuis des siècles, et si heureusement identifiée dans les collections de Chantilly ?

Mais l'histoire de l'art peut rappeler la présence d'un artiste, éclairer son œuvre et les intentions qui l'ont guidé : elle ne saurait par elle seule entraîner un nouvel intérêt, rallumer l'enthousiasme. Il y faut autre chose. Quoi qu'on prétende, il n'y a pas d'art pour l'art, et l'admiration n'est jamais gratuite. Le spectateur ne s'intéresse qu'aux tableaux qui lui apportent quelque chose, qui répondent à une question, inconsciente souvent, mais essentielle pour lui. Sinon, pour célèbres qu'ils soient et présents dans les livres et les lieux les plus fréquentés, il ne les *voit* pas. Notre époque peut-elle encore *voir* Raphaël ? Qu'a-t-il à lui apporter ?

Au bout de cinq siècles, tant de problèmes ont changé que la peinture du temps de Jules II peut paraître définitivement renvoyée aux délices gratuites de l'archéologie. Les cinquante dernières années ont achevé de ruiner beaucoup des valeurs auxquelles avait cru Raphaël et croyaient encore nos grands-parents. L'expression artistique elle-même a moins évolué de Raphaël à la jeunesse de Picasso, qu'elle n'a fait des vingt ans de Picasso à sa mort. Art informel, art minimal, art conceptuel, art gestuel : quel rapport subsiste avec le peintre des Stances, quelle sorte de leçon irait demander à Raphaël le jeune artiste qui expose un tube de métal, un chiffon froissé, une boîte d'excréments, ou sa propre gesticulation ? L'un nie l'autre. — Mais une négation est aussi une réponse. Et Raphaël peut justement apparaître aujourd'hui, au nom même de ses cinq siècles de gloire, comme le symbole d'un art différent, d'une attitude humaine différente. Par chacun de ses tableaux il peut interpeller notre époque et lui demander à son tour : cette attitude est donc caduque ? n'y voyez-vous plus rien qui vous concerne ?

A plusieurs reprises, dans l'histoire de l'art français, Raphaël a déjà tenu ce rôle. Quand le Maniérisme offrit le spectacle d'une imagination qui se prend à ses propres fantasmes et se vide peu à peu de tout contenu, Raphaël a rappelé aux Français la nécessité d'un art qui fût dialogue : il en naquit Poussin et Le Sueur. Lorsque le Romantisme et le Réalisme donnèrent trop aux idées ou trop à l'imitation de la nature, Raphaël a servi d'exemple pour retrouver le juste équilibre d'un art qui fait sa part au sensible et sa part à l'esprit. Dans notre siècle même, si parfois cette lente désaffection dont nous avons parlé a laissé place à quelque regain d'intérêt, c'est dans les moments où l'inquiétude surgissait au spectacle de ruines que nulle construction neuve ne semblait devoir remplacer. Ainsi, au lendemain de la Grande Guerre, le nom de Raphaël resurgit soudain. Derain, qu'on ne pouvait accuser de timidité académique, écrit dans le *Matin* que Raphaël est *« le plus grand incompris »*, et Bissière proclame dans le numéro 4 de *L'esprit nouveau* : *« Nous sommes à un moment de l'histoire de l'art où notre race, ayant fourni un effort considérable et ayant subi des convulsions incroyables, éprouve le désir de s'apaiser, de faire le total des trésors qu'elle a amassés. En un mot, nous aspirons à un Raphaël, ou du moins à tout ce qu'il représente de certitude, d'ordre, de pureté, de spiritualité »*. Ces déclarations eurent plus d'audience qu'on ne le croit. Picasso pourrait bien avoir alors interrogé Raphaël. Et peut-être accordera-t-on quelque jour la place qui lui revient au groupe surnommé *la bande à Dupas*, qui réunit autour de ce dernier, dans les années vingt et trente, de jeunes peintres comme Despujols ou Robert Pougheon. Ils cherchèrent, sans refuser pour autant certaines conquêtes récentes, à retrouver un univers coloré et poétique, souvent proche de celui de Giraudoux, où fussent exaltés la beauté des corps, le charme féminin et le bonheur de vivre. Cet éloge d'un monde où le tragique est oublié reste l'un des grands exemples donnés par Raphaël. Qu'ils se soient tournés vers lui, il suffirait pour en témoigner de tel dessin où Pougheon, reprenant la tradition des Jean Boucher et des Ingres, mais avec un graphisme cubiste, étudie le visage de la *Madone au chardonneret*...

Pour mieux saisir ce rôle de Raphaël, il suffit de remonter un peu plus haut, à l'aube du siècle, et de relire les écrits d'un peintre qui compte alors parmi les plus audacieux, mais aussi les plus intelligents : Maurice Denis. Il venait de peindre des tableaux où il avait atteint les limites de l'expression par la couleur, et touché aux frontières de l'abstraction. En janvier 1898, il est à

Rome. Cherchant à voir clair dans ses pensées, il s'adresse à Raphaël, que d'abord il n'avait guère apprécié. *« Maintenant je commence à comprendre Raphaël »*, écrit-il à Vuillard, non moins incertain que lui, *« et je crois que c'est une étape notable dans la vie d'un peintre »*. Puis une semaine plus tard : *« Raphaël (...) théorie du beau idéal, absolu. Effort pour la raison et la science vers le style, qui est, comme me souffle Gide, un système de subordination. Je songe aussi à l'expression « style châtié », un demi-calembour qui donne bien l'idée d'une pénitence perpétuelle, et j'arrive ainsi à comprendre que l'art classique est fait de sacrifice, aux dépens, si vous voulez, des dons naturels, du travail instinctif (...) »*. Faisant un retour sur lui-même et sur ses amis, il ajoute : *« Depuis le symbolisme, le travail de l'artiste est devenu plus subjectif que jamais. Toute émotion peut devenir un sujet de tableau (...) La vie se passe à tenir une sorte de journal en peinture, et trop vite fait, une sorte de sténographie des sensations quotidiennes. Certainement Raphaël ne procédait pas ainsi »*. La conclusion ressemble déjà à une décision : *« Dans le premier cas, le nôtre, il y a exagération de l'individu et son originalité, le travail capricieux, irrégulier, saccadé, selon la vie elle-même. Dans le cas de Raphaël, l'homme disparaît tout à fait dans l'œuvre »*[45].

L'analyse que Denis appliquait ainsi à lui-même et à ses amis vaut plus encore pour notre époque — y compris le cas où l'artiste fait mine de se cacher derrière l'anonymat de la géométrie. Et pour définir les termes de comparaison, l'appel à Raphaël demeure de nos jours tout aussi précieux. Bien des jeunes peintres, interrogeant ses œuvres, entendraient sans doute la même réponse que Denis au Vatican. Qui peut encore ignorer l'embarras où la plupart se trouvent, et leur aspiration à trouver, à construire une nouvelle forme de peinture qui brise avec l'art à la mode, ses gentillesses puériles, ses perpétuelles et ennuyeuses trouvailles ? Le public, de son côté, cherche de nouveaux critères de jugement. Comme par le passé, Raphaël est celui qui peut désigner d'autres fondements pour la création, d'autres raisons de croire en la peinture. L'occasion du cinquième centenaire, attirant l'attention, permettra-t-il de retrouver en lui l'exemple d'un art qui visait à l'essentiel, croyait en lui-même, et pensait pouvoir enfermer sur une toile une certaine forme de vérité ? Raphaël, là-dessus, a encore beaucoup à dire à l'art français, et le dialogue séculaire peut continuer.

Jacques Thuillier

1. Viator (Jean Pélerin, ca. 1435-40—1524), *De Artificiali Perspectiva*, 3e édition (Toul, 1521), page de titre.
2. Blaise de Vigenère, *La suite de Philostrate*, Paris, 1597 (*cf.* éd. de 1602, fol. 103 v°, 104).
3. Gio Pietro Bellori, *Le vite de'pittori, scultori et architetti..., Roma, 1672, p. 491.*
4. Julius Caesar Bulengerus (Jules César Boulenger), *De pictura, plastice, statuaria libri duo*, Lyon, 1627, p. 108.
5. Pierre Daret, *Abrégé de la vie de Raphaël Sancio d'Urbin, très excellent Peintre et Architecte...*, Paris, 1651, pp. 11-12 et 1-2.
6. Pierre Daret, ouvrage cité à la note précédente.
7. André Félibien, *Entretiens sur la vie et sur les ouvrages des plus excellens peintres...*, Entretien II (Paris, 1666) ; *cf.* éd. 1690, t. I, pp. 249 et 218.
8. Roland Fréart, sieur de Chambray, *Idée de la perfection de la Peinture...*, pp. 103-107, pp. 65-70, et *passim.*
9. André Félibien, ouvrage cité à la note 7 ; éd. cit., t. I, p. 216.
10. « Première conférence tenue dans le cabinet des Tableaux du roi, le samedi 7 mai 1667 » (sur le Saint Michel de Raphaël, par M. Le Brun) ; dans André Félibien, *Conférences de l'Académie Royale de Peinture et de Sculpture pendant l'année 1667*, Paris, 1668.
11. Henry Testelin, *Sentimens des plus habiles peintres sur la pratique de la peinture et sculpture mis en table de préceptes*, Paris, 1680, in fol.
12. Lettre du duc de Chaulnes à Colbert (datée de Rome, le 11 février 1670), Bibl. nat., Ms. Colbert 155, fol. 31 ; reproduite dans la *Correspondance des Directeurs de l'Académie de France à Rome... publiée... Par M. Anatole de Montaiglon*, t. I, Paris, 1887, p. 25.
13. Charles Le Brun, dans la Conférence sur le *Saint Michel* citée note 10.
14. André Félibien, Second Entretien, ouvrage cité à la note 7 ; éd. cit., t. I, pp. 217-18, p. 251.
15. André Félibien, *ibidem*, p. 250.
16. Eugène Delacroix, « Raphaël », *Revue de Paris*, t. XI (1830), p. 138 sqq.
17. « Epistre à mon fils sur la Peinture » (vers 111-112), publiée en tête des *Discours prononcez dans les Conférences de l'Académie Royale de Peinture et de Sculpture par M. Coypel*, Paris, 1721.
18. Honoré de Balzac, *Le chef-d'œuvre inconnu*, Paris, 1832.
19. Baron Roger Portalis, *Honoré Fragonard, sa vie et son œuvre...*, Paris, 1889, p. 19.
20. Lenoir, article « Fragonard », dans la *Biographie universelle ancienne et moderne* (« Biographie Michaud »), t. 15, Paris, 1816.
21. Roger de Piles, « L'idée du Peintre parfait », in *Abrégé de la vie des peintres...*, Paris, 1699, pp. 37-38.
22. Roger de Piles, « Réflexions sur les Ouvrages de Raphaël », in *Abrégé de la vie des peintres...*, Paris, 1699, pp. 180-181.
23. Roger de Piles, *Cours de peinture par principes*, Paris, 1708, tableau ajouté en fin de volume.
24. D'Argens, *Réflexions critiques sur les différentes écoles de peinture*, Paris, 1752, p. 16 (« Des préjugés de certains Connoisseurs François »).
25. D'Argens, *ibidem*, pp. 37-49 (« Sur Raphaël et sur Le Sueur »).
26. Victor Cousin, *Du Vrai, du Beau et du Bien*, 2e édition, 1853, Appendice.
27. Jean Joseph Taillasson, *Observations sur quelques grands peintres...*, Paris, 1807, pp. 142-143.
28. Rioux de Maillou, *Souvenirs des autres*, Paris, Crès, 1917.
29. Amaury-Duval, *L'atelier d'Ingres*, Paris, G. Charpentier, 1878 ; *cf.* éd. Crès, 1924, p. 60.
30. Quatremère de Quincy, *Histoire de la vie et des ouvrages de Raphaël*, Paris, 1824.
31. J.D. Passavant, *Raphaël d'Urbin et son père Giovanni Santi... édition française refaite, corrigée et considérablement augmentée par l'auteur (...) revue et annotée par M. Paul Lacroix*, Paris, Vve Jules Renouard, 1860, 2 vol.
32. Eugène Müntz, *Raphaël, sa vie, son œuvre et son temps*, Paris, Hachette, 1881.
33. Joseph Méry, *Raphaël, Comédie historique en trois actes, en vers*, Paris, Librairie de Paul Dupont, 1851, 84 p.
34. (Artaud de Montor), *Considérations sur l'état de la peinture en Italie dans les quatre siècles qui ont précédé celui de Raphaël*, Paris, chez P. Mongié, 1808, 44 p. ; *cf.* p. 9.
35. Amaury-Duval, *op. cit.* pp. 27-28.
36. François Rio, *De la Poésie Chrétienne dans son principe, dans sa matière et dans ses formes*, Paris, Débécourt, 1836. Un tome II intitulé *De l'art chrétien* parut à Paris en 1855. Une réédition de l'ensemble, avec des modifications considérables, parut en 4 volumes à Paris chez Hachette (1861-1867), puis chez Bray (1874).
37. Charles de Montalembert, « De la peinture chrétienne en Italie. A propos du livre de M. Rio », *Du Vandalisme et du Catholicisme dans l'Art*, Paris, 1839 ; *cf.* p. 112, p. 114, pp. 131-132. Le texte avait d'abord paru en août 1837, dans l'*Université catholique* (20e livraison).
38. John Ruskin, *Lectures on Architecture and Painting*, London, p. 213, etc.
39. Henri Delaborde, « Les Préraphaélites », *Revue des deux Mondes*, t. XVI, 15 juillet 1858, p. 241-260 ; *cf.* p. 242.
40. Edmond et Jules de Goncourt, *La peinture à l'exposition de 1855*, Paris, Dentu, 1855.
41. Edmond et Jules de Goncourt, *Journal;* éd. Robert Ricatte, 1956, t. VIII, pp. 19-20.
42. *Cf.* Francis Haskell, « Un martyr de l'attribution : Morris Moore et l'*Apollon et Marsyas* du Louvre », *Revue de l'Art*, n° 42 (1978), pp. 77-88.
43. Rapporté par Ambroise Vollard, *En écoutant Cézanne, Degas, Renoir*, Paris, B. Grasset, pp. 202-203.
44. André Malraux, *Les voix du silence*, III. La création artistique, Paris, N.R.F. 1951, p. 448.
45. Maurice Denis, *Journal*, Paris, 1957, t. I, pp.133-141.

La fortune gravée de Raphaël en France, aperçu historique et critique

Le succès des œuvres et inventions de Raphaël dans l'estampe fut un phénomène d'une ampleur exceptionnelle pendant près de quatre siècles. Pour être complète l'étude de cette fortune gravée se devrait de commencer par les estampes italiennes de Marcantonio Raimondi et de ses suiveurs romains. L'intérêt manifeste de Raphaël pour ce moyen d'expression, l'opportunité des services que lui offrit Marcantonio, interprète des plus sensibles et des plus brillants, l'organisation commerciale de cette production sous l'autorité de Baverio Carroccio dit Baviera, l'abondance des dessins de Raphaël et de son atelier que les graveurs se procurèrent et reproduisirent jusqu'au Sac de Rome en 1527, furent autant de facteurs favorables à une première floraison d'estampes d'après le maître. Celles-ci ne tardèrent pas à circuler en France, parfois sans doute par l'intermédiaire des graveurs et éditeurs flamands comme Cornelis Cort ou Jérôme Cock.

Les premières gravures françaises d'après Raphaël furent des copies de Marcantonio et de ses élèves : Jean Duvet copia ainsi librement le *Saint Michel* d'Agostino Veneziano et le *Saint Jérôme* de Marcantonio tous deux attribués pour l'invention à Raphaël. Jacques Prévost (Haute-Saône, actif de 1521 à 1580) s'est rendu à Rome et a copié la gravure de Marcantonio, *Eurydice* d'après un dessin inconnu où Mariette voyait une idée de Raphaël ou de Giulio Romano (*Notes manuscrites*. p. 93). Jean Chartier (Orléans, vers 1500/20-1580) a imité dans une planche l'*Homme portant la base d'une colonne* de Marcantonio que l'on croyait dessiné par Raphaël et Nagler (*Künstler Lexikon*, 1835-52, VI, p. 66) citait une copie de *l'Enlèvement d'Hélène* de Marcantonio par Jacques Granthomme (actif à Paris et en Allemagne de 1588 à 1613). Répétées par les graveurs français, les estampes italiennes ont joué un rôle considérable comme modèles dans les diverses formes artistiques au XVIe siècle. C'est peut-être dans le domaine des émaux peints que leur fortune fut la plus éclatante (voir n°s 375-379) ; mais on trouve aussi des échos de ce succès dans le vitrail (voir n°s 372-379), le bas-relief (voir n°s 348-349), l'enluminure (voir n°s 236-237) et bien entendu la peinture.

Bartsch illustré, 1978, 26, p. 139, n° 105

Bartsch illustré, 1978, 26, p. 132, n° 101

Bartsch illustré, 1978, 26, p. 255, n° 262

Bartsch illustré, 1978, 27, p. 148, n° 476

Bartsch illustré, 1978, 26, p. 208, n° 209

Au XVIIe siècle, ces estampes italiennes acquirent une autre valeur. Elles devinrent des pièces de collection dont la cote montait à chaque vente d'art et la plupart des grands amateurs d'estampes et de dessins français au XVIIe et au XVIIIe siècle, A. Ch. Boulle, P. Crozat, P.J. Mariette, Paignon-Dijonval s'efforcèrent de rassembler l'« œuvre complet » de Marcantonio et des suiveurs. L'abbé de Marolles céda ainsi à la Bibliothèque royale, en 1666, les 740 pièces qui constituaient son « Œuvre de Raphaël », ainsi que 570 estampes de Marcantonio, 154 d'Agostino Veneziano et 186 de Marco da Ravenna et du Maître de dé[1]. Ces collections d'images eurent une influence déterminante : c'est à travers elles que l'on jugea de ce qu'était l'œuvre de Raphaël. Peu à peu on l'assimila pratiquement à l'ensemble des dessins gravés par Marcantonio et son atelier, et l'on ne distingua plus entre le style de ces estampes et celui du maître. C'est ce que Bernard Picart, graveur de dessins de Raphaël reprochait aux amateurs ses contemporains : « Ces messieurs ne prennent pas garde, qu'ils confondent la manière de graver qu'ils sont accoutumez de voir dans ces anciennes estampes, avec le goût du peintre ; de sorte que, quand ils voyent une composition de Rafael, dont tous les contours sont tracés d'un trait tout égal et bien noir, et d'une gravure bien fine et bien maigre, sans dégradation ni rondeur, telles que sont les gravures de ce temps-là, ils applaudissent à celà, comme si c'étoit là le goût de Rafael, ce qui est très faux. Ceux qui sont en état de le pouvoir faire, n'ont qu'à confronter les estampes de Marc-Antonio, ou autre, contre les desseins originaux, comme j'ai eu l'occasion de le faire à l'égard de plusieurs et l'on verra qu'ils n'ont rien moins qu'imité exactement. Ils ont même pris la licence de faire des fonds à des desseins qui n'en avaient point, et de finir de leur chef des parties qui n'étaient que légèrement touchées » (*Impostures innocentes,* 1734, p. 3). Pour « désabuser » ces amateurs, Picart grava dans son recueil un dessin de la collection Crozat, une Bacchanale dite la *Marche de Silène* qu'Agostino Veneziano avait gravée deux siècles plus tôt (fig. XII et XIII). Les estampes italiennes furent donc l'une des deux « sources » pour l'étude de Raphaël, la seconde étant fournie par la *Vie* de

Bartsch illustré, 1978, 26, p. 237, n° 240

XII. Agostino Veneziano
La marche de Silène

XIII. B. Picart d'après un dessin attribué à Raphaël
La marche de Silène
Paris, B.N., Cabinet des Estampes

l'artiste écrite par Vasari. Il est d'ailleurs intéressant de constater que ce fut un graveur, Pierre Daret (vers 1604-1678), qui édita le premier une traduction de cette biographie vasarienne en 1651[2] et que les premières exhortations adressées aux jeunes artistes pour qu'ils se forment la main et le goût sur les estampes d'après Raphaël se trouve sous la plume d'un autre graveur, Abraham Bosse[3]. Le rôle de ces estampes ne fut pas neutre : elles incitèrent artistes et amateurs à voir essentiellement en Raphaël un maître du dessin et de l'ordonnance. Symptomatique à cet égard est l'ouvrage de Fréart de Chambray, *L'Idée de la perfection de la peinture* (1662), qui prétend illustrer les principes de l'esthétique « classique » par l'analyse détaillée de quatre estampes italiennes d'après Raphaël, le *Jugement de Pâris,* le *Massacre des Innocents,* la *Descente de Croix* et l'*École d'Athènes.* Des cinq « parties » de la peinture que l'auteur distingue seuls sont véritablement étudiés les aspects intellectuels et « scientifiques » : l'invention ou l'histoire ; la proportion ou symétrie, très proche du « mode » poussinien ; les mouvements ou expression des actions et passions des personnages ; et la « collocation », fondée sur la perspective ; la couleur, « laquelle comprend aussi la juste dispensation des lumières et des ombres », est ainsi évincée — la seule exigence en la matière est la « régularité » — et encore plus, bien sûr, le caractère de l'exécution[4]. C'est l'abondante fortune gravée de Raphaël qui l'a érigé en champion des partisans du « dessin » contre les tenants de la suprématie du « coloris ».

La multiplication des gravures françaises d'après Raphaël fut à la fois la condition d'une meilleure connaissance de l'artiste et le témoignage d'un goût renouvelé pour ses compositions. Si l'on omet les attributions erronées ou douteuses qui furent légion, on peut compter jusqu'à la Révolution un peu plus d'une centaine de graveurs ou éditeurs français d'estampes d'après Raphaël ; leur nombre s'accrut considérablement au XIXe siècle. Presque tous furent essentiellement graveurs de reproduction ; seuls quelques-uns étaient graveurs d'invention, peintres, ou amateurs d'art. On peut estimer qu'un tiers d'entre eux firent le voyage de Rome. La plupart n'ont gravé qu'une seule composition de Raphaël et cette entreprise due à une commande ou à une opportunité, n'est guère significative de leurs goûts et de leurs intérêts. Quelques artistes au contraire semblent avoir délibérément choisi de consacrer leur burin ou leur pointe à la diffusion de ses décors, tableaux ou dessins : tels N. Chapron (no 261), N. Dorigny (no 284) au XVIIe siècle, le comte de Caylus (no 259) au XVIIIe siècle, le baron Boucher-Desnoyers (no 254) au XIXe siècle.

XIV. L. Gaultier d'après le Maître au dé
Le festin des dieux
Paris, B.N., Cabinet des Estampes

La contribution française à l'œuvre gravé de Raphaël fut assez modeste au XVIe siècle. Des graveurs comme le franc-comtois Antoine Lafréry[5] ou le champenois Philippe Thomassin (no 324) exécutèrent, retouchèrent et éditèrent des estampes d'après Raphaël après s'être établis à Rome. C'est à Rome également qu'Étienne Dupérac (vers 1520-1604) réalisa une copie libre du *Jugement de Pâris* de Marcantonio. En France, vers 1550-1590, des ornemanistes comme Étienne Delaune, J. Androuet du Cerceau (no 00) et Léonard Gaultier (no 297 et fig. XIV) copièrent, le plus souvent en les miniaturisant, les estampes de Marcantonio pour le premier, du Maître au dé pour les derniers. L'interprétation du *Massacre des Innocents* de Marcantonio par E. Delaune (fig. XV) est révélatrice des modifications que les burinistes français firent subir aux estampes italiennes. Les contours plus fermés et plus rigoureux, le réseau des hachures plus hardi et plus synthétique (même si l'on tient compte de la réduction d'échelle) accentuent la netteté sculpturale des corps et confèrent à la scène l'aspect d'une chorégraphie pétrifiée. Les aquafortistes de l'École de Fontainebleau n'ont reproduit que de rares motifs raphaélesques : Léon Davent a copié la *Danse de trois faunes et de trois bacchantes* d'Agostino Veneziano ; le Maître I Q V a gravé la *Madone au chat,* d'après le tableau de Giulio Romano (Naples, Museo di Capodimonte) qui démarque étroitement la *Vierge* dite *la Perle* de Raphaël (Madrid, Prado). Enfin une variante de la *Pêche miraculeuse* connue par un dessin (Vienne, Albertina) et une gravure de Battista Franco a été gravée par L. Davent selon Mariette ou par Antonio Fantuzzi selon Herbet (1897, p. 37, n° 81[6]).

Bartsch illustré, 1978, 26, p. 248, n° 250

Bartsch illustré, 1979, 32, p. 170, n° 14

Du début du XVIIe siècle à 1650 environ, graver des œuvres de Raphaël ne relève que de l'initiative personnelle de quelques peintres-graveurs et semble chez eux un fait très épisodique. Ainsi S. Vouillemont (n° 327), P. Scalberge (n° 321), R. Vuibert (n° 328), F. Perrier (n°s 310-311), P. Brébiette (n° 257) ont exécuté durant leur séjour à Rome plusieurs eaux-fortes d'après les décors ou tableaux de Raphaël. La série des *Loges* du Vatican par N. Chapron (n°s 260-261) inaugure un changement. De 1650 à 1730 environ, ce sera la plus grande faveur des estampes d'après Raphaël et ses graveurs travailleront sur des commandes publiques ou privées. On peut distinguer plusieurs

XV. E. Delaune d'après M.-A. Raimondi
Le massacre des Innocents
Paris, B.N., Cabinet des Estampes

XVI. S. Thomassin
La Transfiguration
Paris, B.N., Cabinet des Estampes

« vagues » au cours de cette période. Dans un premier temps des graveurs de profession comme J. Pesne (n° 312), F. de Poilly (n° 313), G. Rousselet (n° 319) gravent des tableaux, essentiellement des Vierges, appartenant à des particuliers. Un peu plus tard, ce furent les décors romains qui furent reproduits, avec beaucoup de soin, par Guillaume Chasteau (les *Prophètes* de Santa Maria della Pace), G. Audran (n° 248), N. Dorigny (n° 284), N. Bocquet (n° 253). Dans un troisième moment, les planches les plus célèbres furent copiées par des praticiens secondaires, telle la *Sainte Famille de François Ier* de G. Edelinck (n° 288) par Jacques Frey, le *Grand Saint Michel* de G. Rousselet par L. Surugue (en 1720), la *Transfiguration* de Simon Thomassin (fig. XVI) par Simon de la Vallée (1680 - après 1730). Vers 1710, à la suite de N. Dorigny qui y grava les sept cartons des *Actes des Apôtres,* de jeunes graveurs français se rendirent à Londres pour y graver les mêmes cartons ou des têtes choisies de ces compositions : ainsi Claude Dubosc, Nicolas de Beauvais, Bernard Lépicié. S. Thomassin (n° 325). Enfin la vaste entreprise du *« Cabinet Crozat »* dont le tome 1er, paru en 1729, comportait 45 estampes d'après tableaux et dessins de Raphaël, clôt cette phase d'intérêt marqué par le maître.

La période 1730 à 1770 environ apparaît en revanche très pauvre et reflète l'absence de goût pour l'art de Raphaël des peintres français contemporains. Les dernières décennies du XVIIIe siècle virent une reprise de la reproduction de ses œuvres, sous le signe de la diversité. L'abbé de Saint-Non grava vers 1770-2, sur les dessins de Fragonard et Ango (voir nos 97-98) des figures extraites des fresques du Vatican et de la Farnésine, qui parurent dans son *Recueil de griffonis.* Jean-Charles François (vers 1750) et Gilles Demarteau (n° 269), vers 1760-1776, donnent les premières gravures en manière de crayon d'après Raphaël. Dans les recueils comme la *Galerie du Palais Royal* (1786-1806) de Jacques Couché ou la *Galerie de Florence* (1789-1807), les images des tableaux de Raphaël furent exécutées par divers artistes de technique traditionnelle (A. Romanet, Ch.-Cl. Bervic). Les réquisitions d'œuvres d'art par les commissaires de la République en Italie et l'exposition dans la galerie du Museum à Paris des plus célèbres retables de Raphaël de 1798 à 1816 allaient susciter une masse considérable de reproductions. Pour le recueil de gravures publié par Landon *(Vie et œuvre complète de Raphaël Sanzio,* 1805) divers artistes dont Pauline Landon, Éléonore Lingée ou Le Bas (n° 305) ont gravé au trait tous les motifs des fresques, tapisseries, tableaux, dessins ou gravures que la tradition la plus généreuse avait pu mettre en rapport avec l'artiste. Parallèlement la fortune gravée de Raphaël bénéficia de l'essor de la lithographie et de l'image populaire.

En schématisant inévitablement, on peut opposer ces quatre siècles de divers points de vue : la technique des planches gravées d'après Raphaël, leur style, la nature des modèles et des sujets et les fonctions et destinations des estampes. Au XVIe siècle, les techniques employées sont généralement pures et le burin domine. Leur style reflète un des caractères majeurs du maniérisme européen, le « primato del disegno ». Reproduisant des gravures ou des dessins, ces planches, par la netteté des tailles et une recherche calligraphique sensible dans l'arabesque des contours et la disposition des hachures, remplissent à merveille leur rôle majeur : servir de modèles aux orfèvres et aux artisans d'art. Dans l'esprit des artistes qui les exécutèrent, les planches d'après les compositions raphaélesques devaient permettre la diffusion d'un style moderne et combattre le mauvais goût « gothique ». Que le sujet en ait été une fable antique, une divinité païenne ou une scène de l'enfance du Christ ou de sa Passion, Raphaël l'avait pareillement formulé en des figures harmonieuses, savamment construites et fortement expressives sans rien perdre de leur beauté idéale : telle était l'esthétique qu'un Delaune ou un J. Androuet du Cerceau se proposaient de répandre dans les ateliers français.

Le siècle suivant a vu des transformations importantes dans l'art de la gravure. On eut de plus en plus recours à des techniques mixtes, l'artiste revenant avec le burin sur une planche préparée à l'eau-forte. Jean Morin (vers 1580-1650 ?), puis Jean Boulanger (1608-1680 ?) qui ont tous deux gravé la *Vierge aux œillets* attribuée à Raphaël, ont introduit la technique du pointillé qui donnait plus de douceur aux chairs. Par les tailles diversement croisées et mêlées de points les graveurs s'efforcèrent de restituer la richesse d'effets d'un tableau, ses valeurs colorées, ses qualités tactiles. Car les modèles sont différents et posent de nouveaux problèmes de traduction : tableaux religieux, vastes fresques historiques et tapisseries du Vatican. Les estampes, vendues par les marchands parisiens de la rue Saint-Jacques, s'adressent à la petite bourgeoisie plus qu'aux métiers d'art. Il est aisé de distinguer plusieurs moments au cours du siècle, d'un point de vue stylistique. La « manière artiste » a d'abord prévalu : un F. Perrier, un P. Brébiette ont insufflé leur esprit aux compositions de Raphaël. Ils leur ont appliqué un travail à l'eau-forte, libre et pittoresque, la manière allusive mise à la mode par les Carrache et leur suiveurs. Vers le milieu du siècle s'est fait jour un souci nouveau d'accorder le style des gravures au style de Raphaël lui-même. Il semble que Poussin a joué un rôle dans ce processus, par les conseils qu'il prodigua à J. Pesne, N. Chapron et F. de Poilly. On pourrait qualifier ce moment de la fortune gravée de Raphaël de classique : la réflexion préside désormais au choix des moyens techniques et sait éviter les démonstrations de virtuosité de praticiens comme la désinvolture des peintres-graveurs, qui mettaient en péril l'unité et le sens même de l'art de Raphaël. A la fin du siècle, la traduction de ses œuvres fut affectée par le « grand goût » et l'habitude des graveurs (G. Rousselet, G. Audran, G. Edelinck) de reproduire les œuvres de Charles Le Brun : de format souvent ambitieux, les planches recherchent l'effet grandiose, les beaux contrastes dans le dessin et les lumières, un dessin qui ait à la fois de la force et du « coulant ». Les grandes planches de N. Dorigny d'après les fresques de la *Loggia de Psyché* à la Farnésine en sont un des plus beaux exemples (fig. XVII). Au XVIIIe siècle l'on assite à la naissance de nouveaux procédés de gravure. Si l'on ne peut citer qu'une gravure en couleur d'après Raphaël (*la Vierge aux œillets,* par Ridé), on voit en revanche de multiples essais pour reproduire des dessins, comme les « manières de lavis » de Ch. N. Cochin et de Nicolas et Vincent Le Sueur pour le *Cabinet Crozat,* ou les clairs-obscurs de P. Lélu (nº 306). La gravure ici ne recherche plus l'équivalent mais l'imitation parfaite, le fac-simile. Ce sont désormais les œuvres plus « intimes » de Raphaël qui intéressent, ses esquisses à la plume, ses études de figures à la sanguine ; et ce sont des graveurs-amateurs, parfois collectionneurs tels Nicolas Hénin, le comte de Caylus ou le comte de Saint-Morys (nº 320) qui ont créé les pièces les plus intéressantes de la fortune gravée de Raphaël au XVIIIᵉ siècle. Mais les planches les plus typiques de l'esprit de l'époque sont sans doute celles de l'abbé de Saint-Non (1727-1791). Adoptant le format exigu des vignettes, leur composition capricieuse, leur dessin accidenté, leurs lumières fragmentées et leur style de drapé chiffonné, expressif dans ses bouillonnements d'un désir de capter le charme de l'instant qui passe, il a rendu preque méconnaissables les groupes de figures prises des fresques du Vatican que ses compagnons de voyage Ango et Fragonard avaient dessinés pour lui à Rome. Depuis les débuts de ce siècle, un autre type de planche gravée était apparu : les têtes d'expression et les principes à dessiner. Ce genre s'inscrit dans la logique des pratiques d'apprentissage dans les ateliers, telles qu'A. Bosse nous permet de les imaginer, où le jeune homme devait d'abord s'appliquer à reproduire des gravures[7]. A la suite du recueil didactique de têtes et d'« extrêmités » d'E.S. Chéron (nº 263), ces planches se multiplièrent au XVIIIᵉ siècle avec le *Recueil de 90 Têtes tirées des sept cartons des Actes des Apôtres* (1722 ; voir nº 325), les planches de Ch. N. Cochin (nº 265) et les grandes études des deux Demarteau (nºˢ 269 et 270). Au siècle suivant, l'académisme et le positivisme combinés amèneront à systématiser le recours à ces images devenues insipides à force de rechercher la perfection du trait (*cf.* nº 305).

XVII. N. Dorigny
L'Amour et les trois Grâces
Paris, B.N., Cabinet des Estampes

Le XIXe siècle s'est parfois caractérisé par un souci de rigueur inédit. L'exactitude des planches d'un F. Forster (n°s 291-292) ou d'un Boucher-Desnoyers a permis de mieux connaître l'art de Raphaël ; certains comme C.F. Gaillard (n° 294) ont même travaillé leurs planches à partir de photographies. En revanche les gravures au trait, contraintes à une épuration draconnienne du dessin, ont incliné Raphaël vers l'ingrisme et en ont fait un modèle dans la recherche de la ligne idéale. Mais les graveurs du XIXe siècle sont coupables de l'instauration d'un grave « malentendu » sur l'art du maître : quantitativement ce sont les images douceureuses, voire langoureuses qui dominent : les madones à la peau satinée, les saintes à l'œil humide, les jeunes gens angéliques de l'époque romantique, ont préludé à toute une imagerie « sulpicienne » dont il est encore aujourd'hui difficile de faire abstraction. Entre l'ennui que dégagent certaines estampes d'une froide perfection (Richomme, Dien) et le malaise que procurent les interprétations d'un Julien, où nous ne reconnaissons pas la force et la vivacité des figures de Raphaël, nous aurions tendance à privilégier les quelques artistes (Vivant Denon, P.N. Bergeret) qui ont continué à mettre de l' « esprit » dans la gravure.

La fortune gravée de Raphaël en France reflète de façon particulièrement aigüe les ambiguités de la gravure de reproduction. Les estampes d'après ses œuvres ont été avant tout des substituts : substitut d'un dessin original pour les artisans du XVIe siècle ; substituts d'une œuvre unique et autographe pour le public qui achetait des estampes dans le quartier de la place Navone à Rome ou dans les boutiques de la rue Saint-Jacques à Paris ; substitut de l'original pour l'historien d'art. Cette fonction a donc peu à peu fait naître l'exigence d'une fidélité absolue à l'œuvre reproduite, facilitée par les ressources croissantes des techniques de gravure (jusqu'à l'héliogravure). Mais parallèlement a existé une tradition de gravure « artiste », le graveur faisant souvent passer la beauté de la technique ou le goût régnant avant le respect du style de Raphaël ; et la beauté intrinsèque de nombreuses estampes d'après Raphaël, leur rareté, en ont fait également des objets de curiosité artistique.

Miroirs le plus souvent déformants, les gravures françaises d'après Raphaël ont oscillé entre l'hommage le plus respectueux au maître, illustré par les planches si soignées et si « accordées » du *Cabinet Crozat,* et l'exploitation la plus éhontée de son art. Le XVIe siècle a emprunté ses figures ; le XVIIe siècle lui a demandé, à travers les estampes, des leçons de composition et d'expression ; le XVIIIe siècle a inséré quelques morceaux choisis de ses œuvres parmi des études dessinées de Boucher ou de Carle Van Loo ; le XIXe siècle a achevé la « mise en pièces », poussant l'analyse des secrets de son art jusqu'à la simplification quelque peu « anesthésiante » des gravures au trait et jusqu'à l' « atomisation » des planches de pieds et de mains tirés de ses ouvrages et donnés à copier aux jeunes artistes. L'essor de la photographie allait bientôt rendre caduques ces pratiques. Enfin artistes, historiens d'art ou simples touristes allaient pouvoir disposer de reproductions « objectives » et être confrontés à la complexité de l'art de Raphaël. Si les photographies furent d'abord, en raison de limitations techniques et d'un certain goût, des images un peu « interprétées » (nous pensons aux tirages sepia des clichés Braun ou Alinari, à leur aspect « velouté »), les images que nous offre aujourd'hui l'édition d'art nous permettent, grâce à leurs détails agrandis, d'éprouver la fascination du collectionneur qui peut s'approcher et examiner à loisir sa Madone ou son portrait peint par Raphaël.

Martine Vasselin

1. Michel de Marolles, *Catalogue de livres d'estampes...*, 1666, Paris, pp. 20-21 et 36-37.
2. *Abrégé de la Vie de Raphaël Sansio d'Urbin...*, traduit d'Italien en François par P. Daret graveur, Paris 1651. Cet ouvrage fut textuellement repris en 1675 à Lyon par Isaac de Bombourg sous le titre : *Recherche curieuse de la Vie de Raphaël Sansio d'Urbin.*
3. *Sentiments sur la distinction des diverses manières de peinture, dessin et gravure...*, Paris, 1649 (éd. R.A. Weigert, 1964, p. 137).
4. Op. cit. p. 10.
5. A. Lafréry (1512-1577) a joué un rôle non négligeable dans la diffusion des estampes d'après Raphaël et de certains motifs inventés par ses élèves mais gravés sous son nom. Il a ainsi édité ou réédité certaines estampes du Maître au dé, dont les quatre planches d'après les tapisseries des *Jeux d'enfants* (Bartsch illustré, 1982, 29, pp. 189-192, 32-35, avec le nom de Raphaël) ou *Enée sauvant Anchise* (Bartsch illustré, 1982, 29, p. 288, 72, dérivé de *l'Incendie du Bourg),* la *Madone de Lorette,* gravée par Giorgio Ghisi (Bartsch, 1813, XV, 5) et deux planches de Cornelis Cort, la *Transfiguration* et la *Bataille aux éléphants* (motif de *l'histoire de Scipion* de Giulio Romano, attribué à Raphaël en raison de la lettre).
6. Mariette, *Notes ms.*, p. 137. La gravure nous semble en effet plus proche du style de Léon Davent.
7. « Le disciple : — Pour satisfaire à votre désir, je vous dirai que lorsque je commençai à portraire ou dessiner, ce fut sur de bonnes estampes ou tailles-douces, gravées au burin, et d'autres à l'eau-forte, et ce avec du charbon, afin de pouvoir facilement effacer les faux traits que je ferais ». *Le peintre converty aux précises et universelles règles de son art,* 1667 (éd. Weigert, 1964, p. 45).

Raphaël et l'art français : Introduction au catalogue

Cette exposition voudrait représenter, idéalement, l'hommage des artistes français à Raphaël : le parti adopté dans ce catalogue pour le groupement de ses illustrations, classées en fonction des œuvres de Raphaël dont plus ou moins directement elles se réclament, le montre assez. Le propos semblera présomptueux, puisqu'au-delà des copies et dérivations de toutes sortes, du croqueton à la tapisserie des Gobelins, de la gravure d'interprétation à la transposition sculptée, et jusqu'au photo-montage, il importait de montrer quelle fut la portée des œuvres de Raphaël sur les arts en France. Un Raphaël dont l'image a pu varier d'une époque à l'autre selon les œuvres qu'on lui attribuait et qui sont aujourd'hui parfois reconnues comme de Sebastiano del Piombo, ou bien de Giulio Romano ou d'autres élèves. Et l'art français est ici représenté, du Bolonais Primatice au Bolonais Adami, dans le sens large habituel à un pays qui aime, dans le domaine artistique, accueillir autant qu'emprunter,

Que cette enquête soit partielle va sans dire : un tel sujet mériterait plusieurs gros livres. Mais il s'agit ici d'une exposition, où l'essentiel est de donner à voir. Les œuvres réunies ici seraient une proposition d'illustration, déjà copieuse, pour un livre qui traiterait aussi de ce que ce catalogue aborde à peine : Raphaël chez les critiques d'art et les théoriciens, Raphaël et l'enseignement des beaux-arts, Raphaël et les écrivains, Raphaël et l'imagerie. Regrettons simplement de n'avoir qu'à peine suggéré ce dernier aspect, et d'avoir délibérément laissé de côté celui, dérisoire ou touchant, d'un Raphaël parfois « récupéré » par le négoce ou la politique, et longtemps omniprésent dans l'art religieux, de l'image de missel au vitrail, de la statue de plâtre ou de « carton romain », à la médaille de baptême ; la figure de Raphaël qui eut dans l'art français la plus populaire diffusion, c'est peut-être l'angelot accoudé de la *Vierge Sixtine*. A côté de tant d'images savantes, il y a (il y avait) un Raphaël de tout le monde, bon marché et familier, un Raphaël des églises, des maisons et des cimetières. Il se trouvait dans la maison de Landru, accrochée peut-être non loin de la célèbre cuisinière, une copie de la *Vierge à la chaise* ![1] Cet aspect n'est évoqué ici que par quelques illustrations ; car c'était là le sujet d'une autre exposition.

nos 333-336, fig. 34, 35, 58, 64, 77, 101
no 317, fig. 6, 12, 37, 28
fig. 5, 20, 23, 36, 71
no 338, fig. 21-22

C'est dans l'histoire des formes, et en nous laissant diriger par les objets plutôt que par la réflexion théorique, que nous avons voulu suivre Raphaël : terrain dangereux que celui de la recherche systématique des « influences », qui peut conduire aux pires erreurs. Domaine difficile, car il fallait aborder deux problèmes : celui de la pénétration de l'italianisme en France, celui de la permanence supposée d'une esthétique classique « soutenue » par Raphaël. Nous avons cherché ici à nous en tenir à des rapprochements qui ne fussent pas trop discutables : que les formes mêmes, et non une vague parenté d'esprit, démontrent une filiation.

Ne pouvant être complet, nous avons choisi d'être varié, et pendant quatre siècles et demi, d'ouvrir largement l'éventail des techniques. Et de ne pas partir d'idées préconçues à propos d'artistes « raphaélesques » ou non : on trouvera ici Poussin, Le Sueur et Ingres ; mais aussi Fragonard, Delacroix et Cézanne. Ce souci de variété a conduit à de singulières discordances dans la « qualité » de certaines pièces, qu'il ne faudra pas toujours juger à l'aulne de leur prototype : tels panneaux de bois sculptés du XVIe siècle sont du domaine de l'artisan, tels tableautins du XIXe siècle supporteront peut-être mal la proximité de ceux d'Ingres. Mais la rareté ou la saveur de certains documents a primé sur l'homogénéité du spectacle. Et parmi les images populaires a été délibérément inclus un monstre, une *Vierge à la chaise* qui n'est pas passée par les écoles, comme contrepoint à tant de visions savantes et parfois trop exquises.

n° 335

Ainsi, du rapprochement des œuvres elles-mêmes, que seule pouvait permettre une exposition, retirera-t-on peut-être plus que le souvenir d'un spectacle varié ou divertissant : mais une plus juste compréhension de ce qu'est la création d'un artiste. Si l'histoire de l'art est bien d'abord, ce que nous croyons, l'histoire des formes, un tel rassemblement pourrait ne pas être tout à fait inutile et, invitant à suivre les formes dans leurs métamorphoses, permettre de faire prendre conscience, grâce à ce qui est « non original », de ce qui est, chez les créateurs, « original ». Peut-être y a-t-il là une première, nécessaire approche de l'histoire de l'art.

Délimitons maintenant, pour comprendre mieux quelle fut l'empreinte des créations de Raphaël sur les œuvres d'art françaises, quelques étapes, siècle après siècle. Survol partiel, partial et partisan, parcours tendancieux au milieu d'œuvres vues avec des œillères ; mais qui permettra au moins de suggérer un fil conducteur sur lequel rattacher les textes dispersés dans ce catalogue, dans la multiplicité des techniques, par le hasard de l'alphabet, et d'évoquer, en passant, certaines œuvres, certains artistes absents de l'exposition.

Dans un premier temps, la portée des œuvres de Raphaël sur l'art français du XVIe siècle semble se définir aisément : les gravures de Marcantonio Raimondi, d'Agostino Veneziano, du Maître au dé qui diffusent ses créations ou celles qu'on lui attribue, servent de modèles pour les vitraux, les émaux

n°s 372-380, fig. 151
n° 348, 354, 356, fig. 147, 157-158

peints, les sculptures, les peintures. Les exemples abondent dès les environs de 1530. Prenons l'exemple de la peinture. Les gravures peuvent être simplement copiées : ainsi dans un *Jugement de Pâris* anonyme[2] qui traduit un peu lourdement la gravure de Marcantonio Raimondi. Mais le jeu est souvent plus subtil : une fresque d'Ancy-le-Franc (1578) introduit dans le même groupe une figure d'Andrea del Sarto prise au cloître des Scalzi ; le *Portement de croix* de l'ensemble de Hampton Court[3] intègre difficilement des figures du *Spasimo* du Prado ; une *Ascension* du musée d'Abbeville[4] admet deux personnages pris à la *Transfiguration.* Et Simon de Châlons tente dans sa *Parenté de la Vierge* d'Avignon de réconcilier Raphaël, Michel-Ange et Dürer : l'emploi des gravures permet toutes les associations, tous les retournements, tous les détournements. Mais les peintres ont pu trouver directement leur inspiration dans certaines *Madones* qui semblent s'être trouvées en France dès le XVIe siècle : plusieurs copies peintes de la *Vierge Bridgewater* aujourd'hui à Edimbourg, dont une par Martellange de 1577[5], paraissent attester que ce fut son cas ; et peut-être aussi celui de la *Vierge d'Orléans,* aujourd'hui à Chantilly : un tableau, au musée de Dijon, est peut-être la plus savoureuse des « démarcations » du XVIe siècle d'après Raphaël, ici transposé dans cette manière bourguignonne, vers 1530, dans laquelle on connaît de comparables tableaux inspirés de Léonard et d'autres dérivés encore de gravures raphaélesques. Il y a donc tout un raphaélisme « de terroir », d'inspiration courte, peut-être, et sans rapport avec l'italianisme de Fontainebleau, mais qui mériterait une étude.

fig. XVIII
n° 220
v. n° 235
fig. XIX
fig. 2
fig. 155

Les Italiens de Fontainebleau, Rosso, puis Primatice et Penni, apportent une culture raphaélesque autrement plus riche et complexe, nourrie de l'étude des œuvres même de Raphaël et compliquée de maints apports. On sait combien fort et durable devait être l'impact de leurs créations. Les emprunts

fig. 102, nos 308, 209-212, 191-192 ; fig. 53, 103

XVIII. Anonyme, v. 1540
Le jugement de Pâris
France, coll. part.

XIX. E. Martellange
Copie de la Vierge Bridgewater, fragment. 1577
Aix-en-Provence, Musée Granet

XX. Maître de Flore
Annonciation
Vienne, Albertina

aux gravures raphaélesques sont plus élaborés et raffinés : ne citons ici que l'exemple du séduisant Maître de Flore dont les figures du fond de la *Naissance de l'Amour* (New York) s'agitent comme celles du *Banquet des dieux,* dans *l'Histoire de Psyché* du Maître au dé, et dont *l'Annonciation,* dessin à l'Albertina[6], dérive directement de la planche attribuée à Marco Dente[7] ; ou celui de Jean Cousin, dont au XVIIIe siècle on donnait les cartons des tapisseries de *Saint Mammès,* à Langres, à Raphaël, et qui, dans sa *Mise au tombeau* gravée[8], s'inspire pour une figure de la Vierge du *Spasimo* gravé par Agostino Veneziano, et ailleurs se souvient des *Saintes Familles* tardives de Raphaël. Plusieurs *Femmes nues à mi-corps,* commodément données à l'École de Fontainebleau, différentes de thème et de motif des célèbres *Femmes à leur toilette* (Dijon, Worcester, Bâle) reprennent l'attitude de la *Fornarina* de Raphaël du Palais Barberini ; la plus belle, dite *La femme au lys rouge*[9], se trouve au musée d'Atlanta (USA).

fig. 46

fig. 88

Mais ce sont peut-être les sculpteurs qui surent trouver, à travers les exemples de Primatice, les dérivations les plus personnelles et les plus élégantes des modèles raphaélesques : Goujon a regardé les *Évangélistes* gravés par Marcantonio d'après Giulio Romano avant de sculpter les siens, au jubé de Saint-Germain-l'Auxerrois (Louvre), ou, du même, les *Deux Sybilles* ou la *Cassolette* avant de sculpter les figures de la Cour Carrée du Louvre ; Pilon s'inspire à l'évidence lui aussi de cette dernière gravure pour la composition du *Monument du cœur de Henri II* (Louvre).

fig. 163

fig. 164

Les peintures de la « Seconde École de Fontainebleau » comportent, parmi d'autres éléments complexes, bien des composantes raphaélesques : les scénographies ambitieuses, avec leurs jeux d'emmarchements, de Dubreuil,

nº 80

évoquent des gravures de compositions raphaélesques ou le *Saint Paul prêchant* des tapisseries du Vatican. Ambroise Dubois reprend, dans un dessin de *Sophonisbe* à l'Albertina[10], le drapé fourni des figures assises de la Chambre de Constantin et, dans le *Henri IV* récemment acquis par le Château de Pau, la mise en place des empereurs en grisaille du soubassement de la Chambre de l'Incendie ou des *Empereurs assis* de Marcantonio Raimondi ; et certains de ses visages souriants (ceux de *L'Art de Peinture et de Sculpture* ou de la Chariclée de *Catarisis découvrant l'amour de Chariclée,* tous deux à Fontainebleau) ont la calme plénitude de ceux de Raphaël. Vers la même époque Jean Boucher, à Rome et à Fontainebleau, copie avec humilité et finesse les figures de Raphaël : à un moment où se déchaînent dans les arts européens les outrances issues de l'amour de la « maniera », l'Urbinate paraît être pour les Français une référence d'élégante pondération.

fig. 112

nº 27, fig. 44

C'est la peinture de Caravage, on le sait, qui attire à Rome les jeunes Français vers 1615-1620 : nul exemple apparemment plus lointain de celui de Raphaël. Pourtant le Vouet romain se laisse parfois séduire par un schéma pris à Raphaël, et dans l'œuvre la plus ambitieuse de Valentin, le *Martyre des saints Procès et Martinien* peint pour Saint-Pierre, l'attitude du bourreau dérive, inversée, de celle d'un bourreau du *Spasimo* de l'Italien gravé par A. Veneziano ; on sait que Valentin, dans ses ultimes années, médite les antiques et aspire à une manière plus « relevée » : quoi d'étonnant à le voir alors regarder Raphaël ? On surprendra même Vignon, retour à Paris, dans une *Sainte Famille*[11] pourtant d'inspiration toute familière et rustique, introduisant un saint Joseph et un ange jetant des fleurs inspirés de la *Grande Sainte Famille.* Et le filon de raphaélisme « rustique » que nous avons trouvé au XVIe siècle n'est pas épuisé : la Vierge et l'Enfant d'une modeste *Sainte Famille* de la collégiale de Romans, d'un caractère bien réaliste, viennent de la *Vierge du Divin Amour* de Naples. Car il est peu de peintres, mêmes ceux apparemment les plus

fig. 13

fig. 61

fig. 47

fig. 80, 125

XXI. Anonyme, milieu XVIIe s.
Sainte Famille
Romans, collégiale Saint-Bernard

éloignés de son art, qui ne lui empruntent parfois : ainsi Blanchard qui se souvient de la *Vierge de Lorette,* Jacques de Létin qui prend, pour sa *Mort de Saphire* (perdue ; autrefois, église de la Chapelle-Saint-Luc près de Troyes)[12], des figures à la *Mort d'Ananie.* Les « Romains » méditent Raphaël ; et au premier rang Poussin, dont la fréquentation des œuvres de l'Italien paraît, sa carrière durant et de plus en plus profondément, avoir, comme en un dialogue, soutenu ses propres efforts ; mais jamais elle ne l'orientera vers l'élégance ou l'allégresse. On peut se demander si même l'illustre *Autoportrait* de 1650 du Louvre ne doit pas à Raphaël : dans ce cas, au *Navagero* de la Galerie Doria[13]. C'est, au contraire de Poussin, de façon toute extérieure que Mellin s'inspire de la *Transfiguration.* Les figures un peu laborieuses de Claude Lorrain sont quelquefois empruntées à Raphaël ; et Dughet place dans son *Paysage avec Eurydice* (Stourhead) un personnage tiré de la *Mort d'Ananie.*

A Paris, Champaigne, Bourdon, Michel I Corneille, Stella, La Hyre, Perrier, comme chez les sculpteurs, Sarazin, s'inspirent délibérément de Raphaël. Mais c'est Le Sueur, qui n'alla jamais à Rome, pas plus que Champaigne, ni La Hyre, qui de tous les artistes français, sans jamais un emprunt direct, va donner la plus juste paraphrase de Raphaël dans des tableaux qui savent être à propos sévères ou tendres, et toujours d'une impeccable noblesse de ton : artiste trop délicat, trop austère pour être aujourd'hui vraiment goûté, mais où l'on reconnut jadis le « Raphaël français » et que A.E. Fragonard montre invité par Raphaël à occuper à ses côtés le trône de la Peinture. Et l'examen des Raphaël du Vatican pourrait

fig. 19

n°s 197-207, fig. 62-63, 81, 115, 127

fig. XXII

fig. 82

n°s 104-105, fig. 104

n°s 33-37, 46, fig. 14, 110, 132 ; n° 52, fig. 123 ; n°s 221-222, fig. 162 ; n° 140, fig. 106 ; n°s 310-311, fig. 122 ; n°s 352-353

n°s 154-159, fig. 113, 146

fig. XXIII

XXII. Poussin
Autoportrait. 1650
Paris, Louvre

XXIII. A.E. Fragonard
Le Sueur reçu par Raphaël
Paris, B.N., Cabinet des Estampes

conduire à grouper les peintures parisiennes du milieu du XVIIe siècle en fonction de deux pôles, les tapisseries de la Sixtine et l'*École d'Athènes* d'une part, le *Parnasse* d'autre part : figures viriles amplement drapées à l'intérieur d'architectures, figures féminines aux fins plissés dans des paysages de bosquets ; ton austère, presque sévère, et ton plus gracieux et élégiaque. Le Sueur donnant, dans l'un et l'autre registre, les plus convaincantes représentations. Et l'influence de ce dernier, comme plus tard celle d'Ingres, donnera naissance à des « raphaélismes » au second degré.

nos 310-311, fig. 122, n352, 353

Ne faut-il pas se demander d'autre part si le *Portrait de jeune homme* de Raphaël jadis à Cracovie et cru longtemps un autoportrait n'a pas été admiré, avec des conséquences, par les peintres français ? Chez Bourdon ou chez Le Sueur, on trouverait des portraits avec, dans une belle respiration, cet ample mouvement des bras déployés dans la troisième dimension, ce ton de parfaite élégance apparemment négligée, ce regard assuré mais dépourvu de morgue[14].

fig. XXIV, XXV

Le Brun, avec moins de tact que Le Sueur mais une plus forte ambition, rivalise lui aussi avec Raphaël ; si Le Sueur donne dans son art comme un équivalent du Raphaël clair et ordonné de la Chambre de la Signature et des tapisseries de la Sixtine, c'est l'ultime Raphaël, celui de la *Grande Sainte Famille* et du *Saint Michel* des collections du roi, celui de la Chambre de Constantin, violent, haut de contrastes, avec qui Le Brun a des affinités. Et c'est un Raphaël apollinien, celui du symbole solaire du roi, bien proche du visage du *Saint Michel,* que le Premier peintre fait régner dans les décors de Versailles.

nos 142-147

XXIV. Bourdon
L'homme aux rubans noirs
Montpellier, Musée Fabre

XXV. Le Sueur
Portrait de jeune homme
Hartford, Wadsworth Atheneum

Pierre Mignard, l'aîné de Le Sueur et de Le Brun, vécut le plus vieux. Lui aussi se mesure avec Raphaël qu'il copie et dont il s'inspire aussi bien pour ses madones que pour ses compositions les plus ambitieuses. Et son dernier tableau est en même temps un hommage à Raphaël et une touchante tentative de se hausser à son niveau. L'ambition d'un artiste ne suffit pas à déterminer son rang, mais elle peut aider à le considérer plus justement : Mignard, l'artiste le moins fait pour être goûté aujourd'hui, jugé excessif de joliesse et d'inspiration mesquine, prend un plus fier visage lorsqu'on étudie son « raphaélisme », et c'est pourquoi il lui a été fait ici une belle place.

n°s 167-173, fig. 15, 52

n° 173

Poussin, Le Sueur, Le Brun, Mignard : tous quatre émules de Raphaël, et pourtant si différents. Le peintre italien est le modèle, l'inspirateur, pour une bonne part de l'art français du XVIIe siècle : mais l'inspiration est variée, riche, pleine de sève, inattendue, allègre. Il semble qu'on assiste, grâce à l'Italien, à la découverte émerveillée des possibilités expressives de la figure humaine, des variétés possibles des groupements de figures dans des architectures, de la capacité de faire dire à un visage l'énergie ou la tendresse. Les *Mays* de Notre-Dame, qui année après année montraient, dans un tableau proposé au regard du plus large public, l'évolution de la grande peinture, devaient choisir comme sujet un épisode pris aux *Actes des Apôtres* : de la sorte, souvent inspirés directement des tapisseries de Raphaël de ce sujet, ils étaient, au centre de Paris, dans la nef de la cathédrale, presque autant d'hommages rendus à l'Urbinate, et ils témoignent, dans la peinture française de la seconde moitié du XVIIe siècle et des premières années du siècle suivant, d'une belle continuité raphaélesque.

n°s 52, 155, 161

Mais d'autres temps viennent et pendant quelque temps, les artistes vont se détourner de Raphaël ; ou, du moins, peser ses mérites et regarder d'abord Titien, Véronèse, Rubens, Van Dyck. Les fils de Michel Corneille, Michel II et Jean-Baptiste, et Louis de Boulogne ou Antoine Coypel se souviennent parfois de leurs séjours romains, et il faudrait encore rappeler un Verdier, un Houasse, ou un Licherie[15] ; et encore un Louis Chéron (1660-1715), le frère d'Élisabeth Chéron, que Dézallier d'Argenville nous dit « grand imitateur de Raphaël et de Jules Romain ». Mais La Fosse, Jouvenet, Parrocel se dirigent résolument vers les prestiges de la couleur et les séductions de la touche.

n°s 53-54
n° 32, 55, fig. 120, 191
fig. 131
fig. 114

Et pendant un demi-siècle, Raphaël n'intéresse plus guère. Au début du XVIIIe siècle, il faut chercher son rôle dans le domaine des grotesques, ces grotesques fins et légers que Claude Audran avait étudiés dans les Loges du Vatican et capables, dit Caylus, de « recevoir différents sujets de figures et autres » : il en enseigna le dessin à Watteau. La longévité de certains peintres, Sébastien II Le Clerc (1676-1763) et Henri de Favanne (1668-1752), leur permet de prolonger très avant dans le siècle une peinture fine et froide, aux effets calculés. Et un Robert de Séry (1686-1733), séduit par Raphaël qu'il grave à plusieurs reprises et qui exécute au château des Rohan à Strasbourg des

n° 88

XXVI. Jeaurat
Atelier d'artiste, détail
Salon de 1757 ? Loc. inconnue

dessus de porte copiés des peintures des Loges, peint une *Sainte Famille en Égypte* (Tours, déposée à Charleville)[16] d'une sévère délicatesse. Mais malgré la permanence d'un ton noble dans les morceaux officiels et dans certaines grandes commandes, chez Lemoyne, Natoire ou Carle Van Loo qui à l'occasion empruntent à Raphaël des schémas de composition, la filiation paraît rompue, et il serait vain de rechercher un lien avec la *Galatée* de la Farnésine dans tous les *Triomphes d'Amphitrite* et les *Naissances de Vénus* dont le règne de Louis XV fut prodigue. On ne sait plus voir Raphaël, à un moment où la mise en place d'un commerce d'art structuré et qui s'attache à l'autographie des œuvres modifie le statut de la copie : la création du fac-similé de dessin gravé en témoigne bien. Et il semble que le discours des académiciens et des critiques soit devenu un obstacle à un regard « actif » sur les œuvres du peintre. Le Raphaël du Siècle des Lumières, parfait, ne peut trouver de forme. Raphaël est alors, d'abord, un modèle pour l'enseignement : un tableau d'Étienne Jeaurat[17] montre, dans le désordre d'un atelier d'artiste, de jeunes élèves penchés au-dessus d'un carton à dessin ouvert sur la copie d'un des anges d'*Héliodore.* Il faut attendre les années 1760-1770 pour que l'art de Raphaël retrouve de sa force exemplaire. On connaît le rôle de Vien dans le goût nouveau pour une peinture mesurée et clairement lisible, et Raphaël, Dominiquin et Le Sueur sont associés dans la même admiration. Ce sont d'abord les aspects les plus tendres, celui du Raphaël peintre de *Saintes Familles,* qui sont privilégiés : témoins les petits tableaux glacés et précieux de J.L. Lagrenée ou les dessins de son frère J.J. Lagrenée ou de Vien lui-même. Cette tendance se prolongera jusqu'à Gauffier[18] et Fabre. Mais à Rome, David opère de façon spectaculaire la mutation de son art et demande aux œuvres de Raphaël, quand il s'adresse à elles, la rigueur décapante qu'il demande aux

n°s 151, 187, fig. 192
fig. XXVI
fig. 51
fig. 48

œuvres antiques, étudiant de la même façon, comme le faisait Poussin, les unes et les autres ; Peyron son devancier, Drouais son élève ont la même attitude : rien de moins suave que leurs dessins d'après Raphaël.

nos 59-61, fig. 41, 93, 150
fig. 144, no 79

Le Museum National des Arts, devenu Musée Napoléon, ancre à Paris pour quelques années la plupart des plus célèbres tableaux de l'Europe, et ceux de Raphaël, réunis à ceux des collections royales, se trouvent à la disposition des artistes qui les copient et les étudient. Raphaël est maintenant connu dans sa diversité et ses œuvres vont réapparaître, diversement comprises, dans toute la peinture du XIXe siècle. Il y a un Raphaël néo-classique bien particulier, mince et dur, aux contours aigus et tranchés. C'est le moment où les gravures au trait réduisent ses peintures au jeu d'un graphisme qui cisèle les découpes et annihile les volumes. L'*École d'Apelle* de Broc (1800, Louvre)[19], où le peintre de l'antiquité désigne la *Calomnie* copiée du dessin de ce sujet attribué à Raphaël, ou le *Paul et Virginie* de Landon représentent l'extrême d'une tendance : leçons de vide, dans des tonalités pâles, demandées à un Raphaël devenu comme éthéré. La simple gravure de la tête d'un des assistants de la *Mort d'Ananie* montre aussi bien ce Raphaël stylisé, désincarné, réduit à une épure. Certains motifs considérés comme de Raphaël seront privilégiés pour leur caractère précieux et accordé aux décors néo-antiques : les *Chars des Planètes* de la Salle Borgia du Vatican ou les *Heures*. Ces dernières paraissent avoir inspiré les figures féminines qui décorent des panneaux en hauteur dans

no 305
fig. 96
no 141
fig. 137

XXVII. Constance Mayer
Double portrait dans un atelier
Loc. inconnue

XXVIII. Comtesse d'Albany
Buste de Raphaël
Montpellier, Musée Fabre

fig. 97, 116
fig. XXVII
fig. XXVIII
nos 114-136, fig. 24-25, 27-29, 31, 40, 84, 128-129, 138
fig. XXIX
no 130
no 134
nos 90-92, fig. 118, 130 ; no 149, fig. 119 ; no 47
no 6

plusieurs ensembles décoratifs : *Saisons* de Girodet (1808) au château de Compiègne, autres *Saisons* de Prud'hon pour l'hôtel parisien de M. Baillot. Le même Prud'hon s'inspire délibérément de l'*École d'Athènes* dans son *Séjour de l'Immortalité* et Gérard de la *Galatée* dans sa *Thétis*. Le rôle de Raphaël dans l'enseignement reste le premier : un tableau de Constance Mayer montre un professeur qui indique, d'un index péremptoire, le buste de l'artiste à une jeune élève[20] ; et en 1795 Fabre, à Florence, fait dessiner à la comtesse d'Albany un autre buste de Raphaël.

On sait quelle place Raphaël va prendre dans la peinture d'Ingres, et le culte, vite tourné en dérision, que celui-ci lui rendit. Mais le Raphaël d'Ingres, nullement abstrait, apparaît violent, sanguin, tout différent de la vision purifiée qu'en avaient les « néo-classiques ». C'est quand il plagie du plus près son idole qu'il en est le plus étrangement dissemblable, accentuant la saillie de volumes râblés et haussant des couleurs aiguës. L'Ingres raphaélesque est l'Ingres amoureux : ses deux portraits les plus proches, formellement, de Raphaël, sont ceux de ses deux épouses, et l'on sait combien le Montalbanais a privilégié le thème de la Fornarina, amante-épouse. Il nourrira ses élèves de l'étude de Raphaël et ceux-ci, disciplinés ou rétifs, Flandrin, Mottez, Lehmann, Chassériau, traduiront dans leurs œuvres cet enseignement ; quand ils ne passeront pas, comme les frères Balze, l'essentiel de leur temps à copier les *Loges* ou les *Stances*. Mais l'ingrisme n'est qu'un des aspects, et encore bien complexe, de la portée de l'art de Raphaël au XIXe siècle. Les « romantiques » l'étudient aussi avec ferveur : le baron Gros prend des

XXIX. Benjamin
Ingres ou *Raphaël II*
Le Charivari, 27 mai 1842

croquis d'après Raphaël et s'inspire probablement dans ses batailles, notamment la *Bataille d'Aboukir* (1806, Versailles)[21], de la *Bataille de Constantin ;* Géricault dessine aussi d'après Raphaël[22], exécute quelques-unes des plus belles copies peintes jamais faites de ses tableaux, et sa peinture reste impressionnée durablement par les fresques du Vatican. Delacroix copie, puis pastiche la *Belle Jardinière ;* sa vie durant il dessinera d'après Raphaël, et parfois trouvera chez lui son inspiration. Achille Devéria ou Louis Boulanger, comme tous leurs contemporains, regardent les madones de Raphaël : une *Sainte Famille* de Boulanger (1865, offerte par Napoléon III à l'abbaye de Citeaux)[23] s'inspire sans équivoque, et sans trop de vigueur, des Raphaël tardifs. La vision de l'œuvre de Raphaël que montrent les romantiques est souvent attendrie ou dramatique, conforme à l'image qu'ils se font du peintre : Devéria en fait un sémillant héros de théâtre et Delacroix donne au peintre de toutes les certitudes un visage gagné par le doute.

nos 107-108, fig. 67

nos 66-70, fig. 68, 126

nos 272-281, fig. 76, 178

nos 281, 70

Mais il ne faudra pas résumer, une fois de plus, la question dans une opposition entre ingristes et romantiques. On devra attendre la publication de l'étude de Bruno Foucart sur la peinture religieuse en France au XIXe siècle pour prendre conscience de la richesse et de la variété d'une peinture encore méprisée, en dehors des grands noms, et pouvoir étudier ses sources, si souvent raphaélesques. Mais de façon complexe : cette peinture, nullement monolithique, semble osciller entre l'imitation de Raphaël : sens du drame, force des contrastes, saillie des volumes, et l'imitation des prédécesseurs de l'Urbinate, Pérugin ou Fra Bartolomeo, et, plus haut, Fra Angelico : calme des lignes, goût des aplats, couleurs claires, tout en gardant, de Raphaël et d'Ingres, le dessin élégant qui fait rondement tourner les formes, même amincies, dans l'espace. Et l'on ne saura plus très bien la part que le Raphaël ombrien ou florentin peut avoir dans les peintures religieuses françaises du deuxième ou du troisième quart du siècle, contrairement aux peintures allemandes ou anglaises, qui parfois s'en inspirent délibérément. C'est à l'époque de la Restauration que les rappels de Raphaël sont flagrants et il semble qu'un aspect dramatique de son art se développe, après 1815, dans la peinture religieuse : par exemple dans les tableaux de Pallière et de Picot, *Saint Pierre guérissant le boiteux* (1819) et *Mort de Saphire* (1817), tous deux à Saint-Thomas-d'Aquin à Paris, manifestement dérivés des tapisseries des *Actes des Apôtres ;* ou encore chez des peintres comme Caminade ou Granger.

no 111, fig. 78, 98-99

Il faudra parallèlement étudier des dérivations « civiles » de Raphaël : les larges déploiements symétriques de part et d'autre d'un axe de personnages illustres ou d'allégories, comme le XIXe siècle les aima, doivent bien souvent à l'*École d'Athènes* ou à la *Dispute :* ainsi la *Glorification de la ville de Paris* de Picot (brûlé à l'Hôtel de Ville en 1871 ; esquisse à Carnavalet), *La théologie, Dispute du Saint Sacrement* de Timbal, dans l'église de la Sorbonne, et, la plus étonnante, la *Philosophie de l'Histoire,* ou *Palingénésie sociale,* de Chenavard, projetée pour le dallage du Panthéon. Et ceci nous mènerait jusqu'à la fin du siècle avec J. Ehrmann et ses tapisseries pour la Bibliothèque nationale

no 136

no 49, fig. 92, 196

(1879-1895), H. Lévy et ses *Gloires de la Bourgogne,* au Palais des États de Bourgogne à Dijon, Gérôme et son *Saint Louis* du musée d'Amiens, J.P. Laurens et sa tapisserie du *Siècle de Colbert* (Paris, mairie du XIIIe arrondissement).

Raphaël est-il donc partout ? Évoquons de plus un raphaélisme tout sentimental, qui est amour ou nostalgie de Rome, et qui apparaît dans la description de modèles en costumes de la campagne romaine, traités plus ou moins « à la manière de Raphaël » : Delaroche, Bonnat, ou encore la *Femme à la perle* de Corot, probablement inspirée d'un dessin de Raphaël du Louvre[24], et jusqu'à l'*Italienne* de Picasso. Mais n'est-ce pas pour prendre davantage leurs distances avec l'École que de tels peintres entrent dans son moule, en le vidant de signification autre que picturale ? Dans le dernier tiers du XIXe siècle, voici Raphaël mis à mal par ceux qui pensent l'aimer. Baudry donne encore, sans pédantisme, dans ses nus gracieux et solides, une version allègre du monde de la Farnésine. Mais la *Sainte Famille* de Gérôme appartient, au même titre que la *Patricienne de Venise* (!) de Cabanel travestie en Jeanne d'Aragon, à un univers séduisant mais chimérique : celui du bal masqué. Et Bouguereau exécute, corps morts, sourires inutiles, regards vains, la *Naissance de Vénus ;* à quoi bon avoir à Rome copié la *Galatée ?* Plus inattendues, plus riches de sens, sont les questions posées à Raphaël par les novateurs : Manet emprunte à Marcantonio la composition du *Déjeuner sur l'herbe,* Cézanne choisit de copier le Raphaël le plus gracieux, Renoir retrouve dans les figures robustes et joyeuses de son *Jugement de Pâris,* le monde du peintre italien. Et Degas, à plusieurs reprises, paraît jouer, dans ses autoportraits, avec ceux de Raphaël. Qu'on ne voie pas dans ces emprunts des restes d'une formation académique ou quelque nostalgie : ils recourent aux formes seules,

n°s 71, 22
n° 194
n°s 7-13, fig. 17, 124
fig. 10
fig. XXX
n°s 30-31
n° 326
n°s 43-45
n° 215
n°s 64-65, fig. 89

XXX. Cabanel
Patricienne de Venise
Salon de 1882
Loc. inconnue

dans un souci d'abstraction. Curieux paradoxe, et belle leçon : ce sont eux, les irrévérents, les indépendants, qui savent dialoguer avec les maîtres du passé, même avec Raphaël ! et non les tristes pilleurs de ces derniers.

Et notre XXe siècle, qu'a-t-il fait de Raphaël ? Il l'a rarement sollicité : Raphaël devait bien sûr faire les frais de ses mises en question puisqu'il représentait, en même temps que Bouguereau, tout un système de représentation, tout un mode d'expression jetés bas et remplacés. La seule approche sincère et fervente de Raphaël à notre siècle, en France, fut peut-être celle de Maurice Denis : mais c'est celle du Denis qui renonce aux délices des stylisations nabies, celui que l'on n'aime pas encore beaucoup.

nos 73-76

L'enquête réserve pourtant quelques surprises. Dans un de ses plus beaux tableaux, en 1913, issus de l'entreprise des « papiers collés », Braque introduit, renversé à l'oblique, le titre d'un journal, *l'Écho d'Athènes*. Un peintre peut-il ne pas penser à l'*École d'Athènes ?* Le jeu des résonnances ne saurait être tout à fait innocent. Libre de juger s'il faut voir là un hommage, de l'ironie, ou un simple détour du subconscient. Mais rappelons qu'à Tristan Tzara qui lui demande en 1920 quel est le fondateur du cubisme, Metzinger répond : « Raphaël »[25]. Il voulait probablement dire : art de construction de formes dans l'espace, et qui privilégie le dessin. André Lhote affirmait, la même année 1920 : « Cézanne oriente notre interrogation et nous désigne Raphaël comme le modèle parfait (...) Si l'on examine Raphaël dans son intégrité et qu'on considère son œuvre comme l'étalon de la beauté plastique, on constatera que la besogne des peintres cubistes est à peine ébauchée »[26]. Et Gris dessinait en 1916 la *Vierge Tempi* comme il aurait dessiné *Madame Cézanne*. On oserait en tout cas parler d'une raphaélisation du cubisme dans les années 20 : La Fresnaye, vers 1920-1923, copie plusieurs fois le peintre d'Urbino, Maria Blanchard peint des *Maternités* qui sont autant de Madones. Et un peu plus tard, Dupas, Pougheon, Despujols proposent, grâces féminines et bonheurs familiaux, d'élégantes et rassurantes variations post-cubistes qui voudraient prolonger le monde pacifié du peintre italien.

fig. XXXI
no 112
fig. 121
no 20
fig. 3, no 77

XXXI. Braque
L'écho d'Athènes, 1913
Berne, Kunstmuseum

XXXII. Derain
Baigneuses
Loc. inconnue

XXXIII. Ernst
Le Père Éternel cherche en vain à séparer la lumière des ténèbres. Coll. part.

Ces peintres nous mènent, entre les deux guerres, au plein moment de ce qu'on a appelé le « retour à l'ordre », après les bouleversements artistiques du début du siècle. C'est précisément, et de façon provocante, Raphaël que Derain met alors en avant : « Raphaël, c'est le plus grand incompris... Il convient de n'aborder Raphaël qu'après beaucoup de déceptions ! Si on part de lui, c'est un désastre ; c'est un génie capable de gâter les plus grands (...) Raphaël seul est divin ! » C'est moins un tableau comme l'*Italienne* (1921-1922, Liverpool) que des dessins dont certains évoquent le *Massacre des Innocents*[27] qui témoignent de cette admiration. Ce même goût de retour au passé apparaît au même moment chez Picasso : son *Italienne,* avec ce rien d'étrangeté bovine qui la rapproche de Piero di Cosimo, est en 1919 la sœur de *Maddalena Doni* et de la *Donna Velata ;* on multiplierait dans l'œuvre du Picasso des années 20 les *Maternités,* alertes ou massives, qui remémorent les *Madones* de l'Urbinate avec parfois des finesses d'indication quasi florentines. Et comme déjà pour Ingres, l'émulation avec le plus grand des peintres trouvera chez Picasso une illustration, métaphorique ou non, dans l'évocation des performances amoureuses de *Raphaël et la Fornarina :* il est infatigable, objet d'admiration ou de curiosité, et son nom comme celui de Raphaël est synonyme de Peinture.

fig. XXXII
n° 194
fig. 11
n° 313

Le regard des peintre surréalistes est tout différent, mais il nous faut encore parler d'œuvres exécutées le plus souvent dans les années 20. Max Ernst s'adresse à plusieurs reprises à Raphaël : prenant deux figures de la *Mort d'Ananie* pour en faire *Le Gaulois mourant* (v. 1923, Berlin, coll. part.), et dans *Au rendez-vous des amis* (1922, Cologne), admettant, avec Dostoïevski, Raphaël lui-même ; empruntant le titre de la *Belle Jardinière* pour un tableau de 1923 (disparu) ; habillant d'un vêtement rouge et bleu *La Vierge corrigeant l'Enfant Jésus devant André Breton, Paul Éluard et le peintre,* de thème plutôt léonardo-freudien (1926, Bruxelles, coll. part.) ; introduisant une gravure au trait d'un Dieu le Père pris aux Loges dans un collage de la série de la *Femme*

fig. 143
fig. 198
fig. XXXIII

100 têtes (1929). Chez Dali, le dialogue avec Raphaël se fait bien sûr d'égal à égal ; dès les années 1920, mais ses variations raphaélesques sont surtout nombreuses dans les années 1950, et plus récentes. C'est Mirò qui peint en 1929, avec la *Fornarina* (Japon, coll. part.), subtil démontage du portrait de Sebastiano del Piombo des Offices, le plus libre et le plus poétique hommage rendu par le XXe siècle à Raphaël. Magritte, mais voici un Belge, dérange l'ordre des choses dans *L'Esprit de Géométrie* (v. 1936-1937, Londres, Tate Gallery), sur le modèle de la *Vierge du Grand-Duc.* On devra aussi noter quelques autres démarcations de Raphaël dans les marges du surréalisme : celle de De Chirico, qu'on ne saurait d'ailleurs revendiquer comme Français ! du *Saint Luc* de l'Accademia di San Luca, ou celle de Picabia, en 1926, d'une fresque des Loges où vient se superposer le visage de la *Primavera* de Botticelli[28].

nos 57-58

nos 175-179

fig. 1

fig. 56

fig. XXXIV

Au XXe siècle seul Matisse, peut-être, devrait être comparé à Raphaël, au-delà des analogies formelles, rares, et peu intéressantes ; lui seul retrouve à la fois la tension et la paix dans un monde solaire, réconcilié, lui seul rejoint Raphaël dans l'accord de la peinture, devenue décor et devenue encore mieux peinture, à l'architecture.

no 166, fig. 154

Nos contemporains, quand ils s'adressent à Raphaël, paraissent d'abord vouloir affirmer une distance, ou une rupture : Recalcati brise le pinceau des traditions, incapable désormais de fleurir, comme les prétendants de la Vierge leur bâton, Erró situe hors du temps une *Vie de Raphaël* de science-fiction, dans le discours indiscutable et glacial de la bande dessinée, Cieslewicz supprime du *Castiglione* l'essentiel, son visage, en le plongeant dans un anonymat quelque peu terrifiant. La vision d'Adami est plus cordiale, et l'*Urna* représente le « tombeau » de Raphaël que les héritiers de Matisse pouvaient offrir au

no 213

no 85

no 51

no 1, fig. 117

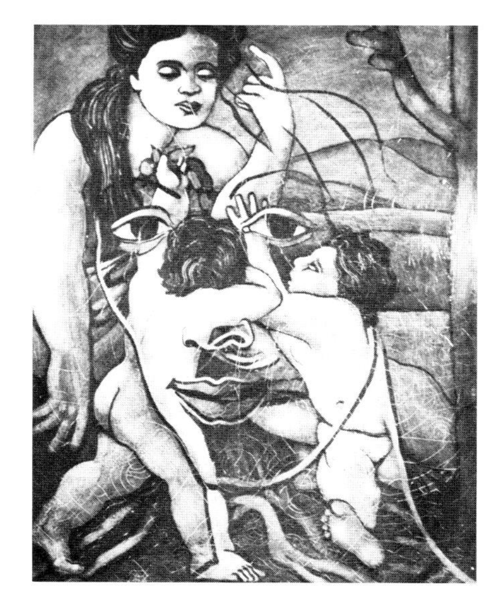

XXXIV. Picabia
Peinture, 1936
Loc. inconnue

nos 3-4

Peintre des peintres. Tout près de nous, aussi, Arikha renoue tout différemment avec Raphaël. Il retrouve, dessinant d'après le portrait du Louvre, le contact avec un modèle, Balthazar Castiglione redevenu vivant : l'instant d'un regard, la sympathie entre deux hommes, sont totalement restitués ; un troisième homme s'installe, tout naturellement, près de cinq siècles après, à côté du peintre et de son modèle. Mais seul le tableau le plus frais de Raphaël, le moins soumis à un langage formel préexistant, pouvait permettre un tel « dialogue à trois ».

nos 246, 331

no 377, fig. 158

no 27

nos 310-311, 24-26, 97, 214, 117, 369, 75, fig. 120-124

Il y a dans la réunion de tous ces artistes qui se réfèrent à Raphaël comme un modèle ou un exemple, une cohérence. Certains ensembles raphaélesques paraissent même avoir déterminé, dans la peinture française, des courants continus, du XVIe siècle au XXe siècle. Ainsi les deux ensembles de l'*Histoire de Psyché,* celui des gravures du Maître au dé et celui des fresques de la Farnésine. Cette histoire paraît avoir fasciné les peintres français, plus que d'autres séduits par le romanesque, plus que d'autres attachés à décrire les péripéties de l'histoire d'un amour, qui est ici l'Amour. La série du Maître au dé est reprise dans la gravure, traduite dans la tapisserie, dans les vitraux d'Écouen, aujourd'hui à Chantilly, et dans les émaux de Limoges à maintes reprises. Les fresques de la loggia de la Farnésine furent plus importantes encore : cet ensemble était le plus largement accessible de l'œuvre de Raphaël, dès le XVIe siècle : Blaise de Vigenère cite le *Banquet des dieux* en 1578, Boucher de Bourges y dessine dès 1600. Les thèmes et les motifs vont revenir, en écho, d'un siècle à l'autre. Michel I Corneille peint une Galerie de Psyché à

XXXV. Michel I Corneille
Psyché portée par les amours
Paris, hôtel des Ambassadeurs de Hollande

l'Hôtel des Ambassadeurs de Hollande, Le Sueur un thème proche au Cabinet de l'Amour de l'Hôtel Lambert, Le Brun une *Histoire de Psyché* à l'Hôtel La Rivière. Au XVIIIe siècle, Natoire peint le même thème dans les écoinçons du Salon Ovale de l'Hôtel Soubise ; et Boucher donne les cartons d'une *Histoire de Psyché* pour la manufacture de Beauvais. Plus tard Vien dessinera une série du *Bonheur de la vie* (1797-1799 ; nombreux dessins au Louvre) et J.J. Lagrenée peindra en 1798 *Psyché dans le palais enchanté* (coll. part.)[29]. On retrouverait facilement l'agressive suavité des figures de la Farnésine dans des thèmes proches traités par David : *Mars et Vénus* (Bruxelles) ou par Guérin : *Aurore et Céphale* (Louvre)[30]. Baudry prendra à la Farnésine le meilleur de son inspiration, et Maurice Denis, grand admirateur, après Renoir, des fresques de la Loggia, peindra encore pour l'hôtel moscovite de Morosov, en 1908, une *Histoire de Psyché*. On n'ose penser à ce qu'aurait été la portée des peintures de la Farnésine sur les artistes français si, comme il en fut question au XVIIIe siècle, la Villa était devenue l'Académie de France !

fig. XXXV

nº 13, fig. 124

fig. XXXVI

v. p. 181

On n'en finirait pas d'évoquer la prédilection des artistes français pour Raphaël ; que l'on pense aussi à ceux qui collectionnèrent ses dessins, Stella, Coypel, Julien de Parme, Fabre, Wicar, Bonnat ! Et l'on aimerait évoquer aussi la fortune des beaux titres aux sonorités claires, eux-mêmes générateurs de nouvelles œuvres : *Belle Jardinière,* de Boucher-Desnoyers à Max Ernst, *École d'Athènes,* de Broc à Braque.

nº 254 et supra

fig. 96 et supra

On parviendrait à faire de l'art français tout entier une province de la peinture de Raphaël. Celui-ci a-t-il été la caution d'un art français sage et pondéré, un Raphaël garde-fou ? Non, car il contenait tout, et on pouvait lui demander des leçons d'énergie et des leçons de grâce : il se prêtait si bien, trop bien, comme « l'antique », comme lui matériau apparemment docile et neutre, à l'admiration et à l'étude. On pouvait, littéralement, lui faire tout dire. Le *Parnasse* de Poussin, le *Saint Paul* de Le Sueur, les *Batailles d'Alexandre* de Le Brun, le *Vœu de Louis XIII* d'Ingres n'existeraient pas sans Raphaël ; cela ne diminue en rien ces peintres, qui créèrent ici plus librement que jamais en proclamant leur dette : ils utilisaient, simplement, une langue. Il y avait moins de scrupule pour un peintre du XVIIe siècle ou pour Ingres, à s'inspirer de Raphaël, que pour un peintre d'aujourd'hui à s'inspirer des formes de la nature.

XXXVI. M. Denis
Jupiter unissant l'Amour et Psyché
Leningrad, Ermitage

Il a mauvaise presse, aujourd'hui, cet art français réduit au « parti de Raphaël ». Cet art paraît bien mort il y a un siècle, et il est privé de tous les artistes aimés du public : il ne comprend ni La Tour, ni Le Nain, ni Watteau, ni Chardin, ni Corot, ni Courbet, ni les Impressionnistes ; les indépendant, en somme. Voici une peinture altière ou sévère, ou trop extérieurement joyeuse ; et vite jugée insincère, bavarde ou fade. Celle des bons élèves, et non celle des novateurs. Ce qui n'est pas aujourd'hui facilement pardonné.

Il faudra pourtant reconnaître à l'art français une branche maîtresse et solide, issue de Raphaël. Peut-être les artistes français ont-ils plus que d'autres médité la leçon de Raphaël : la peinture est un langage ambitieux par lequel on peut tout dire de l'homme.

Raphaël, patron de l'art français ? Peut-être cette question, dans son caractère trop simplificateur, va-t-elle obliger, en retour, à mieux connaître Raphaël. Ce peut être une façon d'étudier un astre : par son rayonnement. Et la copie la plus médiocre, la dérivation la plus gauche vont nous révéler dans l'original une beauté que nous ne soupçonnions pas. Est-il loisible de suivre un peintre à travers ses reflets ? Peut-être, lorsqu'il a été, comme Raphaël, identifié à l'idée même de peinture (et lorsque c'est son anniversaire !). Puissent seulement les œuvres ici montrées, dans leur diversité et leurs apparentes contradictions, dans les résonnances qui vont de l'une à l'autre, aider à mieux voir, multiple et unitaire, inépuisable au cœur de la peinture de l'Occident, l'œuvre du jeune homme d'Urbino.

Jean-Pierre Cuzin

1. v. catal. exp. *Le fait divers*, Paris, Musée des Arts et Traditions Populaires, 1982, p. 109, repr.
2. v. catal. exp. « Collections privées de Béziers et de sa région », Béziers, 1967, n° 12, repr.
3. Partie d'un cycle de la *Passion*; v. *Panthéon*, I, 1928, p. 352, repr.
4. v. M. Hours, *Analyse scientifique et conservation des peintures*, Fribourg, 1976, fig. 14, p. 23.
5. v. J. Boyer, 1971-1972, pp. 15-16, repr. ; le tableau a été restauré en 1976.
6. v. S. Béguin, 1970, pl. XVII et p. 83.
7. Bartsch illustré, vol. 26, 1978, p. 25, n° 15 (Marco da Ravenna ? d'après Raphaël).
8. v. catal. exp. « L'École de Fontainebleau », Paris, 1972, n° 288.
9. v. S. Béguin, 1960, p. 99; deux tableaux de composition proche ne sont pas actuellement localisés : un *Portrait de femme à sa toilette* (photographie SED du département des Peintures du Louvre) et un *Portrait de femme avec un amour* (ce dernier vers 1600 ?), vente Paris 12 déc. 1956, n° 18, repr.
10. v. S. Béguin, 1966, p. 14, pl. couleurs p. 15 ; une *Pêche miraculeuse* attribuée à Dubois (anc. coll. Seligman) s'inspire de la tapisserie de même sujet des *Actes des Apôtres* (J. Richardson, *The collection of Germain Seligman...*, New York, Luxembourg, Londres, 1979, n° 19, repr.).
11. Tableau perdu gravé par Rousselet ; nous remercions O. Delenda qui nous signale cet intéressant document.
12. v. J.P. Sainte-Marie, catal. exp. « Jacques de Létin », Troyes, 1976, n° 21.
13. v. J.P. Cuzin, 1983, p. 192.
14. *id.*, p. 144.
15. Une copie ovale de la *Sainte Famille au palmier* « peinte par Licheri (sic) de l'Académie Royale, qui s'est particulièrement distingué à peindre en petit d'après Raphaël » passa dans la vente Peilhon (16 mai 1763, puis 16 janv. 1974, n° 2 ; le même tableau, probablement, vente de Mortain, 5 fév. 1776).
16. v. B. Lossky, « Identifications récentes parmi les peintures françaises du musée de Tours ». *Bulletin de la Société de l'Histoire de l'Art Français*, 1957, pp. 108-109, repr.
17. vente Paris, 19 mai 1972, sans n°, repr. P. Rosenberg nous signale un tableau de Jeaurat, déposé au musée de Detroit, représentant *Deux dames dans un intérieur* avec, au fond de la pièce, une copie peinte du *Grand Saint Michel* du Louvre.
18. v. de J.J. Lagrenée la *Sainte Famille avec des anges* du musée d'Orléans (cat. exp. « Dessins français du XVIe au XVIIIe s. du Musée d'Orléans », Orléans, 1975-1976, n° 53, repr.), de Vien le *Repos pendant la fuite en Égypte* (vente Sotheby's, New York, 21 nov. 1980, n° 67, repr.), de Gauffier un autre *Repos en Égypte* (Montpellier, Musée Fabre ; catal. exp. « Le Néo-classicisme français. Dessins des Musées de Porvince ». Paris, 1974-1975, n° 52, repr.).
19. v. G. Levitine, « L'École d'Apelle de Jean Broc : un « primitif » au Salon de l'an VIII », *Gazette des Beaux-Arts*, nov. 1972, pp. 285-294.
20. v. E. Pilon, *Constance Mayer*, Paris, 1927, p. 28, pl. face p. 16.
21. v. S. Lichtenstein, « The Baron Gros and Raphaël », *The Art Bulletin*, mars 1978, pp. 126-138 ; parfois discutable dans ses interprétations.
22. v. dans le carnet conservé au Kunsthaus de Zurich des dessins d'après la *Vierge Bridgewater*, la *Vierge du Divin Amour*, le Giulio de' Medici du *Portrait de Léon X*, et deux dessins d'après un *Portrait de gentilhomme* (loc. inconnue) anciennement donné à Raphaël.
23. v. A. Marie, *Le peintre poète Louis Boulanger*, Paris, 1925, pl. p. 89 ; v. aussi pp. 78 et 96.
24. v. H. Toussaint, catal. exp. *Corot*, Paris, 1975, n° 113.
25. cité par W.A. Camfield, *Francis Picabia*, Princeton, 1979, p. 137.
26. « Le quatrième centenaire de Raphaël », *Nouvelle Revue Française*, 1er juin 1920, p. 928.
27. Vente Londres, Sotheby's, 11 déc. 1969, n° 197, repr. *(Baigneuses)*.
Voir pour les propos sur Raphaël A. Salmon, *Propos d'atelier*, Paris, 1939, p. 149 et J. Laude, *La peinture française (1905-1914) et l'art nègre*, Paris, 1968, pp. 107-108.
28. Vente Londres, Sotheby's, 16 avril 1975, n° 73, repr.
29. v. catal. exp. « De David à Delacroix », Paris, 1974-1975, n° 114.
30. v. aussi un surprenant *Amour et Psyché*, lithographie en couleurs d'E. Lassalle d'après Achille Devéria (série *Études choisies*, n° 52, chez Goupil et cie ; v. *Rêve au bonheur. Salon de Paris 1830-1880*, Florence, 1980, n° 36).

Cette exposition n'aurait pu avoir lieu sans tous ceux qui nous ont généreusement apporté aide et conseils. Disons avant tout combien les dossiers du Service d'Étude et de Documentation du Département des Peintures, dirigé par Jacques Foucart, ont été précieux pour notre travail. Nous voudrions remercier particulièrement, outre les auteurs du catalogue qui n'ont pas, par ailleurs, ménagé leur soutien amical, V. Adami, D. Alcouffe, L. d'Argencourt, A. Arikha, R. Bacou, J. Baillio, I. Balsamo, P. Barousse, J. Bean, S. Béguin, S. Bergeon, M.L. Bernadac, J.L. Bordeaux, P. Bordes, A. Brejon de Lavergnée, G. Bresc, E. Brugerolle, V. Cabanel, A. Caubet, M.C. Chaudonneret, C. Chenart, G. Chomer, I. Compin, M.L. de Contenson Hallopeau, N. Dacos, F. Davoine, D. Denis, F. Dijoud, F. Enaut, P. Ennes, A. Faÿ-Hallé, J. Fischer, I. Fontaine, S. Forestier, B. Foucart, J. Foucart, E. Foucart-Walter, T.W. Gähtgens, P. Gaubert, P. Georgel, V. Goarin, S. Grandjean, P. Grunchec, F. Haskell, C. van Hasselt, F. Heilbrun, M. Hoog, B. Horaist, A. Jacques, P. Jean-Richard, B. Jestaz, F. Jestaz, I. Julia, G. Lacambre, J. Lacambre, S. Laveissière, A. Lefébure, L. Leiris, S. Loste, H. Loyrette, J. Luna, M. Luti, F. Macé de Lépinay, T. Maertens, F. Mathey, C. Di Matteo, M. Mélot, C. Metzger, O. Michel, C. Monbeig Goguel, G. Monnier, D. Ojalvo, H. Oursel, R.L. Page, A.M. Passez, J.L. Paudrat, L. Pellicer, F. Perrot, M. Pinault, M. Polakovits, L.A. Prat, M. Préaut, T. Préaut, H. et M. Prouté, B. Py, F.H. Reboul, C. Ressort, J. Rewald, N. Reynaud, M. Roland Michel, G. Rongières, M.F. Rose, P. Rosenberg. A. Scottez, A. Sérullaz, M. Sérullaz, W. Spies, D. Thiebaut, H. Toussaint, P. Vaisse, C. Vasselin, F. Viatte, G. Vigne, D. Vila, H. Zerner.

Natalie Coural, Claude Lesné, Cécile Scailliérez ont apporté des éléments précieux au catalogue, notamment en signalant des œuvres passées dans des ventes publiques. Jérémie Benoit a participé avec compétence et dévouement à la mise au point du catalogue.

Jean-Paul Boulanger et Geneviève Renisio ont magnifiquement résolu, dans un esprit de cordiale collaboration, les difficiles problèmes posés par la présentation d'œuvres de techniques multiples.

Notre reconnaissance va à André Chastel, Michel Laclotte, Konrad Oberhuber et John Shearman qui nous ont apporté leurs conseils ; il nous faut enfin dire notre gratitude à Jacques Thuillier, auteur du texte qui ouvre le catalogue et l'éclaire, et à Martine Vasselin, qui a participé de façon déterminante à la rédaction de ce catalogue.

Dominique Cordellier échappe aux remerciements, puisqu'il a pris une part essentielle à l'élaboration et à l'organisation de l'exposition comme à la conception et à la rédaction du catalogue ; cette exposition, pour ce qu'elle pourrait présenter de nouveau ou d'intéressant, est pour bonne partie son œuvre.

J.P.C.

Catalogue

rédigé par :

Jean-Claude Boyer	J.C.B.
Dominique Cordellier	D.C.
Jean Coural	J.C.
Jean-Pierre Cuzin	J.P.C.
Élisabeth Fontans	E.F.
Jean-René Gaborit	J.R.G.
Chantal Gastinel-Coural	C.G.C.
Guy-Michel Leproux	J.M.L.
Alain Mérot	A.M.
Philippe Néagu	P.N.
Odile Nouvel	O.N.
Anne Pingeot	A.P.
Jacques Thirion	J.T.
Martine Vasselin	M.V.

Dans le cas où sont exposées plusieurs œuvres du même artiste, les notices sont ordonnées de la façon suivante : copies d'après Raphaël, œuvres inspirées plus ou moins lointainement de lui, œuvres mettant en scène Raphaël lui-même.

Les titres suivis d'une astérisque indiquent une œuvre figurant dans l'exposition « Raphaël dans les collections françaises »

Peintures et Dessins

Adami (Valerio)

Bologne, 1935

De 1951 à 1954, Adami a étudié le dessin dans l'atelier d'Achille Funi à l'Accademia di Brera à Milan. Depuis 1957 sa vie se partage entre Paris, l'Italie et des séjours aussi bien à Londres ou à New York qu'à Mexico, Bombay ou Jérusalem. Il était ainsi présent aux côtés de Guttuso, Recalcati, Arroyo... dans l'exposition Dedicata a Raffaello, *qui eut lieu en 1978 à la galerie Gastadelli à Milan. Adami qui naguère avait impliqué d'autres peintres dans ses tableaux, en particulier Gris, Matisse, Poussin et David a plus récemment plusieurs fois jeté son dévolu sur Raphaël. Il traite l'image raphaélesque comme la photo d'actualité, dont plus souvent ses tableaux procèdent, en démantelant la composition instituée par Raphaël, en l'émondant de tout ce qu'elle peut avoir de descriptif ou de « trompeur », en l'enrichissant, aussi, d'images disparates qui s'imposent soit mentalement soit visuellement durant l'élaboration de l'œuvre. Loin d'être innocentes, ces références à Raphaël, ainsi remontées, ne sont pas exemptes d'humour : dans une œuvre de 1978 (Milan, coll. part, fig. 117) l'ombelle d'un parasol peut dominer la figure cloisonnée de Galatée empruntée à la Farnésine, tandis que le titre* r.a.f.f.a.e.l.l.o./trionfo di Galatea *s'intègre dans l'image. La dette, des plus avouées, est aux antipodes de la copie littérale ou du pastiche. La modernité de tels avatars de Raphaël tient moins du choc insolent et lumineux des associations qu'à ce que tous les constituants de la peinture sont sur le même plan. Dans* Parnasso *(1981, coll. part.), la Sapho et le Dante du* Parnasse *(Vatican) sont amalgamés dans le jeu des aplats colorés et du cerne noir. Il y a, dans cette façon de transformer Raphaël par la couleur plane un peu des moyens de Mondrian, mais sans l'ascèse géométrique, et dans cette stylisation impeccable d'une aisance telle que la référence à Raphaël s'abolit, un peu des moyens d'un Matisse, mais sans la turbulence chromatique.*

Ces tableaux d'Adami, où des images de Raphaël choisies, métamorphosées et tranchées, voisinent avec des éléments figurés d'une nature toute autre, et des membres de phrases qui disent le sens, ressemblent assez aux opérations sélectives, associatives et créatrices de la mémoire, certes inattendue, que notre siècle, indépendamment de toute enquête historique, a gardée de Raphaël. D.C.

1
L'Urna

ill. 364

Toile
H. 1,52 ; L. 1,14
Inscription vers le milieu : *ille hic est raphael.*

Historique :
Valerio Adami, 1982 ; Fonds régional d'acquisition d'œuvres d'art contemporaines, Lyon, 1983.

Bibliographie :
Catal. exp. *Adami*, Rome, Galleria Giulia, janvier-février 1983, repr. p. 31.

On reconnaît dans cette œuvre de 1982, figurative mais à l'opposé du vérisme, un chèvre-pied, au visage enfoui dans les bras, sous une urne cinéraire. Le point d'ancrage de ces éléments se trouve, comme l'indique Adami lui-même, dans une peinture de la Pinacothèque Ambrosienne de Milan (repr. p. 228 *in* A. Falchetti, *Pinacoteca Ambrosiana*, Milan, 1969) où Gaspare Landi (1756-1830) a représenté une jeune fille avec une urne portant la même inscription *ille hic est Raphaël* empruntée à l'épitaphe de Raphaël écrite par Bembo ou Tebaldeo (Golzio, 1971, pp. 119-120). A quoi s'ajoute, réminiscence visuelle issue d'un autre monde mais utile à la métamorphose de l'ensemble, l'automobile jaune en plate peinture.

Le métier livre ces images condensées : la ligne n'apparaît plus seulement comme contour mais aussi sous forme de hachures qui approchent la facture « sèche » de la tempera ou de la fresque ; l'articulation du corps l'emporte sur la désignation de l'espace ; la couleur, multipliant les demi-tons, du saumon à l'incarnat, se plie de façon quelque peu accusatrice au dessin. Aussi les motifs, devenus étrangers à l'illusionnisme et à ses règles narratives, sont-ils au tableau ce que sont les idées à la pensée : des réductions massives d'expérience. « Si vous aviez à dessiner une forme plastique juste, dit Adami : une main avec des doigts articulés, une jambe solide qui se plante, ce n'est pas du tout dessiner mais exprimer un concept. La valeur plastique devient un concept complètement autonome. Raphaël à l'École d'Athènes dessinant des personnages monumentaux, solides, bien équilibrés, ou Masaccio avait cette même conception. C'est ainsi qu'on peut comprendre la peinture comme langage spécifique absolument détaché de tout autre forme de langage. Un langage plastique ». (*Libération*, 3 juillet 1980).

Par ses moyens donc, comme par son sujet, ce « tombeau » de Raphaël, comparable aux « tombeaux » musicaux tout à la fois abstraits et évocateurs, est un hommage en clef néo-classique au maître du classicisme. D.C.

Lyon, Fonds régional d'art contemporain Rhône-Alpes

Ango (Jean-Robert)

? - Rome, peu après 1773 ?

Le problème de l'identité d'Ango, artiste dont on ne connaît que des dessins et resté longtemps mystérieux, a été tout récemment éclairci par Marianne Roland-Michel (1981 et 1983). Actif essentiellement à Rome, ce productif spécialiste de croquis d'après « les maîtres » ou d'après des sculptures antiques, indiqués d'un trait de sanguine ou de pierre noire vif et frissonnant, souvent plusieurs fois souligné, a connu Julien de Parme à Rome en 1760, et travaillait pour le bailli de Breteuil dont il copia les collections (album gravé de 1770, dessins entre 1763 et 1768). Pierre Rosenberg (1982) a d'autre part publié les extraits de lettres de Julien de Parme attestant son amitié avec Ango, qui semble très malade en 1772-1773. Geneviève et Olivier Michel ont de leur côté trouvé des documents attestant que Fragonard et Ango ont fait ensemble des copies à Naples au Palais de Capodimonte en 1761 et recensant Ango en 1765 dans la paroisse de Santa Maria in Via Lata, celle des pensionnaires de l'Académie de France dont faisaient alors partie Fragonard et Hubert Robert. A plusieurs reprises, il redessine sur des contre-épreuves de Robert ou copie ses dessins (Roland Michel, 1981, p. III et V). Les dessins des trois artistes ont été parfois mêlés et confondus (Roland Michel, 1983, s.p.). « On a ainsi la confirmation qu'Ango partageait les activités et la vie de deux pensionnaires qui l'ont beaucoup inspiré : Fragonard et Hubert Robert » (Cailleux et Roland Michel, 1983). Les trois artistes ont travaillé pour l'abbé de Saint-Non aux dessins des Griffonis *(gravés entre 1755 et 1778). Pour ce qui concerne Raphaël, neuf des dessins interprétant des détails de ses œuvres sont d'Ango d'après les lettres des gravures de Saint-Non (Cailleux, 1963, 114b, 127b, 137b, 139b, 146b, 155a, b, c et 159a)* J.P.C.

2
Héliodore chassé du temple

D'après un détail de la fresque du Vatican

ill. 184

Pierre noire
H. 0,163 ; L. 0,209.
Collé en plein. Annoté à la plume et encre brune au recto du montage : *Subleras* (biffé) / *Angot ;* au verso : *Eliodore renvoyé / au crayon noir.*

Historique :
Collection *MP* (initiales au dos du montage) ; Saisie des Émigrés (Saint-Morys), marque du musée (Lugt 1886). Inv. 23566.

Bibliographie :
Morel d'Arleux, IX, nº 12620
Guiffrey-Marcel, I, nº 77 ;
Roland Michel, 1981, p. III, n. 16.

Ce croquis d'après le groupe de droite de la fresque d'*Héliodore* du Vatican, montrant le profanateur renversé par l'ange cavalier, rappelle, dans une facture plus poussée, ceux d'Ango gravés par Saint-Non dans ses *Griffonis.* J.P.C.

Paris, Musée du Louvre, Cabinet des Dessins

Arikha (Avigdor)

Radautz, 1929

Rien dans la formation d'Arikha, ni les études d'art à Jérusalem (1946-49) ni l'enseignement de l'École des Beaux-Arts à Paris (1949-51) ne semblait devoir le porter vers la méditation de Raphaël. Ses débuts, allant des modèles cézanniens à une expression lyrique de l'abstraction, apparaissent plutôt comme une réviviscence de la genèse de la peinture moderne. A partir de 1957, il expose dans des tableaux où le feu couve, rouge sous le noir, les possibilités de l'abstraction la plus volubile, avant qu'en 1965 un examen attentif des tableaux du Caravage ne lui rende nécessaire de « recommencer au commencement », de revenir à la figure. C'est avec la plus grande économie de moyens d'abord, le noir de l'encre et le blanc du papier, qu'il investit de nouveau le réel et il attendra 1973 pour répondre de nouveau à la séduction des couleurs à l'huile ou d'aquarelle. Il définit son travail (portrait, nature morte, vue d'intérieur), qu'il mène à bien en une ou deux séances par souci d'agilité et par fidélité aux sensations fugitives, comme une série « de notations sismiques ». De cette nouvelle équation entre le réel et le pictural, il obtient une solution claire, d'un métier libre non sans affinité avec Manet. Comme Manet, Arikha est un fidèle du musée. Il n'attend pas des maîtres une tutelle passive à laquelle on puisse, par un simple emprunt, rendre hommage. Là, le peintre se double d'un érudit, une sorte de philosophe épris de la peinture ancienne et de son histoire. Sa curiosité est fièvre d'intellection comme sa peinture fièvre de la substance. D'un Poussin il cherche à déméler l'amalgame savant et raisonné de sources formelles et littéraires disparates (L'enlèvement des Sabines de Poussin, *dossier du département des Peintures, Louvre, 1979 ; Houston puis Princeton, 1983). D'Ingres, il expose le rapport conflictuel à la nature. (Les dessins d'*Ingres d'après nature *musée de Dijon, 1981). Son regard sur le* Balthazar Castiglione* *(nos 3-4) relève de la même volonté de montrer Raphaël « de l'intérieur ». Si sa rencontre avec Raphaël connut, comme celle de Valerio Adami pourtant si différente, les étapes imposées de David et de Poussin, c'est peut-être que, nous dit Arikha, « Pour le peintre, l'histoire de l'art est un sentier qui se rétrécit : ce qui précède, limite ce qui suit » (Catal. exp.* Arikha, *Galerie Berggruen, 1980).* D.C.

4
Balthazar Castiglione
D'après le tableau du Louvre*

ill. 130

Mine de plomb
H. 0,543 ; L. 0,461
Signé en bas à droite ; *ARIKHA.*
Daté en haut à droite : *26.1.82.*

3
Balthazar Castiglione
D'après le tableau du Louvre*

ill. 131

Mine de plomb
H. 0,468 ; L. 0,309
Signé en haut à gauche : *ARIKHA.*
Daté en haut à droite : *26.1.82.*

Comme peu d'artistes actuels, Avigdor Arikha ne cherche pas dans Raphaël davantage que la peinture. Il n'a nul besoin du support permanent d'un système philosophique, politique ou littéraire pour justifier le regard qu'il porte sur Raphaël, pour admettre l'entreprise de le copier. Car il copie, et par là donne moins à expliquer qu'à voir. Il s'agit moins des intentions de l'artiste que des moyens de la peinture ou du dessin, et la copie gagne en rigueur de métier ce qu'elle délaisse de justifications abstraites ou intellectuelles. Ce n'est pas qu'Arikha copiant manque d'être cérébral, et son attention aux formes, qui était déjà (plus ingénue peut-être) celle de Delacroix (n° 67), est aussi une opération culturelle riche de sens.

Comme la peinture de Rubens (Londres, Institut Courtauld) ou le dessin de Rembrandt (Vienne, Albertina) copiés du même tableau de Raphaël, les dessins d'Arikha ont valeur d'exercices où il imprime d'autant plus son style propre qu'il reproduit un chef-d'œuvre. Un graphisme vif, profus, intense, en témoigne. D'emblée Arikha est captivé : Castiglione est livré dans ces dessins à un espace ouvert, à la mesure de sa vitalité. Attentif à l'expression, précis pour rendre l'espace, Arikha ne décrit pas : l'image de Balthazar Castiglione qu'il porte en lui-même, lui épargne cet écueil. A Barbara Rose qui l'interrogeait en 1978 (Catal. exp. *Arikha,* Londres Marlborough Fine Art) Arikha a d'ailleurs dit : « Le *Castiglione* (de Raphaël) n'était pas le résultat d'une mesure mecanique, ce n'était pas [à l'encontre d'une photographie ordinaire] une image transmise à travers une lentille inerte, mais l'image dédoublée du modèle à travers le peintre. Deux vies marquées sur une surface ». Et ces deux vies s'animent, dans ses copies, de la sienne propre.

Il est tentant de croire qu'après l'exigeante expérience de l'abstraction qui, singulièrement, simplifia sa façon de peindre, Avigdor Arikha ait reconnu dans le *Balthazar Castiglione** les termes essentiels de son retour à la figuration, ceux d'une peinture supérieurement maîtrisée, d'une vérité sans trompe-l'œil, d'un métier animé mais égal de traitement. Une peinture simple sans être insignifiante. D.C.

Paris, collection particulière

Arroyo (Eduardo)

Madrid, 1937

Écrivain espagnol contraint à l'exil dès l'âge de 21 ans par la noche negra *du franquisme, Arroyo adopte en France la peinture comme moyen de prise de position sur le passé immédiat de l'Espagne. Selon un cheminement parallèle à celui de ses amis Aillaud, Recalcati et Adami, il élabore une figuration nouvelle, où les moyens de l'abstraction (aplats uniformes ou lyrisme gestuel de la brosse), appellent une part d'« anonymat ». Un métier pictural laconique et strident, qui rappelle tour à tour, sans qu'il s'agisse d'influences, les masses brouillées dans un espace clos d'un F. Bacon, l'incisive schématisation figurative d'un Hélion, et les associations a-stylistiques de formes signifiantes d'un Picabia, sert une peinture d'histoire dénigrante et caustique envers toutes les formes de domination. Peinture à sujet, et peinture événementielle, l'œuvre d'Arroyo s'appuie souvent sur des témoignages littéraires et utilise comme « pièces à conviction », en les citant sous une forme condensée percutante, toutes sortes d'images pré-existantes, de la photographie (Cartier Bresson) à la peinture ancienne (Vélasquez, Rembrandt) ou contemporaine (Miró) : sa maîtrise de l'ironie fait que, paradoxalement, les distorsions du pastiche dénoncent les falsifications de l'Histoire.*

Ainsi a-t-il récemment mis en cause la figure mythique de Raphaël (n° 5) en participant, auprès d'Adami, Recalcati et bien d'autres Italiens, à l'exposition Dedicata à Raffaello *organisée par la Galerie Gastadelli de Milan.* D.C.

5
Raffaello e Andrea dal Sarto

Toile
H. 1,30 ; L. 0,97
Signé et daté en bas à droite :
ARROYO 77-78

Historique :
Milan, Galerie Gastadelli Arte Contemporanea, 1978 ; Dott. Alberto T. Galimberti.

Bibliographie :
Catal. exp. *Dedicata a Raffaello,* Milan, Galerie Gastadelli Arte Contemporanea, 1978, s.p. ; Catal. exp. *Eduardo Arroyo - 20 Anos de Pintura, 1962/1982,* Madrid, Sala Pablo Ruiz Picasso, 1982 ; Astier, 1982, p. 80, repr.

ill. 375

« Je ne peux concevoir un tableau sans titre » déclare Arroyo (Astier, 1982, p. 73) ; l'assertion se vérifie ici où l'image prend la forme d'un calembour. Le titre, *Raffaello e Andrea dal Sarto,* joue sur les noms de deux artistes de la Renaissance (Raphaël et Andrea *del* Sarto) et signifie en italien : Raphaël et Andrea chez le tailleur. Par son élaboration formelle, cependant, le tableau dépasse l'innocence du jeu de mots.

On trouve là les ressources des autres portraits d'artistes, vivants ou morts, peints par Arroyo auxquelles Michel Tournier (1974, s.p.), dans un beau texte, a attaché trois mots un peu abstraits : « Attribut, collocation, distraction ». « Distraction », évidente ici chez Andrea qui, détourné de notre attention, pose l'énigme de sa représentation impersonnelle ; « collocation », terme emprunté à la logique, pour dire combien la disposition relative des éléments du tableau contribue à mettre en avant le modèle et à l'engager vis-à-vis du spectateur ; « attribut » enfin pour signifier que, selon les règles du portrait emblématique codifié justement à la Renaissance, l'objet secondaire a une part telle au sens du portrait que le caractère du modèle en dépend. Ainsi le visage de Raphaël, emprunté à l'*Autoportrait* des Offices, même s'il figure le peintre de l'idéal, dit moins dans sa froide vacuité que l'accessoire, et, puisque nous sommes chez le tailleur, que le costume. Cette vareuse bleue largement ceinturée « parle », et prête à Raphaël l'anachronique allure d'un combattant de quelque révolution. Dans le contraste du visage et de la mise se dit peut-être, en termes picturaux que le langage ne peut que gauchir, la condition de l'artiste partagé entre l'expression esthétique et le message militant. Partage constant chez Arroyo, comme le remarque Pierre Astier (1982, p. 60) des moyens et des fins de la peinture D.C.

Milan, Dott. Alberto T. Galimberti

Balze (Paul) et *Balze (Raymond)*

Rome, 1815 - Paris, 1884 - Rome, 1818- ? 1909

Ces deux frères, élèves d'Ingres, consacrèrent une grande partie de leur carrière à une colossale entreprise de copies des œuvres de Raphaël. Leur vie semble s'être placée, par la volonté d'Ingres, sous le signe du peintre *d'Urbin. Après l'exécution des copies des Loges (cf. n° 6), les frères Balze furent chargés de copier les fresques des Stances (cf. lettre d'Ingres, juillet 1840, Boyer d'Agen, 1909, p. 278). L'ensemble des copies, représentant douze années d'incessant labeur, arriva à Paris en 1847 et fut exposé au Panthéon. Les copies des Stances figurèrent au Musée Européen (Musée des Copies) en 1873, et furent installées en 1896 dans le vestibule du dôme des Invalides. Elles sont depuis à l'École des Beaux-Arts. La copie de l'*École d'Athènes *par Paul Balze (1847) et celles des quatre médaillons de la voûte de la Chambre de la Signature, la* Philosophie *et la* Justice *par Paul, la* Poésie *et la* Théologie *par Raymond Balze (1851) sont intégrées dans le décor du grand escalier de la Bibliothèque Sainte-Geneviève.*

Paul Balze mit au point une technique de lave émaillée dans laquelle il produisit plusieurs copies monumentales de Raphaël, souvent en collaboration avec son frère : celle du Père Éternel bénissant le monde *du Louvre (fresque de la Magliana, De Vecchi, 1982, n° 168), du Salon de 1863, se trouve encore dans la Cour d'Honneur de l'École des Beaux-Arts ; celle de la* Vision d'Ezéchiel *du Palais Pitti, du Salon de 1864, décore la façade de l'église Saint-Jacques à Montauban. Des peintures originales de même technique furent exécutées pour l'église de Puiseaux dans le Loiret (1859) et à Paris à Saint-Augustin (1862) et à La Trinité (1868). Le décor de l'abside de l'église Saint-Symphorien de Versailles (1858-1861), avec un* Couronnement de la Vierge *très raphaélesque, reste une des belles réussites de Paul Balze peintre religieux. Le musée de Montauban conserve, provenant du legs Ingres, plusieurs copies peintes de Paul Balze d'après Raphaël (Ternois, 1965, nos 9, 10, 11) ; d'autres par Paul et Raymond subsistent dans des collections privées.*
J.P.C.

6
La colonne de fumée
D'après la fresque des Loges du Vatican

Huile sur toile, provisoirement détachée du mur
H. 1,09 ; L. 1,28

Historique :
Une des 52 copies des fresques des Loges du Vatican, commandées à l'initiative de Thiers en 1835, envoyées à Paris en octobre 1840 (*cf.* Boyer d'Agen, 1909, p. 280), mises en place en 1852 dans le Palais des Études de l'École des Beaux-Arts.

ill. 251

Bibliographie :
Delaborde, 1870, pp. 264-266 ;
Boyer d'Agen, 1909, pp. 239-280 ;
Dacos, 1977, pp. 13-14.

Cette peinture, copie d'une des 52 compositions (Dacos, 1977, IX.3) des Loges de Raphaël fait partie d'un ensemble, à l'École des Beaux-Arts de Paris, où sont reconstituées, en deux galeries, ces peintures du Vatican ; provisoirement détachée, elle reprendra sa place après restauration. L'épisode biblique est emprunté à l'Exode (V, 33) : le peuple se prosterne devant la colonne de fumée qui signale que Moïse, dans sa tente, parle avec Dieu.

Les frères Balze, fidèles élèves d'Ingres et actifs zélateurs du culte de Raphaël, consacrèrent une grande partie de leur activité à des copies d'après le maître italien. L'exécution de copies d'après les fresques des Loges du Vatican fut ardemment souhaitée par Ingres, nouveau directeur de l'Académie de France à Rome, arrivé dans la ville au début de janvier 1835, et dont cette entreprise constitua le premier souci. Différentes lettres du peintre permettent de suivre l'affaire (Boyer d'Agen, pp. 240-278) : en mars 1835, il demande des crédits pour les frais d'échafaudages, de toiles, le paiement des artistes ; en septembre de la même année, il écrit que les travaux sont arrêtés, les peintres éprouvant des difficultés, et se plaint de la mauvaise volonté de l'administration pontificale qui veut enlever les échafaudages ; cinq copies sont alors terminées et trois « très avancées » ; en décembre il demande des crédits pour de nouveaux échafaudages et en mai 1836 annonce que les travaux recommencent. Une lettre antérieure à Gatteaux (novembre 1835) atteste les soucis que les copies des Loges valurent à Ingres, qui parle de « galère » ; il y affirme la valeur pédagogique et exemplaire qu'auront ces copies : « ...en tenant à ce que leur place soit comme celle des originaux, à vingt pieds de l'œil du spectateur, nous pourrons... envoyer paître cette tourbe qui n'a ni le goût ni le secret des arts ».

Dans une lettre à Duban (octobre 1836), Ingres évoque comme destination possible des copies la chapelle des Petits-Augustins, à l'École des Beaux-Arts. Le 2 février 1839, dix-sept tableaux sont terminés, auxquels Ingres dit avoir « donné les soins les plus tendres. Ils sont faits avec toute la conscience du fac-similé ». En juillet 1840, Ingres annonce que l'ensemble est achevé (probablement fin 1839 ou début 1840) et s'inquiète de sa « destination monumentale ». « Ce ne sont point des tableaux à voir, comme un bijou de peinture ; elle est de décoration ».

Les frères Balze s'acquittèrent de la plus grande part du travail : 44 sur les 52 compositions, les 8 autres étant peintes par Paul Flandrin, Comairas, Jourdy et Rousseau. Notons que l'inventaire de l'École des Beaux-Arts donne à Ingres lui-même la copie de la première des 52 fresques, celle de l'*Éternel partageant la lumière et les ténèbres.*

Lorsque les copies furent exposées à Paris, au Panthéon, en 1847, l'accueil fut très favorable, et les peintures louées par Théophile Gautier et par Delacroix, qui admira spécialement les *Loges :* « Les *Loges* me paraissent spécialement remarquables et respirer un entrain qu'on n'est pas accoutumé à rencontrer dans des répétitions » (lettre du 26 février 1847 ; *Correspondance,* II, p. 303) Ingres, le vrai « patron » de l'entreprise, écrivit une lettre aux frères Balze (Boyer d'Agen, pp. 251-252) ; dans laquelle il les félicite chaleureusement : « ...mon entier contentement, mon admiration pour votre religieux courage... comme Français, artiste, le cœur me bondit de plaisir... vous avez bien mérité de la Patrie ! ». On vit dans l'entreprise un triomphe des doctrines d'Ingres : recours aux maîtres du passé, exécution lente et lisse, et l'exposition fut l'occasion de discours « anti-romantiques ».

D'abord installées, comme l'avait indiqué Ingres, dans l'ancienne chapelle des Petits-Augustins à l'École des Beaux-Arts, les peintures furent placées en 1852 dans le nouveau « Palais des Études » de l'École construit par Duban, et installées dans deux galeries donnant jour sur la grande cour centrale vitrée, chacune reconstituant une moitié de la longue galerie du Vatican, les arabesques décoratives étant peintes par Chauvin et les guirlandes par Gastine. N. Dacos souligne justement que la coupure en deux parties fait qu'une des deux se trouve éclairée, par rapport à l'original, à contre-sens, et que la cohérence de l'ensemble s'en trouve altérée.
J.P.C.

Paris, École Nationale Supérieure des Beaux-Arts

Baudry (Paul)

La Roche-sur-Yon, 1828 - Paris, 1886

Élève de Drolling, il obtient le Prix de Rome en 1850, et reste en Italie cinq années. Ses lettres de la péninsule retentissent du nom de Raphaël, sa plus grande admiration. Baudry dessine le Mercure emportant Psyché *de la Farnésine (lettre à Marquerie, 24 avril 1852 ; Ephrussi, 1887, p. 92), il cherche à Pérouse les « prémices du talent de Raphaël » au Cambio (à ses parents, 10 janvier 1853 ;* id. *p. 111). Il envoie à Paris une grande copie d'après Raphaël : « Je vous envoie à Paris dix-huit pieds de peinture d'après Raphaël... Mais qui aime Raphaël à Paris ? Et qui s'intéresse à ce pèlerinage que j'ai fait au tombeau du style et du beau idéal ?... Raphaël est donc enterré à Paris » (lettre à Renard, 17 mars 1854 ;* id. *p. 128). Le 3 octobre 1854, il écrit qu'il a choisi, pour sa copie de quatrième année « une fresque de Raphaël un peu Berninée où il y a une grande manière de style et de peinture qui les embête » (les membres de l'Institut ; à Guitton ;* id. *p. 134 ; il s'agit des* Trois Vertus *de la Chambre de la Signature : la peinture de Baudry est aujourd'hui, en triste état, à l'École des Beaux-Arts). Et cette exclamation : « Comme je l'aime depuis que je l'ai étudié et que de secrets d'harmonie et de couleurs il m'a révélés ! » (à Guitton, 8 mai 1855 ;* id. *p. 162). Il connaît ensuite une carrière brillante, s'illustrant dans les nus mythologiques, les portraits et les décors. Son œuvre essentielle, les peintures du foyer de l'Opéra de Paris, l'occupa de 1864 à 1874 (*cf. *n° 13). Sa prédilection pour Raphaël transparaît dans nombreuses de ses œuvres.* La Fortune et le jeune enfant *(musée d'Orsay), peinte à Rome (Salon de 1857) fut considérée comme un pastiche des Italiens : de Titien, mais aussi de Raphaël, avec l'enfant qui évoque aussi bien la* Vierge Bridgewater *(Edimbourg) que le Palémon de la* Galatée *(le rapport avec Raphaël est souligné par Lafenestre, 1886, p. 399). Des souvenirs de la copie des* Trois Vertus *se retrouvent dans les dessus de porte avec les figures de* Rome, Florence, Venise, Gênes, Naples, *peints pour le duc de Galliéra (1862, Hôtel Matignon), et un écho du* Parnasse *dans* Primavera, *esquisse peinte à Rome (localisation inconnue ; Ephrussi, 1887, pp. 157-158). Une* Vierge à l'Enfant avec le petit saint Jean *(fig. 17 ; musée de Fontenay-le-Comte) ébauchée en 1869 et reprise en 1882, nous est signalée par Véronique Goarin : elle s'inspire directement des Vierges de Raphaël du début de la période romaine.*

Les fresques de la Farnésine l'ont souvent inspiré (n° 13) jusqu'à la fin de sa vie : Le repas des noces de Psyché *aujourd'hui détruit (1882 ; Ephrussi, pp. 261-268) de l'hôtel Vanderbilt, à New York, brode encore sur les motifs de la loggia, comme* l'Enlèvement de Psyché *de Chantilly (1884,* id. *pp. 272-273), sa dernière grande œuvre.* *J.P.C.*

7
La pêche miraculeuse

ill. 259

8
L'aveuglement d'Elymas

ill. 265

9
La guérison du paralytique

ill. 275

10
La mort d'Ananie

ill. 281

11
Le sacrifice à Lystre

ill. 271

12
Saint Paul prêchant à Athènes

ill. 279

D'après les cartons des Actes des Apôtres

Toiles
Chacune H. 0,80 ; L. 1,17

Historique :
Offerts par Baudry à Thiers en 1871, qui ne semble guère les avoir appréciés, les jugeant « trop peu finis » ; rendus à l'artiste ; déposés à l'École des Beaux-Arts par les

enfants de l'artiste (Ephrussi, 1887, n. 2, pp. 307-308) ; repris par ces derniers ; vente atelier Baudry, 10 mai 1889, n°s 1 à 7 ; Cécile Baudry, fille du peintre ; collection particulière *(Pêche Miraculeuse)* ; les cinq autres achetés sur le marché d'art parisien par le musée de La Roche-sur-Yon en 1980. (Inv. 80-1 à 5).

Bibliographie :
Ephrussi, 1887, pp. 207-208, p. 320, n. pp. 307-308.

Ces six peintures font partie des copies exécutées par Baudry à Londres en 1868 d'après les cartons des *Actes des Apôtres* de la collection royale, déjà montrés alors au Kensington Museum, devenu le Victoria and Albert Museum (*La remise des clefs,* septième des copies réalisées, manque). Le peintre décalqua d'abord minutieusement les grandes photographies de Gambard pendant les soirées de l'hiver 1868-1869, indique Ephrussi (p. 207), et réalisa l'exécution peinte à Londres l'été suivant « se donnant tout entier à ce rude travail, s'enfermant au musée onze à douze heures par jour, et vivant en véritable anachorète ».

J.P.C.

Paris, collection particulière (n° 7)
La Roche-sur-Yon, Musée Municipal (n°s 8 à 12)

13
La Musique en Grèce

ill. 240

Toile ovale
H. 2,20 ; L. 1,60

Historique :
Donné avec trois autres études de mêmes dimensions par Baudry à Edmond About, dont les enfants avaient posé pour les figures ; Mme Edmond About ; déposé, avec les trois autres, au musée des Arts Décoratifs qui les dépose à la Bibliothèque de l'Opéra ; fin du dépôt, 1983 ; Paris, collection particulière.

Le décor du grand foyer de l'Opéra de Paris occupa Baudry dix années (1864-1874). Avant de s'y consacrer, le peintre souhaita retourner à Rome pour y étudier les fresques du Vatican, et d'abord Michel-Ange (1864-1865). De passage à Bologne, il note : « à Bologne rien ; mais tout dans la Sainte Cécile » (Ephrussi, p. 196). A Rome, il exécute à la Sixtine onze grandes copies d'après la voûte de Michel-Ange. Mais il n'oublie pas Raphaël : l'entreprise de la copie des cartons de Londres (voir n°s 7-12) l'atteste. C'est un véritable rappel des gloires picturales de l'Italie (Michel-Ange, Véronèse, Carrache, Cortone) que battent les peintures du foyer, peintes sur toiles et marouflées (voir Foucart-Prat, 1980, pp. 17-22). Les figures colossales des *Muses,* les nombreux nus masculins se souviennent de l'expérience récente des copies de la Sixtine. Mais quelque chose de doux et d'apaisé dans l'arrondi des formes élastiques évoque davantage Raphaël. Les *Muses* sont aussi bien les *Vertus* de la Chambre de Constantin que les *Sibylles* de Michel-Ange. Les compositions du *Parnasse* et du *Jugement de Paris* se rattachent aux gravures de Marcantonio Raimondi des mêmes sujets*. Ces analogies sont notées par des critiques en 1874 (voir Foucart-Prat, 1980, pp. 57, 60, 64). On peut même suggérer de voir dans le plafond de la *Comédie* une démarcation souriante du *Grand saint Michel** ! Les dix médaillons ovales de la *Musique personnifiée* qui surmontent les portes monumentales du foyer montrent des enfants tenant les instruments de chacun des pays qui les ont inventés. Comme le note pour les dénigrer Antoine Etex dans *l'Événement* (15 octobre 1874 ; Foucart-Prat, 1981, p. 66), ils se placent dans la lignée des peintures de la Loggia de la Farnésine représentant *« di sotto »* des *Amours avec des armes* ou des *animaux* (De Vecchi, 1982, n° 130), dont Baudry avait donné des paraphrases encore plus proches dans ses *Attributs des dieux* peints pour le salon d'Achille Fould (Chantilly, musée Condé ; Ephrussi, pp. 178-179, qui note l'analogie avec la Farnésine). La grande étude montrée ici à titre d'exemple prépare le panneau de *La Musique en Grèce,* avec trois enfants tenant les instruments grecs : lyre, tympanon, syrinx, double flûte (Foucart-Prat, 1980, p. 123, repr. 29 ; pour un dessin préparatoire, *id.* repr. 30). L'enfant assis évoque l'*Amour à la flûte de Pan* de la Farnésine, celui qui semble voler l'*Amour tenant un bouclier.* La peinture finalement mise en place, plus calme et gracieuse dans ses modelés arrondis, évoquera davantage Raphaël que le projet.

Véronique Goarin nous indique que dans les quatre grandes études qu'il donna à Edmond About, Baudry expérimentait un procédé inventé par un dénommé Bonomée, destiné à produire un effet de fresque ; après ces quatre ébauches, il abandonna ce type d'expérience. J.P.C.

Paris, collection particulière

Baugin (Lubin)

Pithiviers, vers 1612 ; Paris, 1663

Reçu maître en 1629 dans la corporation des peintres de Saint-Germain-des-Prés, il séjourne plusieurs années en Italie à partir de 1636. En 1641 il est de retour. Il obtiendra des commandes importantes, notamment celles de onze tableaux pour Notre-Dame de Paris. Il est le peintre français du XVIIe siècle qui affirme le plus son attachement aux maîtres italiens du XVIe siècle, notamment Corrège, Parmigianino, Primatice, et à travers ce dernier, l'école de Fontainebleau. Le surnom de « Petit Guide » qu'on lui décerna ne paraît justifié que par la suavité de certains de ses visages et par son goût pour les couleurs claires. Il affectionne une manière élégante et puriste, presque désincarnée, et des tonalités vives et froides, comme décolorées, très particulières. L'influence de Raphaël sur son style a été notée par tous les historiens ; elle est particulièrement évidente dans ses Vierges à l'Enfant *et ses* Saintes Familles *(n° 14). Baugin a-t-il fait des copies d'après Raphaël ? Une* Sainte Famille *par le Baugin d'après* Raphaël *est mentionnée (n° 134) dans une vente à Paris le 25 juin 1779. La petite* Sainte Famille *du musée Magnin de Dijon, gravée par F. de Poilly (Auzas, 1958, fig. 11 et 12 ; Thuillier, 1963, pl. 18), fait partie des œuvres les plus raphaélesques de la peinture française : elle se relie aussi bien à la* Petite Sainte Famille* *dont elle reprend l'attitude de la Vierge et le mouvement en arc des deux enfants rapprochés, qu'à la* Grande Sainte Famille* *dont elle imite le saint Joseph appuyé sur son poing. Une composition très proche, aujourd'hui perdue (fig. 49 ; T. H. 0,36 ; L. 0,27 ; vente Burton, Anvers, Cercle Royal Artistique, 14 mars 1927, n° 49, comme « maître italien, XVIIe siècle ») est peut-être plus voisine encore de Raphaël : les deux enfants sont tout proches de ceux de la* Petite Sainte Famille, *le fond d'architecture évoque la* Vierge du Divin Amour *(Naples),*

les deux anges évoquent ceux du Baptême du Christ *des Loges (Dacos, 1977, XIII-3). Un dessin à la sanguine, au musée d'Orléans, souvent considéré comme un original, paraît, à l'exception de la tête conforme au tableau de Dijon, copier cette version. A la cathédrale de Luçon, une* Descente de croix *s'inspire dans la composition de sa partie supérieure de la gravure de Marcantonio de même sujet. Mais le plus souvent c'est par l'intermédiaire des peintres de Parme et de Primatice que lui parviennent les créations de Raphaël.* *J.P.C.*

14
La Vierge et l'Enfant avec le petit saint Jean

ill. 25

Toile
H. 1,20 ; L. 0,93

Historique :
Communautés religieuses ; saisie révolutionnaire ; figure sur le premier catalogue du musée, 1794 (n° 186). Inv. 794.1.25.79.

Bibliographie :
Auzas, 1957, p. 49 ; Pruvost-Auzas, 1958, n° 5 ; Auzas, 1958, p. 134, fig. 8 ; Thuillier, 1963, p. 25, fig. 20 ; Bergot-Ramade, 1979, n° 1.

Attribuée à La Hyre (catal. musée, 1803, n° 34) puis à Vouet (catal. musée, 1859, n° 235), enfin correctement à Baugin (catal. musée, 1871, n° 179), le tableau figurait sur le premier catalogue du musée de Rennes (1794, n° 186), sous la rubrique : « d'après Raphaël ». On ne peut mieux dire combien, sans emprunt strict, il doit aux formes et au sentiment du peintre d'Urbin. P.M. Auzas note en 1958 que le saint Jean « évoque Raphaël » : il est tout proche, par exemple, de celui de la *Grande Sainte Famille* * du Louvre. Jacques Thuillier date le tableau de Rennes « peu de temps après le retour de Baugin à Paris », donc vers 1642-1645. Des *Vierges à l'Enfant* à mi-corps de Baugin comparables, et comme celle de Rennes proches des Italiens du XVIe siècle, se trouvent au musée de Nancy, dans l'ancienne collection Northumberland, dans la collection Chrysler (prêté au Chrysler Museum de Norfolk) et chez Wildenstein ; une autre est gravée sous le nom de Corrège dans le Cabinet Boyer d'Aguilles à Aix en 1709 (Thuillier, 1963, fig. 13). J.P.C.

Rennes, Musée des Beaux-Arts

Benouville (Léon)

Paris, 1821 - Paris, 1859

Comme son frère Achille, paysagiste, il est élève de Picot et de Cogniet à l'École des Beaux-Arts. Il obtient le Prix de Rome en 1845 et séjourne à la Villa Médicis de 1846 à 1850. Le reste de sa courte carrière se déroule à Paris. Le livre de M.M. Aubrun (1981) a fait le point sur la carrière et les œuvres de Benouville, qui représente un des rameaux de l'ingrisme, artiste parfois austère, attaché à l'étude scrupuleuse du modèle, et qui connaît d'émouvantes réussites dans les dessins. B. Foucart note qu'il « incarne dans ce milieu du siècle la peinture élevée et sévère » (in Aubrun, 1981, p. V).

M.M. Aubrun (1981) mentionne une Tête d'étude d'après Raphaël, *peinture non identifiée passée dans la vente après décès du peintre (5 mai 1859, n° 30), et plusieurs copies dessinées d'après Raphaël, certaines perdues, d'autres conservées au musée de Rouen (D. 743, D. 751), d'autres dans des collections privées (D. 46, D. 98, D. 742, D. 744, D. 44, D. 747, D. 748, ces trois d'après les tapisseries du Vatican, D. 750). Les références à l'œuvre de Raphaël ne manquent d'autre part pas dans l'œuvre de Benouville : M.M. Aubrun note le souvenir des Loges dans* l'Adam et Ève chassés du Paradis, *dessin du musée de Pontoise (Aubrun, D. 116). Le portrait ovale de* Madame Casimir Montenard *(1855, Bourg-en-Bresse ; Aubrun n° 254) semble s'inspirer directement du* Bindo Altoviti *de Washington.* *J.P.C.*

15
La Dispute du Saint Sacrement

D'après un détail de la fresque du Vatican

ill. 152

Huile sur toile
H. 2,05 ; L. 1,75

Historique :
Peint à Rome, 1848-1849 ; envoi de Rome de troisième année ; il ne s'agit pas de l'œuvre passée dans la vente après décès de l'artiste, Paris, 3 mai 1859, n° 28 : voir de Gravigny, « Mouvement des arts et de la curiosité, vente Léon Bénouville », *Gazette des Beaux-Arts,* avril 1859, p. 247, qui signale : « une *petite* copie de la *Dispute du Saint Sacrement,* de Raphaël, 340 frs » ; transporté au Louvre du dépôt des œuvres d'art de l'État en 1972. INV 20543.

Bibliographie :
Aubrun, 1981, n° 79 (avec bibliographie antérieure) ;
Foucart, 1978, p. 18.

Cette copie d'après un détail de la *Dispute du Saint Sacrement* du Vatican (les figures assises au centre, saint Grégoire et saint Jérôme, sont identifiées par les inscriptions des nimbes), fut exécutée par Benouville pendant sa troisième année de pensionnat à la Villa Médicis (1848-1849). De nombreux tableaux comparables, peints par les peintres pensionnaires de l'Académie de France, se trouvent encore, peu considérés, dans les collections de l'École des Beaux-Arts de Paris ; beaucoup ont figuré dans l'éphémère « Musée Européen » du Palais de l'Industrie en 1873. On retrouve dans un catalogue de ce musée (« La Chronique des Arts », supplément de la *Gazette des Beaux-Arts* janvier-mars 1874) deux copies, de Baudry d'après Michel-Ange et de Laurens d'après Masaccio, et une autre copie d'après Raphaël, un fragment de *l'Héliodore chassé du temple* par Glaize (p. 62), parvenues toutes trois récemment au Louvre en même temps que ce Benouville. J.P.C.

Paris, Musée du Louvre

16
La Vierge montrant l'Enfant Jésus

ill. 42

Crayon noir, lavis, rehauts de blanc
H. 0,417 ; L. 0,275 (cintré en haut)
Signé, daté et dédicacé en bas à gauche : *A Madame Bellay. L. Benouville Rome 1850.*

Historique :
Vente après décès de l'artiste, 3 mai 1859, n° 44 ; acquis par le propriétaire actuel à l'Hôtel Drouot en 1971.

Bibliographie :
Aubrun, 1981, D. 97, repr.

Ce beau témoignage d'un « ingro-raphaélisme » particulièrement élégant et solide, date de la dernière année du séjour de pensionnaire à Rome de Benouville. Le souvenir de la *Vierge Sixtine* de Dresde apparaît dans le mouvement de marche de la Vierge, vue de face debout sur le globe terrestre, dans les courbes largement balancées des drapés, dans le visage ovale de la Mère et les cheveux décoiffés de l'Enfant, dans le fond clair de nuages dont émerge la Vierge et où apparaissent des têtes d'angelots. J.P.C.

Paris, collection particulière

17
Raphaël apercevant la Fornarina pour la première fois

ill. 352

Crayon, lavis brun, rehauts de blanc sur papier beige ; mis au carreau
H. 0,463 ; L. 0,365
Cachet de l'atelier Léon Benouville en bas à gauche (Lugt 28 c).

Historique :
Commerce d'art, Paris, vers 1975 ; Paris, coll. part.

Léon Benouville exposa au Salon de 1857 (n° 167) un *Raphaël apercevant la Fornarina pour la première fois.* Cette toile, datée 1856 (H. 1,13 ; L. 0,84), complètement étudiée par M.M. Aubrun dans sa récente monographie sur l'artiste (1981, n° 263, pp. 196-202) est aujourd'hui perdue, mais nous est connue par une photographie (Aubrun, p. 197). Le tableau demanda de gros efforts à l'artiste ; en témoignent différentes lettres envoyées à son frère Achille où il parle du « maudit petit tableau de Raphaël », et de nombreux dessins préparatoires révélant de multiples hésitations dans le choix des attitudes des personnages (Aubrun, n° D. 265 à D. 276). L'artiste en resta peu satisfait, et les critiques furent en général sévères, qui le comparèrent, à son désavantage, au *Poussin, sur les bords du Tibre, trouvant la composition de son Moïse sauvé des eaux* du même auteur (1855 ; lui aussi perdu). Théophile Gautier, le plus indulgent, critique dans l'*Artiste* la composition « un peu disséminée » mais apprécie la figure de la Fornarina ; Edmont About, dans *Nos artistes au Salon de 1857,* s'amuse au contraire de ce dernier personnage : « le modèle de toutes les madones se tient debout... dans l'attitude d'une boulangère qui a des écus », et identifie au passage l'élève qui suit Raphaël en tenant son carton à dessins comme « Michel-Ange caché dans un coin comme un traître de mélodrame » ! (cités par Aubrun, pp. 196-197) ; aujourd'hui, Bruno Foucart parle à regret d'un tableau « aussi peu convaincant que difficultueux et somme tout banal » (*in* Aubrun, 1981, p. V).

Cette étude d'ensemble comporte plusieurs variantes avec le tableau du Salon, qui ajoutera de nouveaux éléments autour de la boutique : enseigne, rideau, sacs et corbeille, retranchera les deux volailles, et surtout représentera Raphaël et les deux élèves en train de marcher, et non immobiles à regarder la Fornarina. Trois dessins qui préparent la figure de Raphaël, une étude d'académie au Louvre (Aubrun, D. 269) et deux dans des collections privées (Aubrun, D. 267 et D. 268), le montrent de dos dans une attitude voisine de celle du dessin exposé. J.P.C.

Paris, collection particulière

Bergeret (Pierre-Nolasque)

Bordeaux, 1782 - Paris, 1863

Cet élève de Lacour, puis de Vincent et de David, connut son premier grand succès avec les Honneurs rendus à Raphaël après sa mort, *exposé ici (1806). Il paraît, après cette réussite, avoir traité avec prédilection des épisodes de vies d'artistes :* François Ier dans l'atelier du Titien *(1807, Le Puy) ;* Charles Quint ramassant le pinceau du Titien *(1808, Bordeaux),* Filippo Lippi en captivité *(1819, Cherbourg ; dessins à Angers et Baltimore),* Service funèbre de Poussin *(1819, disparu),* Le Tintoret et l'Arétin *(1822, disparu) ;* Rembrandt dans son atelier *(1836, Assemblée Nationale). Un dessin représentant* Jules II recevant Raphaël *est mentionné dans la vente Lavallée, 1818, un autre montrant* Raphaël peignant Jeanne d'Aragon *dans une vente Bergeret, 1826. Mentionnons encore* La découverte du Lacoon *(1835, disparu mais gravé, avec* Jules II et Raphaël *; dessin préparatoire à Paris, coll. part.) et* Le cardinal de Saint-Georges et Michel-Ange *(1835, disparu). Bergeret (cité par Naef, 1975, pp. 10-13), vante longuement Raphaël pour dénigrer Ingres, qu'il détestait et auquel il inspira peut-être ses tableaux de veine « troubadour » : « ...cet artiste immortel (Raphaël) n'avait aucun système, aucun préjugé ; il s'efforçait d'imiter la nature sous tous ses aspects et d'en apprécier le plus possible par tous les moyens que l'art lui fournissait... Que l'on prive M. Ingre (sic) d'estampes, de bosses et d'ouvrages d'art, et nous verrons ce qui restera de ses enfantements pénibles et laborieux ».*

Bergeret a gravé deux eaux-fortes d'après Raphaël (cf. n° 252 ; son Mercure *(1804) pour le prospectus de l'Imprimerie lithographique, rue Saint-Sébastien, une des plus anciennes lithographies, sinon la première, s'inspire directement du* Mercure de la Farnésine. *J.P.C.*

18
Honneurs rendus à Raphaël après sa mort

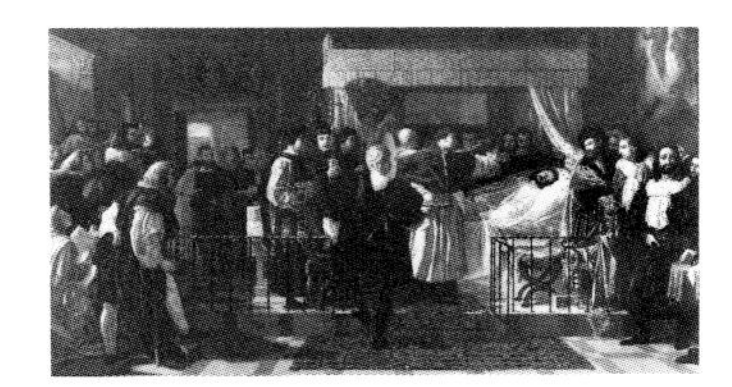

ill. 360

Toile
H. 1,08 ; L. 1,97
Signé et daté en bas à gauche :
P. Bergeret 1806 pinxit.

Historique :
Salon de 1806 (n° 24) ; acquis par Napoléon ; donné à Joséphine et placé à Malmaison (Salon de musique) (v. *Catalogue des tableaux de S.M. l'Impératrice Joséphine dans la galerie de Malmaison,* Paris, 1811, n° 152, et l'*Inventaire après décès* (1814) publié par S. Grandjean, Paris, 1964, p. 153, n° 1088 et note) ; Eugène de Beaumarchais, duc de Leuchtenberg, fils de Joséphine (1814-1824) ; vendu à un amateur belge non identifié ; ensuite perdu ; Heim Gallery, Londres, 1980-1981 ; acquis par le musée d'Oberlin, 1982 ; R.T. Miller, Jr Fund, 82-93.

Bibliographie :
(Version d'Oberlin) Chaussard, 1806, pp. 84-96 ; « G », 1806, pp. 1-16. (Version de Malmaison) Rosenblum, 1967, pp. 36-37, fig. 31 ; Golzio, 1968, *Vita,* p. 598, fig. 10 ; Haskell, 1971, p. 58, fig. 3.

Il apparaît certain que ce tableau, réapparu récemment, est celui qui figura, très applaudi, au Salon de 1806 et fut alors acheté par Napoléon ; le tableau souvent reproduit du château de Malmaison, acquis par Louis-Philippe en 1847, doit être considéré comme une réplique. La toile d'Oberlin correspond en effet exactement avec la gravure de Pauquet et Sixdeniers, qui varie sur certains points par rapport à celle de Malmaison : moindre hauteur, jeune homme de dos au centre blond et non brun, flabellum plus triangulaire, tapis au sol plus petit, et nombreux points de détail. Ces variantes se retrouvent dans la gravure au trait de Dumet qui accompagne le commentaire de « G » dans *Athenaeum,* qui précise les dimensions du tableau du Salon (H. 1,08 ; L. 2,08), conformes à celui d'Oberlin, légèrement réduit latéralement, et non à celui de Malmaison, plus haut (H. 1,30 ; L. 1,92). Remarquons enfin sur la célèbre aquarelle de Garnerey montrant le Salon de musique de Malmaison (Malmaison), le page du premier plan avec des cheveux blonds, comme sur la toile d'Oberlin, et non bruns. On appréciera aussi le style plus découpé et nerveux du tableau d'Oberlin, son exécution plus décidée ; le tableau de Malmaison, non signé, de facture plus molle, paraît une reprise postérieure, de la main de Bergeret, avec quelques variantes.

La notice du livret du Salon de 1806, probablement rédigée par Bergeret lui-même, ainsi que les commentaires de Chaussard, dans le *Pausanias Français,* et de l'anonyme qui signe « G » dans *Athenaeum,* permettent de confirmer l'identification de certains des personnages. Derrière Léon X, qui parsème de fleurs le corps de Raphaël, le cardinal Bembo, qui dépose une couronne de lauriers. A la tête du lit, Balthazar Castiglione puis, peut-être, « Polydore de Caravage », « Lucas Penni » (confondu alors avec Gianfrancesco) et, tout à droite probablement, Jules Romain, désignant la *Transfiguration* placée, comme l'indique Vasari, auprès du lit funèbre, et qu'il devait achever. Au premier plan, à droite, Marc-Antoine jette les yeux sur une coupe pleine du sang de Raphaël : la tradition transmise par Vasari disait que Raphaël était mort pour avoir été saigné, quoiqu'il fût dans le plus grand épuisement (« G », p. 4) ; au fond à gauche, « Michel-Ange et Sébastien del Piombo son élève, tous deux rivaux de Raphaël, viennent déposer une branche de laurier près de lui, en témoignage de leur estime et de leurs regrets ; le Pérugin, accablé par les ans, vient pleurer la perte de son élève, sa principale gloire » (Livret du Salon). A gauche, vu de profil, l'Arioste « lui fait hommage de sa couronne » (id.) Vasari, assis tout à fait à gauche, est en train d'écrire : « Ame bienheureuse et infortunée ! Vous serez le plus beau sujet de nos entretiens ; les actions de votre vie ne sont pas moins célèbres que les ouvrages que vous laissez sont admirables ; l'art de la peinture est pour ainsi dire mort avec vous, et loin de pouvoir vous surpasser, on ne pourra vous atteindre » (*id. ; cf.* Vasari, t. IV, éd. 1906, p. 383).

Malgré des anachronismes dont certains sont déjà relevés par les critiques du temps : plusieurs des personnages représentés n'étaient pas à Rome à ce moment, Vasari, figuré ici comme un reporter zélé, était alors âgé de neuf ans, le tableau obtint un succès considérable qui lui valut d'être acheté par l'Empereur. On doit en effet noter le grand scrupule de description historique : la *Vierge à la chaise* est accrochée au mur de la pièce ; le personnage de Castiglione est inspiré du tableau de Raphaël du Louvre*, dont il porte le costume ; la figure de Marc-Antoine dérive, elle, de celle du porteur, au premier plan sur la gauche de la fresque d'*Héliodore,* identifié souvent avec le graveur. Le tableau, connu jusqu'ici par la version de Malmaison, a été bien analysé par R. Rosenblum, qui l'a mis en rapport avec les représentations du « lit de mort » chères à l'époque néo-classique, et rappelle justement que Bergeret fit une gravure de l'*Extrême Onction* de Poussin dont l'organisation l'inspira plusieurs fois.

Marie-Claude Chaudonneret nous signale deux répliques de la toile de 1806 passées en vente à Paris en 1826 (vente Bergeret, 14 février, nos 1 et 2) qui s'ajoutent à celle aujourd'hui à Malmaison : une « répétition en plus petit » et une « répétition... en clair obscur ».

J.P.C.

Oberlin, Allen Memorial Art Museum, Oberlin College, R.T. Miller, Jr. Fund, 82.93

19
Honneurs rendus à Raphaël après sa mort
Esquisse

ill. 361

Toile
H. 0,34 ; L. 0,63

Provenance :
Collection Gautier, Genève.
Inv. 1842.5.

Bibliographie :
Catal. musée (musée Rath) 1859, n° 9 ; 1906, n° 39.

Esquisse, d'un style schématique et un peu raide, presque naïf, du tableau d'Oberlin (n° 18), avec quelques variantes. La plus notable est celle des deux femmes assises qui se tiennent embrassées, au chevet du lit. « G », commentateur du Salon de 1806, note que l'artiste « a supprimé [du tableau du Salon] deux figures de femmes qu'il avait placées sur son esquisse. Ces femmes qui étaient assises près du lit de Raphaël sur des fauteuils, où l'on ne voit plus maintenant que deux sièges, ne pouvaient sans inconvenance rester en présence du pape ». Une radiographie de la toile d'Oberlin devrait confirmer cette modification. Le critique de 1806 indique que Bergeret décida cette suppression « sur la simple observation d'un grand artiste à la vérité » : peut-être David, le maître de Bergeret. Cette modification se conforme en tout cas au texte de Vasari (t. IV, éd. 1906, p. 382) qui dit qu'avant de faire son testament, le peintre, « en bon chrétien », renvoya la femme qu'il aimait de chez lui, et lui laissa de quoi vivre honorablement.

J.P.C.

Genève, Musée d'Art et d'Histoire

Voir aussi section Gravures

Blanchard (Maria)

Santander, 1881 - Paris, 1932

Après une période de formation (1903-1916) qui conjugua l'enseignement traditionnel madrilène et les études parisiennes auprès d'Anglada et de Van Dongen à l'Académie Vitii, Maria Blanchard fut mêlée (1916-1920) à l'aventure du cubisme, apportant au mouvement une contribution riche d'affinités avec la peinture de Juan Gris. On a parlé de retour à la figuration pour la dernière phase de son art (1920-1932) passée dans le voisinage d'André Lhote, et durant laquelle Maria Blanchard, encore imprégnée de la discipline plastique du cubisme, s'est attachée à peindre, dans des tons austères ou étrangement luisants, une humanité puissamment charpentée et empreinte d'une singulière fixité. D.C.

20
Mère et Enfant

Toile ovale
H. 1,01 ; L. 0,75
Signé en bas à gauche :
M BLANCHARD

Historique :
Legs du Docteur Girardin, 1953.
Inv. AM 1168.

Bibliographie :
Catal. exp. *Hommage à Maria Blanchard,* Limoges, musée municipal, 1965, p. 16, n° 14 ;
Campoy, 1980, p. 97, repr. ;
Esteban, 1982, pp. 162-163, n° 52, repr.

ill. 28

Datant des années 1920-1921, qui marquent dans l'œuvre de Maria Blanchard le passage d'un cubisme rigide et châtié à une figuration utilisant, mais accentués, les artifices de la perspective conventionnelle, ce tableau montre que sous une rude écorce cette vision nouvelle conservait des schémas de compositions classiques. Ils sont ici de sève raphaélesque : inflexion de la tête, alternance et équilibre des mouvements divergents, arc du bras qui soutient le pied de l'enfant sont autant de marques de l'assimilation pertinente des traits constitutifs des Madones des années 1506-1508 : *Madones d'Orléans* (Chantilly), *Bridgewater* (Edimbourg) et *Colonna* (Berlin-Dalhem). M. Blanchard, en en donnant une transcription d'une brutalité un peu crue, sans complaisance néo-classique, diffère d'un R. de La Fresnaye qui, à la même date, manifeste une admiration pour Raphaël en complète rupture avec le cubisme (Seligman, 1969, p. 80, n°s 432 et 537). Une telle réminiscence des procédés raphaélesques se retrouve encore dans l'œuvre de M. Blanchard vers 1927-1928 : sa *Maternité* (pastel ; Madrid, coll. part. ; Esteban, 1982, n° 94, repr.) inverse l'agencement de la *Madone du Grand Duc* (Florence, Palais Pitti).

Le Musée National d'Art Moderne (Paris, Centre Pompidou) possède une version du tableau exposé ici, sans doute antérieure, de mêmes dimensions mais de composition renversée. D.C.

Paris, Musée d'Art Moderne de la Ville de Paris

Blondel (Merry-Joseph)

Paris, 1781 - id. 1853

Élève de Regnault, il obtint le Prix de Rome de 1803 et connut une carrière académique. On lui doit, en dehors de grandes toiles religieuses, de nombreux décors, à Fontainebleau (galerie de Diane), au Louvre, à la Bourse, et dans les églises parisiennes, peints dans un style doux et illustratif, servi par un dessin consciencieux. Il peignit avec prédilection des sujets historiques nationaux (Versailles). J.P.C.

21
La Cène
D'après la fresque des Loges du Vatican

Toile
H. 0,31 ; L. 0,55

Historique :
Vente après décès du peintre, 12-13 décembre 1853, n° 63 ; coll. Delafontaine ; legs Delafontaine, 1932. Inv. 95 GR 82.

Bibliographie :
Catal. musée (Mirimonde), 1959, n° 144 (attribué à Blondel).

ill. 258

Il s'agit presque certainement d'une étude peinte par Blondel pendant son séjour de pensionnaire à la Villa Médicis (1809-1812). Le tableau copie une des compositions des Loges du Vatican (Dacos, 1977, XIII-4), dans une facture précise et ferme qui privilégie l'aspect graphique, atténuant les contrastes d'ombre et de lumière. Le musée de Gray possède aussi, de même provenance que ce tableau, un dessin de Blondel d'après la *Charité* exécutée par les élèves de Raphaël sur ses dessins dans la Chambre de Constantin (catal. musée [Mirimonde], 1959, n° 141).

J.P.C.

Gray, Musée Baron Martin

Bonnat (Léon)

Bayonne, 1833 - Monchy-Saint-Éloi, Oise, 1922

Élève de Madrazo à Madrid et de Léon Cogniet à Paris, il voyagea en Italie (1858-1861) pour y étudier les œuvres de la Renaissance. Il peignit des toiles religieuses dans le goût ribéresque et se consacra surtout au portrait officiel, genre dans lequel il conquit la gloire et où les effets qu'il obtient par un violent naturalisme ne vont pas toujours sans vulgarité. Sa carrière académique fut, elle, exemplaire : académicien en 1881, directeur de l'École des Beaux-Arts en 1905.

Le Musée Bonnat de Bayonne qui reçut le legs de ses admirables collections, où figurent sept dessins de Raphaël (il donna le huitième au Louvre), conserve plusieurs copies peintes par l'artiste en Italie d'après Raphaël (catal. musée, 1930, n°s 712 à 717).* J.P.C.

22
Italienne et son enfant

ill. 59

Toile
H. 0,68 ; L. 0,59
Signé et daté en haut à gauche : *L^{n} Bonnat - 1872*

Historique :
Legs Poydenot. Inv. n° 557.

Bibliographie :
Catal. musée, 1930, n° 636.

Le ténébrisme espagnol marqua durablement l'art de Bonnat qui paraît à première vue sans rapport avec celui, clair et pacifié, de Raphaël. Pourtant les études peintes par Bonnat en Italie prouvent son intérêt pour un artiste sans la fréquentation de qui aucune bonne formation académique n'était concevable (voir aussi, inspirée de la *Mort d'Ananie* des *Actes des Apôtres,* sa *Mort de Saphire,* esquisse pour le concours de Rome de 1855, Bayonne, musée Bonnat ; fig. 142). Ici le souvenir de la *Vierge à la chaise,* manifeste dans le groupement des figures et certainement très conscient, frappe comme une incongruïté dans une œuvre d'un bel accent réaliste, fortement contrastée par l'éclairage.
J.P.C.

Bayonne, Musée Bonnat

Bouchardon (Edme)

Chaumont-en-Bassigny, 1698 - Paris, 1762

Élève de son père puis, à Paris, de Guillaume Ier Coustou, il remporte le Prix de Rome en 1722. Il reste neuf ans dans la ville où, vite considéré comme un sculpteur de premier plan, il obtient d'importantes commandes. De retour à Paris, il travaille pour Saint-Sulpice, pour le bassin de Neptune à Versailles. Ses deux œuvres les plus marquantes sont la Fontaine de la rue de Grenelle *(1739-1745), et la* Statue équestre de Louis XV *commandée en 1749 et laissée inachevée. Bouchardon, considéré par les amateurs comme « le meilleur dessinateur de son temps », très admiré notamment par Mariette qui possédait plus de 500 de ses dessins, fit de nombreuses copies, en général de détail, d'après Raphaël : 55 se trouvent au Cabinet des Dessins du Louvre* (cf. n°s 23-26). *Les échos de cette admiration sont souvent évidents dans ses propres dessins, à la fois délicats et froids : notamment dans les projets de médailles et de jetons qu'il fit comme dessinateur de l'Académie des Inscriptions et Belles Lettres : celle pour* « Argenterie et Menus Plaisirs, 1755 » *(U.S.A., coll. part. ; Ames, 1975, n° 31, pl. 35), en rapport avec le* Parnasse ; *celle pour les* « Commissaires des pauvres, 1746 » *(Montpellier, Musée Fabre), en rapport avec l'*École d'Athènes. *Mais le souvenir de Raphaël semble ici comme filtré par l'art de Le Sueur.* J.P.C.

23
Deux anges
D'après la fresque d'Héliodore chassé du temple

ill. 183

Sanguine sur papier crème
H. 0,579 ; L. 0,452
Inscription en bas à gauche : *d'après raphael.*

Historique :
Fonds de l'atelier de Bouchardon ; François Girard, 1762 ; Louis Bonaventure Girard, 1808 ; remis au Museum par Edme Voillemier en novembre 1808 ; marque du musée (Lugt 1886). Inv. 24159.

Bibliographie :
Morel d'Arleux, VIII, n° 12290 ; Guiffrey-Marcel, I, n° 693, repr.

24
Tête de Galatée
D'après la fresque de la Farnésine

ill. 210

Sanguine sur papier crème
H. 0,428 ; L. 0,576
Inscription en bas à gauche : *Raphael*

Historique :
Cf. n° 23. Inv. 24191.

Bibliographie :
Morel d'Arleux, VIII, n° 12322 ; Guiffrey-Marcel, I, n° 650.

25
Mercure
D'après un pendentif de la loggia de Psyché à la Farnésine

ill. 224

Sanguine sur papier crème
H. 0,575 ; L. 0,433
Inscription en bas à gauche : *d'après Raphaël.*

Historique :
Cf. n° 23. Inv. 24191.

Bibliographie :
Morel d'Arleux, VIII, n° 12292 ;
Guiffrey-Marcel, I, n° 672.

26
Amour avec une flûte de Pan
D'après une fresque de la loggia de Psyché à la Farnésine

ill. 237

Sanguine
H. 0,430 ; L. 0,284
Inscription en bas à gauche à la mine de plomb : *d'après Raphaël.*

Historique :
Cf. n° 23. Inv. 24.147.

Bibliographie :
Morel d'Arleux, VIII, n° 12278 ;
Guiffrey-Marcel, I, n° 697, repr.

Quatre études de Bouchardon, typiques de sa manière pleine d'élégance et d'autorité, mais où le jeu des hachures confine au système. Les copies, scrupuleusement fidèles, insistent sur les découpes et les lignes dans un souci de lisibilité, atténuant les contrastes lumineux. Ce qui nuirait à la lecture du détail choisi est sacrifié par l'artiste : bras droit de l'ange à cheval d'*Héliodore,* manteau flottant sur la gauche derrière les cheveux de *Galatée,* guirlandes de feuillages et de fruits du *Mercure.* On peut se demander si la *Galatée,* d'une indication plus molle et appuyée (et avec un menton bien lourd) ne serait pas d'un imitateur de Bouchardon.
J.P.C.

Paris, Musée du Louvre, Cabinet des Dessins

Boucher (François)

Voir section Gravures, *Flipart.*

Boucher (Jean)

Bourges, 1568 - id., 1632-38

La renommée du peintre berruyer Jean Boucher durant les années 1610-1630 dut être fort importante, si l'on en croit l'affluence des commandes de tableaux d'église (exemples à Bourges, Poitiers, Issoudun...), l'emploi qu'il reçut du corps municipal pour les décors de fêtes, et surtout l'attraction qu'exerçait son atelier où, vers 1624, le jeune Pierre Mignard vient de Troyes pour se former.

Que Boucher se soit peu laissé séduire par le prestige du maniérisme de Fontainebleau, où il se trouve en 1602, qu'il ait à Rome, où on le sait en 1596-1600 et peut-être en 1621, adhéré à la « manière » atténuée d'un Pulzone ou d'un Muziano et qu'il y ait copié et compris Raphaël au même titre que l'antique, a sans doute contribué à donner à son style, d'une simplicité ostensible, une place d'exception dans la peinture française de son temps.
D.C.

27
Homme nu couché, appuyé sur un lion
D'après une fresque de la loggia de Psyché à la Farnésine

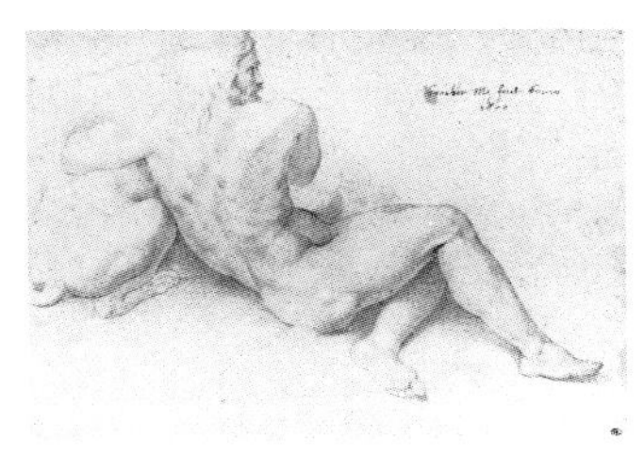

ill. 233

Sanguine
H. 0,226 ; L. 0,328
Signé et daté à la plume et encre brune en haut à droite : *boucher me fecit Romae / 1600*

Historique :
Coll. Chennevières ? P. Prouté, Paris, 1972 ; acquis par le Musée du Louvre, 1972, marque du musée (Lugt 1886). Inv. R.F. 35.515.

Bibliographie :
Catal. « Gauguin », P. Prouté, 1972, n° 6, repr. ;
Thuillier, 1980, p. 29, n. 18 et p. 30, n. 23.

Le dessin, qui copie fidèlement une des figures du premier plan de l'*Assemblée des dieux* à la voûte de la Farnésine (De Vecchi, 1982, n° 130), a pu faire partie de l'ensemble que possédait Philippe de Chennevières au siècle dernier ; des dessins d'après l'antique, portant la même inscription et la même date 1600, se trouvent au musée de Bourges, qui conserve la plus grande partie de ces dessins, et à l'École des Beaux-Arts de Paris (*cf.* J. Thuillier, catal. exp. *Le Seizième Siècle Européen,* n° 48). Le choix du motif est caractéristique de l'intérêt porté par l'artiste, à Rome, à la fois à Raphaël et à l'antique. Un magnifique dessin de Boucher d'après deux têtes de la *Grande Sainte Famille** de Raphaël, portant une inscription *Boucher me fecit / 1602* et probablement exécuté par l'artiste à Fontainebleau, nous est signalé par Jacques Thuillier (fig. 44, passé en vente publique Poitiers vers 1965). Paris, Musée du Louvre, Cabinet des Dessins.
J.P.C.

28
La Vierge et l'Enfant

Pierre noire
H. 0,292 ; L. 0,194
Historique :
Coll. Chennevières (Lugt 2073) ; acquis en 1900. Inv. 900.13.33.

Bibliographie :
Thuillier, 1975, p. 251, fig. 2.

ill. 85

Ce dessin prépare la figure de la Vierge d'une *Adoration des Mages* signée et datée par Boucher en 1622 (cathédrale de Bourges ; Thuillier, 1975, fig. 5). On ne peut qu'être frappé par l'analogie (attitude, traitement du drapé, délicatesse et simplicité du sentiment) de cette figure et d'un personnage d'un tableau de jeunesse de Raphaël, la Vierge de l'*Adoration des Mages* de la prédelle du *Retable Oddi* (aujourd'hui Pinacothèque Vaticane ; jusqu'à la fin du XVIIIe siècle dans l'église San Francesco de Pérouse) ; il peut s'agir d'une rencontre et nulle conclusion ne peut être tirée de ce rapprochement, si ce n'est une confirmation de l'attachement de Boucher à un style italianisant mais doux et mesuré, aux racines « anti-maniéristes ». J.P.C.

Bourges, Musées de la ville de Bourges

Boucher-Desnoyers

Biographie : voir section Gravures

29
La Vierge d'Orléans
D'après le tableau du Musée Condé de Chantilly

Toile
H. 0,310 ; L. 0,255

Historique :
Entré dans les collections en 1836.
Inv. 1188.

ill. 4

Fécond graveur de Raphaël, Boucher-Desnoyers, dont la dévotion pour le peintre italien semble avoir été sans limite, est l'auteur de plusieurs copies peintes de ses œuvres. L'École des Beaux-Arts conserve de lui dix autres peintures à l'huile et huit aquarelles d'après Raphaël, parvenues dans ses collections en 1836 et à la mort de l'artiste en 1857, presque toutes d'après des *Madones,* toutes d'une finesse d'exécution révélant une conscience et une humilité quasi maniaques. Cette copie de la *Vierge d'Orléans* de Chantilly évoque, par le précieux de son fini, les peintures sur porcelaine. J.P.C.

Paris, École Nationale Supérieure des Beaux-Arts

Bouguereau (William)

La Rochelle, 1825 - id., *1905*

Il est l'élève de Picot et obtient le Prix de Rome en 1850, qu'il partage avec Baudry. En Italie, il étudie les maîtres de la Renaissance, les mosaïques de Ravenne, les peintures antiques. Il se fera le spécialiste productif et adulé de nus féminins, avec ou sans prétexte mythologique. Il peignit de vastes ensembles muraux à sujets religieux (cathédrale de La Rochelle, églises parisiennes). Plusieurs de ses Maternités, *en costumes italiens ou non, se rapportent directement aux compositions florentines de Raphaël :* L'amour fraternel *(Boston) ;* Charité *(University of Michigan, Museum of Art) ;* Le sommeil *(coll. part., Irlande et Toronto) ;* Le repos *(Cleveland) ; plus encore des* Saintes Familles *(une récemment entrée au musée de Ponce, Porto Rico ; fig. 9) ; l'Enfant de la* Vierge de Lorette *est repris dans* Le lever *(1865, U.S.A., coll. part.) et dans* Pendant la moisson *(1872, Detroit). Le plafond du Grand Théâtre de Bordeaux,* Apollon et les Muses *(1869) tente d'évoquer des souvenirs du* Parnasse *et des fresques de la Farnésine.*

*Il croyait professer et maintenir la doctrine des maîtres italiens de la Renaissance : « Il a fait volontairement le sacrifice de sa personnalité sur l'autel de Raphaël et sa seule ambition est de renouer la chaîne des traditions de l'École romaine » note Émile Bergerat (*Journal Officiel, *10 mai 1877) ; « Dernier élève de Raphaël » écrit Émile Gaudeau (*La France, *16 janvier 1891). Marius Vachon, à propos de* l'Alma Parens *du Salon de 1883, a le mot cruel et définitif : « Il n'y a ni âme, ni cœur, ni sentiment, ni sensation. M. Bouguereau est un Raphaël de guignol » (*La France, *15 mai 1883). Au maître la parole, pour terminer. On citait son « mot » : « J'ai été plus loin que Raphaël pour le fini » (*L'Éclair, *22 janvier 1901, « Les Hommes du jour »). La concession de la fin de la phrase traduit-elle une absence d'illusion du peintre sur ses mérites (on n'ose espérer de l'humour) ? Personne ne fut, en réalité, plus aveugle à Raphaël.* J.P.C.

30
Le triomphe de Galatée
D'après la fresque de la Farnésine

Toile
H. 2,92 ; L. 2,22

Historique :
Expédié à Paris en 1853 ; envoi au musée de Dijon en 1856. Inv. ca.62.

ill. 209

Bibliographie :
Vachon, 1900, p. 25 ;
Guillaume, 1980, p. 152, A 4, n° 6.

Peint en 1852 pendant la seconde année du séjour du peintre, Prix de Rome de 1850, à la Villa Médicis, le tableau copie fidèlement et à sa grandeur, dans une facture fine et impeccable, la fresque de la Farnésine. Le jury de l'Institut souligna dans son rapport les problèmes posés au copiste par l'état de la fresque « dont les ravages du temps rendent la reproduction encore plus difficile » (cité par M. Guillaume,

1980). Vachon (1900) souligne la réticence de Bouguereau à exécuter de telles copies : « à cette copie s'est bornée l'étude technique des maîtres anciens qu'il avait sous les yeux dans les musées ». J.P.C.

Dijon, Musée des Beaux-Arts

31
La naissance de Vénus

Toile
H. 3,03 ; L. 2,16
Signé et daté en bas à gauche :
W. Bouguereau 1879.

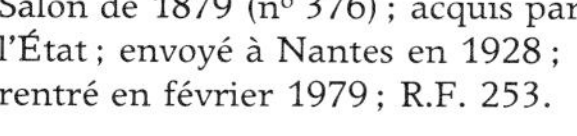

Historique :
Salon de 1879 (n° 376) ; acquis par l'État ; envoyé à Nantes en 1928 ; rentré en février 1979 ; R.F. 253.

ill. 214

Bibliographie :
Vachon 1900, p. 153, pl. p. 76.

Cette grande toile claire mais grise, où sourires et regards prétendent multiplier les agaceries, constitue un écho malheureux de la fresque de *Galatée* copiée par Bouguereau vingt-sept ans plus tôt. Fallait-il présenter pareille toile à une exposition rendant hommage à Raphaël ? Elle représente pourtant, dans sa fatuité et son manque de réelle ambition, un moment « fort » de l'influence de Raphaël sur la peinture française. J.P.C.

Paris, Musée d'Orsay

Boulogne (Louis de)

Paris, 1654 - id, 1733

Élève de son père Louis, un des fondateurs de l'Académie, il part pour l'Académie de Rome quand son frère aîné Bon Boulogne (1649-1717) en revient, en 1675. C'est le moment où les pensionnaires copient les fresques de Raphaël qui doivent être tissées aux Gobelins. Louis de Boulogne copie l'École d'Athènes, *la* Dispute du Saint-Sacrement, *le* Parnasse *et* l'Incendie du bourg, *selon Caix de Saint-Aymour (1919, p. 43) ; selon Fenaille (1903, pp. 200-201) seulement trois copies de Louis de Boulogne, de la grandeur des fresques originales, servirent de modèles pour les tapisseries des Gobelins de la suite des Chambres du Vatican ;* l'École d'Athènes, Héliodore *et* l'Incendie du bourg. *La peinture de ce dernier sujet est peut-être le tableau du Louvre (INV. 627) déposé de 1897 à 1977 au musée de Vienne (Isère) et parfois donné à Bon Boulogne, et qui ne montre que le centre et la gauche de la composition du Vatican. Le peintre rentre en 1680 et fait vite partie de l'équipe des peintres de Versailles. Il travaille pour Trianon (1688-1701 ; série de tableaux remis en place), pour Meudon, pour Fontainebleau et différents couvents et églises de Paris ; puis pour l'église des Invalides, la chapelle du château de Versailles et le chœur de Notre-Dame de Paris. Il est à la fin de sa vie chargé d'honneurs (recteur puis directeur de l'Académie), célèbre et fortuné. Sa peinture témoigne d'une culture éclectique où Titien et Rubens sont unis à Raphaël, Poussin et Le Brun, et où les Bolonais paraissent avoir eu une large place ; son art reste toujours empreint de finesse et de mesure grâce à l'élégance et à l'autorité de son dessin.* J.P.C.

32
Le jugement de Salomon

Toile
H. 0,46 ; L. 0,57
Signé en bas à gauche : *Boulogne le jeune*

ill. 255

Historique :
Salon de 1699 ? ;
Jean de Boulogne, fils du peintre ; château de La Chapelle-Godefroy ; saisi à la Révolution. Inv. 835.19

Bibliographie :
Schnapper, 1968, n° 56 (avec bibliographie antérieure).

Antoine Schnapper (1968) analyse la composition organisée en profondeur et les jeux de lumière, si éloignés de Poussin qui avait traité le même sujet dans une composition centrée, rigoureuse et d'esprit géométrique (1649, Louvre ; fig. 127). Pourtant les deux tableaux semblent procéder l'un comme l'autre de sources raphaélesques. Poussin emprunte la construction symétrique de sa composition aux Loges du Vatican (Dacos, 1977, XII-2), tandis que Boulogne paraît adapter la peinture, beaucoup plus complexe spatialement, de la voûte de la Chambre de la Signature (De Vecchi, 1982, n° 85), dont il reprend, en l'inversant, l'attitude de la femme agenouillée. En fait, Boulogne semble s'inspirer de l'une et l'autre œuvres, dans la mesure où il reprend à la fresque des Loges, en le plaçant davantage en raccourci, le geste de la mère qui relie les deux groupes, l'attitude de l'enfant suspendu par un pied et le type des assistants.

Une version postérieure avec quelques variantes, de plus grandes dimensions (H. 1,33 ; L. 1,66), signée et datée 1710, se trouve à Moscou au Musée Pouchkine (Kuznetsova-Georgievskaia, 1979, n° 39, pl. 11 couleurs). Le tableau a un pendant, *L'adoration du veau d'or,* daté 1696, conservé lui aussi au musée de Troyes (Schnapper, 1968, n° 55). J.P.C.

Troyes, Musée des Beaux-Arts

Bourdon (Sébastien)

Montpellier, 1616 - Paris, 1671

Protestant, il se rend à Rome à dix-huit ans, où il peint des « bambochades » et se rend célèbre comme pasticheur. Dénoncé comme hérétique, il doit quitter la ville en 1637 et s'établit à Paris, où il s'impose vite. Le séjour de

Poussin dans la ville (1640-1642) orientera peut-être son style vers la mesure, la lisibilité des formes et la franchise des couleurs, mais il reste quelque temps encore fidèle à des formes sinueuses et vaporeuses, d'esprit baroque, et à des tons de pastel.

Désinvolte, multiforme et prolixe, donc déconcertant, Bourdon emprunte parfois à Raphaël, mais sans esprit de sérieux, comme il emprunte d'autres fois à Van Laer, à Castiglione ou à Poussin. Ces emprunts sont souriants, clairement désignés : des clins d'œil entre gens cultivés ; et parfaitement intégrés à une manière reconnaissable entre toutes : dessin souple, volumes ronds, plans fortement contrastés, touche brumeuse et soyeuse, coloris gris ou bleutés où chantent des notes vives et des blancs éclatants. Les rapports avec la Mort d'Ananie *de la scène des tapisseries des* Actes des Apôtres *sont évidents, par exemple, dans le* Serpent d'airain *du Prado, où le groupe central avec Moïse reprend celui qui entoure saint Pierre ; ou dans le «* Vestire Nudos *» de la scène tardive des* Œuvres de Miséricorde *du Ringling Museum de Sarasota. Le* Saint Paul et saint Barnabé à Lystre, *également au Prado, organise dans un format en hauteur des figures reprises de la tapisserie des* Actes *du même sujet (fig. 132).*

J.P.C.

33
Le buisson ardent

ill. 178

Huile sur toile
H. 1,37 ; L. 1,07
Agrandi à la partie supérieure d'environ 7 cm ; les angles supérieurs complétés sur environ 20 cm pour ramener le tableau à un format rectangulaire.

Historique :
Collection I.P. Balachov ; entré à l'Ermitage en 1919. Inv. 6118.

Bibliographie :
Catal. Ermitage, *Peintures,* t. I, Léningrad, 1958 (en russe), p. 317 (maître inconnu) ;
Catal. Ermitage, *Peinture de l'Europe occidentale,* Léningrad, 1976 (en russe), p. 186, n° 6118, repr. 10 (Bourdon ?).

L'attribution à Bourdon, proposée avec un point d'interrogation dans le catalogue de l'Ermitage, est vraisemblable. Il faut noter le rapport de la composition avec celle de la fresque, en largeur, de Raphaël du même sujet, à la voûte de la Chambre d'Héliodore au Vatican (De Vecchi, 1982, 95 A) ; l'attitude de Moïse est reprise sans grand changement. La facture moelleuse et enveloppée, les formes arrondies permettent de proposer une datation assez précoce, vers 1642-1645. J.P.C.

Léningrad, Musée de l'Ermitage

34
La Vierge, l'Enfant, sainte Élisabeth et le petit saint Jean dans un paysage

ill. 78

Toile
H. 0,445 ; L. 0,380

Historique :
Provenance familiale (XIXe siècle).

Il n'est pas toujours facile, et il est peut-être vain, de faire la part du rôle joué par les œuvres de Poussin et par celles de Raphaël dans l'élaboration des diverses *Saintes Familles* de Bourdon. Le présent tableau, dont l'état de conservation n'est pas parfait et qui semble se rapporter à une date tardive dans la carrière du peintre, offre de véritables citations des maîtres italiens de la Renaissance : il reprend la *Sainte Anne* de Léonard de Vinci (Louvre), dont l'attitude de l'Enfant qui va chevaucher l'agneau est évidemment inspirée, et démarque aussi bien des *Saintes Familles* de Raphaël qui doivent elles-mêmes à Léonard : les *Vierges* et les *Saintes Familles* florentines organisées en pyramide, et surtout la *Sainte Famille au chêne,* dite *La Quercia,* du Prado (De Vecchi, 1982, n° 139), plus encore que la *Sainte Famille à l'agneau,* elle aussi au Prado (De Vecchi, n° 71). Le calme paysage, avec ses lointains et les arbres frêles, sur la droite, n'est pas non plus exempt de souvenirs raphaélesques.

Mentionnons parmi les *Saintes Familles* de Bourdon celle de la collection Clark, avec la Vierge et l'Enfant dont les attitudes évoquent la *Belle jardinière* et un ange qui jette des fleurs inspiré de celui de la *Grande Sainte Famille ;* et celle, inspirée de la *Sainte Famille Canigini* de Munich (De Vecchi, 1982, n° 72) de la collection H. O'Kelly (fig. 14). J.P.C.

France, collection particulière

35
Abraham et les trois anges

ill. 247

Toile
H. 0,77 ; L. 0,76

Historique :
Don Henri Béziat, 1902. Inv. 02.5.1.

Bibliographie :
Annuaire de Saint-Germain-en-Laye, 1904-1905, (mentionné p. 35) ; *id.,* 1931-1932 (mentionné p. 20).

L'analogie avec la peinture de même sujet des Loges du Vatican (Dacos, 1977, IV-3) est flagrante, jusqu'à la figure de Sarah dissimulée sur la gauche. Le tableau, fermement compartimenté par les horizontales et les verticales de l'architecture, doit se placer assez tardivement dans la carrière du peintre. J.P.C.

Saint-Germain-en-Laye, Musée Municipal

Bourdon (attribué à)

36/37
Le massacre des Innocents
D'après deux tapisseries du Vatican

Lavis gris-bleu sur légers traits de pierre noire
H. 0,39 ; L. 0,27 (n° 36) ;
H. 0,360 ; L. 0,263 (n° 37).

Historique :
Inconnu.

ill. 290

ill. 291

Ces deux beaux dessins, puissamment construits dans la lumière par un lavis très libre qui simplifie les formes et met en évidence les rythmes, peuvent être rapprochés de l'œuvre de Bourdon. Le peintre de Montpellier utilise en effet de façon très comparable un lavis bleuté. Mais on notera aussi les analogies avec l'œuvre de Stella, et l'attribution reste pour nous problématique. Les dessins reprennent les compositions de deux des trois tapisseries du *Massacre des Innocents* de la série dite de la Scuola Nuova, au Vatican, exécutées sur les dessins des élèves de Raphaël. J.P.C.

France, collection particulière

Brune-Pagès (Aimée)

Voir section Gravures, *Allais*

Calamatta (Joséphine)

Paris, 1817 - id., *1893*

Cette artiste mal connue épousa Luigi Calamatta (1801-1869), le graveur élève d'Ingres, et fut son élève et celui d'H. Flandrin. Elle peignit des sujets religieux ou allégoriques et des portraits dans un style marqué par l'ingrisme, avec des recherches vers le suave ou l'étrange qui dénotent une intéressante personnalité. Elle entra en religion à la fin de sa vie. Un de ses derniers tableaux (1890 ; coll. part.), une Vierge en Assomption, *tente une curieuse synthèse entre la* Vierge Sixtine *de Raphaël et les* Immaculées *de Murillo. Elisabeth Foucart-Walter consacrera un article à J. Calamatta* (Bulletin du Musée Ingres *de Montauban, à paraître).* J.P.C.

38
Sainte Cécile

Toile
H. 1,310 ; L. 0,815
Signé et daté en bas à droite :
J. Calamatta 1845.

Historique :
Paris, marché d'art ; acquis par le Musée Ingres en 1981. Inv. 83.2.1.

Bibliographie :
Revue du Louvre, 1982, n° 5-6, « Principales acquisitions des musées de Province », p. 394, fig. 5.

ill. 105

L'inspiration prise ici à la figure principale de la *Sainte Cécile* de Raphaël (Bologne, Pinacoteca Nazionale) paraît évidente. La suavité ingresque des lignes s'allie à un vif coloris et à des ombres fortes, dans un effet d'une violence presque agressive. Un dessin au crayon noir d'une collection parisienne (H. 0,345 ; L. 0,220 ; exp. *La Lyre et la Harpe,* Gargilesse, 1977, n° 34, pl. VI), exactement conforme au tableau, pourrait être une reprise par l'artiste elle-même, peut-être pour préparer une lithographie. J.P.C.

Montauban, Musée Ingres

Callet (Antoine-François)

Paris, 1741 - id., *1823*

Prix de Rome de 1764, il est reçu à l'Académie en 1780, puis séjourne à Gênes où il peint un plafond au Palais Spinola. Il en gardera un sens réel du grand décor. Il peint ensuite de vastes tableaux à sujets antiques, dont certains ont été tissés aux Gobelins, mettant en scène des personnages robustes traités dans des coloris clairs. Il peint des portraits, dont celui de Louis XVI, *en pied, fut célèbre et très répété, puis consacre son pinceau aux épisodes glorieux de la carrière de Napoléon. Brigitte Gallini nous signale une toile, malheureusement perdue, passée dans la vente du marquis de Véri (12 déc. 1785, n° 53 ; H. 2,64 ; L. 2) « Un grand tableau exécuté à Rome(...) ; il représente les différents groupes et personnages les plus intéressants de l'École d'Athènes, choisis çà et là dans la composition et rassemblés de manière à former un ensemble raisonné ».* J.P.C.

39
Le Génie de la Peinture

ill. 393

Pierre noire sur papier beige
H. 0,447 ; L. 0,368
Composition inscrite dans une circonférence. Inscription à la pierre noire sur le médaillon : *Raphaël.*
Signé à la plume en bas à gauche : *Callet.* Marque de l'actuel propriétaire en bas à droite (non citée par Lugt).

Historique :
Paris, commerce d'art ; collection particulière.

Le Génie de la Peinture, ailé, tient palette et pinceaux et présente un médaillon appuyé sur un meuble de peintre montrant de profil le buste de Raphaël. Le médaillon est près d'une branche de laurier. Ce dessin, esquissé énergiquement, paraît être un projet pour une médaille ou pour un élément de décor peint à l'imitation du bas-relief. Il pourrait être daté vers 1785-1790. J.P.C.

Paris, collection particulière

Caron (Antoine)

Beauvais, 1521 - Paris, 1599

Peintre cartonnier pour des vitraux en Beauvaisis, mentionné après 1540 à Fontainebleau, Caron gravite d'abord dans l'orbite de Primatice et côtoie, à partir de 1552, Nicolo del' Abate dont il adopte, dans un sens restrictif, les cadences enchantées et la facture bouclée. Ordonnateur de Fêtes et d'Entrées (1572, 1573, 1581), Caron conserve dans ses tableaux et ses projets de tapisseries (Tenture des Valois, Histoire d'Arthémise) *les artifices de la scénographie : cet étagement en plans parallèles de morceaux choisis d'architecture régit le défilement d'une narration complexe où l'événement contemporain se dit sous le couvert de l'allégorie. Dans des louanges déguisées en vers propiciatoires, le poète ligueur Louis d'Orléans n'a pas craint de rapprocher le nom de Caron de celui de Raphaël (Ehrmann, 1955, p. 10) :*

Cousin aura toujours un éternel renom ;
Et toi, par dessus lui, tu l'auras, mon Caron.
Aussi pour t'étrenner, au retour de cet an,
Je fais prière à Dieu qu'en toi seul il assemble
Ce qu'Apelle et Zeuxis, Janet et Titian (sic)
Raphaël, Michel-Ange ont eu jamais ensemble. *D.C.*

40
Oraison funèbre du roi Mausole

ill. 160

Pierre noire, plume et encre brune, lavis gris-brun, rehauts blancs, sur esquisse à la pierre noire et papier beige
H. 0,406 ; L. 0,557. Collé en plein
Inscription en haut dans des cartouches à la plume et encre noire, à gauche : *ARDOREM TESTANTUR;* à droite : *EXTINCTA VIVERE FLAMMA.* Cartouche aux armes de Catherine de Médicis. Sonnet au verso du montage.

Historique :
Offert par Nicolas Houel à Catherine de Médicis ; passé dans la collection de M. de Bullion ; donné par le comte d'Esclemont, petit-fils du précédent, à M. de Roussel ; donné au roi, 1765, marque du Musée (Lugt 1886). Inv. 25139.

Bibliographie :
Fenaille, 1923, p. 158, pl. XXXV ;
Guiffrey-Marcel, III, n° 1953, repr. ;
Ehrmann, 1950, pp. 35-36, fig. 2.

Cette feuille appartient à un ensemble de dessins (Louvre et Bibliothèque Nationale), dont S. Beguin a étudié l'attribution (1958). Ils illustrent l'histoire de la reine Arthémise, épouse du roi Mausole vertueuse dans l'adversité du veuvage, que l'apothicaire parisien Nicolas Houel composa et donna comme programme à une suite de tapisseries dès 1562. Sous le travestissement antique se reconnaît aisément l'allusion courtisane à la régence de Catherine de Médicis.

Ce que les groupes ont d'éloquent dans la composition de cette *Oraison funèbre,* ils le doivent pour beaucoup aux gravures d'après Raphaël qu'ils interprètent. Connue par la gravure d'ensemble de Giorgio Ghisi (Bartsch, XV, n° 24, p. 22)*, l'*École d'Athènes* a pu fournir, outre la pose de l'orateur qui rappelle celle d'Aristote, le schéma général d'une assemblée de sages symétriquement répartis à l'intérieur d'une architecture. Sans doute par l'entremise de la gravure d'Agostino Veneziano (Bartsch illustré, 1978, vol. 27, p. 167, n° 492) les figures de gauche, penchées sur un gros volume, doivent au groupe de Pythagore et Averroes de la même fresque. Les deux personnages coupés aux genoux près des degrés de l'escalier s'apparentent, par leur situation même, aux figures du premier plan de la *Prédication de Saint Paul à Athènes* gravée d'après Raphaël par Marcantonio Raimondi (Bartsch illustré, 1978, vol. 26, n° 44 p. 63)* et dont les collections royales possédaient un tissage.

Les emprunts de cette nature, plus schématiques que stylistiques, sont communs dans les dessins de tapisserie de Caron. R. Bacou et W. Mc Allister Johnson (1972, p. 41) ont noté que les *Jeux funèbres autour de la pyramide du roi Mausole* (Louvre, R.F. 297523) dérivaient de la gravure de M. A. Raimondi du *Parnasse** et l'on retrouve, gauchi, le Diogène de l'*École d'Athènes* dans le dessin de la *Renaissance des Arts et des Lettres* (R.F. 29752[19] ; Guiffrey, 1920, pl. XVI) pour la *Tenture des Valois.*

Comme en témoigne aussi le tableau des *Astronomes* (Londres, coll. Gaskin ; fig. 95) qui doit ses protagonistes principaux à l'*École d'Athènes* (Ehrmann, 1955, p. 23), il semble que Caron ait apprécié dans Raphaël, et précisément dans les compositions de la *Chambre de la Signature,* plus que le dessinateur mesuré, le peintre des programmes narratifs et allégoriques capable de rendre concrètes, par une distribution hiérarchisée des figures et un jeu de gestes fort simples, les abstractions les plus difficiles. Que « l'efficacité de la composition rivalise avec celle de l'écriture », comme le dit Vasari de l'art de Raphaël, apparaît bien, mais servie par une science moins altière, l'une des ambitions de Caron.

D.C.

Paris, Musée du Louvre, Cabinet des Dessins.

Carpeaux (Jean-Baptiste)

Biographie : voir section Sculptures

41
Saint Jean-Baptiste

D'après le tableau du Louvre*

ill. 106

Crayon noir sur papier gris
H. 0,168 ; L. 0,730
Annotation en bas vers la droite :
d'après Raphaël / Mardi de Pâques / 1867

Historique :
Entré au musée en 1881, don prince Stirbey (?). Inv. C.D.90.

Bibliographie :
Kocks, 1981, p. 208, fig. 64, p. 286.

Croquis vif et nerveux d'après le *Saint Jean-Baptiste* du Louvre* ; les accents en étincelles du crayon accentuent l'expression de « sauvageon » du jeune garçon. Carpeaux dessina à maintes reprises d'après Raphaël : voir, aussi à Valenciennes (A.C.327), un croquis d'après la *Planète Mars**, dessin de Lille ; d'autres au Louvre d'après la *Sainte Cécile* (R.F. 8694) et d'après le *Navagero* (R.F. 1255) ; et une série à l'École des Beaux-Arts (Album Stirbey, I, n°s 25, 171, 196, 249, 287 ; II, n°s 383, 399, 480, 481, 533) ; Dirk Kocks a attiré l'attention sur les deux dessins (*id.*, n°s 604 et 605) qui montrent que la tête du Génie de la *Danse* de l'Opéra trouve son origine dans une étude d'après la tête du *Grand Saint Michel** (1981, fig. 410 et 412 ; voir ici fig. 69). J.P.C.

Valenciennes, Musée des Beaux-Arts

42
Galatée

D'après la fresque de la Farnésine

ill. 212

Crayon noir, sur une invitation imprimée conviant à une distribution des prix à l'École des Beaux-Arts le 10 août 1872
H. 0,265 ; L. 0,210

Historique :
Ensemble de dessins dit « Album de famille » J.B. Carpeaux, entré au musée en 1927. Inv. C.D.109.

Bibliographie :
Kocks, 1981, p. 208, fig. 60, p. 284.

L'indication désinvolte, en coup de fouet, de ce croqueton, transforme la *Galatée* de la Farnésine en une danseuse bondissante, encore plus allègre sur cette feuille imprimée invitant à des solennités académiques. Le dessin est-il inspiré d'une gravure ou de la copie par R. Balze, à l'École des Beaux-Arts ? Un autre croquis de Carpeaux d'après *Galatée* se trouve dans les collections de l'École des Beaux-Arts (Album Stirbey I, n° 171). J.P.C.

Valenciennes, Musée des Beaux-Arts

Cézanne (Paul)

Aix-en-Provence, 1839 - id., *1906*

Entre Aix-en-Provence et Paris, de 1861 à 1870 environ, Cézanne s'affirme peintre en étudiant à l'Académie Suisse, en participant (hors catalogue) au Salon des Refusés (1863) et voit la rétrospective Delacroix (1864) qui lui suggère un tiers parti, entre l'éclectisme officiel et le réalisme de Courbet ou Manet. Ce sont alors des scènes sombres et fiévreuses, parfois scabreuses, parfois macabres, de solides natures mortes, des portraits brutalement talochés. Déjà, il étudie le paysage sur le motif. Il est à Auvers-sur-Oise avec Pissarro en 1872 et participe à la première exposition impressionniste à Paris en 1874 : son modèle (paysage ou objet) trouve cependant, dans la pâte nourrie de ses toiles, une stricte organisation picturale qui déjà s'éloigne de l'impressionnisme. Partageant son temps entre Paris et le Midi, et trouvant l'occasion d'autres séjours provinciaux (Pontoise auprès de Pissaro, 1881 ; La Roche-Guyon, chez Renoir, 1885 ; Fontainebleau, 1892 ; Giverny, chez Monet, 1894), il va désormais peindre, d'une touche acharnée, en même temps que des portraits graves et inquiets, quelques motifs privilégiés (l'Estaque, la Montagne Sainte-Victoire, les Baigneuses) dans des toiles dynamiques où les moyens du peintre, fragmentation des masses sous la lumière, diffraction de l'espace par le rendu obstiné des volumes, entrent en conflit avec l'unité de composition pourtant intensément recherchée. Ce caractère de la peinture de Cézanne est apparu avant même la mort du peintre comme l'un des fondements de l'art du XXe siècle.

En 1865, Marius Roux faisant le compte rendu de La Confession de Claude *de Zola (*Mémorial d'Aix, *3 décembre ; cité par Rewald, 1939) plaçait Cézanne, dédicataire du roman, du côté de ceux qui « se pâment devant Courbet » plutôt que d'admirer Raphaël et qui préfèrent la* Fileuse *de Millet à la* Vierge à la chaise. *Cézanne, de son côté, loin de cet esprit de système et surtout à la fin de sa vie, quand les jeunes artistes le sollicitèrent, a dit ce qu'il pensait de Raphaël. A Charles Camoin en 1904 : « (...) Michel-Ange est un constructeur, et Raphaël un artiste qui, si grand qu'il soit, est toujours bridé par le modèle — quand il veut devenir réfléchisseur, il tombe au-dessous de son grand rival » (Rewald, 1978, pp. 307-308). A Maurice Denis il parle du* Portrait de Castiglione *: « Comme le front est bien circulaire et tous les méplats détaillés, et aussi l'équilibre des taches dans l'ensemble » (Denis,* Journal, *II, p. 29). Émile Bernard écrivait à sa mère le 4 février 1904 : « J'ai acquis la certitude que Cézanne parle des Maîtres (Michel-Ange, Raphaël) (...) comme s'il les avait connus. Cézanne n'est jamais allé en Italie, quoique né à sa porte ; il les admire par ce qu'il vit au Louvre et d'après des gravures » (Doran, 1978, p. 24).* D.C.

43
Vénus
D'après un dessin du Louvre*

Mine de plomb
H. 0,24 ; L. 0,17

Historique :
Paul Cézanne fils, Paris ; P. Cassirer, Berlin ; M. Feilchenfeldt, Zurich.

ill. 228

Bibliographie :
Rivière, 1923, p. 151, repr. ;
Venturi, 1936, I, n° 1450 ; II, pl. 373 ;
Sterling, 1936, p. 148, n° 165 ;
Berthold, 1958, n° 265, repr. ;
Dobai, 1961, p. 13 repr. ;
Chappuis, 1973, n° 385, repr. ;avec bibliographie antérieure ;
Ratcliffe, 1973, n° 7, repr. ;
Adriani, 1978, n° 153, p. 347, repr. p. 252.

Cézanne ne retient que la figure de Vénus, en en modifiant à peine le port de tête, d'une composition dessinée de Raphaël (Louvre, R.F. 3875)* préparatoire à un pendentif de la loggia de Psyché à la Farnésine. D'abord situé tard dans la maturité de Cézanne par Venturi et Sterling (vers 1897), ce dessin est en revanche ramené aux années 1866-69 par Chappuis, suivi par la critique récente. Fait selon Sterling d'après une reproduction — mais Reff (1960) n'en note aucune de ce sujet en possession de Cézanne — cette copie peut aussi avoir été exécutée au Louvre, d'autant que, selon Ratcliffe, l'original y était assurément exposé en 1866. Un dessin d'une dizaine d'années postérieur (Chappuis, 1973, n° 480), reproduisant le buste de Vénus et le bras droit de Psyché apparaît plus fidèle au jeu de hachures du dessin de Raphaël.

Dans la feuille exposée ici, la manière de doubler un contour, de marquer angulairement le modelé relève non d'un modèle (original ou reproduction) mais de la hâte expressive que Cézanne met à *voir*. Et voir juste Raphaël, pour lui, signifie moins respecter la continuité linéaire que saisir la tension dynamique du motif. Reff (1960, n° 50, p. 309) a d'ailleurs souligné que Cézanne copiait plus volontiers, pour leur spontanéité éloquente, les dessins que les peintures des Maîtres italiens de la Renaissance. D.C.

Zurich, collection Mme Marianne Feilchenfeldt

44
Autoportrait de Raphaël
D'après le tableau du Louvre et éléments d'architecture

Mine de plomb
H. 0,30 ; L. 0,20

Historique :
P. Loeb, Paris ; A. Chappuis, Tresserve ; amateur anonyme, Paris ; James Lord, New York ; M. Feilchenfeldt, Zurich.

ill. 368

Bibliographie :
Venturi, 1936, I, n° 1624 ; II, pl. 405 ;
Berthold, 1958, n° 266, repr. ;
Chappuis, 1973, n° 272, repr. avec bibliographie antérieure ;
Ratcliffe, 1973, n° 25, repr. ;
Adriani, 1978, n° 157, pp. 348-349, repr. p. 257.

45
Autoportrait de Raphaël
D'après le tableau du Louvre et vue d'une dépendance du Jas de Bouffans

Mine de plomb
H. 0,126 ; L. 0,217

Historique :
Page XVI du carnet CP. II ; Paul Cézanne fils, Paris ; P. Cassirer ; F. Koenigs (Lugt, 1023 a), Haarlem, 1930 ; musée Boymans van Beuningen, Rotterdam. Inv. F. II. 211.

ill. 369

Bibliographie :
Venturi, 1936, verso du n° 870, vol. I ;
Hoetink, 1968, n° 29 verso ;
Chappuis, 1973, n° 608, repr. ;
Ratcliffe, 1973, p. 155, sous n° 25 ;

Les deux dessins montrent chacun une étude d'après un *Portrait de jeune homme** conservé au Louvre, traditionnellement considéré à l'époque de Cézanne comme un autoportrait de Raphaël. L'attribution de celui-ci a été depuis mise en doute, au profit de Bachiacca, Sogliani ou Parmigianino, et l'identification du modèle abandonnée. De ces deux études, celle de Zurich, où l'artiste oppose les ombres à bords marqués par des traits courts à d'autres légèrement fondues, est sans conteste la première : vers 1871-74 (Chappuis) ou 1876-79 (Ratcliffe). Le dessin de Rotterdam, plus largement syncopé, serait, selon Hoetink, de 1882 environ pour la partie gauche, et de 1885 environ pour la partie droite. Aucune des deux copies ne semble avoir été faite d'après la peinture. Chappuis considère que le modèle pourrait être une gravure du *Magasin Pittoresque* de 1845 (repr. *in* Chappuis, 1973, I, p. 108, fig. 40) mais note que les deux dessins de Cézanne se ressemblent mutuellement plus qu'ils ne ressemblent chacun à la gravure.

A travers les remarques de Chappuis, on touche aux points essentiels de la démarche cézannienne face à Raphaël. D'abord, et conformément à ce qu'écrit Sterling sur *Cézanne et les Maîtres* (1936, p. 8), les traits sommaires de la reproduction laissent libre cours à l'artiste et lui livrent une forme inerte qui attend, comme la nature elle-même, que le peintre lui confère caractère et style. A ce titre la juxtaposition de la copie du portrait et de l'étude du paysage au Jas de Bouffans est éloquente, et anticipe les propos que Cézanne tiendra sur les modèles (maîtres et nature) dans une lettre à Camoin du 3 février 1902 (Rewald, 1978, pp. 280-281). En outre, Cézanne copiste cherche moins à accaparer les « secrets d'exécution » de son modèle qu'à faire l'économie des recherches du passé : de façon significative, sa seconde copie donne du portrait une traduction plus sommaire, fragmentaire mais moins « détaillée », qui va à l'essentiel du mouvement de la ligne dans l'espace.

Chappuis (1973, I, p. 180) a noté des traits communs entre les copies du *Portrait de jeune homme* et le tableau de Cézanne, *Jeune homme à la tête de mort* (Barnes Foundation, Merion) que Venturi (1936, I, p. 210, n° 679) préférait comparer à une gravure de Campagnola.

Si Berthold a considéré comme fondamentales pour l'étude du troisième temps fort de l'œuvre dessiné de Cézanne les copies faites à partir de 1872 (dont l'étude de Zurich), Chappuis a de son côté (1973, I, p. 40) insisté sur l'influence classicisante qu'ont pu exercer sur l'artiste autour de 1880 les gravures de reproduction du *Magasin Pittoresque* et les estampes de Marcantonio Raimondi. Notamment celle d'après la *Cassolette** de Raphaël (Bartsch illustré, 1978, vol. 27, p. 164, n° 489) que Cézanne copie alors à deux reprises (Chappuis, n° 481 et n° 715). D.C.

Zurich, collection Mme Walter M. Feilchenfeldt (n° 44)
Rotterdam, Musée Boymans-van Beuningen (n° 45)

Champaigne (Philippe de)

Bruxelles, 1602 - Paris, 1674

Formé à Bruxelles, il a pu connaître très tôt des œuvres de Raphaël dont les cartons de tapisserie des Actes des Apôtres *furent conservés, copiés et tissés dans la ville aux XVIe et au XVIIe siècles. A Paris, il eut accès aux collections du cardinal de Richelieu (il possédait une copie du* Saint Jean *que le cardinal légua au roi) ; de Desneux de la Noue (il copia à sa demande pour l'église de Port-Royal de Paris le* Saint Georges combattant le dragon *(Washington, National Gallery ;* cf. *n° 297) et la* Sainte Famille au palmier *(Edimbourg, National Gallery of Scotland) ; à la collection Jabach (il reproduisit un des dessins de Raphaël de sa collection, la* Sainte Famille à l'oiseau *(Louvre, Inv. 3949) *, et son dessin servit de base à une gravure de son élève J.B. Alix et à un tableau d'H. Bonnemer; (Mariette,* Abecedario, *I, p. 353) ; et aux collections royales dont il copia la «* Vierge après Raphaël, *qui est à Fontainebleau» (*La Belle Jardinière*, *Louvre ; n° 3 de son inventaire après décès publié par Jules Guiffrey, 1892, pp. 172-218) et le* Saint Jean-Baptiste* *(Louvre ; n° 17). Il conservait dans son atelier d'autres copies de Raphaël, dont certaines comme l'*Attila *furent faites à Rome par son neveu Jean-Baptiste ; ainsi une copie de l'*École d'Athènes *et une de la* Transfiguration *(Rome, Pinacothèque Vaticane). Philippe de Champaigne a sûrement, comme ses contemporains, utilisé les gravures d'après Raphaël : l'inventaire après décès de Jean-Baptiste, son légataire universel, en 1681, mentionne 33 volumes de gravures. Professeur à l'Académie Royale de peinture depuis 1653, il prononça le 2 mars 1669 une conférence sur la* Petite Sainte Famille de Raphaël* *où il censure les fautes qu'il y perçoit, contre l'observation de la lumière, de la perspective, des proportions, et contre la vérité historique, mais où il loue la beauté et la noblesse des attitudes et des expressions : « Il faut avouer que ce sage et judicieux peintre s'est surpassé toujours lui-même dans la partie spirituelle de son art, qui semble faire parler les figures et leur faire dire tout ce que le sujet peut demander ». C'est bien là la leçon que Philippe de Champaigne a demandée à Raphaël, une leçon d'éloquence sacrée. Aussi est-ce aux scènes bibliques des Loges, aux fresques des Chambres du Vatican et aux* Actes des Apôtres *que ses emprunts sont les plus fréquents, comme l'a remarqué B. Dorival (1976, pp. 92-93). Dans son* Ascension du Christ *(Paris, Galerie Heim en 1976), il s'inspire fortement de la* Transfiguration *de Raphaël. Dans la* Petite Cène *pour l'église de Port-Royal de Paris (Louvre, 1648) qui est tributaire de la* Cène *gravée par Marcantonio Raimondi d'après Raphaël (Bartsch illustré, 1978, vol. 26, p. 41, n° 26) *, c'est le même classicisme sévère, la même concentration du thème sur les apôtres réagissant aux paroles du Christ avec leurs diverses passions humaines qui l'a retenu. Philippe de Champaigne a voulu voir en Raphaël un prédicateur muet et en mêlant ses fortes mises en scène à un goût natif pour les physionomies réalistes et les suggestions tactiles, il a créé des images sacrées singulières d'une fausse naïveté et d'une séduction austère.* M.V.

46
Le Christ en gloire entre la Vierge et saint Jean-Baptiste

ill. 311

Pierre noire, lavis gris
H. 0,153 ; L. 0,207

Historique :
Coll. de Gouvernai ; Grande-Duchesse Elena Mikhaïlovna ; bibliothèque de l'École de Stiglits (Saint-Petersbourg) ; Ermitage ; transféré au Musée Pouchkine, 1935. Inv. 6345.

Bibliographie :
Catal. musée (*Le dessin français des XVIe-XVIIe siècles*) 1977, n° 188, repr.

Le dessin est une étude pour un tableau perdu de Philippe de Champaigne, la *Vision de Dom Jean, vicaire de la Grande Chartreuse,* peint en 1655 pour la chartreuse de Bourbon-lez-Gaillon. La composition en est connue par un dessin conservé au Petit Palais à Paris (au pinceau, encre de Chine et reprises à la mine de plomb ; attribué par B. Dorival [n° 287] à Nicolas Pitau) et par la gravure de N. Pitau. Philippe de Champaigne a ici combiné deux compositions raphaélesques : la Déisis de la *Dispute du Saint-Sacrement* au Vatican et une gravure de Marcantonio Raimondi dite la *« Pièce de Cinq Saints »* (Bartsch illustré, 1978, vol. 26, p. 148, n° 113) *. Il est possible qu'il se soit inspiré, non de l'estampe, mais du dessin préparatoire du Louvre (Inv. 3867) * que possédait Jabach. Le mouvement du bras de la Vierge, abaissé dans un geste d'intercession, est repris de la gravure, tandis que le drapé du Christ, les angelots émergeant des nuages et surtout la disposition en deux registres de la hiérophanie et des figures orantes des chartreux rappellent la fresque du Vatican. M.V.

Moscou, Musée Pouchkine

Chassériau (Théodore)

Sainte-Barbe de Samana, Saint-Domingue, 1819 - Paris, 1856

Élève d'Ingres dès 1831, Chassériau, étonnament précoce, exposa déjà au Salon de 1836. Il fit un séjour de six mois à Rome et à Naples (1840). L'attrait pour la couleur et pour les sujets littéraires et orientaux s'affirme progressivement dans ses tableaux. Les peintures murales des églises parisiennes : Saint-Merri, Saint-Roch, Saint-Philippe-du-Roule, celles de la Cour des Comptes (détruites, fragments au Louvre) sont, avec ses portraits et ses nus, les chefs-d'œuvre de sa courte carrière. Chassériau s'éloigne de Raphaël en même temps qu'il se « libère » d'Ingres. Mentionnons le Portrait de Rachel *d'Alger (1850), qui semble inspiré du* Portrait de jeune homme * *du Louvre aujourd'hui donné à Parmigianino. Théophile Gautier indique d'autre part que Chassériau dessina en 1843, pour Rachel précisément, les costumes de* Judith, *une pièce de Mme de Girardin, et précise : « le costume du troisième acte est tout simplement de Raphaël, c'est-à-dire d'un goût charmant et d'un caractère exquis » (cité par Chevillard, 1893, p. 156-157).* J.P.C.

47
La pêche miraculeuse

Mine de plomb (mis au carreau)
H. 0,233 ; L. 0,211 (irrégulier)
Annoté en bas *1, 2, 3, 4* et *Pêche Miraculeuse*

Historique :
Vente Chassériau, 16-17 mars 1857, marque (Lugt 443) ; legs du baron Arthur Chassériau au musée du Louvre, 1935, marque du musée (Lugt 1886). Inv. 25 520.

ill. 260

Bibliographie :
Sandoz, 1974, p. 130, pl. XXVII.

Étude pour un petit tableau du Louvre (R.F. 3853) datable de 1837-1838 selon Sandoz (1974, n° 37). La composition évoque, comme le remarque Sandoz, mais sans analogie précise, celle de la tapisserie de même sujet, de la série des *Actes des Apôtres*. Signalons un autre dessin du Louvre, *Les deux mères* (Inv. 24.454), exécuté en Italie (1840) dont l'organisation rappelle lointainement celle de la *Vierge à la promenade* d'Edimbourg (De Vecchi, 1982, n° 133) J.P.C.

Paris, Musée du Louvre, Cabinet des Dessins

48
Allégorie des arts
Projet de plafond

Plume, aquarelle, rehauts d'or sur quatre feuillets réunis.
H. 0,595 ; L. 0,698

Historique :
N. Tessin junior ; C.G. Tessin ; Bibliothèque Royale de Stockholm. Inv. 2706/1868.

ill. 391 (détail)

Bibliographie :
Bjurström, 1976, n° 317, repr. (avec bibliographie antérieure).

Il s'agit d'un projet pour le plafond du vestibule du palais du comte Tessin à Stockholm, à dater probablement de 1697 ; le musée de Stockholm conserve des projets comparables pour la chambre à coucher et pour le salon de dessin du même palais (Bjurström 1976, n° 318-319). Généralement donné à Evrard Chauveau, frère de René et à Jacques de Meaux, le dessin parait plutôt revenir à René Chauveau (Bjurström). Ce décor de plafond avec des ornements dans le goût de Bérain est consacré aux *Arts* : au centre, Apollon est entouré des neuf Muses ; à chaque angle, des figures féminines assises sous des dais représentent les quatre arts ; chacune domine un médaillon de relief feint encadré par deux artistes italiens. A chaque fois un grand maître de la Renaissance fait pendant à un artiste « moderne ». La sculpture est accompagnée de Michel-Ange et de l'Algarde, l'architecture de Bramante et de Bernin, la « méchanique » de Domenico Fontana et d'un autre personnage non identifié, la peinture de Raphaël et d'Annibal Carrache. La silhouette fragile et élégante de Raphaël évoque presque ici celle de Watteau ; le minuscule visage parait inspiré d'une gravure comme celles de Pool ou de Wachsmut (Wagner, 1969, repr. 41 et 42) J.P.C.

Stockholm, Nationalmuseum

Chauveau (René)

Paris 1663 - id., *1722*

Fils du miniaturiste et graveur François Chauveau (1613-1676), il se consacra surtout à la sculpture. Il séjourna en Suède pendant sept années (1693-1700), où il reçut des commandes de Charles XI puis de Charles XII, resta ensuite à Berlin six années, travaillant pour Frédéric 1er et, de retour à Paris, s'occupa de sculptures ornementales pour le château de Roissy-en-Brie, pour Versailles, pour des églises parisiennes, et plus tard pour le château d'Harcourt. J.P.C.

Chenavard (Paul)

Lyon, 1807 - Paris, 1895

Élève à Paris de Hersent, il rencontre Delacroix qu'il admirera toujours. Il se passionne pour l'histoire des religions, reste quatre années en Italie où il étudie Michel-Ange et fréquente les Nazaréens dont les théories le marquent. Il se consacre pendant de longues années à la décoration du Panthéon qui lui est confiée par le gouvernement de 1848, mais l'église est rendue au culte en 1851 et la commande annulée (cf. n° 49). La Divine Tragédie *(1869, Louvre), d'un symbolisme moralisateur complexe, sera la seule œuvre importante de l'artiste, qui, découragé, se consacre à la philosophie.*

Le décor énorme prévu par Chenavard au Panthéon comportait un grand pavement de mosaïque, inspiré de celui de la cathédrale de Sienne. La partie principale, représentant la Philosophie de l'Histoire, *du même diamètre que la coupole, peut-être étudiée grâce au vaste carton du musée de Lyon (Grunewald, 1980 ; voir aussi, du même auteur, catal. exp.* Les

Peintres de l'âme, Lyon, 1981, nº 64, repr.) et à la gravure d'Armbruster (Peyrouton, 1887 ; Grunewald, 1980) ; la composition, à l'origine circulaire, aujourd'hui tronquée à la partie inférieure, constitue la plus extraordinaire dérivation des fresques des Chambres, *reprenant notamment, très amplifiée, l'organisation de la* Dispute du Saint Sacrement *et de l'*École d'Athènes : *un peu les deux fresques de Raphaël superposées (fig. 92).*
J.P.C.

49
Les artistes sous le règne de Léon X

ill. 349

Crayon noir (?)
H. 0,60 ; L. 0,45

Historique :
Don de l'artiste. Inv. H. 883.

Bibliographie :
Peyrouton, 1887, p. 35 (reproduction lithographique de F. Armbruster) ;
Grunewald, 1977, nº 36, repr.

Le personnage de Raphaël apparaît à plusieurs reprises dans les projets de Chenavard pour le décor du Panthéon, commandé en 1848 et annulé en 1851. On voit le peintre, montrant un dessin à Mozart, sur le premier plan vers la gauche, dans le principal projet de mosaïque avec la *Philosophie de l'Histoire* (fig. 92 Grunewald, 1980, repr. 11) ; on le retrouve dans une autre composition prévue pour cet ensemble, le *Paradis,* où, près de Fra Angelico, il s'agenouille devant la Vierge (Peyrouton 1887, p. 42 ; Grunewald 1977, nº 44). Il figure enfin dans le présent dessin montrant *Les artistes sous Léon X.* La coupole de Saint-Pierre est en construction ; le pape, au fond à droite, regarde un dessin qu'on lui présente ; au premier plan l'Arioste, assis sur la margelle d'une fontaine, s'entretient avec deux cardinaux. Raphaël est à gauche, désignant la basilique en travaux ; l'accompagnent Michel-Ange et Corrège (selon Peyrouton, 1887).
J.P.C.

Lyon, Musée des Beaux-Arts

Cibot (François-Édouard)

Paris, 1799 - id., *1877*

Il fut élève de Guérin et celui de Picot, dont les manières élégantes et la facture lisse paraissent l'avoir marqué durablement. Il peignit des tableaux historiques pour le Musée d'Histoire de France de Versailles et voyagea en Italie (1838-1839). Il y dessina activement d'après les peintres italiens, notamment d'après Raphaël (France, coll. part. ; Lapalus, 1978, nos 191, 192, 194, 195, 221, 222). Il se consacra ensuite à la peinture religieuse, dans un style intense et pur, souvent influencé des maîtres de la Renaissance. Il travailla notamment à l'église Saint-Leu-Saint-Gilles (1844-1846). Il changea ensuite d'orientation, peignant des paysages d'inspiration naturaliste.
J.P.C.

50
Raphaël et le Pérugin à Pérouse

ill. 334

Toile
H. 0,73 ; L. 0,57
Signé et daté à droite : *E. Cibot 1842*

Historique :
Salon de 1843, nº 234 ; acheté à la suite d'une exposition au musée de Moulins, 1845. Inv. 744.

Bibliographie :
Lapalus, 1978, nº 57 ;
Thiébaut, 1979, 1980, s.p., repr.

Le Pérugin tient en main un dessin que le jeune Raphaël vient d'exécuter, peut-être d'après la femme et son enfant, assis sur les marches de l'escalier, qui prennent obligeamment la pose, ici prémonitoire, de la *Vierge de Foligno* (dans le sens de la gravure de Marcantonio Raimondi) *. Le jeune garçon qui regarde les deux peintres a pu inspirer, lui, quelque petit saint Jean : idée du recours constant de Raphaël aux modèles offerts par la nature.
J.P.C.

Moulins, Musée

Cieslewicz (Roman)

Lwow, 1930

Formé à l'Académie des Beaux-Arts de Cracovie, R. Cieslewicz a mené dès 1956, en Pologne puis en France (à partir de 1963) une activité de graphiste touchant tous les supports multiples et fugaces : affiches, maquettes graphiques de revue (Vogue, Opus...). *Ses sérigraphies ont montré que des effets de trame hypertrophiée ou de sujet surexposé contrastants en noir et blanc, pouvaient transfigurer la réalité et lui donner un aspect indécis et inquiétant ; ses photomontages, souvent réalisés à des fins publicitaires, sont en revanche des créations colorées et badines, à partir de « déjà-vu », où la photo de mode le dispute au tableau de maître.*

Membre de l'Alliance graphique internationale et du Groupe Panique, R. Cieslewicz semble s'approprier, avec moins d'innocence qu'il n'y paraît d'abord, les moyens du créateur publicitaire pour faire tâche de publiciste.
D.C.

51
Super-Elephants-Man

Collage en trois morceaux
H. 0,31 ; L. 0,24
Intitulé, signé et daté de la main de l'artiste, en bas :

« SUPER-ELEPHANTS-MAN »
R. CIESLEWICZ. 1982.

Bibliographie :
Exp. *Collages de Roman Cieslewicz*, Paris, Galerie Jean Briance, 1982 (hors catalogue).

ill. 132

Intitulé *Super-Elephants-Man* par référence au film fantastique de David Lynch *(Elephant Man)*, ce photomontage, où la reproduction du *Portrait de Balthazar Castiglione** par Raphaël et une forme mécanique se télescopent, évoque effectivement quelque pachyderme gris-acier en costume du XVIe siècle. En défigurant impeccablement les portraits de la Renaissance (non seulement ceux de Raphaël, mais aussi ceux d'Antonello de Messine et de Dürer), Cieslewicz montre quel pouvoir le masque, artifice naïf de carnaval, possède de raillerie et de peur. Plutôt que désintégration subversive d'esprit Dada, l'image hybride devient représentation cocasse et agressive d'on ne sait quel personnage de roman-photo fantasmagorique. D.C.

Malakoff, collection de l'auteur

Corneille (Michel Ier, ou l'Aîné)

Orléans, 1603 - Paris, 1664

Élève de Vouet, il épousa sa nièce et fut en 1648 un des fondateurs de l'Académie Royale, Il fut essentiellement peintre religieux et peignit notamment pour Notre-Dame les « Mays » de 1644 (cf. n° 52) et de 1658 (Toulouse, église Saint-Pierre). Son style est caractérisé par des personnages un peu lourds, une exécution précise et fine dans des couleurs claires qui doit, autant qu'à Vouet, à l'influence de Champaigne et de Gentileschi. La voûte de sa Galerie de Psyché, *à l'Hôtel des Ambassadeurs de Hollande à Paris, évoque, par les thèmes et parfois par l'organisation des groupes, les fresques de la Loggia de la Farnésine, notamment le médaillon de* Psyché portée par les amours *(fig. XXV). Son grand* Massacre des Innocents *(Tours) s'inspire directement (Fohr, 1982, n° 22) des tapisseries de Raphaël de même sujet de la « Scuola Nuova ».* J.P.C.

52
Saint Paul et saint Barnabé refusant un sacrifice des habitants de la ville de Lystre

ill. 273

Encre brune au pinceau, lavis d'encre brune, rehauts blancs, traces de stylet sur papier beige
H. 0,448, L. 0,349
Collé en plein.

Historique :
Collection du Roi ; marques du musée (Lugt 1899 et 1886).
Inv. 25.284.

Bibliographie :
Morel d'Arleux, VIII, n° 9801 ;
Guiffrey-Marcel, III, n° 2319 repr. ;
Pruvost-Auzas, 1958, n° 27 ;
Auzas, 1961, p. 191, n. 24, 25, p. 191.

Le grand tableau correspondant à ce dessin, « May » offert par la Corporation des Orfèvres à Notre-Dame de Paris le 1er mai 1644, se trouve au musée d'Arras (Auzas, 1961, p. 187-191). Le thème, emprunté aux *Actes des Apôtres* (XIV), est celui de Paul et Barnabé qui viennent de guérir un estropié et sont prêts à déchirer leurs vêtements devant la foule idolâtre qui prend les deux hommes pour Jupiter et Mercure et veut leur offrir un sacrifice païen. L'influence de la tapisserie de Raphaël des *Actes des Apôtres* de même sujet est ici flagrante et la phrase de Mariette (*Abecedario*, II, p. 4) caractérise bien le tableau d'Arras et le dessin du Louvre : [il] « ne fut pas si scrupuleux imitateur de la manière de cet habile maître [Vouet] quelquefois trop négligée et éloignée du naturel, qu'il ne cherchât en se proposant pour guides les ouvrages de Raphaël, à rendre la sienne plus sage et plus étudiée ». Corneille tente ici cette périlleuse « raphaélisation » des types de Vouet, avec des figures lourdes mais d'une réelle noblesse ; le métier fin et délicat, presque timide, est celui de ses tableaux. J.P.C.

Paris, Musée du Louvre, Cabinet des Dessins

Corneille (Michel II, ou le Jeune)

Paris, 1642 - id., 1708

Élève de son père Michel I, puis de Le Brun et de Pierre Mignard, il paraît avoir été marqué fortement par ce dernier. Il séjourna en Italie, probablement de 1659 à 1663. Il est surtout l'auteur de compositions religieuses. On lui doit le plafond du Salon des Nobles de la Reine à Versailles, où le Mercure entouré des sciences et des arts *(1671) paraît dériver directement de celui de la Farnésine. Dans un tableau comme* Zéphyr et Flore *(Trianon) apparaissent aussi, souriants et fleuris, des souvenirs du même décor. Son activité comme graveur et comme dessinateur fut importante (nombreux dessins au Louvre, dont certains d'après Raphaël).* J.P.C.

53
Études de têtes
D'après la fresque du Couronnement de Charlemagne

ill. 197

Pierre noire, rehauts blancs sur papier beige
H. 0,275 ; L. 0,423

Historique :
Angers, vente 30 avril 1980 (« Succession de Maître X... »), n° 24, repr. (Michel II Corneille, « d'après un maître italien » ; P. Prouté, Paris, 1981 ; acquis par le propriétaire actuel.

Bibliographie :
Catal. « Giambattista », maison P. Prouté, 1981, n° 26, repr.

Dessinateur prolixe, Michel II Corneille a laissé de nombreuses feuilles d'étude de ce type et de cette technique, avec différentes têtes dispersées de façon virtuose, fort proches de celles de Mignard lorsqu'elles ne sont pas comme ici, des interprétations. Le dessin exposé copie d'un trait alerte et primesautier, et qui parfois prend des libertés avec le modèle, des figures et des groupes que l'on trouve tous dans la fresque du *Couronnement de Charlemagne* (De Vecchi, 1982, n° 115) de la Chambre de l'Incendie du bourg. Les trois têtes de profil, en haut à gauche, correspondent, réinterprétées et complétées, à celles des trois personnages de la tribune de gauche, dont on ne voit que des fragments.
J.P.C.

Lyon, collection J.M. Peycelon

54
La Vierge et l'Enfant

ill. 27

Toile
H. 0,825 ; L. 0,660

Provenance :
Heim Gallery, Londres, 1974.

Bibliographie :
Catal. Heim Gallery, Londres, été 1974, n° 12, repr.

L'influence de Mignard marque cette œuvre autant que celle de Le Brun : formes rondes, atmosphère aimable et coloris vif et recherché, avec la corbeille de fruits qui évoque celle de la *Vierge à la grappe*, d'un côté ; découpes fermes et dessin appuyé, d'un autre côté. Le ton de gaieté tendre et familière évoque des *Vierges* de Raphaël de la période florentine : *Vierge Niccolini-Cowper* de Washington (De Vecchi, 1982, n° 82) ; *Vierge à l'œillet* ou *Vierge à la rose*, ces dernières connues aujourd'hui seulement par des copies (*id.*, n°s 162 et 163) et bien diffusées au XVIIe siècle par la gravure (*cf.* n° 268).
J.P.C.

États-Unis, collection Mr. et Mrs. J. Seward Johnson

Coypel (Antoine)

Paris, 1661 - Paris, 1722

Il suit son père Noël, nommé directeur de l'Académie de France à Rome, où il reste de 1673 à 1675. Il est considéré comme un enfant prodige, étudie les Carrache, est influencé par Carlo Maratta. Il se montre vite très marqué par l'art flamand, notamment Rubens, et devient le meilleur peintre français de grands décors, dans la suite de ceux de Le Brun. Il peint des tableaux pour Meudon (1700-1701) ; le décor de la voûte de la Galerie d'Énée *au Palais Royal (1702-1705, disparu) lui vaut la gloire ; il peint ensuite (1709) la voûte de la chapelle du Château de Versailles, puis complète le décor de la Galerie d'Énée. Il est en 1710 garde des tableaux et des dessins du roi, puis recteur de l'Académie et Premier peintre (1716). Collectionneur, il possédait plusieurs dessins de Raphaël ; à la vente de sa collection en 1753, à la mort de son fils Charles-Antoine, deux de ces dessins* furent acquis pour le roi par le Marquis de Marigny. Dans le riche fonds de dessins de Coypel entrés dans le Cabinet du Roi à la mort du Premier peintre et aujourd'hui au Louvre, une étude aux trois crayons représentant* l'Amour se réchauffant *(Inv. 12.345) montre une jeune femme qui semble directement reprise de l'étude dessinée de femme assise aujourd'hui au Cabinet des Dessins du Louvre (Inv. 3.862) * pour la* Sainte Famille de François Ier * *(le tableau correspondant, gravé par L. Desplaces, remplacera cette figure féminine par un Anacréon). Citons encore un* Génie de la Vengeance *(Louvre, Inv. 25.727) bien près du* Mercure *de la Farnésine et un* Saint Michel terrassant le dragon *(Inv. 12.331) qui semble faire le lien entre celui de Le Brun, pour la chapelle de Versailles et celui de Delacroix, à Saint-Sulpice.*

Mentionnons aussi une Allégorie de la Peinture, *dessin, avec une figure féminine tenant une palette, assise devant une architecture avec, sous des arcades, les statues de Michel-Ange, Titien, Corrège, Raphaël; la jeune femme paraît désigner cette dernière (dessin annoté à la plume :* A. Coypel f. *Bibliothèque Nationale, Estampes, B6 Rés).*
J.P.C.

55
Trois docteurs

ill. 167

Sanguine, pierre noire, rehauts blancs sur papier gris-beige, mis au carreau
H. 0,312 ; L. 0,254

Historique :
Fonds de l'atelier de Coypel ; Cabinet du Roi, 1722 ; marques du musée (Lugt 1899, 2207 et 1886).
Inv. 25.777.

Bibliographie :
Morel d'Arleux, VIII, n° 10.984 ;
Guiffrey-Marcel, IV, 1909, n° 3006, repr.

Étude pour un *Jésus chez les docteurs* (1717), signalé par Piganiol de La Force à Notre-Dame de Paris (*Description de Paris*, 1742, I, p. 398). Un fragment de la toile est conservé à l'église Saint-Étienne de Villeneuve-sur-Lot ; une copie de la composition entière se trouve à l'église de

Tremblay-les-Gonesse. Le Cabinet des Dessins conserve une suite de dessins préparatoires pour ce tableau (Guiffrey-Marcel 3004 à 3010). Coypel semble ici s'inspirer du groupe avec Pythagore et Averroès, au premier plan à gauche de l'*École d'Athènes*. J.P.C.

Paris, Musée du Louvre, Cabinet des Dessins

Crignier (Louis)

Amiens, 1790 - ? après 1831

On ne sait presque rien de cet élève de David et de Gros, qui exposa aux Salons de 1819, 1824 et 1831 ; deux portraits de cet artiste sont conservés aux musées d'Angers (un dessin représentant David d'Angers*) et de Troyes.* J.P.C.

56
Raphaël présenté au Pérugin

ill. 333

Toile
H. 0,830 ; L. 1,025
Signé et daté en bas à gauche :
L. Crignier 18(29 ?), les derniers chiffres difficilement lisibles.

Historique :
Salon de 1831, n° 421 ? ; vente Paris, Hôtel Drouot, 4 nov. 1980, n° 5 (« La leçon de dessin de Raphaël ») ; vente Enghien, 4 juillet 1982, n° 60 (« Raphaël présentant un de ses dessins » ; repr.).

Il s'agit probablement du tableau exposé sous le n° 421 au salon de 1831 : « Raphaël présenté au Pérugin. A l'âge de douze ans, il est présenté par son père au Pérugin, peintre célèbre, qui juge, sur ses dessins et sa physionomie, du talent qu'il devra acquérir. » Pérugin, devant un de ses tableaux, une *Vierge avec des saints* (inspirée du tableau du Louvre, INV. 720), en face d'une jeune femme assise dont il faisait peut-être le portrait, regarde un dessin que lui tend le jeune garçon et dont la vue émerveille les élèves du maître : une étude de Vierge à la sanguine, très finie (bien sûr anachronique puisqu'inspirée de la *Vierge Tempi* de Munich, œuvre florentine probablement de 1508 ; *cf.* n° 193). Les traits de Pérugin sont empruntés au portrait de l'*École d'Athènes*.

Les dictionnaires de Thieme et Becker et de Bellier et Auvray indiquent un tableau de Crignier de ce sujet au musée de Douai, qui ne s'y trouve pas (ou plus), et n'est mentionné ni sur les catalogues ni sur les inventaires (communication du musée, octobre 1982). J.P.C.

Paris, collection M. et Mme Pierre Mésenge

Dali (Salvador)

Figueras, 1904

Après plusieurs années d'expériences éclectiques (1920-1925 : études académiques à Madrid, réalisme sage, cubisme...) qui laissent augurer des nombreuses voltes-faces qui transformeront sa carrière en spectacle, Dali découvre à travers Freud le profit qu'il y a à se mettre à l'écoute narcissique de son inconscient. A Paris en 1929, il rencontre Breton et se fond au groupe surréaliste dont il devient un prosélyte encombrant. Puisant aux viviers idéologiques les plus contradictoires, il est exclu du groupe (1934). 1936 voit une révolution rétrograde en forme de retour affecté au classicisme. Par la suite, récupérant tous les procédés, la facture molle et léchée du réalisme académique comme la giclure aléatoire de l'Action Painting, pour ce qu'ils ont d'attractif et d'acrobatique, la peinture de Dali apparaît, malgré le désaveu justifié de ses pairs, comme l'expression quintessenciée du Surréalisme.

Accueillant complaisamment cette méprise, et prônant la surenchère en guise de sublimation, Dali, illustrateur verveux de son propre mythe dont il cultive la filiation avec la mystique espagnole, fait figure par ses toiles, films (avec Bunuel), interventions publiques, où la pulsion sexuelle le dispute à l'instinct de mort, de héros picaresque de la peinture de ce siècle.

*Son œuvre écrit et figuré a fait, dès 1922 environ (*Autoportrait au cou raphaélesque, *coll. part. ; repr.* in *Abadie, 1979-1980, II, p. 7) et surtout dans les années 1950, un accueil généreux à Raphaël, sujet réel d'admiration esthétique, symbole provocant des valeurs rétrogrades et confrère en « génialité », égaré, un peu comme Dali lui-même, dans le labyrinthe de la célébrité.* D.C.

57
Tête raphaélesque éclatée

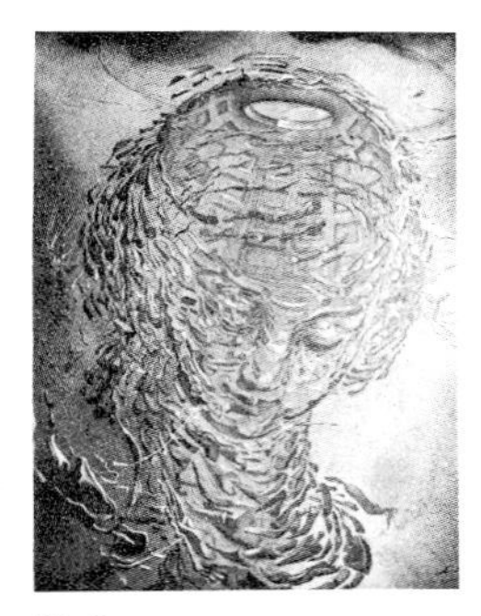

ill. 8

Toile
H. 0,67 ; L. 0,57
Signé et daté en bas à droite :
Dali 1951.

Bibliographie :
Hodin, 1953, pp. 109-110 ;
Descharnes, 1962, pp. 180-181 repr., p. 232 ;
Gérard, 1974, fig. 80 (s.p.) ;
Gomez de la Serna, 1979, p. 63, 131, repr., 130, 235 ;
Abadie, 1979-1980, I, p. 378, repr. ;
Dawn Ades, 1982, pp. 175-176, fig. 143.

La *Tête raphaélesque éclatée* (ou *explosant*) montre l'effigie désintégrée et inversée de la *Madone du Belvédère* (Florence, Offices) ou s'inscrit, en guise de calotte cranienne, la coupole du Panthéon. Au-delà d'une allusion nécrophile à Raphaël — puisque les cendres de l'artiste reposent à Rome au Panthéon — la coupole est pour Dali (Dali, 1979, p. 317) l'expression parfaite de la Renaissance, voire de l'Absolu, et il l'utilise strictement de la même façon dans un dessin, également de 1951, *Les brouettes* (Dali, 1974, p. 177, repr.) célébrant la construction du palais idéal par le facteur Cheval.

La désintégration du sujet en camaïeu, allusion dérisoire aux moyens du cubisme analytique, est moins une division descriptive de la forme que l'exposé pictural d'une « cosmogonie », d'une théorie (plus mythique que scientifique) expliquant la formation de l'image céleste d'une madone raphaélesque. La rupture du volume en corpuscules dynamiques permet cette métamorphose de l'image de Raphaël en construction architecturale, et de là en modèle imaginaire de quelque théorie cinétique. D'autres peintures, *Galatée aux sphères* qui superpose atomes et tête de la *Madone Bridgewater* (1952, New York, coll. part. ; Dali, 1974, p. 201 repr.) ; *Vitesse maxima de la Vierge de Raphaël,* qui fait de même avec la tête de la *Vierge au chardonneret* (1954, coll. A. Reynolds Morse, *id,* repr.), *Galacidalacidesoxiribunucleicadid* (*sic*) (1963, Boston, coll. part.) qui associe *Le Prophète Isaïe* (Rome, Sant'Agostino) à un hommage à Crick et Watson, montrent aussi le passage de la réalité religieuse de Raphaël au mythe scientifique par la construction intellectuelle et l'édification spirituelle. Ce processus n'est pas propre à Dali, et J.P. Hodin (1953, p. 110) a relevé sous la plume de Gabo, l'artiste constructiviste, des idées de même ordre visant à accorder une Madone de Raphaël au système de Copernic, à faire de la conception artistique une métaphore de la théorie scientifique. Il n'est pas impossible en dernière instance que l'image de l'artiste de la Renaissance, savant universel, soit responsable de cet avatar scientiste des Madones de Raphaël.

Comme le remarque R. Descharnes (1962, p. 232), le dessin conique de chaque particule évoque déjà cette corne de rhinocéros qui sera vers 1955 l'élément constitutif obsessionnel de la peinture de Dali. Ainsi, dans la *Sainte Cécile ascensioniste* (coll. part. ; Abadie 1979-1980, p. 380 repr.) où elles se superposent en grand nombre à une copie de la *Sainte Catherine* (Londres, National Gallery). Raphaël, comme Dali l'exprima lui-même lors d'une conférence à la Sorbonne le 17 novembre 1955, apporte là encore une justification extravagante : « Non, certes, la corne de rhinocéros n'est pas d'origine romantique ou dionysiaque. Au contraire, elle est apollinienne comme je l'ai découvert dans Raphaël en étudiant la forme du cou de ses portraits. (...) Raphaël peignait uniquement avec des cubes et des cylindres, des formes semblables aux courbes logarithmiques décelables dans les cornes de rhinocéros » (Dali, 1964, p. 149). Comme le notait alors A. Jouffroy (1955, rimpr. *in* Abadie 1979-1980, II, p. 146) ces propos ésotériques sont bien « d'un amuseur supérieur qui nous permet de rire de nos dieux familiers », en l'occurrence de Raphaël. D.C.

Grande-Bretagne, collection particulière

58 Madone corpusculaire

Crayon, sépia, encre de chine
H. 0,556 ; L. 0,432
Signé et daté en bas à droite :
Dali/1952.

Historique :
Don de Mr. et Mrs. Charles W. Ireland au Birmingham Museum of Art.

ill. 21

Bibliographie :
Salvador Dali, A guide to his works in Public Museums,
Cleveland, 1973, p. 11, repr. ;
Abadie, 1979-1980, I, p. 379, repr.

Image « nucléaire » comme l'œuvre précédente, et œuvre religieuse, la *Madone corpusculaire* participe de cet appel de Dali pour une peinture nouvelle qui soit « une fois encore figurative et représentative d'une nouvelle cosmogonie religieuse » (Dali, mai 1952, réimpr. *in* Abadie, I, p. 379). Ces intentions prennent des formes synthétiques, abstraites et subjectives, parentes du « dynamisme universel » du futurisme, en interprétant de façon elliptique et centrifugée la *Vierge Colonna* de Raphaël (Berlin-Dalhem). Le même schéma raphaélesque sous-tend la pose de la *Sainte-Hélène de Port Lligat* (1956,, repr. *in* Passeron, 1978, p. 107) qui a les traits de l'épouse de Dali, Gala.

L'identification de l'image de Gala à la perfection de Raphaël est une des constantes de la peinture religieuse de Dali, dont témoignent aussi ses écrits (Dali, 1964, p. 52). Sa *Vierge de la Guadalupe* (1959, repr. *in* Gomez de la Serna, 1979, p. 236) donne les traits de Gala à la *Madone Sixtine,* laquelle a plusieurs fois inspiré Dali (Abadie, 1979-1980, I, p. 388). En même temps, une illustration du livre de R. Descharnes (1962, p. 98) qui montre Gala face à une photo de la *Madone Sixtine* atteste la part de la photographie dans l'interprétation des œuvres de Raphaël par Dali (*cf.* aussi Bousquet, 1966, p. 113).

Riche d'exaltation nerveuse et explosive dans la *Madone Corpusculaire,* dotée d'une grande puissance d'illusion, hallucinante au sens propre, dans la *Vierge de la Guadalupe,* la vision de Dali des Vierges de Raphaël a été parfois, avec la *Madone aux Oiseaux* (1943, repr. *in Dali,* 1974, p. 177) qui dérive de la *Madone d'Albe,* plus classiquement interprétative. La démarche imitative de Dali n'est donc pas stylistiquement unifiée mais elle reste mentalement cohérente. C'est une quête spirituelle plutôt que formelle. Raphaël n'en apparaît pas moins, le peintre le mieux noté, à tous points de vue, entre Vermeer et Velasquez dans le *« Tableau comparatif des valeurs d'après une analyse Dalinienne »* (Dali, 1964, p. 308). D.C.

Birmingham (Alabama), Birmingham Museum of Art, don de Mr. et Mrs. Charles W. Ireland

David (Jacques-Louis)

Paris, 1748 - Bruxelles, 1825

Parent de Boucher, le jeune David est introduit par celui-ci en 1766 dans l'atelier de Vien. Après plusieurs échecs, il obtient le Prix de Rome en 1774. L'année suivante il part pour Rome, à vingt-sept ans, suivant son maître Vien nommé directeur de l'Académie de France. Il y reste cinq années, capitales pour la formation de son art : il reçoit la révélation de l'antique, de Michel-Ange et de Raphaël, et dessine sans relâche pour amender son style, essentiellement d'après les sculptures antiques. Un capital texte de David souligne le rôle de véritable « intercesseur » que joua pour lui Raphaël : « Raphaël homme divin ! c'est toi qui par degré m'éleva jusqu'à l'antique ! C'est toi ! peintre sublime ! c'est toi parmi les modernes qui es arrivé le plus près de ces inimitables modèles. C'est toi-même, qui m'a fait appercevoir (sic) *que l'antique etoit encore au dessus de toi ! C'est toi peintre sensible et bienfaisant* (mots barrés : *« et terrible »*) *qui plaça ma chaise devant ces restes sublimes de l'antiquité. Ce sont tes doctes et gracieuses peintures qui m'en ont fait découvrir les beautés. Aussi après trois cents ans d'intervalle pour prix de mon enthousiasme pour toi daigne o Raphaël me reconnoitre encore pour un de tes élèves* (phrase remplaçant une phrase barrée : *« daigne me reconnoitre pour un de tes élèves le plus dévoué mon enthousiasme pour tes ouvrages et ma reconnaissance pour les lumières que tu m'as procurées m'autorisent à te reconnoitre pour mon maître »*) *tu m'en donnas un autre de ta main c'est toi qui me plaça à l'école de l'antique, que de graces ne te dois-je pas quel grand maître tu m'as donné aussi je ne te quitterai de ma vie... » (notes conservées à l'École des Beaux-Arts, citées par* A. *Serullaz, 1981-1982, p. 66, n. 30).*

*On s'étonne, après cela, du petit nombre de dessins exécutés par David d'après Raphaël (*id., *p. 66 et n. 31) : en dehors de ceux montrés ou cités ici, quelques dessins d'après des éléments décoratifs, exécutés par des élèves dans les Chambres ou à la Villa Madama (Louvre, Stockholm, coll. part. New York ;* id., *n. 32). Ajoutons pourtant, dans l'album 7, au Louvre, une* Tête de Vierge *à la pierre noire (Inv. 26.118 bis) d'après la* Vierge de la Promenade *(Edimbourg) alors considérée comme un original de Raphaël et à Rome dans la collection de Christine de Suède : le seul exemple d'un dessin de David d'après un tableau de Raphaël (fig. 41).*

La fréquentation des Chambres du Vatican ne resta pas sans profit : le vaste dessin des Combats de Diomède *(Albertina) évoque avec ses mêlées de cavaliers, la* Bataille de Constantin. *Mais, à la fin du séjour romain, c'est l'étude des peintures caravagesques qui détermine la mutation de son style de peintre (*Saint Roch, *1780, Marseille). On est allé jusqu'à déceler (Holma, 1940, p. 43) une analogie entre le groupe de la mère et de l'enfant et la* Grande Sainte Famille *de Raphaël dans la* Douleur d'Andromaque *(1783 ; École des Beaux-Arts, déposé au Louvre). On préfèrerait la mettre en relation avec la* Piéta* *de Marcantonio Raimondi. La figure de Barère du* Serment du Jeu de Paume *(Versailles) reprend l'attitude d'un personnage du* Parnasse *(Schnapper, 1980, p. 114). Dans les* Sabines, *qui firent traiter le peintre, dont on critiquait la nudité des figures, de « Raphaël des sans-culottes », les emprunts ne sont pas seulement de détail, comme la jeune femme qui court au centre, inspirée du* Massacre des Innocents* *de Marcantonio Raimondi ainsi que l'atteste un croquis de David du Louvre (fig. 150 ; Schnapper, 1980, p. 193) ou le Tatius emprunté au* Guerrier *d'Agostino Veneziano (Bartsch illustré, 1978, vol. 27, p. 129, n° 461). On peut évoquer aussi les* Deux Gladiateurs *du Maître au dé (*id., *1982, vol. 29, p. 233, n° 77), considérés alors comme d'après Raphaël, où les attitudes sont proches de celles des deux protagonistes des* Sabines. *Chez David devenu peintre de Napoléon, on peut trouver un écho de* l'Allocution de Constantin *du Vatican dans l'organisation de la* Distribution des Aigles *(1810, Versailles). Et dans les ultimes tableaux du peintre, exilé à Bruxelles en 1815, la recherche nouvelle de réalisme et de préciosité fait évoquer à nouveau Raphaël : le* Mars, Vénus et les Grâces *(1824, Bruxelles) ressuscite l'antiquité opulente, précise et colorée du plafond de la Farnésine. Ainsi, à chaque fois et jusqu'au bout de sa carrière, David voit Raphaël avec le même regard que l'antiquité ; mais on sait que renouer avec l'art antique, le faire revivre, avait été à Rome l'idéal premier de Raphaël.* *J.P.C.*

59
Bacchus ivre
D'après un motif de stuc des Loges du Vatican

ill. 243

Plume sur esquisse à la pierre noire
H. 0,268 ; L. 0,210
Annoté en bas à gauche de la main de l'artiste, à la plume : *Vatican Raphaël.*

Historique :
Fait partie d'un album factice comprenant des dessins acquis à la 2e vente David, 11 mars 1835 ; paraphes de Eugène David (Lugt, 839) et de Jules David (Lugt, 1437). Inv. 26.150.

Bibliographie :
Guiffrey-Marcel, IV, n° 3344, repr. ;
Sérullaz (A.), 1965, n° 138 ;
Sérullaz (A.), 1981-1982, p. 68, n. 31.

Le dessin, qui date des années romaines de l'artiste, copie avec des variantes un *Bacchus ivre soutenu par un jeune garçon,* stuc décorant un des pendentifs de la quatrième des Loges du Vatican, décorées sous la direction de Raphaël (Dacos, 1977, p. 213, IV. 2, pl. LVII *b*). Le même groupe est repris avec une draperie différente, dans un autre stuc du même ensemble, un médaillon circulaire décorant un des pilastres (*id.*, p. 262, I*b*, pl. XCVIII *b*). Ce motif est directement tiré d'un relief dionysiaque néo-attique dont un exemplaire existe au Vatican (*id.*, pl. CLIII, fig. 31) : nouveau témoignage d'un David confondant dans une même admiration Raphaël et l'antique. David réinterprète ici le modèle des Loges, il est vrai de par sa situation difficile à lire ; l'autel de droite est une complète invention, la jambe droite de Bacchus cache en partie celle du faune. J.P.C.

Paris, Musée du Louvre, Cabinet des Dessins

60
Deux têtes de femmes
D'après les tapisseries de la « Scuola Nuova »

ill. 292

Pierre noire
H. 0,153 ; L. 0,192
Annoté en bas à gauche de la main de l'artiste, à la plume : *tapisseries de Raphaël.*

Historique :
Faisait partie d'un album factice dont les dessins sont aujourd'hui dispersés, figurant avec onze autres à la vente après décès de l'artiste le 17 avril 1826 (n° 66) ; paraphe de

Eugène David (Lugt, 839) et de Jules David (Lugt, 1437) ; P. Prouté, Paris, 1978 ; Galerie De Bayser, Paris 1979 ; acquis par le propriétaire actuel.

Bibliographie :
Catal. « Centenaire » P. Prouté, 1978, F. 11, p. 44 ;
Simonet Lenglart, 1979, n° 25, repr. ;
Sérullaz (A.), 1981-1982, p. 65, p. 69, fig. 6.

Ce dessin était collé sur la feuille onze d'un album, encore récemment intact, réunissant des études romaines de David, dit l'album 6 (voir pour une photographie de la feuille entière, A. Sérullaz, fig. 6). La tête de droite copie avec précision une figure d'une des tapisseries du *Massacre des Innocents* de la série du Vatican dite de la *Scuola Nuova.* Celle de gauche est très proche de celle de la Madeleine, dans le *Noli me tangere* de la même série, avec des variantes, dans la coiffure notamment : David semble dans ce cas vouloir simplifier et « moderniser » le prototype, donnant au visage un aspect plus aimable et vivant, dans le sens « XVIIIe siècle », qu'au premier. Magnifique document sur le tournant de la manière de David, et sur ses hésitations, pendant son séjour romain. La réunion, par David lui-même, des dessins sur la feuille de l'album (A. Sérullaz, p. 65), suggère d'autre part l'idée d'un rapprochement volontaire entre les têtes antiques et les têtes de Raphaël. Ailleurs, David affronte sur une même feuille deux profils, une tête féminine d'après une statue antique et une tête barbue de philosophe de l'*École d'Athènes* (Louvre, album 7, Inv. 26.103 bis ; A. Sérullaz, 1981-1982, fig. 13 ; voir ici fig. 93). J.P.C.

Paris, collection particulière

61
Alexandre faisant placer les œuvres d'Homère dans le tombeau d'Achille
D'après la fresque du Vatican

ill. 176

Plume et lavis gris sur traits de pierre noire
H. 0,131 ; L. 0,191
Annoté en bas à la pierre noire : *Vatican.*

Historique :
Faisait partie d'un album factice dont les dessins sont aujourd'hui dispersés, figurant avec onze autres à la vente après décès de l'artiste le 17 avril 1826 (n° 66) ; paraphe de Eugène David (Lugt, 839) et de Jules David (Lugt, 1437) ; coll. Germain Seligman (marque en bas à droite) ; Chaucer Galleries, Londres.

Bibliographie :
Catal. Chaucer Galleries, Londres, juin-juillet 1979, n° 18 ;
Sérullaz (A.), 1981-1982, p. 68, n. 31.

Le dessin provient d'un recueil factice de dessins romains de David, dit l'album 10, dont les dessins ont été dispersés (A. Sérullaz, 1981-1982, p. 65). Il copie, dans une indication de plume et de lavis particulièrement énergique, une grisaille de la Chambre de la Signature dont l'exécution est aujourd'hui généralement rapportée à un collaborateur de Raphaël. La rapidité du croquis explique certaines des variantes avec la composition peinte ; mais certaines modifications dans les costumes, notamment celui du personnage central, que David drape d'un manteau, et plus encore l'espace plus aéré dans lequel il situe les figures en les plaçant sur un sol en perspective, sont bien les signes des libertés que s'autorise le jeune artiste. Ce dessin que l'on croirait exécuté d'après un relief romain constitue en tout cas un des plus frappants exemples du rôle d'« intercesseur » que Raphaël joua pour David dans sa découverte de l'art antique. J.P.C.

Londres, collection Mr. et Mrs. Norman D. Hutchinson

Degas (Edgar)

Paris, 1834 - Paris, 1917

Rompu à tous les exercices académiques par sa formation auprès d'un élève d'Ingres et de Flandrin, Lamothe (1855), à l'École des Beaux-Arts (1856) et bénéficiant par ailleurs de la grande culture picturale que purent lui procurer des voyages répétés en Italie (1854-66), Degas s'est néanmoins fait l'interprète de sujets de la vie moderne : ballet, course, café-concert, femme dans des occupations quotidiennes. Il fut en outre un portraitiste fécond. Proche de Manet (1862), il prend part activement aux discussions anti-académiques, du « groupe des Batignolles » (1866) puis participe aux différentes expositions du groupe impressionniste (1874-1881 et 1886), et ne figure qu'irrégulièrement au Salon. Après 1880, en partie à cause d'une certaine déficience visuelle, il multiplie les expérimentations techniques, trouvant dans le modelage de la cire, le pastel et la gravure, les moyens d'un nouvel équilibre entre l'expression du mouvement et le rendu du volume. Degas semble aboir très tôt (1856-57) pensé à illustré l'épisode fameux de Raphaël et la Fornarina, *comme l'atteste un dessin d'un de ses carnets (fig. 175 ; Paris, coll. particulière), mais plus que la légende de l'artiste, c'est son œuvre même qui paraît l'avoir intéressé.*

On peut, grâce à la publication des carnets par Th. Reff (1976), suivre le cheminement entre 1853 et 1860 de Degas copiste de Raphaël. Il travaille aussi bien d'après des estampes, des dessins que des peintures. Des gravures d'après Raphaël, ce sont celles faites au XVIe siècle par Agostino Veneziano, Marcantonio Raimondi ou le Maître au dé qui retiennent son attention. Un Mercure *à la mine de plomb d'après Marcantonio (Bartsch illustré, vol. 27, p. 38, n° 343), récemment passé en vente (Hôtel Drouot, 21 juin 1983, Salle 5 et 6, n° 5) est sans doute à identifier à l'un et (ou) l'autre de ceux mentionnés par Reff (1964, p. 258). Des dessins, Degas regarde ceux exposés au Louvre :* Le Commerce *(R.F. 3.877)*,* Saint Pierre et saint Paul apparaîssant à Attila *(Inv. 3.873)*,* Vénus et Psyché *(Inv. 3.875)*; ou à Montpellier : le carton de la* Madone Tempi**. Devant les peintures, il n'est plus seulement dessinateur mais peintre (Lemoisne, 1946, II, n° 46). Travaillant d'après Raphaël, il apparaît dans les registres de copistes du Louvre le 31 octobre 1854 (Reff, 1964,* copyist, *p. 555). D'entrée de jeu intéressé par les tableaux tardifs,* la Grande *et la* Petite Sainte Famille* *(Louvre ; Reff, 1976, I, pp. 35, 41), il manifeste aussi une réelle curiosité pour les portraits comme en témoignent les notes dans ces carnets (Reff, 1976, I, pp. 35, 47, 53), un dessin d'après Castiglione et d'autres copies de portraits de jeune homme (Louvre, Montpellier)* aujourd'hui rendus à Franciabigio, Parmigianino ou Brescianino et qui donne une image quelque peu ténébreuse, secrète ou mélancolique de Raphaël. Les tableaux de la période florentine exposés au Louvre ont moins souvent retenu Degas (dessin du* Saint Georges ; *Walker, 1933, p. 185) que les grands décors romains qu'il voit en Italie (1854, 1856, 1857, 1858, 1860), tel* l'Incendie du bourg *dont Lemoisne catalogue une copie peinte (1946, II, n° 46) et Reff cite un dessin (1964, p. 258) sans doute à identifier avec l'étude passée en vente à l'Hôtel Drouot le 6 mai 1976 ; telles aussi* Les Loges *(R.W. Kennedy, 1953, pp. 5-12).*

On aura conscience que pour Degas qui fit, toutes techniques et tous modèles confondus, près de 600 copies (Reff, 1971, p. 534), l'étude de Raphaël ne fut pas exclusive : « Raphaël, pourtant si grand, n'est pas le seul maître » (propos rapporté par Borel in Fèvre, 1949, p. 35). Il s'agit en l'étudiant de faire entrer le métier. Certaines copies de Raphaël ont ce caractère scrupuleux et inerte de son maître Lamothe. Quand le modèle raphaélesque influe sur son œuvre propre (les portraits surtout, cf. n° 65 et fig. 89), c'est de la même façon que la photographie, pour des éléments de cadrages et d'angles de vue, jamais pour une citation docile.

Que Degas renonçant à la peinture d'histoire (mais aussi à l'autoportrait) ait en même temps délaissé la copie ne surprendra pas. Il reste que durant une décennie (1854-1865 environ), en étant un peintre soucieux de la vie moderne et attentif à Raphaël, Degas a affirmé, avec plus d'évidence que Ingres ou Delacroix auparavant, l'indivisibilité du passé et du présent de la peinture. D.C.

62
Feuille d'études
D'après deux gravures de Marcantonio Raimondi

ill. 170

Plume et encre brune sur papier calque
H.0,317 ; L. 0,152

Historique :
Jeanne Fèvre, nièce de l'artiste ;
don anonyme au Fogg Art Museum.
Inv. 1956.10.

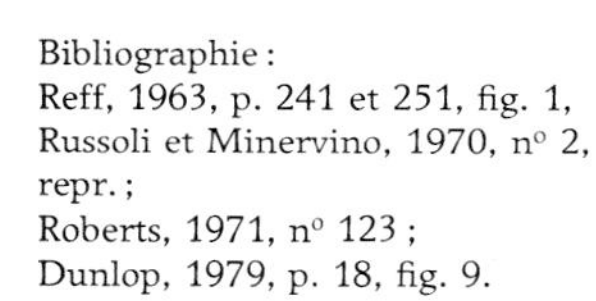

Bibliographie :
Reff, 1963, p. 241 et 251, fig. 1,
Russoli et Minervino, 1970, n° 2, repr. ;
Roberts, 1971, n° 123 ;
Dunlop, 1979, p. 18, fig. 9.

Copie d'après deux estampes de Marcantonio Raimondi : d'une part la Muse Calliope (en haut, tête-bêche), le groupe d'Homère et Ennius (au centre) et un arbre (en bas transversalement) du *Parnasse* (Bartsch illustré, 1978, vol. 26, p. 244, n° 247)* ; d'autre part, une nymphe et un fleuve du *Jugement de Pâris* (Bartsch illustré, 1978, vol. 26, p. 242, n° 245)*. L'intérêt de Degas pour le *Jugement de Pâris* est attesté par ailleurs : il le cite (entre octobre 1856 et juillet 1857) dans un de ses carnets (Reff, 1976, I, p. 61) et, surtout, en laisse un autre dessin (Paris, coll. part ; Reff, 1964, p. 288). On sait que Degas dessinait d'après ces gravures au cabinet des Estampes de la Bibliothèque Impériale (Nationale), où il est enregistré comme copiste le 9 avril 1853 (Boggs, 1958, p. 166). En même temps qu'il remarque que le tracé de fines hachures du dessin rend ici assez fidèlement compte des tailles du cuivre de Marcantonio, Reff note que Degas précéda de six à dix ans les autres artistes novateurs de sa génération (Cézanne, Manet, Fantin) dans cette pratique de l'étude des maîtres, en toute indépendance, le crayon à la main, dans les cabinets d'estampes ou les musées. D.C.

Cambridge Mass., Harvard University, Fogg Art Museum, Anonymous gift in memory of W.G. Russell Allen

63
Étude de deux hommes conversant sur des marches
D'après un dessin d'Oxford

ill. 159

Crayon
H. 0,232 ; L. 0,150

Historique :
Legs Grete Ring à l'Ashmolean Museum, 1954 ; Inv. 3.538.

Bibliographie :
Reff, 1964, p. 258 ;
Pickvance, 1964, p. 83, fig. 3 ;
Catal. exp. *Degas : Pastel and Drawings,* Nottingham University, 1969, n° 3, pl. II ;
Roberts, 1971, n° 114.

Copie d'un dessin à la pointe d'argent sur papier préparé rose, pour l'*École d'Athènes,* aujourd'hui à l'Ashmolean Museum d'Oxford (Fischel, VII, n° 307). Degas l'aurait exécutée, si l'on en croit R. Pickvance, vers 1853 d'après le fac-simile gravé par L. Schiavonetti et F.C. Lewis publié dans W.Y. Ottley, *Italian School of Design,* en 1823 (entre les pages 50 et 51).

Si Degas omet de reproduire les études elliptiques de détails et l'esquisse rapide de la tête de Méduse qui se trouvent sur le dessin original, c'est qu'il ne s'attache pas tant à retranscrire la graphie tendue et animée de Raphaël qu'à retrouver, en jouant de fines hachures égales qui rappellent le métier fondu et « étouffé » d'un Flandrin, la densité des ombres sur les corps en mouvement. On ne connaît pas d'autres copies de Degas en rapport avec *L'École d'Athènes,* si ce n'est un dessin passé dans la 4ᵉ vente de son fonds d'atelier (1919, n° 103 C ; Russoli et Minervino, 1970, p. 86, n° 18, repr.) où Reff (1963, p. 248) reconnaît une étude d'après le portrait présumé de Francesco Maria della Rovere (à gauche dans la fresque). D.C.

Lent by the Visitors of the Ashmolean Museum, Oxford

64
« Autoportrait de Raphaël »
D'après le tableau du Louvre*

ill. 143 A

Verso :
Autoportrait de Degas

Crayon
H. 0,32 ; L. 0,24

Historique :
Grete Ring, Londres ; E. M. Remarque ; Mme Walter M. Feilchenfeldt.

ill. 143 B

Au recto, une copie dessinée du *Portrait de jeune homme** du Louvre autrefois tenu pour un autoportrait de Raphaël et depuis attribué tour à tour à Bacchiacca, Rondani, et Parmigianino. Il faut peut-être identifier ce dessin à celui qui devait figurer dans la cinquième vente Degas (1918-1919), qui n'eut pas lieu ; Reff, 1964, p. 258) et (ou) à celui qui faisait partie naguère d'une collection particulière parisienne (Reff, *id.)*. On sait en outre que Degas apparaît une première fois sur les registres de copistes du Louvre le 31 octobre 1854 pour une peinture d'après ce portrait (Reff, 1964, *copyist...*, p. 555). La facture fine qui ménage des ombres changeantes à force de légères hachures un peu métalliques se retrouve dans d'autres dessins d'après les maîtres (*Tête d'homme ;* vente Sotheby's, Londres, 16 avril 1970, repr. n° 36) et aboutit dans le portrait de *Marguerite Degas en habit de confirmation* (1854 ; coll. part. ; Boggs, 1962, fig. 6), d'une graphie opaline.

Au verso, même si la jeunesse des traits du modèle invite à une comparaison avec le visage de René, le frère cadet de l'artiste (en particulier dans un portrait dessiné, n° 66, repr. *in* catal. exp. *Degas,* Tokyo, 1976-1977), il s'agit vraisemblablement d'un autoportrait de Degas légèrement antérieur à ceux de 1854 environ (Lemoisne, 1946, II, n°s 2, 3, 12). Un regard direct, mais sans éclat, un visage inanimé où ne se démêle pas aisément l'état d'esprit du modèle, ce quelque chose de placidement grave et de résolument impassible sont des traits caractéristiques de ses premiers autoportraits.

On aimerait que ce recto/verso d'autoportraits d'un copiste sage et d'un « Raphaël un peu canaille » (Swinburne) ne soit pas fortuit. Si l'on a suggéré que le jeune Degas fond volontiers son image dans des types empruntés à Filippino Lippi (Russoli et Minervino, 1970, p. 91), il est également séduisant de voir à travers un de ses autoportraits, celui de Williamstown (1857-1858 ; fig. 89), l'attitude dégagée, comme interrogative et d'une grâce un peu narcissique, de l'*Autoportrait* de Raphaël des Offices. D.C.

Zurich, Collection Mme Walter M. Feilchenfeldt

65
Degas et Valernes

H. 1,16 ; L. 0,89

Historique :
Gabriel Fèvre, neveu du peintre, Nice ; don de Gabriel Fèvre en 1931.
R.F. 3.586.

Bibliographie :
Reff., 1964, p. 255, n. 51 ;
Boggs, 1962, pp. 18-20, p. 34, repr. ;
Lemoisne, 1946, II, n° 116, repr. avec bibliographie antérieure ;
Dunlop, 1979, p. 12, fig. 2 ;
Catal. exp. *Degas, œuvre du Musée du Louvre,* Paris, Orangerie, 1969, n° 11,
Russoli et Minervino, 1970, n° 161, repr.

ill. 144

Autoportrait de Degas (au fond) en compagnie d'Évariste de Valernes (Avignon, 1816 - Carpentras, 1896) peintre qui travailla auprès de Delacroix, et devint, vers 1855, l'ami de Degas avec lequel il allait au Louvre faire des copies. Le tableau a probablement été peint vers 1864-1868, peut-être dans l'atelier de Degas, 6, rue de Laval à Paris. Il existe au Louvre un dessin (R.F. 24.232) en sens inverse pour le portrait de Degas.

Des expositions récentes (Munich, 1964-65 ; Paris, 1969 ; Montauban, 1980 ; Tokyo, 1982) ont offert l'occasion de rappeler les thèses contradictoires avancées pour expliquer la genèse de ce double portrait : pour Boggs il paraît incontestable que le cadrage et la pose doivent aux conventions du daguerréotype, tandis que pour Reff l'œuvre s'inspire, tant pour la composition que pour le sentiment, du *Portrait dit de Giovanni et Gentile Bellini,* du Louvre (Inv. 101), alors attribué à Giovanni Bellini et don Degas a laissé une copie (Lemoisne, 1946, II, n° 59).

Il nous semble, cependant, que Degas confère ici à l'arrangement des formes un effet qui apparaît très semblable dans le portrait de *Raphaël et son maître d'armes** du Louvre : l'attitude biaise et dynamique de l'ami au premier plan qui éclipse à demi la pose frontale de l'artiste. Notons que dans un premier état (Jouan, 1966, pp. 26-27) Degas ne faisait pas son geste familier de porter la main à la barbe (*cf.* Rivière, 1935, p. 108), ce qui accusait sans doute sa ressemblance avec Raphaël. L'arrière plan, parfois identifié avec Rome, reste suffisamment diffus pour jouer comme un fond abstrait. L'un et l'autre images d'une amitié artistique, les deux tableaux ont une indéniable parenté de sujet.

Rien n'assure que Degas ait travaillé d'après le *Double portrait** du Louvre : Reff (1963, p. 251) pense que la peinture qui figure au n° 23 des œuvres de « l'école moderne » dans la deuxième vente de la collection Degas (Paris, Hôtel Drouot ; 15, 16 nov. 1918) en est une copie de sa main ; cependant le titre qu'on lui donne, *Raphaël et le Sodoma* laisse davantage penser à une étude d'après les figures de droite de l'*École d'Athènes.*

Quant aux *Portraits de Degas et Valernes,* malgré l'existence improbable de la copie d'après Raphaël qui donnerait un repère sûr dans sa genèse, il permet peut-être de saisir, mieux que le portrait d'*Henri Degas et sa sœur* (Chicago Art Institute ; Lemoisne, II, n° 394) où J. Walker (1933, p. 182) voyait audacieusement un rappel de Pérugin, comment Degas réclamait pour les sujets modernes la culture picturale d'Ingres. D.C.

Paris, Musée d'Orsay

Delacroix (Eugène)

Charenton, Saint-Maurice, 1798 - Paris, 1863

La considération de Delacroix pour Raphaël est attestée aussi bien par ses écrits que par ses œuvres. A travers ses commentaires se fait jour son admiration et souvent sa réticence. Il a tout jeune cette phrase d'envie, évocatrice de vignette romantique, pour la facilité et le « bonheur » de Raphaël : « je me figure Raphaël dans les bras de sa maîtresse, passant de la Fornarina à la Sainte Cécile, faisant des tableaux et des compositions sublimes, comme les autres respirent et parlent, tout cela avec une inspiration douce et sans recherche. » (Lettre à Pierret, 23 oct. 1818 ; Correspondance, *I, p. 24). Il consacre au peintre en 1830 un long article, perspicace et documenté, où il insiste sur le rôle de Masaccio sur son art (*Revue de Paris, *1830, XI). Mais ses jugements sur Raphaël sont rarement chaleureux, et les plus louangeurs semblent banals : « la perfection du dessin, de la grâce, de la composition, dans Raphaël » (*Journal, *15 déc. 1847 ; éd. 1980, p. 168) ; « Admirable balancement des lignes de Raphaël ! Je me suis aperçu tout à fait de ce jour que sans doute c'est à cela qu'il doit ses plus grandes beautés. Hardiesses et incorrections que lui fait faire le besoin d'obéir à son style et à l'habitude de sa main » (à propos d'une copie d'une « Vierge levant le voile » vue à une exposition ;* Journal, *26 fév. 1847 ; éd. 1980, p. 136). On le surprend à louer Raphaël pour dénigrer Ingres : « Les gestes de Raphaël sont naïfs, malgré l'étrangeté de son style, mais ce qui est odieux, c'est l'imitation de cette étrangeté par des imbéciles, qui sont faux de gestes et d'intentions par-dessus le marché. Ingres, qui n'a jamais su composer un sujet comme la nature le présente, se croit semblable à Raphaël en singeant certains gestes, certaines tournures qui lui sont habituelles, qui ont même chez lui une certaine grâce qui rappelle celle de Raphaël : mais on sent bien, chez ce dernier, que tout cela sort de lui et n'est pas cherché ». (*Journal, *26 mai 1858 ; éd. 1980, p. 721). Il paraît préférer de Raphaël les ouvrages de jeunesse et note au musée de Rouen « trois petits Raphaël, première manière, qui sont incomparables. Il n'y a rien en petits tableaux de lui au musée de Paris qui vaille cela » (Lettre à Villot, 13 sept. 1838 ;* Correspondances, *II, p. 23 ; il s'agit en réalité de tableaux de Pérugin). Et plus tard : « Raphaël décline à partir de ses premiers essais » (*Journal, *4 mai 1853 ; éd. 1980, p. 335). Mais on le voit près de la mort, le 1er mars 1863, chercher à acquérir des photographies des fresques de la Farnésine (*Correspondance, *IV, pp. 366-367). Le célèbre passage où Delacroix compare Raphaël et Rembrandt est celui où il révèle le plus clairement sa réserve : « Peut-être découvrira-t-on que Rembrandt est un beaucoup plus grand peintre que Raphaël. J'écris ce blasphème propre à faire dresser les cheveux de tous les hommes d'école, sans prendre décidément parti ; seulement je trouve en moi (...) que la vérité est ce qu'il y a de plus beau et de plus rare. Rembrandt n'a pas, si vous voulez, absolument l'élévation de Raphaël (...) bien qu'on puisse préférer cette emphase majestueuse de Raphaël (...) on pourrait affirmer (...) que le grand hollandais était plus nativement peintre que le studieux élève de Pérugin. » (*Journal, *6 juin 1851 ; éd. 1980, p. 280).*

Delacroix fut un des artistes qui dessina le plus d'après Raphaël, dans des techniques multiples et le plus souvent d'après des gravures, puisqu'il ne visita pas l'Italie. Sara Lichtenstein a dressé des copies de Delacroix d'après Raphaël un bilan fort complet (1971, 1977, 1979) qu'on ne peut reprendre ici. Mentionnons seulement les quatre copies à l'huile, toutes aujourd'hui perdues : deux petits tableaux d'après un Triton *de la* Galatée *de la Farnésine et d'après les* Vertus théologales *(en réalité, trois des* Vertus cardinales*) de la Chambre de la Signature, probablement peints d'après des gravures ; deux autres, vraisemblablement peints au Louvre, d'après le* Portrait de jeune homme *alors attribué à Raphaël et aujourd'hui à Parmigianino* ; et d'après l'Enfant Jésus de la* Belle Jardinière*. *Seul ce dernier est connu par un document photographique (Lichtenstein, 1971, pp. 530, 533, 599, fig. 37 ; Johnson, 1981, n° L12, L13, L14, et II pl. 8). Il y a quelque arbitraire à distinguer la part que tient Raphaël dans la peinture de Delacroix, où Rubens et Titien ont à l'évidence plus de place. Mais la culture du peintre est telle que dans plusieurs de ses compositions à sujets antiques ou religieux affleure le souvenir du peintre italien. Devant tel dessin du Louvre pour un* Ensevelissement du Christ *(R.F. 9.355 ; Sérullaz [M.], 1963, n° 211, fig. p. 158), il est difficile de ne pas évoquer la composition d'ensemble de la* Déposition Borghèse. *Thoré note justement, à propos de la figure droite du* Saint Sébastien *de Nantua (Salon de 1836) : « (...) quoiqu'on ne soit pas habitué à chercher des rapports entre Raphaël et Delacroix, il semble que cette femme (...) rappelle certaines figures de Raphaël, entre autres la grande femme nue, vue de dos dans l'*Incendie du bourg *» (cité par Sérullaz [M.], 1963, n° 227, p. 192). Et l'organisation du* Marc-Aurèle *de Lyon, 1844, fig. 126) rappelle l'*Isaac bénissant Jacob *des* Loges *du Vatican.*

Mais il est parfois bien difficile de distinguer la part de l'antique, de Michel-Ange ou de Raphaël dans telle ou telle figure de Delacroix : H. Toussaint reconnaît l'ange de la Libération de saint Pierre *du Vatican dans la* Liberté *du Louvre (catal. exp. 1982, p. 46) et E. Broun multiplie les références, voyant notamment dans la* Grèce à Missolonghi *de Bordeaux une œuvre issue de la* Piéta* *gravée par Marcantonio Raimondi (1982, p. 40,* cf. *Bartsch illustré, 1978, vol. 26, p. 49, n° 34). C'est dans le domaine du grand décor que les analogies semblent les plus riches. Le décor du* Salon du roi *au Palais Bourbon (1833) fut dès l'origine rapproché des créations de la Renaissance italienne : les quatre* Putti portant des emblèmes, *dans les caissons carrés du plafond, appellent la comparaison avec les* Amours *de la Loggia de la Farnésine. Nouveau vaste décor, celui de la bibliothèque du Palais Bourbon (1838-1847) comporte des morceaux, l'hémicycle avec* Orphée *notamment, qui évoque les fresques des Chambres. Des réminiscences de Raphaël sont aussi sous-jacentes dans le décor de la bibliothèque du Luxembourg (1840-1846) : victoire couronnant le souverain dans la peinture d'*Alexandre, *qui rappelle les anges des* Sibylles *de Santa Maria della Pace, putto tendant une palme à Socrate dans la peinture des* Champs Élysées. *Hélène Toussaint nous signale une page de notes et de croquis de 1840 pour le décor du Luxembourg, avec notamment cette indication : « architecture très régulière. Les* Sibylles *de Raphaël. point de figures volantes » (Bibliothèque Nationale, Manuscrits, A 71, 487), qui montre bien son point de départ. Et de fait, le ton de paisible solennité des peintures du Luxembourg évoque celui du* Parnasse *des Stances. La chapelle des Anges de Saint-Sulpice, dans ses ultimes années, atteste que Raphaël reste jusqu'au bout parmi ses grands inspirateurs (*cf. *n° 69)* J.P.C.

66
Amour portant un bouclier

D'après une fresque de la loggia de Psyché à la Farnésine

ill. 238

Plume et encre brune
H. 0,31 ; L. 0,20
Annoté à la mine de plomb : *dessins colorés de Piranesi*
Album recouvert en parchemin, composé de 49 feuillets. Sur le plat supérieur, cachet de cire aux initiales

E.D. A l'intérieur, étiquette avec inscription : « *premiers dessins* ».
Historique :
Coll. Moreau-Nétalon, legs 1927.
R.F. 9146, f° 2 recto.

Bibliographie :
Lichtenstein, 1971, I, p. 533 ;
II n° 6, p. 599, fig. 30 ;
Sérullaz (M.), 1984 (à paraître).

Evidemment exécutée d'après une gravure, celle de G. Audran selon S. Lichtenstein, cette étude d'après un des *amorini* de la loggia de Psyché à la Farnésine (De Vecchi, 1982, n° 130), contraste avec son trait régulier et appliqué, presque naïf, avec les vifs croquis qui garnissent la page, probablement rajoutés après coup ; savoureuse, mais ici trop schématiquement révélée, opposition révélant les deux faces de l'artiste, admirateur des maîtres et leur successeur, et audacieux novateur. Le dessin compte parmi les premiers conservés de Delacroix, vers 1817 selon S. Lichtenstein. J.P.C.

Paris, Musée du Louvre, Cabinet des Dessins

67
Balthazar Castiglione
D'après le tableau du Louvre*

ill. 128

Mine de plomb
H. 0,240 ; L. 0,180
Album relié en parchemin composé de 55 feuillets. Sur un des plats de la reliure, cachet de cire aux initiales : *E.D.*

Historique :
Acquis de M. Scholler, 1932 ;
Marque du musée (Lugt 1886 a).
R.F. 23.356, f° 4 recto.

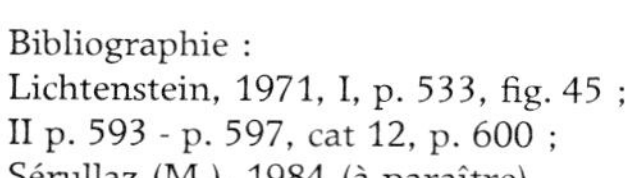

Bibliographie :
Lichtenstein, 1971, I, p. 533, fig. 45 ;
II p. 593 - p. 597, cat 12, p. 600 ;
Sérullaz (M.), 1984 (à paraître).

Les dessins de ce carnet peuvent être datés vers 1818-1820. Delacroix dessinait alors assidûment au Cabinet des Estampes de la Bibliothèque Nationale. S. Lichtenstein (1971, II, p. 600) donne pour modèle la gravure de Reynier van Persyn d'après Sandrart ; il pourrait aussi s'agir de la gravure d'Edelinck (*cf.* n° 289). Le modèle est transcrit fidèlement, dans un jeu de hachures vigoureuses mais précises et soucieuses du pittoresque analytique. J.P.C.

Paris, Musée du Louvre, Cabinet des Dessins

68
La Vierge des Moissons

ill. 12

Toile
H. 1,25 ; L. 0,74
Signé et daté en bas à droite :
Eug. de La Croix / Ann. 1819 / Act.21.

Historique :
Commandé par un mécène inconnu pour l'église d'Orcemont (payé 15 F).

Bibliographie :
Sérullaz (M), 1963, n° 3, repr.
Johnson, 1981, n° 151, pl. 134.

Le tableau, la première commande que reçut Delacroix, se place dans la filiation des Madones florentines de Raphaël et paraît dériver aussi bien de la *Vierge du Belvédère* de Vienne que de la *Belle Jardinière** du Louvre, au point que paraît manquer un petit saint Jean, agenouillé sur la droite. Le rôle de ce dernier tableau est flagrant : costume, coloris, partie inférieure de l'Enfant. On sait que Delacroix fit une copie à l'huile, aujourd'hui perdue, de l'Enfant Jésus de la *Belle Jardinière,* peut-être peu de temps avant le tableau d'Orcemont (Johnson, 1981). On a repéré (Sérullaz [M.], 1963, in n°s 3, 4, 5 ; Johnson, 1981, p. 162) huit dessins pour le tableau, dont certains ont disparu, et trois esquisses ou répétitions (localisations actuelles inconnues.) J.P.C.

Orcemont, église

69
Étude pour Héliodore chassé du temple

ill. 188

Mine de plomb sur papier calque contre-collé
H. 0,229 ; L. 0,228.

Historique :
E. Moreau-Nélaton ; legs en 1927, marque du musée (Lugt 1886 a)
R.F. 9.515.

Bibliographie :
Sérullaz (M.), 1963 n° 513, repr. ;
Sérullaz (M.), 1984 (à paraître).

Etude pour les trois anges frappant Héliodore étendu à terre de l'*Héliodore chassé du Temple* de la chapelle des Anges à l'église Saint-Sulpice, dont Delacroix n'achèvera le décor, commencé en 1849, qu'en 1861. Malgré la violence du mouvement en tourbillon qui emporte les trois anges, la référence au groupe de droite de la fresque du même sujet du Vatican reste présente, sans nul emprunt, grâce à la tension et à l'élégance des formes. Le *Saint Michel terrassant le dragon* (fig. 68), à la voûte de la chapelle évoque, de la même façon, tout aussi librement, le *Grand Saint Michel** du Louvre. J.P.C.

Paris, Musée du Louvre, Cabinet des Dessins

70
Feuille d'étude avec la tête de Raphaël

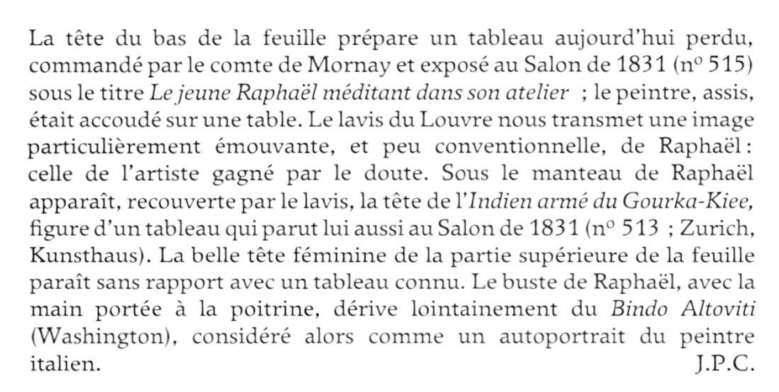

ill. 379

Pinceau, lavis brun
H. 0,303 ; L. 0,193

Historique :
Atelier Delacroix ; vente 1864 ;
A. Robaut (cachet au verso) ;
E. Moreau-Nélaton ; legs en 1927, marque du musée (Lugt 1886 a)
Inv. R.F. 9640.

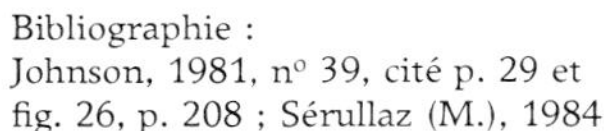

Bibliographie :
Johnson, 1981, n° 39, cité p. 29 et fig. 26, p. 208 ; Sérullaz (M.), 1984 (à paraître).

La tête du bas de la feuille prépare un tableau aujourd'hui perdu, commandé par le comte de Mornay et exposé au Salon de 1831 (n° 515) sous le titre *Le jeune Raphaël méditant dans son atelier* ; le peintre, assis, était accoudé sur une table. Le lavis du Louvre nous transmet une image particulièrement émouvante, et peu conventionnelle, de Raphaël : celle de l'artiste gagné par le doute. Sous le manteau de Raphaël apparaît, recouverte par le lavis, la tête de l'*Indien armé du Gourka-Kiee,* figure d'un tableau qui parut lui aussi au Salon de 1831 (n° 513 ; Zurich, Kunsthaus). La belle tête féminine de la partie supérieure de la feuille paraît sans rapport avec un tableau connu. Le buste de Raphaël, avec la main portée à la poitrine, dérive lointainement du *Bindo Altoviti* (Washington), considéré alors comme un autoportrait du peintre italien. J.P.C.

Paris, Musée du Louvre, Cabinet des Dessins

Delaroche (Hippolyte, dit Paul)

Paris, 1797 - id., *1856*

Il entre dans l'atelier de Gros en 1818 et se spécialise vite dans les sujets empruntés à l'Histoire de France ou à l'Histoire d'Angleterre, qu'il traite avec grand scrupule documentaire, dans un style réaliste mais choisi, en privilégiant les épisodes tragiques et sentimentaux. Il se fait, en face de Delacroix, la réputation d'un romantique « de juste milieu » et obtient de grands succès de critique et une vraie popularité ; le public lui restera fidèle lorsque les critiques lui deviendront hostiles. Dans les dernières années de sa carrière, il s'orientera davantage vers le portrait et la peinture religieuse. *J.P.C.*

71
Le petit mendiant

ill. 58

Toile
H. 0,427 ; L. 0,355
Diamètre du sujet peint : 0,295

Historique :
Resté dans la famille de l'artiste.

Esquisse ou réduction d'un tableau peint à Rome en 1844 (localisation inconnue ; Ziff, 1977, pp. 209-210, fig. 115). La composition semble une transcription familière de Vierges de Raphaël de format circulaire comme la *Vierge à la chaise.* Les années 1842-1844 paraissent marquées chez Delaroche par une inspiration raphaélesque : *Vierge à la vigne* (1842, musée de Baroda, Inde, *cf.* fig. 18) ; *Joies maternelles,* 1843, musée Pescatore de Luxembourg et Wallace Collection de Londres (plusieurs dessins préparatoires pour ces tableaux et d'autres *Maternités,* Paris, coll. part. ; fig. 54). J.P.C.

Paris, collection particulière

72
L'hémicycle de l'École des Beaux-Arts de Paris
Projet

ill. 397 (détail)

Papier marouflé sur toile
H. 0,35 ; L. 2,12
Signé et daté en bas à droite : *A son ami/Alphonse de Feltre/Paul Delaroche/1836*

Historique :
Don Clarke de Feltre, 1852. Inv. 898.

Bibliographie :
Lemonnier, 1917, pp. 174-175, repr. pp. 176, 178, 180 ; catal. musée (Benoist), 1953, p. 84 ; Haskell, 1976, pp. 9-14, fig. 2, 5-7 (version de Baltimore) ; Ziff, 1977, p. 168, fig. 77 ; Johnston, 1982, sous n° 23 ; Georgel, 1982-1983, p. 79, n° 27, p. 279, fig. 114.

Esquisse de la grande peinture murale (H. 3,9 ; L. 25) décorant la « Salle des Prix » de l'École des Beaux-Arts, exécutée à l'encaustique entre 1836 et 1841, et restaurée par le peintre lui-même en 1855, après les dégâts commis par un incendie. Elle fut une des œuvres les plus vantées du XIXe siècle : « Le plus beau morceau de peinture moderne », pour Alexandre Dumas. Une réplique peinte en 1853, qui se trouve à la Walters Gallery de Baltimore, servit à l'exécution d'une gravure en trois parties par Henriquel-Dupont.

La composition montre assis au centre, devant le temple de l'Immortalité, Ictinos, Apelle et Phidias : l'architecte, le peintre et le

sculpteur. A leurs côtés quatre représentations féminines, l'art grec et l'art gothique sur leur droite, l'art roman et l'art de la Renaissance sur leur gauche. La partie gauche est consacrée aux sculpteurs et aux peintres considérés comme réalistes ou coloristes ; la partie droite aux architectes et aux peintres « dessinateurs ». Raphaël, en vêtements noirs sur l'esquisse, se trouve au centre de ce dernier groupe : un dialogue semble engagé entre Léonard de Vinci et lui, suivi par Fra Bartolomeo, entre eux deux, et Fra Angelico, debout en face d'eux ; Michel-Ange, assis au premier plan, tourne le dos à Raphaël. Il y a là comme une histoire de l'art simplifiée : le peintre d'Urbin est au milieu de ses inspirateurs, contemporains (Léonard, Fra Bartolomeo, Michel-Ange) et passés (Fra Angelico, Masaccio, visible sur la droite), et de ses successeurs (Poussin, à l'extrême droite, Le Sueur, vers la gauche). Au dialogue Léonard-Raphaël répond, à l'autre aile de la composition, celui entre Rubens et Titien. Le nombre des artistes, 61 sur l'esquisse, sera porté à 67 sur la grande peinture, qui comporte maints changements : le principal sera l'adjonction, au centre de la composition, de la Renommée agenouillée qui jette vers l'avant des couronnes de lauriers ; Raphaël sera vêtu, tout différemment, d'un éclatant costume clair. Le Cabinet des Dessins du Louvre conserve un dessin pour le personnage de Raphaël tel qu'il apparaît sur le tableau de Nantes (R.F. 35.172, fig. X).
J.P.C.

Nantes, Musée des Beaux-Arts

Denis (Maurice)

Granville, 1870 - Saint-Germain-en-Laye, 1943

L'admiration de Maurice Denis pour Raphaël a été sans faille, pendant toute sa vie, et les conséquences de cette prédilection sur son œuvre doivent être signalées. On sait que Denis participe en 1888 à la formation du groupe des Nabis et rédige en 1890 le premier manifeste du mouvement. Il semble que l'orientation de sa peinture, après sa période proprement « nabi », aux tendances archaïsantes ou japonisantes, doive à cette admiration pour Raphaël que des voyages à Florence et Rome en 1897-1898 et à Rome en 1904 portèrent à son sommet.

Il écrit de Rome en 1898 : « Je commence à comprendre Raphaël, et je crois que c'est une étape notable dans la vie d'un peintre(...) Cet homme est un prodige... il a tout essayé, tout réussi, il est d'une variété incroyable. Mais il faut passer sur l'aspect de ses œuvres(...) ». Il explique qu'on n'y trouve pas le « plaisir immédiat », l' « agrément extérieur » « dont au contraire des choses profondément belles sont tout à fait dépourvues ». « Les Raphaël du Vatican, on les donnerait à première vue pour n'importe quel primitif clair, harmonieux et expressif ; et quand on les aime vraiment on doit les préférer à tous ». Et de citer aussi Poussin et Ingres « qui ne sont que la suite de gens comme Raphaël ». Il voit dans le peintre italien l'antithèse de l'impressionnisme : « l'art classique est fait de sacrifices, aux dépens(...) des dons naturels, du travail instinctif et en faveur du raisonnement et de l'idéal(...) Dans le cas de Raphaël, l'homme disparaît tout à fait dans l'œuvre ». La fréquentation de Gide, avec lui à Rome, fut sans nul doute déterminante : « (...)nous devenons classiques ensemble. » (Lettres à Vuillard, 15 et 22 février 1898, Journal, *I, pp. 133-134 et 139-140). Ainsi le « virage » de Maurice Denis vers une peinture plus solide, plus austère et plus nourrie aux formes du réel, résulte-t-il d'une attitude profondément méditée. En 1904, il note devant la* Transfiguration *du Vatican : « c'est le tour de force de la peinture(...) rien d'inutile ni d'insuffisant » ; devant les fresques de la Signature : « la couleur est si décorative, si murale, le sens des valeurs si méthodique(...) » « c'est la perfection, c'est sublime, on est comme écrasé (*Journal, *I, p. 205) et, en quittant la ville : « Raphaël a profité de tout, il est au point de contact où le style rejoint le pittoresque, où la nature et l'architecture se confondent. Hanche de la femme de la Transfiguration. Quelles beautés ! » (*id., *p. 210). En 1910, à nouveau devant les fresques du Vatican : « Éblouissement de la raison satisfaite, on dirait sans effort. » (*id., *II, p. 123).*

*En 1923, à Londres, devant les cartons du Victoria and Albert Museum, il a ce soupir : « Raphaël. Écrasant. A quoi bon peindre ?(...) Pas un brin d'herbe qui n'ait une forme, qui ne soit lié à l'ensemble. Pas une figure qui ne soit noble, vraie, sublime » (*Journal, *III, p. 153). Et il prononcera une conférence sur* Raphaël, *le 9 juin 1936 (publiée dans* l'Art sacré, *février 1937).*

Établir un parallèle Maurice Denis-Raphaël serait vain. Mais rappelons encore la dominante religieuse de l'œuvre de celui qui fonda en 1919 avec Rouault et Desvallières les Ateliers d'Art Sacré, son attachement à l'art mural et le nombre des Maternités, *des* Scènes de famille *qui semblent un écho, dans le quotidien familial, des* Vierges *et des* Saintes Familles *de l'Italien. Et mentionnons, dans les décors profanes, le souvenir si souvent présent des figures lourdes et allègres de la loggia de Psyché de la Farnésine : le meilleur exemple est précisément une* Histoire de Psyché *(1907-1909) peinte pour l'hôtel de Morosov à Moscou (l'Ermitage, fig. XXXVI). On ne peut que rarement établir des relations formelles directes entre les œuvres de Denis et celles de Raphaël : nous montrons ici celles qu'il a lui-même rattachées à l'exemple du peintre italien.*
J.P.C.

73
La Vierge du Grand Duc

D'après le tableau du Palais Pitti

Fusain
H. 0,295 ; L. 0,215

Historique :
Don de la famille de l'artiste, 1976 : Inv. PMD 976.1.6.

Bibliographie :
Catal. Musée, 1980, n° 6, p. 19.

ill. 2

Un des tout premiers dessins de Maurice Denis, peut-être à l'âge de quatorze ou quinze ans. Élève d'un professeur nommé Zani, il dessine beaucoup d'après des photographies ou des gravures d'œuvres de Raphaël, comme nous l'apprend son *Journal ;* dès l'âge de treize ans, il dessine d'après un « joli petit génie de l'Espérance du divin Raphaël » (détail de la *Prédelle Baglioni ;* I, p. 14), d'après la *Vierge à la chaise,* qu'il dit avoir « complètement ratée » (*id.,* p. 27), puis d'après la *Charité* (*Prédelle Baglioni ; id.,* p. 28).
J.P.C.

Saint-Germain-en-Laye, Musée du Prieuré

74
Portrait de Marthe

Crayon et sépia sur papier gris
H. 0,570 ; L. 0,445
Cachet de l'atelier.

Historique :
Atelier du peintre.

ill. 145

Étude, aux dimensions de l'œuvre définitive, pour le *Portrait de Marthe* peint à Rome en 1898 et aujourd'hui au Musée du Prieuré de Saint-Germain-en-Laye (PMD 976.1.156 ; catal. musée, 1980, n° 153, repr.) que le peintre lui-même appelait *Portrait de Marthe à la manière de Raphaël.* Le cadrage et l'attitude rappellent en effet des portraits comme le *Bindo Altoviti* de Washington ou le *Violoniste,* de Sebastiano del Piombo mais traditionnellement donné à Raphaël, d'une collection parisienne. Le tableau du Musée du Prieuré est peut-être l'œuvre dont parle Denis dans une lettre envoyée à Vuillard de Florence le 23 novembre 1897 où, après avoir évoqué un portrait qui pastiche Piero della Francesca, il indique : « je ne désespère pas de faire aussi un Raphaël moelleux et large comme ceux d'ici » (*Journal,* I, p. 124). Le tableau projeté a pu n'être réalisé qu'à Rome, quelques mois plus tard. J.P.C.

Paris, collection particulière

75
Adam et Ève

Toile
H. 1,360 ; L. 0,985
Cachet de l'atelier en bas à gauche.

Historique :
Atelier du peintre ; resté chez ses descendants.

ill. 222

Peint en 1904 et resté presque inconnu, ce tableau, de tout l'œuvre de Maurice Denis, est celui qui atteste le mieux ses liens privilégiés avec Raphaël : la figure d'Ève est reprise, à l'exception du bras gauche représenté ici tendu, de la Vénus d'un des pendentifs de la Loggia de Psyché de la Farnésine (De Vecchi, 1982, n° 130) ; le catalogue des photographies d'œuvres de Maurice Denis de la maison Druet indique d'ailleurs comme titre : *Adam et Ève de la Farnésine.* Le peintre donne à Ève les traits de sa femme Marthe : il pourrait s'agir du *« portrait de Mme Denis d'après Raphaël »* que Denis dit commencer le 28 janvier 1904, dans une lettre adressée de Rome à Mme de la Laurencie, où il dit aussi « avoir retrouvé toutes (ses) émotions d'autrefois... à la Farnésine, devant les Raphaël du Vatican » (*Journal,* I, p. 201-202). Peut-être donc la toile a-t-elle été peinte ou ébauchée à Rome en janvier-février 1904.

Un rapide dessin au lavis (Paris, coll. part.) prépare le tableau avec d'importantes variantes : la figure de droite est de dos, celle de gauche a exactement la pose de la fresque de Raphaël. Denis aimait beaucoup les fresques de la Farnésine : une note du journal du peintre de décembre 1891 (I, p. 90) indique déjà, à propos de la beauté de Marthe : « comme les *Psyché* de Raphaël ». En 1931, il déplore les toutes récentes restaurations : « La Farnésine restaurée, récurée... et sans les ciels bleus ! Ensemble whistlerien, très agréable, mais douteux. Ces gris distingués... » (III, p. 133). L'*Adam et Ève* montre bien quelle leçon de lisibilité, d'effet de saillie des formes dans de forts contrastes il recherchait chez Raphaël, en allant jusqu'à lutter contre son propre génie des graphismes curvilignes et des tons clairs en aplats. J.P.C.

Paris, collection particulière

76
Maternité à la robe brune ou Maternité à la chaise

Toile
H. 0,545 ; L. 0,460
Signé et daté en haut à gauche :
MAV - D 1910.

Historique :
Collection Marthe Maurice Denis.

ill. 60

Le tableau, peint en 1910, représente Marthe, la femme du peintre, et leur fils Dominique, né en août de l'année précédente. Il est difficile de ne pas voir ici (mise en page, mouvement du bras et des mains) un rappel, comme un clin d'œil, de la *Vierge à la chaise* du Palais Pitti ; on remarquera la chaise rustique, que rappelle le titre traditionnel de la toile. J.P.C.

Paris, collection particulière

Despujols (Jean)

Salles, 1886 - Shreveport (Louisiane), 1965

Prix de Rome à 28 ans, ses études à la Villa Médicis furent interrompues par la guerre de 1914-1918. Despujols a été de 1923 à 1936 professeur à l'Académie Américaine des Beaux-Arts au Palais de Fontainebleau. Participant remarqué de l'exposition des Arts Décoratifs (1925), auprès de Dupas, une mission en Indochine (1936-39) à la demande des autorités coloniales lui offrit l'occasion de traduire en forme stylisée et selon les lois du décor épique, le regard d'un occidental sur l'Asie à la veille du soulèvement national. Le Centenary College of Louisiana (Shreveport) conserve cet important ensemble documentaire d'un artiste qui cessa avec la seconde guerre mondiale de contribuer activement à l'évolution de l'art français.
D.C.

77
Maternité

ill. 36

Toile marouflée sur carton
H. 0,35 ; L. 0,27
Signé en bas à droite : *DESPUJOLS.*

Historique :
Soumis le 16 mai 1936 à la Société des Artistes Coloniaux de Paris qui charge alors Despujols, à la requête du Grand Conseil Économique d'Indochine, d'une mission documentaire en Extrême-Orient (?) ; don au musée, 1936. Inv. BA 152.

Bibliographie :
Berthoud, 1937, p. 53 ;
Cazals, 1978, p. 122, n° 76 ;
Catal. exp. *L'art dans les années 30 en France,* Saint Étienne, 1979, p. 122, n° 82 ;
Derbie, 1982, p. 31, repr.

« Entre un jeune enfant et un chef-d'œuvre de Raphaël à sauver d'un incendie, lequel choisiriez-vous ? ». Louise Janin (1932, p. 265) ouvrait sur cette question un article où elle saluait la venue d'un « groupe de convaincus » (Despujols, Dupas, Pougheon ; fig. 3) voulant « unir la science du quattrocento à un déformisme savoureusement moderne », et qui assurément, au nom du style qui occulte la réalité vulgaire, n'aurait pas laissé Raphaël en proie aux flammes. Ici lisibilité et plénitude des formes abolissent les saillies disgrâcieuses de la réalité.

Que la référence implicite à la *Madone de Lorette* (Chantilly) se teinte d'une harmonie puriste, d'une géométrisation discrète qui voile le naturel trivial, montre qu'entre les deux termes, de restauration et de révolution de la tradition, qui marquèrent l'évolution de l'art de l'entre-deux guerres, Despujols oscilla timidement. En outre, son raphaélisme semble consubstantiel à tous les moments privilégiés de la tradition classique, et notamment, à l'art nazaréen. On peut, dans une œuvre très proche de la *Maternité,* la *Femme au lapin* (The Witte Memorial Museum, San Antonio, Texas), trouver une résurgence schématique du raphaélisme filtré d'Overbeck. Une telle filiation germanique explique peut-être que, fortuitement sans doute, la transposition profane de Despujols de la *Madone de Lorette* trouve un parallèle contemporain en Allemagne, dans la *Maternité* de Karl Diebitsch (Hintz, 1980, p. 121, repr.). D.C.

Saint-Quentin, Musée Lécuyer

Drolling (Michel-Martin)

Paris, 1786 - id. *1851*

Élève de son père Martin Drolling, peintre de scènes d'intérieur (1752-1817), puis celui de David, il obtient le Prix de Rome en 1810 se dirige vers la peinture d'histoire et peint surtout des toiles religieuses et des portraits dans un style cultivé jusqu'à l'éclectisme, un dessin solide et des couleurs brillantes et contrastées. On lui doit deux plafonds du Louvre (1827 et 1833). *J.P.C.*

78
Étude d'homme assis

ill. 175

Crayon noir, rehauts de blanc sur papier gris-bleu
H. 0,30 ; L. 0,24

Historique :
Don Olivier Merson, 1885. Inv. Pl. 1314.

Bibliographie :
Catal. musée (Pluchart), 1889, n° 1314.

Étude pour une des figures du *Christ et les docteurs* (1837), vaste peinture, récemment restaurée, du chœur de Notre-Dame-de-Lorette à Paris. Une esquisse d'ensemble (ou une réduction postérieure ?), exposée à New York, Shepherd Gallery en 1980 (n° 24) montre l'ensemble de la peinture sans variante. L'organisation de la composition, avec les figures groupées et placées sur deux niveaux, appelle à une comparaison avec l'*École d'Athènes.* L'attitude du personnage correspondant au dessin de Lille, paraît elle, inspirée de celle du jeune homme qui, dans la fresque du *Parnasse* (Vatican), écrit sous la dictée d'Homère. J.P.C.

Lille, Musée des Beaux-Arts

Drouais (Jean-Germain)

Paris, 1763 - Rome, 1788

Mort tout jeune, Jean-Germain Drouais promettait d'être un des plus grands peintres de son temps. Élève de son père le portraitiste François-Hubert Drouais, puis de Brenet, il se rapprocha vite de David, avec qui il devait se lier d'une confiante et durable amitié. Il obtint en 1784 le Prix de Rome en même temps que Gauffier, et gagna Rome avec Wicar et David. David reparti, Drouais peignit à Rome quelques tableaux tout proches de son maître par le vocabulaire de formes qui atteste la méditation de Poussin, mais aussi par la sévérité et l'élévation du propos. *J.P.C.*

79
La Vierge au poisson
D'après le tableau du Prado

ill. 62

Mine de plomb
H. 0,194 ; L. 0,149
Annoté en bas au centre : *Raphaël*

Historique :
Partie d'un ensemble de dessins de Drouais donnés par les héritiers du peintre au sculpteur A.F. Fortin (1763-1832 ?) ; coll. P.M.

Delafontaine (1774-1860) ; acquis en 1974 par le musée. Inv. 74.73.1 à 86.

Bibliographie :
Sérullaz (A.), 1977, p. 382, n. 11, fig. 3.

Ce dessin fait partie d'un album, comportant de nombreux dessins romains de Drouais, acquis en 1974 par le musée de Rennes. La *Vierge au poisson* de Raphaël (Prado) se trouvait en Espagne depuis 1645 ; le dessin a donc été exécuté d'après une gravure ou une copie. La variante de l'accoudoir du fauteuil peut s'expliquer par la rapidité du croquis ; on notera d'autres déformations, qui fragmentent les formes et amenuisent les têtes en les schématisant. J.P.C.

Rennes, Musée des Beaux-Arts

Dubreuil (Toussaint)

?, vers 1561 ? - Paris, 1602

Nous ne savons qui, de Fréminet père, son maître, ou de Ruggiero de Ruggieri, l'artiste qui le précéda dans la charge de « premier peintre » (deux artistes dont l'œuvre reste à retrouver), importa le plus pour la formation du style de Dubreuil. L'essentiel des grands décors de sa main a disparu et seuls, ou presque, les documents attestent sa présence sur la plupart des chantiers royaux : à Fontainebleau (Pavillon des Poêles avec R. de Ruggieri, Galerie des Chevreuils, emblèmes de la Galerie d'Ulysse), au Louvre (mythologies et portraits de la Petite Galerie, avec J. Bunel), aux Tuileries et à Saint-Germain (fragments au Louvre et à Fontainebleau).

Le dessin semble avoir joué un rôle essentiel chez cet artiste qui, un peu à la manière de Primatice, faisait souvent peindre ses projets par des assistants. Certains de ces dessins, usant très librement des contrastes du lavis, montrent une facture flexible assurément dans la ligne de la première École de Fontainebleau ; d'autres fois, jouant de hâchures croisées à la sanguine ou à la pierre noire, ils sont le support d'une manière emphatique issue du Jugement Dernier *de Michel-Ange (Rome, Vatican), alors que dans certaines feuilles, des nus aux lignes ondoyantes, aux musculatures hypertrophiées, largement balancés dans l'espace, invitent à la comparaison avec Spranger et Goltzius. Si un aspect de la Renaissance italienne trouve une forme seconde dans les différentes manières de Dubreuil, c'est moins la* venustà *de Raphaël que sa turbulente rivale, la* furia *michelangelesque, mais sous une forme quelque peu corrigée par un demi siècle de fortune auprès des artistes de toutes les nations.*

*Curieux de toutes les estampes (dont celles de Dürer), Dubreuil ne pouvait cependant méconnaître certains motifs de Raphaël. Le dessin exposé ici en témoigne. En revanche, et bien qu'il répète dans le même sens une gravure de l'*Histoire de Psyché *(Bartsch illustré, vol. 26, p. 233, n° 236), le tableau des* Femmes au bain *récemment passé en vente sous le nom de Dubreuil (Londres, Sotheby's, 15 avril 1981, n° 102, repr.) ne semble pas s'intégrer dans son œuvre tel que l'a défini, par deux articles fondamentaux (1964 et 1975), S. Béguin.* D.C.

80

Diane implorant de Jupiter la virginité éternelle

ill. 296

Plume et encre brune, lavis brun, rehauts blancs, mise au carreau et esquisse à la pierre noire, papier beige
H. 0,337 ; L. 0,528
Annoté à la plume et à l'encre noire en bas à droite : *Antoine Caron.*
Collé en plein.

Historique :
Saisie des Émigrés ; marque du musée (Lugt 1886). Inv. 26.250.

Bibliographie :
Morel d'Arleux, VIII, n° 9403 ; Guiffrey-Marcel, 1910, V, n° 3688 ; Fenaille, 1923, pp. 231-232 ; Béguin, 1964, p. 99, fig. p. 101 ; Bacou-Béguin, 1972, p. 103, n° 108, repr. (avec bibliographie antérieure).

Préparatoire à l'un des cartons pour la tenture de l'*Histoire de Diane,* cette grande étude, peut être l'une des huit mentionnées dans l'inventaire de 1627 des biens de F. de la Planche (Fenaille, 1923, pp. 321-332), daterait de 1597 au plus tôt, date à laquelle Dubreuil, tout comme l'atelier de tapisserie de Girard Laurent, est établi par Henri IV dans la maison professe des jésuites de la rue Saint-Antoine à Paris.

Bien plus que du dessin de même sujet, sans doute de Luca Penni, pour la tenture de l'*Histoire de Diane* destinée par Henri II au château d'Anet (Coural, 1972, n° 455), la composition de Dubreuil procède d'une gravure d'après Raphaël (?), *Salomon et la reine de Saba* que Bartsch catalogue sous le nom de Marcantonio Raimondi (Bartsch illustré, 1978, vol. 26, p. 22, n° 13). L'intégration de la masse des figures aux masses architecturales, l'évidence donnée au souverain mythologique par l'exhaussement de trois marches semi-circulaires, le mouvement ascendant contenu de la déesse, un bras en arrière, et jusqu'à l'éloquence du geste du personnage assis, vu de dos, à gauche, montrent assez la part qui revient à l'estampe dans le dessin de Dubreuil. Il conserve le principe d'une profondeur cohérente jalonnée par les décrochements successifs d'une corniche, et se révèle plus raphaélesque que son modèle quand il substitue à l'ordre composite de la gravure, les colonnes salomoniques de la *Guérison du boiteux* (tapisserie sur un carton de Raphaël dont les collections royales conservaient un tissage ; Schneelbalg-Perelman, 1971, pp. 288-89) dont bien des artistes avant Dubreuil, Giulio Romano notamment, avaient compris la valeur décorative dans les cartons de tapisseries.

Fonder sur des gravures d'après Raphaël la conception de dessins destinés à la tapisserie n'était pas en soi un fait nouveau. Caron avait naguère procédé ainsi (*cf.* n° 40 ; le dessin exposé ici porte d'ailleurs une ancienne inscription Caron). Mais Dubreuil, en prenant des libertés avec son modèle, en tire des effets nouveaux, d'un style plus délié qui annonce comme l'ont fort bien souligné A. de Montaiglon (1850, p. 115) et S. Béguin (*op. cit.*), au-delà de l'influence immédiate sur G. Dumée (*Clorinde devant Aladin,* Paris, École des Beaux-Arts), la sobre opulence du plein XVIIe siècle, et notamment E. Le Sueur (fig. 146), L. Testelin (n° 223) et Ch. Le Brun (Paris, Louvre, Cabinet des Dessins, Inv. 29.474). D.C.

Paris, Musée du Louvre, Cabinet des Dessins

Dubreuil (entourage de)

81
Le Christ

D'après un dessin du Louvre ; et tête d'homme barbu

ill. 261

Plume et encre brune, lavis brun, rehauts blancs partiellement oxydés, sur papier beige
H. 0,232 ; L. 0,157
Au verso : *Trois têtes d'hommes barbus*

Historique :
L.T. de Montarcy, paraphe (Lugt 1821) ; R. de Cotte, paraphe au verso (Lugt 1964) ; acquis pour le Cabinet du roi ; marques du musée (au recto et au verso : Lugt 1899, Lugt 2207 ; au recto : Lugt 1886). Inv. 26.291.

Bibliographie :
Morel d'Arleux, VII, n° 11492.

Ce dessin reproduit fidèlement le Christ de *La remise des clefs à saint Pierre* (Louvre ; Inv. 3.863)*, modello dessiné pour le second des cartons des *Actes des Apôtres* (Londres, Victoria and Albert Museum). Ce modello semble avoir été accessible aux artistes dès le XVIe siècle puisqu'on en connaît une copie dessinée ancienne, peut être dûe à l'atelier de Raphaël (Florence, Offices, Inv. 1216 E ; Oberhuber, 1972, fig. 126, pp. 130-131, n° 7), qu'une autre est documentée dans la collection de Jonathan Richardson (Shearman, 1972, p. 97, n° 18) et qu'enfin Diana Ghisi a tiré de cette composition une estampe (Bartsch, XV, pp. 433-435, n° 5 ; Oberhuber, 1972, fig. 125)*.

C'est vraisemblablement l'original que mentionne l'inventaire des biens du cardinal Grimani en 1528 (Shearman, 1972, p. 97, n. 18) et c'est probablement le même dessin qu'on retrouve à Paris au XVIIe siècle, chez J. Stella, auprès de qui E. Jabach chercha à s'en rendre acquéreur (Oberhuber, 1972, p. 130, n. 2). Le fait que notre copie partielle s'apparente à l'œuvre de Dubreuil, tend à démontrer que l'original de Raphaël arriva tôt en France, avant même que Stella n'en fasse l'acquisition.

L'étude de tête au recto, comme celles du verso, semblent dériver de deux gravures de Léon Davent d'après *l'Assomption* de Giulio Romano peinte à l'abside de la cathédrale de Vérone (Zerner, 1969, n°s 55-56). Ce qui les éloigne du modèle de Davent les rapproche des types de Dubreuil, ces « visages aux larges lèvres, aux yeux couverts de lourdes paupières, aux chevelures tordues en petites mèches » (Béguin, 1975, *Nouvelles attributions,* p. 116). Malgré ces physionomies outrées et le graphisme serré de la plume, la feuille apparaît en tout plus posée et plus laborieuse que celles de Dubreuil et ne semble pas devoir lui revenir.

On notera que Laurent Tixier de Montarcy qui posséda, dans la deuxième moitié du XVIIe siècle, le dessin exposé ici, eut en outre des originaux de Raphaël : le *Saint Georges* de Washington (Shapley, 1979, vol. I, p. 392) ; la *Madone Bridgewater* d'Edimbourg ; (Brigstocke, 1978, pp. 114-115). Sa collection comprenait aussi, nous signale M. Vasselin, un dessin du *Saint Georges* (loc. inconnue) et une copie d'une étude pour la *Transfiguration* (Vienne, Albertina ; Oppé, 1970, fig. 260) dont une autre version existe au musée de Rennes (Inv. 794.I. 3013). D.C.

Paris, Musée du Louvre, Cabinet des Dessins

Dufresnoy (Charles-Alphonse)

Paris, 1611 ? - Villiers-le-Bel, 1668

Il fut élève de Perrier, dont le style qui interprête l'antiquité classique avec énergie semble l'avoir marqué, et peut-être de Vouet. Il est à Rome en 1633 ou 1634 et y devient vite l'ami fidèle de Pierre Mignard. Il rentre à Paris en 1656, après quelque temps passé à Venise. Son œuvre de peintre et de dessinateur reste mal connu. Deux tableaux de l'Histoire de Vénus *(1647), autrefois à Potsdam et détruits, le montrent proche de Poussin. Le Landesmuseum de Hanovre possède une fidèle copie de la* Sainte Famille de François 1er* *attribuée à Dufresnoy, qui proviendrait de la collection du Président de Mornas, Avignon, et déjà donnée à Dufresnoy dans le catalogue de la collection de F.E. von Wallmoden, Hanovre, en 1779 (cf. catal. musée, 1954, n° 86). Les écrits sur l'art de Dufresnoy sont mieux connus, notamment son* De Arte graphica *en vers latins, qu'en 1668, l'année de la mort de Dufresnoy, Roger de Piles publia et traduisit en français sous le titre* l'Art de Peinture, *en l'accompagnant de ses propres commentaires et des* Sentiments de Charles Alphonse Du Fresnoy sur les ouvrages des principaux et des meilleurs Peintres des derniers siècles. *J. Thuillier a démontré (1965) que ces* Sentiments... *étaient bien de Dufresnoy, et « un des tout premiers traités de la critique d'art française », probablement en 1649.* *J.P.C.*

82
Sainte Marguerite

ill. 122

Plume et lavis brun, rehauts de blanc
H. 0,220 ; L. 0,162
Inscriptions, en bas à gauche à la plume : *Mignard.* En bas à droite (à la pierre noire ?), *mignard* (effacé).

Historique :
Ancien fonds de l'Albertina.
Nr. 11600.

Bibliographie :
Rosenberg (P.), 1971, p. 89, fig. 17.

Le dessin, donné traditionnellement à Mignard sur la foi des inscriptions qu'il porte, a été identifié par J. Montagu et P. Rosenberg. Il est en étroit rapport (dessin préparatoire ? reprise postérieure ?) avec le seul tableau certain conservé de Dufresnoy, sa *Sainte Marguerite* signée et datée 1656 peinte pour l'église Sainte Marguerite au Faubourg Saint-Antoine et aujourd'hui au musée d'Evreux (Thuillier, 1965, fig. 2) ; la sainte est toute proche dans les deux œuvres, mais le dragon est différemment traité. Le tableau d'Evreux, de qualité assez terne, montre bien l'influence de l'art de Mignard sur son ami Dufresnoy qui, comme lui, étudie attentivement Raphaël : le tableau comme le dessin s'inspirent des deux *Sainte Marguerite* tardives attribuées à Raphaël (Louvre* et Vienne ; De Vecchi, 1982, n°s 138 et 172) ; le mouvement tournant, avec la tête levée, évoque deux œuvres que Dufresnoy avait pu voir à Rome, la *Sainte Catherine* (Londres ; alors dans la collection Borghèse) et la *Galatée* de la Farnésine. La technique très particulière, avec un coup de plume appuyé et descriptif qui croise les hâchures et une utilisation abondante de la gouache blanche, devrait permettre d'identifier d'autres dessins de Dufresnoy. Pierre Rosenberg nous signale, au Cabinet des Dessins du Louvre, un autre dessin en rapport avec la *Sainte Marguerite* d'Evreux (Inv. 12.444, comme Pierre de Cortone). J.P.C.

Vienne, Graphische Sammlung Albertina

Dulac (Sébastien)

Paris, 1802 - ?, après 1851

On a très peu d'informations sur cet artiste, qui fut élève de Vinchon et de Langlois à l'École des Beaux-Arts et exposa au Salon de 1824 à 1851. Il peignit surtout des portraits et des scènes contemporaines (Paris, Bibliothèque Marmottan ; Musée de la Comédie Française, 1827 ; Versailles, 1831). J.P.C.

83
Le modèle cuisinier

Toile
H. 0,61 ; L. 0,50
Signé et daté en bas à droite : *Dulac 1832.*

Historique :
Salon de 1833, n° 762 ; New York, coll. David Daniels ; Cleveland, coll. Mr. and Mrs. Noah L. Butkin.

Bibliographie :
Catal. exp. Shepherd Gallery, 1975 ;
Zafran, 1978, n° 29, repr.

ill. 133

Le tableau, qui figurait au Salon de 1833 sous le titre « Le modèle cuisinier », offre un beau document sur la vie des ateliers d'artistes de l'époque romantique : le peintre (un autoportrait de Dulac ?), palette et pinceaux en main, debout devant une grande toile ébauchée, regarde son modèle, assis par terre, qui prépare du chocolat, probablement pour se réchauffer. Un plâtre du *Cheval écorché* de Géricault est placé sur le poêle, derrière le peintre. A gauche, sur le mur, est accrochée une copie du *Balthazar Castiglione* *. J.P.C.

Collection Mr. and Mrs. Noah L. Butkin, prêt de longue durée au Snite Museum of Art, University of Notre Dame, Notre Dame, Indiana, U.S.A.

Dumonstier (Pierre II)

Paris, vers 1585 - Paris, 1656

*Peintre et graveur, membre d'une dynastie de dessinateurs qui participa à la mode des portraits aux trois crayons, et dont il continua la manière, Pierre II devint, comme son père Étienne (vers 1540-1603), peintre et valet de chambre du roi. Peut-être est-il ce Dumonstier que l'on sait en Flandre en 1603. Peu de témoignages subsistent par ailleurs sur ses séjours dans les villes italiennes : Mariette connaissait un dessin daté 1625 de Turin (*Abecedario*, 1853-1854, II, p. 131). D'autres le sont de Rome : 1625, 1629, 1633 et 1642 (Dimier, 1925, pp. 301-302). Nous connaissons aussi, sur sa présence à Rome en 1637 et en 1648 les témoignages respectifs de Tallemant des Réaux (*Historiettes*, 1967, p. 660) et de Félibien (*Entretiens*, III, p. 119).* D.C.

84
Tête du Christ
D'après la Dispute du Saint Sacrement

Pierre noire, sanguine, rehauts blancs et craie de couleur sur papier beige
H. 0,41 ; L. 0,28
Signé en bas au milieu à la plume et encre brune : *Petrus Du Monstier Parisiensis faciebat Romae.* Date effacée. Annoté en haut : *Ra. Vrb. in. in. Vat./speciosus forma prae filijs hominum Psal. 44.*

ill. 151

Historique :
Collection Destailleur, vente Paris, Hôtel Drouot, 14 décembre1932, n° 2 ; collection Caffin-Destailleur, vente, Paris, Drouot-Rive Gauche, 23 juin 1976, salle 1, n° 16, repr.

Bibliographie :
Montaiglon, 1872, p. 184 ;
Guiffrey, 1907, *Observations...*, p. 47 ;
Guiffrey, 1907, *État des meubles...*, p. 227 ;
Guiffrey, 1907, *Les Dumonstiers...*, p. 325 ;
Laran, 1909, pp. 17-19 ;
Moreau-Nélaton, 1924, vol I, p. 206 ;
Dimier, 1925, II, p. 302, n° 10.

Des copies faites à Rome d'après *La Dispute du Saint-Sacrement* (Vatican) celle-ci, se cantonnant à la tête du Christ, apparaît singulière par sa technique qui appartient à la tradition française du portrait dessiné. Une facture fondue et serrée, une gamme étendue de demi-teintes suaves, habilement modulée du sanguin au gris, constituent l'apport personnel de Pierre II Dumonstier à cette tradition, en même temps qu'elles confèrent à sa copie une enveloppe diaphane qui accuse, du modèle raphaélesque, la note sentimentale. On prendra en compte cette attitude de Dumonstier pour comprendre celle, tout à fait contemporaine et comparable, d'un Mignard face à Raphaël.

Dimier, qui relevait sur cette copie la date de 1642, aujourd'hui illisible, connaissait trois autres dessins (1925, II, p. 301, n° 6 et 7, p. 302, n° 8) où l'artiste en signant de son élégante écriture prenait soin de spécifier sa qualité de Parisien. Passavant (*Le peintre graveur*, VI, n° 201) signale une estampe datée de 1642, dont nous n'avons pas retrouvé d'épreuve à la Bibliothèque Nationale, pour laquelle la feuille exposée ici serait un travail préparatoire. D.C.

Paris, collection Destailleur

Erró (Gudmundur Gudmundson dit)

Olagsvik (Islande), 1932

Aux études à l'Académie des Beaux Arts de Reykjavik puis d'Oslo (1949-1952) succèdent de nombreuses visites à l'étranger (Espagne, France, Allemagne, Italie... 1953-1954). Il ajoute au savoir faire du fresquiste et du graveur, celui du mosaïste après un séjour à Ravenne (1955-1958). Installé à Paris depuis 1958, il peint d'abord en formes émaciées et aigües dans un espace indéfini, d'une façon qui l'apparente à Matta, un monde où le gigantisme industriel se montre déjà envahissant. Rompu à toutes les démarches, celle de la peinture monumentale comme celle du cinéma (films en 1962, 1964 ...), il trouve cependant un moyen de prédilection, qui est aussi une façon de refuser le style, dans le photo-montage dont ses peintures ne sont que la mise au point agrandie et unifiée.

En partant d'une œuvre, Catholic foot prints, *où apparaît la tête du* Léon X *de Raphaël et qui appartient à une série de 1963-1964 intitulée* l'Appétit pictural *(Erró, 1976, p. 94) on pourrait considérer son travail d'accumulation de références culturelles comme la manifestation d'une boulimie incoercible de « cliché ». Au nombre de ces images impersonnelles, traitées de la manière la moins nuancée qui soit, et avec la simplicité commune de l'imagerie populaire* (cf. *n° 335), on trouve sur le même plan (dans* Aeronotics ; *Stockholm, Coll. Heland ; Erró, 1976, p. 137, fig. 25) un arsenal technologique (des avions de chasse) et la reproduction de Raphaël (les 3 putti archers de la fresque de* Galatée*). Ce répertoire formel hétéroclite sert parfois à dresser une anthologie des tentations : celle de la séduction dans* Settimo Cielo *(Caracas, coll. part. ; Erró, 1976, p. 135, fig. 14, p. 101) où le* Cardinal *de Raphaël (Madrid, Prado) côtoie une pin-up ; celle du voyage dans un collage de la scène de* New York, *1963 (Erró, 1976, p. 101) où l'on retrouve les attributs du voyageur à côté de* Bindo Altoviti.

Ces tableaux sont des « machines », non au sens des grandes peintures du passé, mais parce qu'on y sent, avec un effet intense d'activité, ces engrenages multiples de clichés : référence au machinisme, images de l'animalité, chefs-d'œuvre de Raphaël en carte postale s'y court-circuitent sans cesse. Dans ce contexte insolite, Raphaël gagne en familiarité et parle le langage ludique de la science fiction ou de la bande dessinée. Nous sommes loin avec la peinture d'Erró, du procès d'une esthétique, de la démystification d'un génie ou d'une leçon d'histoire de l'art : il s'agit plutôt d'une représentation sommaire, avec un goût du paradoxe cultivé dans l'excès et un sens des rapprochements curieux, d'un Raphaël banalisé qui se livre sans porter de message à l'attention de l'amateur. D.C.

85
La vie de Raphaël (1483-1520)

Acrylique sur toile
H. 1,62 ; L. 0,97
Signé au dos : *G. Erró.*

Bibliographie :
Erró, 1979, repr.

ill. 331

La vie de Raphaël en un tableau et six épisodes appartient à une série de neuf « vies de peintres » peinte en 1977. On voit en haut, de gauche à droite : Raphaël enfant dans sa ville natale Urbino, puis à Florence où il rend visite au moine peintre Fra Bartolomeo qui lui apprend la perspective, plus loin il quitte Florence pour Rome. En dessous à droite Raphaël, assisté de son atelier, reporte sur le mur le carton d'un porteur de la *Sedia Gestatoria* lors de l'exécution de la fresque de la *Messe de Bolsène* au Vatican. A gauche, au pied de l'*Apollon du Belvédère,* il rêve de restaurer l'ancienne cité de Rome dans sa splendeur d'origine. Au centre, Raphaël quitte sa demeure avec une suite d'artistes : on reconnait au premier plan de cette scène la viole que le peintre plaça aux pieds de sa *Saint* Cécile (Bologne), l'une de ses Madones, la *Vierge à la chaise* (Florence) et, au fond, le Tempietto de Bramante. L'image au bas, qui évoque à la manière des *cartoons* de science-fiction l'archéologie future de notre monde moderne, dont la statue de Lincoln et celle du *Penseur* de Rodin tiennent lieu de vestige, forme un contrepoint moderne au désir de Raphaël d'exhumer la Rome ancienne. Par sa juxtaposition d'une illustration somme toute assez fidèle à la tradition de Vasari, cette *Vie de Raphaël* se rapproche de la bande dessinée documentaire (« Les belles histoires de l'oncle Paul », *Journal de Spirou,* 12 juillet 1956 ; fig. 189).

Erró a par ailleurs enrichi l'iconographie de Raphaël de deux tableaux : l'un, *Old Raphaël* (New York, coll. part.) part d'un photomontage qui intègre le portrait d'*Agnolo Doni* de Florence (Offices), l'autre, *Young Raphaël* (Milan, coll. part.) le *portrait de jeune homme* de Munich (Alte Pinakothek). D.C.

Paris, collection particulière

Fabre (François-Xavier)

Montpellier, 1766 - id., 1837

Entré en 1783 dans l'atelier de David, il obtient le Prix de Rome en 1787 et gagne l'Italie. Au début de 1793 il se réfugie à Florence pour fuir les troubles politiques de Rome ; il y peint des portraits pour des touristes étrangers et se lie avec Alfieri et la comtesse d'Albany. Ses tableaux d'histoire romaine ou de religion montrent un fidèle disciple de David, au dessin précis et sévère et porté souvent à des effets dramatiques inattendus. Une Sainte Famille *du musée de Montpellier (1801, exposée au Salon de 1812 ; dessins préparatoires à Montpellier et à Florence, Offices), porte, transmise à travers Poussin, la marque des* Saintes Familles *tardives de Raphaël; Fabre professait en effet une admiration sans borne pour Raphaël, que celui-ci ne devait partager qu'avec Poussin (Pellicer, 1979, pp. 175-176). Il ne quittera pratiquement pas la cité toscane avant 1825 et regagna alors Montpellier.*

Fabre était à la fois collectionneur, expert et marchand. Il donnera (1825) et lèguera (1837) ses collections à sa ville natale, dont le musée porte son nom. Figurent dans cet ensemble le Portrait de jeune homme *« de Raphaël » *, aujourd'hui attribué souvent à Brescianino, et le* Portrait de Lorenzo de' Medici, *considéré aussi par Fabre comme un original de Raphaël, et aujourd'hui comme une copie de l'original retrouvé (New York, coll. part. ; De Vecchi, 1982, n° 170) ; ses trois dessins de Raphaël ont par contre été retenus par la critique*. Notons aussi, rapportée par la comtesse d'Albany, la mention d'un « tableau de Raphaël » trouvé par Fabre « qui* *représente le portrait de Penni, dit le Fattorini... ; il l'a payé 50 sequins et l'a vendu 500 à un Français qui achetait des tableaux pour Lucien Bonaparte qui achète et qui paie» (lettre du 17 novembre 1802 ; citée par Pellicer, 1979, p. 173). Laure Pellicer nous indique d'autre part généreusement que Fabre vendit en 1813 à M. de Scitivaux, trésorier général de Toscane, « un Raphaël » qu'il venait d'acheter (correspondance entre le peintre et M. de Scitivaux, Bibliothèque Municipale de Montpellier), et nous signale une inscription latine* (ibid.) *composée par Fabre pour servir d'« étiquette » à ce tableau ; le peintre y dit avoir restauré « religieusement » cette œuvre « presque détruite du fait des injures du temps et de l'oubli sacrilège des hommes ». Il semble s'agir de la version du Louvre de la* Vierge de Lorette * *(INV. 644) acquise par Louis XVIII en 1821, une des multiples copies du tableau de Chantilly.* J.P.C.

86
La Vierge à la chaise
D'après le tableau du Palais Pitti

ill. 46

Toile
Diamètre. 0,76
Signé et daté : *E Raphaelis tabula F. Xaverius Fabre, Florentiae 1798.*

Historique :
Don Fabre, 1825. Inv. 825.1.185.

Bibliographie :
Catal. musée (Michel), 1890, n° 579 ; Catal. musée (d'Albenas) 1904, n° 725 ; Pellicer, 1979, p. 161, 163, 173, 180, n. 22 ; Pellicer, 1983, n° 58.

Belle et fidèle copie peinte en 1798 d'après le tableau du Palais Pitti. Fabre accentue quelque peu les contrastes, donnant plus de netteté et de saillie aux volumes musculaires, notamment chez l'Enfant. Le peintre exécuta souvent des copies ou des pastiches, souvent dans un but lucratif, et fit plusieurs copies de la *Vierge à la chaise* (six, en plus du présent tableau, peintes en mars-avril 1798 ; *cf.* Pellicer, 1983, n° 35). Il garda celle-ci qu'il estima lui-même fort cher en 1825 (Pellicer, 1979, p. 163). Le musée Fabre possède aussi une esquisse au trait de la *Vierge du Grand Duc* par Fabre (Inv. 837.1.125 ; Pellicer, 1979, p. 161, n. 231). J.P.C.

Montpellier, Musée Fabre

Fantin-Latour (Henri)

Grenoble, 1836 - Buré, Orne, 1904

Il est élève à Paris de Lecoq de Boisbaudran à partir de 1861, mais se forme surtout au Louvre où il copie avec assiduité, notamment d'après les Vénitiens et les Flamands. Ami de Whistler, il effectue quatre séjours en Angleterre entre 1859 et 1881. Il peint, dans un style sobre et recueilli, dans des gammes colorées qui privilégient les gris et les noirs, de nombreux portraits, dont les portraits collectifs restent les plus célèbres. Il se fit d'autre part une spécialité de natures mortes, souvent de fleurs, et de compositions peuplées de figures éthérées, souvent sur des thèmes musicaux. Il fut lié avec Manet et les impressionnistes, qui n'influencèrent en rien son art, resté, avec finesse, traditionnel.

Bien que T. Reff (1964, p. 555) n'ait relevé aucune mention de peintures de Fantin d'après Raphaël dans les registres de copistes du Louvre entre 1850 et 1870, le catalogue de son œuvre établi par Mme Fantin-Latour (1911) n'en mentionne pas moins deux copies peintes l'une d'après le Portrait de Castiglione *(p. 51, n° 382)* et l'autre d'après le* Portrait de jeune homme *(p. 51, n° 381)* autrefois tenu pour un autoportrait de Raphaël. Une étude à la plume (Paris, coll. part., 1982) de détails du* Jugement de Pâris* *gravé par Marcantonio Raimondi (Bartsch illustré, 1978, vol. 26, p. 242, n° 245) laisse penser qu'il fut, de la même façon, attentif aux plus fameuses estampes italiennes du XVIe siècle d'après Raphaël, alors exposées en permanence dans la galerie de la Bibliothèque Impériale (Duchesne, 1855).*

Un proche de Fantin, G. Hédiard (1901, p. 466) a en outre bien décrit comment l'artiste faisait, le soir venu, comme des gammes, des copies calquées de morceaux choisis de Raphaël à partir de sa « très riche collection de documents pittoresques » et comment y apparaît un travail de « transformation nécessaire » du modèle. Une étude de ce type, au musée de Lille (W.2000 ; repr. in *Bourel, 1982, p. 252, fig. 14) associe au calque de* l'Ame damnée *de Michel-Ange une interprétation de la tête du* Grand Saint-Michel *(Louvre)*.*

Focillon a évoqué, (1926, p. 85) ce qu'idéalement une fresque de Raphaël comme le Parnasse, *œuvre musicale s'il en est et bien faite, par là, pour s'accorder au lyrisme de Fantin, avait de prémonitoire du « sentiment moderne » : « Les muses de Raphaël (...) ses deux compagnes, si noblement mélancoliques, je les vois lithographiées par Fantin, je les évoque mêlées à ses filles rêveuses ».* D.C.

87
Homme effrayé
D'après un personnage de La mort d'Ananie

ill. 283

Fusain et estompe
H. 0,214 ; L. 0,290
Daté en haut à droite au fusain de la main de l'artiste : *3 octobre 1865.*

Historique :
Recto du f° 36 de l'album I ; Fonds de l'atelier de Fantin, marque en haut à gauche (Lugt, suppl. 919) ; don de Mme Fantin au Musée de Luxembourg ; reversé au Cabinet des Dessins du Louvre, 1929. Inv. R.F. 12.441.

Bibliographie :
Fantin-Latour, 1911, p. 270, n° 2437.

Cette feuille, d'après l'homme effrayé, un genou en terre, de la *Mort d'Ananie* est détachée d'un album où se trouvent mêlées des études de compositions originales *(Edwards à son chevalet, l'Atelier...)* et des dessins d'après les compositions des *Actes des Apôtres* de Raphaël : d'après *La guérison du paralytique* (f° 34 verso, 35 recto et verso, 44 verso) et d'après *La pêche miraculeuse* (f° 45 recto et verso). Ces dessins d'après Raphaël, qui ne sont jamais des copies d'ensemble, portent pour la plupart une date de 1865 (de janvier à octobre). Fantin est alors en France, et bien que son dessin soit dans le sens de l'original et en retrouve l'étonnante vigueur plastique, il ne doit être qu'une copie de gravure ou de photographie.

Quoique avoisinant dans cet album des premières pensées de Fantin pour ses propres œuvres, les dessins d'après Raphaël n'ont eu aucune descendance immédiate et évidente dans son art. Fantin diffère en cela de Manet (nº 321). A côté des copies d'après Véronèse ou Rembrandt qui soutendirent nombre des toiles de Fantin, les études d'après Raphaël font figure de simples exercices de métier faits, sinon avec la pleine conscience de son originalité, du moins avec la volonté de traduire une vision sensible. Matière susceptible d'interprétation, le modèle raphaélesque sert de révélateur au tempérament du copiste : Fantin voulait par l'étude et en dehors des mouvements (romantisme, réalisme, impressionnisme) « arriver à la façon personnelle de sentir » (Jullien, 1909, p. 23).

Ici, l'effacement de la ligne, la fluidité des masses, cette mobilité des formes entre le noir et le blanc, cette apparente mollesse de découpe et ce trop de charbonné dans l'articulation des demi-tons n'est pas d'un copiste qui reproduit le modèle mais qui l'émancipe : Raphaël, par l'entreprise de Fantin, sert la ferveur nouvelle pour les simplifications de la lumière. D.C.

Paris, Musée du Louvre, Cabinet des Dessins

Favanne (Henri de)

Londres 1668 - Paris, 1752

Il fut l'élève de Houasse et resta à Rome de 1695 à 1700. Académicien en 1704, il séjourna longuement à Madrid à partir de 1705. Sa plus importante entreprise fut celle du décor du château de Chanteloup (1713-1716) dont ne reste qu'une esquisse, au Louvre. L'art de Favanne, simple et mesuré, d'un charme presque intemporel, se place dans la lignée de Poussin et de Le Sueur et annonce tout un courant de la peinture néo-classique. J.P.C.

88
Sujet indéterminé (allégorie du sommeil ?)

ill. 20

Signé et daté en bas à droite :
De Favanne 1737.

Historique :
Collection privée, Upsala ; acquis en 1981 par le musée. THC 5651.

Bibliographie :
Rosenberg, 1975, p. 39

La jeune femme parait occupée à surveiller la liqueur que distille un alambic ; les objets, sur le sol devant elle, semblent des graines de pavot. Pourrait-il s'agir d'une allégorie du sommeil ? Le tableau est un rare exemple, en plein règne de Boucher, de la persistance d'un courant de peinture fine et mesurée, fidèle aux modèles de l'Antiquité et à ceux de Raphaël, qui forme un lien entre Le Sueur et Stella et, à la fin du XVIIIe siècle, Vien, Lagrenée et Suvée ; l'attitude complexe de la jeune femme évoque celle de la *Vierge Esterhazy* (Budapest). J.P.C.

Stockholm, Nationalmuseum

Feuchère (Jean-Jacques)

Biographie : voir section Sculptures

89
Raphaël accueillant Poussin aux Champs-Élysées

ill. 395

Plume, encre brune, lavis brun, rehauts de blanc sur papier gris-brun
H. 0,293 ; L. 0,440
Inscription (signature ?) en bas vers la gauche, au crayon : *Feuchère.*

Historique :
Coll. E. Gatteaux (Lugt, 852).
Inv. 895.

Les personnages sont difficiles à identifier : l'homme, au centre, présentant Poussin à Raphaël qui lui offre une couronne, pourrait être Apelle. Le groupement des figures drapées à l'antique, le putto porteur de couronnes de lauriers évoquent le *Parnasse* gravé par Marcantonio Raimondi *. Les dessins de Feuchère sont souvent des pastiches : ici de la Renaissance italienne, d'autres fois du XVIIe français (suite de huit dessins représentant des *Dieux antiques,* vente Drouot 19 mars 1982, nº 60). Mentionnons aussi un projet de vitrail par Feuchère représentant *Raphaël* en pied, avec des putti et des motifs Renaissance (plume et aquarelle ; vente Drouot 19 février 1982, s. 8, sans catalogue ; annoté ou signé sous le montage). J.P.C.

Paris, École Nationale Supérieure des Beaux-Arts

Flandrin (Hippolyte)

Lyon, 1809 - Rome, 1864

Prix de Rome en 1832, il fut à la fois le plus fidèle et le plus talentueux des élèves d'Ingres, qui paraît lui avoir transmis son culte de Raphaël. « Dis bien à M. Ingres que lui, Raphaël et Phidias, voilà les seuls hommes avec lesquels je cause peinture » (lettre de Rome, 25 février 1833 ; Flandrin, 1902, p. 43). La phrase résume les idéaux du jeune Flandrin, qui travaille assidûment au Vatican (Delaborde, 1865, pp. 192, 193, 201). Il pense, d'abord, pour son « envoi de Rome », copier la Galatée *et, finalement choisit un détail de l'*École d'Athènes (Paris, École des Beaux-Arts).

Son Sinite Parvulos *(Lisieux ; esquisse loc. inconnue, fig. 130) peint à Rome en 1838, dernière année de son séjour, révèle clairement, filtrée par Ingres, l'influence des tapisseries des* Actes des Apôtres, *notamment du* Pasce oves. *Mais cette admiration se conjugue avec celle des Italiens du Quattrocento : « ...les vieux maîtres toscans conservent à mes yeux tout leur prix. Eux et Raphaël, je les aime plus que jamais ! » (lettre du 6 juillet 1838 ; Delaborde, 1865, p. 283) ; et à la fin de sa vie, devant la* Transfiguration : *« O glorieuse chose ! Partout, en tout, il est incomparable. On ne peut guère voir après lui que ceux qui l'ont précédé. » (*id., *p. 522). Les copies peintes et dessinées de Flandrin d'après Raphaël sont assez nombreuses (dessins dans des coll. part. ; mentionnons les tableaux de sa vente après décès : nº 50,* Tête du démon, *peut-être le tableau parvenu au musée de Dijon avec la donation Granville ; nº 54,* Deux Figures d'hommes d'après l'Incendie du bourg ; *peut-être le tableau d'une coll. particulière Paris ; et les nºs 53, 59, 60, 61, 62). Les « raphaélismes », nombreux, que contient son œuvre, empruntent surtout aux œuvres murales, fresques des Chambres et des Loges ou tapisseries du Vatican. Notons plusieurs compositions de l'église Saint-Germain-des-Prés :* Moïse et le buisson ardent, Moïse ordonnant aux eaux de se refermer *(esquisse à Princeton ; le motif des bras levés en signe de joie de cette dernière peinture, souvent repris par Flandrin qui en tire des effets pleins de grandeur, est emprunté au* Sacre de Salomon *des Loges du Vatican),* Mission des Apôtres *(esquisse à Poitiers). Mais c'est davantage l'art de Ravenne et du Quattrocento que veulent ressusciter ce décor, le chef-d'œuvre de Flandrin, comme ceux de Saint-Vincent-de-Paul à Paris, de Saint-Martin-d'Ainay à Lyon et de Saint-Paul à Nîmes, ses autres grandes entreprises religieuses.* *J.P.C.*

90
Ève

D'après une fresque du plafond de la Chambre de la Signature

Toile
H. 0,62 ; L. 0,31

Historique :
Donné par Flandrin à Ingres ? ; don Ingres, 1851.

Bibliographie :
Lapauze, 1901, p. 99 ;
Ternois, 1965, nº 124, repr.

ill. 149

Cette belle et fluide copie d'un détail de l'*Adam et Ève* de la voûte de la Chambre de la Signature, laissée volontairement à l'état d'ébauche, fut très probablement peinte par Flandrin durant son séjour de pensionnaire, et peut-être donnée ensuite par lui à Ingres. On la trouve (nº 24) sur la liste des œuvres offertes par Ingres en 1851 au musée de sa ville natale, peu après la création de celui-ci (Lapauze). J.P.C.

Montauban, Musée Ingres

91
Mater Dolorosa

Toile
H. 0,33 ; L. 0,24
Signé et daté en bas à gauche :
Hte Flandrin.

Historique :
Acquis dans le commerce parisien.

ill. 304

Esquisse pour la *Mater Dolorosa* (église de Saint-Martory, près de Saint-Gaudens) exposée au Salon de 1845 (nº 598). Cette peinture fut commandée en 1844 par le prince de Bergues pour la chapelle funéraire de la princesse, récemment décédée ; emplacement qu'elle n'a pas quitté (Delaborde, pp. 89-90 ; Flandrin, pp. 136-137). La Vierge montre la couronne d'épines et les clous, et prend les fidèles à témoins de sa douleur. Très admiré, le tableau fut lithographié par Auguste Hirsch et par Laurens. L'inspiration tirée de la *Pieta** de Marcantonio Raimondi semble flagrante : silhouette frontale et voilée, très simple, bras symétriquement ouverts. Un dessin de Flandrin de même sujet, tout proche mais montrant la Vierge assise, a figuré à l'exposition *les peintres de l'âme* à Lyon en 1981 (nº 99). J.P.C.

France, collection particulière

92
Raphaël et la Fornarina

Toile
H. 0,175 ; L. 0,180

Historique :
Legs Édouard Gatteaux, 1884

Bibliographie :
Bulletin du musée Ingres, nº 11, juillet 1962, repr. couverture ;
Ternois, 1965, nº 122, repr.
Ternois, 1967, nº 233.

ill. 353

Flandrin, dans ce minuscule tableau peut-être peint à Rome quand il était pensionnaire à la Villa Médicis, choisit, comme cadre de la première rencontre de Raphaël et de la Fornarina, un petit oratoire dans une rue de Rome. J.P.C.

Montauban, Musée Ingres

Forty (Jean-Jacques)

Marseille, 1744 - Aix-en-Provence, 1800

On ne sait presque rien de cet élève de Vien. On conserve le tableau avec lequel il fut agréé à l'Académie, Jacob reconnaissant la robe de Joseph *(1791, Minneapolis), et deux tableaux à la cathédrale d'Amiens, un* Retour de l'enfant prodigue *(1781) et une* Mort de saint François-Xavier. *Il fut professeur de dessin à l'École Centrale de Marseille et conservateur du musée de cette ville.* *J.P.C.*

93
Les peuples du monde rendant hommage à l'Etre suprême

ill. 164

Toile
H. 0,46 ; L. 0,63

Historique :
Provenance inconnue. Inv. p. 414.

Jean-Marie Bruson nous a signalé ce tableau, resté anonyme et inconnu dans les réserves du Musée Carnavalet, pour son rapport avec l'*Ecole d'Athènes* : l'architecture avec sa perspective centrée, l'organisation des figures par groupes dans un espace à deux niveaux séparés par des marches désignent en effet sans ambiguïté l'inspiration. Philippe Bordes, au vu de la photographie, nous propose d'identifier le tableau avec une œuvre proposée au concours de l'an II (1793) où les peintres pouvaient, à leur choix, sur une esquisse, traiter un sujet illustrant « les époques les plus glorieuses de la Révolution française » : et plus particulièrement avec un tableau représentant *Tous les peuples du monde rendant hommage à l'Etre suprême. Tableau 23 × 18 pouces,* n° 99 de la *Notice des ouvrages* du concours (*cf.* Fonds Deloynes, Bibliothèque Nationale, Estampes, 56, n° 1724). L'auteur, *Forty de Marseille,* peut être identifié grâce à l'affiche du *Jury des Arts* proclamant les prix (*id.* 56, n° 1736). Cette brillante identification de Philippe Bordes fait de Forty un peintre de premier plan, dont la manière évoque celles de Vincent, Callet ou Saint-Ours.

L'esquisse de Carnavalet parait être d'autre part un document particulièrement précieux sur la pensée religieuse à l'époque révolutionnaire, que d'autres que nous saurons commenter : à droite une figure ailée (la Raison ?) chasse trois personnages allégoriques (l'Hypocrisie, le Fanatisme ?). Les différents peuples manifestent leur adoration de l'Etre suprême chacun selon leurs traditions, notamment les noirs qui dansent, au premier plan à droite. J.P.C.

Paris, Musée Carnavalet

Fragonard (Alexandre-Evariste)

Grasse, 1780 - Paris, 1850

Fils de Jean-Honoré Fragonard, il fut son élève et celui de David ; il sut combiner les effets luministes et animés de l'un, et le rigoureux dessin néo-classique de l'autre. Sculpteur, il donne ses dessins pour des frises sculptées pour le Corps législatif. A partir du Salon de 1819, il multiplie les sujets « troubadour », genre dont il devient un spécialiste fécond et plein de charme, dans des œuvres qui vont du tableautin à la décoration monumentale (deux plafonds du Louvre, 1819 et 1827, ce dernier montrant François 1er et Primatice). *Raphaël apparait dans deux lithographies d'A.E. Fragonard (vers 1825 ?) : pour l'une, voir Section Gravures, n° 293 ; l'autre (fig. XXIII), exécutée par Langlumé, montre* Raphaël et Le Sueur : Raphaël reçoit Le Sueur et lui offre de l'associer au trône de la peinture, *dit la lettre ; la figure de Raphaël est inspirée de celle du porteur du premier plan, à gauche, de l'*Héliodore *du Vatican.* *J.P.C.*

94
Raphaël présenté à Pérugin par son père

ill. 332

Crayon et plume, lavis de bistre, rehauts de gouache blanche
Annoté sur le montage, en bas à gauche : *Fragonard Fils*
H. 0,271 ; L. 0,222

Historique :
Acquis dans le commerce parisien.

Le tout jeune Raphaël, plein d'assurance, montre à Pérugin un dessin où l'on reconnaît le *Petit Saint Michel* du Louvre* (vers 1505) ; son père s'incline en appuyant près des pieds du maître un petit tableau avec un *Saint Jean-Baptiste* (celui de Florence, peint, probablement par Giulio Romano, vers 1520). Les élèves de Pérugin, au fond à droite, semblent s'inquiéter de l'arrivée de ce jeune rival. Le maître est occupé à peindre un retable où l'on reconnait, inversée, la *Vierge entre saint Jacques et saint Augustin* de l'église Sant'Agostino de Crémone, exposée à Paris au Musée Napoléon de 1797 à 1815 ; ce tableau est daté 1494, et Fragonard se montre, par hasard probablement, historien d'art plus scrupuleux que dans sa représentation des œuvres de Raphaël montrées à Pérugin : c'est l'année de la mort de Giovanni Santi (Raphaël a alors onze ans) et qui pourrait correspondre à celle de l'épisode, non attesté mais non invraisemblable. Le style du dessin, assez tendu, l'importance accordée au graphisme comme l'inscription *Fragonard Fils,* pourraient permettre de proposer une datation assez précoce (vers 1800-1805 ?). J.P.C.

Paris, collection particulière

95
Raphaël rectifiant la pose de son modèle

ill. 344

Toile
H. 1,140 ; L. 0,875
Signé en bas à droite : *A. Fragonard.*

Historique :
Vente de la succession A.E. Fragonard, Paris, 6 déc. 1850, n° 3 ; acquis par l'État en 1959 (R.F. 1959.20) ; déposé au musée Fragonard en 1960.

Bibliographie :
Haskell, 1971, p. 64, fig. 7, p. 60 (comme « Private coll. Paris ») ;
Georgel, 1976, p. 42, n° 119, repr.

Le peintre montre Raphaël rectifiant la pose de la jeune femme qui pose pour la *Vierge à l'Enfant* visible sur le chevalet de droite, en la prenant par le bras. Fragonard se montre ici peu soucieux d'exactitude historique : les traits de Raphaël, son costume, le tableau du chevalet sont de pure fiction. Il s'agit de traduire une scène charmante et pittoresque, où ne manque pas le sous-entendu galant : il y a ici, très atténué, presque le ton des *Débuts du modèle* de son père (musée Cognacq-Jay). Le clair obscur nuancé et soyeux évoque, aussi, les tableaux de la fin de la carrière du « grand Fragonard ». On peut, sans trop de certitude, proposer une datation vers 1820. Le Musée Fragonard possède plusieurs dessins préparatoires pour le tableau (notamment Inv. D.278 et D.281). J.P.C.

Grasse, Musée Fragonard

96
« Le Musée Napoléon ou les Beaux Arts »

ill. 394

Trait de crayon, lavis de sépia, rehauts de gouache blanche sur fond gouaché. Inscription à droite, au dessus de la porte : *Musée Napoléon*
H. 0,224 ; L. 0,327

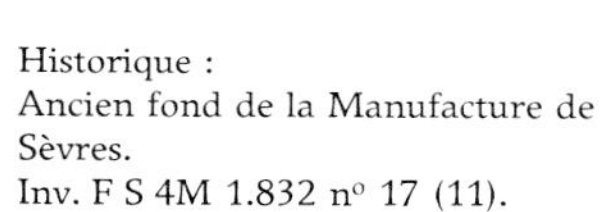

Historique :
Ancien fond de la Manufacture de Sèvres.
Inv. F S 4M 1.832 n° 17 (11).

Ce dessin fait partie d'une série intitulée *Les six actes de l'empereur Napoléon* qui date de 1813. Il évoque manifestement la création du Musée Napoléon par Dominique-Vivant Denon en 1802. L'Empereur, debout au centre de la composition, accueille dans le Temple de l'Art, dont il indique l'entrée de la main droite, cinq personnages qui s'avancent vers lui. Leurs attributs, palette et rouleaux de parchemin, les désignent à l'évidence comme des gloires des Beaux Arts et les initiales inscrites au crayon, en colonne, dans la marge de gauche, (r, m.a, rub, P., L.V.) précisent leur identification : Raphaël est représenté à l'extrême gauche, couronné de lauriers, précédé par Michel-Ange, Rubens, Poussin et Léonard de Vinci (mais ce dernier personnage, qui semble espagnol, ne serait-il pas plutôt Vélasquez, ou Murillo ?).
Alexandre-Evariste Fragonard fut fréquemment chargé par Alexandre Brongniart entre 1806 et 1839 de fournir des modèles de formes et de décors pour la Manufacture de Sèvres. L'un des mérites de cet artiste est d'avoir introduit, à une date précoce, une note de romantisme dans la rigidité du style Empire, et cet éclectisme est bien caractéristique de l'attitude de la Manufacture. Dans le cas particulier, il ne semble pas que ce dessin - ni aucun autre de la série - ait été suivi d'exécution, mais son thème impose un rapprochement avec le célèbre vase étrusque à rouleaux représentant l'*Entrée à Paris et le transport au Musée Napoléon des chefs d'œuvre d'Italie,* peint par Béranger d'après un dessin de Valois (Inv. : MNC. 1.823), qui date précisément de 1813. E.F.

Sèvres, archives de la Manufacture nationale

Voir aussi section *Gravures*

Fragonard (Jean-Honoré)

Grasse, 1732 - Paris, 1806

Il obtient le Prix de Rome en 1752 après une formation chez Boucher, et reste en Italie de 1755 à 1761. Il y devient l'ami de Hubert Robert et y connaît l'abbé de Saint-Non qui devient son mécène : il donne de nombreux dessins (168) pour les Griffonis *que grave ce dernier, le plus souvent d'après des maîtres italiens du* XVIe *et du* XVIIe *siècle. Parmi les motifs des* Griffonis *d'après Raphaël, 13 sont gravés d'après des dessins de Fragonard (Cailleux, 1963, n°s 119c et d, 132b, 133b, 136b et d, 149a, 167a, b et c, 168a, b et c); 4 d'après la* Bataille de Constantin *du Vatican (de « Jules Romain sur les dessins de Raphaël » ;* id., *n°s 158a et b, 164b, 165c). D'autres motifs pris à Raphaël furent gravés par Saint-Non d'après Ango (cf. n° 2). Deux sont gravés sans nom d'auteur (*id., *n°s 118a, b et c ; 152 c et d ; le dessin correspondant, vente J. Hasson, Londres, Christie's, 24 mars 1961, n° 12, semble de Ango). Notons encore deux dessins de Fragonard d'après Raphaël de même style :* La Tempérance, *d'après la fresque des* Vertus *du Vatican (Ananoff, IV, n° 2593, sous le titre* La Parque *repris de Portalis [1889, repr. p. 25]) ;* Les docteurs *(d'après l'*École d'Athènes *? Ananoff, IV, n° 2591 : « chez Schmit, Paris, vers 1960 ; annoté :* Raphaël. Chartreux *(?) »). Il y aurait quelque paradoxe à soutenir que l'art de Raphaël a eu un grand rôle sur celui de Fragonard ; mais l'examen de tels dessins oblige à considérer l'étendue de la culture visuelle du Grassois, dont l'art est plus ambitieux, moins de primesaut qu'il ne paraît. Il retournera à Rome et à Naples en 1773-1774.* J.P.C.

97
Études d'après les fresques de la loggia de la Farnésine

ill. 225

Pierre noire
H. 0,298 ; L. 0,205
Annoté au centre : *Raphaël Palais Farnesine.*

Historique :
Coll. Béhague ; James Hasson ; sa vente, Londres, Christie's, 24 mars 1961, nº 18 repr. ; Scharf, Londres ; acquis sur le marché new-yorkais, 1965. KdZ 26127.

Bibliographie :
Cailleux, 1963, p. 349 (n.) ;
Ananoff, IV, nº 2592 ;
Winner, 1975, nº 180, repr.

On reconnaît trois motifs des écoinçons de la loggia de Psyché de la Farnésine, *Mercure, Vénus et l'Amour,* une Grâce de l'*Amour et les trois Grâces,* et un motif d'une des pénétrations du même ensemble, l'*Amour avec une panthère* (De Vecchi, 1982, nº 130). Ce dessin a été gravé à l'aquatinte par Saint-Non avec la mention : *Raphaël/Palais de la Farnesine/à Rome* et la signature : *Fragonard del, Saint-Non Sc. 1771* dans les *Fragments choisis,* IIᵉ suite, p. I.19, et repris dans les *Griffonis* (*cf.* Cailleux, 1963, nº 168). On remarquera l'indication moins elliptique et incisive qu'à l'ordinaire chez Fragonard : le trait plus menu et fin parfois hésite, se reprend, se double. Fragonard se montre-t-il, en face de Raphaël, exceptionnellement soigneux ou un peu timide ? S'agit-il d'un des premiers dessins exécutés pour Saint-Non ? Il ne semble pas qu'il y ait lieu, comme le propose Ananoff, de donner le dessin à Ango, dont le trait quelque peu cotonneux est moins ferme. J.P.C.

Berlin, Staatliche Museen, Preussischer Kulturbesitz, Kupferstichkabinett

98
L'Innocence et la Justice
D'après les fresques de la Chambre de Constantin

ill. 206

Pierre noire
H. 0,195 ; L. 0,275
Annoté en bas, vers le centre : *Raphaël au Vatican.*

Historique :
Coll. Richard Owen ; don en 1931. Nº 1931.245.

Bibliographie :
Mongan-Sachs, 1946, nº 605, fig. 310 ;
Cailleux, 1963, p. 344 (n.) ;
Ananoff, II, nº 1087, fig. 305.

Ces deux figures féminines, dessinées d'après les *Vertus* de la Chambre de Constantin au Vatican peintes après la mort de Raphaël par ses élèves, ont été gravées par Saint-Non dans deux planches différentes des *Griffonis,* signées toutes deux *Frago del. Saint Non Sc. 1772* (Cailleux, 1963, nºˢ 132b et 133B). La *Justice* se retrouve dans les *Fragments choisis,* IIᵉ suite, nº 60.

Fogg Art Museum, Harvard University, Cambridge, Massachusetts, Gift of Richard Owen, Esq.

99
Jeune garçon agenouillé
D'après l'École d'Athènes

ill. 158

Pierre noire. Collé en plein
H. 0,091 ; L. 0,167

Historique :
Coll. Pierre Adrien Pâris ; Bibliothèque Municipale de Besançon ; déposé au Musée des Beaux-Arts en 1843. Inv. D 2.857.

Bibliographie :
Cornillot, 1957, nº 1, repr. ;
Ananoff, III, nº 1881, fig. 481.

Anciennement et traditionnellement catalogué comme Fragonard, ce croquis d'après une des figures du premier plan de l'*École d'Athènes* a été gravé par l'abbé de Saint-Non dans ses *Fragments choisis* (1ʳᵉ suite, 1771, pl. 16) sous le nom d'Ango. D'où son attribution par M. L. Cornillot à Ango. Il semble ne rien avoir de la technique enveloppée si caractéristique de ce dernier (*cf.* nº 2), et il faut revenir, comme le propose A. Ananoff, à l'attribution à Fragonard dont on reconnaît le tracé aigu ou bouclé, toujours alerte, et la désinvolture envers le modèle, ici assez sensiblement interprété. Le dessin de Besançon représentant *Sainte* Cécile d'après Maderna (Cornillot, nº 2), gravé par Saint-Non sur la même planche que le précédent, semble pouvoir être lui aussi rendu à Fragonard, comme le propose aussi Ananoff. Le même auteur pense que le dessin, pourtant dans le même sens que la fresque, est une contre-épreuve « remontée », c'est-à-dire reprise par l'artiste. J.P.C.

Besançon, Musée des Beaux-Arts

100
Études d'après Raphaël, Rubens et Andrea del Sarto

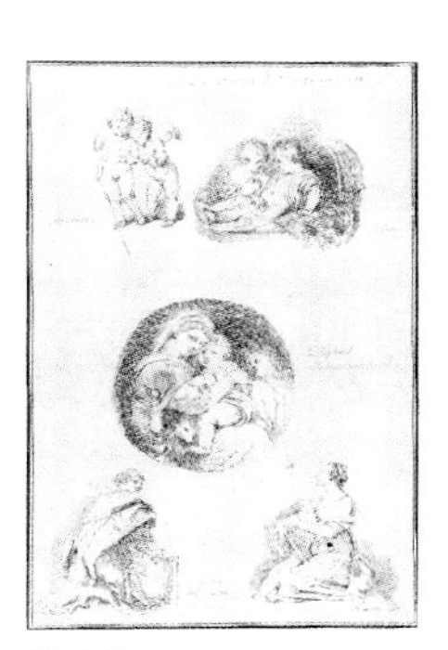

ill. 45

Pierre noire
H. 0,296 ; L. 0,197
Annoté en haut : *florence Palais Pitti. 20 avril 1761 ;* vers la gauche : *Raphaël ;* vers la droite : *Rubens ;* vers le centre, à droite : *de Raphaël/Madona della Segiola ;* en bas, au centre : *andré del Sarte.*

Historique :
Coll. Sir Samuel Rush Meyrick ; Coll. Mrs. Spencer Whatley ; acquis en 1936. Inv. 1936.5.9.18.

Bibliographie :
Ananoff, III, nº 1798.

Cinq dessins sur une même feuille, exécutés à Florence d'après des tableaux du Palais Pitti. Le rapprochement, en haut de la feuille, des croquis d'enfants d'après la *Vierge au baldaquin* de Raphaël et d'après la *Vierge au berceau* de Rubens montre l'artiste réconciliant les deux peintres dans un même style alerte et mutin. Fragonard, au centre, traduit la *Vierge à la chaise* dans une indication pétillante mais attentive, donnant du tableau une image inattendue et allègre, d'une grande intelligence. Les deux croquis du bas de la feuille reprennent chacun un personnage de l'*Assomption* et de la *Discussion sur la Trinité* d'Andrea del Sarto. Le dessin ne semble pas avoir été gravé par Saint-Non.
J.P.C.

Londres, The British Museum, Department of Prints and Drawings

Gagneraux (Bénigne)

Dijon, 1756 - Florence, 1795

Élève de Devosge à l'École de dessin de Dijon, il se rend à Rome à 17 ans mais, sans ressource, doit rentrer en France. Il obtient en 1776 le Prix de Rome tout juste créé par les États de Bourgogne, et reste pensionnaire à Rome de 1777 à 1780. Resté ensuite dans la ville, il travaille pour le Roi de Suède Gustave III, pour d'autres mécènes suédois, et à nouveau pour les États de Bourgogne. En 1793, il doit quitter Rome et s'installe à Florence où il peint pour la cour de Suède et pour un amateur suisse, le comte de Sellon. Il se suicide, probablement, en 1795. Gagneraux emprunte ses sujets et ses effets à l'antiquité classique : art linéaire, plein de délicatesse, parfois fragile, indépendant du courant davidien.

On peut noter plusieurs « raphaélismes » dans son œuvre : notamment dans le Passage du Rhin *(1789-1790, Dijon ; Laveissière, 1983, n° 48), souvenir de la* Bataille de Constantin *au Vatican, ou dans le* Gustave III et Pie VI au musée Pio Clementino *(1785, Stockholm ; 1786, Prague ;* id.*, n° 26) dont l'organisation rappelle l'*École d'Athènes *(voir, pour d'autres analogies, Laveissière, 1983, n°s 51, 71, 91).* *J.P.C.*

101
L'École d'Athènes
D'après la fresque du Vatican

Toile
H. 2,02 ; L. 2,95

Historique :
Commandé en août 1779 par les États de Bourgogne ; peint à Rome en 1779-1781 ; arrivé à Dijon en juillet 1781 ; Dijon, Palais des États de Bourgogne ; déposé avant 1834 au Palais de Justice de Dijon.

ill. 155

Bibliographie :
Guillaume, 1980, A4 n° 8, repr. ; Laveissière, 1983, n° 8 (avec bibliographie antérieure).

Les lettres de Gagneraux à Devosge, son maître dijonnais, permette de suivre l'élaboration de la toile, peinte au Vatican en 1779-1781. La copie fut commandée par les États de Bourgogne au jeune peintre qu'ils pensionnaient, en même temps qu'une copie de l'*Apollon du Belvédère* demandée à Renaud, sculpteur envoyé à Rome en même temps que Gagneraux. L'exécution précise, contrastée, un peu métallique et sévère, est typique du peintre. J.P.C.

Dijon, Musée des Beaux-Arts

Gamelin (Jacques)

Carcassonne, 1738 - id.*, 1803*

*La carrière de ce charmant indépendant s'est déroulée en dehors des milieux parisiens. Protégé du baron de Puymaurin, il étudie à Toulouse chez Rivalz, puis à Paris chez Deshays (1761). Il passe dix ans à Rome grâce aux subsides de son mécène (1765-1775). Il copie avec prédilection les bolonais mais, en 1768, dessine d'après Raphaël au Vatican (*Étude de cavalier barbu sur un cheval cabré, *sur papier bleu, coll. part. ; exposé à Carcassonne, 1938, exp.* J. Gamelin 1738-1803, *n° 81 ;* cf. *Michel, 1979, note 6). Il est professeur à l'Académie de Saint-Luc (1771) et travaille pour Clément XIV. Rentré dans le sud-ouest de la France, il s'installe à Toulouse, puis à Montpellier, ensuite à Narbonne, enfin à Carcassonne. Sa personnalité d'artiste, assez frèle mais pleine d'humour, va de pair avec son ambition de peintre d'histoire ; il oscille entre des tableautins de goût nordique, souvent à la limite de la satire, et de vastes compositions parfois inspirées, sans trop d'esprit de sérieux, de Raphaël. Citons parmi ces dernières les peintures de la Chambre de Commerce de Carcassonne, avec une* Bataille de Constantin *et une* Allocution de Constantin *qui rappellent les peintures de la Chambre de Constantin du Vatican.* *J.P.C.*

102
Le Christ chez les docteurs

Toile
H. 0,65 ; L. 0,73
Signé et daté en bas à droite :
Gamelin pinx. 1785.

Historique :
Vente Paris, Hôtel Drouot, 19 février 1979 (sans catalogue) ; collection Annie et Jean-Pierre Changeux, Paris ; donation au Musée Bossuet de Meaux, 1983.

ill. 163

Bibliographie :
Hahn, 1979, n° 13.

Il s'agit d'une esquisse pour le grand tableau de même sujet de la cathédrale Saint-Jean de Perpignan. Quatre tableaux furent commandés à Gamelin le 8 mai 1785 et sont toujours en place, en mauvais état : outre *Le Christ chez les docteurs, La chute des anges rebelles, Les noces de Cana* et *Le Christ en croix.* Le contrat précisait que les tableaux des *Noces de Cana* et du *Christ et les docteurs* devraient être conformes aux esquisses présentées par Gamelin : nous avons bien sûr ici une de ces esquisses (Hahn, 1979, n° 13). La référence à l'*École d'Athènes* est justement notée par J. Hahn. En effet l'architecture centrée et symétrique, les attitudes de certains personnages sont repris de la composition de Raphaël, non sans désinvolture, et avec parfois un franc humour : le docteur assis au premier plan et perdu dans la consultation de ses grimoires est une parodie particulièrement drôle du « Démocrite » de l'illustre fresque. Le Musée Paul Dupuy de Toulouse conserve un dessin romain de Gamelin montrant, en hauteur, le même sujet (s.d. 1768), d'un ton sévère qui évoque, moins littéralement mais plus pertinemment, l'exemple raphaélesque (Michel, 1979, repr. C).

J.P.C.

Meaux, Musée Bossuet (donation Annie et Jean-Pierre Changeux)

Geffroy (Edmond)

Maignelay, Oise, 1804 - Saint-Pierre-les-Nemours, 1895

Il fut un comédien apprécié, sociétaire de la Comédie Française, et se consacra en même temps à la peinture, qu'il apprit dans l'atelier d'Amaury-Duval. Il peignit plusieurs portraits des Comédiens français, dont deux portraits de groupe (1851 et 1864, musée de la Comédie Française, qui conserve huit autres tableaux de Geffroy). Son pinceau reste souvent anecdotique et bavard. J.P.C.

103
La Vierge et l'Enfant

Toile
H. 0,305 ; L. 0,27 (vue ovale)
Signé et daté à droite au centre :
Geffroy 1840.

Historique :
Salon de 1840, n° 672 ? ; donation Henri et Suzanne Baderou, 1975. (975-4-199).

ill. 13

Touchant exemple, chez un peintre au talent modeste, d'un hommage délibéré rendu à Raphaël : le corps de l'Enfant, l'enchaînement de son bras et celui de la Vierge, évoquent la *Belle Jardinière* * du Louvre. Il pourrait s'agir d'un tableau exposé au Salon de 1840 (n° 672, la *Sainte Vierge Marie et l'Enfant Jésus*), ou d'une réduction de celui-ci. J.P.C.

Rouen, Musée des Beaux-Arts (donation Henri et Suzanne Baderou)

Gellée (Claude), dit Le Lorrain

Chamagne, vers 1600 - Rome, 1682

Formé à Rome, à Naples et à Nancy auprès de purs paysagistes (A. Tassi, G. Wals) ou de maniéristes archaïsants (Claude Deruet), Claude Lorrain a fait à Rome de 1627 à 1682 une très brillante carrière de peintre de paysage. Aussi le tient-on aujourd'hui, de même que Poussin, pour l'un des représentants principaux — et expatriés — du classicisme français.

Si dès la fin du XVIIIe siècle « Sir Joshua Reynolds avait coutume de dire que l'on verrait un autre Raphaël avant de voir un autre Claude » (William Hazlitt, Paintings and the Fine Arts, *1838, pp. 35-36) pour souligner le caractère unique de l'art du Lorrain, de son côté Horace Walpole (*Aedes Walpolianae..., *Londres, 1767, p. 31), un connaisseur et un érudit, désigne celui-ci comme le « Raphaël du paysage », c'est-à-dire comme l'égal, en son genre, du plus fameux des maîtres. Ce n'est là, encore, qu'une façon de signifier que Le Lorrain a rang parmi les peintres « parfaits », ceux dont les œuvres claires, mesurées, idéales, inspirent une délectation tranquille et réveillent l'attention par leur apparente simplicité. Plus près de nous, les historiens d'art (A. Blunt, M. Roethlisberger, D.H. Russell) dépassant cette idée d'une convergence « sentimentale » de Claude et de Raphaël, se sont attachés à montrer comment le paysage chez Claude, picturalement unifié par le rendu de l'atmosphère et le rendu de la lumière, « représente (...) l'aboutissement d'une évolution qui avait atteint un premier sommet en Ombrie avec Pérugin » (Blunt, 1973, p. 308) ; et comment Claude Lorrain emprunte parfois à Raphaël.*

La peinture de paysage est alors à Rome, une discipline qui suppose non seulement l'étude sur le motif mais aussi la connaissance des maîtres classiques, dont Raphaël est la figure type. Un paysagiste tel que Poelenburg (qui influencera Claude Lorrain) dessina lui aussi d'après Raphaël comme l'attestent Sandart et un dessin conservé à Amsterdam (Roethlisberger, 1968, I, p. 33). Dans l'œuvre de Claude Lorrain, Raphaël apparait étudié pour lui-même (n° 104), ou utilisé pour trouver les personnages d'un tableau. L'Apollon et Marsyas *de la voûte de la Chambre de la Signature apparait dans deux peintures (Roethlisberger, 1979, n°s 45, 95) ; la figure* d'Alexandre déposant les œuvres d'Homère dans le tombeau d'Achille, *du même décor, sert pour une* Herminie *(id., n° 166) puis our une* Minerve *(id., n° 95). Claude emprunte à la gravure du* Parnasse* *par Marcantonio Raimondi (Bartsch illustré, 1978, n° 26, p. 244, n° 247) pour deux tableaux, en 1674 et 1681, et leurs dessins préparatoires (Roethlisberger, 1968, n°s 1070, 1114 et 1979, n° 162). Une autre pièce du même graveur, mais d'après le* Jugement de Pâris *(Bartsch illustré, 1978, vol. 26, n° 245)* * *détermine l'attitude des personnages dans un tableau (Roethlisberger, 1979, n° 94) et des dessins (id., 1968, n° 597, 598) de même sujet. Ailleurs, ce sont les peintures des* Loges *qui président aux attitudes et au groupement des figures dans les compositions de Claude :* l'Adoration du veau d'or *(id., 1968, n°s 725, 726 ; 1979, n° 129) ;* Jacob et Laban *(id., 1968, n° 754),* Jacob au puits *(id., 1968, n° 964). D'autres fois, le modèle est totalement assimilé et il est délicat de retrouver dans les Loges (Roethlisberger, 1968, I, 358, 461, 754), dans les apôtres de la* Mort d'Ananie *(id., n° 710 r) ou la* Remise des clefs à saint Pierre *(id., n° 766 r), les sources des dessins de Claude Lorrain.*

Ces citations raphaélesques, que Claude transcrit avec une volonté patente de maintien gourmé et figé, représentent un appoint décisif de style *dans ses paysages littéraires. Loin de trahir une maladresse, une inaptitude à peindre la figure, ce raphaélisme révèle l'ambition du paysage historique de Claude Lorrain.*

L'inventaire après décès de Claude Lorrain (Boyer, 1928, p. 197) mentionne un piatto di maiolica di raffaelle con la sua cornice di pero. D.C.

104
Diogène
D'après l'École d'Athènes, et deux personnages de la Bataille d'Ostie

Craie noire, plume et encre brune
H. 0,207 ; L. 0,256

Historique :
Sir Joshua Reynolds (1737-1798), marque (Lugt 2364) ; Richard Payne Knight (1750-1824), marque (Lugt 1577, 2233 a) ; Légué par celui-ci au British Museum, Londres, 1824.
Inv. n° Oo.6-93.

ill. 156

Bibliographie :
Kitson, 1963, p. 106 ;
Roethlisberger, 1968, I, p. 162, n° 330, II, n° 330 v., repr.

Ce dessin du Diogène de l'*École d'Athènes* et des deux combattants du centre de *la Bataille d'Ostie,* aurait été fait, selon Roethlisberger, d'après une gravure plutôt que directement d'après les fresques des Chambres du Vatican. Les copies présentent avec les fresques des différences, notamment dans la flexion moins fluide des attitudes. Datée des environs de 1640 par le même auteur, cette feuille serait le premier témoignage de l'intérêt de Claude Lorrain pour l'art de Raphaël. Il s'agit en outre d'une des deux copies indépendantes qu'on connaisse de sa main. L'autre, sans doute contemporaine (Roethlisberger, 1968, n° 331) suit un modèle de Deruet. Il ne semble pas que cette étude ait eu ultérieurement une fortune particulière dans l'œuvre de Claude, même si Roethlisberger (1968, n° 692 r.) note qu'une étude préparatoire (British Museum) pour le *Paysage pastoral* de Kansas City (Nelson Gallery - Atkins Museum, v. 1650) rappelle, par la position du berger, Diogène.
D.C.

Londres, The British Museum, Department of Prints and Drawings

105
David sacré roi par Samuel

Plume et encre brune, lavis brun, rougeâtre, verdâtre, gris, sanguine et pierre noire sur deux feuilles collées verticalement au milieu.
H. 0,196 ; L. 0,573

Historique :
Christine de Suède (?) (voir Regteren Altena, 1966, pp. 22 et suiv.)
Inv. n° L 103.

ill. 254

Bibliographie :
Roethlisberger, 1958, I, pp. 213-214, n° 522, II, fig. 522, 522 a, 522 b ;
Regteren Altena et Ward Jackson, 1970, n° 107, repr. ;
Roethlisberger, 1979, I, pp. 211-212, II, fig. 323.

Étude préparatoire pour les figures d'un tableau du Louvre, *David sacré roi par Samuel* (Roethlisberger, 1979, I, n° 69) fait pour le Cardinal Giorio en 1643. Roethlisberger a montré la dette de Claude envers le même sujet, traité par Raphaël aux Loges du Vatican (Dacos, 1977, n° XI.1, p. 194, pl. XLII) par la mise en place de la partie gauche : analogie stricte dans l'attitude de David, identité de la table avec la petite pyramide et le pot de Saint-Chrême, mais ramenée sur le devant, similitude d'enchaînement des groupes, mais avec une cadence qui joue davantage des intervalles entre les figures. Là où Raphaël concentre la narration, Claude Lorrain disposant d'un espace plus ample, la déroule largement et il traite la scène du sacrifice comme un épisode séparé. Celle-ci ne comprend aucune citation de Raphaël, si ce n'est l'immolateur qui rappelle celui du *Sacrifice à Lystre* (tapisserie des *Actes des Apôtres),* et l'on peut voir là comment Claude, livré à lui-même, ne fait que disposer un petit nombre de figures suivant une composition dénuée de tension.

Dans la peinture, Claude introduit des variantes, et par rapport à Raphaël et par rapport à son dessin : il omet la table avec le pot et la pyramide mais retrouve de Raphaël, l'attitude de trois quarts de Samuel.
D.C.

Haarlem, Musée Teyler

Gérard (Marguerite)

Grasse, 1761 - Paris, 1837

Venue à Paris vers 1775 pour y rejoindre sa sœur aînée Marie-Anne, épouse de Fragonard, elle devient l'élève de son beau-frère et collabore parfois à ses tableaux. Elle semble s'orienter assez vite vers une manière personnelle, plus froide et fine, inspirée des « petits maîtres » hollandais du XVIIe siècle, dans des scènes de genre souvent consacrées à l'intimité familiale dont elle se fait une spécialité. Elle resta une artiste appréciée jusqu'à la Restauration.
J.P.C.

106
Scène familiale, ou Maternité

Bois
H. 0,49 ; L. 0,37
Signé et daté en bas à gauche :
Mte Gérard.

Historique :
Coll. Eugène de Beaumarchais, Munich, jusqu'à 1824 ; coll. du duc de Leuchtenberg, Munich (1824-1853), puis Saint-Pétersbourg ; Musée de l'Ermitage, 1919 ; transféré au Musée Pouchkine en 1924.
Inv. 919.

ill. 74

Bibliographie :
Haskell, 1976, fig. 45 ;
Kuznetsova-Geogievskaïa, 1979, n° 86, pl. couleurs (avec bibliographie antérieure).

Ce délicat chef-d'œuvre de goût hollandais, peint par Marguerite Gérard probablement dans les toutes premières années du XIXe siècle, surprendra dans un ensemble de tableaux prétendus raphaélesques. Pourtant de telles « Familles heureuses », nombreuses à l'époque néo-classique, peuvent apparaître, malgré la prolifération des anecdotes gentillettes, comme le travestissement en costumes contemporains des

Saintes Familles tardives de Raphaël, celle du Louvre ou celle, dite *La Quercia*, du Prado : on notera la présence du berceau et celle du père tutélaire, appuyé à l'arrière-plan. L'enfant emprunte ici, de plus, l'attitude de celui d'une Madone de Raphaël, la *Petite Vierge Cowper* (Washington) : il paraît difficile de supposer une rencontre fortuite. Marguerite Gérard a pu connaître l'œuvre, dans la collection de Lord Cowper à partir de 1780, par une gravure. J.P.C.

Moscou, Musée Pouchkine

Géricault (Théodore)

Rouen, 1791 - Paris, 1824

Il entre en 1808 dans l'atelier de Carle Vernet, et s'y lie avec le fils de celui-ci, Horace ; puis dans celui de Guérin. Au Musée Napoléon, il peint d'après les maîtres (Rembrandt, Rubens, Van Dyck, Titien, Le Sueur, Prud'hon, Jouvenet notamment ; la copie qu'il peignit alors de la Transfiguration *de Raphaël [Grunchec, 1978, n° 76] est perdue). Déjà les représentations de chevaux et de cavaliers constituent l'essentiel de sa production. En 1816-1817, il séjourne à Florence et à Rome, capitale rencontre avec Michel-Ange et Raphaël. On conserve trois copies peintes exécutées d'après ce dernier (*cf. *n^{os}* 107 et 108*; la troisième [Grunchec, 1978, n° 103], dans la collection Anda-Bührle de Zurich, copie un fragment de la* Bataille de Constantin *du Vatican alors considérée comme de Raphaël, en prenant d'ailleurs de notables libertés avec l'original, remplaçant un cheval par un autre, rapprochant tel autre). De telles études, saisissantes de force, privilégient l'effet de saillie des formes. L'art de Géricault va en effet alors vers une plus grande simplification de l'effet dans laquelle l'étude de l'antique et de Michel-Ange paraît essentielle, mais aussi celle de Raphaël : les petites scènes des* Loges *du Vatican, avec leurs personnages aux proportions courtes, leurs attitudes brusques et efficaces, le modelé abrégé qui oppose crûment ombre et lumière, semblent trouver leur réponse dans les* Courses de chevaux *de ce moment. Ph. Grunchec note du reste justement* (op. cit.) *que l'étude de la collection Bührle a pu être utilisée par Géricault pour la* Course de chevaux libres *du Louvre ; on pense d'autres fois aux trois anges d'*Héliodore.

De retour à Paris, il se tourne vers la sculpture et vers la lithographie ; notons à ce sujet que la tentative récente de mettre en relation la lithographie des Boxeurs *(1818) avec une gravure de Marco Dente da Ravenna,* Entellus et Darès *(Bartsch illustré, vol. 26, 1978, n° 195, p. 192) n'est pas entièrement convaincante (Boun, 1981, p. 37, n. 52, fig. 12 et 13). L'artiste se consacre (1818-1819) à l'entreprise du* Radeau de la Méduse *(Louvre). Puis il voyage en Angleterre et, sur le chemin du retour, rend visite à David à Bruxelles. Il meurt à trente-deux ans, victime des suites d'une chute de cheval.* *J.P.C.*

107
La déposition de croix

D'après le tableau de la Galerie Borghèse

ill. 96

Papier sur toile
H. 0,380 ; L. 0,415

Historique :
Vente après décès de l'artiste, partie du n° 75 ; coll. M. de Saint-Rémy ? ; His de La Salle ; E. Lecomte ; Hazard ; Tripier ; légué par ce dernier au musée en 1917.

Bibliographie :
Dubaut, 1952, n° 23 ;
Blunt, 1953, p. 27 ;
Grunchec, 1976-1978, p. 408 ;
Grunchec, 1978, n° 101 (avec bibliographie antérieure), repr.
Georgel, 1982-1983, n° 50.

Blunt pense que le tableau peut avoir été peint à Paris, quand l'original était exposé au Musée Napoléon (1807-1816). Ph. Grunchec est au contraire de l'avis de P. Dubaut qui y voit une étude peinte à Rome et donne des arguments stylistiques qui convainquent. Géricault donne une interprétation vigoureuse et austère du tableau, simplifiant le paysage, opposant fortement ombres et lumières dans un modelé plus dur, comme pommelé. Et cette recherche de tensions opposées dans les directions diagonales de corps arc-boutés, c'est précisément celle du Géricault de ces années italiennes, qui peint alors ses *Courses de chevaux libres*. J.P.C.

Lyon, Musée des Beaux-Arts

108
Femme portant de l'eau

D'après la fresque de l'Incendie du bourg

ill. 193

Toile
H. 0,33 ; L. 0,24

Historique :
Coll. comte d'Houdetot ? ; coll. Van Luyck ; L. de La Rozière ; Nathan.

Bibliographie :
Grunchec, 1976-1978, p. 408, fig. 18 ;
Grunchec, 1978, n° 102 (avec bibliographie antérieure), repr.

Une des plus fortes et intelligentes transcriptions données de Raphaël, exécutée au moment du séjour de Géricault à Rome (1816-1817) d'après la figure de droite de l'*Incendie du bourg* du Vatican (De Vecchi, 1982, 115 A). Le peintre renforce encore les contrastes d'ombre et de lumière de l'original et isole la figure, impérieuse entre toutes dans l'œuvre de Raphaël, dans une plénitude de sculpture. Il élimine les éléments du fond, tranchant audacieusement celui-ci de clair et de sombre pour que se lise bien la découpe des contours, et ajoute une marche à gauche pour mieux équilibrer l'ensemble. Le motif apparaît aussi, inversé, sur un des dessins du carnet de croquis dit « album Zoubaloff » (Cabinet des Dessins ; Grunchec, 1976-1978, p. 408, fig. 17) où il voisine, sur la même page, avec un croquis, comme lui à la plume et au lavis, d'après le saint Paul de l'*Aveuglement d'Élymas*, inversé par rapport à la tapisserie du Vatican. J.P.C.

États-Unis, collection particulière

Girodet-Trioson (Anne-Louis)

Montargis, 1767 - Paris, 1824

Il est l'élève de David et, après plusieurs échecs, remporte le Prix de Rome en 1789 (cf. *n° 110). Peints en Italie, son* Endymion *(1791, Louvre) et son* Hippocrate *(1792, Faculté de Médecine) le montrent déjà, par ses recherches des effets précieux et ciselés dans une atmosphère rare, en rupture avec son maître. Il quitte Rome pour Naples, puis Venise, et en 1795 est de retour à Paris. Ses tableaux aux sujets littéraires ou pris à la mythologie ossianesque ou gréco-romaine, comme ses portraits, désignent un tempérament à part, porté tour à tour à l'extravagance, au tragique et au suave.* *J.P.C.*

109
Tête de guerrier
D'après la fresque de l'Allocution de Constantin

ill. 204

Sanguine
H. 0,400 ; L. 0,285
En bas vers la droite, annotation au crayon : *d'après Raphaël.*
En bas à gauche, paraphe de Becquerel et numéro 16.

Historique :
Don A.C. Becquerel à la Bibliothèque de Montargis, 1845 ; déposé au musée. Inv. D.77.1.

Bibliographie :
Boutet-Loyer, 1983, n° 115, repr.

Cette tête fait partie d'un ensemble de trente-neuf études de Girodet réunies pour former un « Album de principes de dessins ». Ces derniers « ont servi d'études à ses élèves pendant trente ans » et « ont été pris en grande partie d'après l'antique à Rome », comme l'indique une annotation du donateur, Becquerel, en tête de l'album. Ils montrent tous des têtes ou des éléments de têtes : yeux, oreilles, mentons et bouches, d'après l'antique, d'après nature, ou bien d'après Michel-Ange, David ou Girodet lui-même. Le présent dessin, d'une indication volontairement froide et anonyme, copie la tête d'un guerrier, au centre de l'*Allocution de Constantin,* fresque de la Chambre de Constantin peinte, probablement par Giulio Romano, après la mort de Raphaël. La feuille date probablement du moment du séjour à Rome du peintre, entre 1790 et 1793 mais elle est inversée et, s'il ne s'agit pas d'une contre-épreuve, elle a pu être exécutée d'après une gravure. Certains dessins ont été lithographiés dans des *Cahiers de principes* gravés par Bertrand sous la direction de Châtillon en 1826. Le dessin exposé fait partie (n° 1) du 7e cahier (voir Boutet-Loyer, nos 99-137). J.P.C.

Montargis, Musée Girodet

110
Joseph reconnu par ses frères

ill. 256

Crayon noir, rehauts de craie blanche sur papier beige
H. 0,33 ; L. 0,47
En haut, au centre, plusieurs inscriptions dont une signature (?) : *Girodet.*

Historique :
Coll. du peintre A.J. Gros (?) ; sa vente, 23 novembre 1835, partie du n° 191 ? ; coll. A.C. Becquerel ; don de ce dernier, 1846. Inv. 874.147.

Bibliographie :
Pruvost-Auzas, 1967, n° 53 ; repr ; Lacambre, 1974-1975, n° 61, repr. ; Boutet-Loyer, 1983, n° 5.

Étude, inversée par rapport à l'œuvre définitive, pour le tableau qui valut à Girodet le Premier Prix de Rome en 1789 (Paris, École des Beaux-Arts),qu'il partagea avec Meynier. Le groupement des figures évoque celui du *Salomon et la Reine de Saba* des Loges du Vatican (Dacos, 1977, XII-3) ; les figures agenouillées, courtes et sinueuses, rappellent d'autre part celles de l'*Adoration des Mages* du même ensemble (*id.,* XIII-2). Le tableau de Gérard du même concours (Angers ; Gérard obtint le second prix en même temps que Thévenin), de composition voisine, contient lui aussi des citations raphaélesques. J.P.C.

Montargis, Musée Girodet

Granger (Jean-Perrin)

Paris, 1779 - id., 1840

Élève d'Alais, de Regnault et de David, il obtint le Prix de Rome en 1800, devant Ingres. Il est le tenant d'une peinture soignée, de filiation néo-classique mais cherchant le pittoresque et l'aimable. Son Ganymède *du musée de Bordeaux évoque certains types raphaélesques.* *J.P.C.*

111
L'adoration des Mages

ill. 257

Toile
H. 0,318 ; L. 0,450

Historique :
Acquis dans le commerce parisien.

Esquisse, sans notable variante, pour la grande peinture murale (H. 3,93 ; L. 5,53) de la nef de Notre-Dame-de-Lorette, exécutée en 1833. Le carton pour cette peinture, exposé au Salon de 1831 (nº 988) se trouve aujourd'hui au Louvre (Cabinet des Dessins) ; le musée de Moulins possède un dessin d'une *Adoration des Mages* qui prépare peut-être cette composition. L'organisation de la composition s'inspire lointainement de la même scène des Loges du Vatican (Dacos, 1977, XIII-2). Le tableau donne l'exemple d'un art éclectique et illustratif, loin du dépouillement tendu d'un Flandrin, et qui s'autorise de vives couleurs et de forts contrastes, malgré la destination murale. J.P.C.

France, collection particulière

Gris (José Victoriano Gonzalez, dit Juan)

Madrid, 1887 - Boulogne-sur-Seine, 1927

Après des études picturales sommaires à Madrid (1904), Gris gagna la France où il travailla de 1906 à sa mort dans la proximité de Picasso (au Bateau-Lavoir, 1906 ; à Céret, 1913), le voisinage de Matisse (Collioure, 1914), et connut les spéculations sur les mathématiques et la tradition picturale du groupe de Puteaux (expositions à la Section d'Or, 1912, 1920). Illustrateur de journaux (1902-1906), scénographe des Ballets Russes (1922-1923), Gris est surtout connu comme peintre pour son intelligence rigoureuse du cubisme.

Inversant les données « cézanniennes » qui cristallisaient la nature dans des formes géométriques, Gris s'est attaché à donner qualité figurative à l'architecture rigoureusement et linéairement élaborée de ses tableaux. La construction picturale a ses règles inéluctables qui préexistent à l'identité du sujet et l'appellent. Il n'en fallait pas plus pour qu'on tente de reverser cet art sévèrement réglé au compte de la tradition classique. On se gardera néanmoins, ce purisme plastique conservant une part d'arbitraire, de tenir pour logique et convenu le regard singulier que Gris porta sur Raphaël.
D.C.

112
La Vierge Tempi
D'après le tableau de Munich

Crayon
H. 0,478 ; L. 0,395

Historique :
Collection Louise Leiris

Bibliographie :
Catal. exp. *Dialoge*, Dresde, 1970, nº 227 ;
Gaya-Nuño, 1974, p. 214, nº 318, repr.

ill. 32

On sait par Kahnweiler (1964, p. 46) que Gris « chérissait Raphaël ». Cette copie de la *Madone Tempi* en est l'unique témoignage matériel. Datant de 1916 — c'est alors la guerre — elle ne peut en aucun cas avoir été exécutée devant l'original que conserve l'Alte Pinakothek de Munich. Elle est contemporaine de copies d'après Cézanne (Kunsthalle, Mannheim ; Otterlo, musée Kroller-Muller...) et d'une interprétation peinte de la *Femme à la Mandoline* de Corot. Raphaël, comme le rapporte précisément Charensol dans une interview de Gris (*Paris-Journal*, vers 1924, coupure conservée à la documentation du musée National d'Art Moderne), était étroitement associé à Cézanne et Corot dans l'admiration de l'artiste. Quel que soit le modèle, Gris copiste, à force d'ombres lisses qui cloisonnent la forme, en souligne la clarté structurale. Il s'agit d'une « rationalisation », à peine condensée en éléments géométriques, de la composition. La discrétion de la simplification de la copie de la *Madone Tempi* contraste avec les tableaux de Gris de la même époque où le cubisme synthétique répondait à une pureté géométrique intransigeante.

En étant à la fois un copiste fidèle et un créateur géomètre, Gris était en accord avec la démarche théorique qu'il exposait dans l'*Esprit nouveau* en 1921 (nº 5, cité par Kahnweiler, 1964, p. 194) : « Si dans le « système » je m'éloigne de tout art idéaliste et naturaliste, dans la méthode je ne veux pas m'évader du Louvre, ma méthode est la méthode de toujours, celle que les maîtres ont employée, ce sont les « moyens », ils sont constants. » D.C.

Paris, collection particulière

Harriet (Fulchran-Jean)

Paris, 1778 - Rome, 1805

On sait très peu de cet élève de David, mort tout jeune. Il expose des portraits et des sujets d'histoire antique aux Salons de 1796 à 1802. Prix de Rome en 1798, il est pensionnaire de la Villa Médicis à Rome depuis 1802 au moins. Il meurt en laissant inachevé un grand Horatius Coclès. *On conserve peu d'œuvres de cet artiste étrange que son tempérament semblait porter vers des interprétations très personnelles, de goût « symboliste » avant la lettre, témoins d'un pré-romantisme proche de ses contemporains anglais ou allemands (voir pour un bilan des données connues sur Harriet Foucart, 1974-1975, pp. 478-479).* *J.P.C.*

113
La mort de Raphaël

Crayon, aquarelle et gouache
H. 0,454 ; L. 0,377

Historique :
Proviendrait d'un héritier de Girodet ; vente Drouot, 1981 (?) ;
Galerie Hazlitt, Londres, 1982.

Bibliographie :
Rosenblum, 1967, note 110, p. 36 ;
Catal. exp. Galerie Hazlitt, Londres, 1982, nº 8, fig. 9 ;
Burlington Magazine, août 1982, fig. 37 (compte rendu de R. Verdi de l'exposition de la Galerie Hazlitt).

ill. 362

Ce dessin inachevé, dont l'attribution à Harriet a été proposée par John Whiteley, de l'Ashmolean Museum d'Oxford, a été mis en relation avec *La mort de Raphaël, dessin allégorique*, qu'Harriet exposa, en pendant à une *Mort de Virgile*, au Salon de 1800 (nº 182). Stylistiquement, le rapprochement avec Harriet s'impose : L'*Œdipe à Colonne* d'une collection parisienne (Foucart, 1974-1975, nº 97, repr. 82) daté *l'an 6* se laisse comparer au présent dessin : organisation orthogonale, plans parallèles au tableau, plis mouillés minces et compliqués, bras souples aux longs doigts ; on remarquera d'autre part l'analogie avec le groupe du premier plan du *Combat des Horaces et des Curiaces*, son prix de 1798 (École des Beaux-Arts). Il est exclu que ce dessin, inachevé, soit celui du Salon ; plutôt qu'une étude pour celui-ci, nous avons probablement ici une répétition inachevée. L'œuvre frappe par l'originalité et l'audace avec laquelle elle traduit dans un langage allégorique le texte de Vasari (t. IV, éd. 1906, pp. 381-382) qui dit que Raphaël, épuisé par des « excès amoureux », fut saigné par des médecins à qui il n'osa avouer la cause de son mal, ce qui entraîna sa mort. Raphaël et sa maîtresse sont enlacés ; le mal est représenté par un serpent caché sous les roses qui parsèment le lit. Un personnage à oreilles d'âne coiffé d'un bonnet pointu symbolise probablement l'ignorance des médecins qui saignèrent le peintre : il approche une aiguille de son bras, alors que le crayon de l'artiste tombe de sa main. Vers l'arrière, la Peinture, représentée comme une jeune femme avec un miroir, se lamente en montrant la *Transfiguration* inachevée. J.P.C.

New York, collection particulière

Ingres (Jean-Auguste-Dominique)

Montauban, 1780 - Paris, 1867

Élève à l'Académie de Toulouse (1791-1797), puis, à Paris, élève de David, il obtient le Prix de Rome en 1801. Parti pour Rome seulement en 1806, il y restera au-delà de son séjour de pensionnaire à la Villa Médicis, jusqu'en 1820. Il s'installe ensuite à Florence (1820-1824) et revient à Paris (1824-1835). Très affecté par le mauvais accueil de son Saint Symphorien, *il demande le poste de directeur de l'Académie de France à Rome, qu'il occupe de 1835 à 1841. La fin de sa carrière se déroule à Paris, où il reçoit commandes et marques honorifiques.*

C'est à son premier maître, Roques, à l'Académie de Toulouse, qu'Ingres disait devoir la révélation de Raphaël. Une lettre envoyée à Roques bien plus tard, en 1844, en témoigne : « (...)c'est par vous que j'ai connu le divin Raphaël, par vos études de Rome, et par cette belle copie de la madone Della Sedia qui m'apparut, comme un astre du ciel » (Boyer d'Agen, 1909, pp. 374-375). Il eut du reste plusieurs occasions de voir à Toulouse des copies d'œuvres du peintre italien (Schlenoff, 1956, n. 4, p. 40).

Les échos de cette admiration, développée à Paris devant les tableaux exposés au Musée Napoléon, puis longuement à Rome et à Florence, se feront entendre sans cesse dans ses paroles et dans ses écrits. Amaury-Duval rapporte sa phrase : « Raphaël n'était pas un homme, mais un dieu descendu sur la terre » (1878, p. 89), et Boyer d'Agen ces mots de 1814, après une visite des Stances *: « (...)cet homme divin l'emporte sur les autres hommes(...) Lorsqu'on en est là, on est comme un second créateur. Quand je pense que trois cents ans plus tôt, j'aurais pu devenir son disciple véritablement(...) Ses œuvres sont toutes divines, car la création en paraît facile et, comme dans les œuvres de Dieu, tout y semble un pur effet de la volonté » (1909, pp. 333-334). Et en 1840, avant de regagner Paris, ces phrases de Rome : « je vous reviens(...) comme je suis parti, toujours avec les mêmes adorations et les mêmes exclusions, mettant Raphaël au-dessus de tout, parce qu'à sa grâce divine il joint tout juste le degré de caractère et de force qu'il faut, ne dépassant jamais la mesure. Qui mettre au même rang que lui ? Personne, si ce n'est celui qui, en musique, a eu la même âme, mon divin Mozart : tous deux, sages et grands, comme Dieu même » (lettre à* Varcollier, *31 août 1840 ; Boyer d'Agen, 1909, p. 297). On multiplierait de telles citations. Le testament d'Ingres (janvier 1866) mentionne : « (...)un cadre du XVᵉ siècle, relique de Raphaël jeune(...) », et demande « qu'on place au-dessus de [s]on bureau, qui fera partie du musée [de Montauban] le portrait de Raphaël sus-indiqué »* (cf. nº *121), en même temps que ceux de son père et de sa mère (Boyer d'Agen, 1909, pp. 458-459). Parlons donc plutôt de dévotion que d'admiration. Elle vaudra au peintre bien des moqueries : voir la caricature de Benjamin, lithographie parue dans le* Charivari *du 27 mai 1842, où le maître, adoré par des thuriféraires, porte les vêtements de Raphaël (fig. XXIX ; Lapauze, 1911, p. 381, repr.). L'autorité de Raphaël et de quelques autres peintres du passé était devenue pour Ingres, peu amateur de discussions théoriques et vite porté à la colère, un argument péremptoire contre les peintres qu'il n'aimait pas : « Hercule, suivi de Raphaël et de Michel-Ange et d'autres, donne un coup de sa terrible massue sur la médiocrité des mauvais artistes », tel est un des sujets notés sur un de ces cahiers (cahier I, fº 118 verso, musée de Montauban ;* cf. *Lapauze, 1901, p. 166).*

Son culte pour Raphaël se traduit dans les entreprises que son rôle officiel lui permet de patronner : la copie par ses élèves des peintures des Loges du Vatican au moment où il est Directeur de l'Académie de France (nº 6), le tissage des tentures de la Farnésine *(nº 369) et des* Actes des Apôtres, *entrepris à nouveau aux Gobelins. Ces dernières compositions, les plus éloquentes de Raphaël, ont été parmi les plus admirées d'Ingres ; en 1847, de passage à Beauvais, il admire la série des tapisseries des* Actes des Apôtres, *tissée à Beauvais, qui orne la cathédrale, et annote ainsi un dessin représentant l'intérieur de l'édifice (Montauban ; Momméja 348) : « Rien n'est plus beau que la cathédrale de Beauvais, le soir à sept heures, en décembre. Les tapisseries de Raphaël autour du chœur sont d'un effet admirable ; la hauteur de ce chœur est quelque chose d'incomparable » (Ternois, 1952, pp. 9-10 et nº 103 ; Ternois, 1980, p. 93). Parfaite association, dans une commune admiration, de Raphaël et de l'art « français », au sens strict du terme !*

On le trouve même s'occupant de Raphaël en « connaisseur » et se mêlant de restauration : il fait partie, en mai 1830, d'une commission d'artistes présidée par Quatremère de Quincy, en même temps que Gérard, Bosio et Madame Jacotot, chargée d'expertiser un petit tableau attribué à Raphaël et proposé au Louvre (Schneider, 1910, p. 354) ; Thoré, décrivant dans un article du Constitutionnel *(19 août 1845) la collection du marquis de Pastoret, mentionne un dessin attribué à Raphaël représentant une des fresques du Vatican et ajoute : « je crois que c'est M. Ingres, dont le jugement ne peut être récusé à l'endroit de Raphaël, qui en a soigné les légères restaurations et la monture » ; Ingres, à la fin de sa vie, défend Henri Rochefort qui avait sévèrement critiqué dans le* Charivari *la restauration récente du* Petit Saint Michel *et était menacé de poursuites (Lapauze, 1911, pp. 545-546 ; voir aussi Boyer d'Agen, 1909, p. 326) et l'appendice II, en fin de catalogue.*

L'étude des rapports de l'œuvre d'Ingres et de celui de Raphaël justifierait une belle thèse. Pour les copies peintes et dessinées et pour les épisodes de la vie de Raphaël traités par Ingres, on verra ici-même les nºˢ 114-124 et 133-135. Voir aussi les pp. 467-468.

Les hommages d'Ingres au peintre italien peuvent être de simples clins *d'œil de révérence : on a débusqué les petites* Vierges à la chaise *qui se glissent, véritables fétiches, gravure sur la table de* Monsieur Rivière *(1805), signe zodiacal sur le tapis de* Napoléon Empereur *(1806 ; v. Rosenblum, 1969, p. 102), tableau dans la pièce où* Henri IV reçoit l'ambassadeur d'Espagne *(1817) (fig. 27 à 29) et, plus logiquement que dans ce dernier exemple, dans l'atelier de* Raphaël peignant la Fornarina *(nº 134). On trouverait des emprunts plus subtils : par exemple celui du costume du* Balthazar Castiglione* *qui habille un des personnages de la* Mort de Léonard de Vinci *(1818 ; sur la version, postérieure au tableau du Petit Palais et passée en vente chez Sotheby le 7 avril 1976, nº 21, le personnage est barbu, ce qui accentue sa ressemblance avec le* Castiglione).

Déclarer tel tableau d'Ingres « raphaélesque » dépend de l'idée que l'on se fait de Raphaël, ou du Raphaël que l'on a choisi. N. Schlenoff *remarque justement (1959, p. 529) que chez Ingres l'idée de raphaélisme est large, « parce que notre artiste n'a jamais fait trop grande la distinction dans ce qui a précédé et dans ce qui a suivi le grand maître italien ». Ingres crée ainsi « un » style de Raphaël qui intègre et réconcilie Pérugin et Giulio Romano.* Mademoiselle Rivière *est-elle raphaélesque ? Schlenoff* (id.) *évoque « une sainte de Pérugin » ; on penserait aussi bien à la* Fornarina, *ou à la Marie-Madeleine de la* Sainte Cécile *de Bologne. Ainsi cette cohérence recréée, et impossible, d'un style « unifié » de Raphaël, permet-elle de définir le style d'Ingres. Mais c'est lorsqu'il veut approcher au plus près son cher Urbinate qu'il éloigne le plus : « En pensant suivre Raphaël, il a fini par faire autre chose : par faire de l'Iugres. » (Arikha, 1981, p. 20).*

Il est peu de tableaux du peintre de Montauban qui ne gagnent à être examinés en pensant à son amour pour Raphaël, même ceux, comme Jupiter et Thétis *(voir nº 117), qui en paraissent bien éloignés. Hans Naef remarque que dans* Paolo et Francesca *la stylisation audacieuse du profil et du cou du jeune homme peut dériver d'un visage de femme, la tête levée, de la* Messe de Bolsène *des Chambres du Vatican (Naef, 1956, pp. 97-108, qui cite une copie d'Ingres, au musée de Rouen, de ce motif de Raphaël) ; et l'on trouve déjà la même ligne dans la* Vénus blessée par Diomède *de Bâle (vers 1803), pourtant toute flaxmanienne et issue des peintures de vases grecs !*

Dans bien des cas, notamment dans ses grandes peintures religieuses, le raphaélisme d'Ingres est mieux qu'affiché, il est agressif : R. Rosenblum a finement analysé le Christ donnant les clefs à saint Pierre *(Montauban ; fig. 129), peint en 1820 pour l'église romaine de la Trinité-des-Monts, « évidemment inspiré de la tapisserie du Vatican du même sujet, mais au dessin appuyé, aux volumes durs où s'intègrent des morceaux naturalistes ; ainsi le peintre parvient-il à des résultats problématiques, trop idéaux à la fois et trop réels » (Rosenblum, 1968, p. 29). Précisons qu'un dessin de Montauban (Inv. 867.1744 ; Momméja 501), toujours mentionné comme exécuté d'après la tapisserie du* Pasce oves, *montre en réalité des études d'après le saint Paul de* l'Aveuglement d'Elymas, *et d'après la figure de Denis de la* Prédication de saint Paul à Éphèse ; *seule la clef est dessinée d'après le* Pasce oves. *Un autre beau dessin de Montauban (fig. 128 ; Inv. 867.3812 ; Momméja 3110) est au contraire exécuté d'après la draperie d'un des apôtres du* Pasce oves *et d'après d'autres éléments de la même tapisserie, et a pu jouer un rôle dans l'élaboration du grand tableau d'Ingres. La suavité étrangement brutale de celui-ci est, de fait, étrangère de Raphaël, même si un tel tableau lui doit presque tout. J. Foucart note justement (1974-1975, nº 108, p. 505) combien sa « pétrification » éloigne l'œuvre du peintre italien.*

Après ces autres « plagiats » que sont le Vœu de Louis XIII *(cf. nº 126) et l'*Apothéose d'Homère *(cf. nº 136), le* Jésus et les docteurs *(1842-1862, Montauban) constitue l'ultime hommage d'Ingres à Raphaël : la composition évoque aussi bien l'*École d'Athènes *que la* Dispute du Saint-Sacrement, *par sa symétrie, les deux niveaux séparés par des marches, les livres répandus au sol. Mais plus encore les tapisseries des* Actes des Apôtres : *les colonnes torses sont directement empruntées à la* Guérison du boiteux, *une des tapisseries de la série ; trois petits dessins représentant ces colonnes, d'après la tapisserie, se trouvent à Montauban (Inv. 867.1703,4 et 5 ; Momméja 2172,3 et 4). Un autre dessin, lui aussi à Montauban, montre bien cette filiation du grand tableau et des tapisseries de Raphaël : il montre côte à côte* Deux têtes barbues *enturbannées, l'une d'après l'homme de gauche, au premier plan de la* Mort d'Ananie *de la tapisserie du Vatican, l'autre préparant la tête d'un des docteurs, au premier plan à gauche, du grand tableau de Montauban (Inv. 867.1698 ; Momméja 2170) ; un autre croquis de Montauban (Inv. 867.1569 ; Momméja 2302), une* Tête barbue *identifié par Momméja comme une étude pour le tableau, est en réalité la tête d'un personnage de droite, inversé, de la même tapisserie de Raphaël, qu'Ingres saura réutiliser pour un des docteurs. De tels exemples montrent bien l'utilisation par Ingres des figures des* Actes des Apôtres *comme une « matière première » de l'élaboration de son* Jésus et les docteurs.

Mais un autre tableau religieux de la fin de la carrière d'Ingres, la Sainte Germaine de Pibrac *(1856) de l'église de Sapiac, près de Montauban, appelle également une comparaison avec Raphaël, cette fois avec sa* Sainte Cécile *de Bologne : verticale du corps, yeux levés au ciel ; et sur le sol quenouilles, fuseau, houlette et fleurs rappellent les instruments de musique brisés.*

*Le culte d'Ingres pour Raphaël peut toucher au fanatisme, ou à la naïveté : c'est que le peintre italien représente pour lui le vrai, le bien et le beau tout à la fois ; en même temps une leçon de peinture et une règle de vie. On notera cette phrase, écrite sur une étude pour l'*Entrée de Charles V à Paris : *« il faut adopter la manière de s'y prendre de Raphaël, qui était de composer avec la nature » (Barousse, 1980, p. 136 ; mais apprécions l'ambiguïté du « composer avec » !), et cette autre : « il a peint les hommes bons ; en général tous ses personnages ont l'air d'honnêtes gens parce qu'ils sont beaux » (cahier IX, fº 62 ; Lapauze, 1901, p. 233). Mais crayon ou pinceau en main se révèle le peintre et tombent les outrances ou les niaiseries des propos : Ingres redevient bien alors cet « adorateur rusé de Raphaël » que voyait en lui Baudelaire (s.d., pp. 31-32).* J.P.C.

114
La Vierge de l'Impannata

D'après le tableau du Palais Pitti

ill. 44

Papier (calque ?) collé sur carton
H. 0,205 ; L. 0,24
Mine de plomb, huile, peut-être encre noire, rehauts d'or. Au dos du carton de montage, inscription à la plume de la main d'Ingres : *Ingres à Del. Ramel.*

Historique :
Delphine Ramel, seconde femme d'Ingres ; le frère de cette dernière, puis ses descendants.

Bibliographie :
Delaborde, 1870, nº 160 ; Lapauze, 1911, p. 60 ; Wildenstein, 1954, nº 30, fig. 17 ; Ternois-Camesasca, 1971, nº 31, repr. ; Ternois, 1980, nº 35, repr.

Cette exquise copie (tableau ou dessin ?) d'une grande finesse, précieuse dans la complexité de son exécution, paraît avoir été laissée inachevée : seules les draperies de la Vierge, bleu-vert sombre et rouge, et de sainte Élisabeth, gris-vert de la robe et blanc du voile, ont été mises en couleur, avec la draperie groseille derrière le petit saint Jean, et se détachent sur la tonalité ambrée du papier. La délicatesse de l'indication des têtes et des parties nues permet de se demander si elles n'étaient pas destinées à rester telles que nous les voyons. On remarque du reste les auréoles peintes à l'or, comme si le tableau était achevé. Peut-être Ingres a-t-il décidé de laisser l'œuvre dans l'état où elle nous est parvenue. Dans son cahier IX (Montauban), il l'appelle *dessin miniature* (f° 65 ; Lapauze, 1901, p. 234) ; dans le cahier X (coll. part.), *une miniature d'après le tableau de la Vierge de Raphaël dite l'Impannata* (Lapauze, 1901, p. 247) : le peintre catalogue en effet lui-même l'œuvre à deux reprises parmi celles exécutées à Paris avant son départ pour Rome en 1806. Le tableau de Raphaël (De Vecchi, 1982, n° 106) était alors exposé au Museum et ne devait retourner à Florence qu'en 1815. L'inscription de la main d'Ingres, au dos du carton de montage, indique que le peintre fit cadeau de cette précieuse œuvre de jeunesse à Delphine Ramel, qu'il épousa en avril 1842 : le texte de l'inscription, *Ingres à Del. Ramel,* peut-il laisser supposer que le don est antérieur au mariage ? J.P.C.

France, collection particulière

115
Portrait du cardinal Bibbiena

D'après le tableau du Palais Pitti

ill. 135

Mine de plomb et aquarelle ;
H. 0,255 ; L. 0,193 (le sujet seul : H. 0,205 ; L. 0,76).
Double filet d'encre autour du sujet ; encadré de quatre bandes de papier rapportées, avec en bas, de la main d'Ingres : *Raphaël Pint* (à g.), *Ingres Del.* (à d.), *Cardinal de Bibbiena* (en majuscules d'imprimerie, au centre).

Historique :
Legs Ingres, 1867. Inv. 867.3755.

Bibliographie :
Momméja, 1905, n° 2970 ; Ternois, 1954, n° 56.

Malheureusement tachée et fanée, probablement pour avoir été à une date ancienne imprudemment exposée, cette aquarelle d'un type rare chez Ingres copie fidèlement, avec un nerf et une saveur uniques le *Portrait de Bibbiena* conservé au Palais Pitti de Florence (De Vecchi, 1982, n° 122) et aujourd'hui considéré comme une fidèle copie d'élève d'après un Raphaël perdu. Le jugement sévère de D. Ternois en 1954 (« ...ce dessin pourrait n'être pas entièrement de la main d'Ingres ») semble dû à l'état actuel de la feuille qui la rend peu séduisante. Cette aquarelle a évidemment servi de modèle à Ingres pour la figure du cardinal des *Fiançailles de Raphaël* de Baltimore (n° 135) et date donc d'avant 1813.

Le cadrage est légèrement plus resserré que celui du portrait de Florence et on ne peut exclure une exécution d'après une gravure. Mais il est plus tentant de supposer une œuvre faite à Paris, où le tableau fut exposé au Museum de 1799 à 1815, avant 1806, date du départ d'Ingres pour Rome. On la rapprochera de l'étude encore plus fine et appliquée d'après la *Vierge de l'Impannata (*n° 114). J.P.C.

Montauban, Musée Ingres

116
Étude de trois orteils

D'après le Grand Saint Michel du Louvre *

ill. 111

Mine de plomb
H. 0,069 ; L. 0,135
Annoté en bas à gauche : *St Michel.*

Historique :
Legs Ingres, 1867.
Inv. 867.3665.

Bibliographie :
Momméja, 1905, n° 2622.

Presque dérisoire dans son humilité, ce minuscule dessin d'après un détail du pied droit du *Grand Saint Michel** du Louvre illustre d'une façon particulièrement touchante la dévotion rendue par Ingres à Raphaël. On pense ici à la phrase d'Ingres, citée sans référence par Lapauze (1921, p. 192) : « atteindre les pieds de Raphaël, et les baiser » ! Momméja date le dessin d'avant 1806 « avant la restauration (du tableau) faite par Gérard ». J.P.C.

Montauban, Musée Ingres

117
Mercure

D'après la fresque de la loggia de la Farnésine

ill. 226

Toile.
H. 2,45 ; L. 2,125

Historique :
Envoi de Rome, 1809, à l'Académie des Beaux-Arts ; attribué en 1819 par l'État au musée de Marseille ; entré par arrêté du 9 mai 1874 au Musée Européen (des copies) (le musée de Marseille reçut en échange 4 tableaux, dont une copie d'Ingres d'après Poussin) ; depuis, à l'École des Beaux-Arts.

Bibliographie :
Delaborde, 1870, n° 163 ; Lapauze, 1911, p. 89 ; Wildenstein, 1954, n° 68 ; Ternois-Camesasca, 1971, n° 46 ; Ternois, 1980, p. 27, n° 50, repr. ; Takashina, 1981, n° 121, repr. couleurs ; Foucart, 1982, n° 94, p. 95, fig. 11.

Le tableau fit partie de l'envoi de 1809 à l'Institut, qui comportait cinq tableaux d'Ingres : outre le *Mercure,* une *Femme assise, (*la *Baigneuse Valpinçon* 1808, Louvre), l'*Œdipe et le sphinx* (1808, Louvre), une *Femme couchée* et une *Étude d'homme historiée* difficiles à identifier. Il copie fidèlement et dans des dimensions proches de l'original, mais avec une acuité qui métamorphose le prototype, le pendentif de *Mercure* de la loggia de Psyché de la Farnésine (De Vecchi, 1982, n° 130). Cet exercice scolaire, d'une force et d'une intensité stupéfiantes, a été révélé lors de l'exposition Ingres de Tokyo (1981) pour laquelle il avait été restauré.

La violence d'effet d'un pareil tableau, rondeur plastique des volumes, acuité insistante du graphisme curviligne, découpe sur un bleu éclatant et uniforme, et aussi les vastes dimensions, l'effet d' « applatissement » décoratif, l'aspect de pantomime des larges gestes, font irrésistiblement penser au *Jupiter et Thétis* d'Aix-en-Provence (1811) dont on ne mentionne généralement que les — indiscutables — sources antiques et flaxmaniennes. Nul doute que l'étude des peintures de la Farnésine ait eu une bonne part dans l'élaboration du tableau d'Aix : les nuages y sont traités de façon toute voisine de ceux du *Conseil des dieux* et du *Banquet des dieux* de la voûte de la loggia, et le type du Jupiter musclé et barbu peut apparaître en rapport avec plusieurs figures de ces deux compositions. Rappelons qu'Ingres avait projeté son tableau, qui devait, précisément, « sentir l'ambroisie d'une lieue », dès la fin de 1806. D'autre part les proportions du torse de Jupiter, très larges épaules et hanches minces, qui furent critiquées à Paris par la Classe des Beaux-Arts de l'Institut à l'examen de l'envoi de Rome, rappellent celles du Père Éternel d'un autre Raphaël, tout aussi « antiquisant » que les fresques de la Farnésine, la *Vision d'Ézéchiel,* aujourd'hui au Palais Pitti de Florence et alors au Louvre. Et la main du roi des dieux, mollement appuyée sur les nuages fait penser à celle de *Maddelena Doni,* elle aussi à Pitti. A-t-on d'autre part remarqué que la tête de Junon, à gauche dans les nuages, est une démarcation, boudeuse mais à peine modifiée, de celle de la *Vierge à la chaise ?*

Notons de plus que Robert Rosenblum (1968, p. 78) voit dans la figure principale d'un autre écoinçon de la loggia, *Les trois Grâces et l'Amour,* l'origine de la *Baigneuse Valpinçon* (1808). J.P.C.

Paris, École Nationale Supérieure des Beaux-Arts

118
Ève

D'après la fresque des Loges du Vatican

Toile
H. 0,92 ; L. 0,56

Historique :
Donné par Ingres au musée de Montauban en 1851. Inv. 867.64.

Bibliographie :
Delaborde, 1870, n° 162, p. 263 ;
Lapauze, 1901, pp. 99, 235, 248 ;
Momméja, 1905, n° 7 ;
Wildenstein, 1954, n° 66, repr. (avant restauration) ;
Ternois, 1965, n° 155 ;
Ternois-Camesasca, 1971, n° 89 ;
Ternois, 1980, n° 121, repr.

ill. 244

Cette étude de détail d'après une des peintures de la *Bible de Raphaël* des Loges du Vatican, peintes par Raphaël et son atelier, et représentant le *Péché Originel* (Dacos, 1977, II-2), semble bien être l'*Ève,* « fragment tiré des Loges du Vatican, du même auteur [Raphaël], copie par Ingres 1809 », mentionné, au n° 28, parmi d'autres copies d'après Raphaël, dans la liste des œuvres données par Ingres au musée de Montauban en 1851, peu après sa création à la suite du legs Mortarieu en 1841 (Lapauze, p. 99). Camesasca (1968) date au contraire la toile « vers 1815 », dans la mesure où Ingres, dans ses cahiers, la fait figurer à côté d'œuvres de cette date. Le caractère consciencieux de la copie, qui renchérit sur la force des découpes et des articulations des muscles et détache la silhouette, pour mieux dégager l'arabesque, sur un fond brun sombre éliminant le paysage de l'original, concorde mieux avec une datation du temps où Ingres était pensionnaire, et la date 1809 semble pouvoir être maintenue. J.P.C.

Montauban, Musée Ingres

119
Étude de jeune femme

D'après le Moïse sauvé des eaux des Loges du Vatican

Mine de plomb
H. 0,103 ; L. 0,063

Historique :
Legs Ingres, 1867. Inv. 867.4114.

ill. 250

Cet exquis petit dessin ne semble pas avoir été identifié ; il s'agit d'une étude avec de surprenantes déformations (le crâne disproportionné !) dues probablement à la perspective, d'après le personnage de la fille du Pharaon dans le *Moïse sauvé des eaux* des Loges du Vatican (Dacos, 1977, VIII-1). Il est difficile de proposer une date pour de pareilles études (ici le moment où Ingres est pensionnaire à la Villa Médicis, entre 1806 et 1810 ?) J.P.C.

Montauban, Musée Ingres

120
La Vierge aux candélabres

D'après le tableau de Baltimore

Toile
H. 0,358 ; L. 0,26
Signé et annoté en bas vers le centre : *D'après Sanzio 1817 Ingres à Chérubini.*

Historique :
Cherubini, puis His de la Salle ; légué par ce dernier à la ville de Blois, vers 1870.

Bibliographie :
Catal. musée, 1888, n° 68 ;

ill. 43

Wildenstein, 1954, n° 116, fig. 145 ;
Ternois-Camesasca, 1971, n° 94 ;
Ternois, 1980, n° 129, repr.

Donné par Ingres à Chérubini, le tableau copie la partie centrale de la *Vierge aux candélabres,* tondo exécuté peut-être en partie par Raphaël, ou peut-être l'œuvre de Giulio Romano, à Baltimore (De Vecchi, 1982, nº 103) et alors dans la collection de Lucien Bonaparte à Rome (Dussler, 1971, p. 56). Le jeu plastique des volumes ovoïdes, le regard baissé de la Vierge ont pu jouer un rôle dans l'élaboration du *Vœu de Louis XIII* et ensuite des *Vierges à l'hostie.* Le musée de Montauban conserve, du legs Ingres, un beau dessin très fini, rehaussé d'aquarelle, peut-être exécuté vers la même époque, d'après la *Vierge aux candélabres* entière (Inv. 867.3653 ; Momméja 2565 ; fig. 24). J.P.C.

Blois, Château-musée

121
Autoportrait de Raphaël

D'après le tableau des Offices

ill. 372

Toile
H. 0,43 ; L. 0,34

Historique :
Legs Ingres, 1867. Inv. 867.139.

Bibliographie :
Momméja, 1905, nº 12 ;
Lapauze, 1911, p. 214 ;
Wildenstein, 1954, nº 163, fig. 93 ;
Ternois, 1965, nº 179 ;
Ternois-Camesasca, 1971, nº 112 ;
Ternois, 1980, p. 65, nº 166, repr.

Fidèle copie du célèbre portrait conservé à Florence aux Offices (De Vecchi, 1982, nº 54) et dont l'attribution à Raphaël est aujourd'hui discutée, ce tableau légué par Ingres à sa ville natale et dont il demande dans son testament qu'il soit accroché au musée, en même temps que les portraits de ses parents, au-dessus de son bureau, est généralement considéré comme une œuvre peinte par le peintre au moment où il était établi à Florence (1824-1827) D. Ternois (1980) le catalogue comme : copie d'élève ? L'exécution n'a certes pas la fermeté ni la tension habituelles chez Ingres, mais l'original de Florence, fort usé, est lui-même d'une qualité décevante. Et il n'y a aucune raison de penser que le tableau n'est pas la « copie du portrait de Raphaël » qu'Ingres mentionne à deux reprises dans la liste de ses tableaux, dans son cahier IX (Lapauze, 1901, p. 235) et son cahier X (*id.,* p. 248). J.P.C.

Montauban, Musée Ingres

122
La Vierge du Grand Duc

D'après le tableau du Palais Pitti

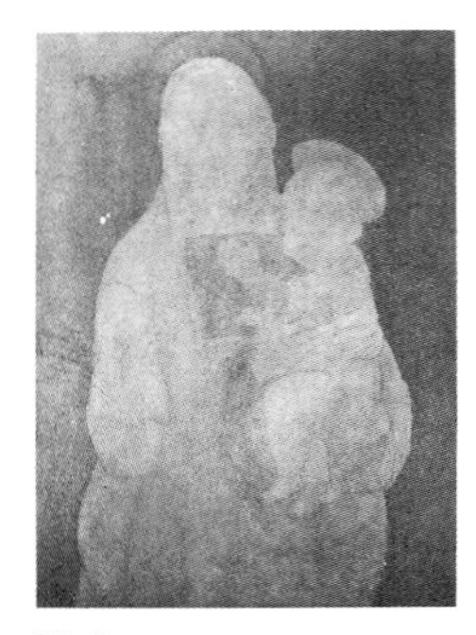

ill. 1

Papier (calque ?) marouflé sur toile
H. 0,86 ; L. 0,61
Signé : *Ingres* (peu visible).

Historique :
Legs Ingres, 1867. Inv. 867.62.

Bibliographie :
Momméja, 1905, nº 14 ;
Wildenstein, 1954, nº 150, fig. 143 ;
Ternois, 1965, nº 163 ;
Pope-Hennessy, 1970, pp. 251-252, fig. 241 ; Ternois-Camesasca, 1971, nº 113, repr. ;
Ternois, 1980, nº 167, repr.
Takashina, 1981, nº 122 repr. couleurs ;

Cette étude inachevée, peinte dans une technique à l'essence très légère qui évoque les effets délicats de l'aquarelle, doit certainement être datée, comme on l'a toujours proposé, de l'époque florentine d'Ingres (1821-1824) ; le tableau de Raphaël était alors déjà visible au Palais Pitti. La mise en place d'ensemble du tableau a dû jouer un rôle important pour l'élaboration du *Vœu de Louis XIII* (nº 126). J.P.C.

Montauban, Musée Ingres

123
Étude de tête

D'après la Vierge à la chaise du Palais Pitti

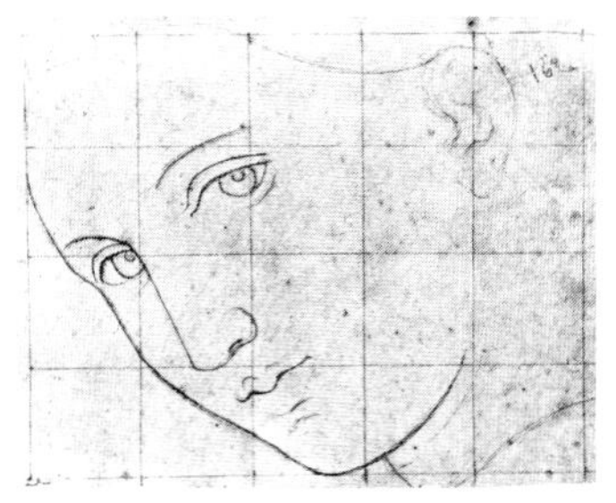

ill. 54

Mine de plomb sur papier végétal
H. 0,128 ; L. 0,156
Mis au carreau

Historique :
Legs Ingres, 1867. Inv. 867.824.

Bibliographie :
Momméja, 1905, nº 1624.

Ce dessin illustre bien la méthode de travail d'Ingres : il montre comment un fragment copié de Raphaël peut s'intégrer en se métamorphosant à l'intérieur d'une composition. Le Musée Ingres conserve une attentive copie à la mine de plomb estompée de l'artiste d'après la tête de la *Vierge à la chaise* (Inv. 867.825 ; Takashina, 1980, nº 46) ; le dessin exposé est un report, en sens inverse, d'un tracé volontairement appuyé et abstrait, de ce dessin. Cette étude servira pour une des figures de l'*Age d'Or* de Dampierre (1842-1849, laissé inachevé), comme le montre bien une *Étude de femme assise* de Montauban (Inv. 867.740 ; Momméja 1485), dont la tête dérive à l'évidence du présent dessin. Le visage sera du reste vu sous un angle différent dans la grande peinture. J.P.C.

Montauban, Musée Ingres

124
Étude d'une femme agenouillée de dos
D'après le dessin d'Oxford

ill. 187

Mine de plomb sur papier calque
H. 0,44 ; L. 0,30

Historique :
Legs Ingres, 1867. Inv. 867.4168.

Bibliographie :
Momméja, 1905, n° 3827.

Exemple d'un dessin, datant probablement de la fin de la carrière d'Ingres, exécuté en calquant le fac-similé d'un dessin de Raphaël, l'étude recto-verso conservée à l'Ashmolean Museum d'Oxford (Parker, 1972, n° 557 recto) pour les femmes de la partie gauche de l'*Héliodore chassé du temple*. Le trait d'Ingres reste, dans l'exercice ingrat du calque, libre et vivant, sans servilité, et parvient à retrouver quelque chose du dynamisme de l'original. J.P.C.

Montauban, Musée Ingres

125
Tête de la Grande Odalisque

ill. 55

Toile
H. 0,54 ; L. 0,44 (diamètre de la peinture 0,42)
Signé en bas à droite : *Ingres.*

Historique :
Legs Cosson au Louvre, 1927 (R.F. 2519) ; dépôt au musée de Cambrai. Inv. NC 59 P.

Bibliographie :
Wildenstein, 1954, n° 97 ;
Ternois, 1967-1968, cité au n° 70 ;
Ternois-Camesasca, 1971, n° 82 e ;
Ternois, 1980, n° 110, repr.
Takashina, 1981, n° 49, repr. couleurs.

Cette tête reprend, avec de minimes variantes dans les motifs du turban, la tête de l'illustre *Grande Odalisque* (1814, Louvre) peinte pour Caroline Murat. Baudelaire notait déjà, avec peut-être quelque malice, combien ce dernier tableau évoquait Raphaël : « (...) la *Grande Odalisque* dont Raphaël eût été tourmentée » (s.d., p. 217) et Momméja remarque « le turban disposé comme celui de la Fornarina, en hommage à Raphaël » (1906, p. 184). Le choix du détail et le cadrage circulaire attirent l'attention sur ces liens avec les œuvres de Raphaël : la position du visage au regard détourné vers le spectateur, les bandeaux de cheveux mettant précieusement en évidence l'oreille, l'étoffe rayée nouée bas sur la nuque, constituent un souvenir de la *Vierge à la chaise;* mais le caractère orné du turban, avec ses cordons et ses franges, le lourd bijou porté au-dessus de l'oreille, évoquent, comme la nudité de la jeune femme, la *Fornarina.* Le tableau réunit ainsi les deux pôles, sacré et profane, des images féminines de Raphaël.

Ingres reprit d'autres fois cette tête, toujours dans des formats circulaires : tableau autrefois dans la collection Pastoret, en sens inverse de l'original ; tableau dans le sens de l'original, provenant de la collection Hittorff, déposé par le Louvre (R.F. 1938.55) en 1976 au musée de Grenoble. Wildenstein suppose que le tableau de Cambrai pourrait être l'œuvre qui figure sur le célèbre dessin de la *Famille Stamaty* (1818, Louvre, Cabinet des Dessins). On pourrait plutôt l'identifier avec un dessin très fini (loc. inconnue ; photographie S.E.D. du département des peintures du Louvre) dont l'auteur est Atala Stamaty, la jeune fille assise à gauche sur le dessin, à qui Ingres donna des leçons ; il est en effet annoté soigneusement sur le papier de montage, au centre : *Odalisque ;* à gauche : *Atala Stamaty Del. Roma 1816 ;* à droite : *d'après le tableau. Peint par Ingres à Rome.* Le dessin paraît exécuté d'après le tableau de Grenoble, qui est cadré de la même façon, un peu plus étroite que l'exemplaire de Cambrai. La présence de l'œuvre sur le dessin du Louvre constitue donc en même temps un hommage d'Ingres aux talents de la jeune Atala et un hommage de celle-ci à son maître. J.P.C.

Cambrai, Musée des Beaux-Arts

126
Le vœu de Louis XIII

ill. 38

Toile
H. 4,21 ; L. 2,62
Signé et daté en bas : *J. Ingres 1824.*

Historique :
Commandé en 1820 pour la cathédrale de Montauban ; exposé au Salon de 1824 (n° 922) ; mis en place à Montauban en 1826.

Bibliographie :
(Voir aussi Ternois, 1967-1968, n° 131 pour une bibliographie complète).
Blanc, 1870, pp. 70-88 ;
Delaborde, 1870, pp. 178-180, n° 3 ;
Mabilleau, 1894, pp. 371-390 ;
Boyer d'Agen, pp. 371-390 ;
Lapauze, 1911, pp. 206-208, 216-244, repr. face p. 232 ;
Alain, 1949, s.p., avec repr. de détail ;
Wildenstein, 1954, n° 155, pl. 64 ;
M.J. Ternois, 1958, pp. 23-38 ;
Ternois, 1967, pp. 11-21 ;
Ternois, 1967-1968, n° 131 ;
Ternois-Camesasca, 1971, n° 115 ;
Rosenblum, 1968, p. 126, pl. 33 ;
Foucart, 1968, n°s 91 à 99 (dessins préparatoires) ;
Golzio, 1968, p. 634, fig. 8, p. 633 ;
Rosenberg (M.I.), 1979, pp. 327-328 ;
Pope-Hennessy, 1970, pp. 253-255, fig. 246 ;
Ternois, 1980, pp. 66-70, fig. 169, p. 99 ;
Barousse, 1980, pp. 131-145.

Les circonstances de l'exécution du *Vœu de Louis XIII* ont été fort complètement exposées par D. Ternois (1967-1968, n° 131). Le tableau fut commandé à Ingres par Lainé, ministre de l'Intérieur, pour la cathédrale de Montauban, à la suite d'une intervention des députés du Tarn-et-Garonne auprès du baron Portal, ministre de la Marine, pendant l'été 1820, alors que le peintre venait de s'installer à Florence ; l'œuvre était destinée au chœur de la cathédrale, derrière le maître-autel. Le sujet fut choisi par le maire et l'évêque de Montauban : « le

Vœu de Louis XIII qui met sous la protection de la Sainte Vierge à son Assomption le Royaume de France ». La toile, peinte entre 1821 et 1824, constitue la grande entreprise d'Ingres à Florence et sera exposée au Salon de 1824. On sait que le peintre comprit mal le thème qui lui était soumis, et crut qu'il devait combiner deux sujets, celui du *Vœu de Louis XIII* et celui de l'*Assomption ;* il s'en plaint auprès du préfet du Tarn-et-Garonne : « Le Vœu de ce Roi me paraît ici un double sujet et peut détruire l'intérêt et l'unité du principal, l'Assomption de la Vierge... » (lettre du 21 avril 1821). Sur de nombreux dessins préparatoires conservés au musée de Montauban, comme sur l'esquisse d'ensemble (1822), elle aussi à Montauban et provenant de la collection Cambon, très proche pour l'essentiel du tableau définitif, la Vierge est représentée debout, les mains jointes, sans l'enfant, comme une Vierge d'Assomption ; ce n'est qu'ensuite qu'Ingres décida de la représenter à demi assise, et tenant l'enfant Jésus.

On sait l'accueil triomphal que la critique et le public firent au tableau, accroché au Salon de 1824, en novembre, deux mois et demi après son ouverture. L'inspiration raphaélesque était si flagrante qu'elle fut notée de tous. Ingres écrit alors avec une volupté que l'expression modeste dissimule mal : « Le nom de Raphaël (bien indigne que j'en sois), est rapproché du mien. On dit que je m'en suis inspiré sans rien en copier, étant plein de son esprit » (lettre à Gilibert, 12 novembre 1824 ; Boyer d'Agen, 1909, p. 121). Cette inspiration raphaélesque fut portée au crédit d'Ingres par les critiques de 1824 qui virent dans l'artiste un garant sûr des bonnes doctrines ; elle fut, plus souvent et depuis, âprement critiquée et moquée, considérée comme la marque de « peu de personnalité », de « manque d'inspiration » (Mabilleau, 1894, p. 379).

On ne peut que mentionner à nouveau les tableaux de Raphaël dont procède le *Vœu de Louis XIII.* L'effet d'ensemble du groupe de la Vierge et de l'Enfant silhouetté en fort contraste et en forte saillie devant un fond lumineux, avec les rideaux sombres symétriquement soulevés ménageant une sorte de dais de lumière, s'inspire de la *Vierge Sixtine* de Dresde. Charles Blanc croit du reste que l'abandon du premier projet, avec la Vierge debout, vient de ce qu'elle « ressemblait trop à la Madone de Saint-Sixte » (cité par Mabilleau, 1894, p. 376, note 2).

La Vierge debout de la première version reprend de fait le mouvement d'ensemble, arqué, de la Vierge de Dresde, avec une jambe rejetée en arrière qui semble ébaucher un mouvement de marche. Il en restera, dans le tableau définitif, le beau mouvement de la jambe gauche, qui prend appui comme si le personnage devait se lever. La comparaison avec la *Vierge Sixtine* va du reste plus loin que les analogies plastiques : le tableau de Raphaël était destiné, très probablement, à figurer lui aussi au-dessus d'un maître-autel, dans la cathédrale de Plaisance, et présentait lui aussi, avec le saint Sixte montrant les traits de Jules II, un caractère votif.

Autre source d'inspiration toujours notée, la *Vierge de Foligno* (aujourd'hui Pinacothèque Vaticane) qu'Ingres connaissait bien pour l'avoir étudiée au Louvre avant qu'elle ne parte pour l'Italie, alors qu'elle faisait partie du Musée Napoléon, et dont il avait même copié la tête dans un tableau aujourd'hui perdu. Les deux registres, terrestre et céleste, avec le donateur agenouillé vers lequel se dirigent les yeux baissés de la Vierge et de l'Enfant, le petit ange porteur du panneau, l'idée d'asseoir la Vierge sur des nuées qui se transforment en angelots, établissent un lien d'un tableau à l'autre ; et tout autant, de façon paradoxale, le vif chromatisme du tableau de Raphaël, qui détache le rouge et le bleu saturés des vêtements de la Vierge sur un disque d'un jaune orangé éclatant, comme Ingres les fait ressortir sur le fond d'or lumineux d'une petite abside.

Un troisième retable de Raphaël, conservé lui à Florence, a pu jouer un rôle dans l'élaboration du tableau de Montauban : la *Vierge au baldaquin.* On pense surtout aux deux angelots du premier plan, lisant un phylactère, qui appellent ceux, porteurs du « cartello », de notre tableau. Peut-être les larges mouvements arqués des anges qui tiennent le rideau ont-ils d'autre part suggéré l'idée des anges adolescents de Montauban, souples et bondissants comme des danseuses arrêtées au vol, mais on peut tout aussi bien penser à ceux de la fresque des *Sibylles* (Pope-Hennessy) de Santa Maria della Pace à Rome. La *Vierge du Grand Duc,* qu'Ingres voyait aussi à Florence et qu'il copia (n° 122), joua certainement aussi quelque rôle : visage rigoureusement ovale et de face, les yeux baissés, de la Vierge, enfant serré contre elle mais détournant la tête dans la direction du spectateur. De même la *Vierge aux candélabres,* copiée elle plusieurs fois par le peintre (n° 120 et fig. 24) : groupement des figures, visage de la Vierge, présence des deux candélabres. J. Pope-Hennessy ajoute justement à tous ces précédents celui d'une autre madone en buste, la *Vierge Mackintosch* (Londres), avec sa composition en triangle isocèle, la parfaite géométrie de son visage aux yeux baissés et aux bandeaux symétriques, le voile soulevé vers la droite, et un robuste enfant appuyé, comme ici, sur un genou et sur un pied. Si l'on ajoute, comme antécédents aux angelots d'Ingres, ceux de la prédelle du *Retable Baglioni* (Pinacothèque Vaticane), on aura une idée de l'étendue de la culture raphaélesque d'Ingres, révélée ici comme jamais.

Mais on n'aura pas dit l'essentiel : pourquoi une telle œuvre, à la limite du pastiche, s'éloigne en tout de Raphaël. Le tableau nous apparaît en fait presque agressif dans ses contrastes de clair-obscur et dans ses oppositions de couleurs ; étrangement la Vierge et l'Enfant, vues frontalement, imposent leur relief quasi-architectural alors que le roi, représenté de trois-quarts dans des raccourcis complexes, semble une plate silhouette découpée (est-il bien sûr qu'il faille voir dans son attitude, comme le suggère J. Pope-Hennessy, une reprise de celle de la femme agenouillée au premier plan, au centre, dans *l'Incendie du bourg ?).* La toile la plus raphaélesque d'Ingres est, paradoxalement, la première où les effets de « relief » soient aussi accentués et qui doive aussi peu au seul dessin. D'où une alliance de vrai presque brutal et de beauté idéale, qui se percevait déjà dans le *Christ donnant les clefs à saint Pierre* (Montauban) et que nous acceptons moins bien aujourd'hui chez Ingres que ses préciosités archaïsantes. Ingres impose aux formes une dureté impeccable dont la froideur minérale s'accorde aux marbres du sol et de l'autel : rien qui diffère davantage des formes pleines, mais souples, ductiles, d'une chaleur rayonnante, de Raphaël. Mais une telle froideur est lourde de sensualité. Robert Rosenblum (1968) parle ainsi du tableau : « ...le regard de la Vierge dirigé vers la terre, sous de lourdes paupières, les lèvres pleines, comme maquillées, sont saturées de la sensualité de boudoir chère à Ingres et annoncent cet étrange amalgame de prétendue innocence et de volupté intense qui sera vulgarisée au cours du XIXe siècle dans tant d'œuvres de l'art officiel » ; et d'évoquer plus loin la Vierge « semblable à une courtisane ». Malgré cet aspect un peu cosmétique, la toile montre la première grande tentative d'Ingres de joindre au jeu fluide, élastique ou nerveux des lignes, aux accords ou aux dissonances des couleurs, la puissance des contrastes de lumière et d'ombre. Obtenir la saillie des formes devant le fond grâce à la force du clair-obscur : l'effort même de Raphaël dans ses ultimes tableaux.

Ingres reprit plus tard la Vierge, les mains jointes, correspondant au premier projet du tableau de Montauban, et en donna d'abord une version en buste, ovale, peinte pour Pastoret (1827), puis plusieurs versions à mi-corps, appelées *Vierges à l'hostie,* dont les visages, toujours de face, apportent à celui de la Vierge du *Vœu de Louis XIII* quelques subtiles variantes. Les plus célèbres sont au Musée Pouchkine de Moscou (1841) et au Louvre (1854 ; fig. 25) ; cette dernière, qui appartint à Napoléon III, présente un format circulaire et comporte deux chandeliers et deux anges qui l'apparente étroitement à la *Vierge aux candélabres* attribuée à Raphaël (Baltimore). Ces tableaux, très populaires, connurent une grande diffusion grâce à la gravure, et furent souvent imités. Mais même si les *Vierges* d'Ingres ont pu favoriser, dans la peinture religieuse du XIXe siècle, un « ingro-raphaélisme » souvent bâtard et tiède, ceci ne doit pas nous empêcher de voir tout ce que le *Vœu de Louis XIII* offre d'éclatant, de fougueux et même d'étrange.

Concluons avec un peu d'irrespect, mais pour faire mieux ressentir peut-être ce que le raphaélisme pesant et pulpeux, presque agressif, de la Vierge du *Vœu de Louis XIII,* le raphaélisme le moins désincarné qui fut jamais, comporte à la fois d'érotique et de gourmand. Boyer d'Agen (1909, pp. 327-328) nous rapporte les paroles d'Ingres entraînant ses élèves manger des gâteaux à la pâtisserie Guerbois, à l'angle de la rue des Saints-Pères et de la rue Jacob, dans le seul but d'y contempler la patrone des lieux dont les formes le ravissaient : « Voyez-vous ? Mais regardez donc !... C'est comme du Raphaël, tout un Raphaël. Mangez donc de ceci, tenez ! et de cela... Absolument un Raphaël... à la crème. Vous rappelez-vous la Madone de Foligno ?... Et ce baba ?... ». J.P.C.

Montauban, cathédrale Notre-Dame

127/128/129
La Foi ; l'Espérance ; la Charité

ill. 99

ill. 100

ill. 101

Pierre noire et huile sur toile
Diamètre. 1,10 (chacun)
La Foi signée en bas à gauche : *Ingres fecit.*

Historique :
Partie des dix-sept cartons commandés à l'artiste fin juillet 1842 pour les vitraux, qui seront réalisés à Sèvres, de la chapelle Saint-Ferdinand à Paris, construite en mémoire du duc d'Orléans, fils aîné de Louis-Philippe, mort accidentellement le 13 juillet 1842 ; exposés au Musée du Luxembourg ; transférés au Louvre en 1874.
INV 20328 - 20330

Bibliographie :
Foucart, 1967-1968 (avec bibliographie complète) n°s 207, 208, 209 ;
Ternois-Camesasca, 1971, 134 A, 134 L, 134 I.

Le lien de ces trois cartons de vitraux avec les petites compositions de Raphaël de même sujet de la prédelle du *Retable Baglioni* (1507) conservée à la Pinacothèque Vaticane, a été plusieurs fois noté (voir notamment Foucart, 1967-1968 ; la Wallace Collection de Londres conserve [Inv. 767] un dessin d'Ingres, portant une dédicace « à son ami Calamatta », copiant au crayon l'*Espérance,* la *Charité* et deux des angelots de la prédelle). Le cadrage des figures, la similitude de leurs attributs rendent la dérivation flagrante. La limitation des coloris clairs évoque même le parti de relief feint adopté par Raphaël. Comme chez Raphaël, les figures verticales de la *Foi* et de *l'Espérance* contrastent avec les rythmes ronds et pleins de la *Charité* autour de laquelle se serrent quatre jeunes enfants. On notera de plus l'analogie d'un de ces enfants et de celui de la *Vierge du Grand Duc* du Palais Pitti, et celle de la tête levée de la *Charité* et de celle de la *Sainte Catherine* de Londres, où apparaît d'une proche façon dans le ciel l'éclat de la lumière divine. La *Charité,* de plus, composée dans un cercle, avec les flammes des deux pots à feu, évoque la *Vierge aux candélabres* de Baltimore qu'Ingres connaissait bien pour en avoir fait une copie partielle en 1817 (n° 120). J.P.C.

Paris, Musée du Louvre

130
Portrait de Madame Ingres

ill. 56

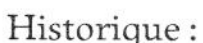

Crayon de graphite
H. 0,350 ; L. 0,272
Signé en haut à gauche : ...*Ingres Del;* daté en haut à droite : *Madame Delp. Ingres 1855.* D'une autre main, au-dessous : à gauche : *J. Ingres Del;* à droite : *Madame Delp. Ingres 1844.*

Historique :
Madame Ingres, née Delphine Ramel ? ; son neveu Emmanuel Riant ? ; Wildenstein ; vendu à Ch. E. Dunlop en 1948 ; don de ce dernier en 1954 (n° 1954. 110).

Bibliographie :
Blanc, 1870, pp. 61-62 ;
Lapauze, 1901, pp. 243-250 ;
Hattis, 1966, pp. 7-18 ;
Naef, 1967, *Fogg,* p. 6, n° 1 ;
Naef, 1967, *Mme Ingres,* pp. 9-13 ;
Naef, III, 1979, pp. 488-490, V, 1980, n° 436, repr.

Préciser ce que Ingres portraitiste doit à Raphaël n'est pas facile, au-delà d'un « raphaélisme » latent qui flotte sur chacune de ses œuvres, et l'on évoquerait souvent avec plus de raison Holbein et Bronzino. On noterait souvent, dans les portraits dessinés, des enchaînements de formes bien rythmés, qui appellent la comparaison avec des tableaux de Raphaël : ainsi dans le portrait de *Madame Auguste Jordan et de son fils Gabriel* (1817 ; Cambridge, Fogg Museum), où l'enfant s'accroche au bras de sa mère dans un mouvement qui rappelle la *Belle Jardinière**. J. Pope-Hennessy (1970, p. 255) évoque avec pertinence les rapports de la *Jeanne d'Aragon** et de *Madame Moitessier assise* (Londres), toutes deux larges, souples et opulentes, et ceux du *Léon X* et de *Bertin,* imposants et massifs, avec le reflet sur l'appui du fauteuil, dans ce dernier tableau, qui semble se souvenir de celui sur la boule dorée du portrait du pape. La mise en place simple et pyramidale, avec des formes rondes tournant bien dans l'espace, de certains parmi les premiers portraits féminins,

Mademoiselle Rivière (1805, Louvre) ou *La Belle Zélie* (1806, Rouen), évoque *Maddalena Doni* (Florence, Pitti), que J. Alazard (1936, pp. 170-172) rapproche lui de *Madame Devauçay* (1807, Chantilly). On connaît la belle étude peinte qu'Ingres exécuta d'après les mains de *Maddalena Doni,* (Bayonne ; fig. 84) et on remarquera l'analogie avec la main de *Marcotte d'Argenteuil* (1810, Washington). Ce type de main pendante reviendra à plusieurs reprises dans les portraits d'Ingres. On peut au reste se demander si la toile de Bayonne remonte bien au séjour florentin d'Ingres (1821-1824), dans la mesure où les portraits des *Doni* ne sont entrés qu'en 1826 dans les collections du grand duc de Toscane. A-t-elle pu être exécutée antérieurement ? Il semble pourtant exclu qu'Ingres se soit servi d'une gravure.

Peut-on, d'autre part, voir dans l'*Autoportrait* de Chantilly, tel qu'il fut modifié (vers 1850 ?), une reprise de l'attitude du *Bindo Altoviti* (Washington), la main gauche portée à la poitrine (rappelons que le tableau était considéré comme un *Autoportrait* de Raphaël) ? Et dans l'*Autoportrait* tardif, dont existent trois versions légèrement différentes (1858, Offices ; 1859, Cambridge, Fogg Museum ; 1865, Anvers) voir une mise en page dérivée, et inversée, de celle du *Balthazar Castiglione* ?*

Le dessin exposé permet d'évoquer celui des tableaux d'Ingres dont le « raphaélisme » est le moins discutable, le portrait de sa seconde femme, née Delphine Ramel (1859 ; Winterthur, Collection Reinhardt ; fig. 31), où le mouvement tournant des formes rondes reprend, inversé, celui de la *Vierge à la chaise*. L'analogie est déjà remarquée par Boyer d'Agen (1909, p. 508).

Des deux inscriptions portées en haut du dessin, seule la supérieure est de la main d'Ingres : signature et inscription ont été reportées plus bas lorsque, à la suite semble-t-il d'une déchirure, le montage de la feuille a été transformé ; l'inscription a été incorrectement recopiée, les *5* d'Ingres étant lus comme des *4*, la date devenant ainsi *1844,* ce qui ne pouvait se comprendre, le peintre ayant épousé Delphine Ramel en 1852. Cette date inexplicable, le fait que le dessin n'ait pas figuré à l'exposition Ingres de 1867 et ne soit pas mentionné dans la monographie de Delaborde en 1870, d'autre part certaines faiblesses de l'indication, ont fait mettre l'œuvre en doute. Hans Naef, en 1967, avoue honnêtement qu'il « n'ose plus (se) prononcer de façon définitive sur l'authenticité de ce portrait », et reste hésitant en 1979. La légèreté et la liberté du trait, jusque dans ses hésitations, paraissent pourtant dignes d'Ingres ; ou faut-il imaginer une œuvre légèrement altérée par des reprises d'une main étrangère ? Il semble en tout cas s'agir d'un des deux dessins représentant Madame Ingres, qui étaient dans la chambre du peintre et qu'il montra à Charles Blanc : « l'un était dessiné avec une vérité parfaite et absolument nature ; l'autre était quelque peu rehaussé par une intention de style, simplifié, idéalisé » (Blanc). Le premier paraît être le dessin aujourd'hui au Musée Bonnat de Bayonne, le second le dessin exposé.

L'analogie avec l'attitude de la *Vierge à la chaise* semble avoir été déjà méditée dans le dessin. Elle n'y est pourtant guère suggérée que par l'attitude générale du corps et l'inclinaison de la tête de trois-quarts et appuyée sur la main. Dans le tableau de Winterthur, peint quatre années plus tard, où le modèle porte une toilette plus « habillée », avec décolleté et bijoux, le rapport est devenu explicite : le cadrage très resserré met en valeur la plénitude de formes qui pourraient s'inscrire dans un cercle ; le châle frangé, le ruban qui prolonge par derrière le mouvement de la coiffure, l'insistance sur les bandeaux de cheveux bien lissés, accentuent la ressemblance avec le tableau du Palais Pitti, et le raccourci virtuose de la main gauche de Delphine rivalise avec celui de la main droite de la Vierge (fig. 31).

Remarquons qu'il n'est qu'un autre portrait féminin d'Ingres pour frapper autant par son « raphaélisme », mais beaucoup moins contraint et formel que celui de la toile de Winterthur : le portrait de sa première épouse, *Madeleine Chapelle* (vers 1815 ; Zurich, Collection Bührle), œuvre inachevée, d'une blondeur et d'une légèreté de lumière, dans la rondeur et la douceur des formes, qui évoquent la *Donna Velata* du Palais Pitti, et dont Lapauze, à qui il appartint, notait déjà la tête « vraiment raphaélesque » (1911, p. 167). J.P.C.

Fogg Art Museum, Harvard University, Cambridge, Massachusetts, Gift of Charles E. Dunlop

131
La maison natale de Raphaël à Urbino

ill. 326

Mine de plomb
H. 0,238 ; L. 0,178
Inscription en bas à droite : *Ingres Del Sur le lieu mardi 14 mai 1839.*
Au-dessus, à demi effacé : *Maison où est né Raphaël à Urbino.*

Historique :
Legs Ingres, 1867. Inv. 867.4460.

Bibliographie :
Müntz, 1886, p. 10 ;
Momméja, 1905, n° 3.566 ;
Lapauze, 1911, p. 364 ;
Ternois, 1956, *GBA,* p. 167, n. 9, fig. 8 ;
Foucart, 1968, n° 111 ;
Golzio, 1968, *Vita,* fig. 2, p. 588.

Le dessin, un des plus touchants hommages d'Ingres à Raphaël, a été exécuté au cours d'un voyage à Spolète, Spello et Ravenne, pendant le second séjour d'Ingres en Italie, alors directeur de la Villa Médicis (1835-1841). J.P.C.

Montauban, Musée Ingres

132
Le Casino de Raphaël

ill. 327

Bois
Diamètre. 0,16

Historique :
Donné par Ingres à l'architecte M.J. Hurtault, puis par la veuve de celui-ci au peintre P.M. Delafontaine ; legs d'un descendant de ce dernier à l'Union des Arts Décoratifs, 1932.

Bibliographie :
Lapauze, 1911, p. 76, n° 1 ;
Ternois, 1965, n° 153 ;
Ternois, 1967-1968, n° 24 ;
Rosenblum, 1968, p. 74, pl. 10 ;
Ternois-Camesasca, 1971, n° 42 ;
Naef, 1973, n° 1 ;
Ternois, 1980, p. 24, n° 45, repr.
Takashina, 1981, n° 107 ;

La vue, prise probablement d'une fenêtre de la Villa Médicis, montre au premier plan ses jardins dominant le *Muro torto* et, au-delà, la Villa Borghèse avec le bâtiment célèbre alors sous le nom de Casino, ou Casina, de Raphaël et qui fut détruit en 1849 pendant le siège de Rome par les Français.

Deux dessins du fonds de Montauban (Inv. 867.4408 et 867.4434), exécutés probablement par Ingres vers le même moment que la peinture, représentent le même bâtiment; le second de ces dessins prépare directement le tableau du Musée des Arts Décoratifs.

On a toujours noté le caractère exceptionnel des trois petits paysages peints sur bois par Ingres au début de son séjour à la Villa Médicis, celui-ci et deux autres conservés à Montauban. On peut rapprocher leur surprenante fraîcheur lumineuse, quasi « nordique », leur cadrage comme improvisé dans un minuscule format circulaire, de certains tableautins de peintres du Nord italianisants du XVIIe siècle, notamment ceux de Goffredo Wals, artiste d'origine colonaise actif à Rome et à Naples (voir ceux peints sur cuivre ou sur bois reproduits par M. Roethlisberger, « Additional Works by Goffredo Wals and Claude Lorrain », *Burlington Magazine,* janvier 1979, fig. 23 à 26). Peut-on imaginer qu'Ingres, séduit par un tableau comparable vu dans quelque collection romaine, s'en soit inspiré ? Le petit tableau, d'une force d'évocation presque magique, donne l'impression d'une vue grossie par une lorgnette. Précieux et humble, aigu de structure, peint d'une touche minutieuse et savoureuse, il est peut-être le plus émouvant salut d'Ingres à Raphaël, qui revit ici dans la tendresse quotidienne de la lumière romaine.

J.P.C.

Paris, Musée des Arts Décoratifs

133
La naissance de Raphaël

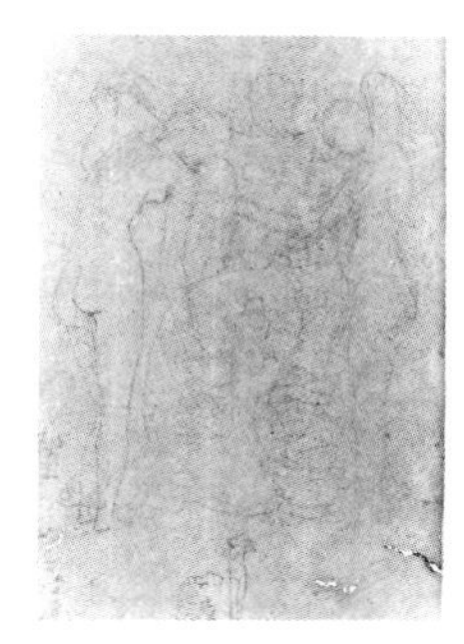

ill. 329

Mine de plomb sur papier végétal
H. 0,181 ; L. 0,110
Inscription à la plume de la main d'Ingres en haut au milieu :
Naissance de Raphaël / entre les grâces.
Signé en bas à gauche, à la mine de plomb : *Ing.*

Historique :
Legs Ingres, 1867. Inv. 867.2770.

Bibliographie :
Delaborde, 1870, n° 208 ;
Momméja, 1898, p. 203, repr. ;
Lapauze, 1901, p. 71, p. 130 ;
Momméja, 1905, n° 2549 ;
Boyer d'Agen, 1909, pl. 43.

Ce léger dessin montre les trois Grâces, debout, entourant la ville d'Urbin, représentée à genoux et de profil, donnant le sein à Raphaël nouveau-né qu'elle tient dans ses bras ; dans le bas de la feuille est reprise la petite ville d'Urbin et l'une des Grâces de face. Un autre dessin, lui aussi à Montauban (Inv. 867.2769 ; Momméja 238), montre plusieurs recherches comparables, avec les trois Grâces seules devant un rideau. Le dessin exposé est daté par Momméja de 1796-1806, donc avant le départ pour Rome. Mais le style précieux et flaxmanien des figures permettrait tout aussi bien d'y voir un croquis des premières années romaines (vers 1807-1810).

J.P.C.

Montauban, Musée Ingres

134
Raphaël et la Fornarina

ill. 354

Toile
H. 0,32 ; L. 0,27

Historique :
Collection du peintre Müller, Stuttgart, 1870 ; vente Hulot, 9-10 mai 1892, n° 185 ; collection Baillehache ; collection Alphonse Kahn ; vente John Kinn, New York, 9-11 février 1927, n° 325 ; collection Joseph J. Kerrigan, New York ; vente Esther Slater Kerrigan, New York, 22 avril 1948, n° 12 ; collection privée, New York.

Bibliographie :
Delaborde, 1870, p. 226 (cité au n° 54) ;
Lapauze, 1911, pp. 148, 150, fig. p. 517 ;
Wildenstein, 1954, n° 89, fig. 48 ;
Huyghe, 1955, p. 80, fig. 72, p. 82 ;
Ternois, 1967-1968, p. 254 (sous le n° 190) ;
Camesasca, n° 72 c, p. 94 ;
Angrand et Naef, 1970, pp. 13-14, n. 79 ;
Cohn et Siegfried, 1980, p. 56 (sous le n° 15) ;
Ternois, 1980, n° 86, repr.

Ingres peignit cinq versions de son *Raphaël et la Fornarina :* le premier tableau, de 1813, a disparu en 1941 du musée de Riga, en URSS. Les quatre tableaux connus aujourd'hui se trouvent tous aux États-Unis : la seconde toile en date, la plus aboutie et célèbre, conservée au Fogg Art Museum de Cambridge, fut peinte pour le comte de Pourtalès et figura au Salon de 1814 ; la troisième est celle exposée ici ; une quatrième toile, datée de 1840 et dédiée à Duban, se trouve à la Gallery of Fine Arts de Columbus ; la dernière, auquel Ingres travaillait encore dans les dernières années de sa vie et restée inachevée, longtemps chez Knoedler, se trouve aujourd'hui au Chrysler Museum de Norfolk.

Il est difficile d'établir l'aspect que pouvait avoir le tableau autrefois à Riga, dont on dit qu'il était signé et daté 1813, et dont nous n'avons ni photographie ni description. On pense en général (Camesasca n° 72 a, p. 94) qu'il était très voisin de la version, d'un an postérieure, du Fogg Museum. Faut-il imaginer que le dessin du Louvre (R.F. 1448) provenant de la collection Coutan-Hauguet, signé et daté 1825, pendant d'un dessin probablement contemporain représentant les *Fiançailles de Raphaël* (voir ici n° 135), offre un écho de ce premier tableau ? On y retrouve exactement certains éléments du tableau du Fogg (la jeune femme, le fauteuil), d'autres diffèrent (Raphaël, appuyé d'une main sur le tabouret ; le chevalet tourné de façon que le peintre et son modèle puissent voir le tableau). Dans la mesure où le personnage de Giulio Romano, sur la gauche, qui lève ici la main dans un geste d'admiration en voyant le portrait, se retrouve dans les versions plus tardives de New York et de Columbus, il est plus probable que le dessin constitue une variante élaborée à partir de la composition de Cambridge. Peut-être le tableau de Riga présentait-il une tout autre apparence. Une série de dessins, à Montauban, montre des recherches pour un groupement des figures différent et l'on peut, avec J. Foucart (1968, n° 42, p. 58), se demander si le tableau disparu n'était pas l'aboutissement de ces études, où l'on voit Raphaël debout travaillant à un tableau, et se retournant vers la Fornarina, debout derrière lui, tendrement appuyée sur son épaule. Remarquons de plus que ce sujet est légèrement différent de celui de tous les autres tableaux de la série : on n'a pas tiré la conséquence de l'inscription *Raphaël à la Farnésine* portée sur un des dessins de Montauban (Inv. 867.2074 ; Momméja 252), ni de la présence sur ce dessin d'un troisième personnage, masculin, derrière la Fornarina, qui lui tient la main et semble de l'autre la pousser vers Raphaël. Il s'agit à l'évidence de l'épisode conté par Vasari (t. IV, éd. 1906, pp. 366-367) et par Comolli : Raphaël, au moment où il travaillait à la Farnésine pour Agostino Chigi, quittait fréquemment son travail pour aller rejoindre sa maîtresse ; Chigi, mécène du peintre et son ami, désespérant que les peintures fussent terminées, fit venir la Fornarina à la Farnésine pour qu'elle y demeurât, et ainsi Raphaël termina la décoration de la Villa. Le personnage de gauche est bien sûr le prince Chigi qui « remet » la Fornarina à Raphaël. D'autre part, sur ce dessin comme sur un autre (Inv. 867.2071 ; Momméja 249), Raphaël travaille à une peinture de grandes dimensions, qui ne saurait être le portrait de la Fornarina, mais pourrait être un carton pour les peintures de la Farnésine. La composition, ainsi conçue, se rapproche de celle des *Fiançailles de Raphaël* de Baltimore dont elle constituerait un parfait pendant, et c'est peut-être comme telle qu'elle a été imaginée. Il est probable que cette première idée a été abandonnée, et qu'elle n'est pas allée plus loin que les deux belles études de nu, chacune d'après un modèle féminin, pour la Fornarina et pour Raphaël, toutes deux à Montauban (Inv. 867.2072 et 867.2075 ; Momméja 250 et 253 ; Foucart, 1968, n°s 42 et 43) ; le célèbre dessin parvenu avec la collection Lehmann au Metropolitan Museum de New York, une *Étude de jeune femme pour la Fornarina* pour laquelle Madeleine Chapelle, la femme du peintre, posa probablement et dont le visage incliné évoque celui de la *Vierge à la chaise,* semble être lui aussi en relation avec ce premier projet. Il n'existe de cette composition, contrairement aux versions postérieures, aucune étude, autre que les croquis d'ensemble, montrant les figures habillées et l'idée a pu être abandonnée. Mais on ne peut, en bonne rigueur, exclure totalement l'hypothèse que la toile de Riga ait traité ce thème, et de cette façon (remarquons par ailleurs que Vasari ne précise pas si l'amante de Raphaël introduite à la Farnésine est la Fornarina ou une autre femme).

Le tableau exposé ici a été beaucoup moins commenté que celui du Fogg Museum de Cambridge qui est, lui, bien connu (voir la belle analyse de R. Rosenblum, 1968, pp. 98-99, et récemment Cohn et Siegfried, 1980, pp. 54-57, n° 15), et dont il diffère par de nombreux points essentiels. Le cadrage plus resserré transforme la scène d'intérieur en un double portrait. Les attitudes sont considérablement modifiées : Raphaël, qui enlaçait la jeune femme, ne semble s'intéresser qu'à son tableau, une main appuyée sur le chevalet, l'autre, tenant un porte-crayon, reposant sur son genou. La robe de sa compagne a pourtant glissé, découvrant l'épaule, et elle pose ses deux mains sur l'encolure du peintre, inclinant la tête de manière à l'appuyer sur celle de celui-ci : ainsi se trouve dégagée la longue ligne arquée formée par le dos et la nuque dénudés, qu'Ingres exploitera dans les deux versions postérieures. L'épaule et le cou de la *Vierge à la chaise,* tout juste visibles dans le fond sur la droite, font écho à ce motif profane. En arrière, sur la gauche, Giulio Romano, tenant des rouleaux de papier sous le bras, regarde le couple ; ses traits paraissent inspirés du tableau du Louvre (Inv. 425) considéré jusqu'à ces dernières années comme un autoportrait de Giulio. La jeune femme porte, comme sur le tableau du Fogg, le turban de la *Fornarina* de la Galerie Barberini, celui dont Ingres coiffe aussi la *Grande Odalisque :* trois mêmes glands, mêmes galons tressés, même bijou au-dessus de l'oreille. Son visage, qui, sur la toile de Cambridge paraissait inspiré autant de la *Donna Velata* de Florence que de la *Fornarina* de Rome, ici, plus incliné et plus fin, évoque davantage la *Vierge à la chaise.* La robe claire paraît inspirée de celle de la *Donna Velata,* comme celle d'ailleurs du tableau de Cambridge, où elle était devenue vert sombre. Le visage de Raphaël réalise un compromis savant entre les différents « autoportraits » où l'on reconnaissait alors Raphaël : celui des Offices, celui de l'*École d'Athènes,* le *Jeune homme Czartoryski* (disparu à Cracovie durant la dernière guerre) et le *Bindo Altoviti* de Washington ; il a perdu le grand béret qui, sur le tableau du Fogg, accentuait sa ressemblance avec le *Jeune homme* de Cracovie. Le portrait de la Fornarina, sur le chevalet, esquissé d'un trait, s'inspire, comme dans les trois autres tableaux conservés, de l'effigie de la Galerie Barberini.

Le tableau est habituellement daté immédiatement après celui de Cambridge : Wildenstein (1954) le range avec les tableaux de 1814, Camasesca (1968) le date « peut-être de 1814 ». La datation « vers 1860 » de Lapauze (p. 517) semble résulter d'une confusion avec le tableau de Norfolk. Il semble pourtant que la composition, assez différente doive être assez distincte en date de celle de Cambridge. Notons que R. Huyghe date le tableau « vers 1840 ». Le dessin du Louvre, daté 1825, reprend encore textuellement certains éléments, notamment la figure de la Fornarina, du tableau Pourtalès. Une lettre d'Ingres au comte de Pastoret du 15 février 1827, publiée par Angrand et Naef, est d'autre part très claire ; à cette date il n'a encore peint que deux versions du tableau (vraisemblablement celles de Riga et de Cambridge) : « Du Raphaël et la Fornarina, je l'ai peint deux fois, celle-ci serait la troisième ». A Pastoret qui, apparemment, lui demande une version de la composition, il répond qu'il est très occupé et qu'il ne peut pour le moment lui « assigner un juste terme ». Mais on comprend mal une phrase qui pourrait indiquer que la troisième version est commencée, et a été abîmée : « ...serait la troisième *(cf. supra) ;* la toile de ce tableau est dans un état de ruine tel que je devrais le recommencer ». Il y a tout lieu de penser que le tableau exposé est une nouvelle version, peinte en 1827 ou peu après. Le tableau dont parle Ingres a-t-il été abîmé au moment du retour d'Italie en France, et, depuis, détruit ou perdu ? Ingres parle dans une lettre du 27 février 1826 d'une caisse contenant ses « ouvrages d'études » ou « l'eau de la mer a séjourné » et « causé beaucoup de dommages » (Boyer d'Agen, 1909, p. 131).

Plusieurs dessins de Montauban (notamment Inv. 867.2088, Momméja 2066, et 867.2087, Momméja 2065) paraissent exécutés en vue de ce tableau et non comme l'indique Momméja pour la version finale aujourd'hui à Norfolk. J.P.C.

New York, collection privée

135
Le cardinal Bibbiena offrant sa nièce en mariage à Raphaël, ou Les fiançailles de Raphaël

ill. 351

Papier marouflé sur toile
H. 0,49 ; L. 0,46
Signé en bas à gauche : *Ingres.*

Historique :
Peint pour Caroline Murat, reine de Naples ; vente du prince de

Salerne, Naples, 19 avril 1852, nº 118 ; coll. G. Tipaldi, Naples ; vente Blanc, 13-15 mars 1882, nº 33 ; coll. L. Tabourier ; vente Warren, Boston, 8-9 janvier 1903, nº 52 ; coll. Walters, Baltimore.

Bibliographie :
Delaborde, 1870, pp. 226-227, nº 56 ;
Lapauze, 1901, p. 235 ;
Lapauze, 1911, pp. 148-150 ;
Wildenstein, 1954, nº 85, pl. 37 ;
Mathey, 1955, p. 11 ;
Randall, 1965, p. 366 ;
Ternois, 1967-1968, nº 63 ;
Ternois-Camesasca, 1971, nº 76 ;
Chaudonneret, 1979, p. 5, repr. ;
Ternois, 1980, p. 37, repr. p. 60, nº 92 ;
Méjanès, 1980, s.p. ;
Cohn et Siegfried, 1980, p. 166 ;
Johnston, 1982, nº 4.

Le tableau montre le cardinal Bibbiena offrant sa nièce Maria en mariage à Raphaël. L'épisode est conté par tous les biographes du peintre depuis Vasari (t. IV, éd. 1906, pp. 180-181), qui explique que Raphaël différa les noces dont l'annonce lui aurait interdit d'obtenir le chapeau de cardinal qu'il espérait. La jeune fille, fragile, mourut peu après.

L'œuvre fut peinte à Rome, en 1813, pour Caroline Murat, reine de Naples (Delaborde). Dans une lettre à Marcotte du 6 mai 1814, le peintre ne se montre pas mécontent de son tableau : « ...j'ai bien réussi un tableau représentant le cardinal Bibbiena offrant sa nièce en mariage à Raphaël. Cet ouvrage vous ferait, si je ne me trompe, grand plaisir, car je l'ai bien soigné, quoique je l'aie achevé en peu de temps. Je vous dis cela parce que, lorsqu'on fait bien, il est encore plus glorieux de faire vite » (Delaborde, 1870, p. 227). Le brillant et le raffinement du coloris sont encore plus évidents depuis la restauration du tableau en 1981, qui a aussi rendu plus visibles quelques repentirs, modification du buste de la jeune femme sur la gauche, inscription sur le linteau de la porte. Le lumineux rouge corail du cardinal, du rideau, du fauteuil, de la nappe joue de dissonances avec le bordeaux violacé de la robe de droite, le carmin des bas de Raphaël, le mauve du sol. Le vert olive du manteau du peintre donne leur sonorité à tous ces rouges, et les blancs surprennent par leur éclat froid.

La composition, dans sa symétrie, évoque lointainement celle d'un *Mariage de la Vierge,* et l'on peut même se demander si la tête inclinée, presque de profil, de Maria Bibbiena, ne montre pas un souvenir de la Vierge du *Sposalizio ;* Randall voit dans ce dernier personnage un écho de la sensibilité d'Ingres aux Vénitiens, sans autre précision, que l'on y trouve difficilement, en dehors d'une certaine plénitude d'esprit vaguement titianesque. Pour le visage de Raphaël, Ingres paraît s'inspirer du visage du *Bindo Altoviti* de Washington, considéré alors comme un autoportrait, en plaçant son visage de profil : le motif des cheveux sur la nuque découverte est tout proche (Ternois, 1967-1968). Mais pour son ample vêtement garni de fourrure et souligné de bandes rayées, c'est le *Violoniste* de Sebastiano del Piombo (Paris, collection privée) attribué au XIXᵉ siècle à Raphaël et parfois cru un autoportrait, que le peintre démarque. Le personnage du cardinal reprend, lui, directement le *Portrait de Bibbiena* (Florence Pitti), considéré aujourd'hui comme une copie d'après Raphaël et du temps d'Ingres comme un original, et dont on connaît une fidèle copie exécutée par le peintre (nº 115).

Deux dessins d'ensemble préparent le tableau et correspondent presque exactement à la composition de celui-ci : un petit dessin au trait, à Montauban (Inv. 867.1390), est composé de deux feuillets découpés et raccordés ; un dessin à la plume et au lavis, dans une collection privée (Mathey, nº 8, repr.), d'une facture rapide, anguleuse et solide, a tous les caractères d'une mise en place définitive précédant l'œuvre peinte : attitudes et vêtements des personnages, éloignement de l'un à l'autre, décor de la pièce, accessoires, se retrouvent sur le tableau de Baltimore. Au contraire, un dessin très fini du Louvre (R.F. 1449), pendant d'un dessin de même style représentant *Raphaël et la Fornarina* et venant comme lui de la collection Coutan-Hauguet (Méjanès, 1980, s.p., repr.), présente de nombreuses variantes avec la composition peinte : notamment ouverture du fond sur un paysage urbain, absence du fauteuil, main de la jeune fille dans celle du cardinal, costumes modifiés. La date *1812* que porte le dessin a fait penser qu'il préparait le tableau. Il a en fait tous les caractères d'une variante postérieure, et semble avoir été exécuté pour accompagner le *Raphaël et la Fornarina* (signé et daté *Ingres fecit 1825*). La date ne fait probablement que rappeler celle de l'élaboration du tableau de Naples ; la signature est d'ailleurs ainsi rédigée : *Ingres inv. 1812* (et non *fecit* ou *del.).* C'est l'hypothèse que semblent adopter Marjorie B. Cohn et Susan L. Siegfried dans leur récent catalogue des œuvres d'Ingres conservées au Fogg Museum de Cambridge, dans leur notice (nº 62) consacrée au dessin aquarellé très tardif (1864) des *Fiançailles de Raphaël,* où Ingres reprend pour les attitudes, les costumes, les espacements, le décor, le dessin du Louvre sur lequel il semble calqué, en rajoutant des éléments, fauteuil du cardinal, page au fond, de la composition de Baltimore.

La gravure au trait de Réveil publiée dans le recueil de Magimel, en 1851, sous le nº 30 et le titre *Raphaël et le cardinal Bibbiena* oblige d'autre part à poser quelques questions : pour l'essentiel, attitudes, groupement des figures, costumes, décor de la pièce, elle est conforme au dessin du Louvre et non au tableau de Baltimore, considéré alors comme perdu. Mais plusieurs variantes doivent être notées qui empêchent d'y voir une simple reprise de ce dessin : le page debout devant la fenêtre du fond, des détails du costume et de la coiffure de la fiancée, le dallage du sol ; et Lapauze (1911, p. 150) parle du dessin du Louvre « grâce auquel on peut rappeler le tableau dans l'*Œuvre,* gravé par Réveil ». On n'imagine pas le graveur s'autorisant de telles licences et force est de supposer une version de la composition, par Ingres, disparue. Il faut probablement supposer que pour donner une idée plus fidèle du tableau peint pour Caroline Murat, alors perdu, Ingres, qui a contrôlé personnellement les gravures du recueil de Magimel, a repris, dans un dessin ou dans un calque aujourd'hui perdu, le dessin Coutan en y introduisant à nouveau un page.

J.P.C.

Baltimore, Walters Art Gallery

136
Études pour l'Apothéose d'Homère : profil de Raphaël, mains de Raphaël, Racine et Poussin

ill. 396

Toile sur bois
H. 0,37 ; L. 0,27
Signé et daté en bas à gauche : *Ingres.*

Provenance :
Vendu par Ingres à Haro, 1866 ;

vente Ingres, 6-7 mai 1867, nº 22 ; vente H. Lehmann, 2 mars 1883, nº 140 ; vente Degas, 26-27 mars 1918, nº 59 ; vente H. Lapauze, 21 juin 1929, nº 29, acquis par le Louvre R.F. 2746.

Bibliographie :
Lapauze, 1911, p. 552 ;
Huygue, 1929, p. 146, repr. ;
Wildenstein, 1954, nº 196, fig. 116 ;
Ternois-Camesasca, 1971, nº 121 ;
Ternois, 1980, nº 183, repr.

L'*Apothéose d'Homère* (1827, Louvre), commandée en 1826 pour constituer, au Louvre, un des plafonds du « Musée Charles X », fut détachée en 1855, pour la rétrospective du peintre à l'Exposition Universelle, remplacée ensuite par une copie et est montrée depuis comme un tableau « de chevalet ». Le lien de la composition symétrique avec celle des fresques de Raphaël des Stances du Vatican a été déjà remarqué par Ary Scheffer, qui note le rapport avec le *Parnasse,* dès le Salon de 1827 (cité par Lapauze, 1911, p. 268). On sait que, seul avec Michel-Ange, à peine visible à l'arrière-plan sur la droite, Raphaël figure en évidence, tenu par la main par Apelle, à l' « étage » supérieur de la composition, réservé aux grands hommes de l'Antiquité.

Dans la description qu'Ingres fit du dessin, très tardif (1865) et plus complet, de l'*Homère déifié* (Louvre, Cabinet des Dessins) où il reprend l'essentiel du grand tableau, il mentionne Raphaël en ces termes : « le brillant Apelle, prince de la peinture antique, conduit... vers le trône le prince de la peinture moderne, Raphaël, non moins aimable, non moins beau, non moins grand, qui n'approche pourtant et n'accompagne un pareil guide qu'avec modestie » (cité par Delaborde, 1870 ; lettre Q, sans référence, p. 360). Le visage de Raphaël pourrait avoir ici été étudié d'après un modèle, ou d'après un buste sculpté.

On peut se demander si les deux figures de Raphaël et d'Apelle du grand tableau du Louvre n'empruntent pas leurs attitudes à celles des personnages du premier plan, à gauche, de l'*Héliodore chassé du temple* du Vatican, figures identifiées au XIXᵉ siècle avec Raphaël et Marc-Antoine (voir à Montauban un croquis [Inv. 867.965, Momméja 784] d'après ce détail de la fresque, où les deux mains sont rapprochées et semblent se tenir). J.P.C.

Paris, Musée du Louvre

Jalabert (Charles-François) :

Voir section Gravures, *Girardet*

Julien (Jean-Antoine), dit Julien de Parme

Cavigliano, Suisse, 1736 - Paris, 1799

Souvent confondu avec Simon Julien (Toulon, 1735 - Paris, 1800), il était en France en 1747, puis voyagea en Italie, devenant à Rome, en 1760, le protégé du duc de Parme dont il prit par reconnaissance le nom en 1773 ; il peignit de nombreux tableaux pour ce mécène. De retour à Paris, en 1773, il trouva la protection du duc de Nivernais et du prince de Ligne. Son admiration pour Raphaël s'exprime aussi bien dans ses oeuvres, où elle va de pair avec l'imitation de l'antique, que dans ses écrits : sa propre biographie (1794, publiée par Landon dans son Précis historique des productions des arts..., *Paris, 1801, I, pp. 113-148) contient de nombreuses phrases qui l'attestent : « (...) c'est le seul des peintres qui gagne à être regardé longtemps (...) Il n'attire point, mais dès qu'il vous tient, vous ne pouvez plus vous échapper. Vous n'approchez de ses tableaux qu'avec cette espèce de retenue qu'inspire une assemblée honnête et respectable. Vous prenez, sans vous en apercevoir, un air sérieux, mais satisfait, et vous voudriez rester toujours dans une si douce situation». Il loue surtout les expressions de ses personnages : « plusieurs figures expriment différemment la même passion, et toujours sans altérer la beauté. C'est en cela qu'il se rapproche le plus de l'antique (...) » Sa correspondance avec le peintre belge A.C. Lens, où revient souvent le nom de Raphaël, sera publié prochainement par P. Rosenberg. Le Cabinet des Dessins du Louvre conserve quatre dessins de Julien de Parme d'après des détails des fresques de Raphaël du Vatican (1767 et 1768). A l'Albertina de Vienne, un beau dessin à la plume et au lavis (Inv. 12.863) que nous signale P. Rosenberg, montre un peintre en pleurs devant les bustes d'Homère, Raphaël, Titien et Corrège, alors qu'une allégorie féminine (la Peinture) lui désigne les bustes de Lemoyne, Natoire, Boucher, Van Loo et Pierre, auxquels il tourne le dos (fig. 194)* J.P.C.

137
Tête d'enfant

ill. 33

Pierre noire (?)
H. 0,20 ; L. 0,18
Inscription à la plume, en bas :
Cette tête que j'ai copiée le plus exactement qu'il m'a été possible, se trouve derrière un dessin de Raphaël/que j'ai été obligé de monter sur carton. Julien de Parme 1780.

Historique :
Legs Layé, 1864. Inv. 1.149.

Bibliographie :
Catal. musée, 1882 (3ᵉ éd.), nº 392 ;
Catal. musée, 1931, nº 70 ;
Catal. musée, 1954, nº D 9.

La valeur de document de ce dessin est considérable, puisqu'il semble bien nous donner un fidèle reflet d'un dessin de Raphaël perdu lorsque, pour préserver l'autre face, il fut collé sur carton, comme l'explique l'annotation de l'artiste. Ce dessin parait être une étude pour la *Vierge Mackintosh* (Londres, National Gallery ; De Vecchi, 1982, nº 86). Julien était collectionneur de dessins : en 1794 (21 février) il mettait en vente des dessins «« de Raphaël, de Michel-Ange, de Poussin, Jules Romain, Léonard de Vinci »» (catalogue non retrouvé ; voir Cantarel-Besson, 1981, p. XXXVI). Treize dessins de Raphaël de l'Albertina de Vienne proviennent de sa collection (catal. Stix et Fröhlich-Bum, 1932, nºˢ 49, 59, 61 à 68, 71, 78). J.P.C.

Chartres, Musée des Beaux-Arts

138
Les Muses et les Grâces pleurent la mort de Raphaël

ill. 363

Plume, encre brune et lavis brun, rehauts de gouache blanche
H. 0,387 ; L. 0,439
Inscription sur le lit, vers la gauche :
Ille hic est Raphaël
Inscription à la plume, sous la composition :
Monument érigé à la gloire de Raphaël, par son très humble Disciple et sincère admirateur, Julien de Parme. Je le faisois à Paris en 1774./Les Muses et les Grâces pleurent la mort de Raphaël./Vasari rapporte que Raphaël étant mort on mit au chevet de son lit le tableau de la Transfiguration, son dernier ouvrage et son chef-d'oeuvre ; ce spectacle attendrit tout le monde. Vie de Raph.

Historique : acquis par F. Lugt (Lugt. 1028) chez Terisse, Bd Haussmann, le 26 octobre 1925 ; Fondation Custodia, Institut Néerlandais. Inv. 2.360.

Bibliographie : Jean-Richard, 1979, s.p.

Cet exceptionnel dessin semble, en 1774, la toute première représentation en France d'un épisode de la vie de Raphaël. Les neuf Muses se lamentent, assises ou debout au pied du lit. La Peinture, au premier plan, désignée par une palette, est agenouillée ; un génie, sa torche renversée, pleure près d'elle. La Renommée, dans un geste qui évoque celui de l'ange de la *Grande Sainte Famille**, tend une couronne au dessus du corps. Les trois Grâces, vers la droite, désignent la *Transfiguration* et le peintre mort. La vue « plongeante » donne de cette scène une image bien différente de celle des « lits de mort » que l'époque néo-classique va bientôt multiplier, sous l'influence notamment de la *Mort de Germanicus* de Poussin. J.P.C.

Paris, Fondation Custodia, Institut Néerlandais

Lafage (Raymond)

Lisle-sur-Tarn, 1656 - Lyon, 1684

Il étudia à Toulouse et à Paris et séjourna à Rome. Il eut pendant sa courte carrière une activité prolifique de dessinateur ;s'il fit quelques gravures, il n'aborda jamais la peinture. Il cultiva une manière virtuose et bâclée dans des dessins griffonés à la plume, parfois tachés de lavis. Il pastiche sans vergogne ses aînés et parfois Raphaël. Ainsi dans ses batailles : Combat entre les Grecs et les Troyens *(Montpellier, Musée Atger), qui dérive de l'*Attila, *ou* Bataille au bord d'un fleuve *(Ann Arbor, University of Michigan) inspirée de la* Bataille de Constantin. *(Vatican)* *J.P.C.*

139
Abraham et les trois anges

ill. 248

Plume. H. 0,177 ; L. 0,213

Historique :
Legs Paul Fourché ; entré en 1922 au musée. Inv. 818 G.

Bibliographie :
Pruvost, 1953, p. 26, n° 42, repr.

Bien caractéristique du graphisme impatient et négligé de Lafage, le dessin s'inspire directement, en en inversant la composition, de la peinture des Loges de même sujet (Dacos, 1977, IV. 3). Le Musée d'Orléans possède aussi la gravure de Caylus faite d'après le dessin, dans le même sens. J.P.C.

Orléans, Musée des Beaux-Arts

La Hyre (Laurent de)

Paris, 1606 - id., 1656

Il se forme dans l'atelier de Lallemand et au contact des peintures de Fontainebleau ; longtemps il unira des traits maniéristes à une sensibilité classique. Il peint deux Mays *de Notre-Dame (1635 et 1637), travaille au décor d'hôtels parisiens et tend vers une manière épurée, où le paysage et les références à l'antiquité tiennent une place capitale. Il n'alla jamais en Italie, mais l'influence de Gentileschi, aussi bien ses types que son coloris clair et chantant, paraît l'avoir fortement marqué. Dans une vente à Paris en 1780 (24 avril) passait un tableau de La Hyre « d'après Raphaël » représentant* L'envoyé d'Abraham allant demander Rachel en mariage. *Quelques réminiscences de Raphaël peuvent apparaître dans son oeuvre, comme le* Saint Pierre délivré par l'ange *(Londres, coll. part. ; fig. 106) qui évoque la fresque du Vatican.* *J.P.C.*

140
Saint Etienne discute avec les docteurs de la Synagogue et les confond

ill. 161

Pierre noire, lavis gris et lavis blond, traces de stylet.
H. 0,378 : L. 0,554. Collé en plein.

Historique :
Eglise Saint-Etienne-du-Mont, Paris ; paraphe ancien non identifié à la plume et encre brune en bas à droite ;
saisi à la Révolution ;

marque du Musée (Lugt 1886). Inv. 27.505.

Bibliographie :
Morel d'Arleux, IX, n° 13408 ;
Guiffrey-Marcel, VII, n° 5580, repr. ;
Fenaille, 1903, I, p. 276, n° 6 ;
Ponchateau, 1978, pp. 76-81
(ensemble de la série).

Le dessin fait partie d'une série de dix-huit compositions, toutes aujourd'hui au Louvre, sur le thème de la vie de saint Etienne, commandées à La Hyre par les marguilliers de l'église Saint-Etienne-du-Mont pour servir de modèles à des cartons de tapisserie, semble-t-il vers 1650. Cinq seulement de ces tapisseries furent tissées ; elles sont citées par Guillet de Saint-Georges (Dussieux, 1854, II, p. 112) puis par Piganiol de la Force en 1765 (VI, p. 115). Le beau-frère de Le Sueur, Thomas Goussé, avait été chargé de traduire les dessins au format des cartons.

Le rapport du dessin exposé avec l'*Ecole d'Athènes* est flagrant : calmes figures largement drapées réparties par groupes dans des architectures à l'antique, et surtout emprunts directs, comme celui du docteur, à gauche, tenant le livre, repris littéralement de la figure du Parménide (ou Xénocrate), au premier plan de la fresque vers la gauche ; un docteur assis, vu de face, sur la droite, rappelle un jeune homme écrivant, au fond de la même fresque. Notons un autre dessin de la série, *Le Lévite Barnabé* (Inv. 27.501, Ponchateau, 1978, repr. p. 76) qui rappelle les tapisseries du Vatican, notamment la *Mort d'Ananie*.

J.P.C.

Paris, Musée du Louvre, Cabinet des Dessins

Landon (Charles-Paul)

Nonant, Orne, 1760 - Paris, 1826

Elève de Vincent et de Regnault, il obtient en 1792 le Grand Prix, mais ne peut se rendre à Rome. Il traite surtout des sujets mythologiques dans une manière claire, gracieuse et découpée. Sa Vénus sur les eaux *(Salon de 1810, Nice) semble inspirée directement de la* Vénus couchée sur un dauphin *d'Agostino Veneziano (Bartsch illustré, 1978, vol. 26, p. 236, n° 239), alors donnée à Raphaël.*

Critique et éditeur, Landon est surtout célèbre pour ses Annales du Musée et de l'Ecole Moderne des Beaux-Arts *(deux éditions, 1801-1809 et 1823-1835)où les oeuvres du Musée Napoléon et celles exposées aux Salons de 1808 à 1835, sont accompagnées de commentaires critiques et de gravures au trait. Il dirigea aussi la publication d'un* Raphaël (Vie et oeuvre des peintres les plus célèbres réduits et gravés au trait, *Paris, 1803, 7 vol.), vaste répertoire « pan-raphaélesque » faisant un bilan de tout ce que l'époque néo-classique classait sous le nom du peintre italien ; réédités chez Didot en 1844 (4 vol.), ces recueils de gravures au trait connurent une large diffusion (voir n° 305).*

J.P.C.

141
Le bain de Virginie ou Paul et Virginie

ill. 65

Toile
H. 2,47 ; L. 1,98

Historique :
Salon de 1801, n° 201 ; réexposé au Salon de 1814, n° 573 ; acquis par Louis XVIII en 1820 ; Musée du Louvre (INV. 5.619) ; dépôt à Alençon, 1872.

Bibliographie :
Catal. musée, 1909, n° 117 ;
Catal. exp. *Artistes ornais du XIXe siècle*, Alençon, Maison d'Ozé, 1977, repr.

Landon donne lui-même un commentaire de son tableau dans ses *Annales du Musée* (2e édition, *École Française Moderne*, t. II, Paris, 1833), avec une gravure de Normand, pl. 8) : « l'artiste a voulu donner une idée des plaisirs innocents de Paul et Virginie pendant leur enfance. Leurs mères s'amusent à les baigner dans une fontaine ombragée d'un palmier planté en mémoire de leur naissance ».

La gamme claire, le coloris vif, le sentiment précieux et délicat d'une nature idyllique évoquent, comme le type des figures, fines et tendues, des tableaux de Raphaël comme la *Belle Jardinière** : le thème des deux enfants rappelle le *Vierge de la Promenade* d'Edimbourg (De Vecchi, 1982, n° 133). Landon indique lui-même *(op. cit.)* qu'au moment du Salon de 1801 certains critiques « y virent une imitation de Raphaël et non une peinture originale » et blâmèrent l'artiste. Et le peintre-écrivain de conclure crânement : « le plus grave [reproche], celui d'être une imitation de Raphaël, devient un éloge véritable, car l'œuvre du peintre d'Urbino n'offre aucune composition qu'on puisse citer comme ayant pu inspirer celle-ci ». Le tableau de Landon représente, en 1801, un témoignage exceptionnel dans la peinture française de goût « primitif », comparable seulement aux peintures contemporaines allemandes ou des Pays du Nord. Des œuvres analogues se trouvent plutôt alors, en France, dans les vignettes d'illustrations. Mentionnons, toutes proches de sentiment et d'un « raphaélisme » comparable, une gravure de Bourgeois de la Richardière d'après un dessin de Laffitte, *L'enfance de Paul et Virginie*, illustration du *Paul et Virginie* de Bernardin de Saint Pierre (édit. Didot, 1806), et une gravure populaire qui en est dérivée (Duchartre et Saulnier, 1944, repr. pp. 4 et 5). Une lithographie de Becquet (vers 1820 ?) représentant la tête de *Virginie* en pendant sur une même feuille à une tête de *Paul* s'inspire directement de la *Belle Jardinière** (fig. 7).

J.P.C.

Alençon, Musée des Beaux-Arts et de la Dentelle

Le Brun (Charles)

Paris, 1619 - id., *1690*

Plusieurs traits invitent à établir un parallèle, proportions gardées, entre la carrière de Raphaël et celle de Le Brun, l'un et l'autre ambitieux et acharnés au travail, favoris du prince, décorateurs de palais, étendant l'activité du peintre à tous les domaines de la création : ornements de l'architecture, sculptures, tapisseries, gravures ; l'un comme l'autre, chefs de chantier à la tête d'une brillante équipe de disciples. Personnalités qui ont paru également dépourvues du relief qui caractérise les artistes à « tempérament » et que notre siècle est peu porté à goûter. Et auxquelles on a tôt fait d'appliquer le qualificatif infâmant : éclectiques. Et, pire : scolaires.

Formé par Perrier, puis par Vouet, le tout jeune Le Brun, déçu par ce dernier, étudie à Fontainebleau. Il y exécute, n'étant « que sur sa quinzième année » une « copie en petit de la grande Vierge de Raphaël » (presque certainement la Sainte Famille de François 1er*, *alors à Fontainebleau avec les autres tableaux de la collection royale ; Nivelon, cité par Thuillier, 1963A, p. XXXXII).*

Protégé par Séguier, Le Brun gagne Rome en 1642, accompagnant Poussin. Arrivé dans la ville, dit Nivelon, il se consacre d'abord à l'étude des oeuvres de Raphaël qu'il copie en petit ; Nivelon dit même qu'il copie alors « tous » les ouvrages de Raphaël (Jouin, 1889, p. 41, n° 3) et assure qu'à Mazarin lui demandant ensuite à quel peintre il s'est le plus attaché durant ses études, il répond que c'est à Raphaël, parce que celui-ci reste « le gros de l'arbre » (Nivelon cité par Jouin, 1889, p. 42, n. 1). Le Brun garda sa vie durant ces copies de Raphaël faites au Vatican (voir n° 142), et H. Testelin raconte qu'en 1648, au moment de la création de l'Académie Royale, il « fit exposer publiquement dans les Salles de l'Académie les tableaux qu'il avait faits à Rome d'après Raphaël », permettant aux « élèves les plus studieux » de les étudier et de les copier. Raphaël est ainsi, à Rome, avec les sculptures antiques, le principal modèle de Le Brun. Il peint alors des copies pour Séguier ; en mars 1643, il écrit à son protecteur qu'il travaille d'après une Vierge, au Palais Farnèse, « la plus belle que Raphaël ait faite », dit-il : c'est la Vierge du Divin Amour, *aujourd'hui à Naples, « qui semble avoir eu une grande importance pour la formation de son style » (Thuillier, 1963A, p. XXXXV) ; de fait, le tableau, considéré aujourd'hui comme de l'atelier de Raphaël, a, dans la fermeté un peu dure et tendue de son modelé, ses forts contrastes, un aspect Le Brun « avant la lettre ».*

Raphaël paraît bien avoir été pour Le Brun un modèle et il le donne comme exemple aux peintres : il consacrera la première des conférences de l'Académie (7 mai 1667) au Grand Saint Michel.* *Mais la même année Le Brun affirme clairement, dans sa conférence de novembre sur la* Manne *de Poussin, sa dette envers ce dernier, disant « que le divin Raphaël a été celui sur les ouvrages duquel il a tâché de faire ses études, et que l'illustre M. Poussin l'assista de ses conseils et le conduisit dans cette haute entreprise ; de sorte qu'il se sent obligé de reconnaître ces deux grands hommes pour ses maîtres et d'en rendre un témoignage public ».*

Il est tentant de saisir dans les oeuvres de Le Brun des reflets de cette admiration pour Raphaël, même s'il est parfois arbitraire, comme le peintre lui-même nous en avertit, de faire la part de chacun de « ces deux grands hommes » dans leur genèse : l'homme accroché à un rocher du Serpent d'airain *(vers 1649 ; Bristol) évoque une célèbre figure de l'*Incendie du bourg, *le* Sommeil de l'Enfant Jésus *(1655, Louvre) participe du climat raphaélesque des* Saintes Familles *contemporaines de Bourdon ou de Stella (n°s 34 et 222), la partie inférieure de la* Descente du Saint-Esprit *(1657, Louvre) rappelle, dans un même climat dramatique, les groupes d'apôtres de la* Transfiguration, *le* Saint Jean l'Evangéliste *(Trianon) emprunte l'attitude du Créateur de l'*Ezéchiel *(mais, aussi bien, celle du* Saint Paul *de Poussin, issu du même modèle) et la* Madeleine *(1656-1657? Louvre) prouve peut-être l'étude des figures puissantes, mais souples et instables, des* Sibylles *de Santa Maria della Pace. Des échos de Raphaël apparaissent dans des entreprises moins importantes : le frontispice des* Poésies de La Mesnardière, *gravé par Rousselet en 1656, s'inspire de l'Apollon du* Parnasse* *gravé par Marcantonio Raimondi, et la série des* Apôtres *éditée chez Pierre Mariette rappelle les suites d'*Apôtres *gravées d'après Raphaël ou ses élèves. Et les dessins donnés à Coyzevox pour le* Louis XIV victorieux *de la cheminée du Salon de la Guerre de Versailles paraissent inspirés par le groupe de droite d'*Héliodore chassé du temple *(Kuraszewski, 1974, p. 64, fig. 1-3). Mais c'est dans les* Batailles d'Alexandre *(n° 144) que Le Brun dialogue avec le plus de conviction avec Raphaël ; et, plutôt, avec Giulio Romano, l'auteur, sur les dessins de Raphaël, des peintures de la Chambre de Contantin. J. Thuillier analyse bien, dans le goût du Premier peintre pour les sujets violents et cruels, dans l'aspect souvent brutal de ses oeuvres, les traits qui font de lui « l'héritier véritable de Jules Romain » (1963A, p. XXIV)*

C'est la dimension héroïque, flamboyante du Raphaël romain qui attira le plus Le Brun ; et l'on comprend sa prédilection pour le Saint Michel *(n°s 143 et 145). Mais dans les dernières années, les ultimes tableaux de chevalet du peintre disgrâcié, tout d'élégance, de clarté, d'apaisement, constituent, en même temps qu'un hommage à Poussin, un dernier salut à Raphaël, peintre de la grâce : le* Moïse épousant Séphora *évoque la calme rythmie de certaines compositions des Loges ou de l'*Histoire de Psyché *gravée par le Maître au dé, et dans l'*Entrée du Christ à Jérusalem *(Saint-Etienne, 1688-1689) une figure paraît directement empruntée à l'*Assemblée des dieux *de la Farnésine (n° 146)* J.P.C.

142
Tête de femme
D'après la Guérison du paralytique

ill. 278

Sanguine, pierre noire, rehauts de blanc
H. 0,445 ; L. 0,294

Historique :
Atelier de Le Brun ; entré dans les collections de Louis XIV en 1690, paragraphe de J. Prioult au verso (Lugt 2953) ;
Marque du musée (Lugt 1886). Inv. 28.553.

Bibliographie :
Morel d'Arleux, VIII, n° 10501 (187e du lot) ;
Guiffrey-Marcel, VIII, n° 7528.

Parmi les dessins qui se trouvaient aux Gobelins à la mort de Le Brun en 1690 figuraient (n° 348) « Deux cents desseins dud. S. Le Brun et autres Estudes pour divers tableaux, quelques-uns de sa main et faits par lui, d'autres d'après Raphaël, V » (Jouin, 1889, p. 739).

Dans l'ensemble du fonds Le Brun parvenu au Cabinet des Dessins, beaucoup de dessins d'après Raphaël, d'une qualité trop faible pour revenir au Maître, sont à l'évidence des exercices d'élèves. D'autres, de belle veine, paraissent de collaborateurs : ainsi une étude de têtes et de mains d'après la *Dispute du Saint-Sacrement* (sanguine et pierre noire, Inv. 28.407) ou une étude de la tête de l'ange à cheval d'*Héliodore chassé du temple* (sanguine, Inv. 28.833). Mais tout un groupe de dessins, à la sanguine et à la pierre noire sur papier beige, avec des rehauts blancs, montrant tous des têtes ou des bras tirés des tapisseries des *Actes des Apôtres* (dans le sens des tapisseries) se rattachent directement à la manière de Le Brun (Inv. 28.408, 28.552, 28.553, 28.555, 28.557, 28.559, 28.560, 28.561), et plusieurs (tous?) paraissent de sa main (notamment les Inv. 28.408 et 28.559). Il pourrait s'agir d'études remontant au séjour romain du peintre, faites devant les tapisseries du Vatican. La tête exposée, d'après la figure de femme sur la gauche de la *Guérison du Paralytique,* nous semble caractéristique de Le Brun, par son tracé large et fort. Il est particulièrement intéressant de voir Le Brun, copiste attentif, interpréter pourtant le modèle, alourdissant le menton, amplifiant les volumes ; et trahissant en même temps combien le type de visage féminin que l'on voit peut-être ici se former et auquel il restera fidèle, doit à l'étude de Raphaël J.P.C.

Paris, Musée du Louvre, Cabinet des Dessins

143
Minerve terrassant une harpie

Plume et lavis de bistre sur esquisse à la sanguine, mis au carreau
H. 0,420 ; L. 0,285, forme ovale
Annoté en bas à droite à la plume :
Car. Le Brun fec.

ill. 113

Historique :
Coll. L. D. Lempereur (Lugt 1740) ; J.M. Du Pan (Lugt 1440), vente du Pan, 26 - 28 mars 1840, n° 1450 (« Saint-Michel dans les airs foudroyant le dragon ») ; Maison P. Prouté, 1978 ;
coll. part. Paris (marque du propriétaire actuel, en bas au centre, non citée par Lugt).

Bibliographie :
Catal. P. Prouté, « Centenaire », 1978, n° 13, repr.

Il semble s'agir d'un projet pour un petit plafond, à placer peut-être assez tôt dans la carrière de l'artiste, au moment où il travaille pour des hôtels parisiens (vers 1652-1655?). L'inspiration prise au *Grand Saint Michel** de Raphaël : visage axé et penché, mouvement tournoyant des bras et des ailes, n'est guère contestable. Nous aurions ici la première marque d'intérêt de Le Brun pour ce motif dont le saint Michel de la *Chute des Anges Rebelles* (voir n° 145) constituera bien plus tard, un ultime souvenir. Notons les comparables figures de Minerve dans la *Prise de Gand* de la voûte de la Galerie des Glaces (vers 1680-1684) et de Persée dans un projet de fontaine montrant *Persée et Andromède* (Louvre, Cabinet des Dessins, Inv. 29.811 ; Montagu, 1958, p. 96, fig. 4.J.P.C.

Paris, collection particulière

144
Le passage du Granique

ill. 202

Toile
H. 4,70 ; L. 10,29

Historique :
Collection de Louis XIV. INV. 2894.

Bibliographie :
Thuillier, 1963A, n° 30 (avec bibliographie, pp. 77-79), repr. ;
Pope-Hennessy, 1970, pp. 244-245, fig. 236 ;
Catal. musée (Rosenberg, Reynaud, Compin), 1974, n° 449, repr.

L'exécution d'une suite de grands tableaux où il pût se mesurer à Raphaël, particulièrement à la série des fresques de l'*Histoire de Constantin* du Vatican, paraît avoir tenté Le Brun au moment de ses travaux à Vaux-le-Vicomte. Il montra alors à Mazarin un dessin représentant le *Triomphe de Constantin,* sujet exécuté en grand pour être traduit en tapisserie. « M. Fouquet désirait avoir cette histoire complète, et sans rapport avec les compositions de Raphaël » (Nivelon cité par Jouin, 1889, p. 124). Le Brun exécutait aussi alors un *Mariage de Constantin.*

Mazarin prit un vif plaisir à étudier le dessin que lui présentait Le Brun qui lui montra aussi sa copie faite à Rome de la *Bataille de Constantin* de Raphaël (voir n° 241) ; Mazarin demanda à Le Brun de se mesurer avec Raphaël en traitant le même sujet : il fit un nouveau dessin de cette *Bataille.*

Le *Triomphe,* le *Mariage* et la *Bataille* furent tissés dans une suite de l'*Histoire de Constantin* (Fenaille, II, 1903, pp. 27-32, pl. face p. 28 *[Le Triomphe])* et la première et la troisième composition gravées par G. Audran. Il ne semble pas que de grands tableaux furent jamais peints, mais on conserve une belle étude peinte pour la partie droite de la *Bataille* (musée de Château-Gonthier ; Thuillier, 1963A, n° 26).

C'est après le succès triomphal des *Reines de Perse aux pieds d'Alexandre* (1660-1661, Versailles) que Le Brun entreprit les quatre grandes peintures de l'*Histoire d'Alexandre* aujourd'hui au Louvre : l'*Entrée dans Babylone* et le *Passage du Granique* étaient terminés en octobre 1665, puisque Bernin put alors les examiner. En février 1669, Bourdon parle de la *Bataille d'Arbelles* comme d'un tableau achevé ; les quatre toiles, avec *Alexandre et Porus,* figurent au Salon de 1674. La relation des *Batailles* avec les fresques de la Chambre de Constantin, et le désir de le Brun de rivaliser avec elles, soulignés par J. Thuillier, sont certains ; le peintre a même pu souhaiter voir ses quatre énormes peintures former le décor d'une salle. On sait qu'elles ne trouvèrent jamais un emplacement à leur mesure.

Les souvenirs des fresques de Raphaël des Chambres abondent dans les *Batailles :* prisonniers de la *Bataille d'Ostie* dans la partie gauche d'*Alexandre et Porus,* cavaliers et oriflammes de l'*Attila* dans la *Bataille d'Arbelles.* Mais c'est surtout avec la *Bataille de Constantin* que le *Passage du Granique* et la *Bataille d'Arbelles* méritent d'être comparées. On en retrouve, dans la *Bataille d'Arbelles,* l'organisation tumultueuse déroulée en frise devant un paysage montagneux, et le roi vainqueur cavalier, de profil vers le centre de la composition. Le *Passage du Granique,* ici exposé, est plus révélateur encore. Le fleuve du premier plan, avec les guerriers à demi dans l'eau, évoque la partie droite de la composition du

Vatican, avec, comme ici, une construction selon une ligne diagonale ; par exemple les soldats sortant de l'eau, agrippés les uns aux autres, au premier plan vers la gauche, rappellent ceux de l'extrême droite de la fresque romaine. Plusieurs de ces figures du premier plan doivent, d'autre part, aux soldats nus de la *Bataille de Cascina* de Michel-Ange. Le cheval blanc, au centre, est inspiré, inversé, de celui du premier plan de la *Bataille de Constantin ;* et J. Thuillier remarque, de plus, l'analogie du groupe central, avec le guerrier renversé, avec la partie droite de l'*Héliodore* (1963A, n° 30). J.P.C.

Paris, Musée du Louvre

145
Académie d'homme
Étude pour un Saint Michel

ill. 114

Sanguine sur papier beige
H. 0,437 ; L. 0,290

Historique :
Atelier de Le Brun ; entré dans les collections de Louis XIV en 1690, paraphe de P. Prioult au verso (Lugt 2953) ;
marque du musée (Lugt 1886).
Inv. 28.536

Bibliographie :
Morel d'Arleux, VIII, n° 10501 ;
Guiffrey-Marcel, VIII, n° 6769 ;
Montagu, 1958, p. 96, fig. 3.

Étude, montrant un homme nu, pour la figure de Saint Michel d'une *Chute des Anges Rebelles* projetée par Le Brun, peut-être dès 1672, pour la chapelle du château de Versailles et qui ne fut pas réalisée ; une esquisse (vers 1684 ?), gravée par Nicolas Loir en 1685 (Montagu, p. 93, fig. 2), se trouve au musée de Dijon. Le dessin s'inspire étroitement, dans l'attitude donnée au modèle, du *Grand Saint Michel** du Louvre ; dans l'esquisse peinte le mouvement plus en diagonale de la figure en plein vol, le bouclier tenu par le bras gauche la transformeront quelque peu. Jennifer Montagu a finement analysé l'emprunt de Le Brun à un tableau qu'il connaissait bien pour avoir prononcé sur lui une conférence à l'Académie en 1667, et remarque que l'expression de colère marquée ici sur le front du personnage disparaîtra sur la peinture, conformément au visage du tableau de Raphaël où, disait Le Brun « ... cette partie [le front] demeure sans effet et sans mouvement, cet Ange méprisant trop l'ennemy qu'il a renversé pour s'appliquer beaucoup à le vouloir vaincre ». J.P.C.

Paris, Musée du Louvre, Cabinet des Dessins

146
Jeune fille à demi drapée, tête d'enfant et deux têtes de jeunes filles

ill. 235

Pierre noire, rehauts de blanc, sur papier beige
H. 0,374 ; L.0,274. Collé en plein

Historique :
Atelier de Le Brun ; entré dans les collections de Louis XIV en 1690 ;
paragraphe d'A. Coypel (Lugt 478) ;
marques du musée (Lugt 1899 et 2207). Inv. 27.832.

Bibliographie :
Morel d'Arleux, VIII, 10045 ;
Guiffrey-Marcel, VIII, n° 8127 ;
Jouin, 1889, pp. 471-472, 727, 738 ;
Schnapper, 1968, n° 115, repr.

Étude, comme l'a bien vu A. Schnapper, pour l'adolescente offrant des fleurs et pour l'enfant, au centre, vers la droite, de l'*Entrée du Christ à Jérusalem* peint en 1688-1689 (musée de Saint-Etienne). C'est le moment où l'oeuvre de Le Brun connait un certain apaisement : ses dessins se font plus moelleux et sensibles à la grâce des jeunes femmes et des enfants, et rejoignent, à travers Poussin, certains aspects de Raphaël. Telle qu'elle figure sur le dessin, la figure reprend presque exactement, inversée, la figure de Psyché de la fresque de l'*Assemblée des dieux* du plafond de la Loggia de la Farnésine. J.P.C.

Paris, Musée du Louvre, Cabinet des Dessins.

Atelier de Le Brun

147
Figures et motifs décoratifs

ill. 322 (détail)

Toile
H. 4,86 ; L. 0,70
En bas : *LVD^{vs} XIIII/AN° 1665*

Historique :
Collections de Louis XIV ; Inv. 3033.

Bibliographie :
Catal. musée (Rosenberg, Reynaud, Compin), 1974,
n° 459, repr.

Ce carton a servi à la manufacture des Gobelins pour les bordures de plusieurs des tapisseries de l'*Histoire du Roi* dont les premières pièces furent tissées à partir de 1665 (Fenaille, 1903, pp. 99-127). Les deux caryatides de la partie médiane sont inspirées de la célèbre *« Cassolette »* * de Marcantonio Raimondi (Bartsch illustré, 1978, vol. 27 p. 164, nº 489). Le Louvre possède un autre carton comparable pour une bordure de tapisserie datée *1671,* d'un motif légèrement différent et qui servit aussi pour les tapisseries de l'*Histoire du Roi :* les deux caryatides sont reprises dans un mouvement plus souple et dissymétrique, se regardant l'une l'autre.

Notons aussi le motif, tout proche de celui de l'œuvre exposée, d'une des bordures des tapisseries des *Actes des Apôtres* du Vatican (Freedberg, 1972, II, fig. 413). J.P.C.

Paris, Musée du Louvre

Leguay (Etienne-Charles)

Sèvres, 1762 - Paris, 1846

Elève de Vien, miniaturiste et surtout peintre de porcelaines particulièrement renommé pour avoir orné un vase « étrusque » monumental de la manufacture de Sèvres d'une frise de 2,05 m représentant le cortège nuptial de Napoléon 1er et de Marie-Louise traversant la grande galerie du Louvre où étaient accrochés, entre autres, les chefs-d'oeuvre de Raphaël saisis en Italie à partir de 1796. Le vase est aujourd'hui détruit mais le modèle de la frise, une aquarelle de B. Zix, est conservée au Cabinet des Dessins du Louvre (A. Sérullaz, 1983, p. 115, nº 147, repr.). Qu'il ait exposé au Salon de 1795 à 1819 montre bien que son oeuvre se révéla accordée au goût précieux du Consulat et de l'Empire. D.C.

148
Portrait de Marie-Victoire Jaquotot

ill. 53

Miniature sur ivoire
H. 0,191 ; L. 0.133
Signé à gauche : *Leguay.*

Historique :
Coll. La Béraudière ;
vente, Paris, 1885,
nº 604 ; coll. du marquis de Biron ;
coll. D. David-Weill ; don de
M. et Mme D. David-Weill, 1948.
Inv. R.F. 30.768.

Bibliographie :
Catal. exp. *Vingt ans d'acquisitions au Musée du Louvre 1947-1967,* 1967-68, p. 182, nº 468 (avec bibliographie antérieure).

Portrait de Marie-Victoire Jaquotot (voir section Céramique), célèbre peintre sur porcelaine et seconde épouse de Leguay dont elle divorça en 1810. Elle est ici portraiturée vers 1804 (Mauclair, 1925, p. 263), consultant des estampes parmi lesquelles on reconnaît une oeuvre d'Angelica Kauffmann et surtout, tête bêche, la figure de la *Mansuétude,* l'une des Vertus peintes par Raphaël dans la Chambre de Constantin (Vatican ; De Vecchi, 1982, nº 154 F). Elle tient une gravure de la *Vierge à la chaise* dont on devine la composition par transparence. Pour cette façon, emblématique, de témoigner d'une admiration illimitée pour Raphaël, on comparera ce portrait de M.V. Jaquotot au *Portrait de M. Rivière* par Ingres (Louvre), exactement contemporain (1804-1805), où apparaît aussi une *Vierge à la chaise* gravée (fig. 28). A la collection David-Weill appartenait aussi un autre portrait de M.V. Jaquotot par Leguay, également en miniature sur ivoire, (Louvre, Cabinet des Dessins, RF 30.769 ; Sérullaz, 1956, p. 60, nº 12), mais c'est dans celui-ci, plus composé, que se révèle pleinement la saveur limpide et douce de l'art de Leguay qui joue sur la blancheur de l'ivoire pour donner à l'ensemble une enveloppe lumineuse légèrement éthérée. D.C.

Paris, Musée du Louvre, Cabinet des Dessins

Lehmann (Henri)

Kiel, Holstein, 1814 - Paris, 1882

Elève de son père à Hambourg, il entra dans l'atelier d'Ingres dès 1831. En 1833 et 1835 il peint des copies de l'Enfant et de la tête de la Vierge de la Belle Jardinière, *qu'il lèguera à l'École des Beaux-Arts (Aubrun, 1983, p. 39). Il séjourne à Munich, puis longuement à Rome (1839 et 1840-1842). Il prend la nationalité française et poursuit une carrière officielle. Brillant dessinateur et bel organisateur de formes, il peint des portraits et des décors religieux (Paris, église Saint-Merri ; Institut des Jeunes Aveugles) et civils (Hôtel de Ville de Paris). Avec l'exemple d'Ingres et celui des Nazaréens, c'est celui de Michel-Ange, plus que celui de Raphaël, qui paraît l'avoir marqué (Aubrun, 1983, p. 11).* J.P.C.

149
L'Industrie. Enfant emporté sur une chimère

ill. 239

Fusain et gouache blanche sur papier brun
H. 0,455 ; L. 0,830 (triangulaire)
Monogrammé et daté en bas à gauche : *H.L. 8 Sept. 52.*

Historique :
Dépôt en 1951 de la Direction des Beaux-Arts de la Ville de Paris.
Inv. D. 8.043 (47).

Bibliographie :
Aubrun, 1983, nº 138.

Carton d'une des 56 compositions de Lehmann qui décoraient la voûte de la galerie des fêtes de l'Hôtel de Ville de Paris, ensemble détruit par le feu pendant la Commune en 1871 et qui, exécuté en moins d'un an (janvier-décembre 1852), constituait un des chefs-d'oeuvre du peintre. La quasi totalité des esquisses peintes et des cartons se trouve aujourd'hui au Musée Carnavalet (Aubrun, 1983, p. 79-116, nº 89-112 [esquisses], 117-120 [cartons], 172-225 [dessins préparatoires]). Le décor, dont le thème général était la *Lutte de l'homme contre les éléments,* faisait alterner, en associant leurs sujets, des compositions dans des pendentifs et, dans les pénétrations de la voûte, des compositions triangulaires ; ces dernières montrent toutes un ou deux enfants, et évoquent les figures des *amorini* peints par Raphaël et son atelier à la Loggia de la Farnésine, dans une architecture comparable. Le motif permet ici d'évoquer particulièrement *l'Amour avec un griffon* et *l'Amour avec un lion et un cheval marin* de la Farnésine. Les figures des pendentifs ne sont pas non plus exemptes de souvenirs raphaélesques : autant que de ceux des pendentifs de la Farnésine, des *Sibylles* de S. Maria della Pace (fig. 119). Les pendentifs de la coupole de la chapelle des Jeunes Aveugles, décorée par Lehmann en 1843-1850, se rattachent de la même façon à la fresque des *Sibylles* et à celle des *Prophètes* qui la surmonte (De Vecchi, 1981, n° 107). Mais le dessin appuyé, les musculatures râblées, un certain sens pessimiste du tragique rattachent, le plus souvent, l'ensemble de l'Hôtel de Ville au Michel-Ange de la chapelle Sixtine. J.P.C.

Paris, Musée Carnavalet

Le Masle ou Lemasle (Louis-Nicolas)

Paris, 1788 - id.?, *1870*

Ce peintre fort mal connu exposa aux Salons de 1817 à 1849 des scènes d'intérieur et des tableaux à sujets anecdotiques ou empruntés à l'Histoire de France. J.P.C.

150
Raphaël montrant au pape Jules II la statue de l'Apollon qu'il vient de découvrir.

ill. 342

Toile
H. 1,80 ; L. 2,40
Signé en bas, à gauche : *Lemasle fecit 1836.*

Historique :
Salon de 1837, n° 1166 ; envoi de l'Etat, 1837.

Bibliographie :
Catal. musée, 1913, n° 1069 ;
Catal. musée (Benoist), 1953, p. 136 ;
Georgel, 1982-1983, p.73, n. 19, p.81, repr.

Cette fascinante scène nocturne fait allusion au rôle d'archéologue joué par Raphaël, qui fut nommé en août 1515 « conservateur des antiquités de Rome ». Comme par un jeu de miroir, le peintre semble reprendre l'attitude de *l'Apollon du Belvédère.* Cette dernière statue fut découverte à Grottaferrata, propriété du cardinal Giuliano della Rovere, futur Jules II, probablement à l'extrême fin du XVe siècle ; l'épisode représenté par Le Masle n'est donc qu'en partie anachronique. J.P.C.

Nantes, Musée des Beaux-Arts

Lemoyne (François)

Paris, 1688 - id., *1737*

Élève de Galloche, il obtint le Grand Prix en 1711 et eut une carrière officielle de professeur à l'Académie et de premier peintre du Roi. Il voyagea à Rome et à Venise en 1723. Son art brillant de décorateur, toujours élégant et souple, s'inspire des grands Vénitiens du XVIe siècle et des Flamands comme Rubens et Van Dyck, et marque l'évolution de la peinture française vers des compositions instables et animées, dans des effets clairs et joyeux. Jean-Luc Bordeaux nous signale généreusement certaines oeuvres de Lemoyne en rapport avec Raphaël : une copie du Grand Saint Michel* *signée et daté 1710 (Nice, commerce d'art en 1968) et une série de douze dessins, aujourd'hui perdus, copiant des dessins de Bouchardon d'après des figures de la Farnésine qui semblent avoir inspiré plusieurs figures du* Plafond du Salon d'Hercule, *ultime chef-d'œuvre de l'artiste. Enfin la* Mission des Apôtres, *un des cinq tableaux, à la cathédrale de Sens, ayant fait partie de la commande des Cordeliers d'Amiens (1710-1720), semble inspirée de la tapisserie du même sujet des* Actes des Apôtres *du Vatican.* J.P.C.

151
L'aveuglement d'Elymas

ill. 270

Toile
H. 0,91 ; L. 0,76

Historique :
Coll. Milltown ; don au Musée, 1902 : Inv. 724.

Bibliographie :
Catal. musée (Potterton), 1981, p.96, repr.

La référence directe à la tapisserie de *L'aveuglement d'Elymas* de Raphaël surprend chez un artiste qui s'inspire plus volontiers habituellement des Vénitiens et des Flamands : le tableau, un des premiers conservé de Lemoyne, est, comme nous le signale J.L. Bordeaux, l'esquisse d'un des derniers *Mays* des Orfèvres parisiens, celui de 1719, commandé pour l'église Saint-Germain-des-Prés, à un moment où la cathédrale Notre-Dame ne pouvait plus, faute de place, accueillir ces tableaux (voir n°s 52,155,161). Le grand tableau a brûlé en 1870 ; le tableau de Dublin reste, avec des dessins conservés au Louvre, le seul document sur une des premières commandes confiées à Lemoyne. La référence à la tapisserie de la série des *Actes des Apôtres* du Vatican peut s'expliquer par le souci de Lemoyne de rester dans le ton de « grande peinture » des Mays du siècle précédent. J.P.C.

Dublin, National Gallery of Ireland

Lenepveu (Eugène)

Angers, 1819 - Paris, 1898

Élève de Picot, il obtint le deuxième Prix de Rome en 1844 et le Premier Prix en 1847. Dessinateur habile mais froid, il obtint de nombreuses commandes de compositions religieuses pour des églises parisiennes et peignit la Vie de Jeanne d'Arc *au Panthéon (1889). Il peignit les plafonds de la salle de l'Opéra de Paris (non visible) et de celle du théâtre d'Angers, et donna les projets des mosaïques qui décoraient le grand escalier du Louvre (non visibles), où l'on voyait, entre autres portraits d'artistes, celui de Raphaël.* *J.P.C.*

152
Femme portant de l'eau
D'après la fresque de l'Incendie du bourg

ill. 194

Crayon noir sur papier bleu
H. 0,45 ; L. 0,30.
Localisé et daté en bas à droite : *Rome 1843 septembre.*

Historique :
Coll. Mme Lenepveu de Laffont (Mme de Viepville) ; don de cette dernière au musée en 1927. Inv. MTC 5797.

Bibliographie :
Catal. musée (*Musée Turpin de Crissé,* Recouvreur), 1933, p. 41, n° 225.

Ce dessin fait partie, au musée d'Angers, d'un important ensemble de 71 dessins de même provenance dont beaucoup portent des dates entre 1843 et 1849, et parmi lesquels figurent huit dessins, y compris la feuille exposée, d'après les fresques des Chambres, tous datés *septembre 1843,* et un dessin d'après le *Saint Paul prêchant à Athènes* daté *novembre 1848.* Le dessin exposé a été exécuté à Rome avant le séjour qu'y fit l'artiste après l'obtention de son Prix de Rome en 1847 : étude impeccable, d'une belle tenue mais totalement dépourvue d'émotion, que l'on comparera utilement avec les copies de la même figure par Géricault (n° 108) et par Manet (n° 163). J.P.C.

Angers, Musée des Beaux-Arts

Le Roy (Denis-Sébastien)

Paris, vers 1770 ? - id., *1832*

Élève de Peyron, il obtint le deuxième Prix de Rome en 1798. Il parait s'être spécialisé dans les oeuvres de petit format, dessins, vignettes et culs-de-lampe, le plus souvent à sujets mythologiques, et dans de minuscules copies à l'aquarelle de tableaux célèbres. Le musée de Gray conserve dans cette technique, en plus de l'oeuvre exposée, une copie d'après Rubens et une autre d'après Poussin (Catal. musée [Mirimonde] 1959, n° 305). J.P.C.

153
La Transfiguration
D'après le tableau du Vatican

ill. 124

Aquarelle.
H. 0,180 ; L. 0,125

Historique :
Coll. Delafontaine (mention manuscrite : *acheté 84 fr. en 1824). Inv. 95 GR 82*

Bibliographie :
Catal. musée (Mirimonde), 1959, n° 304.

Cette aquarelle fut peut-être exécutée au moment où la *Transfiguration* était exposée au Louvre, entre 1797 et 1815. Etonnante transposition, dans des effets délicats propres à la technique, proche ici de la miniature, qui donne du chef-d'oeuvre de Raphaël, tout de violence et de contrastes, une image fragile et édulcorée. J.P.C.

Gray, Musée Baron-Martin

Le Sueur (Eustache)

Paris, 1616 - id., *1655*

*Le Sueur a ce redoutable honneur d'être considéré, depuis la fin du XVIIe siècle, comme « le Raphaël français » : d'abord appliquée à Poussin, cette flatteuse étiquette ne prit toute sa force qu'un peu plus tard, sous la plume du président de Brosses (*Lettres d'Italie, *1739), de Mariette (*Cabinet Crozat, *1741) et surtout du marquis d'Argens (*Réflexions critiques, *1752), auteur d'un véritable « parallèle » des deux artistes, qui tourne au plaidoyer en faveur du Français. Certes, on ne pouvait comparer la vie brillante, et plutôt mouvementée de Raphaël avec celle, unie et « bourgeoise » de Le Sueur. Leur seul point commun, exploité à l'époque romantique par une littérature et une peinture sentimentales, est une mort précoce, survenue avant la quarantaine. Tous deux sont parvenus très tôt à un équilibre et à une perfection jugés dignes de servir de modèles. On s'est plu à voir en eux des génies « jeunes » et « tendres », au pinceau « suave », au talent « chaste » et tout « divin », au prix d'un appauvrissement considérable de leur œuvre, d'une conception réductrice de leur art : longtemps la gloire de Raphaël ne reposa que sur ses* Madones, *et la* Vie de Saint Bruno *fit la popularité de Le Sueur. Leur réputation commune de douceur un peu fragile, pour ne pas dire de mièvrerie, a persisté jusqu'à nos jours, et les a grandement desservis auprès de nos contemporains, qui détestent les bons élèves et réclament des émotions plus fortes.*

*Ce parallèle avait d'autres raisons, moins innocentes : en proclamant Le Sueur « le Raphaël de la France », on affirmait du même coup la prééminence nouvelle de l'« École française », qui avait repris le flambeau de l'Italie, et ne devait désormais plus rien à celle-ci. Comme notre peintre s'était entièrement formé à Paris, dans l'atelier de Simon Vouet, et n'avait jamais franchi les Alpes, Charles Perrault (*Les Hommes illustres, *1696) pouvait déjà en conclure à l'inutilité, pour nos jeunes artistes, du rituel voyage d'études à Rome. Au XVIIIe siècle, Le Sueur est devenu la référence* *et la caution suprêmes d'un certain nationalisme artistique et, plus encore que Poussin ou Le Brun, perçus comme trop « italiens », la figure symbolique du génie français.*

Vouet n'a transmis à son brillant disciple qu'un seul aspect de l'art de Raphaël, au moment où, aidé de toute son équipe, il décorait de grotesques *les appartements d'Anne d'Autriche au Palais Royal et à Fontainebleau (1644-45). Le Sueur, au cours de ses travaux à l'hôtel Lambert, au Louvre et dans d'autres demeures, n'oublia ni la leçon ni le vocabulaire. Il avait pu voir aussi, dans la collection royale, à Fontainebleau, et chez quelques amateurs parisiens, plusieurs originaux (et davantage encore de copies) de Raphaël. On retrouve ainsi dans sa* Naissance de l'Amour *(Louvre) comme dans son* Allégorie de la Monarchie française *(disparu, dessins au Louvre), la figure élégante de l'ange qui couronne la Vierge de fleurs dans la* Sainte Famille de François Ier*. *Mais l'emprise la plus forte fut celle des grands décors romains. Le Sueur ne les connaissait pas directement ; les estampes et les tapisseries — c'est-à-dire des interprétations plus ou moins fidèles — lui permirent de réinventer un Raphaël à son usage. A partir de 1645, nous le voyons remettre en question le métier, pourtant très complet, qu'il a acquis chez Vouet. C'est vers cette date qu'il est reçu dans le corps des « maîtres-peintres », avec* Saint Paul guérissant un possédé *(perdu, gravé), pastiche un peu lourd de* L'aveuglement d'Elymas, *et qu'il commence à travailler aux deux cycles qui assureront sa gloire, le* Cabinet de l'Amour *de l'hôtel Lambert, et la* Vie de Saint Bruno *pour le cloître des Chartreux de Paris.*

Le jeune peintre a pratiqué les estampes de Marcantonio Raimondi, mais aussi les recueils gravés à Rome par des Français. Les Figures symboliques peintes par Raphaël au Vatican *de Rémy Vuibert (1635 ; nº 329), et les planches de François Perrier d'après la Loggia de Psyché, à la Farnésine (vers 1640 ; nºs 310-311), lui donnèrent une leçon de sobriété et de solidité monumentale, tout en lui procurant un répertoire neuf de sujets. Au décor « vénitien », dont Vouet avait mis au point la formule brillante et facile, succède une conception « romaine », qu'il adapte élégamment aux dimensions des hôtels parisiens :* Histoire de l'Amour, *pour Nicolas Lambert (aujourd'hui au Louvre), ou* Histoire de Tobie, *pour Gaspard de Fieubet (fragments au Louvre, à Grenoble, et dans une collection particulière américaine). Les sujets sont distribués en épisodes distincts, les compositions, relativement réduites, sont simples et lisibles, le rôle des encadrements et de l'ornementation s'accroît. En 1649, l'année où Le Sueur peint* Saint Paul à Ephèse *(Notre-Dame de Paris ; nº 155), qui marque l'apogée de son style « sévère », paraît le recueil de Nicolas Chapron d'après les* Loges du Vatican *; (nºs 260-261). En 1650, le peintre reçoit du président Le Coigneux une commande de projets de tapisseries inspirés des compositions bibliques de Raphaël : d'après ce que nous pouvons aujourd'hui en connaître (tableaux au Louvre et à Bloomington ; dessins...), Le Sueur a tenté ici de rivaliser avec son « modèle » plutôt qu'il ne l'a copié. A trente-quatre ans, il apparaît comme le champion de ce « retour à Raphaël » qui bat alors son plein dans la capitale — comme en témoigne l'*Abrégé de la vie de Raphaël Sanzio, *d'après Vasari, que publie en 1651 son ami, le graveur Pierre Daret. Des tableaux « sérieux », destinés à des amateurs raffinés, assurent définitivement le succès du jeune artiste dans ce goût renouvelé, comme* Alexandre et le médecin Philippe *(perdu, gravé), ou* Salomon et la reine de Saba *(Birmingham ; fig. 146).*

Le Sueur a médité aussi la leçon des tapisseries des Actes des Apôtres *(ainsi que des gravures exécutées d'après ces riches et grandioses compositions).* L'aveuglement d'Elymas, La mort d'Ananie *et* La guérison du paralytique *lui ont appris la science des « machines » ambitieuses, l'art de grouper les figures avec vraisemblance et le goût d'un drapé ample, calme et austère. Il leur a emprunté des types et des visages (certains profils de vieillards barbus ou d'adolescents échevelés), mais aussi tout un répertoire de gestes. Éloigné de la rhétorique complexe, de la « pantomime » de Poussin, le geste, chez Le Sueur, est suffisamment ample pour être perçu d'emblée. Il donne au tableau son centre et son sens : conception frappante et grande, où le corps et ses vêtements prennent un poids et une signification universelles. On ne s'étonnera pas de voir revenir, sous la plume d'Abraham Bosse, de Dufresnoy ou de Félibien (pour ne citer que des auteurs du XVIIe siècle), les mêmes expressions, qu'ils fassent l'éloge de Raphaël ou celui de Le Sueur : goût du dessin, composition savante, choix des attitudes, grâce, arrangement du drapé, maîtrise de la perspective. Et depuis Roger de Piles, un seul et même reproche réunit les deux peintres : la faiblesse de leur coloris. Ainsi, non content de recueillir une grande partie de l'héritage de Raphaël, Le Sueur l'a transmis à ses compatriotes, qui ont eu tendance à regarder et à juger le premier à travers le second. Ce legs est devenu une triple règle d'or : sens de la composition, du geste et du drapé. Les trois sont liés dans l'enseignement académique ; leur expression fondamentale est l'étude dessinée de la figure — domaine dans lequel le peintre de* Saint Bruno *fut d'emblée reconnu l'égal des plus grands maîtres.*

Pourtant, dans les toutes dernières années de sa brève carrière (1652-1655), nous le voyons se détacher des modèles raphaélesques. Les gestes perdent de leur force, les compositions se réduisent à l'essentiel, les figures s'amincissent, l'arabesque se substitue au rendu des volumes. L'extrême élégance que le peintre manifestait dès ses débuts reprend le dessus ; mais elle n'est plus seulement décorative comme du temps de Vouet. Grâce à Raphaël, elle s'est décantée et comme épurée, elle est devenue expressive. *Parvenu à la pleine maîtrise de son art (comme dans les cartons de tapisseries pour Saint-Gervais, qui développent et perfectionnent la leçon des* Actes des Apôtres*), Le Sueur montre qu'il est capable d'atteindre un dépouillement qui peut, par contraste, sembler pauvre, et rappellerait davantage — curieux paradoxe — des « pré-raphaéliens » comme Fra Bartolomeo, que Raphaël lui-même. Il reste que celui-ci, plus encore que Poussin, lui a permis d'élaborer un langage clair, aisé, parfaitement assimilable, unissant la logique à la grâce, et d'abandonner le lyrisme décoratif assez superficiel de Vouet pour l'expression de la « belle nature » et un véritable humanisme dans l'inspiration. On peut néanmoins se demander comment son art aurait évolué s'il avait vécu plus longtemps, et si la délicatesse « attique » n'aurait pas définitivement pris le pas sur ce solide et parfait équilibre, si difficile à prolonger, qui a fait de Le Sueur comme de Raphaël, au plein sens du terme, des* classiques. *A.M.*

154
La nuit de noces de Tobie

Pierre noire, lavis brun
Mis au carreau à la pierre noire
H. 0,197 ; L. 0,192
Annoté en bas à gauche : *Le Sueur.*

Historique :
Coll. Crozat (catal. Mariette, 1741, nº 1019) ; coll. Tessin (liste de 1739-1742, p. 43 vº ; catal. 1749, livre 13, nº 165 ; Kongliche Biblioteket (catal. 1790, nº 2597) ; Kongliche Museum (Lugt 1638). Inv. 2.706/1.863.

ill. 285

Bibliographie :
Bjurström, 1976, nº 536, repr.

Ce dessin est une « première pensée » pour *La nuit de noces de Tobie,* tableau destiné à décorer la cheminée d'un appartement de l'hôtel de

Gaspard de Fieubet, rue des Lions, à Paris (v. 1645-1648).Le sujet est tiré du chap. VIII du *Livre de Tobie:* Tobie, conseillé par l'archange Raphaël, jette dans le feu le foie du poisson ; un démon en jaillit et Tobie se rejette en arrière. Longtemps perdu, et connu seulement à travers le dessin de Stockholm et une gravure de Ravenet (1767) dans le recueil de Boydell (1769, I, pl. 29 ; voir Mérot, 1982, p. 62, fig. 10), ce tableau est tout récemment réapparu aux États-Unis (coll. part.). Il date de la période où Le Sueur subit le plus vivement l'influence de Raphaël. La figure de Tobie, dans le dessin de Stockholm comme dans deux études conservées à Bruxelles (Musée Royal des Beaux-Arts, coll. de Grez, n° 2237) et à Chantilly (Musée Condé, Inv. 287), s'inspire très étroitement du personnage au premier plan à droite dans *La mort d'Ananie* des tapisseries du Vatican (et aussi d'un personnage de *La Transfiguration*). Dans la composition définitive, Le Sueur modifiera son attitude.

A.M.

Stockholm, Nationalmuseum

155
La prédication de saint Paul à Éphèse

ill. 286

Toile
H. 3,94 ; L. 3,28
Signé et daté en bas à droite, sur la pierre : *E. Le Sueur 1649.*

Historique :
« May » de Notre-Dame offert en 1649 par les orfèvres Philippe Renault et Gilles Crevon (dont les initiales figurent sur la première marche, à droite), au nom de la corporation des Orfèvres ; dans la cathédrale jusqu'à la Révolution ; 1793 : saisie révolutionnaire ; dépôt des Petits-Augustins, puis musée Napoléon ; Musée du Louvre, INV. 8020 ; dépôt à la cathédrale Notre-Dame, 1947.

Bibliographie :
Brice, 1684, II, p. 234 ;
Félibien, 1688, p. 37 ;
Guillet de Saint-Georges, 1690, in *Mémoires Inédits,* I, p. 167 ;
Thiéry, 1784, p. 457 ; Dussieux, 1852, p. 60 ;
Rouchès, 1923, p. 98, pl. IX ;
Auzas, 1949, p. 183 ;
Thuillier, 1964, p. 86.

Le sujet de ce tableau, souvent considéré comme le chef-d'œuvre de Le Sueur, est tiré, comme il était d'usage pour un *May,* des *Actes des Apôtres* (XIX, 19) : « Beaucoup de ceux qui étaient devenus croyants venaient faire leurs aveux et dévoiler leurs pratiques. Bon nombre de ceux qui s'étaient adonnés à la magie apportaient leurs livres et les brûlaient en présence de tous. On en estima la valeur : cela faisait cinquante mille pièces d'argent. »

Le Sueur s'inspire ici de Raphaël, principalement de *L'École d'Athènes* (saint Paul rappelle à la fois Platon et Aristote), et de deux tapisseries de la série des *Actes des Apôtres, La prédication de saint Paul à Athènes,* et *La mort d'Ananie.*

La composition, ambitieuse, pleine de réminiscences classiques, est l'aboutissement d'une longue élaboration, dont nous pouvons retracer les étapes, grâce aux deux petits tableaux de Londres (National Gallery, Inv. 6.299) et d'Alger (Musée National des Beaux-Arts, Inv. 2.370), « modèles » ou « premières pensées » soumis aux orfèvres, et aux nombreux dessins préparatoires conservés (Louvre, École des Beaux-Arts, Madrid, Francfort, Chantilly, Ermitage, Albertina). A partir d'un motif central, vivement crayonné (dessin de Madrid), l'esquisse peinte est rapidement exécutée. La composition n'a pas encore trouvé son unité ; l'attention se disperse entre trois « scènes » : l' « autodafé » du premier plan (avec l'étonnante nature-morte de livres et la posture bizarre du jeune homme qui souffle le feu) ; le groupe de saint Paul et de ses disciples ; une scène de charité (qui rappelle la *Vie de saint Bruno*) à droite. Le tout est rapidement ébauché, dans un coloris clair. Les architectures sont simples, la perspective encore imparfaitement rendue.

Ensuite, après avoir soumis ses esquisses aux orfèvres, Le Sueur a dû considérablement modifier sa composition. Cette étape cruciale est heureusement illustrée par les deux dessins conservés à Francfort. Le premier (n° 1003) est encore très proche des « premières pensées ». Mais la perspective y est mieux étudiée, et le lien entre saint Paul et le groupe du premier plan mieux marqué, grâce à de nouveaux gestes et de nouvelles attitudes. Le second dessin (n° 1004) est l'ébauche de la composition définitive, bâtie selon un schéma triangulaire. Tout s'organise désormais autour de la figure de saint Paul, dont le geste est modifié. La scène de charité est remplacée par un groupe de personnages apportant des livres : l'unité d'action est ainsi renforcée. A l'arrière-plan, à droite, apparaît le temple de Diane, dont on entrevoit la statue. L'exactitude « archéologique » (bien timide encore, il est vrai) s'allie à un souci de « couleur locale », comme en témoigne le remplacement du néophyte par l'esclave noir brûlant les livres.

Chaque figure est préparée à part, selon la méthode habituelle à l'artiste, et l'ensemble de la composition est soigneusement mis au net (dessin MI 909 du Louvre), avec, cette fois, les indications de perspective et de proportions. Ce dessin définitif, mis au carreau, ne sera que légèrement modifié lors de l'exécution finale.

Le format exceptionnel du tableau a demandé à l'artiste, habitué à des dimensions plus modestes, des efforts dont la quantité de dessins préparatoires conservés est la preuve. Mais la lisibilité de l'œuvre est parfaite, et elle a pu apparaître comme un modèle de construction classique, voire académique. Sa « fortune critique » est sans doute la plus considérable de tout l'œuvre de Le Sueur. Contentons-nous de citer ici Thiéry (1784), qui analyse le tableau avec enthousiasme : « Tant de perfections réunies feroient regarder à juste titre Le Sueur dans ce Tableau comme l'égal de Raphaël... C'est le plus beau tableau de ce Maître, et sans contredit un des plus beaux de l'Europe. » A.M.

Paris, cathédrale Notre-Dame

156
Étude de jeune homme drapé

ill. 166

Pierre noire, rehauts de blanc, sur papier gris-beige
H. 0,437 ; L. 0,253

Historique :
Chantelou (monogramme en bas à droite, Lugt 735) ; coll. Jean de Julienne, sa vente, Paris, 30.3.1767, partie du n° 747 ; coll. His de La Salle (Lugt 1333). Inv. 1.201.

Bibliographie :
Montaiglon, 1852, *(Arch. de l'Art Français)*, p. 105.

Étude pour le jeune homme au premier plan, à l'extrême gauche, de *Saint Gervais et saint Protais conduits devant Astasius* (Louvre). Ce tableau, le plus vaste que Le Sueur ait peint, était destiné à servir de carton de tapisserie. Il est le premier d'une série de six que les marguilliers de l'église Saint-Gervais, à Paris, commandèrent à Le Sueur en 1652. Le peintre mourut en 1655, et ne put exécuter que celui-ci ; le second fut achevé par son beau-frère, Thomas Goussé (il se trouve aujourd'hui au musée de Lyon). Les marguilliers firent appel ensuite à Sébastien Bourdon (troisième carton), puis à Philippe de Champaigne (trois derniers cartons).

Cette vaste composition, très ambitieuse, et pour laquelle on conserve une belle série de dessins préparatoires, se ressent de l'influence de Raphaël (figures des deux jeunes martyrs et de certains assistants, cavaliers empruntés à *Héliodore* ou à l'*Histoire de Constantin,* dont les cartons, exécutés par Giulio Romano, se trouvaient alors à Paris). Elle a été fort admirée au XVIIIe siècle (voir Diderot, *Salon de 1763*). A.M.

Paris, École Nationale Supérieure des Beaux-Arts

157
Étude d'homme effrayé, les bras étendus

ill. 268

Pierre noire, rehauts de blanc, sur papier gris-beige
H. 0,410 ; L. 0,249
Annoté en bas à droite : *Le Sueur.*

Historique :
Coll. Esterhazy (Lugt 1965). Inv. 2.873.

Bibliographie :
Rosenberg, 1972, p. 74 et n. 11, fig. 57.

Étude pour l'homme effrayé, à gauche de *Marcus Curtius se précipitant dans le gouffre,* tableau perdu, peint en 1653 pour un certain M. Planson, selon Florent Le Comte, connu par un dessin d'ensemble du Louvre (Cabinet des Dessins, Inv. 30.659). Cette figure est empruntée à *L'aveuglement d'Elymas* de la série des tapisseries des *Actes des Apôtres* du Vatican (personnage à gauche de la tapisserie).

P. Rosenberg *(1972)* a publié un autre dessin pour cette composition, une *Femme tenant un enfant par la main* (Montpellier, Musée Fabre, Inv. 837.1.219). A.M.

Budapest, Musée des Beaux-Arts

158
Tête d'homme barbu

ill. 263

Pierre noire, rehauts de blanc, sur papier gris-beige (découpé et complété à la partie inférieure)
H. 0,241 ; L. 0,201
Annoté en bas au centre : *Le Sueur.*

Historique :
Coll. Albert de Saxe-Teschen (Lugt 174). Inv. 11.666.

Bibliographie :
Sapin, 1978, p. 252, fig. 36.

Étude pour le berger agenouillé devant l'Enfant Jésus, les bras écartés, dans *L'adoration des Bergers* (musée de La Rochelle). Ce tableau fut commandé en 1653 à Le Sueur par les pères de l'Oratoire de La Rochelle. Il existe une étude d'ensemble pour la même figure au Louvre, Cabinet des Dessins (Inv. 30.678).

Cette vigoureuse tête rappelle certains personnages des *Actes des Apôtres* (voir notamment *La pêche miraculeuse* et *Saint Paul prêchant à Athènes*). A.M.

Vienne, Graphische Sammlung Albertina

159
Clio, Euterpe et Thalie

ill. 173

Bois
H. 1,30 ; L. 1,30

Historique :
Peint pour l'hôtel du Président Lambert de Thorigny, à Paris ; acheté par Louis XVI, avec les autres tableaux de l'hôtel Lambert, en 1776 ; INV. 8.057.

Bibliographie :
Rouchès, 1923, p. 37 et pl. V.
Catal. musée (Rosenberg, Reynaud, Compin), 1974, n° 531, repr.

Située au second étage de l'hôtel Lambert, dans l'île Saint-Louis, la Chambre des Muses était destinée à Marie de l'Aubespine, devenue la Présidente Lambert de Thorigny. Cette « chambre à l'italienne » comprenait une alcôve que Le Sueur décora d'un Concert des neuf Muses, en cinq tableaux : deux de format carré (*Melpomène, Erato et Polymnie* et le tableau exposé), trois de format ovale *(Terpsichore, Uranie* et *Calliope) ;* le plafond de cette alcôve représentait *Diane sur son char* et le plafond de la chambre *Phaéton et Apollon.* Il ressort des actes notariés publiés par J.P. Babelon (1972, p. 139) que Le Sueur commença ses travaux en 1652.

Comptant parmi les créations les plus personnelles de Le Sueur, les Muses s'inspirent cependant de différents modèles : outre Raphaël, Rouchès cite pêle-mêle Giulio Romano, Primatice, Vouet, Poussin, et surtout le recueil des *Admiranda romanorum Antiquitatum ac veteris sculpturae vestigia* dessinés par Santi Bartoli (Rome, 1643), et dont les planches furent éditées par Perrier. Le Sueur s'est très librement inspiré, dans le tableau exposé, du *Parnasse* de la Chambre de la Signature : ainsi il a modifié le visage de Clio, représenté d'abord de profil sur un dessin du Louvre (Cabinet des Dessins, Inv. 30692) et sur un premier état du tableau visible en radiographie, et finalement vu de face et perdu dans sa rêverie. On passe ainsi d'une référence presque directe à plusieurs des Muses de la fresque du Vatican, à une expression poétique personnelle. Le Sueur réussit à dépasser une imitation un peu contrainte de Raphaël pour en retrouver, comme tout naturellement, l'esprit. A.M.

Paris, Musée du Louvre

Levieux (Reynaud)

Nîmes, 1613 - Rome ?, après 1694

Formé d'abord par son père, il arrive à Rome en 1640, où il est engagé trois ans plus tard par Paul Fréart de Chantelou pour travailler, avec six autres peintres, à des copies d'après Raphaël destinées à servir de cartons pour des tapisseries destinées aux Maisons royales. Chantelou quitte Rome et laisse la surveillance du chantier à son ami Poussin ; Levieux copie (« moyennement bien », dit Poussin) au Palais Farnèse une version de la Vierge de Lorette. *Différents litiges interviennent, les copistes s'estimant mal payés. Le travail reprend, mais à la fin de 1643, Levieux quitte Rome, laissant une autre copie inachevée (celle de la* Madonna della Gatta, *alors donnée à Raphaël et aujourd'hui à Giulio Romano ; Naples, Capodimonte). Il s'établit à Montpellier, puis en Avignon. En 1669, il repartira pour Rome. Les compositions de Levieux, surtout ses* Saintes Familles, *frappent par leur classicisme sévère et retenu, dans de forts contrastes d'ombre et de lumière et des coloris vifs et délicats (*Saintes Familles *de la Collégiale de Villeneuve-les-Avignon - 1651 - ou de Amherst College, USA.* J.P.C.

160
La Vierge, l'Enfant et sainte Anne

ill. 81

Toile
H. 2,40 ; L. 1,50

Historique :
Installé en 1662 dans la chapelle des Pénitents Noirs de la Miséricorde ; saisi en 1792 ; rendu en 1811 aux Pénitents Noirs ; chapelle des Pénitents Noirs, antichapelle, Avignon.

Bibliographie :
Witenhove, 1971, p. 105 ;
Witenhove, 1978, p. 178.

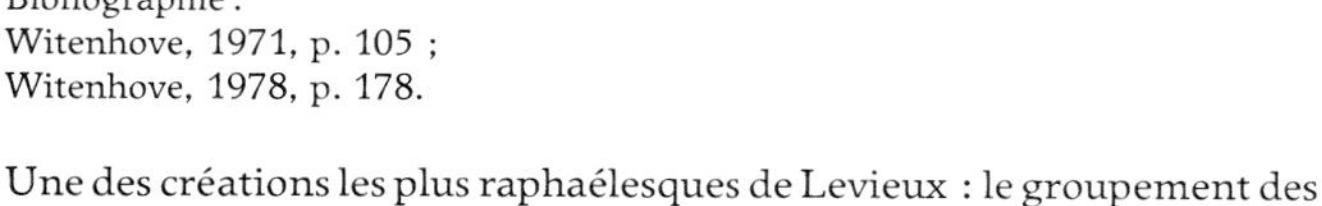

Une des créations les plus raphaélesques de Levieux : le groupement des figures évoque celui de *Saintes Familles* sorties de l'atelier de Raphaël vers 1518-1520, comme la *Sainte Famille au chêne* de Madrid ou la *Madone de l'Amour Divin* de Naples (De Vecchi, 1982, n°s 155 et 140) ; l'attitude de la Vierge inclinée rappelle celle de la *Grande Sainte Famille**. J.P.C.

Avignon, chapelle des Pénitents Noirs

Loir (Nicolas)

Paris, 1624 - id., *1679*

Peintre et graveur formé auprès de Bourdon. A Paris, il travailla pour des églises, à des décors muraux et plafonnants d'hôtels particuliers (de Senneterre-la Ferté ; de Vigny) et collabora à l'embellissement des châteaux de la couronne (Tuileries, 1668-70 ; Saint-Germain ; Fontainebleau ; Vincennes et surtout Versailles, 1664 et 1670-79). Il séjourna sans doute deux fois à Rome, avant 1640 et en 1647-49, y admira les œuvres de Poussin dont il semble avoir su faire, en particulier dans le genre du paysage historique, des pastiches trompeurs.

On peut apprécier, par la publication de G. Wildenstein (1959), la part considérable que le thème de la Vierge à l'Enfant eut dans son œuvre. Il témoigne, en plus d'une indéniable faculté de variation, de l'assimilation profonde des madones de Raphaël. Certaines (Wildenstein, 1959, fig. 5, bas à droite) sont de simples reviviscences, sous une forme plus étoffée, de la Madone Bridgewater *(De Vecchi, 1982, n° 73) ou de la* Vierge à l'œillet *(id., n° 162). Grâce aux publications de Y. Delaporte (1958, p. 202) et de J. Thuillier (1960, pp. 79-81), nous savons que le 1er juin 1647, Félibien, secrétaire de Fontenay-Mareuil, ambassadeur extraordinaire auprès du pape, et Loir, rendirent visite à Poussin avant d'aller voir les Loges de Raphaël au Vatican. Plus tard, le 28 août, ils admirèrent « chez le Sr Mathei » deux des tableaux de Poussin, la* Peste *et le* Parnasse *(n° 201) les plus redevables aux estampes de Marcantonio Raimondi d'après Raphaël, respectivement le* Morbetto *(Bartsch illustré, 1978, vol. 27, p.105, n° 417) et le* Parnasse *(id., vol. 26, p. 244, n° 247). On peut supposer, à la lumière de cette anecdote, que s'est alors dessinée une attitude qui trouva son plein essor avec Le Brun : voir et comprendre Raphaël en intelligence avec Poussin. Et c'est en effet ce sur quoi Poussin mit l'accent dans l'œuvre romain de Raphaël, le dépassement du modèle antique, le souci de la vérité historique, la science des* affetti *, que Loir dans ses tableaux, comme Félibien dans ses* Entretiens, *sut retenir.* D.C.

161
Saint Paul rend aveugle le faux prophète Barjésu

ill. 269

Toile
H. 1,055 ; L. 0,900

Historique :
Vente Christie's, Londres, 11 juillet 1980 ; acquis par le Musée Carnavalet, 1981. Inv. P 2173.

Bibliographie :
« Principales acquisitions des Musées de la ville de Paris, 1977-1981 » *Revue du Louvre*, p. 295, fig. 1 ;
catal. exp. *Les acquisitions de la ville de Paris pour le musée Carnavalet 1977-1983*, Paris, musée Carnavalet, 1983, n° 12, repr.

Modello d'un « May de Notre-Dame », c'est-à-dire d'un de ces grands tableaux votifs que la corporation des orfèvres offrait tous les ans à Notre-Dame de Paris. Préparatoire à celui de 1650, il est antérieur a ceux de Michel Corneille l'aîné (1644, voir n° 52) et d'Eustache Le Sueur (1649, n° 155 ; voir aussi Lemoyne, n° 151). Ces œuvres montrent comment les peintres, contraints par la commande depuis 1636 (Guiffrey, 1887, p. 296) de traiter un sujet des Actes des Apôtres, ont trouvé un répertoire formel privilégié dans la tenture, illustrant le même texte, dessinée par Raphaël et souvent tissée (De Vecchi, 1982, n° 116).

Le tableau de Loir, actuellement accroché à Notre-Dame, démarque visiblement, comme son *modello*, la tapisserie de l'*Aveuglement d'Elymas* en même temps qu'il porte l'empreinte, dans l'architecture imposante, la composition un peu pétrifiée des figures et le partage sévère des ombres, des grands tableaux de Poussin visibles à Paris, *Le maître d'école de Falèries* et *L'institution de l'Eucharistie* (Louvre). D.C.

Paris, Musée Carnavalet

Manet (Edouard)

Paris 1832 - id., *1883*

Il fut l'élève de Thomas Couture (1850-1856), lequel, si l'on en croit son ouvrage Méthode et Entretiens d'atelier *(Paris, 1868, pp. 291-293) recommande l'étude de Raphaël pour la « grâce ». Manet semble avoir préféré à la tutelle de Couture l'approche autodidacte des maîtres dans les musées. Copiste au Louvre (1850-1860) et durant ses voyages en Hollande (1852) et en Italie (1853-1857), il a regardé les maîtres sans esprit de système, mais en montrant cependant des affinités profondes avec les « coloristes », Titien, Tintoret, Rubens, Velasquez, Delacroix. C'est autour d'un malentendu, le succès de scandale de son* Olympia *(1863) et de son* Déjeuner sur l'herbe *(1862-1863), que s'est établie durablement sa renommée. Dans sa maturité, la peinture de Manet, ambitieuse mais crue, attire les sarcasmes en même temps qu'elle apparaît à la jeune peinture (les impressionnistes) comme une conciliation claire, par sa palette, son métier concis, sa touche sensible, de l'art des musées et du naturel moderne.*

Quant à son attitude devant Raphaël, bien qu'il soit allé en Italie (1853 et 1857) et qu'il en ait copié des dessins et des fresques (Rouart et Wildenstein, 1975, II, pp. 48-49, n° 33-37, repr., et n° 97, qui copie un dessin des Offices à Florence), les historiens ont accordé beaucoup plus d'importance, sans doute à cause de la citation de la gravure du Jugement de Pâris *dans le* Déjeuner sur l'herbe *(cf. n° 326), à son attention aux estampes du XVIe siècle d'après le maître. Certes, sa présence est effectivement attestée au cabinet des Estampes en 1858. Derrière* Mlle Victorine en costume d'espada *(New York), on pense reconnaître (B. Farwell, 1969, pp. 197-207), mais l'emprunt n'est pas littéral, une des gravures de Marcantonio Raimondi, la* Tempérance *(Bartsch illustré, 1978, vol. 27, p. 82, n° 390, p. 65, n° 376) ou la* Justice *(id., p. 80, n° 388). Bien qu'elle ait donné lieu à une réévaluation critique (Reff, 1969) et à une étude générale (Fried, 1969), la recherche des sources de Manet n'en est pas moins parfois suspecte de rouvrir le procès de sa modernité. L'étude de B. Dorival (1975, pp. 316-317) qui rattache quatre œuvres fort différentes,* Marguerite de Conflans *(Northampton, Smith College),* Georges Moore *(New York),* Emmanuel Chabrier *(Cambridge, Fogg Art Museum) et la* Prune *(Washington), au* Portrait de jeune homme *du Louvre*, autrefois attribué à Raphaël, en est peut-être le témoignage.* D.C.

162
Étude de trois saints

D'après la fresque de San Severo de Pérouse

ill. 146

Mine de plomb
H. 0,289 ; L. 0.213

Historique :
Atelier de Manet ; Mme Manet ; Auguste Pellerin, Paris ; Vente Pellerin, Paris, Galerie Charpentier, 10 juin 1954 ; acquis par le Louvre, marque du musée (Lugt 1886). Inv. RF 30.322.

Bibliographie :
Leiris, 1969, p. 47, n° 23 ; Fig. 88 ;
Rouart et Wildenstein, 1975, II, pp. 48-49, n° 35 repr. ;
Dorival, 1975, p. 315.

D'après saint Romuald, saint Benoit et saint Jean Martyrs, à droite dans la partie supérieure de la fresque représentant la *Gloire de la Sainte Trinité* dans l'église du couvent de San Severo à Pérouse (De Vecchi, 1982, n° 80). Un autre dessin de Manet (Louvre, RF. 30.349 ; Rouart et Wildenstein, 1975, II, pp. 48-49, n° 36, repr.) copie, de façon à peine moins succinte, les figures de saint Maurice et saint Benoit qui leur font pendant dans la composition de Raphaël.

On trouve là, poussées à l'extrême, certaines des caractéristiques les plus remarquables des dessins de Manet faits devant les maîtres en Italie entre 1853 et 1857 : il isole dans la composition un motif, n'en note à grands traits discontinus que quelques lignes suggérant la disposition des figures. Manet ne s'arrête ni aux effets de masse, ni aux contrastes volumétriques, ni même au purisme du dessin qu'il ne cherche en rien à reproduire. Alors que Raphaël était loué pour avoir créé des types idéaux, Manet ne retient rien des expressions. Ses dessins d'après Raphaël à San Severo de Pérouse ont tout de rapides croquis — aide-mémoire ; ce sont des formes vides qui ne reprennent envergure et cohérence qu'habitées du souvenir visuel de l'œuvre originale.

D.C.

Paris, Musée du Louvre, Cabinet de Dessins

163
Femme portant de l'eau
D'après la fresque de l'Incendie du bourg

ill. 195

Sanguine
H. 0,298 ; L. 0,219

Historique :
Atelier de Manet, marque (Lugt 880) ; Mme Manet ; vente Manet, Paris, Drouot, 4-5 fév. 1884 ; Auguste Pellerin, Paris ; vente Pellerin, Paris, galerie Charpentier, 10 juin 1954 ; acquis par le Louvre, marque du musée (Lugt 1886). Inv. R.F. 30.431.

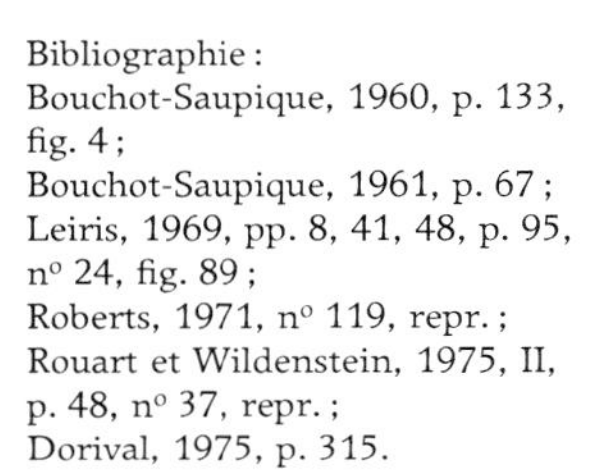

Bibliographie :
Bouchot-Saupique, 1960, p. 133, fig. 4 ;
Bouchot-Saupique, 1961, p. 67 ;
Leiris, 1969, pp. 8, 41, 48, p. 95, n° 24, fig. 89 ;
Roberts, 1971, n° 119, repr. ;
Rouart et Wildenstein, 1975, II, p. 48, n° 37, repr. ;
Dorival, 1975, p. 315.

Antonin Proust parlant des séjours de l'artiste en Italie a rapporté que Manet s'y est « montré très épris des Titien, des Tintoret, peu séduit par les Raphaël et les Michel-Ange » (1897, p. 169). L'assertion est à nuancer au vu de cette feuille qui montre avec quelle conviction Manet pouvait enlever un croquis de la porteuse d'eau, à droite dans la fresque de l'*Incendie du bourg* (Vatican). Il ne saisit pas le motif dans son intégralité mais son violent clair-obscur dans son effet général. Encore Manet impose-t-il au modelé sa propre loi, qui accentue, en dépit du modèle, l'ombre entre les deux jambes et la laisse s'évanouir dans les envolées de drapés. Lapidaire par ses moyens (larges « jets » de sanguine à peine disciplinés par un contour souple et hâché), et emphatique par ses effets, cette feuille apparaît d'un style très comparable à certaines études d'après Andrea del Sarto (Rouart et Wildenstein, 1975, II, p. 46, n° 28, repr.) que l'on date généralement de novembre-décembre 1857 (Cachin, 1983, p. 506).

La *Porteuse d'eau* n'est pas l'unique dessin fait par Manet d'après une figure des Chambres du Vatican. Le *Soldat de dos,* classé par Rouart et Wildenstein (1975, II, p. 60, n° 72 repr.) parmi les feuilles d'après des maîtres non identifiés, reprend un des combattants au centre de la *Bataille de Constantin.* D.C.

Paris, Musée du Louvre, Cabinet des Dessins

Voir aussi section Gravures, *Villon*

Marlet (Jean-Henri)

Autun, 1771 - Paris, 1847

Élève de l'Académie de Dijon et de Regnault, et aujourd'hui très peu connu, Marlet eut une abondante production de dessinateur et de lithographe, composée surtout de sujets de genre et de scènes militaires. Il traita à plusieurs reprises des épisodes de la vie de Raphaël : outre le tableau de Dijon (n° 164) un Raphaël montrant à Léon X le tableau de la Transfiguration *(perdu ; Salon de 1814, n° 671, en même temps, n° 672, qu'un* Charles Quint ramassant le pinceau du Titien) *et un* Raphaël dans son atelier peignant sa maîtresse *(Salon de 1817, n° 557 ; peut-être le tableau publié sous le nom d'Ingres dans* Excelsior, *22 juin 1923 ; voir pour une gravure au trait, fig. 179) « L'album Raphaël » du fonds Devéria au Cabinet des Estampes de la Bibliothèque Nationale (Bb1) comprend un dessin rapide de Marlet représentant* Raphaël peignant un portrait *(fig. 171).* J.P.C.

164
Raphaël montrant à Léon X la Sainte Famille de François 1er

ill. 350

Toile
H. 1,31 ; L. 1,96

Historique :
Salon de 1812, n° 608 ; acquis par Napoléon 1er au Salon ; Louvre (INV. 6436) ; déposé à Compiègne en 1832 ; envoi de l'État à Dijon, 1876. Inventaire CA 392.

Bibliographie :
Landon, *Annales du Musée,* Salon de 1812, I, Paris , 1812, pl. 23 (gravé par Normand) ;
Catal. musée, 1968 (peintures françaises), n° 751 ;
Georgel, 1982-1983, p. 71, n° 84, p. 283, repr. 85.

Le livret du Salon de 1812 (n° 608) précise le sujet ; « Raphaël dans son atelier. Il montre au Pape Léon X entouré de sa cour le tableau de la Sainte Famille destiné à François 1er. L'on remarque dans cette composition les portraits de plusieurs grands peintres, hommes de lettres et autres personnages illustres de ce temps ». Certaines de ces figures peuvent être identifiées, malgré l'uniformité un peu douceâtre des visages : à l'extrême gauche, de profil, Bramante, puis de dos, les mains croisées, Polidoro da Caravaggio (ou Giulio Romano ?). L'ecclésiastique à barbe blanche, au centre, semble être Paolo Giovio ; ensuite, derrière le pape, le cardinal Bembo (?) ; mais quatre visages de trois-quarts, à l'arrière-plan, sont identifiables grâce à des œuvres de Raphaël lui-même : de gauche à droite Marcantonio Raimondi (un des porteurs d'Héliodore), Inghirami (portrait du Palais Pitti), le cardinal Bibbiena (autre portrait, au Palais Pitti) et Balthazar Castiglione *. Un tableau de Lemonnier exposé au Salon de 1814 représente *François 1er, à Fontainebleau, entouré de sa cour, examinant la Sainte Famille de Raphaël* (fig. 174 ; Rouen) et parait avoir été conçu comme un pendant idéal de la toile de Marlet.

Marlet exposa au Salon de 1817 (n° 671) un sujet très proche, *Raphaël montrant à Léon X le tableau de la Transfiguration* (disparu). J.P.C.

Dijon, Musée des Beaux-Arts

Masquelier (Claude-Louis)

Paris, 1781 - id., 1852

Fils et petit-fils de graveurs, il obtint le Prix de Rome de gravure en 1804 et exposa des dessins de portraits et des gravures d'interprétation (plusieurs d'après Raphaël) aux Salons de 1808 à 1852. J.P.C.

165
La déposition de croix

D'après le tableau de la Galerie Borghèse

ill. 95

Pierre noire, rehauts blancs, rehauts d'or
H. 0,642 ; L. 0,599
En bas à gauche : *Peint par Raphaël*
En bas à droite : *Dessiné par C.L. Masquelier, Rome 1809.*

Historique :
Salon de 1852 (n° 882) ? ; acquis après 1852. Inv. 30.888 (MI 47).

Bibliographie :
Guiffrey-Morel, IX, n° 9478.

Exemple fascinant de conscience et de minutie, exécuté à Rome d'après le tableau de la Galerie Borghèse. Masquelier exposa au Salon de 1848 (n° 5.079) une gravure d'après le tableau de Raphaël, probablement réalisée d'après ce dessin. Les rehauts d'or confèrent à la feuille la pieuse préciosité d'une miniature.

Le musée de Besançon possède du père de l'artiste, Louis-Joseph (1741-1811), une *Tête de Vierge* dessinée d'après la *Vierge Colonna,* d'une fine technique très comparable (Cornillot, 1957, n° 108). J.P.C.

Paris, Musée du Louvre, Cabinet des Dessins

Matisse (Henri)

Le Cateau-Cambraisis, 1869 - Nice, 1954

Ce qui conduit Matisse de l'enseignement de Gustave Moreau (1895) à l'orchestration luxuriante des couleurs dans les gouaches découpées des ultimes années (1950-1954), c'est une enquête inlassable sur les qualités de simplification que la peinture possède en elle-même. L'expérience pointilliste (1904), la mise en forme de la couleur qui passe peu à peu du point à l'aplat avec les œuvres « fauves » (1904-1907), puis les tableaux vers 1910-1925 où la ligne libère le champ chromatique plutôt qu'elle ne le limite, sont différentes étapes de cette concentration croissante de l'élan juvénile de la « modernité ». Les œuvres ultérieures, d'une volubilité suprêmement maîtrisée, seront la mise en ordre unitaire de recherches plastiques dont on imagine mal ce qu'elles seraient sans le luxe de l'art oriental ou byzantin, de la lumière du midi, de l'hédonisme polynésien. Ce peintre serein qu'on voudrait définir d'un mot signifiant à la fois purisme et pureté, on aimerait lui accorder dans l'histoire des formes une place comparable à celle qu'occupe Raphaël pour avoir eu comme lui « la rigueur, la retenue, le calcul d'un classique, et le génie des sacrifices » (Chastel, 1954).

Il est malaisé et sans doute vain de chercher dans les compositions de Matisse l'ombre de Raphaël. Les arguments de A.H. Barr (1966, p. 339) ne suffisent pas à replacer La coiffure *(1907, Stuttgart) dans la postérité des madones florentines, et ce n'est qu'avec prudence qu'on évoquera Raphaël à propos de la chapelle de Vence (fig. 154). En revanche, c'est souvent par référence à Raphaël que Matisse définit sa démarche picturale (Fourcade, 1978, pp. 53, 174, 176, 199). Écrivant en 1934 à A. Room, à propos de la* Danse *de Merion, sur la discrétion que doit respecter selon lui l'élément humain dans la peinture monumentale, il se demande, par exemple, si Raphaël n'a pas alourdi ses fresques « par l'expression de cet humain, qui nous sépare constamment de l'ensemble » (Fourcade, 1978, p. 143). Il reste que les deux peintres eurent, au-delà des idées, dans la pratique de leur art, des gestes communs, riches de conséquences, comme celui de dessiner à bout de bras et avec du recul, en attachant l'outil au bout d'une longue baguette. On le sait pour Raphaël par Vasari (introduction des* Vite*); et des photographies montrent Matisse travaillant ainsi (Barr, 1966, p. 339).*
D.C.

166
Balthazar Castiglione

D'après le tableau du Louvre*

ill. 129

Toile
H. 0,82 ; L. 0,67.

Historique :
Dépôt de l'État, 1904. Inventaire 95.

Bibliographie :
Diehl, 1954, pp. 11, 111, n. 28 ;
Douglas Cooper, 1955, p. 40, repr. ;
Escholier, 1956, p. 23 ;
Fourcade, 1978, pp. 77, 115 ;
Shearman, 1979, pp. 265-266, repr.

Ayant commencé à peindre en 1890, Matisse suit d'abord (1891) l'enseignement de Bouguereau qui le « conviait à admirer Jules Romain » (Matisse *in* Fourcade, 1978, p. 81) tandis qu'à l'École des Beaux-Arts (1892), il reçoit les conseils de Gustave Moreau qui « tel jour (...) affirmait son admiration pour Raphaël, tel autre jour pour Véronèse » (*id.*, p. 81). L'étude au Louvre de Maîtres « aussi indubitables », selon le mot de Matisse, « que Raphaël, Poussin, Chardin et les Flamands » (*id.*, p. 130), l'aide autant à s'admettre lui-même qu'à se libérer des conventions académiques encore influentes alors.

Matisse a confié à R. Escholier (1956, p. 23) que le *Portrait de Balthazar Castiglione* de Raphaël lui révéla ce que devrait être « l'art du portrait », et il lui a dit aussi le rôle que Claude Roger-Marx joua pour l'acquisition par l'État de sa copie faite vers 1895-1900. Son tableau n'avait pas pour plaire, Matisse s'en souvient encore longtemps après (1952 ; Fourcade, 1978, p. 115), la fidélité du fac-similé. On trouverait vers 1900 cette même part inéluctable d'interprétation dans les copies scrupuleuses de Braque qui allait « copier au Louvre (...) Raphaël et encore Raphaël. Les premières copies sont excellentes, les suivantes montrent une déformation qui s'installe, et s'aggrave avec le temps» (Paulhan, 1952, éd. 1973, pp. 71-72).

J. Shearman (1979, p. 266) a bien souligné que les déformations introduites par Matisse tiennent au fait qu'il a bien vu que le modèle était assis et non debout comme d'autres copistes le suggèrent : « Matisse a bien vu le siège [l'accoudoir en bas à droite] et il a saisi le point de vue rapproché au niveau du spectateur, si bien qu'il a même accentué légèrement l'effet stéréoscopique de l'original. » D.C.

Bagnols-sur-Cèzes, Musée

Mignard (Pierre)

Troyes, 1612 - Paris, 1695

« Après avoir fini le Saint Matthieu, *il entreprit de se peindre lui-même en Saint Luc, tenant une palette et des pinceaux. Et il eut encore le temps de finir ce tableau, à la réserve d'un bout de tapis qu'il laissa imparfait » : du* Saint Luc peignant la Vierge *(nº 173), dernier tableau laissé inachevé dans l'atelier, en 1695, Mignard avait voulu faire comme un symbole de sa création ; il est en même temps un hommage à Raphaël. A l'opposé de la carrière, quand Félibien rend compte des premiers temps du séjour romain de Mignard et Dufresnoy, vers 1635, il note que les deux amis « ne laissèrent pas de faire leur principale étude d'après les Peintures de Raphaël, et les plus belles Antiques ». D'un intérêt si continûment manifesté, l'abbé de Monville, biographe de Mignard, cite de nombreux témoignages, rapportant que l'admiration du peintre pour Raphaël était si grande que « jamais il n'en parlait sans une espèce de transport ». La lettre adressée le 12 décembre 1693 au Surintendant des Bâtiments Villacerf nous paraît, de ce point de vue, exemplaire ; Mignard — alors premier peintre du roi et directeur de l'Académie royale — y formule quelques conseils à l'intention du jeune Sarrabat, pensionnaire de l'Académie de France à Rome : « ils ont de si beaux tableaux qu'il n'a qu'à suivre et imiter ; qu'il voie une fois la semaine le tableau de la* Sainte Cécile *d'après Raphaël, ou celui de San Pietro in Montorio ». La copie de la* Sainte Cécile *peinte par le Guide, conservée encore aujourd'hui à l'église de Saint-Louis-des-Français, et la* Transfiguration *étaient les deux tableaux ainsi désignés comme modèles.*

Mignard lui-même avait peint ou dessiné de nombreuses copies d'après Raphaël. Plusieurs, exécutées avant sa nomination comme premier peintre en 1690, figurent à son inventaire après décès et l'une d'elle — sans doute d'après la Justice *de la Chambre de la Signature, au Vatican — fut léguée au notaire Caillet qui avait reçu son testament. Deux surtout furent célèbres : celle du* Saint Michel* *avait été commandée par Louvois peu de temps avant sa mort, en 1691, et se retrouve à son inventaire avec une prisée de 500 livres qui l'égale à mainte peinture originale. La seconde avait été peinte à Rome bien des années auparavant, en 1643, d'après un tableau des collections Farnèse dans lequel les descriptions anciennes incitent à reconnaître la* Vierge du Divin Amour *du Musée de Capodimonte, aujourd'hui donnée à Gianfrancesco Penni ou à Giulio Romano : elle était destinée à Chantelou, auquel Poussin, qui la mentionne dans plusieurs de ses lettres, l'envoya en janvier 1644 ; elle fut estimée 300 livres à l'inventaire après décès du célèbre amateur, en 1694, et le Cavalier Bernin, qui l'avait vue chez lui lors de son séjour parisien de 1665, avait déclaré : « C'est de ces sortes de copies que je fais du cas ». Jamais citée à notre connaissance, une autre copie apparaît dans l'inventaire de Chantelou, cette fois d'après la* Grande Sainte Famille de François Ier* ; *elle est prisée 500 livres, et Mignard avait dû la peindre en France, où le tableau se trouvait depuis toujours, sans doute après 1665. Le nombre de ces copies, leur célébrité et le prix que leur accordaient les contemporains, leur donnent dans la production de Mignard une place qui semble sans équivalent pour aucun autre artiste du siècle : l'art même du peintre ne pouvait manquer d'en être marqué en retour.*

Pourtant, on relève assez peu d'emprunts directs à Raphaël dans l'œuvre conservé de Mignard. C'est le cas, par exemple, du groupe des Trois Grâces, *placé au centre de l'*Apothéose de Psyché *qu'il peignit, autour de 1663, au plafond d'un cabinet de l'hôtel d'Hervart : un dessin préparatoire d'ensemble nous en est parvenu où l'on retrouve, à peine modifié, le même groupe tel qu'il est représenté dans un écoinçon de la Loggia de Psyché, à la Farnésine. De même, le Musée Fabre de Montpellier conserve une* Tête féminine *(sainte Anne?) dont l'attribution traditionnelle à Mignard doit être maintenue et où l'on reconnaît le type de vieille femme — généralement sainte Anne ou sainte Élisabeth — que Raphaël et son atelier avaient popularisé, notamment avec la* Petite Sainte Famille* *du Louvre et la* Visitation *du Prado. Au-delà de telles citations, quasi littérales mais somme toute de peu d'importance, c'est l'ensemble d'une composition qui pouvait s'ordonner selon un modèle raphaélesque : ainsi un dessin du Louvre, qui illustre l'épisode homérique d'*Hector incendiant les vaisseaux des Grecs, *reprend les grandes lignes de la* Bataille de Constantin ; *et la leçon de Raphaël est sensible dans certains tableaux d'histoire, peints sans doute vers 1660-1665, dans lequels Mignard, tout en rivalisant avec Poussin dans le domaine de l'expression des passions, se souvient des agencements d'architectures et de la disposition des groupes de l'*Incendie du bourg. *Reste qu'en fin de compte la marque de Raphaël pourrait sembler moins visible dans l'œuvre de Mignard que celle d'Annibal Carrache ou du Guide et moindre, surtout, que l'importance des copies d'après le maître ne le laissait prévoir.*

Elle est, en revanche, éclatante dans les tableaux consacrés par Mignard au thème de la Madone, et ces Vierges à l'Enfant *ou ces* Saintes Familles *dénotent une méditation de l'art de Raphaël qui va plus loin que les ressemblances formelles. Sans doute pourrait-on, là aussi, relever des analogies de détails, et tel geste du saint Joseph de la* Sainte Famille avec les emblèmes de la Chute et de la Rédemption *du musée de Rouen, par exemple, n'est pas sans rappeler l'index abruptement pointé de l'apôtre de la* Transfiguration. *Mais c'est souvent la conception même du tableau qui semble commandée par le souvenir des créations de Raphaël : ainsi la* Vierge à l'Enfant *du musée de Nancy montre le fond uni, la présentation à mi-corps et la position de l'enfant dans les bras de sa mère qui sont ceux de la* Petite Madone Cowper *ou de la* Madone du Grand Duc ; *de même, un dessin de l'Ashmolean Museum d'Oxford est sans doute une première pensée pour une* Vierge à l'Enfant avec saint Jean-Baptiste *aujourd'hui perdue, mais connue par une gravure de François de Poilly : par son format de* tondo *et par le dessin de la Vierge, il renvoie directement à la* Vierge à la chaise *qu'il désigne comme point de départ de la composition ; d'autres tableaux, plus ambitieux, retrouvent certaines dispositions des grandes* Saintes Familles *à personnages multiples, conçues par Raphaël vers la fin de sa vie. A chaque fois, Mignard joue avec virtuosité des changements de format ou des variations du coloris, infléchit ou renverse une attitude, introduit un paysage ; et l'importance, à ses yeux, des créations des grands Bolonais reste sensible dans plus d'une peinture. Mais il est révélateur qu'un artiste strictement contemporain comme Sassoferrato (1609-1685) ait pu copier de façon systématique, à partir de l'estampe, un groupe de ses madones comme il le faisait pour celles des maîtres de la première Renaissance et avant tout de Raphaël lui-même : dans ces œuvres peintes vers 1655, Sassoferrato retrouvait en effet les caractères des premiers modèles du classicisme italien.*

Mignard avait sans doute appris à admirer Raphaël dès ses années d'apprentissage, à Bourges, dans l'atelier de son premier maître, Jean Boucher. Mais, plus profondément, ses rapports avec Raphaël nous paraissent devoir être placés sous le signe de la grâce. En 1649, dans ses Observations sur la peinture, *le peintre et théoricien Dufresnoy, ami intime de Mignard, donnait la grâce en partage à Raphaël et affirmait qu'à l'égard de cette « partie toute divine » et proprement indéfinissable personne n'en approche; un passage de l'abbé de Monville réunit Raphaël, seul maître italien, ou presque, à avoir su apercevoir la grâce dans l'Antique, et Mignard, dont elle est la qualité première : cette liaison des deux artistes par une qualité commune — qui les distingue, par exemple, d'Annibal Carrache — pourrait bien donner la clef de l'admiration éprouvée par Mignard : s'il s'intéresse avant tout aux* Vierges à l'Enfant *et aux* Saintes Familles *de Raphaël, c'est que la grâce y règne sans partage ; et dans de telles œuvres — contrairement à d'autres — elle assure sa supériorité sur la science anatomique de Michel-Ange comme sur la facilité du Corrège, sur la maîtrise du coloris du Titien comme sur la hardiesse de conception de Giulio Romano. Mais l'admiration de Mignard est loin d'être exclusive, et d'autres entreprises peuvent réclamer d'autres modèles. Dans son poème de la* Gloire du Val-de-Grâce, *où il célèbre la vaste composition dont Mignard a couvert la coupole de l'église parisienne, Molière, à côté d'Annibal Carrache et de Raphaël, cite Giulio Romano et Michel-Ange comme « les Mignards de leur siècle » et ses rivaux dans le domaine de la fresque; la prochaine restauration de la peinture du Val-de-Grâce révèlera certainement une ampleur de dessein et une* terribilità *que l'on n'associe pas, d'habitude, au nom de Mignard : l'énumération de Molière, si surprenante d'abord, n'est pas fortuite; elle marque surtout que Mignard, à la recherche de l'accord parfait entre un sujet et un style, et attentif aux nécessités propres à chaque création, savait tirer la leçon des exemples les plus divers.*

*Cet art tout intellectuel devait cesser d'être compris à mesure que la peinture de Mignard serait plus mal connue : dans cette évolution, l'intérêt porté par l'artiste à Raphaël entre pour une large part. Alors que la destruction de ses grands décors versaillais et parisiens commençait dès le XVIIIe siècle et que la rareté de ses toiles profanes l'excluait de bien des collections, seules ou à peu près ses madones, dont on se rappelait les liens avec l'art de Raphaël, gardaient à côté des portraits une certaine notoriété; la pauvreté de la collection du roi, puis de celle du Louvre, en œuvres de l'artiste, ne permettait pas de corriger cette situation, qu'aggravait encore la diffusion de multiples « Mignardes » mal attribuées ou simplement copiées d'après des gravures; ainsi cette peinture subtile et ambitieuse, fondée sur une connaissance hors pair des courants italiens, n'allait plus apparaître que comme un démarquage de celle de Raphaël. Défavorable à Mignard, le parallèle entre les deux artistes devint un lieu commun. « On a des tableaux de Raphaël copiés par Mignard ; tels sont les tableaux de Virgile calqués par l'abbé Delille » : énoncé par Chateaubriand (*Mémoires d'outre-tombe, *1re partie, livre 11), il ressortit encore au domaine de la réflexion esthétique. Avec Madame Nourrisson, Balzac le fait servir à des fins plus terre à terre : « Oh ! je crois que tu as gagné ton tableau de Raphaël, mais on dit que c'est un Mignard. Sois tranquille. C'est beaucoup plus beau ; l'on m'a dit que les Raphaël étaient tout noirs, tandis que celui-là, c'est gentil comme un Girodet. Je ne tiens qu'à l'emporter sur Josépha ! s'écria Carabine, et ça m'est égal que ce soit avec un Mignard ou avec un Raphaël. Non, cette voleuse avait des perles, ce soir... on se damnerait pour »* (La Cousine Bette). *Mignard traducteur ou* singe *de Raphaël : fondé sur la méconnaissance et sur le souvenir d'une admiration trop notoire, nul doute que ce jugement n'apparaisse à son tour pour ce qu'il est — une caricature.*

J.C.B.

167
Etude d'un Saint Michel
D'après le tableau du Louvre*

ill. 115

Pierre noire, sanguine, rehauts blancs sur papier beige. Annoté à la sanguine : *baston* ou *bas tout* et *grand cler.*
H. 0,287 x 0,445 (irrégulier)

Historique :
Atelier de Mignard ; paraphe de Desgodets au verso ; entré dans la collection royale à la mort de l'artiste, avec son fonds d'atelier ; marque du musée (Lugt 1886). Inv. 31.201.

Bibliographie :
Morel d'Arleux, VIII, 9.699 ;
Guiffrey-Marcel, X, n° 10 124 repr. ;
Boyer, 1980, n° [37].

L'inventaire après décès de Pierre Mignard mentionne, sous le n° 345, un lot de dessins d'études « pour le tableau d'une copie de st. Michel (et autres) au nombre de 12 ». Nous proposons de reconnaître dans certains de ces dessins des études préparatoires pour la copie du *Saint Michel* de Raphaël dont Monville (1730, p. 161) déclare qu'elle avait été peinte pour Louvois : le ministre - dont saint Michel était le patron - mourut en 1691 et son inventaire comprend en effet, au n° 2.032, « un tableau représentant *saint Michel* copié après Raphaël par Mons. Mignard, avec sa bordure dorée » prisé la forte somme de 500 livres (Archives nationales, Minutier Central, LXXV, 531 ; nous remercions Monsieur Bertrand Jestaz de ses indications). L'oeuvre, « si parfaite, selon Monville, (...) que les connoisseurs avaient de la peine à la distinguer de l'Original », avait été peinte après la nomination de Mignard comme Premier peintre du roi, en 1690.

Quatre feuilles du Cabinet des Dessins du Musée du Louvre sont en rapport avec cette copie. On reconnaît ici des études pour le personnage du saint et celui du démon : comme dans ses études d'après nature, Mignard omet certaines parties ou les indique de façon synthétique ; il couvre la feuille de reprises de détails et marque fortement, à la craie blanche, les accents lumineux. J.C.B.

Paris, Musée du Louvre, Cabinet des Dessins

168
Etude d'un démon
D'après le Saint Michel du Louvre

ill. 116

Pierre noire, sanguine, rehauts blancs sur papier beige
Annoté à la sanguine : *cuisse trop long de beaucoup.*
H. 0,342 ; L. 0,444

Historique :
Voir n° précédent ;
Inv. 31.175.

Bibliographie :
Morel d'Arleux, VIII, 9 699 ;
Guiffrey-Marcel, n° 10 121 ; Boyer, 1980, n° [37].

Le dessin appartient au même lot que le précédent ; éliminant certaines parties, il copie avec une grande exactitude le corps du démon qui apparaît dans le *Saint Michel** de Raphaël. Le métier, caractéristique de l'art de Mignard vers la fin de sa vie, est d'une magnifique souplesse : sur un premier tracé à la pierre noire, des traits gras de sanguine modèlent les formes, relevées de notations lumineuses à la craie blanche.

On remarquera l'annotation par laquelle Mignard critique l'anatomie de la figure : preuve qu'une extrême admiration pour Raphaël n'excluait pas chez lui la lucidité. J.C.B.

Paris, Musée du Louvre, Cabinet des Dessins.

169
Académie d'homme
Étude pour un Saint Michel

ill. 117

Pierre noire et rehauts blancs sur papier beige. Mis au carreau à la sanguine
H. 0,451 ; L. 0,300

Historique :
Voir n^{os} précédents ; Inv. 31.315.

Bibliographie :
Morel d'Arleux, VIII, 9 699 ;
Guiffrey-Marcel, X, n° 9 993, repr ;
Boyer, 1980, n° [37].

Ce dessin, dans lequel Guiffrey, Marcel et Rouchès voyaient une étude pour la fresque peinte par Mignard au Val-de-Grâce, nous semble appartenir, en réalité, au lot d'études « pour le tableau d'une copie de st. Michel (et autres) » inventorié dans l'atelier de l'artiste après sa mort (voir les n°s 167 et 168). A côté de la copie elle-même, ces « autres » études pouvaient préparer une seconde composition sur le même thème : précisément, le Louvre conserve quatre dessins pour un *Saint Michel terrassant le démon* qui diffère de celui de Raphaël. Deux d'entre eux sont mis au carreau, ce qui paraît indiquer que l'exécution de l'oeuvre fut poussée assez loin, mais nous n'avons retrouvé aucune autre trace de ce *Saint Michel* conçu par Mignard.

La présente feuille montre bien comment Mignard peut prendre appui sur une oeuvre admirée pour manifester sa propre originalité : la figure du saint - peut-être étudiée sur le modèle vivant - s'inspire à l'évidence de celle de Raphaël mais pivote et semble comme emportée par son mouvement ; ce déséquilibre, renforcé par le dessin heurté du personnage du démon, donne à la composition un caractère abrupt et la sérénité apollinienne du saint de Raphaël fait place à la brutalité d'un Olympien foudroyant les Titans. J.C.B.

Paris, Musée du Louvre, Cabinet des Dessins

170
La Vierge et l'Enfant avec le petit saint Jean

ill. 26

Toile
H. 1,30 ; L. 0,97

Historique :
Coll. du marquis de Livois (1736-1790) qui l'avait acquis pour 1200 livres du marchand Dulac ; entré au musée départemental d'Angers en 1799, avec une partie de la collection. Inv. 137.

Bibliographie .
Tavernier, 1855, p. 14 ;
Le Brun - Dalbanne, 1878, p. 235, n° 333 ;
Catal. musée (Jouin), 1881, n° 137 ;
Planchenault, 1933, pp. 221-222, fig. 2 ;
Catal. musée (Huchard), 1982, p. 7, p. 31, repr.

Le tableau acquis par Livois pourrait être celui que, suivant Monville (1730, pp. 26-27), Mignard avait peint à Rome pour Henri Arnault, abbé de Saint-Nicolas, et qui appartenait encore à la famille de ce dernier au milieu du XVIIIe siècle. Henri Arnauld ayant séjourné à Rome de 1646 à 1648, le tableau devrait avoir été peint à ce moment-là.

Il lui arrivait de passer, selon une anecdote rapportée par Monville, pour une composition d'Annibal Carrache ou de Raphaël. La toile du musée d'Angers se prête assez à cette confusion : l'attitude de la Vierge rappelle comme dans le *Saint Luc* (n° 173), celle de la *Vierge à la rose* du Prado et la bipartition de l'arrière-plan, le jeu croisé des regards et des gestes se retrouvent dans la *Madone au chêne* du même musée. Mais le thème même de la représentation, les notations réalistes du paysage ou du voile jouant en transparence imprègnent l'oeuvre d'un naturalisme de filiation bolonaise tandis que, superbement charnelle, la Vierge n'a pas le caractère d'idéalisation un peu abstraite que d'autres Madones de Mignard ont hérité de Raphaël. J.C.B.

Angers, Musée des Beaux-Arts

171
Le massacre des Innocents

ill. 299

Plume, lavis de brun, pierre noire, sanguine, rehauts de gouache blanche sur papier beige
H. 0,518 ; L. 0,721

Historique :
Voir n° 167. Inv. 31.015.

Bibliographie :
Morel d'Arleux, VIII, 9 665 ;
Guiffrey-Marcel, t. X, n° 10.016, repr. ;
Boyer, 1980, n° [35].

Il est difficile de dater ce dessin que l'inventaire après décès de Mignard classe parmi les oeuvres exécutées après 1690 mais dont le style nous paraît bien antérieur; aucune peinture de ce sujet n'est, à notre connaissance, mentionnée par les sources.

La gravure de Marcantonio Raimondi (Bartsch illustré, 1978, vol. 26, p.29, n° 18-I) offrait un modèle bien connu pour une telle composition. Mignard en reprend certaines attitudes qu'il inverse et modifie et dont la plus remarquable est sûrement celle de la femme qui, à droite, cherche à s'échapper en regardant par-dessus son épaule. D'un autre côté, le dessin garde comme un écho de l'*Incendie du bourg* où, de part et d'autre d'un dallage dont les lignes de fuite mènent à un arrière-plan plus ouvert, des architectures imbriquées se peuplent de personnages qu'emporte le mouvement général. J.C.B.

Paris, Musée du Louvre, Cabinet des Dessins.

172
Le Parnasse

ill. 174

Sanguine, traces de pierre noire, lavis gris, rehauts de craie blanche. Marque de pliure. Collé en plein. Mis au carreau. Inscription *Mignard* en bas à droite.
H. 0,29 ; L. 0,37

Historique :
Entré au musée avec le legs Faniez en 1896. Inv. 424.

Bibliographie :
Boyer, 1980, n° [249], fig. 28.

Le *Parnasse* occupait l'espace au-dessus des fenêtres sur le mur du fond de la Galerie d'Apollon, peinte par Mignard en 1677-1678 au château de Saint-Cloud ; il a disparu avec l'ensemble de ce décor célèbre lors de l'incendie du château pendant le siège de Paris en 1870, mais avait été reproduit dans une pièce d'une tenture des Gobelins tissée pour Louvois (Fenaille, II, 1903, pp. 405-407, pl. face p. 406) : la tapisserie - qui ne respecte pas la forme cintrée de la peinture - diffère par quelques détails de la présente feuille, qui semble elle-même avoir été coupée à droite et à gauche. La composition montre Apollon entouré des Muses dans un bois de lauriers ; il désigne un rossignol comme symbole de la musique et en fait noter le chant.

Mignard se souvient ici de la partie supérieure du *Parnasse* de la Chambre de la Signature, dont il reprend l'alternance de figures debout ou assises. Mais la symétrie stricte de Raphaël est abandonnée au profit d'une construction complexe qui oppose avec netteté les vides et les pleins du fond de paysage, refuse tout parallélisme dans la position ou la hauteur des figure et joue - mais cela n'est plus sensible aujourd'hui que dans la transcription en tapisserie - sur les différences de coloris et de valeurs. J.C.B.

Béziers, Musée des Beaux-Arts

173
Saint Luc peignant la Vierge, avec l'autoportrait de Mignard

ill. 103

Toile
H. 1,22 ; L. 1,01
Signé et daté en bas à gauche : *P. Mignard Pinxit 1695 aetatis suae 83*

Historique :
Collections royales à la mort de Mignard ; Collections nationales à la Révolution ; Louvre, INV. 6640, 1896, château de Compiègne ; Dépôt en 1951 au Musée des Beaux-arts de Troyes. Inv. D. 51.1.

Bibliographie :
Monville, 1730, p. 177 ; Le Brun-Dalbanne, 1878, pp. 107-109, p. 231, n° 308 ; Engerand, 1899, p. 347 ; Fontaine, 1910, p. 111 ; catal. exp. Mignard et Girardon, Troyes, 1955, p. 18, n° 10 ; Boyer, 1980, n° [3], fig.10.

Peint pour être donné au roi, comme le précise l'inventaire après décès de Mignard (n° 3), le *Saint Luc* est le dernier tableau de l'artiste qui, pour citer Monville, eut la force de l'achever « à la réserve d'un bout de tapis » (qui fut complété par son élève Carré). Son destinataire prestigieux, l'autoportrait qui y figure, donnaient à cette ultime création une importance particulière : en peignant saint Luc, patron des peintres, Mignard ne se contentait pas de célébrer son art mais évoquait la vieille Académie de Saint-Luc à la tête de laquelle il s'était mis lorsqu'en 1663 il avait refusé d'entrer à l'Académie royale de peinture et de sculpture soumise à l'autorité de Le Brun ; le tableau devenait ainsi la marque d'une longue fidélité et comme le symbole d'une carrière.

En même temps, Mignard traitait un thème célèbre puisqu'un *Saint Luc peignant la Vierge*, avec un autoportrait qui passait aux yeux de tous pour être celui de Raphaël, était un des trésors les plus précieux de l'Accademia di San Luca, à Rome (il s'y trouve toujours ; De Vecchi, 1982, n° 91). Par ailleurs, le groupe de la Vierge à l'Enfant, répété sur la toile du musée de Troyes, est disposé dans la même attitude que la *Vierge à la rose* de Raphaël, aujourd'hui au Prado : par son sujet comme par sa composition, le dernier chef-d'oeuvre de Mignard proclamait ainsi une admiration pour Raphaël qui n'avait jamais cessé, et, tout autant que son attachement à l'ancienne Communauté des peintres, sa fidélité à une esthétique. J.C.B.

Troyes, Musée des Beaux-Arts.

Millet (Jean-François)

Gruchy, près de Cherbourg, 1814 - Barbizon, 1875

Une bourse municipale lui permit de venir à Paris, où il fréquenta l'atelier de Delacroix. Après avoir regardé Prud'hon et Corrège, il admirera durablement Michel-Ange et Poussin. En 1849, il s'établit à Barbizon. Ses tableaux qui empruntent leurs sujets à la vie des paysans traduisent son idéal de progrès social et eurent valeur de manifestes. J.P.C.

174
La Grande Sainte Famille

D'après le tableau du Louvre *

Fusain et estompe
H. 0,955 ; L. 0,785

Historique :
donné par l'artiste.

Bibliographie :
Lepoittevin, 1973, II, p. 23 (n. 21, n° 34), p. 26, n. 27, fig. 9.

ill. 70

C'est à simple titre de document que ce dessin est exposé ici : il est surprenant de rencontrer le peintre de l'*Angélus* copiant Raphaël. L'œuvre appartient aux tout premiers travaux de Millet, qui apprit les rudiments du métier de peintre en copiant au musée de Cherbourg, inauguré en 1835. Il y copia entre autres le *Sommeil de Jésus (La Vierge au diadème bleu *)* d'après une copie conservée au musée (Lepoittevin, 1973, II, p. 23, n. 21, n° 12 ; catal. musée, 1912, n° 25). Le dessin exposé fut très probablement montré au Conseil Municipal de Cherbourg, avec un autre d'après Murillo, à l'appui d'une lettre d'août 1836 où Langlois, le professeur de Millet, sollicitait pour son élève une bourse qui lui permît d'aller travailler à Paris, bourse qui fut accordée. On ignore d'après quel modèle cette fidèle copie fut exécutée, probablement en 1836 ; peut-être la gravure d'Edelinck (n° 288 pourtant en sens inverse). J.P.C.

Cherbourg, Musée Thomas Henry

Miró (Joan)

Barcelone, 1893

*En se formant dans le milieu effervescent de Barcelone (1901-1917), Miró prend connaissance des récentes recherches de la peinture française (impressionnisme, fauvisme) et des revues d'avant-garde (*Nord-Sud*, dirigée par Reverdy ;* 391, *par Picabia). A Paris en 1919, il se lie avec Picasso et visite le Louvre. De 1920 à 1936, Miró partage son temps entre Paris et Montroig en Espagne : période de rencontres avec des peintres (Masson, Arp, Ernst...), des écrivains (Tzara, Desnos, Leiris, Arthaud, Limbour...), période aussi de contribution au surréalisme auprès de Breton, Aragon et Eluard. La guerre d'Espagne le contraint à s'installer en France (1936-1940) ; et l'après-guerre voit son retour définitif en Catalogne (Barcelone, Palma).*

Dès les années 20, loin d'être exclusivement pictural, son art trouve une expression suffisamment souple et onirique pour s'adapter à toutes sortes de supports (peinture sur papier de verre ou masonite, estampe...), pour s'intégrer à toutes sortes de formes (collage, montage d'objets, céramique...), pour prendre parfois un tour monumental (décors de ballet et d'architecture, grandes sculptures en résine synthétique...).

Cet art d'abord pénétré du fauvisme (1912-16) puis de la schématisation du cubisme (1917), évolue d'une figuration descriptive d'une innocence affichée, teintée de l'humeur du terroir natal, à une représentation abrupte, en signes volubiles, mais affranchies des références immédiates au réel, des constituants élémentaires de l'univers. Un graphisme fruste soumis à la recherche du geste générateur, un jeu de taches aux significations inépuisables, l'artifice d'un coloris aigu que vient manger le noir intense, permettent cette réduction du monde. Miró, pour acquérir cette expression rudimentaire des éléments originels, a trouvé un répondant dans toutes les formes d'art tenues pour primitives, de la peinture rupestre paléolithique aux fresques romanes catalanes, en passant par l'artisanat de sève populaire. Et c'est pour ce qu'elle représente, la femme idéale par excellence, plutôt que pour son style propre que La Fornarina *de Raphaël a pu exercer quelque séduction sur Miró alors occupé, selon ses propres dires, à « assassiner la peinture ».* D.C.

175 à 179
Cinq études pour La Fornarina

175
Verso : étude non identifiée
Mine de plomb
H. 0,161 ; L. 0,105.

176
Mine de plomb
H. 0,159 ; L. 0,102.

177
Mine de plomb
H. 0,220 ; L. 0,169
Inscriptions : *trop en pensant à mes choses précédentes, trop réaliste encore.*

178
Mine de plomb
H. 0,220 ; L. 0,169
(forme irrégulière).

179
Fusain, mis au carreau.
H. 0,641 ; L. 0,498.

Historique :
Don de l'artiste à la Fondation Joan Miró. Inv. 968, 967, 970 v°, 969, 971

Bibliographie :
Catal. exp. *Inauguration Fundació Juan Miró*, Barcelone, juin 1976 ; Georgel, 1978-1979, n°s 75 à 79 ; Catal. exp. *Drawings by Miró*, Hayward Gallery, 1979, n°s 75-79 ; Catal. exp. *Joan Miró, anys 20*, Barcelone, Fondation Miró, 1983.

ill. 137

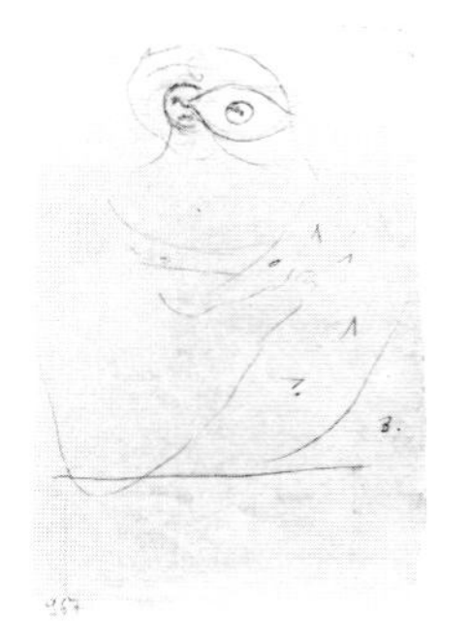

ill. 138

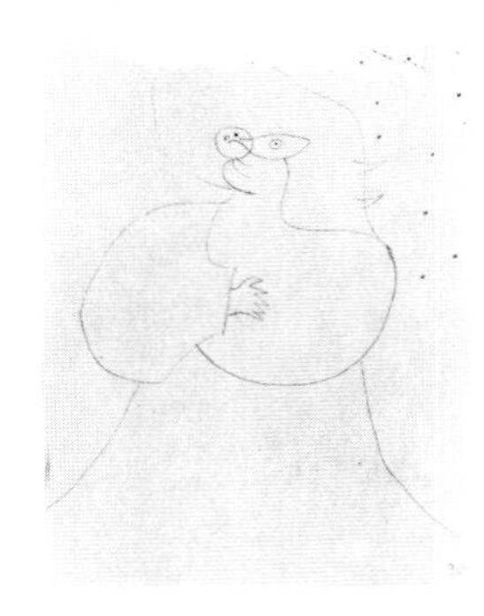

ill. 139

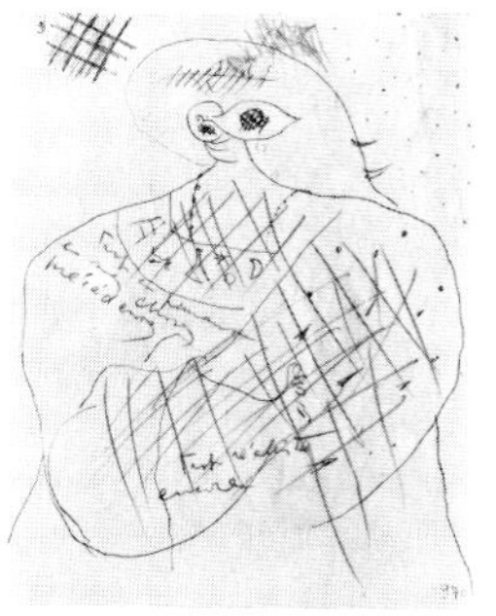

ill. 140

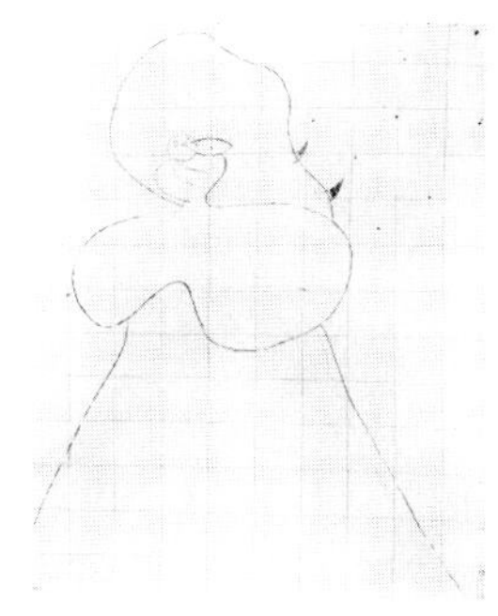

ill. 141

Les critiques qui ont cherché la source du tableau de Miró, *La Fornarina* (Dupin, 1961, n° 242 ; vente Sotheby's, 30 juin 1981, n° 87), peint dans les premiers mois de 1929 dans l'atelier de la rue Tourlaque à Paris, s'arrêtant à son titre, plus encore peut-être à sa forme élémentaire qui met en évidence l'encorbellement du buste et à sa couleur lunaire et ardoisée, ont toujours tenu pour certain que Miró avait eu sous les yeux la reproduction du tableau de Raphaël de la Galerie Barberini (Rome ; De Vecchi, 1982, n° 146). L'examen des dessins montrés ici, et auxquels il faut sans doute ajouter une étude conservée à New York (Museum of Modern Art ; Rubin, 1973, p. 121, n° 5) laisse penser cependant que c'est une autre *Fornarina,* naguère attribuée à Raphaël mais aujourd'hui rendue à Sebastiano del Piombo (Florence, Offices ; De Vecchi, 1982, n° 99) qui a fécondé l'imagination de Miró ; la troisième feuille annotée « trop réaliste encore », conserve encore, de ce tableau, l'enveloppe ronde du vêtement, la main piquée dans la texture mouchetée de la fourrure, la chevelure tombante sur l'épaule à droite et même la ligne du collier. Qu'un tel malentendu sur l'origine du tableau de Miró ait pu s'installer du vivant de son auteur ne surprend pas si l'on se souvient que pour certains de ses « portraits imaginaires » l'artiste a totalement oublié le nom de son modèle (Dupin, 1961, p. 180).

Si le tableau de Sebastiano n'est en fin de compte pas identifiable dans la peinture de Miró, c'est que, suivant la logique de ces portraits imaginaires peints à partir d'œuvres du passé, de Constable (Dupin, 1961, n° 240) ou de G. Engleheart (*id.,* n° 239), le tableau ancien est une source et non un modèle. D'un dessin à l'autre s'opère une décantation des éléments ; les motifs, une fois isolés, se contaminent en même temps qu'ils s'enflent ou se réduisent en signe purement plastique. Les préoccupations psychologiques, évacuées les premières, le style propre de Sebastiano également banni, sont sacrifiés à la quête de la forme embryonnaire du tableau. La ligne cursive fait passer les motifs de la figuration au symbole et les motifs dissociés ne retrouvent de cohérence, une fois passées les tentations expressionnistes ou abstraites, que dans l'étude mise au carreau où, par la discipline du contour, les détails précieux (le poisson, œil et pendant d'oreille) et les notations outrées (le gonflement du buste) se répondent et s'équilibrent.

Quand même on s'accorderait avec Dupin (1961, p. 180) pour ne pas chercher de « raisons profondes au choix de Miró pour La Fornarina », il est singulier qu'il se soit prêté à une telle transfiguration de l'image idéale de l'amante du peintre par excellence, Raphaël, l'année même de son mariage.

...D.C.

Barcelone, Fondació Joan Miró

Monsiau (Nicolas-André)

Paris, 1755 - id., 1837

Élève de Peyron, il séjourna à Rome de 1776 à 1780. Il exposa régulièrement au Salon des sujets de l'histoire antique et de l'histoire moderne (Molière lisant le Tartuffe chez Ninon de Lenclos *1802 ;* Poussin reconduisant le cardinal Massimi, *1806, avec une prédilection pour les épisodes anecdotiques ou édifiants, traités avec un modelé arrondi et une facture soignée. Une gravure de Bovinet d'après Monsiau montre Raphaël, soutenu par des élèves, se levant de son lit pour peindre un tableau (probablement la* Transfiguration) *que tient un aide (fig. 180 ; B.N., Estampes, Album Devéria Raphaël, Bb[1]).*

J.P.C.

180
La mort de Raphaël

Crayon noir, plume, lavis brun.
Mis au carreau à la pierre noire
H. 0,297 ; L. 0,266
Signé et daté en bas à gauche, à la plume : *Monsiau 1804*
marque du propriétaire actuel en bas à droite, (non citée par Lugt).

Historique :
Coll. Henri Bénincore (?) ; Coll. Albert Souvestre, puis sa fille Sophie Souvestre (?) (selon une étiquette datée 13 mars 1901, collée sur le montage) ; coll. part. Paris.

ill. 359

La *Mort de Raphaël* de Monsiau, exposée au Salon de 1804 (n° 325) où elle fut acquise par la « Société des Amis des Arts », est aujourd'hui perdue ; la gravure de Normand publiée par Landon (*Annales du Musée, seconde édition. École Française moderne,* t. II, Paris, 1833, pl. 37-38 ; Haskell, 1971, fig. 2) nous en conserve le souvenir. Le livret du Salon identifie les personnages : l'Arioste, le cardinal Bibbiena, Jules Romain, « Jean-François Perrin », « Polydore de Carravage », « Penni del Vega », « Jean de Udine », et précise que le portrait de Pérugin se trouve au dessus de la porte. La *Transfiguration* est exposée à la tête du lit, comme l'indique le texte de Vasari. Il n'est pas facile de reconnaître sur la gravure de Normand les figures identifiées par Landon, ni sur le beau dessin préparatoire exposé ici. Celui-ci comporte de nombreuses variantes avec le tableau gravé : l'homme debout au pied du lit et regardant le corps deviendra le cardinal Bibbiena, les deux femmes de gauche (inspirées de celles de la *Donation de Rome* de la Chambre de Constantin ?) seront supprimées, le jeune homme assis près du lit inversés, les instruments du peintre accrochés au mur éliminés.

Le tableau obtint un grand succès au Salon de 1804 : il parut, par son thème, complètement nouveau, et Francis Haskell (1971, p.58) rappelle justement que la *Mort de Léonard de Vinci* de Ménageot (Salon de 1781, Amboise), premier tableau français représentant un épisode de la vie d'un autre artiste célèbre, était alors bien oublié. La réthorique des attitudes et des gestes d'affliction de chaque personnage oppose la composition à celle, de même sujet, par Bergeret, plus tardive de deux ans, qui disposera en frise des figures immobiles (n° 18).

J.P.C.

Paris, collection particulière

Moreau (Gustave)

Paris, 1826 - id., 1898

Déjà en possession de son métier pour avoir suivi l'enseignement de Picot (1846), Moreau rencontra Chassériau dont l'art élégant et passionné devait durablement le marquer. Une décennie après avoir échoué au Prix de Rome (1849), il découvrit l'Italie (1858-1859). Même si l'on a beaucoup insisté sur son attention pour les « primitifs », à cause des effets hiératiques et précieux qu'il y trouva, il y a lieu de rappeler ici la place effective que Raphaël tint dans ses études, peintes ou dessinées, et dans l'élaboration de son oeuvre.

Attendue et presque inévitable chez un artiste de formation académique, la référence à Raphaël apparaît très tôt : selon P.L. Mathieu (1976, pp. 47, 291, n° 20), dès 1852 environ, dans un Jugement de Pâris *(loc. inconnue). Le voyage d'Italie, durant lequel il montre une curiosité qui va de Giotto à Michel-Ange et de Rome à Venise, comprend les stations imposées devant Raphaël : le* Putto *de l'Académie de Saint-Luc (De Vecchi, 1982, n° 90), « le plus beau morceau de peinture qui soit à Rome » qu'il reproduit scrupuleusement (Mathieu, 1976, pp. 58-59), la voûte de la Chambre de la Signature (Bittler et Mathieu, 1983, n°s 4161, 4164, 4258). Au Vatican, il reçoit d'ailleurs l'autorisation de copier l'*Héliodore chassé du Temple *(Mathieu, 1976, p. 57). On en conserve les études (Paladilhe et Rupps, 1974, n°s 1030-1031 ; Bittler et Mathieu, 1983, n° 1188) et il n'est pas impossible que la fresque de Raphaël lui ait servi à concevoir la fureur animale et l'épouvante humaine de son* Diomède dévoré par les chevaux *(1865, Rouen ; Mathieu, n° 78). Il s'agit ailleurs (Kaplan, 1974, p. 17, n° 72) d'une adhésion inconsciente à Raphaël quand il copie à la galerie Borghèse, en le croyant d'Holbein, un* Portrait d'homme *(De Vecchi, 1982, n° 27) attribué depuis au peintre italien. En même temps qu'il étudie* in situ*, il dessine d'après des reproductions de dessin (Bittler et Mathieu, 1976, n°s 1022, 1026, 1038, 1202 et peut-être 4519).*

C'est seulement vers 1876-1878 que se manifeste, vraiment mais discrètement, l'intelligence originale que Moreau a de Raphaël. Selon J. Kaplan (1974, p. 57, n° 72), l'une des premières idées pour la figure de Salomé dansant *(vers 1876) retiendrait l'attitude d'un des personnages d'*Abraham et les trois anges *des Loges (Vatican ; De Vecchi, 1982, n° 149 D). Le somnambulisme tendu de* Jacob luttant avec l'Ange *(1878, Cambridge, Fogg Museum ; Mathieu, 1976, n° 170) se souvient peut-être de l'Elymas aveuglé des* Actes des Apôtres *(De Vecchi, 1982, n° 116 C) en même temps que le* Sphinx deviné *(v. 1878, coll. particulières ; Mathieu, 1976, n°s 173-174) est comparable aux créatures chimèriques qui accompagnent les* Amours de la Farnésine *(Rome ; De Vecchi, 1982, n° 130). L'emprunt, quoiqu'il en soit, n'altère en rien la singularité de cette création lente et « alchimique » où l'imagination suit les voies somptueuses de la couleur. Peinture de l'ineffable plutôt que de l'inconscient, avec ses enroulements enjôleurs et ses sinuosités lascives, l'art de G. Moreau parvient, par un surcroît d'effets qui confine à la préciosité, au dépassement de tous les sens comme à l'oubli des modèles. D.C.*

181 à 185
Cinq études pour un Saint Georges

181
Plume et encre brune
H. 0,175 ; L. 0,185
Signé en bas à droite :
- Gustave Moreau -
Inscription en bas à gauche :
San Giorgio n° 87.

182
Plume et encre de Chine
sur papier calque
H. 0,122 ; L. 0,103. n° 88.

183
Plume et encre de Chine sur papier calque. Mis au carreau
H. 0,123 ; L. 0,102. n° 89.

184
Plume et encre brune sur esquisse au crayon
H. 0,194 ; L. 0,185
Signé en bas à droite :
- Gustave Moreau -
Inscription en bas à gauche :
Saint-Georges n° 90.

185
Crayon, mis au carreau
H. 0,172 ; L. 0,175
signé en bas à droite :
- Gustave Moreau -
Inscription en bas à gauche :
Saint-Georges n° 91.

Historique :
Legs à l'État, 1897 ;
Musée Gustave Moreau, Paris,
Marque du Musée : *G.M.* dans un cercle. Inv. n°s 87, 88, 89, 90, 91.

Bibliographie :
Bittler et Mathieu, 1983, p. 19,
n°s 87-91.

ill. 91

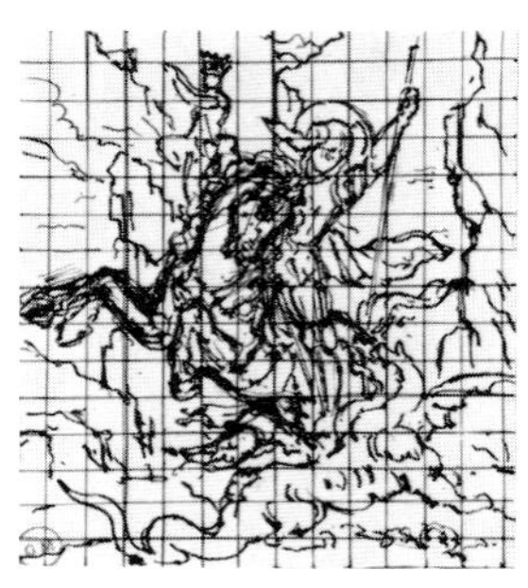

ill. 92

ill. 93

ill. 90

ill. 94

Cinq études pour un *Saint Georges* dont Gustave Moreau donna une première version achevée vers 1869 (coll. particulière ; Mathieu, 1976, n°s 116-117) et une seconde en 1889-1890 (Londres ; *id.*, n° 361). La composition retenue dans les œuvres définitives est celle approchée dans les n°s 90 et 91. Sa source s'en découvre aisément chez Raphaël dans les tableaux du Louvre et de Washington (De Vecchi, 1982, n°s 49-50) et leurs cartons respectifs conservés à Florence (Offices ; Fischel, 1913, I, n° 57 ; 1919, II, n° 78). Moreau a d'ailleurs fait en 1858 une copie d'un des dessins des Offices (Bittler et Mathieu, 1983, n° 4.284). Le précieux petit panneau du Louvre dicte les méandres convulsifs du monstre, l'allure cabrée du cheval, la tension impavide du cavalier et jusqu'à l'envolée de draperie qui s'échappe de l'armure. De la composition du tableau de Washington s'impose, comme solution plastique autant que dramatique, l'appui de la lance. Dans ces dessins, Moreau a respecté le cadrage carré de Raphaël, en accroissant progressivement l'importance des vides autour des figures, avant d'adopter pour les œuvres achevées, un cadrage en hauteur.

En se livrant à ce travail d'adaptation des oeuvres de Raphaël, Moreau s'est détourné d'un autre type de *Saint Georges*, apparemment mieux fait pour le séduire, celui statique, exubérant et macabre de Carpaccio dont il a laissé une copie (Paladilhe et Rupps, 1974, n° 195). Son goût pour les compositions précoces de Raphaël n'est d'ailleurs pas attesté seulement par les *Saint Georges* mais aussi par un dessin (Bittler et Mathieu, 1983, n° 1047) d'après une étude pour la Libreria Piccolomini (Fischel, 1913, I, n° 62).

Le Musée Gustave Moreau conserve quatre autres dessins de *Saint Georges* (Bittler et Mathieu, 1983, n°s 930, 274, 803 calque du précédent, 4115) ; le n° 930 (Renan, 1900, p. 118, repr.) est une mise au net des deuxième et troisième dessins exposés ici. D.C.

Paris, Musée Gustave Moreau

Moreau (Jean-Michel), dit Moreau le Jeune

Paris, 1741 - id., *1814*

Il travaille dans l'atelier du graveur Le Bas, et commence vite une carrière féconde et brillante d'illustrateur et d'ornemaniste. Un voyage en Italie en 1785 semble modifier sa manière, qui évolue progressivement vers le goût antiquisant. Mentionnons, proche de l'esprit de l'œuvre exposée ici, la composition avec Le Dessin, la Sculpture, la Peinture et la Gravure *gravés en une même composition par Baquoy d'après Moreau, comme tête de page dans le* Musée Napoléon *publié par Laurent en 1812 : la Peinture est représentée par Raphaël peignant le* Grand Saint Michel* *et la Gravure par Edelinck gravant la* Sainte Famille de François 1er* *(Mahérault, 1880, n° 375 ; Bocher, 1882, n° 944).* *J.P.C.*

186
Raphaël dans son atelier

ill. 347

Plume et lavis d'encre brune
H. 0,108 ; L. 0,212

Historique :
Acquis dans le commerce parisien.

Bibliographie :
(Concernant la gravure)
Mahérault, 1880, n° 375, VIII ;
Bocher, 1882, n° 1394.

(Concernant le dessin)
Baticle, 1976, n° 56, p. 62
(comme *Apelle peignant la Vénus Anadyomène)*

Identifié par Jacques Foucart, ce dessin, ainsi que deux autres de la même collection représentant *Phidias sculptant le Jupiter Olympien* et *L'atelier d'un graveur*, a servi pour une tête de page d'un des volumes du *Musée français* édité par Robillard-Péronville et Laurent (1803-1809, quatre volumes), recueil de gravures d'après les plus belles œuvres du Musée Napoléon. Le présent dessin a été gravée par J.-B. Simonet en 1808, et se trouve dans le volume IV de l'ouvrage (1809), en tête d'un *Discours historique sur la peinture moderne* servant d'introduction et avec ce titre : *Raphaël, dans son atelier, entouré de ses élèves, peint l'Éternel débrouillant le chaos.* La gravure d'après *Phidias* illustre le volume II (1805), celle d'après *L'atelier d'un graveur*, le volume III (1807) ; manque le quatrième dessin, celui qui a servi pour la gravure d'*Apelle peignant la Vénus Anadyomène d'après Pryné* (volume I, 1803). Raphaël, assis devant Bramante, travaille au carton de la fresque de *Dieu séparant la lumière des ténèbres*, première des fresques des Loges (Dacos, 1977, I, I). Au fond, à droite, on aperçoit un fragment d'un carton de l'*École d'Athènes*. Et, petite leçon d'histoire de l'art, on voit au centre, derrière Raphaël, le carton (ou une copie ?) de la *Création des astres* peinte par Michel-Ange à la voûte de la Sixtine dont on s'accorde à dire que Raphaël a pu s'inspirer pour la composition qu'on le voit en train de peindre : un chevalet et un carton sont même prêts pour la copie.

L'atelier de Raphaël est d'abord montré ici comme un lieu d'enseignement : le maître, qui ne semble guère plus âgé que ses disciples, commente un dessin de *Tête de Christ* qu'on lui soumet. A gauche, un élève copie une tête antique ; au fond à droite, un groupe de jeunes gens travaille d'après le *Torse du Belvédère.* J.P.C.

Paris, collection particulière

Natoire (Charles-Joseph)

Nîmes, 1700 - Castel Gandolfo, 1777

*Il séjourne à Rome, ayant obtenu le Grand Prix (voir n° 187), de 1723 à 1728. Il se consacre à la peinture décorative, dans une manière claire et allègre qui doit à son maître Lemoyne ; malgré le goût de l'animation et du pittoresque on y décèle parfois des souvenirs de la Loggia de la Farnésine, par exemple dans l'*Histoire des dieux, *peinte pour La Chapelle-Godefroy* (Calypso et l'Amour, *Troyes) ou dans la suite d'*Apollon et les Muses *du Cabinet des Médailles (Bibliothèque Nationale).*

Nommé directeur de l'Académie de France à Rome en 1751, le peintre passe la fin de sa vie en Italie et se consacre surtout à son rôle de pédagogue. Un tableau de Natoire, au Salon de 1746, représentant L'union de la Peinture et du Dessin *(n° 36 bis, à M. de Julienne) est probablement celui, récemment réapparu (*Le Figaro, *25 août 1981, repr.) où l'on présente à la Peinture, appuyée près d'un livre où l'on voit le portrait de Titien, un grand dessin avec le portrait de Raphaël (copie, inversée, du* Portrait de jeune homme *du musée de Cracovie). Un dessin de la même composition est passé en vente à Londres le 8 déc. 1972 (fig. 192 ; Sotheby's, n° 17 ; voir pour la gravure par Pelletier [1750], Lecoq, 1982-1983, p. 42, fig. 45). J.P.C.*

187
Manué offrant un sacrifice

ill. 246

Toile
H. 0,97 ; H. 1,21

Historique :
Coll. de l'Académie Royale ; École des Beaux-Arts. Inv. 2900.

Bibliographie :
Rosenberg, 1977, n° 1 (avec bibliographie antérieure).

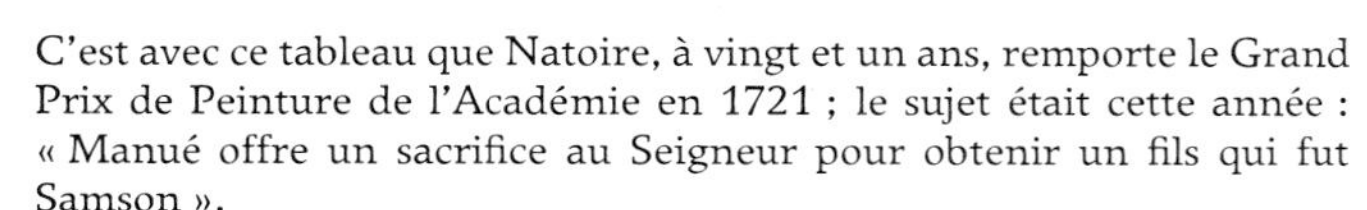

C'est avec ce tableau que Natoire, à vingt et un ans, remporte le Grand Prix de Peinture de l'Académie en 1721 ; le sujet était cette année : « Manué offre un sacrifice au Seigneur pour obtenir un fils qui fut Samson ».

L'organisation générale de la toile évoque, à un moment où le rôle de Raphaël sur les peintres français est secondaire, celle du *Sacrifice de Noé* des Loges (Dacos, 1977, III, 4) dont Poussin s'était inspiré dans un tableau aujourd'hui perdu. Ainsi le recours aux modèles romains reste-t-il pratiqué, au début du XVIIIe siècle, dans les grandes étapes du cursus académique. P. Rosenberg note combien les figures féminines sont encore proches de celles de Lemoyne, le maître de Natoire.
J.P.C.

Paris, École Nationale Supérieure des Beaux-Arts

Orsel (Victor)

Oullins, 1795 - Paris, 1850

Élève de Révoil à Lyon, il fréquente ensuite à Paris l'atelier de Guérin (1817-1822) qu'il suit à Rome, où, rencontre déterminante, il fréquente les peintres Nazaréens. Il rentre à Lyon en 1831. Toute la fin de sa carrière est consacrée aux peintures de l'église Notre-Dame-de-Lorette à Paris, en collaboration avec Périn et Roger. Orsel se passionna pour les peintures murales italiennes du Trecento et du Quattrocento dont il prit, en même temps que son ami Périn, de nombreux dessins. J.P.C.

188
Le Christ de la Transfiguration
D'après le tableau du Vatican

ill. 123

Mine de plomb
H. 0,313 ; L. 0,210

Historique :
Coll. du sculpteur Guillaume Bonnet ; vente Lyon, 1873, n° 450 ; acquis par le musée d'Art et d'Industrie en 1873.

Bibliographie :
Chomer, 1982, II, p. 14, D. 15 ; III, p. 74, fig. 26.

Étude pour l'énorme *Transfiguration* (H. 4,50 ; L. 2,00 env.) de l'église Saint-Nizier de Lyon (1817), qui reprend le Christ dans le même cadrage, mais cintré dans la partie supérieure. Périn, le biographe d'Orsel, indique que l'artiste fit sa copie d'après le détail d'une gravure de la *Transfiguration* de Raphaël, qu'il mit soigneusement au carreau. Cette œuvre de jeunesse, destinée à remplacer la copie d'un « *Christ des Cinq-Saints* de Raphaël faite par un artiste de Paris » fut très admirée par les camarades du peintre. Pourtant Révoil, son maître, fut réticent, disant : « La facilité a dépassé cette fois le savoir. Orsel a mis le pied sur un terrain glissant », et Orsel décida de quitter Lyon pour entrer à Paris dans l'atelier de Guérin (voir A. Périn, *Œuvres diverses de Victor Orsel (1795-1850)*, Paris, 1852-1877, I, fasc. I, pp. XIX-XX). Le tableau de Saint-Nizier renchérit encore dans la transcription volontairement aigue et sèche du tableau de Raphaël, qui amenuise la tête et affine les plis, que donne le dessin. J.P.C.

Lyon, Musée des Arts Décoratifs

Papety (Dominique)

Marseille, 1815 - id., *1849*

Élève de Léon Cogniet, il remporta le Prix de Rome de 1836 et séjourna à Rome de 1836 à 1841 au moment où Ingres dirigeait l'Académie de France. Grand admirateur de Raphaël, il copia à la demande d'Ingres le Banquet des dieux *de la Farnésine (non retrouvé à l'École des Beaux-Arts où il est inventorié) et on le trouve en 1838, contre certains de ses camarades, soutenant Ingres faisant effacer les caricatures qui garnissaient les murs de la salle à manger de la Villa Médicis pour installer à leur place des copies de Raphaël (Amprimoz, 1977, p. 175). C'est de ce séjour que dataient probablement plusieurs dessins « d'après Raphaël » ou « d'après Raphaël et Pérugin » qui figuraient dans sa vente après décès (15-16 janv. 1850, n°s 83, 86-89). Passionné d'archéologie, Papety voyage en Grèce en 1846. Mort jeune du choléra, il était un des beaux tempéraments de peintre et de dessinateur de son époque, marqué par l'ingrisme mais sensible aux effets de lumière tranchés ou nuancés. J.P.C.*

189
La Vierge et l'Enfant avec le petit saint Jean, devant Saint-Jean-de-Latran à Rome

ill. 14

Aquarelle sur mine de plomb
H. 0,216 ; L. 0,155
Signé en bas à gauche à la plume : *DOM. PAPETY*. En bas à droite, marque du propriétaire actuel (non citée par Lugt).

Historique :
Acquis dans le commerce d'art.

Bibliographie :
Catal. exp. *Images de l'Italie au temps des Écrivains Romantiques*, Gargilesse, 1976, n° 89, repr.

La vue de Saint-Jean-de-Latran, dans le fond, et le style de la représentation, proche de celui des études de types italiens, font penser à une œuvre du séjour romain de Papety. Le groupement en pyramide des figures isolées dans un paysage évoque les compositions florentines de Raphaël ; les visages rapprochés de la Vierge et de l'Enfant font penser d'autre part à la *Vierge Mackintosh* (Londres ; De Vecchi, 1982, n° 86). Mais Papety rend aussi hommage ici, autant qu'à Raphaël, à l'Ingres du *Voeu de Louis XIII* (n° 126).

L'effet de lumière vespérale détache les figures dans un léger contre-jour et apporte une discrète note d'effusion sentimentale.

J.P.C.

Paris, collection particulière

190
Le Casino de Raphaël

ill. 328

Papier sur toile
H. 0,290 ; L. 0,435

Historique :
Acquis en 1972. Inv. n° 1.077-1972/25.

Bibliographie :
Gerkens-Heiderich, 1973, p. 262, fig. 545 (citent plusieurs tableaux et dessins allemands représentant le même motif) ;
Amprimoz, 1977, p. 180, n° 16, fig. 7.

Voir pour le thème le paysage d'Ingres (n° 132). La vue, peinte entre 1836 et 1841, est prise de la Villa Borghèse, et montre, au delà du *Muro torto*, la Villa Médicis, d'où Ingres avait peint son tableau une trentaine d'années plus tôt ; on aperçoit à droite la coupole de Saint-Pierre.

J.P.C.

Brême, Kunsthalle

Penni (Luca)

Florence (?), 1500/1504 - Paris, 1556

Sans doute à cause de la jalousie que le Primatice témoigna à son égard — celui-ci refusa probablement de renseigner Vasari, le célèbre historiographe florentin, sur ce peintre qu'il tenait pour son rival — Luca Penni n'occupe certainement pas dans l'histoire de la diffusion du style de Raphaël en France la place que laisse attendre le peu que nous savons de lui : peut-être élève direct de Raphaël (selon Orlandi) et vraisemblablement frère d'un des assistants favoris du maître, Gian Franceso Penni dit il Fattore ; *beau-frère, en outre, d'un autre membre de la* bottega raffaellesca, *Perino del Vaga avec qui il travailla à Lucques et à Gênes (Vasari, IV, p. 647) Luca ne devait rien ignorer des habitudes et de la production de l'atelier de Raphaël. Ces attaches lui valurent sans doute le surnom de* Romain *(bien qu'il fût Florentin) qu'on trouve sous la plume de Félibien. Peut-être même apporta-t-il en France des dessins de Raphaël (Vanaise, 1966, pp. 84-86).*

Comme Primatice, c'est au début des années trente qu'il quitte le cercle des élèves de Raphaël pour la cour de France où, du vivant de Rosso, il reçoit des appointements égaux à ceux de Primatice pour sa participation au décor de la Salle Haute *du* Pavillon des Poêles *et de la* Galerie François 1er, *à Fontainebleau. Il est aussi documenté comme peintre de cartons de tapisseries. Dans la tenture de l'*Histoire de Diane *pour Anet (?) à laquelle Dimier (1900, p. 120) et Golson (1957,* passim*) ont attaché le nom de Penni, le* Jupiter dont Diane implore le don de chasteté *(Rouen, Musée départemental des Antiquités) semble se souvenir de rois légendaires peints par Giulio Romano au soubassement de la* Chambre de l'Incendie *(Vatican) et plus logiquement encore s'inscrire dans la descendance des* Hommes Illustres *peints par Perino del Vaga dans la loggia du Palais Doria de Gênes (entre 1527 et 1533). A partir de 1540, il se peut que la prééminence de Primatice sur les chantiers royaux ait éloigné Penni des grandes entreprises décoratives de Fontainebleau et, avant même 1550, on le trouve à Paris, où il demeurera jusqu'à sa mort.*

*Paul Vanaise a voulu reconnaître la main de Luca Penni dans le grand portrait d'*Odet de Coligny *(1548, Chantilly, Musée Condé). L'indéniable parenté avec la formule de portrait aulique utilisée par Raphaël pour* Lorenzo dé Medici, *duc d'Urbin (De Vecchi, 1982, n° 170), ne suffit pas à étayer l'attribution à Penni dont l'œuvre de portraitiste a presque totalement sombré dans l'oubli. Aussi Sterling (1967, p. 89) a-t-il pu, après Dimier, soutenir la paternité de François Clouet pour ce tableau.*

Détruite au musée de Caen pendant la Deuxième Guerre mondiale, une copie de la Déposition *(Rome, Galerie Borghèse), trouvée dans la maison de Saint-Lazare, apparaît dans les archives des Monuments Français (Lenoir, I, p.10 ; t. II, pp. 50, 65) sous le nom de Luca Penni, mais une estampe anonyme (fig. 53 ; Bartsch illustré, 1979, vol. 33, p. 301, n° 24) montre bien que s'il s'est inspiré de ce tableau de Raphaël, Penni l'a autant gauchi que suivi.*

Hormis la Justice d'Othon *(Louvre ; Béguin, 1975, pp. 359-366), aucune des peintures jusqu'à présent rapprochées de Penni ne semble pouvoir lui être indiscutablement attribuée. Comme pour les cartons de l'*Histoire de Diane *on hésite, pour la* Diane chasseresse *(Paris, Louvre) entre Cousin ou son entourage (Sterling, 1955, n° 53) et Penni (Golson, 1957, p. 34 ; Béguin, 1960, pp. 70-73) et la* Pieta *d'Auxerre a volontiers été mise en parallèle avec celle du musée de Lille considérée comme de Cousin (Béguin, 1965, n° 337). Par ailleurs on constate qu'au nombre des œuvres dubitativement placées sous le nom de Penni, deux au moins,* Diane et Actéon *(Paris, Louvre ; Béguin, 1960, p. 70) et* Loth et ses filles *(coll. part. ;*

Bologna et Causa, 1952, nº 53), intègrent de plus ou moins larges citations de Raphaël : dans la première, les échassiers de la Pêche Miraculeuse *de la tenture des* Actes des Apôtres *(Zerner, 1972,* l'Œil, *p. 8) et pour le couple enlacé de la seconde, le motif tiré des Loges d'*Isaac et Rebecca épiés par Abimélek. *Quant au dessin, S. Béguin (1972, nº 138, repr.) a souligné pour le* Banquet d'Acheloos *(?) de Munich (coll. part.) l'élégance et la retenue dans l'emprunt au* Banquet Nuptial *de la Loggia de Psyché (Rome, Farnésine). Ainsi, d'une certaine façon, l'art de Luca Penni tel que nous le connaissons, avec ses figures au verticalisme accusé, la vacuité idéale des expressions et cet agencement un peu plan de compositions rigoureuses, semble assez bien combler l'écart qui sépare Raphaël de Cousin. D.C.*

191
Le jugement de Pâris

ill. 318

Plume et encre brune, lavis brun, rehauts blancs partiellement oxydés, trace de stylet, sur papier beige
H. 0,316 ; L. 0,446
Collé en plein. Inscription en bas à droite sur la rame du dieu fleuve : *Luc Pennis.*

Historique :
E. Jabach, montage à bande dorée des dessins d'ordonnance ; paraphes au verso (Lugt 2959 et 2953) et numéro *cinq cent trente ;* acquis pour le Cabinet du Roi en 1671 ; marques du Musée (Lugt 1899 et 2207). Inv. 1.395.

Bibliographie :
Morel d'Arleux, I, nº 530 ;
Golson, 1957, p. 27 ;
Zerner, 1969, nº JM 40 ;
Zerner, 1972, p. 319 ;
Dittrich, 1980, p. 31, nº 18 ;
Mundy, 1981, p. 41 sous nº 17.

Jean Mignon a tiré de ce dessin une eau-forte en y ajoutant un paysage de son invention (Zerner, 1969, J.M. 40). Qu'il existe une copie de l'estampe de Mignon (Bartsch illustré, 1979, vol. 33, p. 339, nº 64) en atteste la renommée dont témoignent aussi les émaux limousins (nº 374). Il semble donc que la composition de Penni ait, en France, rapidement concurrencé la gravure du même sujet par Marcantonio Raimondi d'après Raphaël (Bartsch illustré, 1978, vol. 26, p. 242, nº 245) qui, pourtant, lui a servi de modèle. Le dieu-fleuve, les trois déesses apparaissent étroitement démarqués de Marcantonio, même si, pour aboutir à une scansion plus curviligne de l'ensemble, Penni a fait légèrement pivoter les attitudes. La composition déjà simplifiée dans le dessin de Penni délaisse en outre dans la gravure de Mignon la Victoire, le char d'Apollon, Jupiter de la partie supérieure et cesse alors d'être l'arbitrage d'une querelle olympienne pour devenir une fable pastorale. Interprétation assez libre par son mélange de rectitude et d'allongement arqué des silhouettes, le dessin de Penni est loin d'être en France au XVIe siècle, l'avatar le plus affranchi de l'invention de Raphaël : on pourrait citer, à titre de déviation religieuse, un vitrail d'*Adam et Eve* (Rouen, église St-Romain) qui reprend Pâris et Vénus, tandis que certaines représentations mythologiques, *Diane et Actéon* attribuées à F. Clouet notamment (Rouen ; Sterling, 1955, p. 67, nº 52) montrent l'inversion du thème (le témoin de la beauté puni plutôt que récompensé) en même temps que la reprise partielle de certains de ses motifs. La gravure du *Jugement de Pâris* de Penni est la première d'une série de six sur la *Guerre de Troie* (Zerner, 1969, J.M. 40-45) dont trois dessins sont au Louvre (Inv. 1.395, 1.399, 1.400), et un autre aux USA (Mundy, 1981, nº 17). La seconde, l'*Enlèvement d'Hélène,* interprète (Béguin, 1954, p. 28) une composition dont l'invention a parfois été revendiquée pour Raphaël (Bartsch illustré, 1978, vol. 26, p. 208, nº 209) tandis que la dernière pièce peut être comprise dans la descendance de la *Bataille de Constantin* (Vatican). D.C.

Paris, Musée du Louvre, Cabinet des Dessins

192
La conversion de saint Paul

ill. 289

Plume et encre brune, lavis brun, traces de stylet, rehauts blancs sur papier beige
H. 0,238 ; L. 0,366. Collé en plein.

Historique :
E. Jabach, montage à bande dorée des dessins d'ordonnance, paraphe au verso (Lugt 2959 c) et numéro *cent quatre vingt dix huit.* Aquis pour le cabinet du Roi en 1671 ; marques du musée (Lugt 1899 et 2207). Inv. 1402.

Bibliographie :
Morel d'Arleux, III, nº 4048 ;
Golson, 1957, p. 27.

L. Golson s'est appuyé sur ce dessin pour évoquer la culture formelle de Luca Penni. Il serait, selon elle, à l'encontre du *Jugement de Pâris* (nº 191) qui relève sans conteste de Raphaël, un témoignage de l'influence, peut-être par le biais de Salviati, de la fresque de même sujet de la Chapelle Pauline (Vatican) peinte par Michel-Ange (1542-1545). Si l'on retient l'hypothèse, cette œuvre de Penni se place dans la dernière décennie de son activité. A la comparaison avec Michel-Ange, il faut cependant ajouter, voir opposer, un rapprochement avec la *Conversion de saint Paul* appartenant à la tenture des *Actes des Apotres* de Raphaël (De Vecchi, 1982, nº 116 I). C'est le même type de composition en largeur, où les figures occupent une place comparable dans le plan et s'organisent de façon tout à fait similaire, sur des obliques, selon un déroulement d'un bord à l'autre de l'espace. On notera certains motifs clairement adaptés, avec moins d'unité dynamique, de Raphaël : Paul, aveuglé, qui, s'il a le geste de protection que l'on trouve dans la figure de Michel-Ange, n'a rien de la stature de dieu-fleuve de celle-ci ; le soldat courant auprès des cavaliers dont le dessin amplifie l'invention de Raphaël, Dieu surgissant de sa gloire sans la cour céleste que lui prête Michel-Ange. Il est peu probable que Penni ait connu directement le carton de Raphaël (aujourd'hui perdu) qui se trouvait dès 1521 à Venise (Shearman, 1972, p. 140, n. 21). Il put en voir vraisemblablement un tissage, soit celui qui, appartenant au pape, se trouvait à Rome entre 1519/21 et 1527, soit, en France, celui des collections de François Ier (documenté en 1532 ; Schneebalg-Perelman, 1971, pp. 288-289). Le dessin pourrait donc être antérieur à 1545. D.C.

Picart (Bernard)

Paris, 1673 - Amsterdam, 1733

Il est l'élève de son père, Étienne Picart dit le Romain, académicien, et de Benoît Audran, puis de Sébastien Leclerc. Il est tenté par la peinture, mais s'oriente définitivement vers la gravure. Il voyage en 1696-1698 à Anvers, puis à Amsterdam. Il s'installera à La Haye en 1710 et, définitivement, à Amsterdam l'année suivante. Il grava à plusieurs reprises d'après Raphaël: la Sainte Famille*, *la* Sainte Marguerite* *et le* Saint Michel* *de la collection royale; en 1715, une «* Petite Vierge, tenant l'Enfant Jésus, nommée communément de Pazzo, d'après Raphaël». *Les* Impostures innocentes, *publiées en 1734 à Amsterdam, recueil de gravures d'après des dessins de divers peintres italiens (Guido Reni, Maratta), français (Poussin, Le Sueur, Le Brun) et nordiques (Rembrandt), commencent par huit planches d'après des dessins de Raphaël alors dans les collections Rutgers et Vilenbrock à Amsterdam et Crozat à Paris.* *J.P.C.*

193
La Vierge et l'Enfant
D'après un dessin de Raphaël

ill. 31

Sanguine
H. 0,360; L. 0,246
Inscription en bas: *Dessiné en 1721 par B. Picart sur le dessin originale de Raphaël du Cabinet de Mr. Vilenbrock.* Marque de l'actuel propriétaire en bas à droite (non citée par Lugt).

Historique:
Commerce d'art; coll. particulière.

Ce dessin, qui copie un dessin évidemment en relation avec la *Vierge Tempi* de Raphaël à Munich (De Vecchi, 1982, n° 83), constitue un passionnant document. On remarquera les différences entre le dessin et le tableau de Munich: notamment absences du voile léger couvrant les cheveux de la Vierge et de celui garnissant son décolleté. Ces variantes, ainsi que certaines particularités de dessin (l'œil de l'Enfant, par exemple), se retrouvent dans le carton fragmentaire de Montpellier*, jadis en possession de Fabre. On peut émettre deux hypothèses: le dessin de Picart a été fait d'après ce carton, qui aurait fait partie de la collection Vilenbrock alors qu'il n'était pas encore fragmenté, et les variantes dans la tête de l'Enfant, notamment les cheveux au vent, peuvent s'expliquer par le mauvais état de l'œuvre, dès cette époque, obligeant le copiste à quelque interprétation; Fabre aurait pu acquérir le carton, dont rien ne prouve formellement qu'il soit resté dans la Casa Tempi, ailleurs qu'à Florence, à Amsterdam ou à Paris, par exemple. Ou bien, seconde hypothèse, le dessin copié par Picart était une copie fidèle d'après ce carton.

Ce dessin n'a pas été retenu dans les planches gravées par Picart dans les *Impostures innocentes* de 1734 où l'on trouve deux dessins du Cabinet Vilenbrock, un *Triomphe de Galatée* et une *Tête de Vierge*. Mentionnons aussi une sanguine de Picart conservée à Dresde (Inv. Nr C 708) portant une inscription analogue à celle du dessin exposé et la même date, 1721, copiant un *Jeune Homme assis et deux femmes*, dessin de Raphaël faisant aussi partie de la collection Vilenbrock (catal. exp. *Dialoge*, Dresde, 1970, n° 110). J.P.C.

Paris, collection particulière

Picasso (Pablo Ruiz)

Malaga, 1881 - Mougins, 1973

*Post-impressionisme de Barcelone (1895-1900), puis à Paris, périodes bleue et rose (1901-1905), précubisme d'ascendance primitive (1906), et cubisme effectif en compagnie de Braque (1907-1914): les étiquettes n'ont pas manqué pour définir les ruptures successives du style de Picasso avant le « retour à l'ordre » et à une figuration robuste et sage vers les années 20. C'est à partir de ce moment que Picasso manifeste un intérêt nouveau envers les formes d'art tenues pour académiques, et ce passéisme prononcé a pour corrélation le travail aux costumes et aux décors de ballets (1917-1920) qui le conduit, en 1917, en Italie. C'est alors qu'on peut chercher à reconnaître, dans l'état descriptif qu'il dresse de la tradition, entre l'inspiration antique et le pastiche ingresque, l'influence de Raphaël (n° 194). Si l'Italie et Raphaël comptèrent alors, c'est un peu comme pour Renoir (n° 215), dans l'attitude de nudités massives et claires; et A. Fermigier (1969, pp. 162-165) a pu reproduire côte à côte l'*Apollon et Marsyas* *que le Louvre acheta sous le nom de Raphaël et la* Flûte de Pan *de Picasso (1923, Paris, Musée Picasso). Selon G. Carandente (1981, p. 78), l'ange volant de l'*Héliodore chassé du temple *de Raphaël (Vatican) pourrait être l'une des sources des* Deux Femmes courant sur une plage *(1922, Paris, Musée Picasso), mais il nous semble plus aisé de souligner une rencontre entre Picasso et la* Madone du Belvédère *(Vienne) ou celle* au Chardonneret *(Offices) de Raphaël, dans un dessin des mêmes années représentant une femme assise, son enfant debout entre les genoux (fig. 11; Zervos, vol. 30, n° 360).*

De façon générale, il y a, pour certains, incompatibilité d'humeur entre Picasso et Raphaël (Kahnweiler, 1968, s.p.); pour d'autres, il en était familier (Pampolini, 1943, p. 123; Thimme, 1974, p. 8), mais parlant à Guttuso de Raphaël en 1949, Picasso semblait minimiser l'importance de ce dernier (Carandente, 1981, p. 72). Malgré les tentatives pour associer la Mère et enfant au fichu *(1903; Zervos, I, n° 169) à la* Madone Sixtine *(Putscher, 1955, p. 156), la* Famille d'acrobates avec un singe *(1905, Zervos, I, n° 299) à la* Sainte Famille avec le saint Joseph imberbe *(Reff, 1980, p. 23) et* La coiffure *(1905-1906; Zervos, I, n° 313) aux Saintes Familles de la période florentine (Barr, 1946, p. 43), il faut s'en remettre aux conclusions de P. O'Brian (1979, p. 305) qui dissuade de voir derrière toutes les compositions pyramidales l'ombre d'un Raphaël. Quant au cubisme, Kahnweiler (1920, p. 20) a rapporté que Picasso le concevait en contradiction parfaite avec Raphaël: « Dans une peinture de Raphaël vous ne pouvez pas mesurer la distance exacte entre le bout du nez et la bouche. Je voudrais peindre des peintures dans lesquelles cela soit possible. »*

Cet état de grâce semi-raphaélesque ne devait pas durer. Au contact du surréalisme (1925-1930), la sérénité monumentale laisse place aux constructions barbares et crues qui aboutiront à l'agressivité manifeste de Guernica *(1937, Madrid, Prado). Dans les* Massacres de Corée *(1951, Paris, Musée Picasso) qui devait reprendre de ce dernier l'expression politique, le souvenir des compositions de Manet et de Goya s'accompagne pour l'enfant fuyant, comme nous l'indique J. Shearman, d'un curieux emprunt à la* Guérison du paralytique *de Raphaël (Londres ; De Vecchi, 1982, n° 116 E). La série des chefs-d'œuvre du passé (Delacroix, Courbet, Vélasquez...), refaits par Picasso durant les mêmes années, ne met pas en cause Raphaël et il reste difficile malgré les « mots » qu'on rapporte de Picasso (Parmelin, 1966, p. 37) de savoir comment celui qui apparut vers 1902-1905 aux yeux d'Apollinaire comme « un adolescent aux yeux inquiets, dont le visage rappelait à la fois ceux de Raphaël et de Forain » (1981, p. 342) appréciait le Maître d'Urbin.* *D.C.*

194
L'Italienne

ill. 126

Toile
H. 0,985 ; L. 0,705

Historique :
Atelier de Pablo Picasso ; coll. Marina Picasso.

Bibliographie :
Zervos, 1949, III, n° 363 ;
Leymarie, 1971, p. 44, repr. ;
Daix, 1977, p. 171 ;
Spies, Carandente et Metken, 1981, pp.74, 76-77, n° 123, repr. p. 99.

« Imitée des madones » selon P. Daix (1977, p. 171), « libre variation » sur la *Donna Velata* de Raphaël (Florence, Palais Pitti), suivant Metken (1981, n° 123) dont Picasso possédait une reproduction (Carandente, p. 76 et p. 81, n° 13), ce tableau a suscité bien des comparaisons qui vont du *Portrait de Madame Moitessier* d'Ingres pour le généreux sybaritisme du modèle à la *Maria di Sorre* (Paris, Louvre, donation Picasso) attribuée à Corot, et les modèles costumés d'Anticoli Corrado pour sa mise folklorique. Manifestation précoce du retour à l'ordre chez Picasso, l'*Italienne* n'a pas manqué d'être rapprochée des déclarations d'André Derain en 1920 sur la grandeur de Raphaël (Derouet, 1981, p. 208). Mais, à bien considérer le même sujet peint par Derain en 1921-1922 (Liverpool ; Derouet, 1981, p. 230, repr.), on ne peut prêter à Picasso une attitude comparable.

Si l'on s'arrête à ce curieux esprit de syncrétisme qui rapproche ici Corot de Raphaël, et dont on trouverait les prémices dès 1916 chez Juan Gris (voir n° 112), on notera que Corot lui-même l'a favorisé en s'inspirant du dessin de *Jeune fille en buste* (Louvre, Inv. 3.832) pour sa *Femme à la perle* (Louvre). Comme sa *Femme assise* de 1923 (Tate Gallery, Londres ; Zervos, V, p. 3), l'*Italienne* de Picasso renvoie indifféremment à la *Blonde Gasconne* de Corot (Northampton, Smith College) et, plutôt qu'à la *Donna Velata,* aux portraits d'*Angelo* et *Maddalena Doni* de Raphaël (Florence, Pitti).

Plutôt qu'un « Ingres libéré du complexe de Raphaël » (Champris, 1960, p. 90), Picasso semble un Corot exaspérant son raphaélisme. Picasso en suivant les Ballets russes en Italie en 1917 avait peut-être vu des œuvres de Raphaël. Rien ne l'assure. Douglas Cooper (1967, p. 31) note tout au plus une analogie entre un dessin de Picasso (Zervos, III, n° 77) et un détail de la *Transfiguration* (Vatican).

Il reste que la comparaison Picasso-Raphaël s'est imposée très tôt à la critique, notamment à R. Fry qui, écrit Gertrude Stein (1938, pp. 61-62), « fit reproduire dans *Burlington Review* [le portrait de G. Stein (Zervos, I, 352)] à côté d'un portrait de Raphaël ». L'Américaine prête ensuite à Picasso ces mots qui découragent d'en dire davantage : « Ils disent que je peux dessiner mieux que Raphaël et probablement ils ont raison ; peut-être je dessine mieux. Mais si je dessine aussi bien que Raphaël, je crois que j'ai au moins le droit de choisir mon chemin, et ils doivent me reconnaître ce droit. Mais non, ils ne veulent pas, ils disent non. » L'*Italienne,* comme le note Carandente (1981, p. 77) montre la même volonté manifeste de Picasso de marquer la distance entre son œuvre et la culture picturale qu'elle suppose. D.C.

Genève, collection Marina Picasso

Voir aussi section Gravures

Picot (François-Édouard)

Paris, 1786 - Id,. *1868*

Il fut l'élève de Vincent et de David, obtint le second Prix de Rome en 1812 et l'année suivante le Premier Prix. Il est l'auteur de peintures mythologiques, religieuses et d'histoire nationale, et peignit des plafonds au Louvre et à Versailles. Des œuvres comme son Annonciation *(cathédrale de La Rochelle) ou son* Couronnement de la Vierge *(1836, Notre-Dame-de-Lorette) paraissent s'inspirer directement des madones de Raphaël. Sa* Mort de Saphire *(1819), à Saint-Thomas-d'Aquin, évoque la* Mort d'Ananie *des tapisseries des* Actes des Apôtres. *J.P.C.*

195
Portrait de Talma

ill. 142

Toile
H. 0,68 ; L. 0,58
Signé et daté en bas à gauche :
Picot 1822.

Historique :
Salon de 1822, n° 1.028 ; donné par le peintre en nov. 1826, après la mort de Talma. Inv. I 220.

Bibliographie :
Catal. collections (Monval), n° 172 ;
Chevalley, 1974, n° 98, p. 45.

François-Joseph Talma (1763-1826), le célèbre tragédien, serait représenté ici, vers la fin de sa carrière, dans le costume de Leicester de *Marie Stuart,* la tragédie de Pierre-Antoine Lebrun(1820) ; mais on considère parfois qu'il est représenté en Guillaume Tell (pièce de Lemierre), ou en Hamlet. La référence aux œuvres de Raphaël est double. Dans le costume, d'une part : le chapeau dont est coiffé Talma rappelle celui du *Castiglione*,* la chemise et le pourpoint ceux de l'autoportrait du *Double portrait d'hommes*.* La mise en page, d'autre part, et particulièrement la main du premier plan qui retient la fourrure, dérivent du *Portrait de jeune femme* des Offices, considéré alors comme la *Fornarina* peinte par Raphaël, et aujourd'hui rendu à Sebastiano Piombo. Le tableau fut gravé par Lignon en 1824 et par Lecler en 1827 (lithographie). J.P.C.

Paris, collections de la Comédie-Française

Voir aussi section Gravures, *Garnier*

Pignerolle (Charles-Marcel)

Voir section Gravures, *Allais*

Poterlet (Hippolyte)

Paris, 1803 - id,. *1835*

Ce talentueux « petit maître » de l'époque romantique, élève de Hersent et ami de Delacroix, mourut trop tôt pour donner sa mesure. Ses sujets, souvent empruntés à la littérature, et sa manière, évoquent Bonington et Louis Boulanger. J.P.C.

196
Jules II et ses porteurs
D'après la fresque d'Héliodore chassé du temple

ill. 186

Plume et encre noire
H. 0,28 ; L. 0,18
Annoté au crayon en bas (écriture moderne) : *Hippolyte Poterlet.*

Historique :
Maison Prouté, catal. juin 1969.

Étude d'après la partie gauche de la fresque d'*Héliodore chassé du Temple*, au Vatican, inversée par rapport à l'œuvre originale et donc exécutée d'après une gravure. Le graphisme, qui griffe vigoureusement le papier en jouant des accents noirs, est typique de l'artiste (exemples dans plusieurs coll. part. parisiennes). J.P.C.

France, collection particulière

Poussin (Nicolas)

Les Andelys, 1594 - Rome, 1665

L'insistance des critiques anciens à mettre en parallèle le « Raphaël français » (selon l'expression de Bellori, 1672, répétée à satiété par Félibien, Richardson, Dandré-Bardon et d'autres) et son modèle romain, a toujours incité à rechercher dans les oeuvres de Poussin leurs dettes envers celles de Raphaël. Les rapprochements proposés ont été nombreux (voir Pope-Hennessy, 1970, pp. 234-238 ; Badt, 1969, pp. 191-196, 281-283 ; Blunt, 1960, 1966 et 1967, passim), mais on ne s'est guère préoccupé de retracer l'évolution de cet intérêt de Poussin pour l'art de Raphaël, ni d'en qualifier vraiment les modalités. Bellori, désireux de faire remonter très haut l'ascendant au peintre italien sur Poussin, raconte comment, dès son apprentissage parisien, il copiait des estampes d'après Raphaël et Giulio Romano : « de sorte que dans sa manière d'historier et d'exprimer les choses, il semblait déjà qu'il fût instruit dans l'école de Raphaël, duquel, comme a remarqué le sieur Bellori, on peut dire qu'il suçait le lait et recevait la nourriture et l'esprit de l'art à mesure qu'il en voyait les ouvrages » (Félibien, 1679, p. 243). Arrivé à Rome en 1624, Poussin tente dès l'élaboration des Batailles de Josué *(n° 200) de combiner les suggestions des reliefs antiques et des sujets guerriers peints par Raphaël et ses élèves. La* Peste d'Asdod *(Louvre, 1630-1631) conclut cette phase d'attirance pour les sujets tumultueux et tragiques : c'est l'une des oeuvre les plus intéressantes où déceler une influence de Raphaël qui s'approfondit, s'arrête moins désormais à des emprunts formels (mais à l'arrière-plan deux hommes portant une victime reprennent le motif de la* Déposition Borghèse *!) qu'à l'inspiration générale, au registre narratif et à la réthorique des passions. Le thème identique l'incitait à s'inspirer du « Morbetto » gravé par Marcantonio d'après Raphaël (Bartsch illustré, 1978, vol. 27, p. 105, n° 417). Comme l'avait déjà noté Bellori (1672, p. 431) ce sont les mêmes acteurs du drame, les mêmes « affetti », les mêmes effets du clair-obscur aussi. Le* Parnasse *(n° 201) paraît inaugurer une autre étape dans la curiosité de Poussin à l'égard de Raphaël. Déjà, l'*Inspiration du poète *(Louvre, vers 1630 ?) semblait attester que Poussin se tournait vers des exemples raphaélesques tout autres : l'*Apollon *de l'*Apollon et Marsyas *de la Chambre de la Signature (Blunt, 1967, p. 84) et, plus encore peut-être, la gravure d'Agostino Veneziano appelée l'*Homme aux lauriers *(Bartsch illustré, 1978, vol. 27, p. 166, n° 491). Pendant une décennie, Poussin regardera surtout chez Raphaël ses allégories poétiques, ses évocations mythologiques, et encore plus les scènes bibliques des Loges du Vatican : pour le* Sacrifice de Noé *(perdu, connu par la gravure éditée chez Gantrel), pour l'*Adoration des mages *(Dresde, 1633) pour l'*Adoration du veau d'or *(Londres, vers 1633-1635) ou le* Frappement du rocher *(Edimbourg, vers 1633-1635), c'est à chaque fois la scène homologue de la « Bible de Raphaël » qui lui fournit le point de départ de sa composition. Les métamorphoses qu'il leur fait subir vont toujours dans le même sens : elles rendent les scènes à la fois plus antiquisantes (disposition en frise, introduction d'architectures et accessoires antiques, respect des moeurs et usages antiques) et plus expressives : chaque personnage illustre un moment particulier de l'histoire, reflète l'évènement selon sa condition et son tempérament, et ces diverses « péripéties » et « passions de l'âme » sont données à « lire » au spectateur (selon l'expression de Poussin lui-même) avec économie et clarté. Une des œuvres les plus séduisantes de cette époque, le* Triomphe de Neptune *(Philadelphie ; vers 1634) prouve une connaissance approfondie des compositions mythologiques de Raphaël : gravures de Marcantonio, le* Neptune *(Bartsch illustré, 1978, vol. 27, p. 49, n° 352 I), et l'*Aurore *(Bartsch illustré, 1978, vol. 26, p. 281, n° 293) et surtout la* Galatée *de la Farnésine. Raphaël semble avoir servi ici de médiateur pour retrouver, outre les belles proportions des nus antiques, la suggestion du mouvement grâce aux drapés flottants et aux lignes divergentes de la composition. Et une naïade de dos reprend une figure des* Noces de l'Amour et de Psyché *du plafond de la Farnésine (fig. 115).*

Durant son séjour parisien (1641-1642), Poussin eut l'occasion de revoir les Raphaël du roi, encore conservés à Fontainebleau, et ceux des collectionneurs parisiens. Une version de la Vision d'Ezéchiel, *acquise à Bologne par l'un de ses grands mécènes, P. Fréart de Chantelou, semble l'avoir inspiré dans l'élaboration du Christ en gloire du* Miracle de saint François Xavier *(Louvre, 1641) où revient un ange bien proche de celui de Raphaël. Le tableau inspirera surtout à Poussin, de retour à Rome, le* Ravissement de saint Paul *(Sarasota ;1643, fig. 62), commandé précisément par Chantelou pour servir de pendant à son* Ezéchiel. *Il est difficile, d'autre part, de ne pas évoquer avec Blunt (1967, p. 159) le rôle que la* Transfiguration *pu jouer dans l'élaboration du* Saint François-Xavier *(fig. 81), le plus grand tableau de Poussin. Et l'*Institution de l'Eucharistie *peinte au même moment apparaît, ordonnance des beaux drapés rythmés, intensités des échanges expressifs, comme une méditation, réduite à l'essentiel par l'éclairage de nuit, sur les* Actes des Apôtres *du Vatican, dont elle reprend presque l'échelle monumentale. Ainsi, dans ses deux plus ambitieuses entreprises parisiennes, Poussin se mesure-t-il de façon déterminée aux plus illustres chefs-d'œuvre de l'italien.*

Au cours des quinze années suivantes (v.1643-1658), Poussin semble concentrer son étude sur les tapisseries de la Sixtine et les Vierges de Raphaël. Dèjà, avant le voyage à Paris, les Sacrements *peints pour Dal Pozzo s'inspiraient clairement, pour certains, des tapisseries des* Actes des Apôtres : *ainsi l'*Ordre *(coll. du duc de Rutland). Dans la série peinte pour Chantelou (coll. du duc de Sutherland, en prêt à Edimbourg ; 1644-1648), l'analogie est encore plus frappante : avec la* Remise des Clefs à Saint-Pierre *pour l'*Ordre, *avec la* Guérison du paralytique *pour le* Mariage. *Et cet intérêt reste flagrant dans des toiles plus tardives,* Femme adultère *(Louvre) ou* Mort de Saphire *(nº 205).*

Les Saintes Familles *de Raphaël semblent d'autre part avoir souvent servi de point de départ à ses multiples variations sur le sujet : parmi les premières on peut citer la* Madone Roccataglia *(Detroit ; 1641-1642) dont l'intimisme dérive de la* Vierge à la petite chaise *(gravée par un anonyme de l'école de Marcantonio d'après un dessin conservé de Raphaël ; Bartsch illustré, 1978, vol. 26, p. 70, nº 48) ; la* Vierge à l'escalier *(la meilleure version encore récemment dans une collection parisienne) emprunte le groupe de la Vierge et de l'Enfant à la* Vierge au poisson *de Raphaël (Prado ; Blunt, 1967, p. 264) (voir aussi les nºs 206 et 207).*

Il faut encore mentionner, parmi les dernières inspirations demandées à Raphaël par Poussin, la Lamentation sur le Christ mort *(Dublin ; v. 1657-1658), où le contraste entre la figure verticale et drapée de la Vierge et le corps nu étendu du Christ, la désolation exprimée tant par le paysage dépouillé que par son visage éploré sont repris de la* Vierge auprès du corps mort de Jésus-Christ, *gravée par Marcantonio (Bartsch illustré, 1978, vol. 26, p. 49, nº 34). Le petit tableau de même sujet gravé par Pietro del Po est encore plus proche de la gravure. Et le Créateur dans les nuages du* Printemps *(Louvre) paraît tout proche de celui de* Dieu apparaissant à Jacob *des Loges.*

Poussin n'a sans doute que très rarement copié Raphaël : copier une oeuvre d'art semble avoir été étranger à sa méthode, fondée sur l'observation et la réflexion, et parmi les nombreux dessins d'après Raphaël qu'on lui attribue, beaucoup demeurent problématiques. La leçon de Raphaël parait avoir été surtout pour Poussin, et de plus en plus, une leçon de méthode : concevoir d'abord « l'argument » du tableau, en imaginer toutes les conséquences avant de construire l'image et garder présentes à l'esprit deux exigences : l'unité des moyens artistiques et la nécessité de chaque partie à l'égard du tout. Poussin a redécouvert par ses études les idées qui avaient influé sur le jeune Raphaël à Florence : celles d'Alberti et de Léonard de Vinci qui enseignaient à exprimer les passions de l'âme grâce aux mouvements et aux physionomies des personnages et qui en exigeaient l'adéquation. C'est aussi Raphaël qui lui a inspiré, à travers ses œuvres, une admiration profonde pour l'antique au point qu'il aurait déclaré, si l'on en croit R. de Piles, que Raphaël « était un ange comparé aux peintres modernes, et qu'il était un âne comparé aux antiques » (1699, p.179). Le jugement paraît d'autant plus brutal qu'il est le seul qui soit rapporté de l'artiste sur son grand modèle. Mais il faut se rappeler que R. de Piles est le premier à vouloir ébranler la construction historique et théorique, élaborée par Bellori, Fréart de Chambray et Félibien, qui fait de Poussin l'héritier spirituel de Raphaël. *M.V. et J.P.C.*

197
Apollon et les Muses
D'après la fresque du Parnasse

ill. 169

Lavis de brun sur traits de plume, papier beige
H. 0,162 ; L. 0,333

Historique :
Coll. Hubert de Marignane, Paris ; vente N. Rauch, Genève, 7-11 juin 1960, nº 311, repr.

Bibliographie :
Blunt, 1974, p. 239-240, p. 246, nº 7 ; Blunt, 1979, p. 146-147, fig. 165, p. 148.

Copie, à la fois d'une grande fidélité et d'une grande liberté, d'après les figures de la partie supérieure de la fresque du *Parnasse* de Raphaël. Etude de peintre et non notation documentaire : l'artiste, dans le jeu rapide du lavis qui met en place les masses, élimine la tête d'un poète (Stace), à droite d'Homère, charpente d'ombre et de lumière le vêtement d'Homère comme il ne l'est pas dans la fresque, baisse et incline à droite la tête d'Apollon ; une figure de la partie droite de la fresque (celle de Tibulle, et non d'une Muse comme l'indique Blunt) est indiquée en haut à gauche de la feuille.

L'utilisation du lavis presque pur rappelle la technique utilisée par Poussin dans des dessins d'après des reliefs antiques (Friedlaender-Blunt nºs 297, 298). J.P.C.

New York, Ian Woodner Family Collection

198
Étude de griffon
D'après une fresque de la Loggia de la Farnésine

ill. 236

Plume et lavis de brun sur papier beige
H. 0,133 ; L. 0,207

Historique :
Coll. Antonio Certani, Bologne ; coll. Chateau de Fachsenfeldt. Inv. Nr. I 1.581

Bibliographie :
Schauz, 1978, nº 96, p. 195, repr. (et repr. couverture).

Etude d'après le griffon de l'*Amour avec un griffon,* un des *amorini* décorant les pénétrations de la voûte de la loggia de Psyché à la Farnésine (De Vecchi, 1982, nº 130). La convaincante proposition de Pierre Rosenberg (communication écrite au musée de Stuttgart, 1978) de restituer le dessin, donné traditionnellement à G.G. dal Sole, à Poussin, et l'identification du modèle apportent une contribution à l'étude de la démarche de Poussin : l'artiste travaille ici d'après une fresque de Raphaël de la même façon qu'il le fait d'après un relief antique, un peu comme procèdera David à la fin du siècle suivant.
J.P.C.

Stuttgart, Graphische Sammlung Staatsgalerie Stuttgart

199
Etudes de deux têtes et de draperie
D'après la Guérison du paralytique

ill. 277

Plume
H. 0,094 ; L. 0,160
Annoté à l'encre en bas à gauche : *R.D. Urbino* et en haut à gauche : *23*

Historique :
Coll. Brühl ;
entré à l'Ermitage en 1769.
Inv. 5.293.

Bibliographie :
Friedlaender-Blunt, V, 1974, n° 365, p. 47, repr. pl. 275 ;
Kamenskaïa, 1971, n° 34 ;
Shearman, 1972, p. 139, n° 12, fig. 90 ;
Blunt, 1979, n° 146.

Ce dessin a été mis en relation par John Shearman avec la tapisserie du Vatican représentant la *Guérison du paralytique :* on reconnait deux têtes d'hommes de la partie droite ; l'étude de draperie correspond au bras de saint Jean. Shearman ne se prononce pas sur l'autographie, alors que Friedlaender et Blunt considèrent que « bien que par certains côtés [il s'agisse d]'un dessin plutôt faible, il pourrait bien être de l'artiste lui-même ». Deux dessins, au Louvre et à Lisbonne, sont des copies de dessins perdus de Poussin où se trouvent des études de têtes très comparables prises dans la même tapisserie, dans la *Conversion de saint Paul* et dans la *Remise des clefs* (*id,* A 153 et A 155, repr. pl. 276).

J.P.C.

Leningrad, Musée de l'Ermitage

200
La bataille de Josué contre les Amorites

ill. 253

Toile
H.0,96 ; L. 1,34

Historique :
Duc de Noailles (fin du XVIIe siècle) ? ; acquis par Catherine II avant 1874 ;
Leningrad, Ermitage ; au Musée Pouchkine depuis 1927.
Inv. 1046

Bibliographie :
Blunt, 1966, n° 30 ;
Blunt, 1967, p. 65 ;
Thuillier, 1974, n° 12 ;
Rosenberg, 1978 (Düsseldorf), N° 0 ;
Kuznetsova - Georgievskaya, 1979, n° 2, repr.

« M'étant rendu plus d'une fois au palais du Vatican avec Nicolas Poussin peintre d'un savoir et d'un jugement parfaits, et parfaitement instruit dans la manière de Raphaël qu'il a pratiquée toute sa vie, alors que nous contemplions la Bataille [de Constantin], je l'ai entendu dire que lui plaisait cette âpreté qui n'était pas en désaccord avec la férocité d'un grand combat, et avec l'impétuosité et la fureur des combattants ». (Bellori, 1695 ; éd. 1751, p. 139, traduction).

L'admiration dont se fait l'écho Bellori se traduit d'une façon particulièrement éloquente dans les trois *Batailles* de mêmes dimensions (*Bataille de Josué contre les Amalécites,* Leningrad ; *Bataille de Gédéon contre les Madianites,* Vatican et tableau exposé), les premières oeuvres certaines conservées de Poussin (1625 ou 1626), et où apparaissent des réminiscences, parfois des citations, des *Batailles* peintes à fresques par Raphaël et ses élèves au Vatican, celle de la Chambre de Constantin et celles des Loges. La toile de Leningrad rappelle deux des peintures de l'Histoire de Josué des Loges, la *Chute de Jéricho* et *Josué arrêtant le soleil* (Dacos, 1977, X. 2 et X. 3), celle de la Pinacothèque Vaticane emprunte des éléments au *David et Goliath,* toujours dans les Loges *(id. XI. 2).* Le tableau de Moscou rappelle, lui aussi, la mêlée du *Josué arrêtant le soleil,* avec un motif proche de soldat à terre s'abritant de son bouclier. On notera aussi l'influence de Polidoro da Caravaggio dans la figure du guerrier de l'extrême droite, emprunté à un dessin du Louvre attribué à Polidoro, *Persée et Phinée* (Blunt, 1979, fig. 3). L'analogie avec la *Bataille de Constantin,* moins frappante vu le groupement ramassé que l'échelle de sa toile impose, est en fait réelle : le tableau apparaît comme une reprise réduite à l'essentiel, « résumée », de cette composition. On peut multiplier les analogies : équilibre trouvé entre une disposition en frise et l'évocation d'un vaste paysage accidenté ; goût des raccourcis, des postures rhétoriques, de l'enchevêtrement savant des formes ; étalage de cruauté, exagération des expressions farouches ; mise en évidence des détails archéologiques : nus, cuirasses collantes, armes.

Le tableau de Moscou caractérise bien une « première phase » de l'influence de Raphaël sur Poussin ; son admiration englobe les élèves du maître, et les emprunts de motifs ou de schémas de composition restent superficiels.

M.V. et J.P.C.

Moscou, Musée Pouchkine

201
Le Parnasse

ill. 171

Toile
H. 1,45 ; L. 1,97

Historique :
Coll. de Philippe V en 1746 ;
Inv. 2.313.

Bibliographie :
Blunt, 1966, n° 129 ;
Blunt, 1967, pp. 72-73 ;
Pope-Hennessy, 1970, pp. 236-238 ;
Catal. musée, 1972, p. 514 ;
Thuillier, 1974, n° 69.

Un des chefs-d'œuvre de Poussin, ce tableau peint vers 1631-1633 a été rapproché par tous ses commentateurs de la fresque du Parnasse du Vatican ; il atteste, en effet, le sérieux avec lequel le peintre français a étudié Raphaël. Un dessin de Poussin, à la plume et au lavis (Wildenstein), prépare le tableau et se place plus près de Raphaël, à la fois de la fresque et de la gravure de Marcantonio Raimondi (Bartsch illustré 1978, vol. 26, p. 244, n° 247), qui transmet le souvenir d'un projet du peintre italien : les putti volant sont directement inspirés de cette dernière, le groupe des Muses autour d'Apollon rappelle aussi bien la gravure que la fresque, et le dieu joue de la *lira da braccio,* comme sur la fresque. L'emplacement de la fenêtre qui découpe, en bas au centre, la surface de la fresque reste sensible sur le dessin. Il est plus évident encore dans le tableau, où l'organisation en fer à cheval est affirmée franchement, les deux groupes, à gauche et à droite au premier plan,

« calant » bien l'ensemble. Blunt remarque la difficulté éprouvée par Poussin pour combler le vide de l'emplacement de la fenêtre ; pourtant la nymphe et les deux putti, au centre, se relient bien à l'ensemble de la composition : loin d'être un motif de remplissage, ces trois figures apportent dans la composition fortement scandée par les verticales des figures debout, un élément curviligne d'animation rythmique auquel répond celui des putti porteurs de couronnes qui virevoltent dans la partie supérieure. La source de l'Hélicon, clairement désignée par les gestes des poètes auxquels les putti offrent son eau, devient le centre d'intérêt de la peinture. L'un des poètes, au centre (Marino ?), à genoux devant Apollon, est particulièrement mis en évidence.

La récente restauration a révélé l'éclat d'un coloris somptueux où dominent les bleus et les ors. M.V. et J.P.C.

Madrid, Musée du Prado

202
La déploration du Christ

ill. 306

Plume et lavis de brun et de gris, sur traits de pierre noire et de sanguine
H. 0,140 ; L. 0,255

Historique :
Coll. royales anglaises.
R.L. 0748.

Bibliographie :
Blunt, 1945, p. 81, n° 182 a ;
Friedlaender-Blunt, V, 1974, p. 79, n° 400, repr. pl. 296 ;
Blunt, 1979, p. 44, fig. 46, p. 50.

Blunt rapproche le dessin de la *Mise au tombeau* de Munich, tout en le considérant comme plus tardif (vers 1637-1638). On ne peut que signaler ce qu'ont d'exceptionnel dans l'œuvre de Poussin les mimiques violemment expressives des visages. Le dessin paraît s'inspirer dans son organisation d'ensemble et dans certains de ses éléments (murs appareillés du fond, attitudes de la Vierge et du disciple de droite) de la gravure de même sujet d'Enea Vico d'après Raphaël (Bartsch, XV, p. 160, n° 8). J.P.C.

Windsor, Royal Library, S.M. la reine Elisabeth II

203
La Sainte Famille

ill. 51

Plume et lavis de brun
H. 0,140 ; L. 0,101

Historique :
Coll. cardinal Camillo Massimi ; coll. royales anglaises depuis la fin du XVIIIe siècle. RL. 11.917.

Bibliographie :
Blunt, 1945, p. 42, n° 208 ;
Friedlaender-Blunt, I, 1939, n° 41, p. 24, repr. pl. 25 ;
Blunt, 1966, 046 d. 2 ;
Blunt, 1979, p. 47, p. 52, fig. 49.

Ce dessin est très proche d'un autre, également à Windsor, à la plume seule, coupé dans les parties supérieures et où saint Joseph se trouve sur la droite (11.896 verso ; Friedlaender-Blunt, I, n° 140).

L'analogie avec la *« Madone Roccatagliata »* (Detroit) signalée par Friedlaender et Blunt pour les deux dessins n'est en fait guère convaincante. La composition des deux dessins de Windsor apparaît plus proche de celle d'une *Sainte Famille* perdue gravée par Vouillemont (Thuillier, 1974, n° 195, fig. 195 a), où la pose de la Vierge est toute voisine. Cette pose, qui semble à chaque fois inspirée de la *Vierge à la chaise* de Raphaël, revient assez voisine dans une *Sainte Famille* gravée en 1784 par J.K. Sherwin et que J. Thuillier (1974, R. 24), considère comme « sans rapport avec Poussin ». Dans tous ces cas le groupement des figures évoque, plus ou moins nettement, la *Grande Sainte Famille** du Louvre.

Ce dessin est-il bien de Poussin ? L'indication particulièrement souple, presque négligée, peut faire naître des doutes. Mais l'analogie avec la *Sainte Famille* du dessin de Windsor RL. 11896, qui paraît incontestable et comporte au recto une belle étude pour la *Confirmation* (Friedlaender, I, n° 85), inciterait à garder la feuille dans le Corpus des dessins autographes de Poussin ; ce qui obligerait à une datation vers 1640, dans la mesure où la *Confirmation* dal Pozzo que prépare le dessin du recto ne peut avoir été peinte après cette date. Une telle datation est-elle à exclure pour la *Sainte Famille* gravée par Vouillemont, beaucoup plus instable et animée, par exemple, que celle de l'Ermitage (n° 207) ? J.P.C.

Windsor, Royal Library, S.M. la reine Elisabeth II

204
Le Christ guérissant les aveugles

ill. 267

Plume et lavis de brun
H. 0,142 ; L. 0,208

Historique :
Coll. cardinal Alessandro Albani ; coll. royales anglaises depuis Georges III. R.L. 11902

Bibliographie :
Blunt, 1945. p. 46, n° 219 ;
Friedlaender-Blunt, I, 1949, n° 62, pp. 32-33, repr. pl. 38 ;
Blunt, 1966, n° 76 d, 1 ;
Blunt, 1979, p. 41, fig. 38, p. 44.

Étude pour le *Christ guérissant les aveugles de Jéricho* du Louvre, peint selon Félibien pour Reynon, fabricant de soieries à Lyon, en 1650. La figure de l'aveugle, sur la gauche, qui marche en tendant les bras, paraît directement inspirée de l'*Elymas* de la tapisserie des *Actes des Apôtres,* comme l'indique bien Friedlaender qui publie (A 11 et A 12, repr. pl. 70) deux dessins de l'atelier de Poussin copiant des études du maître où revient, plus près du groupe principal, la même figure. Un autre dessin préparatoire, à Bayonne, plus voisin de la composition peinte, montre autour de l'aveugle agenouillé un groupe d'hommes qui évoquent ceux qui entourent *Ananie* mort, de la même série des tapisseries de la Sixtine. J.P.C.

Windsor, Royal Library, S.M. la reine Élisabeth II

205
La mort de Saphire

ill. 287

Toile
H. 1,22 ; L. 1,99

Historique :
Jean Froment de Veine (selon Félibien) ; acquis par Louis XIV en 1685 de Hérault, peintre et marchand de tableaux. INV. 7 286.

Bibliographie :
Blunt, 1966, n° 85 ;
Blunt, 1967, pp. 301-303, pl. 220-221 ;
Thuillier, 1974, n° 191, repr. ; Catal. musée (Rosenberg, Reynaud, Compin), 1974, n° 680 ;
Rosenberg, 1977-78, n° 38.

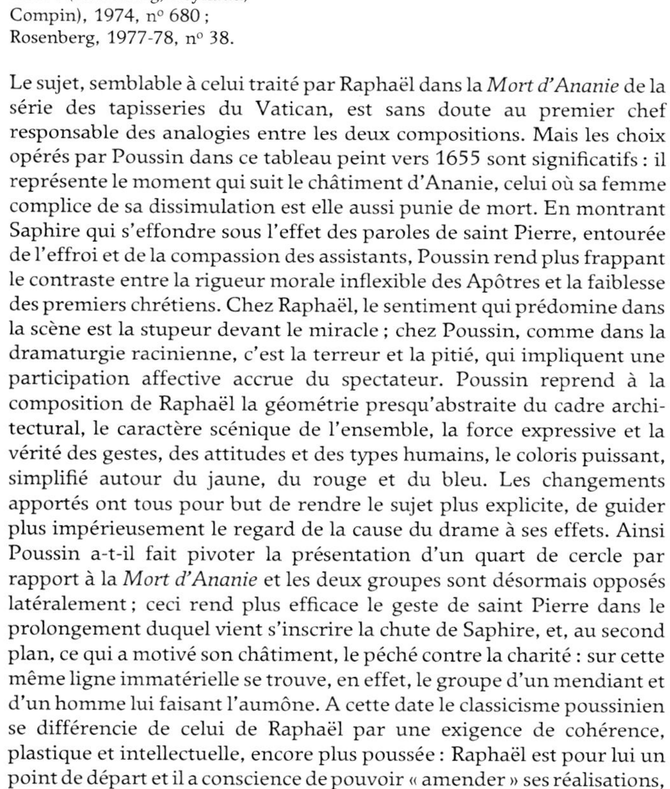

Le sujet, semblable à celui traité par Raphaël dans la *Mort d'Ananie* de la série des tapisseries du Vatican, est sans doute au premier chef responsable des analogies entre les deux compositions. Mais les choix opérés par Poussin dans ce tableau peint vers 1655 sont significatifs : il représente le moment qui suit le châtiment d'Ananie, celui où sa femme complice de sa dissimulation est elle aussi punie de mort. En montrant Saphire qui s'effondre sous l'effet des paroles de saint Pierre, entourée de l'effroi et de la compassion des assistants, Poussin rend plus frappant le contraste entre la rigueur morale inflexible des Apôtres et la faiblesse des premiers chrétiens. Chez Raphaël, le sentiment qui prédomine dans la scène est la stupeur devant le miracle ; chez Poussin, comme dans la dramaturgie racinienne, c'est la terreur et la pitié, qui impliquent une participation affective accrue du spectateur. Poussin reprend à la composition de Raphaël la géométrie presqu'abstraite du cadre architectural, le caractère scénique de l'ensemble, la force expressive et la vérité des gestes, des attitudes et des types humains, le coloris puissant, simplifié autour du jaune, du rouge et du bleu. Les changements apportés ont tous pour but de rendre le sujet plus explicite, de guider plus impérieusement le regard de la cause du drame à ses effets. Ainsi Poussin a-t-il fait pivoter la présentation d'un quart de cercle par rapport à la *Mort d'Ananie* et les deux groupes sont désormais opposés latéralement ; ceci rend plus efficace le geste de saint Pierre dans le prolongement duquel vient s'inscrire la chute de Saphire, et, au second plan, ce qui a motivé son châtiment, le péché contre la charité : sur cette même ligne immatérielle se trouve, en effet, le groupe d'un mendiant et d'un homme lui faisant l'aumône. A cette date le classicisme poussinien se différencie de celui de Raphaël par une exigence de cohérence, plastique et intellectuelle, encore plus poussée : Raphaël est pour lui un point de départ et il a conscience de pouvoir « amender » ses réalisations, en exposant plus nettement les composantes psychologiques de l'événement illustré et en assurant l'unité de l'image grâce à l'application d'un « mode », ici le « mode dorique, stable, grave et sévère (que les Anciens) appliquent (aux) matières graves, sévères et pleines de sapience » (lettre à Chantelou, 24 nov. 1647 ; Blunt, 1964, pp. 121-125).

M.V. et J.P.C.

Paris, Musée du Louvre

206
La Sainte Famille avec sainte Élisabeth et le petit saint Jean

ill. 17

Toile
H. 0,68 ; L. 0,51

Historique :
Peut-être le tableau cité par Félibien comme peint en 1655 « pour un particulier » ; acheté par Louis XIV au marchand de tableaux Moule en 1686. INV. 7279.

Bibliographie :
Blunt, 1966, n° 57 ;
Blunt, 1967, p. 301, pl. 234 ;
Pope-Hennessy, 1970, p. 236, fig. 223 ;
Thuillier, 1974, n° 198 ;
Catal. musée (Rosenberg, Reynaud, Compin), 1974, n° 681.

On peut rapprocher la composition de cette petite peinture, une des plus raphaélesques de Poussin et dont J. Thuillier note qu'elle reprend en partie un tableau antérieur, une *Sainte Famille à dix figures* gravée en 1668 par Cl. Bouzonnet-Stella (original à Dublin ?), de celle d'une *Sainte Famille à l'oiseau* connue par un dessin de Raphaël* et gravée par Rousselet (n° 319). Mais plus qu'à cette composition ou à celle de la *Petite Sainte Famille** du Louvre, c'est à la *Sainte Famille Canigiani* de Munich que fait songer le tableau : face à face des deux mères assise et agenouillée et des enfants joueurs, Joseph debout servant d'axe au triangle de la composition.

On remarquera la vue de la ville, sur la gauche, dont l'aspect « nordique » n'est pas sans évoquer les arrière-plans des paysages des Madones de Raphaël autour de 1507, dont la *Sainte Famille Canigiani.*

Malgré les analogies, on notera la fondamentale différence d'esprit qui sépare ce dernier tableau de la toile du Louvre : chez Raphaël tout paraît spontané et empli de naturel ; chez Poussin les personnages sacrés ont conscience de la mission dont ils sont investis. La comparaison aide à distinguer le classicisme instinctif, « natif », de Raphaël, né de son goût de l'harmonie entre la forme et le sens, et le classicisme réfléchi, volontaire de Poussin, qui le porte parfois à un recul critique que l'on peut lire sur ses personnages.

Un médiocre dessin du Louvre, probablement copie d'un dessin de Poussin (MI 750 verso ; Friedlaender-Blunt, I, 1939, A 10, repr. pl. 73), montre une composition très proche, avec des variantes qui la rapprochent de la *Sainte Famille Chantelou* (n° 207). M.V. et J.P.C.

Paris, Musée du Louvre

207
La Sainte Famille avec sainte Élisabeth et le petit saint Jean

ill. 72

Toile
H. 1,74 ; L. 1,34

Historique :
Coll. comte de Fraula, Bruxelles (?) ; vente de Vos, Bruxelles, 1738 ; acheté à Paris par Walpole, par l'intermédiaire de Lord Waldegrave, avant 1739 ; entré à l'Ermitage en 1779 avec les tableaux de la coll. Walpole, de Hougton Hall. Inv. 1213.

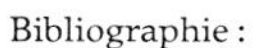

Bibliographie :
Blunt, 1966, n° 56 ;
Blunt, 1967, p. 301, pl. 219 ;
Thuillier, 1974, n° 194 ;
Catal. musée, 1976, p. 224.

Peint pour Chantelou, projeté dès la fin de 1647 et terminé en juin 1655, le tableau est peut-être, des *Saintes Familles* de Poussin, celle qui montre avec le plus d'éloquence sa volonté de rivaliser avec Raphaël : ici, bien sûr, avec la *Grande Sainte Famille** alors dans la collection royale. L'échelle des figures, la confrontation des deux mères et des deux enfants, le saint Joseph accoudé à l'arrière-plan, obligent au parallèle ; mais Poussin substitue aux figures largement rythmées, comme élastiques, de Raphaël, des personnages immobiles, dont la forte assise est celle de volumes sculpturaux. La sainte Élisabeth de Poussin rappelle, plus encore que celle de la *Grande Sainte Famille**, celle de la *Petite Sainte Famille** vêtue et enturbannée de façon proche et dont le visage de profil est presque semblable ; Fréart de Chantelou rapporte les propos du Bernin devant la version Mazarin de la *Petite Sainte Famille* de Raphaël : « il a trouvé la sainte Élisabeth fort belle, et, montrant comment elle est habillée, il a dit : Voilà comment le sig^{r} Poussin drape ses figures » (cité par J. Thuillier, 1960, p. 130).

Une autre grande *Sainte Famille* en hauteur comparable, mais sans sainte Élisabeth, peinte en 1655 appartint à Pointel (Sarasota). Pour une autre *Sainte Famille* à quatre figures, connue par des copies et par une gravure de Vouillemont, voir n° 203.

L'Ermitage conserve aussi un dessin préparatoire d'ensemble à la plume où l'ensemble de la composition est trouvé (Friedlaender-Blunt, II, n° 58) ; mentionnons aussi un dessin dont on ne conserve que la partie gauche (Windsor ; *id.*, n° 56), pour une *Sainte Famille* étroitement analogue à la *Grande Sainte Famille**. M.V. et J.P.C.

Leningrad, Musée de l'Ermitage

Prévert (Jacques)

Neuilly, 1900 - Omonville-la-Petite, 1977

Ayant trouvé des mots cocasses, des images simples, des arrangements verbaux aisés à retenir, pour dire la tendresse, invectiver l'injustice ou moquer les valeurs établies, J. Prévert a, dès la parution de son premier recueil de vers (1949), fait figure de poète populaire. Dès les années 1930, il avait cultivé, en marge du surréalisme, la valeur ludique et insolite du banal dans des scénarios de films (pour Marcel Carné, Jean Renoir...), dans des paroles de chansons, ou de courts dialogues destinés au Groupe Octobre *(dont il fut un des fondateurs).*

Prévert, d'un jeu de mot, bouscule le conventionnel commentaire sur la transcendance de l'art raphaélesque : « (...) je n'ignore pas non plus » fait-il dire à l'Esprit dans Diurne *« que Raphaël était le premier des peintres transfiguratifs (...) » (*Fatras*, 1972, p. 96). Dans les collages qu'il a réalisés depuis 1943, loin d'être la manifestation logique de l'inconscient comme chez Max Ernst, l'image raphaélesque, dépaysée, est manipulée au profit de l'irrationnel du merveilleux.* D.C.

208
Trinité

ill. 41

Chromo et fragments de gravures en couleurs et d'illustration en couleurs, sur page de magazine en couleurs. Liseré blanc et fond papier glacé noir
H. 0,509 ; L. 0,330

Historique :
Collection Jacques Prévert ; entré à la Bibliothèque Nationale avec la donation Janine Prévert, 1980.

Bibliographie :
Woimant et Moeglin-Delcroix, 1982, n° 5, p. 4, repr. ;
Pozner, 1982, p. 28, repr.

Un Dieu le Père cyclopéen, une colombe satanique, et un crucifié sur lequel se greffent tête, bras et ailes de l'angelot de droite (inversé) de la *Madone Sixtine* (Dresde) forment sur fond de page de magazine cette *Trinité*. En détournant ces clichés et ces chromos, Prévert détourne les apparences : son collage, visiblement hétérogène (on est ici aux antipodes de Max Ernst) est un moyen de perversion de l'image pour aboutir à l'inversion du propos. L'œuvre religieuse de Raphaël apporte ici comme dans d'autres collages de Prévert (*Au diable vert, rue Saint Merri ; Petit cyclone au Mont Saint-Michel,* Woimant et Moeglin-Delcroix, 1982, n^{os}3 et 53 et *De l'art néo-sulpicien,* Prévert, 1972, p. 131) une contribution involontaire au catéchisme libertaire, possédé d'un démon drôlatique, de Jacques Prévert.

Pour sérieux que soit le propos de Prévert, qui considère la religion comme une mystification, le processus créateur est ludique et on passe insensiblement, dans ses collages comme dans son écriture, à force de bricolages facétieux des formes, de l'image historiée à l'histoire imaginée de toute pièce. D.C.

Paris, Bibliothèque Nationale, Cabinet des Estampes

Primatice (Francesco Primaticcio dit)

Bologne, 1504 - Paris, 1570

Les sources anciennes, en particulier la Felsina Pittrice *de Malvasia (1678), indiquent Bagnacavallo (1484-1542), collaborateur (?) de Raphaël aux Loges du Vatican, et Innocenzo da Imola (1494-1550), souvent imitateur fidèle du maître, comme premiers guides de Primatice, respectivement pour le « coloris » et le « dessin ». Si l'on peut douter que Primatice ait acquis de ces deux peintres bolonais cette difficile mesure de l'équilibre et du dynamisme des formes qui fait le naturel du style de Raphaël, il est en revanche sensible que les exemples conjugués mais quelque peu contradictoires de Parmigianino (1503-1540) et de Giulio Romano (1499-1546) l'y amenèrent peu après : en Emilie il put étudier les œuvres de Parmigianino où « revivait », suivant le mot même de Vasari, mais avec un purisme et une grâce un peu contournée, le souci de cadence et d'harmonie formelle de Raphaël, tandis qu'à Mantoue, dès 1526, il s'initia à l'art de Giulio Romano qui donnait, dans le décor du Palazzo del Te, un tour tumultueux et véhément, parfois spatialement insolite, à sa culture raphaélesque.*

En 1532, arrivé d'Italie où il avait appris non seulement à peindre mais aussi à modeler le stuc selon la pratique antique remise au goût du jour par Raphaël et Giovanni da Udine aux Loges du Vatican, il retrouve à Fontainebleau la maniera *italienne, le michelangelisme aigu mais « corrompu » du Rosso. Durant la décennie qui suit, la peinture de Primatice, lorsqu'elle tient de Raphaël, s'apparente à une forme contractée du style de celui-ci, empreinte, malgré l'outrance de l'action, d'une inertie toute statuaire, qui doit beaucoup, comme l'a bien analysé W. Mc. Allister Johnson (1966 et 1969,* passim*), aux œuvres mantouanes de Giulio Romano. La mort de Rosso (1540) permet à Primatice de mener sans rival, à Fontainebleau surtout mais non seulement, une carrière de décorateur. En même temps, à la faveur de voyages répétés en Italie (1540, 1543, 1546), à Rome notamment où il put connaître directement les grands cycles de fresques raphaélesques, son style s'est retrempé aux sources italiennes et l'on discerne désormais dans ses inventions un peu de la manière de Perino del Vaga (1501-1547) qui développait tout ce que virtuellement Raphaël contenait d'agile dans l'ornement, de dansant dans le dessin.*

On peut avec P. Barocchi (1951, passim*), A. Blunt (1953, éd. 1973, pp. 107-109) et S. Béguin (1960, p. 52) reconnaître dans les décors de Fontainebleau, sans y voir un modèle exclusif puisqu'on prononce aussi les noms de Corrège, Beccafumi, Tibaldi et Michel-Ange, la marque de ce raphaélisme émancipé de la tutelle de Giulio Romano : au Cabinet du Roi (détruit, 1541-45 ; n° 209) ; à la Galerie d'Ulysse (décor perdu, 1541-70 ; n° 211) ; à la Salle de Bal (1552-56, avec l'assistance de Nicolo dell'Abate) où visiblement Primatice amplifie le système de disposition des figures de la Farnésine. A quoi l'on ajoutera, appartenant au décor de la Chambre de la duchesse d'Etampes, l'*Alexandre rangeant les livres d'Homère, *la scène de* Campaspe couronnée, *qui, en dernière instance, renvoie au dessin de Raphaël pour l'*Alexandre et Roxane *peint par Sodoma à la Farnésine (Vienne, Albertina, Inv. 17.634), le* Festin d'Alexandre, *enfin, qui reprend l'ingénieux repoussoir des personnages « in abisso » et le décrochement dynamique d'emmarchements et de plate-formes de la* Prédication de saint Paul à Athènes *de la tenture des* Actes des Apôtres. *Lossky (1972, p. 254) a d'ailleurs noté la fréquence de tels motifs de figures à mi-corps dans l'œuvre de Primatice. Jamais cependant, l'assimilation de Raphaël par Primatice ne semble passer par la copie littérale. Une étude d'homme d'après un dessin de Raphaël pour une* Résurrection *(musée de Besançon, D. 203) porte ainsi, sans doute par comparaison avec les études d'après nature de Primatice, une attribution à ce dernier que rien ne paraît devoir confirmer.*

Bien que Primatice ait été « peintre avant d'être architecte, comme Raphaël et Jules Romain » (Dimier, 1900, p. 157), il n'en a pas moins tenu une place prééminente à la tête des chantiers royaux d'architecture et de sculpture. Responsable de l'atelier du Petit-Nesle, il donna à Germain Pilon le dessin du Monument du coeur d'Henri II *(Louvre, fig. 164) qui est à la* Cassolette* *(ou brûle parfum) composée par Raphaël pour François 1er, ce que le projet de Primatice pour le* Tombeau des Guise *(Louvre, Cabinet des Dessins, Inv. 8.580) est au tombeau peut être dessiné par Giulio Romano pour Pietro Strozzi (Barocchi, 1951, p. 221).*

Ordonnateur en toute chose des arts, la tâche lui échut de donner aux chefs-d'œuvre de la collection de peintures du roi, aux Raphaël notamment, un lustre nouveau, non seulement en les insérant dans le décor de l'Appartement des Bains, où ils devaient être bientôt remplacés par des copies (n° 228), mais aussi en les restaurant (Delaborde, 1850, I, pp. 403-404). En somme, et malgré cette attention constante aux tableaux de la collection du roi, le raphaélisme de Primatice est rarement de première main. Comme l'a montré A. Chastel (1968, p. 89), son époque est celle des tutelles et des patronages : d'être arrivé en France sous le signe de Giulio Romano et de Parmigianino, ne pouvait que l'établir solidement dans l'estime du roi et de la cour. Cette conjonction de raphaélismes « seconds » lui donnait le prestige et l'aisance d'un héritier. D.C.

209
La Justice

ill. 207

Pinceau, lavis brun-blond, rehauts blancs sur esquisse à la pierre noire et au stylet
H. 0,220 ; L. 0,128
Collé en plein.
Annoté en haut au milieu, au blanc : *Bologne*

Historique :
Saisie des Emigrés ;
Saint Morys, montage avec l'inscription à l'encre brune : *francesco Primaticcio Ecole lombarde ;* marque du musée (Lugt 1886).
Inv. 8.550.

Bibliographie :
Morel d'Arleux, VIII, n° 12 595 ;
Dimier, 1900 pp. 430-31, n° 37 ;
Barocchi, 1951, p. 213 ;
Mc. Allister Johnson, 1969, p. 10, repr. p. 25 ;
Bacou, 1972, p. 143, sous n° 152 ;
Mc. Allister Johnson, 1973, p. 268, pl. 21 ;
Béguin, 1982, pp. 48-49, n° 41.

Primatice a dessiné pour qu'ils soient peints (entre 1541 et 1545) par M. Rochetel, J.-B. Bagnacavallo et G. Musnier sur les armoires du Cabinet du Roi à Fontainebleau, des *Héros* et des *Vertus* destinés à être associés deux à deux. La *Justice* devait faire pendant, comme le notait déjà Dimier, au roi *Zaeleucus* (Louvre, Cabinet des Dessins, Inv. 8.540). On remarquera après W. Mc. Allister Johnson (1969, p. 10) la technique très particulière du dessin où un contour incisé au stylet qui retient l'encre et le jeu léger d'un lavis suffisent à créer un partage franc de la lumière, laquelle frappe d'ailleurs les deux figures du même côté (Mc. Allister Johnson, 1973, p. 268). Cet accord formel des deux feuilles, qui accuse leur qualité de *modelli* très achevés, est renforcé par l'inspiration raphaélesque qui semble leur être commune. Le *Zaeleucus* est la réplique bellifontaine, avec ce que cela implique de superfluité dans l'élégance, du *Godefroy de Bouillon* peint par Giulio Romano (Freedberg, 1972, II, fig. 385) sous la tutelle de Raphaël au soubassement de l'*Incendie du bourg* (Vatican). Parallèlement on peut, ainsi que le souligne Blunt (1973, pp. 104-105) inscrire la *Justice* et les autres *Vertus* de Primatice dans la tradition de celles, projetées par Raphaël et réalisées par ses élèves, de la Salle de Constantin (Vatican). La juxtaposition de l'une et l'autre *Justice* montre le même détour de l'attitude qui privilégie le profil stylisateur, le même équilibre oblique des bras qui échappent au solide enroulement du drapé, allant *decrescendo* des pieds à la nuque. On comprend que, dans l'art de Raphaël, ce soit une telle figure encore empreinte de la pondération du maître malgré l'intervention de l'atelier, qui ait ainsi séduit Primatice durant cette parenthèse classique du maniérisme français qui va de 1540 à 1560. D.C.

Paris, Musée du Louvre, Cabinet des Dessins

210
Terpsichore

ill. 216

Plume et encre brune, labis brun, rehauts blancs, esquisse au stylet sur papier beige, mis au carreau à la pierre noire
Découpé en bas à gauche
H. 0,182 ; L. 0,730
Annoté à la plume et encre brune en haut à droite : *Bologne*

Historique :
Desneux de la Noue, paraphe au verso (Lugt 3014) ;
E. Jabach, paraphe au verso (Lugt 2959), trace de numéro à la sanguine au verso, dessin dit de rebut ;
Cabinet du Roi, 1671,
paraphe d'Antoine Coypel (Lugt 478) ; marques du musée (Lugt 1955 et 1886).
Inv. 8.554

Bibliographie :
Morel d'Arleux, IV, n° 4727 ;
Dimier, 1900, pp. 431 - 432, n° 41;
Zerner, 1969, n° LD 25 - 36 ;
Béguin, 1982, pp. 49 - 50, n. 42, 48

Terpsichore, muse de la danse. L'étude prépare l'une des figures féminines accotées aux arcades de la Galerie Basse du château de Fontainebleau (Dimier). Il est fait état de ce décor, aujourd'hui détruit, dans la vie de Primatice par Vasari dès 1568 (VII, p. 411). La composition a été gravée, ainsi que les autres figures de *Muses* et de *Déesses* par le maître L.D. (Léon Davent ? ; Zerner, 1969, n° LD 29), en contrepartie par Cornelis Bos (Schele, 1965, pp. 206-207, n° 242) et par Ghisi (Renouvier, 1854, p. 62).

Bien que pour P. Barocchi (1951, p. 211) l'inspiration de Parmigianino soit incontestable, la façon de composer avec l'arc, d'associer la figure à sa trajectoire, puis de l'en écarter par l'appui d'un bras et la rotation de la tête et du torse, montre une nette parenté avec la solution trouvée par Raphaël pour la Sibylle Delphique dans sa fresque de Santa Maria della Pace (vers 1514). Une *Allégorie funéraire avec une palme,* en bois sculpté, attribuée à G. Pilon (Cleveland ; Thirion, 1972, n° 542) montre la fortune qu'une telle formule devait avoir jusque vers 1570.

Le décor de la Galerie Basse, conçu dans les années 1539 - 1542, a dû bénéficier du regard que Primatice pu porter, à Rome même (où il se rendit en 1540) sur l'œuvre de Raphaël. En même temps l'estampe d'un suiveur de Marcantonio Raimondi (Bartsch, XV, p. 48, n° 5-6) a dû jouer son rôle habituel d'aide-mémoire et de vivier formel. Un dessin de la Sibylle Delphique d'après la gravure (Louvre, Inv. 568), classé parmi ceux de Primatice et portant l'inscription ancienne *« Copia del Bologna/ delle Sibille della/Pace di Roma fat./te da Rafaele Pr/delle Loggie Vaticane* temoigne, sans être de sa main, qu'il put parfois méditer lui-même les œuvres de Raphaël. Mais en même temps qu'il étudie sa muse en fonction du modèle raphaélesque, il repense celui-ci *dal vero.* K. Andrews (1968, I, pp. 100, 122, fig. 692) et plus récemment S. Béguin publiant une première pensée pour la *Pallas* du même décor (Florence, Offices, 14 S 46 F ; Béguin, 1982, pp. 36 - 38, n° 18, fig. 18) ont montré que les dessins arrêtés pour la Galerie Basse, à la plume et au lavis, étaient précédés d'études d'après nature, vives, rehaussées de blanc, modelées à larges traits et beaucoup plus attentives aux incidences de la pose sur l'agencement accidenté du drapé.

Sans trop solliciter les rapprochements, on retrouverait la même immanence de Raphaël aux études de figures dessinées d'après nature par Primatice : dans une, à la sanguine (Louvre, Inv.8.644), on reconnaît le saint Paul du tableau de *Sainte Cécile* (Bologne) ou de sa gravure (Bartsch illustré, 1978, vol. 26, p. 151, n° 116) ; dans une autre de même technique (Louvre, Inv. 8.588) le souvenir du saint Jean de la *Transfiguration* (Vatican). D.C.

Paris, Musée du Louvre, Cabinet des Dessins

211
Minerve (ou Bellone)

ill. 112

Plume et encre brune, lavis brun clair, rehauts blancs, esquisse et mise au carreau à la pierre noire
H. 0,253 ; L. 0,135.

Historique :
Desneux de la Noue, paraphe au verso (Lugt 3014) ;
E. Jabach, paraphe au verso (Lugt 2959) ;
Cabinet du Roi, 1671 ;
marque du musée (Lugt 1.955).
Inv. 8525

Bibliographie :
Morel d'Arleux, IV, n° 4737 ;
Dimier, 1900, p. 146, n° 15 ;
Barocchi, 1951, p. 212, n° 9 ;
Béguin, 1967, sous n° 115.

Dimier (1900, p. 426) a reconnu dans ce dessin un projet arrêté pour une composition dépendant, coté cour, du *Neptune apaisant la tempête* du second compartiment de la voûte de la galerie d'Ulysse à Fontainebleau. Mariette (Abecedario, 1859-1860, VI, p. 394) lui donnait pour sujet *Pallas (Minerve)* et Guilbert (1731, II, p. 28) *Bellone.* Si l'on s'en remet aux attributs traditionnels des deux déesses (Tervarent, 1958, pp. 154, 194) l'égide n'est pas le signe exclusif de Minerve mais on n'a pas coutume de représenter Bellone avec le foudre.

Ce dessin, qui se situe vers 1541-1547 si l'on se réfère aux *Comptes des Batiments du roi* afférant au décor de la galerie, présente, par le double geste déjetté des bras pris dans le tourbillon largement ployé d'une draperie, par le torse pivotant et le regard plongeant, une analogie, discrète mais visible, avec le *Grand Saint Michel** de Raphaël (Louvre). Primatice connaissait d'autant mieux ce tableau des collections royales qu'il avait eu, en 1538-40, la tâche d'en « laver et nettoyer le vernis » (Delaborde, 1850, I, p. 403-404). De Raphaël à Primatice, la jambe d'appui a changé, mais, sans l'instant d'équilibre du premier, c'est la même désinvolture du mouvement qui donne toute leur expansion aux formes. S. Béguin (1969, p. 153) a parfaitement souligné pour une autre feuille, La *Vierge, reine des Anges* (Louvre, Cabinet des Dessins, R.F. 31.824), à vrai dire marquée d'influences très composites (Raphaël, Rosso, D. Ghisi), les libertés que Primatice sut prendre avec le *Grand Saint Michel.* Notons qu'il y était peut être encouragé par le souvenir d'une œuvre d'Innocenzo da Imola, elle-même démarquée du tableau de Raphaël, la *Vierge et l'Enfant, en gloire, saint Michel terrassant le démon entre saint Pierre et saint Benoit* (Bologne, pinacothèque). Malgré leur source commune, le saint Michel de La *Vierge, reine des Anges* et la *Minerve* diffèrent radicalement : le premier est un motif serpentin, mis à plat et fermé sur lui-même, il privilégie ce que l'ange de Raphaël contenait virtuellement d'équilibre décoratif ; la seconde, à laquelle un modelé prononcé donne un surcroît de dynamisme, cherche à retenir du modèle l'envergure spatiale, large et flottante. Un repentir dans le dessin de la tête de Minerve est à ce titre très significatif.

La distribution du décor de la galerie d'Ulysse sur quinze travées, avec à la voûte de petites scènes historiées et une part importante d'arabesques, de grotesques peints ou en stuc, a justifié une comparaison avec les Loges de Raphaël (Dimier, 1900, p. 93) et avec les ornements de ses élèves à la Villa Madame (Barocchi, 1951, pp.. 214-215), et l'on a même cru devoir souligner l'inadéquation du style décoratif raphaélesque et de la forme architecturale française de la galerie (A. de Champeaux, 1890, p. 168). D.C.

Paris, Musée du Louvre, Cabinet des Dessins

212
Isaac bénissant Jacob présenté par Rebecca

ill. 249

Sanguine, rehauts blancs sur papier beige
H. 0,259 ; L. 0,310
Doublé. Annoté en haut à gauche à l'encre brune : *Bologne ;*
en bas à droite à l'encre brune : *n° 93*

Historique :
P. Crozat ;
saisie des Emigrés ;
marque du Musée (Lugt. 1886).
Inv. 8.512.

Bibliographie :
Morel d'Arleux, IV, n° 4.632 ;
Dimier, 1900, p. 424, n° 4 ;
Adhémar, 1954, p. 128 ;
Béguin, 1967, sous le n° 117.

On peut s'étonner avec S. Béguin (1969, p. 151) de la rareté, relativement aux feuilles d'iconographie profane, des dessins de Primatice sur des thèmes religieux. Celui-ci, particulièrement remarquable par l'ambition et le degré d'achèvement, a été catalogué par Dimier (1900, p. 424) sans précision de date et de destination. Quant à J. Adhémar (1954, p. 128) il y voit un modello très poussé, sans doute d'atelier et destiné à un mécène inconnu aujourd'hui, qui a du être « refusé comme trop chargé ». Par son histoire (il appartint, nous dit Mariette [Abecedario, IV, p. 219], à Pierre Crozat), par sa technique et son style il va de pair avec un *Éliezer et Rebecca* (Louvre, Cabinet des Dessins, Inv. 8.511 ; Adhémar, 1954, pl. 35). Mariette *(op. cit.)* connaissait de ces deux « morceaux très considérables » des dessins à la plume dont il rapportait l'attribution à Luca Penni ou à « quelques uns des disciples du Primatice ».

C'est un des sujets de la voûte de la cinquième loge de Raphaël, *Isaac bénissant Jacob* (De Vecchi, 1982, n° 149 E) qui sous-tend la composition de Primatice. On ne sait s'il faut créditer la fresque elle-même ou sa gravure par Agostino Veneziano (Bartsch illustré, 1978, vol. 26, p. 15, n° 6) de cette influence. Le dessin, qui affiche d'emblée sa dette envers Raphaël par la distribution des figures et des attitudes, ne procède en rien de la copie : il inverse la composition, raccourcit les effets de profondeur qui perdent en persuasion une fois le motif sorti de sa situation plafonnante, et rapproche son sujet. On notera cependant que certains des traits stylistiques les plus caractéristiques de Primatice, comme cette façon d'éluder l'attache du cou, sont déjà tout entiers contenus dans les Loges de Raphaël. D.C.

Paris, Musée du Louvre, Cabinet des Dessins

Recalcati (Antonio)

Bresso, près de Milan, 1938

C'est à Milan que cet artiste, voyageur impénitent (Londres, New York, Extrême-Orient...) acquit son métier de peintre et exposa d'abord (1957), puis à Paris (1963) que son œuvre se révéla participer d'un courant artistique international, sans cohérence stylistique affirmée, mais attaché à montrer librement l'homme et son imaginaire, la Nouvelle Figuration. La charge agressive et sinistre de ses œuvres, que sous-tendaient le refus d'une esthétique préétablie et les conflits politiques d'alors, lui attirèrent d'abord plaintes et saisies. C'est par la comparaison de ses Empreintes *(1960-1963), où l'homme anonyme est dénoncé par le spectre que laissent sur la toile ses vêtements maculés de peinture, avec les* Anthropométries *de* Y. Klein *que Recalcati s'imposa à l'attention de ses contemporains. Les* Paysages inutiles, *barrés d'une croix qui censure le réalisme et accuse la fatuité du regard, la* Rétrospective imaginaire *(1968) qui associe l'autobiographie aux images de l'échec permanent des chimères politiques, les* Intérieurs américains *(1972) où un érotisme anonyme est la seule alternative à la banalité du lieu, comptent parmi les grands moments d'une création discontinue mais profondément unifiée par l'humeur noire d'un artiste qui cherche la morale de l'Histoire dans la peinture (*La Bohême de Chirico, *1973 ;* Le 31 janvier 1801, *1975).* D.C.

213
Le mariage de la Vierge

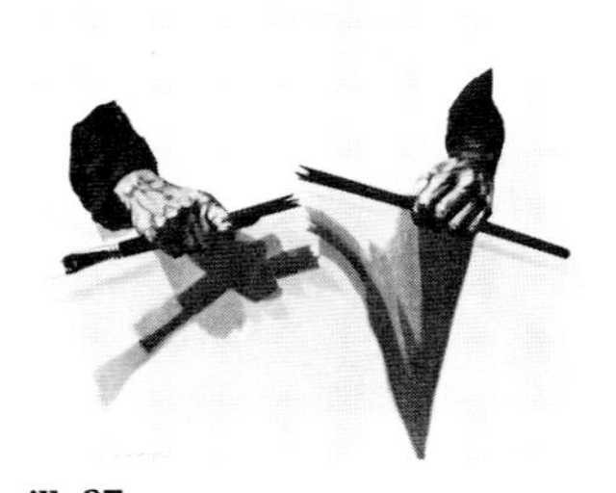

ill. 87

Toile
H. 1,00 ; L. 1,00
Signé et daté en bas à droite : *recalcati 78*
Inscrit en bas à gauche : *le mariage de la vierge*

Historique :
Coll. Dott. Alberto T. Galimberti, 1978 ; Fonds régional d'art contemporain Rhône-Alpes, 1983.

Bibliographie :
Catal. exp. *Dedicata a Raffaelo*, Milan, galerie Gastadelli, 1978, s.p.

Ni copie, ni pastiche, ni parodie. Il faut savoir que l'œuvre, intitulé le *Mariage de la Vierge*, a été la contribution de Recalcati à une exposition « dédiée à Raphaël » à la galerie Gastadelli à Milan (1978 ; voir aussi n° 5), pour prendre garde à l'analogie du pinceau brisé et de la baguette cassée par un prétendant dans le *Mariage de la Vierge* (ou *Sposalizio*) de Raphaël (Milan, Brera). Même si ces deux images symétriques du dépit peuvent supporter conjointement une « psychocritique », il reste que plastiquement, le motif du *Sposalizio* est détourné de son sens par Recalcati. Une autre de ses œuvres (Pradel, 1979, p. 43), à peine différente de celle-ci, et de la même année, vient à point pour nous éclairer. C'est la huitième et la dernière d'une série de toiles, toutes avec un pinceau que tiennent des mains, qui a été exposée à l'ARC à Paris (1979) et « qui va de complément en complément définir, progressivement, la relation du peintre avec ses thèmes (...), l'ambiguïté de ses instruments, de ses moyens (...), et le réseau complexe de passions (...) dans lequel l'art enferme tout artiste » (Baratsch, 1979, s.p.). On retrouve aussi, dans le *Mariage de la Vierge* de Recalcati, ce que J.C. Bailly (1975, s.p.) notait à propos de ses variations sur *La mort de Caïus Gracchus* de Topino Le Brun, le motif isolé des mains qui résoud, par le raccourci brusque et l'ombre portée contrastée, la question des limites du support et de la surface, très débattue par les peintres de sa génération.

Mais il y a davantage, si l'on revient à Raphaël. Plutôt que la peinture de la fin tragique et absurde de l'aventure picturale, le tableau de Recalcati nous semble à l'image d'un siècle fasciné par les ruptures artistiques. Rupture dans l'apologie de Raphaël puisque Recalcati n'en reprend ni le style, ni la technique, et aussi hommage destructeur, moins en ce qu'il dénature le modèle qu'en ce qu'il brise l'outil pour que ne puisse se reproduire le geste du copiste qui jouait la pérennité de Raphaël contre les crises de l'Histoire. D.C.

Lyon, Fonds Régional d'Art Contemporain

Regnault (Jean-Baptiste)

Paris, 1754 - id., *1829*

Élève de Bardin, il voyage jeune en Italie. Prix de Rome en 1776, il séjourne ensuite à l'Académie de France. Il traite avec prédilection des sujets antiques aimables dans des tableaux qui témoignent d'une belle connaissance de la peinture italienne. Ses Trois Grâces *du Louvre (1794), son seul tableau resté célèbre, sont inspirées de l'antique plus que du tableau de Raphaël de Chantilly.* J.P.C.

214
La Liberté ou la Mort

ill. 227

Toile
H. 0,60 ; L. 0,49
Signé et daté en bas à droite : *Regnault L'an III*

Historique :
Salon de 1795, n° 424 ; coll. O.C. Gaedechens,, Hambourg ; don de ce dernier à la Kunsthalle, 1846.

Bibliographie :
Vilain, 1974-1975, n° 150 (avec bibliographie antérieure).

Regnault exposa au Salon de 1795 deux versions de ce tableau, une petite, celle de Hambourg, et une grande (n° 421), aujourd'hui perdue. Le tableau illustre la devise de la Constitution de l'an III, *Liberté, Égalité, Fraternité ou la Mort :* le génie de la France, aux ailes tricolores, donne à choisir entre la mort et, à gauche, la République qui lève d'une main un bonnet phrygien (la Liberté), de l'autre une équerre (l'Égalité) ; à ses pieds, un faisceau de licteur (la Fraternité). Le génie, nouveau messager, est directement inspiré du *Mercure* de la Loggia de la Farnésine (De Vecchi, 1982, n° 130) ; Regnault a fait poser un modèle en lui donnant cette attitude (un dessin préparatoire très fini se trouvait il y a quelques années dans une coll. part. à Paris). J.P.C.

Hambourg, Kunsthalle

Renoir (Pierre-Auguste)

Limoges, 1841 - Cagnes-sur-mer, 1919

Formation curieuse que celle de Renoir qui cumule l'apprentissage artisanal de la décoration de porcelaines (1854-58), l'étude académique (à l'École des Beaux-Arts en 1862 et à l'Académie Gleyre), et le travail en plein air à Fontainebleau (1863) où il rencontre Diaz et surtout Courbet, qui devaient le marquer durant plusieurs années (1864-68). En regard de ces influences juvéniles, son adhésion sans restriction à l'impressionnisme (1869-80) marque une émancipation de sa manière, et à côté de paysages innervés de lumière, on trouve des portraits (v. 1874-80) où Renoir joue de l'étiolement des formes aux contours des corps et qui sont sa contribution la plus personnelle au mouvement. Viennent ensuite la « manière aigre » (1881-88) où se fait jour un dessin cristallin, puis une « période nacrée » qui use de demi-teintes de rose et de blanc pour peindre de grands nus qui restent jusqu'à la fin de sa vie, à Cagnes-sur-Mer (1903-18) son thème de prédilection.

C'est le voyage en Italie, qui débute en octobre 1881, qui semble avoir gagné Renoir à Raphaël (lettres à Durand-Ruel, 21 nov. 1881; Venturi, 1939, I, pp. 116-117; lettre à Mme Charpentier, automne 1881 et janvier 1882; Florisoone, 1938, pp. 36-37). Il admire à Florence la Vierge à la chaise *(Vollard, 1919, p. 11), à Rome, les fresques d'*Héliodore *(Vatican,* id., *p. 108) et de la Farnésine (*id., *p. 11). La plénitude et le naturel l'y séduisent surtout (Clark, 1969, I, p. 262) en même temps que les grands décors lui suggèrent une réflexion d'ordre autant technique qu'esthétique (Vollard, 1919, p. 109). Comme le note B.E. White (1973 et 1969, pp. 341-344), quand Renoir expose les* Baigneuses *comme « un essai de peinture décorative », il songe sans doute, au-delà de ses modèles immédiats, aux grandes peintures murales du passé, en particulier à la fresque de* Galatée *(Rome, Farnésine). On pourrait par ailleurs, à partir de la correspondance et des propos que lui prête Vollard, établir une anthologie des formules de Renoir, de sève populaire, qui vantent, non la distinction aristocratique suprêmement dominée de Raphaël, mais sa santé et sa tendresse profane. Rien qui puisse justifier les commentaires de Huysmans, quand Renoir lui fit part de son admiration pour Raphaël : « Allons bon ! (...) encore un qui est pris par le bromure de Raphaël ». Et tout contredit, même le mot de Gervex à Renoir : « Quoi ! vous allez maintenant donner dans l'art pompier ? » (Vollard, 1919, pp. 108-109).* D.C.

215
Le jugement de Pâris

ill. 321

Sanguine et craie blanche sur papier calque, préparé et collé sur toile
H. 0,76 ; L. 1,03

Historique :
Attribué au Louvre par l'Office des Biens privés, 1949.

Bibliographie :
Vollard, 1919, repr. face p. 192 ;
Duclaux, 1964, p. 58, n° 87, repr. ;
Foucher, 1974, p. 86, repr.

Ce grand dessin de 1908 est, parmi les multiples études de ce thème que Renoir développe bien souvent entre 1908 et 1916 environ, l'un des plus proches de l'archétype du sujet établi par Raphaël et dont la gravure de Marcantonio Raimondi (Bartsch ilustré, 1978, vol. 26, p. 242, n° 245)* a assuré le succès. On citera parmi les autres versions, sans atteindre à l'exhaustivité, aussi bien des peintures (une esquisse dans le commerce d'art à Zurich en 1981 ; un tableau de 1908 en collection particulière [Sterling, 1933, n° 144] ; et un autre de 1914 à Hiroshima [Daulte, 1978, repr.]), que des dessins (1908, Washington, Philipps collection [Daulte, 1958, n° 26] et vers 1915 [Sotheby's, 6 déc. 1978, n° 320]). Comme le rappelle G. Rivière (1921, pp. 224-26), il s'agit moins d'études préparatoires au sens habituel du terme que de maquettes successives qui semblent n'avoir abouti vraiment que dans un bas-relief dont le plâtre original (Paris, Musée d'Orsay) fut exécuté avec Richard Guino.

On sait par Vollard (1919, pp. 191-192) que c'est la bonne de Renoir, Gabrielle, qui a posé pour Pâris. Par un processus qui lui était familier, Renoir a assimilé le naturel pétulant de son modèle à l'impression de sérénité familière qu'il ressentait devant les œuvres de Raphaël. Il a particulièrement bien exprimé ce sentiment à propos des fresques de la Farnésine (Rome) : « Il y a de Raphaël, une Vénus qui vient supplier Jupiter, elle a de gros bras, c'est délicieux ! On sent une bonne grosse commère qui va retourner à sa cuisine (...) » (Vollard, 1919, p. 11).
D.C.

Paris, Musée du Louvre, Cabinet des Dessins

Robert (Hubert)

Paris, 1733 - id., *1808*

Il est à Rome en 1754, y connaît Fragonard et l'abbé de Saint-Non et, en 1759, est admis comme pensionnaire à l'Académie de France. L'admiration pour Pannini et pour Piranèse le dirigent, pour toute sa carrière, vers les paysages de ruines antiques de fantaisie dont il se fait une spécialité.

Robert traite Raphaël comme il traite l' « antique », avec le sourire. Françoise Viatte nous signale un dessin à la plume aquarellé, La fontaine antique *(Genève, coll. part. ; ventes Versailles, 27 oct. 1963, n° 56, et 13 fév. 1977, n° 23), où la porteuse d'eau de l'*Incendie du bourg *intervient parmi d'autres figures (fig. 108). Et un beau dessin à la pierre noire de 1788 (fig. 14, Paris, coll. part. ; vente Londres, Christie's, 25 mars 1969, n° 168), dans une désinvolture autobiographique qui brouille les chronologies en précipitant l'avenir dans le passé, représente une* Ouverture du tombeau de Hubert Robert *imaginée dans l'Antiquité : plusieurs figures sont prises aux tapisseries de Raphaël, pour que le ton soit, avec ironie, plus noble : enfant de la* Guérison du boiteux, *homme agenouillé et groupes d'apôtres de l'*Aveuglement d'Elymas. *J.P.C.*

216
Projet d'aménagement de la Grande Galerie du Louvre

ill. 69

Toile
H. 1,15 ; L. 1,45
Signé et daté sur une base de colonne, à gauche : *H. Robert/1796*

Historique :
Salon de 1796, n° 392 ; collections impériales russes, Tsarkoïë-Selo ; coll. N. Koenigsberg, Paris ; coll. privées, Buenos Aires ; coll. Pearlman, New York ; acquis par le Louvre avec son pendant en 1975.
R.F. 1975.10.

Bibliographie :
Sahut, 1979, n° 58 (avec bibliographie complète).

Le titre donné dans le livret du Salon de 1796 où le tableau était exposé avec son pendant représentant la *Grande Galerie en ruines,* aujourd'hui également au Louvre, est explicite : « Projet pour éclairer la Galerie du Musée et pour la diviser sans ôter la vue de prolongation du local ». Robert, nommé « garde du Museum » dès 1784, peignit plusieurs tableaux comparables, proposant l'installation d'une verrière zénithale à un moment où la Grande Galerie du Museum, ouvert en 1793, encore éclairée par les fenêtres latérales, suscitait de nombreuses critiques de visiteurs qui déploraient le mauvais éclairage des peintures. La réalisation, aux XIXe et XXe siècles, est voisine de ce qu'avait souhaité Robert. Le peintre donne ici une des visions les plus spectaculaires du « musée idéal » comme le rêvaient les esprits éclairés à la fin du XVIIIe siècle. On identifie de nombreux tableaux toujours au Louvre : les quatre *Travaux d'Hercule* de Guido Reni, l'*Antiope* de Corrège, la *Mise au tombeau* du Titien, la *Vie champêtre* de Feti. Raphaël est particulièrement mis en évidence : on reconnaît à gauche, agrandi à un format ovale, au-dessus du *Saint Bruno* de Mola, le *Portrait de jeune homme** souvent donné à Parmigianino et considéré alors comme un autoportrait du peintre d'Urbino ; à droite, devant un buste en marbre de Raphaël, Hubert Robert lui-même commence la copie de la *Grande Sainte Famille** installée sur un chevalet. J.P.C.

Paris, Musée du Louvre

Saint-Jean (Simon)

Lyon, 1808 - id., *1860*

Il est élève de Révoil et se montre rapidement brillant exécutant dans cette spécialité lyonnaise qu'est la peinture de fleurs. Il devient un spécialiste réputé dans ce domaine. Peintre à souci spiritualiste, il traite, dans ses œuvres les plus ambitieuses, des thèmes religieux, associant des éléments sculptés souvent d'inspiration gothique (Compiègne, 1842 ; Lyon, 1850) à des masses florales exubérantes mais animées et légères, où le souci de trompe-l'œil passe au second plan. J.P.C.

217
La Vierge et l'Enfant dans une guirlande de fleurs

ill. 50

Toile
H. 1,25 ; L. 1,10
Signé et daté en bas à gauche :
Saint-Jean 1858.

Historique :
Lyon, Salon de 1858, n° 528 ; Paris, Salon de 1859, n° 2 677 ; Bruxelles, Salon de 1860 ; resté chez les descendants de l'artiste.

Bibliographie :
Hardoin-Fugier, 1980, p. 32, n° 86, pl. 24 ;
Hardoin-Fugier, 1981, n° 18.

Le tableau, fort complètement commenté par Élisabeth Hardoin-Fugier, est l'ultime œuvre de Simon Saint-Jean. La *Vierge à la chaise* apparaît comme un bas-relief de bois sculpté encadré de motifs décoratifs. Fleurs et feuillages entourent le sujet religieux, dans la tradition des compositions florales de Daniel Seghers. Il existe un croquis de l'artiste mettant en place les éléments sculptés et n'indiquant que rapidement les motifs floraux (Hardoin-Fugier, 1980, pl. 24). Saint-Jean souhaitait que son tableau fût gravé : « ... les artistes et les amateurs m'ont tous fortement engagés à exécuter cette composition qui offre un véritable intérêt, le sujet est si populaire... Il me semble que les industriels et les amateurs rechercheraient cette gravure » (lettre du 22 fév. 1859 ; Hardoin-Fugier, 1981). J.P.C.

France, collection particulière

Salles (Jules)

Nîmes, 1814 - id., *1900*

Élève à Nîmes de Boucoiran, puis, à Paris, peu de temps, celui de Delaroche, il partagea son existence entre Nîmes et la capitale. Il peignit quelques portraits et des sujets gracieux, figures de jeunes femmes souvent en costume italien, d'une manière parfois doucereuse influencée par Hébert, et qui eurent du succès. Deux copies peintes d'après Raphaël, la Fornarina *et le* Violoniste, *figurent dans les tableaux qu'il donna au musée de Nîmes (Lassalle, 1983, n° 165 et 166). J.P.C.*

218
Raphaël et la Fornarina

ill. 357

Toile
H. 0,597 ; L. 0,488
Signé et daté en bas à droite :
J. Salles 1843.

Historique :
Exposition des Beaux-Arts de Nîmes, 1843 ; mis en loterie, gagné par M. Despinassous ; collection particulière.

Bibliographie :
Lassalle, 1983, pp. 13, 19, n° 73, repr.

Le personnage de la Fornarina est inspiré du *Portrait de jeune femme* de Sebastiano del Piombo des Offices, considéré alors comme de Raphaël et représentant la Fornarina (De Vecchi, 1982, n° 99) : c'est le tableau que l'on trouve, inversé, sur le chevalet à gauche. On reconnaît derrière le couple la *Vierge à la chaise* et la *Transfiguration*. J. Salles exposa à nouveau un *Raphaël et la Fornarina* à l'exposition de Nîmes de 1863. S'agit-il d'une autre composition, d'une réplique de ce tableau (voir Lassalle, 1983, n° 165), ou du même tableau exposé à nouveau ?
J.P.C.

Nîmes, collection particulière

Seurat (Georges)

Paris, 1859 - id., *1891*

Élève de J. Lequien dans une école municipale de dessin (1875) puis de H. Lehmann, Seurat, visiteur assidu du Louvre, reçoit d'abord une formation traditionnelle. La visite de la quatrième exposition impressionniste (1879), l'étude des œuvres de Delacroix, Puvis de Chavannes et Millet (1881-1882) l'en écarte. Portées par des lectures théoriques (Chevreul, Blanc, Sutter...), ses recherches picturales, qui ont un caractère délibérement spéculatif, aboutiront à la création de la facture divisionniste (qui vivifie, par juxtaposition de couleurs pures, la sensation chromatique) et de principes d'organisation linéaire (qui règlent, selon des schémas-types, l'expression des formes). « Pasteurisation », a dit Apollinaire, des moyens de l'impressionnisme, condensation méthodique de rythmes décoratifs, les peintures de Seurat, longuement préparées par des dessins aux noirs veloutés et de nombreux « croquetons » vivement brossés forment sur des thèmes de la vie moderne des compositions hiératiques qui trouvent leurs références peut être davantage dans l'ordonnance d'un Piero della Francesca que dans celle d'un Raphaël. D.C.

219
Homme de dos
D'après un dessin de l'Albertina

Mine de plomb
H. 0,301 ; L. 0,221
Inscrit au verso du montage au crayon bleu : *Dessin de G. Seurat/F.F.* [Félix Fénéon]. Au crayon brun : *P.S./Paul Signac*

ill. 323

Historique :
Félix Fénéon ; coll. John Rewald, New York ; don de John Rewald au Fogg Art Museum, 1981.
Inv. 1981.110.

Bibliographie ;
Herbert, 1962, p. 28, fig. 27, p. 177, n° 27.

L'un des quatre dessins de Seurat d'après Raphaël connus aujourd'hui. Il reproduit la partie droite d'une étude à la pointe de métal conservée à l'Albertina (Vienne ; Fischel, 1919, III, n° 93) que Fischel date de la « période florentine ». Seurat, selon R.L. Herbert (1962, p. 177), pouvait le connaître par une photographie Alinari (*Dessins de Raphaël à la galerie de Vienne,* III, s.d.). Le même auteur situe la copie vers 1878, alors que Seurat fréquente l'École des Beaux-Arts.

Des quatre copies, ce serait la plus tardive. Il semble que Raphaël ait compté parmi les toutes premières admirations de Seurat. Le verso d'un dessin presque enfantin (vers 1874) où Seurat a calculé le temps qui le séparait de la mort de Raphaël (Herbert, 1962, p. 10, fig. 4) témoigne de cette référence précoce. On en trouve une justification dans la *Grammaire des Arts du dessin* de Ch. Blanc que Seurat a lue quand il était au collège : « les vrais maîtres du dessinateur qui commence sont Léonard de Vinci et Raphaël : (...). Le second [Raphaël] parce qu'il enseigne une grandeur sans effort, et que, même dans une faible copie de son dessin, il reste encore de la grâce et du charme, tant il est difficile de corrompre la beauté de l'original » (4e éd., Paris, 1881, p. 536). Ainsi mis en confiance, Seurat copie (vers 1875-1877), *Un pied,* peut être le pied de gauche du saint Jean de la *Déposition* (Rome, Galerie Borghèse) d'après une lithographie de Leroy (De Hauke, 1961, n° 289 ; Herbert, 1962, pp. 7, 166, n° 8), *Le prophète Daniel* (Herbert, 1962, pp. 167, 187) d'après un dessin des Offices (Oberhuber, 1972, p. 64, fig. p. 26, n° 8) sans doute à nouveau d'après une gravure d'Alphonse Leroy (Angoulvent, 1933, n° 31) d'un dessin de Chantilly (Inv. 54, autrefois 46) lui-même copié d'une feuille conservée à l'Albertina de Vienne (Oberhuber, 1972, p. 63, fig. 62). Contrairement au dessin que nous exposons, assez fidèle à la graphie de Raphaël, les deux dernières copies citées montrent un puissant jeu de hachures qui, allant à l'essentiel, laisse augurer du rendu des ombres à grands traits parallèles des dessins de 1880-1882. D.C.

Fogg Art Museum, Harvard University, Cambridge, Massachusetts, Gift of John Rewald

Simon de Chalons

Documenté à Avignon de 1535 à 1563 (?)

*Simon de Mailly, dit Simon de Chalons, originaire de Champagne, est documenté à Avignon à partir de 1535. Il rédige son testament le 17 octobre 1561 (Requin, 1891, pp. 135-140). Ses œuvres, souvent signées et datées, s'échelonnent entre 1535 (Sterling et Adhémar, 1965, p. 24, n° 58) et 1563 (*Portement de croix, *Avignon, Musée Calvet, et* Christ aux outrages, *non signé mais daté, Avignon, église Saint-Didier).*

Simon de Chalons occupe dans l'histoire du XVIe siècle français une place curieuse, presque paradoxale. Face au maniérisme de cour, il incarne à lui seul, ou presque, la peinture provinciale, puisqu'il est un des rares peintres dont le nom soit resté attaché à un œuvre important. En même temps, face aux peintres étrangers italiens et flamands de Fontainebleau, il apparaît l'artiste français par excellence. Mais ses tableaux, empreints d'archaïsme au regard de l'art bellifontain, tendent à démontrer l'essouflement de la peinture en Provence au XVIe siècle et le peu d'originalité et de savoir-faire que la France pouvait apporter à sa propre Renaissance. En fait, c'est face au courant romaniste septentrional avec lequel son art entretient de réelles relations que Simon de Chalons trouverait une meilleure définition. D.C.

220
La Sainte Parenté

Bois
H. 1,88 ; L. 2,68
Signé et daté en bas à gauche : SYMON DE CHALONS, Ē. CHĀPEINE MA. PEINT / 1543

ill. 75

Historique :
Grand Séminaire d'Avignon ; déposé au musée Calvet en vertu de la sécularisation des biens de l'Église en 1907.

Bibliographie :
Guiffrey, 1891, p. 140 ;
Laclotte, 1965, p. 323 ;
Lossky, 1979, p. 132, fig. 18 (détail).

Datée de 1543 et signée par l'un des très rares maîtres incontestablement français du milieu du XVIe siècle dont on ait conservé plusieurs tableaux, la *Sainte Parenté* se révèle cependant, à l'examen, davantage tributaire des inventions étrangères que du milieu provençal dans lequel elle fut créée. L'estampe a ici pleinement joué son rôle de modèle et Simon de Chalons a démontré sinon ses capacités d'assimilation, du moins sa faculté d'amalgame. On trouve dans l'œuvre de Caraglio (Bartsch, XV, p. 69, nº 5) une gravure d'après la *Petite Sainte Famille** du Louvre qui est ici la source du groupe de la Vierge avec l'Enfant, le petit saint Jean et sainte Élisabeth, tandis que ce sont sans doute des apôtres de la *Transfiguration* (pour les gravures voir Bartsch, XV, p. 19, nº 9, p. 187, nº 6) qui dictent, l'un le geste du saint aux mains ouvertes au-dessus de Marie, l'autre l'attitude de celui qui est penché au-dessus de sainte Anne. Les physionomies expressives, le traitement en flammèches des chevelures des deux saints de la partie supérieure droite doivent aux types établis par Raphaël pour les apôtres de la *Mort d'Ananie* et de la *Remise des clefs à saint Pierre* (De Vecchi, 1982, nº 116 G et B) connus en province par l'estampe (respectivement : Bartsch illustré, 1978, vol. 26, p. 60, nº 42 et Bartsch, XV, p. 17, nº 6, p. 434, nº 5) plutôt que par les tissages des collections royales.

A côté de ces emprunts raphaélesques est introduit, avec la même liberté confinant à l'archaïsme, un motif issu de Michel-Ange. La sainte et les deux enfants de droite viennent d'une des « tentures » de la voûte de la Chapelle Sixtine (Camesasca, 1967, nº 56 A). C'est là un des emprunts récurrents de la peinture française provinciale ; on le retrouve en Champagne à une date très voisine, 1541, dans un *Songe de Joseph* (Troyes, musée de Vauluisant; Laclotte, 1965, nº 335, repr.). On pourrait faire la même observation pour le vieillard accoudé, qui dérive sans conteste du *Saint Jérôme* de Dürer (Lisbonne) que parallèlement à Simon de Chalons, un artiste de Pézenas, Philippe Gauthard, a connu et copié (Montauban).

Le tableau de Simon de Chalons donne, à une date précise, l'articulation entre les influences germaniques et les sources italiennes. Le peintre semble avoir eu en commun avec les peintres romanistes des Pays-Bas, mais sans leurs qualités aiguës d'observation, une disposition à assembler les éléments de son tableau motif après motif. On retrouverait cette façon de faire, mais beaucoup mieux maîtrisée, dans une copie libre de la *Petite Sainte Famille* longtemps attribuée à Coeck d'Alost (coll. part. ; Marlier, 1966, p. 398, fig. 355). De même que peut s'établir un parallèle entre une *Sainte Famille* (France, v. 1550, fig. 50) de la cathédrale de Valence (Drôme) et une œuvre de Josse van Clève (loc. inconnue ; Friedlander, 1972, vol. IX a, pl. 135), toutes deux inspirées de la *Sainte Famille du chêne* de Raphaël (Madrid, Prado).

D.C.

Avignon, Musée Calvet

Stella (Jacques)

Lyon, 1596 - Paris, 1657

Fils d'un peintre d'origine flamande actif à Rome, puis à Lyon, il est probablement à Florence dès 1616. Il reste à Rome de 1623 à 1634, s'y lie d'amitié avec Poussin et se rend célèbre par ses tableaux « en petit ». Il devient ensuite à Paris le peintre de Richelieu et mène une brillante carrière, notamment dans le domaine des grands tableaux d'église. Son œuvre se réfère souvent aux modèles antiques ; elle emprunte, dans la même quête d'un art mesuré, d'une élégance épurée, à Raphaël : le Jugement de Pâris *de Hartford (fig. 160) est issu directement de la gravure du même sujet de Marcantonio Raimondi ; un dessin d'un* Massacre des Innocents *(fig. 145 ; Grande Bretagne, coll. part.) s'inspire des tapisseries de ce sujet de la Scuola Nuova. Le musée de Caen possédait une copie de l'*Ecole d'Athènes *attribuée à Stella (catal. musée, 1928, nº 164), malheureusement détruite durant la dernière guerre et pour lequel on ne possède pas de documents. Stella, collectionneur, possédait plusieurs dessins de Raphaël dont certains sont aujourd'hui au Louvre* : nul doute que la fréquentation de l'art du peintre italien qu'ils lui autorisaient ait fortement marqué son propre style.*

J.P.C.

221
Minerve chez les Muses

ill. 172

Toile
H. 1.16 ; L.1,62

Historique :
Collection de Louis XIV.
Inv. 7.969

Bibliographie :
Mirimonde, 1975, p. 77 ;
Catal. musée (Rosenberg, Reynaud, Compin, 1974, II, p. 218, fig. 778.

L'iconographie du tableau est précisée par A.P. de Mirimonde : le sujet, emprunté aux *Métamorphoses* d'Ovide (v. 250 et suiv.), est la visite rendue par Minerve aux Muses : la déesse vient sur l'Hélicon pour voir l'Hippocrène, fontaine sacrée des Muses dont Pégase fait jaillir l'eau d'un coup de sabot. Stella paraît se souvenir ici de la gravure du *Parnasse* de Marcantonio Raimondi, rendant hommage du même coup au tableau de même sujet de Poussin (nº 201). La figure de Minerve s'inspire, elle, délibérément de celle de l'Alexandre de la grisaille de la Chambre de la Signature montrant *Alexandre faisant placer les œuvres d'Homère dans le tombeau d'Achille* (De Vecchi, 1982, nº 85). J.P.C.

Paris, Musée du Louvre

222
La Sainte Famille

ill. 73

Historique :
Peut-être, comme nous l'indique G. Chomer, le tableau de l'inventaire de Claudine Bouzonnet-Stella (1963, nº 16) légué par elle à son cousin Claude Périchon (voir Guiffrey, *Nlles Arch. de l'Art Français*, 1877, p. 27) ; coll. Maury ; legs en 1893, Inv. 726.

Bibliographie :
Catal. musée (Rachou), 1920, nº 726 ;
Laclotte, 1958, nº 131 ;
Rosenberg, 1961, nº 122, repr. ;
Bergot, Provoyeur, Vilain, 1976, nº 26, repr.

Le groupement des figures organisé en pyramide, la mise en évidence du berceau au premier plan, font penser aux ultimes *Saintes Familles* de Raphaël : celles dites *au chêne* ou *La Perle* du Prado, plus encore la *Grande Sainte Famille** du Louvre, comparable pour le groupe de la mère et de l'Enfant. Rappelons que Stella possédait, très probablement, la célèbre étude du Louvre (Cabinet des Dessins, Inv. 3.862)* pour ce dernier tableau. Le chat dans la pénombre, à gauche, rappelle celui de la *Madonna della Gatta* de Giulio Romano (Naples).

Mais chez Stella, le ton est plus tendrement familial et enjoué et le peintre trouve des idées exquises et bonhommes, comme celles de l'ange cuisinant dans l'âtre et de Joseph faisant sécher le linge. Le berceau délicatement sculpté, la colonne visible par la porte ouverte, sont des références à l'antiquité classique qui manquent rarement dans l'œuvre de Stella. Le visage de la Vierge évoque plutôt Léonard et annonce, autres échos de ce dernier, certains types de Prud'hon. Le tableau paraît dater de la fin de la carrière de Stella. Le musée de Toulouse possède une autre *Sainte Famille* de Stella, dans un paysage, qui évoque aussi Raphaël. J.P.C.

Toulouse, Musée des Augustins

Testelin (Louis)

Paris, 1615 - id., *1655*

Elève de Vouet, ami et l'un des collaborateurs de Le Brun, il fut un des fondateurs de l'Académie Royale en 1648 en même temps que son frère Henri (1616-1695). Il peignit deux Mays *pour Notre-Dame (1652 et 1653); seul conservé, celui de 1652,* Saint Pierre ressuscitant Tabithe *(Musée d'Arras), témoigne d'un art voisin de celui de Le Brun, mais aux figures plus fines et froides, dans des couleurs claires, qui le montrent proche de Le Sueur. Il est difficile de dire si la copie « par Testelin » du* Grand Saint Michel* *« de la grandeur de l'original » qui se trouve cataloguée par Bailly en 1709-1710 dans la collection de Louis XIV (Engerand, 1899, p. 594 n° 362) était de Louis ou de son frère Henri (voir pour ce dernier section : Gravures).* J.P.C.

223
Esther devant Assuérus

Pierre noire sur papier jaunâtre
H. 0,36 ; L. 0,29
Inscription sur le montage, en bas, à la plume : *Lud Testelin*

Historique :
Coll. Mariette (Lugt, 1852) ; don Fabre, 1825,
Inv. 837 I. 255.

Bibliographie :
Rosenberg, 1971, p. 93, fig. 41.

ill. 297

Cette belle feuille révèle le style de dessinateur de Testelin, proche de celui de Le Brun mais avec des accents de la pierre noire plus vifs et tranchés, et des figures plus longues, parentes de celles de Le Sueur. Le groupement des personnages évoque des gravures comme le *Salomon et la Reine de Saba* (Bartsch illustré, 1978, vol. 26, p. 22, n° 13) ou le *Christ enseignant à l'entrée du temple* (*id.* p. 64, n° 45) où revient de façon voisine l'accoudoir du trône représenté sous la forme d'un lion ; mais on pense aussi bien à des compositions de Poussin comme la *Continence de Scipion* du Musée Pouchkine (vers 1643-1645). J.P.C.

Montpellier, Musée Fabre

Vernet (Horace)

Paris, 1789 - id., *1863*

Il est élève de son père Carle et se spécialise vite dans les scènes militaires qui lui valent le succès. Il dirige l'Académie de France à Rome (1829-1835), puis devient l'un des principaux exécutants des tableaux historiques à sujets napoléoniens ou contemporains commandés par Louis-Philippe pour le musée historique de Versailles.

On lui doit plusieurs des documents les plus importants de l'iconographie raphaélesque à l'époque romantique : son Jules II ordonnant les travaux du Vatican *(1827 ; fig. 168) décorant un plafond du Louvre (Salle B des Antiquités Egyptiennes) montre Bramante, Michel-Ange et Raphaël avec le pape ; Raphaël y tient un dessin achevé de l'*Attila. *Une lithographie de Vernet éditée à Rome (1833) montre l'*Ouverture du tombeau de Raphaël *cette année là, en présence de Thorvaldsen et du cardinal Zurla (fig. 182 ; voir G. Brunel, catal. exp.* Horace Vernet, *Paris, 1980, n° 56).* J.P.C.

224
Raphaël au Vatican

Toile
H. 3,92; L. 3,00
Signé et daté en bas à droite : *H. Vernet Rome 1832*

Historique :
Salon de 1833, n° 2.355 ;
collection de Louis-Philippe ;
INV. 8.365.

Bibliographie :
Landon *(Annales du Musée)*, 1833, p. 1 - 3, pl. I ;
Catal. musée (Sterling-Adhémar), 1961, IV, n° 1979, repr. ;
Haskell, 1971, p. 65, fig 8 p.61, n. 18-22 ;
Talbot, 1980, p. 146, fig. 13 ;
Georgel, 1982-1983, p. 70, n° 22 p. 81, fig. 91.

ill. 339

Raphaël, dans la cour de Saint Damase au Vatican, entouré d'élèves, dessine une paysanne et son enfant endormis, accompagnés de leur famille en pélerinage. A l'arrière plan, à gauche, Jules II, à qui Bramante montre le bâtiment des « Loges » en construction, demande silence et regarde travailler l'artiste. Sur la droite, Léonard de Vinci (à Rome entre 1513 et 1516), adresse un regard bienveillant à l'Urbinate. Au premier plan, sur la gauche, Michel-Ange passe et s'éloigne, portant sur un grand album une statuette d'écorché, une épée, une écritoire et des pinceaux. Il tient les clefs de la chapelle Sixtine, « dont il ne se désaisissait pas » (Landon, p. 2). Le livret du Salon de 1833 cite le passage du *Raphaël* de Quatremère de Quincy : « Michel-Ange rencontrant Raphaël dans le Vatican avec ses élèves, lui dit : vous marchez entouré d'une suite nombreuse, ainsi qu'un général. Et vous, répondit Raphaël au peintre du Jugement Dernier, vous allez seul comme le bourreau ». Raphaël se trouve pris, sur une même diagonale, entre le regard protecteur de Léonard et celui furibond de Michel-Ange.

Vernet allie ici, dans une inspiration doublement « romaine », deux thèmes chers aux peintres contemporains, celui des paysans italiens à la Schnetz ou à la Léopold Robert et celui des épisodes des vies d'artistes du passé. Le visage de Raphaël parait dériver de celui du *Violoniste* de Sebastiano del Piombo (Paris, coll. part.), alors considéré comme un autoportrait de Raphaël. Une esquisse du tableau, en largeur (H. 0,455 ; L. 0,615 ; coll. part. française jusqu'en 1959), montrait Michel-Ange s'éloignant vers le fond, là ou Vernet représenta finalement le pape (voir à ce sujet Haskell, n. 22).

On sait que Vernet désapprouvait l'entreprise de Thiers de faire copier les fresques de Raphaël dans un but d'enseignement (Dayot, 1898, pp. 134-136), et il n'est pas impossible que le peintre, qui insiste ici sur l'adulation courtisane dont est entouré le jeune peintre, prenne ici le « parti » du solitaire Michel-Ange (Haskell). J.P.C.

Paris, Musée du Louvre

Vigée-Le Brun (Elisabeth)

Paris, 1755 - id.*, 1842*

Epouse de J.B. Le Brun, célèbre marchand de tableaux, elle devint rapidement la portraitiste adulée de la reine Marie-Antoinette et de l'aristocratie. Emigrée à la Révolution, elle continua sa brillante carrière en Italie, à Vienne, en Russie. Elle rentra en France en 1802 mais continua ses voyages (Angleterre, Hollande, Suisse).

Sa présence dans cette exposition surprendra. Elle n'aurait pourtant pas étonné ses contemporains. L'admiration qu'elle éprouve pour Raphaël apparaît à maintes reprises dans ses Souvenirs *(1835 ; I, pp. 19-20-53 ; II pp. 27-28,244-246). Elle dit même avoir fait en 1792 à Florence une copie du* Portrait de Raphaël *(« avec amour, comme disent les Italiens et qui, depuis, n'a jamais quitté mon atelier »* id. *II, p. 153) probablement le tableau, dit aujourd'hui* Bindo Altoviti *(Washington) alors au Palais Altoviti et considéré comme un autoportrait ; Denon, dans sa gravure de l'*Autoportrait *de Vigée-Le Brun des Offices, substitue au portrait qu'elle est en train de peindre celui d'Altoviti, signifiant clairement l'admiration du peintre pour Raphaël, et éliminant du même coup une Marie-Antoinette dont elle n'aurait plus la clientèle. Joseph Baillio a récemment rappelé, à propos du* Portrait de Marie-Antoinette et de ses enfants *(1787, Versailles) que selon Miette de Villars, David lui-même aurait conseillé à Vigée-Le Brun de s'inspirer d'une gravure d'après une* Sainte Famille *de Raphaël, peut-être la* Madonna della Gatta *de Giulio Romano (Naples) ou la* Sainte Famille *dite* La Perle *(Prado ; 1981, pp. 52-54, n° 4, p. 90). Trois études très appliquées d'après des figures de la* Transfiguration *attribuées à l'artiste sont encore conservées chez ses héritiers (deux exposées en 1934,* Les artistes français en Italie de Poussin à Renoir, *musée des Arts décoratifs, n°s 699-700).* J.P.C.

225
Madame Vigée-Le Brun et sa fille

ill. 52

Bois
H. 1,30 ; L. 0,94

Historique :
Peint pour le comte d'Angiviller ; saisie révolutionnaire dans sa collection ;
INV. 3.068.

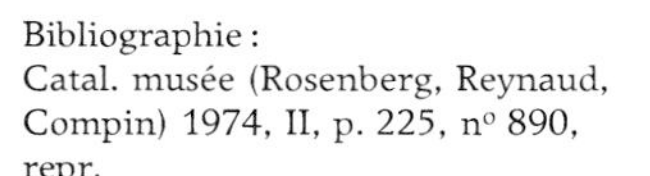

Bibliographie :
Catal. musée (Rosenberg, Reynaud, Compin) 1974, II, p. 225, n° 890, repr.

Le comte Stanislas Potocki, commentant le Salon de 1787, louait le *Portrait de Madame Vigée Le Brun avec sa fille* (1788, aujourd'hui aussi au Louvre) en affirmant : « il tient beaucoup pour la composition de la fameuse Madonne de la Sedia » (*Lettre d'un étranger sur le Salon de 1787,* anonyme, p. 178). L'analogie paraît encore plus pertinente pour ce qui concerne ce tableau « à la grecque » peint, deux ans plus tard pense-t-on, pour d'Angiviller (deux visages rapprochés, courbe enveloppante du bras de la mère). Peut-être l'illustre portraitiste avait-elle médité le compliment et souhaité pousser plus avant le parallèle. J.P.C.

Vincent (François-André)

Paris, 1746 - id.*, 1816*

Élève de Vien, il obtint le Grand Prix de Rome en 1768, et séjourna dans cette ville de 1771 à 1775. Il fut un des initiateurs du mouvement néo-classique, et l'un des premiers peintres français à traiter des sujets d'Histoire de France. Vite supplanté par David, il eut un rôle important de professeur. Sa peinture probe et savante s'abreuve aux bonnes sources : citons le Socrate et Alcibiade *(1777, Montpellier) dont l'Alcibiade semble inspiré de l'Alexandre d'une grisaille de la Chambre de la Signature (De Vecchi, 1982, n° 85 M), et la tardive* Bataille des Pyramides *(versions à Versailles, Grosbois et coll. part.) qui évoque, à travers le* Passage du Granique *de Le Brun, la* Bataille de Constantin *du Vatican. Il est l'auteur, avec Guyton de Morveau, Taunay et Bertholet, d'un rapport à l'Institut sur la restauration de la* Vierge de Foligno *(1802), au moment où celle-ci, à Paris, fut transposée sur toile (v. Passavant, 1860, II, pp. 622-629).*

J.P.C.

226
Deux têtes de femmes
D'après l'Héliodore chassé du Temple

ill. 185

Sanguine
H. 0,357 ; L. 0,482
Signé à la plume, en bas à gauche :
Vincent d'après Raphaël.

Historique :
Coll. Deglatigny (Lugt. 1768 a) ;
coll. particulière.

Ce bel exemple de dessin scolaire, volontairement froid mais d'une indication énergique et appuyée mettant solidement les volumes en place, se situe dans la tradition des études des pensionnaires de l'Académie de France faites d'après les fresques du Vatican ou de la Farnésine. La feuille, difficile à dater, paraît être une étude assez tardive (vers 1790-1800 ?), peut-être destinée à servir de modèle aux élèves de Vincent, plutôt qu'un travail de jeunesse. Le motif inversé oblige à supposer l'utilisation d'un modèle gravé et semble interdire en tout cas de reconnaître un dessin fait à Rome. J.P.C.

Paris, collection particulière

Viollet-Le-Duc (Emmanuel)

Paris, 1814 — Lausanne, 1879

Tout jeune, il voyage en France, dessinant constamment. En 1836-1837, il visite l'Italie, et reste six mois à Rome. Il exécute pendant ce voyage un grand nombre de relevés d'architecture et de reconstitutions d'après des monuments antiques, médiévaux et de la Renaissance, dans des techniques très variées, où dominent l'aquarelle ou le lavis qu'il manie en virtuose. Cet ensemble de dessins a fait l'objet d'une exposition à l'École des Beaux-Arts en 1980. J.P.C.

227
Une travée des Loges du Vatican

ill. 241

Aquarelle et gouache sur traits de mine de plomb
H. 1,690 ; L. 0,888
Signé en bas à droite :
E. Viollet-Le-Duc.
A gauche : *1839.* En haut :
Une travée des Loges de Raphaël au Vatican.

Historique :
Salon de 1840, n° 1767 ; Paris,
Caisse des Monuments historiques.

Bibliographie :
Viollet-le-Duc et Aillagon, 1980,
n° 176, repr.

Dès son arrivée à Rome, Viollet-Le-Duc va voir au Vatican les fresques de Raphaël : « La puissance du génie de cet homme est quelque chose de surnaturel !... La vue de ces chefs-d'œuvre me rend mécontent de moi-même et me casse bras et jambes » (cité par G. Viollet-Le-Duc, 1980, p. 17). Il exécute des copies à l'aquarelle scrupuleuses et patientes, notamment d'après la voûte de la Chambre de la Signature (décembre 1836 ; Viollet-Le-Duc et Aillagon, 1980, n° 182). Ingres lui-même, que Viollet-Le-Duc rencontra à la Villa Médicis, encouragea le jeune architecte à travailler dans les Loges ; il fit plusieurs aquarelles d'après les décors de végétaux, d'animaux et de grotesques (*id.*, n°s 178-181), retrouvant sur les échafaudages Raymond Balze alors occupé à copier avec son frère les compositions de la « Bible de Raphaël » (*id.*, n° 176 ; voir n° 6). Fascinante dans sa virtuosité, la grande aquarelle exposée plus tard à Paris constitue une sorte de bilan de ces études ; elle montre l'élévation de la quatrième Loge (mur en face des baies) ; la *Fuite de Loth*, composition de la voûte, visible ici à la partie supérieure, avait été copiée isolément par Viollet-Le-Duc à Rome (*id.*, n° 177). J.P.C.

Paris, Centre de Recherches sur les Monuments historiques

Voltigeant (Josse)

connu de 1593 à 1617

Premier connu d'une dynastie de peintres flamands qu'on suit jusqu'à la fin des années 1680 à Fontainebleau comme « peintres et concierges des Héronnières du parc du roi ». Documenté dans les registres de l'église d'Avon en 1593 pour la naissance de son fils Henri, on perd sa trace après 1617, date du mariage de sa fille. Une Descente de croix *signée* Voltigen, *aujourd'hui à Fontainebleau (Musée du Château) est sa seule œuvre sûre. Elle ne suffit pas pour replacer sans équivoque son auteur dans l'importante colonie d'artistes flamands à laquelle l'École de Fontainebleau doit d'avoir connu sous Henri IV un second souffle.* D.C.

228
Sainte Marguerite
D'après le tableau du Louvre*

ill. 120

Toile
H. 2,16 ; L. 1,61

Historique :
Château de Fontainebleau,
Appartement des Bains sous
Henri IV ; Cabinet des Empereurs
(dit aussi de la Reine) sous
Louis XIV ; encore signalé dans ce
lieu en 1731 (Guilbert, I, p. 153) ;
déposé en 1835 dans la chapelle de
Trianon ; puis à Fontainebleau ;
replacé à Trianon en 1966.
Inv. MV. 4.636.

Bibliographie :
Soulié, 1852, p. 28 ;
Dimier, 1909, pp. 50-52 ;
Dimier, 1924, p. 24 ;
Dimier, 1925, *Histoire de la peinture française*, p. 81 ;
Béguin, 1972, p. 205 ;
Constans, 1980, p. 134, nº 4 636.

Copie de la *Sainte Marguerite* de Raphaël (Louvre)*. Elle fait partie d'une série peinte sous Henri IV destinée à remplacer les œuvres originales de la collection du roi qui avaient été placées sous François Ier dans l'Appartement des Bains, dans un décor de peinture et de stuc dû à Primatice et ses élèves (Dimier, 1900, pp. 279-284 ; Lauriol, 1972, p. 479). Le cavalier Del Pozzo en 1625 (Muntz et Molinier, 1885, p. 270) documente cette substitution justifiée par la dégradation des originaux sous l'effet de l'humidité. Quant à Guilbert (1731, I, p. 153) qui n'a pas vu ces copies dans l'Appartement des Bains, détruit sous Louis XIV, mais dans le Cabinet des Empereurs, il les décrit et en donne les auteurs : celles de la *Joconde* de Léonard de Vinci et d'une *Madeleine* de Titien sont dues à A. Dubois ; celle de la *Vierge au rocher* de Léonard, de la *Grande Sainte Famille** de Raphaël, de la *Sainte Élisabeth* et de la *Charité* d'Andrea del Sarto à Michelin ; de la *Visitation* de Sebastiano del Piombo et de la *Sainte Marguerite** de Raphaël à J. Voltigeant. On doit à Dimier (1909) d'avoir identifié à Fontainebleau l'œuvre de Michelin d'après Raphaël et à Trianon celle d'après Léonard, ainsi que la copie de Voltigeant de la *Sainte Marguerite*. Dans cette dernière la part d'interprétation de Voltigeant qui se cantonne à une légère simplification du fond et à une traduction plus trappue des proportions a certainement été limitée par sa destination. Sa raison d'être venait de la volonté de conserver la mémoire du goût de François Ier. La copie présente aujourd'hui des agrandissements en haut et en bas qui sont postérieurs.
D.C.

Versailles, Musée National du Château

Vouet (Simon)

Paris, 1590 - id., 1649

Pendant son long séjour en Italie (1614-1627), il est l'adepte de la « manière noire » de Caravage, mais se signale vite par un éclectisme qui lui fait étudier la peinture de Venise et de Gênes, villes où il séjourne. Vouet, attaché à une peinture véhémente, de sève naturaliste, puis, à Paris, brillamment et allègrement décorative, a peu à demander à l'art de Raphaël. On peut pourtant trouver dans la composition de sa Sainte Famille *du Prado (v. 1625?, fig. 13), malgré les figures pesantes et l'accent réaliste, une organisation voisine de celle de la* Sainte Famille Canigiani *(Munich). Et certaines peintures parisiennes parmi les plus nobles et mesurées (*Parnasse *de Budapest ; figures allégoriques comme* La Richesse *ou* La Foi *du Louvre,* La Paix *de Chatsworth ; Crelly, 1962, nos 17, 111 A et B, 20) appellent la comparaison avec les fresques de la Chambre de la Signature ou de la Chambre de Constantin. Notons aussi les décors de grotesques peints pour Anne d'Autriche au Palais-Royal et à Fontainebleau (Crelly, 1962, nº 250, fig. 161-163) lointainement issus des exemples raphaélesques au Vatican.*
J.P.C.

229
Saint Pierre délivré par l'ange

ill. 190

Sanguine et lavis de brun
H. 0,206 ; L. 0,195

Historique :
Coll. C. P. de Robien ; saisi d'émigrés. Inv. 794.1.2579.

Bibliographie :
Crelly, 1962, fig. 143 ;
Laclotte, 1958, nº 257 ;
Bergot, 1972, p. 60, nº 79, pl. XX ;
Brejon de Lavergnée, 1982, nº 487.

Ce dessin doit être mis en relation avec la composition de même sujet, perdue, peinte par Vouet pour le chancelier Séguier et gravée par M. Dorigny en 1638 (Crelly, fig. 142). On peut penser que pour une commande aussi importante Vouet a souhaité rivaliser avec la composition de même sujet peinte par Raphaël dans la Chambre d'Héliodore.
J.P.C.

Rennes, Musée des Beaux-Arts

Wicar (Jean-Baptiste)

Lille, 1762 — Rome, 1834

Élève de David, il accompagne celui-ci à Rome en 1784-1785. A Florence, Wicar conçoit le projet d'exécuter des dessins, destinés à être gravés, reproduisant les sculptures et les peintures des galeries de la ville ; 400 seront édités à Paris sous le nom de Galerie de Florence *(1806). De retour à Paris, en 1793, il est nommé conservateur de la section des Antiques au Museum (le Louvre). En 1795, il regagne l'Italie, et sera en 1797 membre de la Commission chargée de choisir les objets d'Italie destinés à figurer au Museum de Paris (Beaucamp, 1939, I, pp. 217-235 ; voir notamment, pour Raphaël, pp. 232-233, 236 n. 2, 246-249, 253, 264, 314, 316). Il se fixe à Rome en 1800, où il enseigne à l'Académie de Saint-Luc, puis, de 1806 à 1809, dirige l'Académie de Naples. De retour à Rome, il ne quittera plus la ville.*

Des éléments raphaélesques interviennent souvent dans les œuvres de Wicar ; nous ne connaissons pas le portrait de Pauline Borghèse « en Sybille de Raphaël » *(coll. Herbet, Nice ; Beaucamp, 1939, II, nº 48, p. 636). Une* Tête d'enfant *dessinée, à l'Accademia de Pérouse, rejoint le caractère robuste et gracieux des putti de Raphaël (fig. 135 ; Vera Cristi, 1977, nº 79).*

Wicar fut un des plus grands collectionneurs de dessins italiens de son époque : sa première collection, qu'il dut abandonner à Florence en 1799, passa à Th. Lawrence. Wicar vendit en 1823 sa seconde collection, beaucoup plus importante, à Woodburn, le marchand anglais, qui la vendit à Lawrence : les plus beaux dessins de Raphaël et de Michel-Ange de cet ensemble passèrent en 1845 à l'Ashmolean Museum d'Oxford. Le peintre lillois réunit une troisième collection, rachetant certains des dessins qu'il possédait antérieurement, et légua cet ensemble à la Société des Sciences,

Lettres et Arts de Lille qui devait, en 1864, en céder l'usufruit à la ville : cet ensemble comprend une trentaine des plus beaux dessins de Raphaël ; la* Tête de cire, *longtemps fameuse, attribuée à Raphaël et considérée comme un des joyaux de la collection, a connu le même sort. Beaucoup d'œuvres d'art passèrent par les mains de Wicar, expert et dont le fanatisme de collectionneur paraît l'avoir entraîné à quelques approximations. Il posséda le* Putto *peint à fresque longtemps attribué à Raphaël, qu'il légua à l'Académie de Saint-Luc (De Vecchi, 1982, n° 94), dont il y a tout lieu de croire qu'il est un faux, exécuté par lui-même, d'après la fresque de S. Agostino (Salerno, 1960, pp. 89-93, fig. 11).* J.P.C.

230
Trois hommes debout
D'après un détail de la Présentation au Temple du Vatican

ill. 84

Mine de plomb
H. 0,100 ; L. 0,077.

Historique :
Legs Wicar, 1834. Pl. 1739.

Bibliographie :
Catal. musée (Pluchart), 1889, n° 1739 ;
Beaucamp, 1939, II, p. 659, n° 14.

Étude, d'une jolie manière cursive et alerte, d'après les figures de l'extrême droite de la *Présentation au Temple*, élément de la prédelle du *Retable Oddi* du Vatican (De Vecchi, 1982, n° 24 B). Le musée de Lille possède aussi un dessin de Wicar d'après la *Sainte Famille* d'Alfani (Pérouse), elle-même exécutée d'après un dessin de Raphaël* que Wicar avait dans sa collection. J.P.C.

Lille, Musée des Beaux-Arts

231
Le mariage de la Vierge

ill. 86

Pierre noire, estompe, plume
H. 0,58 ; L.0,36.

Historique ;
Legs Wicar, 1834. Pl. 1856.

Bibliographie
Catal. musée (Pluchart), 1889, n° 1856 ;
Beaucamp, 1939, II, n° 130, p. 663 ;
Vera Cristi, 1977, sous le n° 81.

Un des dessins préparatoires pour le *Mariage de la Vierge* du duomo de Pérouse. Celui-ci, terminé en 1825, fut commandé par Filippo degli Oddi en 1822 pour remplacer le *Mariage de la Vierge* de Pérugin, emporté en 1797 par les occupants français (rappelons que Wicar faisait partie de la Commission chargée du choix des objets d'art à transporter en France ; v. Beaucamp, 1939, I, p. 247) et aujourd'hui au musée de Caen. Le tableau fut très critiqué à Pérouse, où le commissaire Wicar n'avait pas laissé que de bons souvenirs : on lui reprocha le caractère profane des jeunes filles de gauche, la représentation agenouillée, et non debout, des époux, et plusieurs anachronismes (Beaucamp, 1939, II, pp. 528-529).

Le sujet, les proportions et la forme de l'œuvre obligent à mettre la peinture en relation avec le *Sposalizio* de Pérugin qu'elle devait remplacer, et avec le tableau de Raphaël de même sujet, à la Brera ; mais Maria Vera Cristi (1977) indique justement que Wicar, malgré ces exemples illustres, cherche à s'en éloigner et que les deux figures agenouillées dérivent plutôt du *Mariage* de Poussin, de la série des *Sacrements* dal Pozzo (Belvoir Castle, coll. duc de Rutland).

L'Accademia de Pérouse possède le grand carton pour le tableau et plusieurs dessins préparatoires (Vera Cristi, 1977, n°s 81, 82) ; un autre dessin d'ensemble se trouve à Lille (Pl. 1857) ; trois dessins de détail se trouvent dans un album de dessins de Wicar d'une coll. part. parisienne (fol. 51, 52, 53), un autre dans une autre coll. part. parisienne. J.P.C.

Lille, Musée des Beaux-Arts

Wleughels (Nicolas)

Paris, 1668 — Rome, 1757

Élève de Mignard, il obtint le Grand Prix en 1703, mais dut se rendre à ses frais en Italie, à Rome (1703-1707), puis à Venise et en Italie du Nord (1707-1713). De retour à Paris, il fréquente Watteau et le milieu de Crozat. Nommé directeur de l'Académie de France à Rome à partir de 1725, il se consacra alors à ses élèves. On sait qu'en arrivant à Rome, en 1724, Wleughels souhaita l'installation de l'Académie à la Villa Farnésine, où les pensionnaires auraient pu facilement copier les fresques de Raphaël ; mais les tractations n'aboutirent pas et l'installation se fit au « Palais de Nevers » (Palais Mancini), sur le Corso.

Les petits tableaux élégants et raffinés de Wleughels s'inspirent surtout des Flamands et de Véronèse. Une gravure prise par M.A. Slodtz d'après un dessin de Wleughels illustre le frontispice de la traduction, par Wleughels lui-même du Dialogo della Pittura *de Dolce (1732-1735) ; elle montre* Michel-Ange et Vasari, dans l'atelier de Titien, *conversant sous le buste de Raphaël (fig. 193 ; Hercenberg, 1975, n° 336, fig. 186).* J.P.C.

232
Écuyer vu de dos, appuyé sur un bâton

ill. 83

Plume, papier calque
H. 0,195 ; L. 0,097.

Historique :
Atelier de Wleughels ; coll. Orsay (Lugt 2239). Inv. 4.102.

Bibliographie :
Méjanès, 1983, p. 180 (Ors. 789).

233
Écuyer vu de dos, appuyé sur une pique

ill. 82

Plume, papier calque
H. 0,211 ; L. 0,077.

Historique :
Cf. précédent. Inv. 4.103.

Bibliographie :
Cf. précédent (Ors. 790).

Ces deux petits dessins font partie d'un important ensemble de dessins venant de l'atelier de Wleughels, copies d'après l'antique, d'après des sculptures ou d'après des dessins italiens (Méjanès, 1983, p. 83, pp. 179-181) et passés dans la collection du comte d'Orsay. Un autre dessin de même provenance et de même technique (Inv. 4.183) copie une célèbre étude de Raphaël, au Städel Institut de Francfort (Fischel, t. VI, n° 269), pour la *Dispute du Saint Sacrement* (Méjanès, 1983, n° 74 [Ors. 791]). Les dessins exposés ici copient deux figures de la partie gauche de l'*Adoration des Mages*, dessin du National Museum de Stockholm (Fischel, t. I, n° 29) qui se trouvait dans la collection Crozat et qui prépare une des compositions de la prédelle du *Retable Oddi* (Vatican). Il s'agit certainement d'une des premières marques d'intérêt portée par un artiste au Raphaël de l'époque ombrienne : les dessins doivent être datés entre 1714 et 1725, au moment où Wleughels est à Paris et, introduit dans le milieu de Crozat, copie plusieurs dessins de la collection de celui-ci. J.P.C.

Paris, Musée du Louvre, Cabinet des Dessins

Ziegler (Jules)

Langres, 1804 — Paris, 1856

Il fut l'élève de Heim puis d'Ingres. Son Giotto dans l'atelier de Cimabue *(Bordeaux) connut le succès au Salon de 1833. La commande de la décoration peinte du cul-de-four de la Madeleine à Paris (1835-1838) reste son œuvre la plus importante, et caractérise bien une manière volontairement durcie par de forts contrastes lumineux ; il s'intéressa à la céramique et à la photographie, alors naissante, et fut à la fin de sa vie conservateur du musée de Dijon.* *J.P.C.*

234
L'Imagination

ill. 399

Toile
H. 1,29 ; L 0,96
Monogrammé, en bas à droite : *J.Z.*
Sur le globe, vers le bas :
L'imagination est la reine du monde.

Historique :
Don de l'artiste, 1842. Inv. 842.1.

Bibliographie :
Catal. musée (May), 1983, n° 236.

Cette figure est une étude pour le personnage de Jeanne d'Arc qui figure à l'extrême-droite de la peinture du cul-de-four de l'église de la Madeleine, à Paris (1835-1838), que Théophile Gautier vantait comme « en même temps le plus beau et le plus vaste morceau de peinture religieuse que nous possédions » (*La Presse,* 29 juillet 1838). La toile de Langres paraît avoir été réutilisée et complétée pour devenir cette impressionnante allégorie de l'imagination créatrice, couronnée de lauriers, appuyée sur un grand dessin où figurent, indiqués au trait, les visages de Dante, de Michel-Ange et de Raphaël, ce dernier inspiré de l'*Autoportrait* des Offices. J.P.C.

Langres, Musées

France, XVIe siècle

235
La Vierge et l'Enfant
D'après le tableau d'Edimbourg

ill. 29

Bois
H. 0,81 ; L. 0,55.

Historique :
Classé monument historique, 1918.

Bibliographie :
Catal. exp. *Canton de Nolay. Architecture et œuvre d'art.* Nolay, Côte-d'Or, juillet.août 1981 (avec la bibliographie antérieure).

Vierge à l'Enfant, copiée de la *Madone Bridgewater* de Raphaël (De Vecchi, 1982, n° 73). Les dimensions en sont conformes à celles de l'original et le matériau de son support, un bois, était aussi celui du tableau de Raphaël avant sa transposition par Hacquin (Passavant, 1860, II, p. 119). Une importante variante à l'arrière-plan, la percée de paysage, doit être comprise comme une liberté prise avec le tableau d'Edimbourg, mais qui renchérit sur le motif d'ouverture qui y apparaissait déjà. C'est la facture et la topographie de ce paysage qui ont suggéré l'hypothèse d'un maître flamand pour ce tableau. Si la parenté avec les Flandres est indéniable, la localisation actuelle et le fait qu'on connaisse une réplique de l'œuvre, dans l'église paroissiale de Drée (Côte-d'Or) invitent à reposer la question d'une origine locale.

Si aucun des tableaux bourguignons où apparaissent des emprunts à Raphaël ne s'apparente étroitement à la Vierge de Nolay, beaucoup ont passé comme elle pour des œuvres septentrionales. C'est le cas notamment d'une copie libre (v. 1530-1540?) de la *Madone d'Orléans* (musée de Dijon, fig. 2), interprétée dans le sens d'une plasticité vigoureuse qui lui donne une saveur archaïque. On citera aussi la *Déploration sur le Christ mort* (1527, fig. 155; Laclotte, 1967, p. 83, fig. 4) de Châtillon-sur-Chalaronne qui utilise une estampe d'Enea Vico d'après Raphaël (Bartsch, XV, p. 160, n° 8) et l'*Adoration des Bergers* (1548) de l'église de Pralon qui traduit dans un style osseux et contourné une *Adoration de l'Enfant* dessinée par Raphaël (Oxford, Ashmolean Museum; Parker, 1972, n° 564) et reprise pour la tapisserie par Vincidor (Louvre, Cabinet des Dessins, Inv. 4.269; Goguel et Viatte, 1980, n° 63).

A l'encontre des œuvres imitées de l'estampe ou de la tapisserie (c'est-à-dire multipliées et diffusées), et comme pour la copie de la *Vierge d'Orléans* mentionnée plus haut, la question du modèle regardé se pose de façon d'autant plus pressante que l'on ignore où se trouvait le tableau de Raphaël au XVIe siècle. La *Vierge* de Nolay, sa réplique de Drée, la copie fragmentaire par Étienne Martellange, datée de 1577 et conservée à Aix-en-Provence (Boyer, 1971-1972, pp. 15-16), une copie française du XVIe siècle que nous signale S. Béguin (Paris, coll. particulière) et une autre, sur fond de paysage, elle aussi supposée française du XVIe siècle (Passavant, II, p. 120; Francfort, Institut Städel) invitent à rechercher en France la présence de l'original avant même sa première mention présumée chez Henri Hurault (Brigstocke, 1978, p. III). La présence dans l'église de Fraissine (Tarn) d'une copie légèrement postérieure à celle de Nolay (Rocques, 1981, p. 315, repr.) vient renforcer cette hypothèse. D.C.

Nolay, maison de retraite

Anonyme, 3e quart du XVIe siècle

236
Statuts de l'ordre de Saint Michel Saint Michel terrassant le démon

D'après le tableau du Louvre*

ill. 110

Miniature sur vélin.
H. 0,225; L. 0,162
Deux peintures en pleine page, la seconde au f° 11 représentant le chapitre de l'ordre présidé par Henri II.

Historique:
Exemplaire des Statuts de l'Ordre du Cardinal Charles de Lorraine, chancelier de l'ordre de Saint Michel depuis 1547, devise *Te Stante virebo* sur la reliure; coll. Clairambault, XVIIe siècle; acquis par la Bibliothèque du Roi en 1775; sorti des collections nationales sans doute en 1792; coll. Maître Ducastel, XIXe siècle; légué par celui-ci à la Bibliothèque Municipale de Saint-Germain-en-Laye. Ms. 4 (E 374).

Bibliographie:
Catal. général des ms. des bibl. publ. de France 1888, IX, p. 200, n° 4;
Durrieu, 1911, p. 7, pl. IX, XI, avec bibliographie antérieure;
Durrieu, 1911, IV, 2, p. 768;
Blum et Lauer, 1930, p. 51 - ;
Béguin, 1965, pp. 280-282, n° 343, repr.;
Béguin, 1969, p. 150, fig.6;
Bozo, 1972, p. 244, n° 278 repr.;
Cox-Raerick, 1972, p.34, n° 35.

L'un des plus précieux exemplaires des statuts de l'ordre de Saint Michel que l'on conserve pour le XVIe siècle. A bon droit, Durrieu le suppose peint de 1549 à 1551 et l'attribue à un atelier « qui comptait plusieurs collaborateurs de valeur inégale, mais parmi eux un maître, au moins, d'un talent exceptionnel » (1911, IV, 2, pp. 767-768), et dont sortiraient aussi, attribués par Didot (1872, p. 50), les *Heures dites de Dinteville* (Paris, B.N. Ms. Lat. 10.558) et le *Psautier de Claude Gouffier* (Paris, Bibliothèque de l'Arsenal, Frs. 5.095), puis par Delisle (1900, p.16) et Martin (1904, p. 66), le *Livre d'Heures d'Henri II* (Amiens, Fonds l'Escalopier), les *Heures d'Henri II* (Paris, B.N., Ms. lat. 1429), et les *Heures de Montmorency* (Chantilly, Musée Condé, Ms. 1943), enfin par Blum et Lauer (1930, p. 51), le *Recueil des Rois de France* (Paris, B.N., Ms. Frs. 2848). A ce groupe désigné sous le nom de convention de « Maître des Heures d'Henri II » adopté par Delisle, dont Bozo (1972, p. 242) a montré la relative hétérogénéité, appartiendrait encore selon Durrieu (1911, p. 768) une réplique des *Statuts de l'ordre de Saint Michel*, peut-être exécutée pour Edouard VI d'Angleterre (anc. coll. George Holford).

La cohérence apparente du groupe tient beaucoup à la parenté de style dans les motifs d'encadrements qui sont souvent comme ici de grands cartouches, typiquement bellifontains et même « rossesques », où les motifs ornementaux sont des hybrides de « cuirs » enroulés et de têtes d'animaux sur lesquels se greffent des mascarons très expressifs et des guirlandes de fruits. Le *Grand Saint Michel** de Raphaël, dont nous avons ici la plus ancienne copie peinte en France qui soit à la fois documentée et conservée, est interprété d'une manière fine et bouclée qui amenuise sa puissance dramatique. Une envolée de draperie entre l'aile et le bras droit du saint a été rajoutée par le miniaturiste pour accroître la densité décorative du motif en même temps que pour rétablir l'équilibre de la figure dont le style gracile et délié compromettait l'envergure spatiale. La part d'interprétation la plus large se trouve dans le paysage où le miniaturiste a introduit la silhouette bien reconnaissable du Mont Saint Michel.

Durant la même décennie, on retrouve un souvenir indirect du *Saint Michel* de Raphaël, en Italie même, dans une miniature de Vincent Raymond (Français à Rome entre 1535 et 1549) dans un médaillon suspendu à la haste supérieure d'un T au fol. 200 (v°. col. 2) du *Psautier de Paul III* (repr. pl. XVII, in Dorez, 1909). D.C.

Saint-Germain-en-Laye, Bibliothèque Municipale

Anonyme, 2e quart du XVIe siècle

237
Chants royaux
La Vierge et l'Enfant dans un jardin

ill. 308

Miniature sur vélin
H. 0,419 ; L. 0,305
Fol. 1 du Ms. français 379 de la Bibliothèque nationale : soixante peintures illustrant les palinods de Rouen, suivies d'un poème, *La Chasse au cerf privé,* illustré de neuf peintures.

Bibliographie :
Picot, 1913, p. LXXIV ;
Blum et Lauer, 1930, p. 89, pl. 69 ;
Lafond, 1933-1934, repr. ;
Lafond, 1958, p. 20, nº 24 ;
Béguin, 1965, pp. 280-281, nº 343, repr. ;
Bozo, 1972, p. 237, nº 271.

Exemplaire de grande qualité d'un recueil de *Chants royaux,* ballades, rondeaux, de J. Marot, Jacques Le Lyeur... composés dans le cadre de concours de poésie de la confrérie religieuse de l'Immaculée Conception à Rouen. Jacques le Lyeur, dont le nom est inscrit au bas de la miniature, était l'un des échevins de la ville, et le prince du « Puy de l'Immaculée Conception » pour lequel fut exécuté vers 1520 un autre recueil de poésies palinodiques (Hébert, 1980-81, nº 88 ; Bibliothèque Municipale de Rouen, 1064 [y 226 a]). Il est peut-être aussi le destinataire du manuscrit exposé ici. Blum et Lauer ont à juste titre remarqué que la Vierge est « directement inspirée des modèles italiens » ; il s'agit d'une copie, à peine interprétée dans sa disposition générale, de la *Vierge dans les nuages,* gravée par Marcantonio Raimondi d'après Raphaël (Gardey, 1978, nº 9)*. Les Vertus de l'arrière-plan, bien qu'elles rappellent certaines des figures des gravures de l'*Histoire de Psyché,* du Maître au dé d'après Raphaël (Bartsch illustré, 1982, vol.29, pp. 195-227, nºs 39 à 71), doivent davantage par leur dessin gracile et leur contraposto accusé un peu systématique, au style bellifontain de Rosso (Bozo). Il serait intéressant de rechercher méthodiquement les miniatures françaises du seizième siècle qui s'inspirent de gravures raphaélesques. Signalons seulement ici que la miniature représentant *François 1er en déité composite,* attribuée à Nicolas Belin (Paris, Bibliothèque Nationale, Cabinet des Estampes ; repr. in Béguin, 1972, nº 27), sans doute contemporaine des *Chants royaux,* interprète la *Pallas* gravée par Marcantonio Raimondi (Bartsch illustré, 1978, vol. 27, p. 32, nº 337), et que les estampes de l'*Histoire de Psyché* du Maître au dé ont également connu une descendance dans la peinture des livres (voir Denieul-Cormier, 1962, p. 290, fig. 2).

A l'attribution à Jean Perréal de la direction de l'illustration des *Chants royaux* (Picot, Blum et Lauer), dont on admet cependant l'influence sur certaines miniatures (Béguin, 1965), on préfère aujourd'hui l'hypothèse de J. Lafond (1933, 1958), soutenue aussi par S. Béguin (1965), d'une production de l'école rouennaise de miniatures, vers 1543-44, dans l'entourage de Geoffroy Dumonstier (mort en 1573), dont on pense connaître le style de miniaturiste par l'illustration du *Cartulaire de l'Hospice Général* (Rouen, Archives départementales ; Bozo, 1972, nº 270, repr.). Selon Bozo, on ne peut écarter, à cause de l'archaïsme de l'encadrement par rapport à la peinture elle-même, une exécution en deux temps de cette page des Chants royaux. D.C.

Paris, Bibliothèque Nationale, Cabinet des Manuscrits

Anonymes, XVIIe siècle

238-239
L'assemblée des dieux
Le banquet des dieux
D'après les fresques de la loggia de la Farnésine

ill. 230

ill. 231

Toiles
H. 0,62 ; L. 1,58

Historique :
Vente comte de Torcy, 23 mars 1857, nºs 1 et 2 ; acquis par le musée.

Bibliographie :
Catal. musée, 1876, nºs 241 et 242 ;
Rosenberg, 1961, nºs 143 et 144.

Ces deux belles copies des deux compositions qui décorent le plafond de la loggia de la Farnésine (De Vecchi, 1982, nº 130) paraissent sans rapport avec Maratta à qui elles étaient traditionnellement attribuées (on sait que le peintre italien restaura, avec une vigueur qui lui fut reprochée, les fresques de la loggia de la Farnésine). Les tableaux paraissent bien d'une main française, dans le dernier tiers du XVIIe siècle. On pourrait penser à un peintre de la génération de Noël Coypel (1628-1707) qui fut directeur de l'Académie de France à Rome (1673-1675) et auquel font penser certains visages féminins du *Banquet des dieux,* ou d'une génération plus tardive, celle des Boulogne et de Verdier. J.P.C.

Orléans, Musée des Beaux-Arts

240
La Grande Sainte Famille
D'après le tableau du Louvre*

ill. 66

Toile marouflée sur bois
H. 0,625 ; L. 0,440
Inscription sur le manteau de la Vierge : *Raphaël Urbinas Pingebat*

Historique :
Inconnu ;
plusieurs cachets non identifiés au

dos du panneau ;
cadre (de la fin du XVIIe siècle ?)
portant des armoiries avec un
chapeau cardinalice, non identifiées.

Cette toile de très fine qualité copie sans variante et avec une grande fidélité, jusqu'à la signature, la *Grande Sainte Famille* dite *de François 1er** toujours demeurée dans la collection royale, puis au Louvre : il y a tout lieu d'y voir une œuvre exécutée par un artiste français, probablement vers le milieu du XVIIe siècle, ce que le coloris vif et froid, l'exécution égale et attentive semblent attester. Le tableau oblige à rappeler la copie « en petit » que le tout jeune Le Brun (voir à ce nom) exécuta à Fontainebleau d'après le chef-d'œuvre de Raphaël, sans que l'on puisse oser une identification. J.P.C.

France, collection particulière

241
La bataille de Constantin
D'après la fresque du Vatican

ill. 200

Toile
H. 1,43 ; L. 2,92

Historique :
Don de la Société royale d'agriculture, sciences et arts de Limoges, 1846 ; Musée Adrien-Dubouché, inv. des Peintures nº 15 ; Musée municipal depuis 1963. Inv. P. 161.

Bibliographie :
Jouin, 1889, p. 42, nº 6, p. 533 (confondu semble-t-il avec une *Vision de Constantin) ;*
Catal. musée, 1903, p. 20 ;
Thuillier, 1963A, sous nº 26.

Cette magnifique copie, sans aucun doute française et du XVIIe siècle, est-elle de Le Brun, comme le dit la tradition ? On a pu la rapprocher de «La bataille de Constantin, copiée à Rome d'après Raphaël, par led. défunt S. Le Brun » mentionnée dans l'inventaire après décès du peintre (Jouin, 1889, pp. 728 et 734) et qu'il montra lui-même à Mazarin (*id.*, p. 124). Mais les dimensions indiquées sur l'inventaire (6 pieds et demi sur 2 pieds et demi : env. H. 0,94 ; L. 2,27) désignent un tableau plus petit que celui de Limoges. D'autre part le caractère très fidèle de la copie rend difficile de porter un jugement ; le modelé rond, la touche « pittoresque », un certain goût précieux dans l'accumulation des détails, porteraient plutôt à refuser l'attribution, et à voir dans le tableau l'œuvre d'un peintre de la génération des élèves de Le Brun.

Jouin (1889, p. 553) identifie avec d'autres copies par le Brun des fresques des Chambres du Vatican un *Héliodore chassé du Temple* et un *Saint Léon et Attila* du musée de Nantes, et une *École d'Athènes* à l'Ermitage. J.P.C.

Limoges, Musée Municipal

242
Saint Paul et saint Barnabé à Lystre

ill. 272

Plume et lavis de bistre, sur traits de pierre noire
H. 0,253 ; L. 0,364

Historique :
Coll. Richardson (Lugt 2184) ;
Reynolds (Lugt 2364) ;
Hudson (Lugt 2432) ;
Malcom (Lugt 1780 ou 1781).
Inv. nº 1895.9.15.925.

Bibliographie :
Friedlaender-Blunt, I, 1939, B 19, p. 38, pl. 82 ;
Wild, 1967, p. 37, fig. 90.

Traditionnellement donné à Poussin, ce dessin ne saurait lui revenir. Fixer un nom paraît encore périlleux : Doris Wild attribue la feuille, avec hésitation, à Charles Mellin. Friedlaender et Blunt, qui la datent du « milieu des années quarante », parlent d'un « talentueux imitateur de Poussin qui pourrait être Le Sueur ». Mais un tel dessin, s'il paraît indiscutablement français, semble bien porter la marque du milieu romain. L'inspiration puisée à la composition de même sujet de la série des tapisseries des *Actes des Apôtres* ne suscitera pas, elle, de discussion. J.P.C.

Londres, The British Museum, Department of Prints and Drawings

243
Intérieur d'une salle d'étude de géométrie

ill. 162

Toile
H. 1,800 ; L. 2,995

Historique :
« Ancienne collection » ;
dépôt du Louvre (« École de Le Brun » ; INV. 3.047) au musée de Cambrai en 1872. NC 305 P.

Bibliographie :
Montagu, 1963, sous nº 102.

Ce tableau d'une qualité modeste (conçu pour être un dessus de porte dans la salle d'une Académie ?) montre des jeunes gens à qui l'on enseigne la géométrie et l'astronomie. Comme nous le signale S. Laveissière, le groupe de droite constitue un évident « travestissement » de la partie droite de l'*École d'Athènes* montrant Euclide et ses disciples. L'auteur reste mystérieux ; il semble s'agir d'un artiste de la génération de Parrocel et des Boulogne, travaillant vers 1680-1690. L'identification de la scène de l'arrière-plan (une allégorie de l'éducation ?) devrait permettre de mieux comprendre le sujet exact de la toile.

Jennifer Montagu rapproche le tableau d'un dessin de Le Brun d'Oxford, *Portrait d'un artiste et de ses élèves ;* le lien semble en fait assez lointain. J.P.C.

Cambrai, Musée Municipal

Gravures et Photographies

Allais (Paul-Prosper)

Paris, 1827 - ?

Élève de son père, le graveur Jean-Alexandre Allais (1762-1833), il se spécialisa dans les reproductions de tableaux, dans des gravures de grand format d'une technique très élaborée où il utilise avec prédilection la manière noire. Il est responsable, en plus des deux pièces exposées, d'une planche (Salon de 1872) d'après L'atelier de Raphaël *du Belge Nicaise de Keyser (v. pour une photo du tableau [coll. part.] Levey, 1981, fig. 1).*

J.P.C.

Allais d'après Brune-Pagès (Aimée), Paris, 1803 **- id.** ***1966***

244
Raphaël présenté à Léonard de Vinci

ill. 338

Aquatinte et manière noire
H. 0,68 ; L. 0,85
En bas au centre : *Raphaël présenté à Léonard de Vinci/au moment où il fait le portrait de la Joconde.*
A gauche : *Peint par Brune Pagès.*
A droite : *Gravé par P. Allais fils.*

Bibliographie :
Laran, 1930, p. 95 ;
Haskell, 1971, p. 55 (le tableau) ;
Georgel, 1982-1983, p. 71, fig. 94.

Le tableau de Mme Brune-Pagès, exposé au Salon de 1845 (n° 233) paraît avoir été médiocre, et fait aujourd'hui sourire : Monna Lisa, au premier plan, est entourée de musiciens, de chanteuses, d'un page tenant un oiseau : « Vasari, rappelle le livret du Salon, assure que Léonard, pour conserver la grâce d'expression de son modèle, lui faisait donner des récréations musicales. » La jeune femme est montrée imperturbable, dans l'attitude du tableau du Louvre et lui ressemble, étrangement, davantage que le tableau lui-même que l'auteur, derrière, montre à ses visiteurs. Sur la gauche, « Bramante présente Raphaël au grand artiste », comme dit le livret du Salon. L'épisode, dans sa naïveté, n'est pas invraisemblable si l'on admet que la *Joconde* a été terminée vers 1504, au moment de l'arrivée de Raphaël à Florence. J.P.C.

Paris, Bibliothèque Nationale, Cabinet des Estampes

Allais d'après Pignerolle (Charles-Marcel) Angers, 1815 **- id.** ***1893***

245
Raphaël et Jeanne d'Aragon

ill. 346

Eau-forte et aquatinte
H. 0,77 ; L. 1,04
En bas, au centre : *Raphaël faisant le portrait de la princesse d'Aragon.*
A gauche : *Peint par Pignerolle.*
A droite : *Gravé par P. Allais.*

Bibliographie :
Laran, 1930, p. 95.

Le tableau de Charles-Marcel de Pignerolle, élève de Cogniet et spécialiste de scènes italiennes, exposé au Salon de 1859 (n° 2447), est aujourd'hui perdu. La gravure est, elle, datée 1856 et fut éditée chez Bulla en 1858. Image assez triste et doucereuse malgré le faste de la reconstitution : la composition apparaît dépourvue de la verve pleine de conviction et de charme que mettaient les artistes vingt ou trente ans plus tôt dans de semblables représentations. Raphaël, ennamouré et un peu niais devant la beauté altière de la princesse, peint le tableau, aujourd'hui au Louvre*, déjà encadré. Les dames de la cour évoquent les beautés second Empire de Winterhalter et de Hébert. J.P.C.

Paris, Bibliothèque Nationale, Cabinet des Estampes

Androuet Du Cerceau (Jacques)

Paris?, vers 1510 - Annecy?, vers 1585

Au retour d'un séjour en Italie, vers 1533, il entreprit de graver les plans et les élévations des châteaux français de style italianisant. Il était actif à Paris et à Orléans et employait l'eau-forte pour ses planches qui ne portent ni signature ni marque. Dans le même but de diffuser en France les diverses formes de l'art italien contemporain, il copia plusieurs séries de gravures italiennes, notamment les Divinités de la Fable *de J. Caraglio d'après Rosso, et l'*Histoire de Psyché *du Maître au dé. Ses planches de* Grotesques *montrent le succès d'un genre de décoration où l'apport de Raphaël et de son élève Giovanni da Udine, fut considérable, et leur influence assurée par les estampes gravées d'après les pilastres des Loges d'Agostino Veneziano (Bartsch illustré, 1978, 27, pp. 248-269, n° 564-583). Du Cerceau est également intéressant comme le seul artiste français qui ait, au XVIe siècle, reproduit sous forme de relevés cotés et de miniatures l'une des créations architecturales les plus originales de Raphaël, le palais de Gianbattista dell'Aquila à Rome (Geymüller, 1887, p. 24, fig. 8) ; édifice fort important pour l'École de Fontainebleau par les stucs qui décoraient la façade, employés là pour la première fois à une échelle monumentale.* M.V.

246
Le festin des dieux

ill. 316

Eau-forte
H. 0,192 ; L. 0,224.

Bibliographie :
Passavant, 1860, II, p. 583 ;
Geymüller, 1887, pp. 148 et 322 ;
Linzeler, 1932, I, pp. 39-42, n° 31.

Les dieux attablés célèbrent les noces d'Amour et de Psyché tandis que trois Heures planant au-dessus de l'assemblée jettent des fleurs. Il s'agit d'une copie de l'avant-dernière planche de l'*Histoire de Psyché* en 32 planches, gravées par le Maître au dé (Bartsch illustré, 1982, 28, pp. 195-226, n°s 39-70) et Agostino Veneziano pour les n°s 4, 7 et 13 (Bartsch illustré, 1978, 26, pp. 232-5, n° 235-8). Les gravures d'Androuet Du Cerceau sont en contrepartie de celles du Maître au dé, mais dans des dimensions légèrement inférieures, et comportent au bas huit vers italiens dont le texte explicatif et la disposition dans deux cartouches sont repris du modèle italien.

Bien que Vasari ait attribué l'invention de ces 32 motifs à Michel Coxcie de Malines qui était à Rome en 1532, son opinion a été contestée (*Vita di Marcantonio Bolognese*, t. V, p. 435). Certaines scènes sont en effet des démarquages évidents des peintures de Raphaël et de son école dans la *Loggia de Psyché* à la Farnésine, telles les planches 30 et 31 qui sont des traductions naïves, raidies et appauvries du *Conseil des dieux* et de leur *Festin*, peints à la voûte de la Loggia, ou la planche 16 *(Vénus portée par des dauphins)* qui s'inspire de la *Galatée* de Raphaël, également à la Farnésine. D'autres semblent prouver une connaissance d'autres œuvres de Raphaël : le *Sacrifice de Lystre* pour la planche 4 *(Le père de Psyché consultant l'oracle)*, la *Bataille d'Ostie* du Vatican pour la planche 25 *(Psyché dans la barque de Caron:* Caron est dérivé du nautonnier à droite dans la fresque). De plus, beaucoup ont été utilisées de façon assez précise dans les scènes peintes par Perino del Vaga dans la salle de Psyché au château Saint-Ange (vers 1545) ; ceci dut contribuer à renforcer l'idée d'une origine raphaélesque des gravures, idée qui a largement prévalu aux yeux des amateurs et critiques français, aux XVIIe et XVIIIe siècles. Récemment, G. Hoogewerff a suggéré que les gravures, malgré leurs maladresses et certains disparates, sont sans doute à considérer comme le reflet de dessins perdus de Raphaël en relation avec le décor des parois de la Loggia restées nues. L'hypothèse qu'il a formulée, selon laquelle Raphaël aurait prévu pour habiller ces murs de véritables tapisseries, est extrêmement intéressante car elle permettrait peut-être d'expliquer l'attribution des estampes à Michel Coxcie, élève de Bernard Van Orley, le plus célèbre cartonnier de l'époque pour la tapisserie (Hoogewerff, 1965, pp. 5-19). Ces mêmes scènes, notablement enrichies d'ornements et d'éléments paysagers ont été tissées en un nombre considérable de tentures dans les ateliers flamands au XVIe siècle ; François Ier possédait une tenture de l'*Histoire de Psyché* en 26 pièces, fabrique de Bruxelles (*cf.* Müntz, 1897, p. 53). Les gravures du Maître au dé et leurs copies par Du Cerceau, L. Gaultier et Franz Hogenbergh (1575) sont à l'origine de très nombreuses interprétations dans l'émaillerie limousine au XVIe siècle. Citons aussi les verrières autrefois dans la galerie du château d'Écouen (Chantilly, Musée Condé) qui reprennent les mêmes motifs dans des compositions étirées en hauteur et enrichies d'ornements de type bellifontain.

M.V.

Paris, Bibliothèque Nationale, Cabinet des Estampes

Audran (Benoît)

Lyon, 1661 - Louzouer, 1721

Neveu de Gérard Audran, il se rendit en 1681 à Paris où il travailla dans son atelier. Beaucoup de pièces qu'il a gravées, retouchées par son oncle, portent seulement l'adresse « chez Audran, aux deux piliers d'or». Il fut reçu à l'Académie de peinture en 1709 et était graveur ordinaire du roi. Utilisant l'eau-forte et le burin, dans la tradition enseignée par Gérard Audran, il prolongea au début du XVIIIe siècle, un style de gravure « louis-quatorzien», large et brillant. M.V.

247
La Justice
D'après la fresque de la voûte de la Chambre de la Signature

ill. 150

Eau-forte
Diamètre, 0,313
2 états, avant et avec la lettre :
La Jurisprudence - Peint par Raphaël au Vatican, dans la Chambre de la Signature.

Bibliographie :
Passavant, 1860, II, p. 89 ;
Weigert, 1939, I, 61.

La gravure appartient à une suite de 4 pièces de forme circulaire d'après les 4 figures allégoriques peintes par Raphaël à la voûte de la Chambre de la Signature : la *Théologie*, la *Philosophie*, la *Justice* et la *Poésie*. La *Justice* a été gravée également par Charles Simonneau. Ce sont les seules pièces gravées par Benoît Audran d'après Raphaël, qui soient indiquées par Mariette (*Abecedario*, 1851-1853, I, p. 39). M.V.

Paris, Bibliothèque Nationale, Cabinet des Estampes

Audran (Gérard)

Lyon, 1640 - Paris, 1703

Il fut d'abord formé par son père Claude I. Il se rendit en Italie où il résida de 1666 à 1672, travaillant dans l'atelier de Carlo Maratta. Il y étudia les antiques et grava les compositions décoratives de Raphaël au Vatican, dont Maratta était le gardien et le restaurateur. De retour en France, avec l'appui de Charles Le Brun et de Colbert, il devint graveur ordinaire du roi et reçut un logement aux Gobelins. Il fut reçu à l'Académie de peinture en 1674 et ouvrit rue Saint-Jacques une boutique où il éditait et gravait les gravures de ses contemporains. Il fut le promoteur d'un nouveau style dans la traduction de ses modèles, plus soucieux de l'expression d'ensemble que de la rigueur dans le détail de l'exécution. C'est ce que l'on appela la « gravure libre » par opposition à la « gravure rangée ». Dandré-Bardon a décrit cette technique inédite : « Il ne rechercha point cette propreté affectée ni ce servile arrangement de tailles que la gravure semblerait exiger ; mais par l'assortiment ingénieux de la pointe et du burin, par un savant mélange de hachures libres et de points mis dans un beau désordre et avec un goût supérieur, il a laissé à la postérité des modèles du style dans lequel les graveurs d'Histoire doivent traiter ces sortes de sujets » (1765, p. 213). G. Audran est l'un des graveurs français qui s'est le plus attaché à la reproduction des œuvres de Raphaël. La suite la plus séduisante est celle qui montre les Amours volant et portant les trophées des dieux, dite Les Angles du plafond de la Farnésine à Rome, *en 14 planches triangulaires. Il a gravé plusieurs motifs des stucs des Loges du Vatican,* Sacrifices *et sujets allégoriques antiquisants, quelques têtes prises de la* Bataille de Constantin *au Vatican et fit encore, dans sa vieillesse des eaux-fortes d'après deux des cartons des* Actes des Apôtres (La mort d'Ananie, *et le* Sacrifice à Lystre) *qui sont pesamment gravées et très sombres.* M.V.

248
Le commerce
D'après une grisaille de la Chambre d'Héliodore

ill. 191

Eau-forte
H. 0,422 ; L. 0,245
9e planche d'une série de 13
Cuivres à la Chalcographie du Louvre
En bas : *Raphaël jn. A Audran ex. C.P.R. COMMERCE.*

Bibliographie :
Passavant, 1860, II, p.135 ;
Robert-Dumesnil, 1865, IX, 155 à 167 ;
Weigert, 1939, I, p. 164 à 176.

Cette estampe est la neuvième d'une série de treize caryatides. Sur la première planche de la série, on lit : *Diverses figures hiéroglíphiques, peintes par Raphaël d'Urbin dans une des Salles du Vatican à Rome* et le nom de la figure allégorique se voit sur le dé de pierre sur lequel sont posées les caryatides ; ce sont : LA NOBLESSE - LA RELIGION - LA PAIX - LA LOY - L'ABONDANCE - VIGNOBLE - NAVIGATION - LA MARINE - COMMERCE - COLONIE - LA PROTECTION ; et deux planches de deux Termes engainés.

Ces gravures reproduisent en contrepartie les figures allégoriques du soubassement de la Chambre d'Héliodore au Vatican, peint par Giulio Romano selon le témoignage de Vasari. Le dessin à la sanguine pour la figure du *Commerce,* attribué à Raphaël est conservé au Louvre*. Ces caryatides de caractère plus emblématique qu'architectonique connurent un grand succès ; elles furent gravées par Cornelis Bos vers le milieu du XVIe siècle (S. Schele, *Cornelis Bos,* 1965, n° 72 - 77) et le seront au début du XVIIIe par E.S. Chéron. M.V.

Paris, Bibliothèque Nationale, Cabinet des Estampes

Baron (Jean)

Toulouse, ? - ?, vers 1650

Il dût partir assez tôt pour Paris et en décembre 1638, il y faisait baptiser un de ses enfants. C'est à Rome qu'il a passé le reste de sa carrière. Il a travaillé en collaboration avec Cornelis Bloemaert et son style de buriniste en est proche. Ses planches sont cependant assez dures de dessin et d'exécution. On lui attribue des copies anonymes de la série du Christ et des Apôtres *gravées par Marco da Ravenna d'après Raphaël (Bartsch illustré, 1978, 26, pp. 107-119, n°s 79-91)* M.V.

249
Portrait de Raphaël

ill. 374

Burin
H. 0,210 ; L. 0,164
Dans la marge : *RAFFAELO DA URBINO PIT. ARCH - Baron F.*

Bibliographie :
Weigert, 1939, I, p. 270.

Il s'agit d'une image peu conventionnelle. La technique est dure, archaïque et l'effet suprenant : le motif appartient à une série très nombreuse d'effigies d'artistes italiens depuis le XIVe siècle. Il s'agit vraisemblablement de copies des gravures sur bois qui figurent en tête des biographies d'artistes dans l'édition de 1568 des *Vite de' più eccelenti pittori* (...) de Vasari (voir Wagner, 1969, fig. 37), mais l'ouvrage précis pour lequel ces portraits ont été exécutés n'a pas été identifié. M.V.

Paris, Bibliothèque Nationale, Cabinet des Estampes

Béatrizet (Nicolas)

Lorraine, 1507/1520 - Rome, vers 1565

Né à Lunéville ou Thionville, ce buriniste se rendit à Rome où il travailla comme graveur de reproduction pour différents éditeurs comme A. Salamanca et A. Lafrery, ce dernier d'origine franc-comtoise. Le personnage et son œuvre ont été l'objet de nombreuses et durables confusions avec le Maître au dé, bien que Mariette ait tenté de distinguer le premier, qu'il appelle Beatricius le Lorrain, du second, dit Beatricius l'ancien. Ces confusions tiennent à la proximité stylistique et thématique de leurs œuvres : tous deux ont une manière dérivée de celle de Marcantonio Raimondi, et ont dû être formés parmi ses suiveurs, et tous deux ont également gravé de nombreux sujets d'après Raphaël et son école. Enfin plusieurs planches du Maître au dé ont été rééditées par le même Lafréry qui vendait les productions de N. Béatrizet. Les burins de ce dernier, d'un dessin correct et bien entendu, mais d'une exécution un peu dure et pesante, portent des dates de 1540 à 1560 ; ils sont signés du monogramme NBF. Ses planches d'après les monuments antiques, Raphaël ou Michel-Ange, connurent un grand succès et furent rééditées successivement chez les grands éditeurs romains du XVIe siècle, T. Barlachi, N. Van Aelst, Giovanni Orlandi. Béatrizet a gravé trois sujets en rapport avec les scènes bibliques des Loges du Vatican : Joseph racontant ses songes à ses frères *(Bartsch illustré, 1982, 29, p. 251, n° 9), la* Cène *(Bartsch illustré, 1982, 29, p. 261, n° 18) ; copie de Marcantonio (Bartsch illustré, 1978, 26, p. 41, n° 26) et* Caïn tuant son frère Abel *(Bartsch illustré, 1982, 29, p. 250, n° 8) (scène non peinte ou perdue dont le personnage de Caïn est en étroit rapport avec un dessin de Raphaël pour un bas-relief fictif de l'*École d'Athènes *[Oxford], représentant des guerriers luttant). Beatrizet a encore gravé, sous le nom de Raphaël,* Jésus-Christ délivrant les ancêtres des limbes *(Bartsch illustré, 1982, 29, p. 265, n° 22) qui reproduit peut-être une pensée de Raphaël pour le tondo de bronze de la Chapelle Chigi à Santa Maria della Pace à Rome.* M.V.

250
L'Ascension du Christ
D'après la tapisserie du Vatican

ill. 294

Burin
H. 0,282 ; L. 0,316
Deux états : 1er (exposé) *RA.VR. INVENT. NB.F - TOMASIUS BARLACHIS EXCVDEBAT-1541 ;*
2e, adresse d'A. Lafréry.

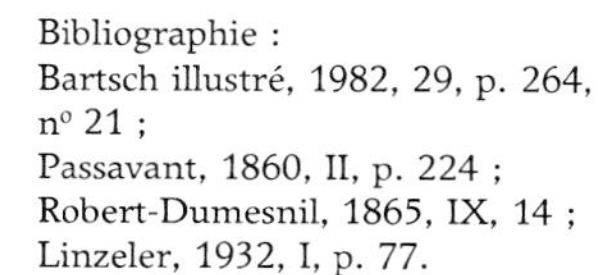

Bibliographie :
Bartsch illustré, 1982, 29, p. 264, n° 21 ;
Passavant, 1860, II, p. 224 ;
Robert-Dumesnil, 1865, IX, 14 ;
Linzeler, 1932, I, p. 77.

La gravure reproduit l'un des sujets de tapisseries dites de la Scuola Nuova, dessinées par les élèves de Raphaël après sa mort, tissées en Flandre et conservées au Vatican. La composition est un habile pastiche qui reprend des motifs de diverses œuvres de Raphaël : le Christ dérive de la *Transfiguration* de la Pinacothèque Vaticane, l'ange de gauche de la fresque des *Sibylles* de Santa Maria della Pace, l'apôtre agenouillé au premier plan à droite du saint Pierre de la *Remise des clés* (carton de tapisserie des *Actes des Apôtres).* La répartition même des figures en deux registres et deux groupes en bas, laissant au centre un vide en diagonale, les physionomies diversifiées et la gestuelle expressive des apôtres offrent une sorte de transcription populaire de la *Transfiguration.* Mariette *(Notes manuscrites,* p. 77) était sévère pour cette estampe : « Il serait à souhaiter que le graveur en eût été plus excellent, et qu'il eût mieux rendu les beautés du dessin qu'il avait devant les yeux ». En effet, le burin de Béatrizet confère autant d'importance aux accidents des drapés et aux volutes des nuées qu'à la structure d'ensemble des figures. Grâce à la gravure, le motif fut largement diffusé. L'*Ascension* du Rouennais Pierre Le Tellier (1614 - après 1680), (musée de Rouen ; catal. P. Rosenberg, 1966, n° 76) s'en inspire fortement dans la disposition d'ensemble et de détail des figures. M.V.

Paris, Bibliothèque Nationale, Cabinet des Estampes

251
Saint Michel terrassant le démon
D'après le tableau du Louvre*

ill. 109

Burin
H. 0,460 ; L. 0,315
RA.VR.INV. NB.L.

Bibliographie :
Bartsch illustré, 1982, 29, p. 274, 30 ;
Passavant, 1860, II, p. 256 ;
Robert-Dumesnil, 1865, IX, 28 ;
Linzeler, 1932, p. 81 ;
Bianchi, 1968, II, p. 674 et fig. 45.

C'est la plus ancienne gravure connue d'après le *Saint Michel** du Louvre ; elle fut exécutée à Rome après le départ du tableau pour la France et doit avoir été faite d'après une copie peinte ou dessinée. On connaît une épreuve de cette estampe gravée seulement au trait, le travail de la moitié gauche du démon et quelques rochers plus avancé ; elle était connue de Florent Le Comte (1700, t. III, p. 255) et Heineken (1778) indique qu'elle provenait de la collection de l'abbé de Marolles. Mariette (*Notes manuscrites,* p. 143) pensait que le modèle était certainement un dessin car la composition et surtout le cadrage différent du tableau du Louvre ; la surface est agrandie de tous côtés et l'archange paraît ainsi moins proche et moins impressionnant. Les lointains du paysage sont absents, compensés par les hautes volutes des flammes et des fumées qui s'échappent des rochers, entrée de l'Enfer (il est également possible que ces modifications soient le fait du graveur). Mariette jugeait la planche « pesamment exécutée et nullement dans le goût de Raphaël ». Les contours sont très fermes, le travail des hachures dense et discipliné. Ces tailles curvilignes cernant chaque protubérance de la musculature transforment les deux figures en statues et leur confèrent une texture aussi dure que celle des rochers environnants. C'est bien plutôt en voyant cette gravure plutôt que le tableau que l'on peut comprendre l'appréciation malveillante de Sebastiano del Piombo : « On dirait des figures passées au noir de fumée, ou plutôt des figures en fer qui luisent, toutes claires et toutes noires » (Lettre à Michel-Ange, le 2 juillet 1518 ; Golzio, 1971, p. 71). M.V.

Paris, Bibliothèque Nationale, Cabinet des Estampes

Bergeret

Biographie voir section Peintures et dessins

252
La Charité
D'après le tableau du Vatican

Eau-forte
H. 0,176 ; L. 0,179, au trait d'encadrement
En bas : *Raphaël pinx. - P. Bergeret Sculp. 1803.*

Bibliographie :
Laran, 1937, II, Eaux-fortes n° 1.

ill. 98

Pour sa première planche gravée à l'eau-forte, connue par cette unique épreuve, Bergeret a choisi de reproduire une des trois *Vertus théologales* qui formaient la prédelle de la *Déposition Borghèse* (Pinacothèque Vaticane). Il est très probable qu'il l'a dessinée lorsque cette prédelle, réquisitionnée en Italie en 1797, fut exposée au Louvre. Malgré son caractère expérimental (technique irrégulière, parties schématiquement dessinées), il y affirme un goût marqué pour les effets de clair-obscur qui conviennent bien à ce petit motif peint en camaïeu. M.V.

Paris, Bibliothèque Nationale, Cabinet des Estampes

Bocquet (Nicolas)

Actif à Rome, fin XVIIe siècle

Les renseignements que l'on peut fournir sur l'artiste sont incertains, car on possède diverses mentions anciennes sans pouvoir décider si elles concernent le même artiste ou des homonymes. Il y avait en 1648-1650 un Nicolas Bocquet, peintre du roi à Paris, quai de l'Horloge. Un Nicolas-François Bocquet, peintre du roi, résidant en 1703 à Paris, place Gâtine, est décédé le 13 avril 1716. Mais les références qui semblent convenir le mieux à notre artiste sont celles que fournit la Correspondance des directeurs de l'Académie de France à Rome *(1887, I, n°s 239-282 et 300 à 317). Pensionnaire du roi, ce Nicolas Bocquet fit durant son séjour à Rome, plusieurs copies de Raphaël au Vatican (1684 et années suivantes). En 1691, il dessinait à la Farnésine et quitta Rome à la fin de l'année avec l'intention de graver à Paris ses dessins de l'*Histoire de Psyché. *Il n'en a réalisé que le* Triomphe de Galatée. M.V.

253
Le péché originel
D'après la fresque de la voûte de la Chambre de la Signature

Eau-forte
H. 0,305 ; L. 0,265
Dans la marge : *Raphaël pinx in Vaticano - Nicolaus Bocquet Del. Sculp. et excudit - con licentia Superiorum Romae - 1691.*

Bibliographie :
Passavant, 1860, II, p. 89.

ill. 148

La gravure, qui n'est pas mentionnée dans l'Inventaire du Fonds français, XVIIe siècle, de la Bibliothèque Nationale, fait partie d'une suite de 4 planches d'après les 4 sujets rectangulaires peints par Raphaël à la voûte de la Chambre de la Signature, ainsi que le *Jugement de Salomon*, la *Dispute entre Apollon et Marsyas* et *l'Astronomie*. N. Bocquet a varié ses tailles courbes ou croisées, et parsemé les chairs et le fond de points et de coups comme de bec d'oiseau, afin d'obtenir un ton uni léger. Le même sujet a été gravé par Rémy Vuibert en 1635. M.V.

Paris, Bibliothèque Nationale, Cabinet des Estampes

Boucher-Desnoyers (Auguste)

Paris, 1779 - id., 1857

Il commença à graver vers 1796, ayant appris la technique de l'eau-forte, du burin et du pointillé. Ses planches d'après les œuvres de Raphaël (10 Vierges, des figures de saints et la Transfiguration*), exécutées de 1808 à 1845, sont d'une grande perfection technique, mais aussi d'une grande froideur. Il écrivit un* Appendice à l'ouvrage intitulé Histoire de la vie et des ouvrages de Raphaël par Monsieur Quatremère de Quincy *(Paris, 1852) où il admire en Raphaël le créateur de types « définitifs » du Christ et de la Vierge comme « les plus célèbres artistes grecs ont créé et fixé les différents types de toutes les divinités du paganisme » (Introduction, p. 9).* M.V.

254
La Belle Jardinière de Florence

Burin et eau-forte
H. 0,466 ; L. 0,328
Dans la marge : *Raphaël d'Urbin Pinxit - Le Bon Boucher Desnoyers D^t^ et Sc. - LA BELLE JARDINIÈRE DE FLORENCE - Raphaël commença ce portrait à Florence en 1504, il en fit hommage à M^gnor^ Tadeo Tadeï dans l'année 1507. Cette Jeune Villageoise servait de Modèle à Raphaël pour peindre ses sublimes têtes de Vierge - Fait en 1841.*

Bibliographie :
Boucher-Desnoyers, 1852, pp. 20-1 ;
Passavant, 1860, II, p. 343 ;
Adhémar-Lethève, 1953, VI, 42.

ill. 15

On ne sait quel est le tableau que le graveur a reproduit ici. Comme l'avait déjà remarqué Passavant, « la composition, qui n'est nullement raphaélesque, accuse plutôt une origine néerlandaise ». Ce qui a intéressé Boucher-Desnoyers, c'est bien plutôt le modèle féminin que la peinture elle-même. Il a voulu y voir une Florentine ayant fréquemment posé pour Raphaël : façon d' « ancrer dans le réel » le type féminin des Vierges florentines du maître et de l'opposer à la Fornarina, qui l'inspira dans ses tableaux romains. Il est curieux de noter que l'historique prêté au tableau reproduit est celui de la *Madone du Belvédère*. Comme dans un certain nombre d'attributions à Raphaël au XIXe siècle (le *Saint Michel* pour Charles Quint, la *Petite Sainte Famille* Roussel), l'on a affaire à une affabulation masquée sous une pseudo-érudition. M.V.

Paris, Bibliothèque Nationale, Cabinet des Estampes

Voir aussi section Peintures et Dessins

Boulanger (Élise - Mme Cavé)

Paris, 1810 - id., *1882*

Connue dans les ateliers romantiques, elle épousa successivement Clément Boulanger, peintre élève d'Ingres, et François Cavé, qui fut directeur des Beaux-Arts. Elle fut peintre et aquarelliste, écrivit des ouvrages ambitieux et publia divers recueils pédagogiques de dessins. M.V.

255
Cours de dessin sans maître

D'après la Sainte Famille au chêne du Prado

ill. 79

Lithographie en manière de crayon
H. 0,476 ; L. 0,312
N. Lecomte d'après Raphaël — Pl. 3 — COURS DE DESSIN SANS MAITRE/MÉTHODE DE Mme CAVÉ.

Bibliographie :
Laran-Adhémar, 1942, III, p. 223.

Dans son *Cours de dessin sans maître,* paru en 1851, où l'auteur se flatte de l'approbation d'Ingres, Horace Vernet et Delacroix, trois planches montrent des têtes et « extrémités » prises d'ouvrages de Raphaël. Mme Cavé proposait en un premier temps, aux adeptes de sa méthode, l'étude de dessins simplifiés, au trait, avant d'aborder le dessin « d'après la bosse » et le dessin de mémoire. M.V.

Paris, Bibliothèque Nationale, Cabinet des Estampes

Boyvin (René)

Angers, vers 1530 - Rome, vers 1598

Comme de nombreux graveurs du XVIe siècle, Boyvin fut d'abord orfèvre. A Angers, il était employé à la Monnaie. A partir de 1550, il est à Paris où il grave des compositions des maîtres de Fontainebleau, Rosso ou Luca Penni. Il a pu être formé par le graveur A. Fantuzzi. La deuxième partie de sa carrière s'est déroulée à Rome où il s'installa après avoir été un moment enfermé à la Conciergerie comme huguenot. Il a gravé, à l'eau-forte ou au burin, près de deux cents pièces qui portent des dates de 1563 à 1580 et sont signées du monogramme RB entrelacés ou de son nom latinisé Renatus. Interprète des artistes bellifontains, il a surtout gravé des sujets mythologiques ou des modèles d'orfèvrerie; sa Sainte Famille *d'après Raphaël constitue une exception dans son œuvre. Sa technique de buriniste est brillante, large et nette, bien qu'un peu sèche et contrastée si on la compare aux subtiles modulations lumineuses d'un Marcantonio Raimondi. M.V.*

256
La Sainte Famille Canigiani

D'après le tableau de Munich

ill. 16

Burin
H. 0,290 ; L. 0,215
Monogramme *RB* en bas à droite.

Bibliographie :
Robert-Dumesnil, 1850, VIII, 9 ;
Passavant, 1860, II, p. 53 ;
Linzeler, 1932, p. 167 ;
Levron, 1941, 3.
Sonnehburg, 1983, p. 82, n° 95.

Gravé en sens inverse du tableau de Raphaël aujourd'hui à Munich. Peint en 1507 à Florence, il y demeura longtemps dans la famille de Domenico Canigiani, puis dans les collections des Médicis. Il est possible que Boyvin ait reproduit un dessin, fait d'après le tableau ou un dessin, par le Rosso. Ceci éclairerait la remarque très juste de Mariette (*Notes ms,* p. 141) : « Comme ce graveur a presque toujours été occupé à graver d'après Maistre Roux, il n'est pas surprenant que cette pièce ait quelque chose de la manière de ce peintre florentin. » La gravure montre dans le ciel des chérubins que l'on voit sur la radiographie du tableau, recouverts postérieurement mais visibles sur certaines copies anciennes (De Vecchi, 1982, p. 125, repr.). La colonne antique brisée a été ajoutée et la ville au fond transformée en cité antique. Le graphisme insistant, recherchant les courbes élastiques et les effets calligraphiques, et les expressions exagérées jusqu'à la grimace donnent de la composition de Raphaël une interprétation très maniériste. Le Rosso semble s'être souvenu lui aussi de cette disposition pyramidante des figures, de leurs attitudes instables et du subtil contrepoint de leurs formes et de leurs expressions dans une *Sainte Famille* tardive (Los Angeles). M.V.

Le tableau de Munich, tout récemment restauré, montre aujourd'hui à nouveau les chérubins de la partie supérieure (Sonnenburg, 1983, p. 22, fig. 8).

Paris, Bibliothèque Nationale, Cabinet des Estampes

Brébiette (Pierre)

Mantes, vers 1598 - Paris, vers 1650

Peintre et aquafortiste, il fut une personnalité artistique originale, qui a joui en son temps d'une certaine notoriété. Il dut dans sa jeunesse être formé dans la manière des maîtres de la seconde école de Fontainebleau et

Mariette (Abecedario, *1851-53, I, p. 185) le soupçonnait disciple de G. Lallemant. En 1617, il est à Rome où il dessine et grave, s'intéressant aussi bien aux frises peintes sur les façades de palais par Polidoro da Caravaggio, élève de Raphaël, qu'aux reliefs antiques ou à l'art romain contemporain. Après un voyage à Venise, il est de retour à Paris en 1626 et y devient, avant 1637, peintre du roi. Brébiette est avant tout un graveur d'invention, et lorsqu'il reproduit l'œuvre d'un maître, il le fait librement et la modernise par son écriture vive et pittoresque. Stylistiquement, il s'apparente aux aquafortistes de la première moitié du XVIIe siècle, Stefano della Bella ou F. Perrier et, comme le remarque J. Thuillier, « son métier d'abord chargé de traits croisés, s'allège de plus en plus, la pointe semble courir aussi vite que l'imagination, fixer toute fraîche sa fantaisie sans s'inquiéter des négligences, des fautes mêmes ». (1960, I, p. 73).* M.V.

257
La Sainte Famille au chêne
D'après le tableau du Prado

ill. 77

Eau-forte
H. 0,338 ; L. 0,253
En bas : *Raphaël Inventor — P. Brebiette fecit in Roma ;* dans la marge : *Quam nec mole sua (...) - in Bassano per il Remondini.* Le 2e état porte l'adresse *rue Betizi au Chesne d'or — Aug. Quesnel in Vico Betiziano.*

Bibliographie :
Passavant, 1860, II, p. 249
Weigert, 1951, II, 15.

La gravure reproduit en contrepartie le tableau de Raphaël aujourd'hui au Prado, qui fut sans doute exécuté en partie par Giulio Romano. Le dessin en est heurté, et la gravure désinvolte. Brébiette a traduit les formes sculpturales en formes mouvantes et pittoresques et n'a pas respecté le profond clair-obscur d'inspiration léonardesque du tableau, qui privilégiait le groupe des figures. Cette *Sainte Famille* fut gravée au XVIe siècle par Diana Ghisi de Mantoue (Bartsch, 1813, XV, n° 16) et une variante fut reproduite par Giulio Bonasone (Bartsch, 1813, XV, n° 63). Elle fut ensuite gravée par Agostino Carracci (Bartsch, 1818, XVIII, n° 47), Giulio Carattoni, et une autre interprétation du tableau par Jérôme Frezza. M.V.
Paris, Bibliothèque Nationale, Cabinet des Estampes

Carrée (Antoine)

Actif à Paris fin XVIIIe - début XIXe siècle

Graveur et éditeur de planches en manière de crayon, il a fait des têtes d'expression et des modèles de dessin. M.V.

258
Portraits de Raphaël et du Pérugin
D'après l'École d'Athènes

ill. 376

Lithographie
H. 0,435 ; L. 0,280
En bas : *Dessiné à Rome par Daffrique — Gravé par Carrée — L'Homme immortel et son Maître / Tel qu'il est peint dans l'École d'Athènes*, etc.

La planche reproduit les portraits des deux artistes à droite dans la fresque de L'*École d'Athènes* au Vatican (le deuxième personnage a parfois été interprété comme représentant Sodoma, qui avait commencé à décorer la Chambre de la Signature avant Raphaël). Il est intéressant de voir la différence d'intonation, dans la lettre de la gravure qui présente les deux artistes : Pérugin n'a encore, pour premier titre de gloire, que celui d'avoir formé Raphaël. Sa « réhabilitation » s'opèrera dans la suite du XIXe siècle. L'intérêt iconographique l'emporte ici très nettement sur la valeur artistique. Dans l'iconographie de Raphaël, il semble, par un paradoxe étrange, que les images les plus triomphales ont été également les plus communes et les moins aptes à faire sentir son génie. M.V.

Paris, Bibliothèque Nationale, Cabinet des Estampes

Caylus (Philippe de Tubières, compte de)

Paris, 1692 - id., *1764*

Le célèbre « antiquaire » fut un aquafortiste amateur très fécond. Il a reproduit d'une pointe légère et sensible de nombreux dessins de Raphaël du Cabinet du roi ou de celui de P. Crozat. Il s'est exprimé à propos de ces dessins dans diverses conférences à l'Académie de Peinture ; il y admirait la « poésie » dans les premières conceptions, « la sagesse et la vérité » dans les dessins arrêtés et, critère d'un art classique et médité, la logique interne qui rend chaque élément indispensable à la perfection du tout (cf. Jouin, 1883, pp. 369, sq). Il a expliqué lui-même l'enseignement que fut pour lui le fait de reproduire ces dessins. Commentant le carton de Raphaël, la Remise des clés à saint Pierre, *il précise : « J'interromps un moment l'éloge que mérite ce grand poète pour vous rendre compte de ce qui me met en état de parler de ce chef-d'œuvre de l'esprit et de l'art : c'est non seulement l'étude méditée que j'en ai faite, mais un développement que les planches que j'ai gravées m'ont mis en état de faire ; car en prenant le trait et en travaillant sur le cuivre, j'ai toujours eu soin d'observer les chaînes de la composition et la nécessité de chaque partie par rapport à son tout : la suppression que je faisais d'une partie me donnait un éclaircissement, et le terminé me démontrait le doute qui pouvait me rester (...) ». (Fontaine, 1910, p. 171.)* M.V.

259
Étude pour deux apôtres
D'après un dessin du Louvre*

ill. 125

Eau-forte
H. 0,280 ; L. 0,200
En bas : *Raphaël In. — Cab. du Roy — C. Sculp.*

Bibliographie :
Passavant, 1860, II, p. 465 ;
Roux, 1940, IV, 386 (comme *Adam et Ève chassés*).

Cette spirituelle eau-forte reproduit en contrepartie un dessin à la sanguine conservé au Louvre* pour deux Apôtres dans la *Transfiguration.* C'est l'une des quatorze planches gravées par Caylus d'après les dessins de Raphaël qui appartenaient pour lors au roi ; le plus important d'entre eux était *Attila arrêté aux portes de Rome par les apôtres Pierre et Paul* *, auquel il consacra une conférence. Ces planches furent insérées dans les volumes de gravures du cabinet du roi ; sept autres dessins de Raphaël reproduits par ses soins furent publiés dans le 1er volume du *Cabinet Crozat* en 1729. M.V.

Paris, Bibliothèque Nationale, Cabinet des Estampes

Chapron ou Chaperon (Nicolas)

Chateaudun, 1612 — Rome, vers 1656

Peintre et graveur, élève de Simon Vouet, Chapron pratiqua d'abord ces deux arts à Paris. En 1642, Bourdelot le recommande à l'amateur romain Cassiano dal Pozzo, lui indiquant que le jeune homme est à Rome et qu'il « donne dans la manière du Poussin » (Thuillier, 1960, II, p. 66). Il fut en effet en contact avec Poussin à Rome, notamment à propos d'une copie de la Transfiguration *de Raphaël, alors à San Pietro in Montorio, qu'il devait exécuter pour P. Fréart de Chantelou et qu'il ne mena jamais à bon terme. Son œuvre gravé se compose de 60 pièces, c'est-à-dire presqu'exclusivement de la série des 52 planches d'après les sujets bibliques des voûtes des Loges du Vatican. Dans l'inventaire après décès d'E. Jabach, en 1696 sont mentionnés 24 dessins des Loges du Vatican attribués à N. Chapron, (aujourd'hui Louvre, Cabinet des Dessins) et un du prophète Isaïe (Portefeuille 6, n° 11 à 35).* M.V.

260
Nicolas Chapron au pied du buste de Raphaël

ill. 390

Eau-forte
H. 0,272 ; L. 0,224
Sur le cippe : *ILLE HIC EST RAPHAEL, TIMVIT QUO SOSPITE VINCI RERUM MAGNA PARENS ET MORIENTE MORI — NON PVLVIS NON VMBRA SVM ME VIVERE CHAPRON HIC DEDIT VRBINAS ILLE EGO SVM RAPHAEL;* dans la marge : *N. Chapron Inventor — AD EXIMIVM PICTOREM NICOLAVM CHAPRON,* etc.

Bibliographie :
Robert-Dumesnil, 1842, VI, 1 à 54 ;
Passavant, 1860, II, p. 169 ;
Weigert, 1951, II, 1 à 54.

Frontispice d'un recueil de 52 estampes d'après les peintures des Loges du Vatican (voir n° 261). Nicolas Chapron, sa palette à ses pieds, désigne l'inscription sur le piédestal du buste de Raphaël que couronne une Renommée. Cette inscription n'est autre que l'épitaphe de Raphaël au Panthéon, qui, selon les recherches des érudits, ne fut pas composée par P. Bembo mais par Tebaldeo, autre ami lettré de l'artiste dont il fit un portrait qui est aujourd'hui perdu (voir Golzio, 1971, p. 119). L'image de Raphaël s'apparente à la gravure de Giulio Bonasone (Bartsch, 1813, XV, n° 347) et au *Double Portrait** du Louvre. M.V.

Paris, Bibliothèque nationale, cabinet des Estampes

261
Josué arrêtant le soleil
D'après la fresque des Loges du Vatican

ill. 252

Eau-forte
H. 0,242 ; L. 0,290
Planche n° 39 — Dans la marge *R. V. I. — N. C. F. — Steterunt Sol et Luna ad nutum Josue, donec Israel de Amorreis viscisceretur — Josue X*

Bibliographie :
Robert-Dumesnil, 1842, VI, 1 à 54 ;
Passavant, 1860, II, p. 169 ;
Weigert, 1951, II, 1 à 54.

La planche reproduit la fresque à la voûte de la 10e travée des Loges du Vatican, peintes par les élèves de Raphaël. Cette série de la « Bible de Raphaël » est précédée d'un frontispice (n° 260) et d'une dédicace qui montre le prophète *Isaïe* peint à fresque par Raphaël dans l'église Sant'Agostino à Rome et porte le titre : *Sacrae historiae acta a Raphaele Vrbin in Vaticanis Xystis ad Picturae Miraculum expressa — Nicolaus Chapron Gallus a se delineata et incisa DDD Romae MDCXXXXIX,* et sur une tablette une dédicace latine à Gilles Renard, conseiller du roi. Cette

suite est connue en 4 états différents. Les sujets bibliques des Loges ont été gravées à de nombreuses reprises. Les premières estampes furent faites d'après des dessins de l'atelier de Raphaël ; ainsi celles de Marcantonio Raimondi, *Joseph et la femme de Putiphar* (Bartsch illustré, 1978, 26, p. 18, n° 9), *David coupant la tête de Goliath* (Bartsch illustré, 1978, 26, p. 19, n° 10), ou *La Reine de Saba venant visiter Salomon* (Bartsch illustré, 1978, 26, p. 22, n° 13). De même celles de ses élèves Agostino Veneziano, *(Isaac bénissant Jacob.* (Bartsch illustré, 1978, 26, p. 15, n° 6), le *Sacrifice de Noé* (Bartsch illustré, 1978, 26, p. 13, n° 4) et Marco da Ravenna (*Dieu apparaissant à Isaac,* Bartsch illustré, 1978, 26, p. 16, n° 7). D'autres motifs furent gravés peu après par Giulio Bonasone (*Noé sortant de l'arche ;* Bartsch, 1813, XV, n° 4), Nicolas Béatrizet (*Joseph racontant ses songes à ses frères ;* Bartsch illlustré, 1982, 29, p. 251, n° 9) ou en clair obscur par Ugo da Carpi (le *Songe de Jacob.* Bartsch illustré, 1971, I, p. 25, n° 5). La première série complète, dessinée et gravée d'après les fresques, est celle de Sisto Badalocchio et Giovanni Lanfranco, dédiée à Annibale Carracci (Rome, 1607) ; Baldassare Aloisi en exécuta une autre en 1613, Orazio Borgiani en 1615. La suite des planches de N. Chapron, en 1649, apporta un esprit nouveau dans la traduction de ces compositions, qui va vers plus de fidélité. Mariette la prisait davantage que les précédentes : « Nicolas Chapron l'a gravée avec beaucoup d'art et d'une manière fort moelleuse, et il n'y en a aucune où le goût de Raphaël se fasse mieux ressentir — quoique dessinée d'une manière un peu lourde. » (*Notes manuscrites,* p. 130). Les critiques ultérieurs ont repris en l'accentuant ce reproche de lourdeur qui n'incombe pas entièrement au graveur. Il n'a souvent fait que reproduire fidèlement le dessin appuyé des fresques exécutées par les élèves de Raphaël. Les 52 scènes bibliques furent gravées une nouvelle fois en 1674 par Pietro Aquila et Cesare Fantetti d'une façon plus disciplinée, plus égale, mais aussi plus fade. Les gravures de Chapron furent copiées par Louis-Antoine Demanne pour une bible parue en 1728 (*L'ancien et le nouveau Testament en figures représentées en cinq cens* sic, Paris). Un recueil de 52 dessins à la sanguine, sans doute d'après les gravures de Chapron, portant l'attribution à « Thomassin » se trouve à la Bibliothèque de l'Institut d'art, Paris. Les scènes de l'Histoire de Josué ont été peintes, selon Vasari, par Perino del Vaga qui faisait alors ses débuts dans l'atelier de Raphaël. Le moment choisi ici est celui où Josué ordonne au temps de suspendre son cours jusqu'à la complète victoire d'Israël sur les Amoréens. Josué, surmontant la mêlée des combattants assigne au soleil et à la lune leur place du même geste immense que *Dieu séparant la lumière des ténèbres* à la première travée des Loges. Comme les autres représentations guerrières des Loges *(La chute de Jéricho* ou *David coupant la tête à Goliath*), la composition comporte de nombreux emprunts à l'art romain des sarcophages ou des colonnes historiées, en particulier à la colonne Trajane. C'est sans doute cette reformulation du répertoire formel antique dans une construction plus compacte et plus savamment imbriquée qui a séduit Poussin et qu'il a réinterprétée dans sa *Bataille de Josué contre les Amorites* (n° 200).
M.V.

Paris, Bibliothèque Nationale, Cabinet des Estampes

Chatillon (Henri-Guillaume)

Versailles, 1780 - id., *1856*

Il fut l'élève de Girodet et travailla comme peintre miniaturiste et lithographe, étant l'un des premiers à pratiquer cette technique nouvelle. M.V.

262
Profil de jeune homme, répété

D'après la Dispute du Saint Sacrement

ill. 153

Lithographie, manière de crayon
H. 0,306 ; L. 0,410
3e cahier - n° 15 - Dessiné par Chatillon, Professeur à l'École Royale Militaire de St-Cyr - Impr. de Lemercier.

Bibliographie :
Adhémar, 1949, IV, pp. 413-414.

La planche appartient à un recueil d'études, publié en 1840. Le motif est simplement dessiné au trait dans un premier temps, puis modelé par des ombres. Le modèle en est une figure de jeune homme agenouillé et tendant la tête pour regarder les écrits de saint Grégoire le Grand, dans la partie gauche de la *Dispute du Saint Sacrement* au Vatican, selon une interprétation édulcorée. M.V.

Paris, Bibliothèque Nationale, Cabinet des Estampes

Chéron (Élisabeth-Sophie - Mme Le Hay)

Paris, 1648 - id., *1711*

Elle était la fille d'Henri Chéron, portraitiste et miniaturiste originaire de Meaux. Elle épousa M. Le Hay, ingénieur du roi. En 1672, elle fut agréée à l'Académie de peinture, et reçue en 1676 comme portraitiste. Elle a gravé, au burin et à la pointe, des dessins et des pierres gravées. Elle a reproduit les Caryatides *feintes de la Chambre d'Héliodore au Vatican sous le même titre que celles de G. Audran* (Diverses figures hiéroglyphiques peintes par Raphaël [...]) *et divers dessins qui appartenaient à Roger de Piles et que ce dernier considérait comme de la main de Raphaël,* Sainte Cécile *et* La Flore antique, *ainsi que des têtes prises de ses grandes compositions.* M.V.

263

Livre à dessiner. Tête d'ange

D'après Héliodore chassé du Temple

ill. 181

Eaux-fortes
H. 0,210 à 0,400 ; L. 0,175 à 0,390
Titre : *Livre à dessiner composé de testes tirées des plus beaux ouvrages de Raphaël gravé par Mademoiselle Le Hay présenté à Monsieur de Cotte,* Paris, 1706. Pl. V

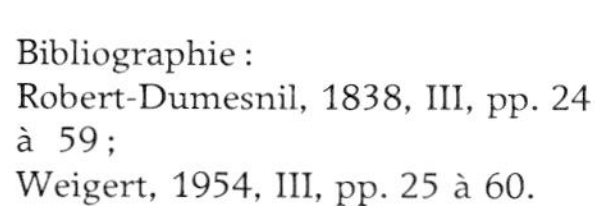

Bibliographie :
Robert-Dumesnil, 1838, III, pp. 24 à 59 ;
Weigert, 1954, III, pp. 25 à 60.

D'après le sommaire, les planches 5 et 6 reproduisent « Deux anges qui chassent Héliodore du Temple de Jérusalem. Ces deux testes sont aussi gravées sur les Desseins originaux de Raphaël, tirez du Cabinet de M. Bourdaloue. » Ces deux dessins sont aujourd'hui au Louvre*.

Le recueil comprend 36 planches d'après Raphaël, en majorité de têtes de personnages, mais aussi de mains (pl. 32) et de pieds (pl. 31-33-34-35). Ces personnages sont tirés de la *Dispute du Saint Sacrement* et du *Parnasse* du Vatican, de la *Loggia de Psyché* à la Farnésine et de la *Transfiguration* (Pinacothèque Vaticane). En dehors des 2 *Têtes d'anges* (pl. 5 et 6) qui appartinrent ensuite à P. Crozat puis P.J. Mariette, les autres dessins appartenaient semble-t-il à E.S. Chéron, si l'on en croit l'avis au lecteur où elle explique la raison de ses gravures : « Parmy ces Desseins je conserve un Recueil d'un grand nombre de Testes d'après le même Auteur ; et en les considérant avec attention, j'ay pensé souvent, que si ces belles choses si correctes, si variées, si expressives et si élégantes estoient en lumière, elles rappelleroient avec plaisir les idées que ls Savans ont conceües des Originaux, et formeroient le goust des Jeunes Estudians en leur servant de guide. J'avouë que cette pensée s'estant échauffée dans mon esprit, je n'ay pu résister à la tentation de graver moy-mesme cet essay et d'en faire part au Public. J'ay tasché de n'y rien altérer et de suivre exactement tout ce qui peut donner l'idée du génie et du goust de leur Auteur, où tout est vray, tout est simple, tout est grand. Ainsi quoyque ma veüe principale ait esté en cela d'aider ceux qui commencent à dessiner, je ne laisse pas d'estre persuadee que cet Ouvrage plaira aux forts et aux foibles, et que les plus habiles en conseilleront l'imitation à leurs Elèves, comme une estude très capable de les avancer. »

Ce recueil, le plus ancien recueil français de morceaux choisis d'après Raphaël, fut suivi de nombreuses séries gravées aux mêmes fins didactiques, aux XVIIIe et XIXe siècles. Les contours sont ici mis en valeur par des tailles larges et puissantes et le modelé des visages est rendu par des hachures légères et des points. L'auteur a choisi les types humains les plus variés et les têtes et les pieds offrent des modèles de raccourcis difficiles et d'attitudes expressives. M.V.

Paris, Bibliothèque Nationale, Cabinet des Estampes

Cochin (Charles-Nicolas)

Paris, 1688 - id., 1754

Après avoir appris à peindre, il opta à vingt-deux ans pour la gravure. Il y transporta les qualités d'esprit dans le dessin et d'harmonie dans les lumières qui firent le succès de ses planches. Travaillant à l'eau-forte et au burin, il a reproduit les dessins d'artistes bien différents ; Raphaël, Watteau, et surtout ceux de son fils Charles-Nicolas. En 1749-1751, il fit un voyage en Italie, au cours duquel il admira certaines œuvres de Raphaël comme la Vierge à la chaise *au Palais Pitti de Florence (*Voyage d'Italie*, 1758, II, p. 66).* M.V.

264

Alexandre offrant la couronne à Roxane

D'après un dessin de l'Albertina de Vienne

ill. 324

Eau-forte, tirage sépia
H. 0,210 ; L. 0,300
Dans la marge : *ALEXANDRE ET ROXANE - D'après le dessein de Raphaël qui est dans le Cabinet de Mr. Crozat de la mesme grandeur de l'estampe gravé en cuivre par Charles Cochin - 37.*

Bibliographie :
Passavant, 1860, II, p. 237 ;
Roux, 1940, IV, 49.

Reproduction, en contrepartie, d'un dessin à la sanguine de Raphaël, aujourd'hui conservé à l'Albertina de Vienne. Cette étude était bien connue des amateurs français car elle appartint successivement à Claude Mellan (reçue en Italie du cardinal Bentivoglio, entre 1624 et 1649), Fricquet de Vaurose (m. 1716), A. Ch. Boulle, P. Crozat (vente 1741) et P. J. Mariette (vente 1775). Sur ce motif et les diverses copies dessinées, voir Oberhuber, 1967, n° 123. C'est la seule estampe qui ait reproduit l'étude des figures nues ; un autre dessin de Raphaël où Alexandre, Roxane et Ephestion sont vêtus a, en revanche, été gravé très tôt en Italie par le Maître au dé (Mariette, *Abecedario*, 1851-53, I, pp. 89-90) et par J. Caraglio (Bartsch, 1813, XV, n° 62). Le Primatice s'est très nettement référé à cette composition dans sa fresque de la chambre de Mme d'Étampes à Fontainebleau, *Alexandre couronnant Campaspe* (1541-5). M.V.

Paris, Bibliothèque Nationale, Cabinet des Estampes

265
Feuille d'études
D'après l'École d'Athènes

Eau-forte
H. 0,23 ; L. 0,17
En bas : *Raphaël pinx. - C.N. Cochin P. Sculps.* ; en haut : *Pl. 38.*

Bibliographie :
Roux, 1940, IV, 271.

ill. 157

La planche fait partie d'une série de douze études d'après les œuvres de Raphaël comportant essentiellement des têtes tirées des fresques des Chambres du Vatican, destinées à l'ouvrage paru chez Jombert à Paris, en 1740, *Méthode pour apprendre le dessein.* Les parties de figures reproduites ici sont prises de l'*École d'Athènes* ; on y voit le bras d'Euclide qui trace une figure au sol, à l'aide d'un compas, la main d'un de ses disciples et la jambe d'un jeune homme montant les degrés. M.V.

Paris, Bibliothèque Nationale, Cabinet des Estampes

Colin (Alexandre)

Paris, 1798 - id., *1875*

Peintre et dessinateur lithographe, il fut l'élève de Girodet et l'ami de Delacroix. Ses productions, parfois faciles, eurent beaucoup de succès. M.V.

266
Études d'après les grands maîtres Le Christ remettant les clefs à saint Pierre,
D'après un dessin du Louvre*

Lithographie, tirage sanguine
H. 0,378 ; L. 0,268
En bas : *A. Colin d'après Raphaël - Hetzel, éditeur,* etc.

ill. 262

Il s'agit de la planche V du 1er cahier (École Romaine) des *Études d'après les grands maîtres. Dessins et lithographies* publiés par A. Colin en 1867. Il explique dans son avertissement que l'étude des dessins des maîtres du passé est le remède à la décadence de l'enseignement artistique, sclérosé par la pratique mécanique du dessin anonyme et rigoureux. Dans cette étude conservée au Louvre (Inv. 3854)* il admire la façon dont Raphaël partant du « modèle vulgaire », a su lui « imprimer le sceau de grandeur qui lui est propre » : « C'est le modèle pris sous son plus bel aspect, et copié avec cet admirable intelligence de la nature et cette naïveté qui caractérisent le maître chez qui la ligne est toujours belle et simple. » M.V.

Paris, Bibliothèque Nationale, Cabinet des Estampes

Maître CC (Claude Corneille?)

Actif à Lyon vers 1545

Rengé par A. Bartsch parmi les « vieux maîtres » allemands, le maître au monogramme CC fut considéré comme français par Robert-Dumesnil. Ses planches portent souvent l'adresse « Lugd ». Le fait que cet artiste ait résidé à Lyon et la technique hâtive et quelque peu négligée de ses estampes incitèrent à l'identifier avec Claude Corneille de Lyon, le peintre de portraits originaire de La Haye, ce qui demande encore à être prouvé. Il semble avoir connu l'art italien, au moins par l'estampe. Sa Résurrection des morts *(Robert-Dumesnil, 1842, t. VI, n° 6) offre un mélange de motifs empruntés à Raphaël* (Dispute du Saint Sacrement) *et à Michel-Ange* (Jugement dernier *de la Chapelle Sixtine) : sa* Bataille *(Robert-Dumesnil, id., n° 24) reprend plusieurs figures de la* Bataille de Constantin *au Vatican.* M.V.

267
Jésus-Christ prêchant à ses disciples

Burin
H. 0,164 ; L. 0,220
En bas à droite, CC superposés en monogramme ; dans la marge : *FIDE. SPE. ET CARITATE FILII DEI CONSTITVIMUR Ad Rom. V - Lugd B.*

Bibliographie :
Bartsch, 1808, t. IX, n° 2 ;
Robert-Dumesnil, 1842, t. VI, n° 2 ;
Adhémar, 1938, n° 2.

ill. 280

La composition montre des réminiscences de la *Prédication de saint Paul à Athènes* de Raphaël, gravée par Marcantonio Raimondi (Bartsch illustré, 1978, 26, p. 63, n° 44). De même que l'apôtre, le Christ s'adresse à la foule depuis une estrade placée au premier plan à gauche, avec un ample geste d'exhortation. Des édifices antiquisants ferment l'espace, évoquant un forum romain. Comme dans la composition également austère et théâtrale de Raphaël, le spectateur est invité à observer les réactions variées des assistants. M.V.

Paris, Bibliothèque Nationale, Cabinet des Estampes

Couvay (Jean)

Arles, vers 1622 - Paris, vers 1675/1680

Il fut graveur au burin et en clair-obscur sur bois. Ayant séjourné en Italie, il reproduisit les œuvres de divers maîtres italiens. Mais parmi les quelques cent pièces qui composent son œuvre, se trouvent surtout des gravures d'après les peintres français de son siècle, Vouet, Vignon, Poussin ou Le Sueur. L'abbé de Marolles affirme qu'il a aussi beaucoup gravé d'après ses propres inventions. La pièce exposée est la seule qu'il ait gravée d'après Raphaël. M.V.

268
La Vierge à l'œillet
D'après un tableau perdu de Raphaël

ill. 22

Burin
H. 0,340 ; L. 0,260
En bas *Raphaël Urbinas pinxit — I. Couvay sculp. — Cum privilegio Regis — Typis Petri Mariette via Iacobea ad insigne Spei*; dans la marge *Dilectus meus mihi et ego illi Cant. 2.*

Bibliographie :
Passavant, 1860, II, p. 63 ;
Weigert, 1954, III, p.7.

La gravure reproduit une composition traditionnellement attribuée à Raphaël* dont un exemplaire passa dans la collection du duc d'Orléans (Mariette, *Notes manuscrites*, p. 139). Elle connut un large succès en France où elle fut gravée par Jean Morin, Jean Boulanger et par un élève de François de Poilly, ces trois dernières planches en contrepartie du modèle. Un graveur du nom de Ridé l'a gravée en couleur vers la fin du XVIIIe siècle. M.V.

Paris, Bibliothèque Nationale, Cabinet des Estampes

Demarteau (Gilles)

Liège, 1722 - Paris, 1776

D'abord ciseleur et orfèvre, il se tourna vers la gravure en 1750. Naturalisé français, il s'établit rue Saint-Jacques. A partir de 1756, il se lança dans la gravure « en manière de crayon », procédé dont il revendiqua la paternité comme son rival J. Ch. François. Il consiste, en utilisant des outils de ciseleur, à contrefaire les multiples petits points dont est composé un dessin à la sanguine ou à la pierre noire. Il a ainsi gravé plus de 600 dessins de ses contemporains, notamment quelques études dessinées à Rome d'après Raphaël par Le Barbier l'aîné, Taillasson (Tête de Jupiter) *et J.B. M. Pierre* (Tête de vieillard, Tête de soldat mort). M.V.

269
Tête d'ange
D'après Héliodore chassé du temple

ill. 182

Manière de crayon
H. 0,30 ; L. 0,40
Dessiné à Rome par Pierre, d'après Raphaël — Gravé par Demarteau l'né — Chez Demarteau Rue de la Pelleterie à la Cloche — CPR».

Bibliographie :
G.A. Demarteau, 1788, *Catalogue des estampes gravées au crayon d'après différents Maîtres qui se vendent à Paris chez Demarteau, 2 ;*
Roux, 1949, VI, 2.

Ce fac-similé d'un dessin de J.B. M. Pierre reproduit la tête de l'un des anges vengeurs armés de verges qui poursuivent Héliodore, pilleur du trésor du Temple de Jérusalem, dans la fresque du Vatican. Demarteau a également gravé la tête du second ange et celle d'Héliodore, à titre de modèles de têtes d'expression. S'il ne fut pas l'inventeur de la manière de crayon, Demarteau fut sûrement le plus habile au XVIIIe siècle et c'est à lui que s'adressèrent les peintres de l'Académie pour graver leurs dessins à des fins didactiques. M.V.

Paris, Bibliothèque Nationale, Cabinet des Estampes

Demarteau (Gilles-Antoine)

Liège, 1750 - Paris, 1802

Neveu et élève de Gilles Demarteau, il a poursuivi son œuvre, gravant en manière de crayon de nombreux dessins, et édité « cloître St Benoît » ses planches et celles de son oncle. M.V.

270
Portrait dit de Raphaël

ill. 377

Lithographie, tirage sanguine
H. 0,407 ; L. 0,319 (l'image)
Dans la marge : *Dessiné à Rome par N. MONSIAU — Demarteau direx. — RAPHAELE SANZIO / Né à Urbin en 1483. Mort à Rome en 1520. Déposé à la Bibliothèque Nationale l'an 8 n° 693 de l'ure.*

Bibliographie :
Roux, 1949, VI, 103.

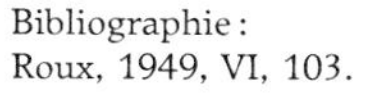

Ce prétendu portrait de l'artiste s'inspire assez librement de la figure de jeune homme debout derrière Pythagore dans l'*École d'Athènes* (Vatican), où l'on a vu, sur le témoignage de Vasari, le portrait de Francesco

Maria della Rovere. Le col de fourrure a incité Ruland (1876, p. 9) à rapprocher la gravure du *Violoniste* de Sebastiano del Piombo (Paris, coll. part.) attribué anciennement à Raphaël. Le dessin sans caractère et imprécis, l'idéalisation qui aboutit à l'absence de toute expression individuelle montrent que Gilles Antoine n'est pas parvenu à égaler son oncle dans ses fac-similé. M.V.

Paris, Bibliothèque Nationale, Cabinet des Estampes

Denon (Dominique-Vivant)

Givry, 1747 - Paris, 1825

Diplomate, collectionneur, homme de salon, il se perfectionne dans la gravure d'après les maîtres, sans dédaigner les sujets érotiques, et est reçu à l'Académie en 1787. Il est apprécié plus tard de Bonaparte qui l'emmène en Égypte et le nommera en 1802 directeur du Muséum Central des Arts, au Louvre, devenu bientôt le Musée Napoléon. A la tête des œuvres d'art qui affluent de l'Europe conquise, il fait preuve dans ces fonctions d'extraordinaires talents d'organisateur et a rapidement la haute main sur tous les domaines artistiques. Après 1815, il se consacrera à ses collections personnelles (tableaux, dessins, estampes).

On lui doit plusieurs copies, d'une savoureuse originalité, d'après des gravures de Marcantonio Raimondi ou de son entourage : La Vierge assise embrassant l'Enfant Jésus, Dieu ordonnant à Noé de bâtir l'arche *(1791),* Portrait de Marcantonio Raimondi, La femme pensive avec un ange. *Une autre gravure copie un dessin de Raphaël avec des* Cardinaux à cheval, *alors dans sa propre collection ; une autre, faite à Venise en 1790, montrant un* Enfant avec un carton à dessin, *s'inspire de l'Enfant de la* Vierge au baldaquin. *Il grava aussi la* Vierge à la chaise, *d'après un dessin d'Alexis Egaroff. Le* Portrait de Raphaël *qu'il grava en s'inspirant du* Bindo Altoviti *(Roux, 1949, n° 396, p. 598) et qui fait partie d'une suite de 46 portraits d'artistes, surtout italiens, reste un des plus émouvants visages, sensuel et fiévreux, jamais donnés à Raphaël (fig. 186).* J.P.C.

271
La calomnie d'Apelle

Eau forte
H. 0,31 ; L. 0,46
En bas à gauche : *Raphaël inv.* ;
en bas à droite : *De Non del et Sct.*

Bibliographie :
Roux, 1949, p. 365, n° 234.

ill. 325

Interprétation, très contrastée et dramatisée, du dessin du Louvre*, alors considéré comme un des chefs-d'œuvre de Raphaël. Denon se montre ici, par l'emploi du noir et du blanc, la présence agressive ou inquiète des figures, l'égal des plus grands maîtres du fantastique, ses contemporains, comme Füssli ou Goya. Le Cabinet des Estampes possède aussi deux états antérieurs de la gravure, et une contre-épreuve. J.P.C.

Paris, Bibliothèque Nationale, Cabinet des Estampes

Devéria (Achille)

Paris, 1800 - id., 1857

Dessinateur et graveur, il collabora parfois avec son frère cadet Eugène, dont il grava certaines œuvres. Le meilleur de sa production réside dans les portraits. Artiste d'une prolixité peu commune, il lithographia plus de trois mille pièces et illustra plus de trois cents ouvrages ; parfois superficiel, souvent facile, il reste un irremplaçable imagier de l'époque romantique dont il exprime le goût pour les travestis historiques et les accessoires pittoresques. Il fut conservateur adjoint du Cabinet des Estampes de la Bibliothèque Nationale en 1848, conservateur en 1855. Sa collection documentaire, acquise par l'État après sa mort, se trouve à la Bibliothèque Nationale. Les œuvres et la figure de Raphaël l'ont inspiré à plusieurs reprises. Il donne des premières des transcriptions délicates mais édulcorées : la Vierge à la chaise, *1823 ; la* Fornarina *(n° 272) ;* Sainte Marguerite *(fig. 76). Les épisodes de la vie du peintre italien reviennent à plusieurs reprises : outre ceux exposés, plusieurs* Raphaël et la Fornarina *(fig. 178). Il réunit dans un album (Bibliothèque Nationale, Estampes, B_b1) des gravures et des dessins montrant des épisodes de la vie de Raphaël : entre autres, trois dessins originaux d'après le* « Raphaël assis »* *de Marcantonio Raimondi, d'après l'autoportrait du* Double Portrait* *du Louvre, et pour la composition de* Raphaël et Léon X *(n° 280).* J.P.C.

272
La Fornarina

Lithographie à la plume
H. 0,179; L. 0,114
En bas à gauche : *A. Devéria.*

ill. 136

Un des exercices favoris des artistes de l'époque romantique consiste à « étoffer » un tableau célèbre pour l'intégrer dans un contexte plus large (voir n°s 244 et 274). Ici, la *Fornarina* du Palais Barberini, assise sur un tabouret devant des feuillages fleuris, devient une gentille image de vignette d'illustration. J.P.C.
Paris, Bibliothèque Nationale, Cabinet des Estampes

273
L'enfant dort

Lithographie
H. 0,247 ; L. 0,210
En bas à gauche : *Devéria delt.* ;
à droite : *Lith de C. Motte.*

ill. 57

Inattendu et attendrissant petit pastiche, dépourvu de prétention, d'une *Vierge à la chaise* transposée dans le quotidien de l'époque romantique. La gravure, lithographiée par Motte d'après un dessin de Devéria, date de 1823. J.P.C.

Paris, Bibliothèque Nationale, Cabinet des Estampes

274
Raphaël dessinant la Vierge à la chaise

ill. 341

Lithographie
H. 0,34 ; L. 0,28
(Épreuve coupée, différente de la pièce exposée). Signé dans la planche, en bas à droite ; *A. Devéria ;* en bas : *Raphaël Sanzio/Ce peintre célèbre apercevant devant la porte d'un tonnelier une jeune femme fort belle qui tenait un enfant sur ses genoux esquisse sur le fond d'un tonneau enduit de plâtre le groupe charmant que le hasard vient d'offrir à ses regards. C'est à cette circonstance qu'on doit l'une des plus belles peintures de Raphaël connue sous le nom de Vierge à la chaise.*

Bibliographie :
Adhémar-Lethève, 1953, p. 525, n° 350 ; Catal. exp. *The Cult of Images,* Santa Barbara, U.S.A., 1977.

Cette lithographie de 1838 offre une belle image de l'inspiration artistique comme la conçoivent les romantiques : un instant de beauté saisi dans la nature, et transcrit dans un élan. Notons que le frère aîné de l'enfant que dessine Raphaël rêve, à son tour, de passer à la postérité et prend avec insistance l'attitude d'un des angelots de *Vierge Sixtine.* Le tonnelier, sur la droite, paraît goûter modérément l'admiration du peintre pour la beauté de sa femme. V. Golzio (1968, p. 644) rappelle la légende de l'ermite réfugié dans un chêne pour se sauver des loups et sauvé par le courage de la fille d'un marchand de vin : l'ermite prédit que le chêne et la jeune fille seront immortalisés. Le chêne est abattu, sert à faire un tonneau, la jeune fille se marie, a deux enfants, Raphaël vient à passer : on connait la suite. Le même thème fut traité par un Allemand, August Hopfgarten, dans une lithographie de 1839 (Golzio, 1968, fig. II, p. 643) et par un italien anonyme (vente Rome, Finarte, 2 juin 1983, n° 347). J.P.C.

Paris, Bibliothèque Nationale, Cabinet des Estampes

275
Naissance de Raphaël Sanzio

ill. 330

Lithographie
H. 0,526 ; L. 0,630
En bas : *Naissance de Raphaël Sanzio* et légende.

Cette pièce est la première d'une suite de six grandes lithographies de Devéria (1840) consacrée à la vie de Raphaël, qui paraît avoir été interrompue puisque manquent plusieurs épisodes souvent traités par d'autres artistes. Les mêmes lithographies existent en petit format (H. 0,235 ; L. 0,320). Plusieurs suites très comparables, à sujets bibliques, historiques ou littéraires, ont été lithographiées par Devéria entre 1839 et 1846, dans un style qui se renouvelle peu : *Histoires de Joseph,* de *Moïse,* d'*Esther,* d'*Isabelle la Catholique,* de *Jeanne Grey,* de *Gonzalve et Zuléma,* de *Don Quichotte.* Elles montrent la même manière un peu compassée, le même type de dessin épuré mais approximatif qui traduisent, il faut avouer, l'échec de Devéria quand il tente d'échapper au style « vignette » (voir aussi les n°s 276 à 280).

La *Naissance de Raphaël* se passe dans une église, devant l'autel de la Vierge. La légende de la gravure indique qu' « avant même sa naissance, il fut marqué du sceau de prédilection de la nature, sa mère durant sa grossesse fut visitée par des rêves extatiques... la Vierge prenait l'enfant sous sa protection ». Sa mère « voulut qu'on donnât le nom d'un Ange à celui qui devait un jour, si dignement honorer sa Divine protectrice par des œuvres inimitables ». Le ton est donc nettement hagiographique ; le texte rappelle bien sûr que Raphaël est né et mort un Vendredi Saint. J.P.C.

Paris, Bibliothèque Nationale, Cabinet des Estampes

276
Raphaël présenté à la duchesse d'Urbin

ill. 336

Lithographie
H. 0,510 ; L. 0,64
En bas : *Raphaël présenté à la duchesse d'Urbin* et légende.

La scène montre plutôt Raphaël recevant de la duchesse d'Urbin la lettre de recommandation destinée au gonfalonier Soderini de Florence ; les deux épisodes sont du reste presque interchangeables (voir n° 293 et fig. 167).

Bramante, « son oncle »... ici, à gauche « avait soupçonné dans son jeune élève une gloire au-dessus de toutes les gloires »... « La duchesse d'Urbin voulut juger par elle-même du précoce talent de Raphaël... elle se fait montrer par Bramante les premiers essais de son neveu encore enfant à qui elle prodigua les éloges les mieux mérités et dans la suite les recommandations les plus instantes pour la Cour de Florence ». Sur la droite, une des suivantes de la duchesse rappelle, de façon inattendue, la *Beatrice Cenci* de Guido Reni. J.P.C.

Paris, Bibliothèque Nationale, Cabinet des Estampes

277
Raphaël à la cour de Laurent de Médicis

ill. 337

Lithographie
H. 0,520 ; L. 0,637
En bas : *Raphaël à la cour de Laurent de Médicis* et légende.

La légende explique que Bramante « le conduisit à Florence pour admirer les ouvrages de Léonard de Vinci et de Michel-Ange, et le présenta à la Cour de Laurent de Médicis, père de Léon X... il y vit Michel-Ange dont la jalousie défiante semblait déjà s'alarmer des succès de celui qui devait être un jour son rival ; et son esprit précoce écoutait avec recueillement les savantes lectures de Jean Lascaris... » Le lettré grec est au premier plan à droite, dans une pose très michelangelesque. Le groupe de gauche, avec Bramante, évoque l'*École d'Athènes,* la duchesse avec ses enfants, les madones florentines de Raphaël. Celui-ci (plus jeune que sur la gravure précédente !) ne paraît pas rassuré par la présence, derrière lui, de Michel-Ange qui lui met la main sur l'épaule, et saisit le bras du duc. Remarquons tout de même que Laurent le Magnifique mourut en 1492, alors que Raphaël avait neuf ans et Michel-Ange dix-sept ; la scène est donc sans grande vraisemblance. J.P.C.

Paris, Bibliothèque Nationale, Cabinet des Estampes

278
Raphaël reçoit Albert Dürer dans son atelier

ill. 343

Lithographie
H. 0,510 ; L. 0,635
En bas : *Raphaël reçoit Albert Dürer dans son atelier* et légende.

La légende de la gravure raconte que Dürer « voulant se soustraire aux obsessions impérieuses de sa femme » voulut venir seul à Rome ; mais celle-ci le suivit, et le peintre ne voulut voir personne. Raphaël, mis au courant « imagina un enlèvement romanesque ». Arraché à sa femme au cours d'une promenade, Dürer fut transporté « les yeux bandés dans un palais de Rome où l'attendait une réception ». Il y trouva Raphaël et la Fornarina et des « jeunes gens dont les voix gracieuses se mêlaient au son des instruments pour célébrer la gloire du Raphaël de l'Allemagne » ; puis Raphaël « le présenta successivement à ses élèves parmi lesquels, on citait déjà Jules Romain, Cavarage (sic), Polydore et Marc-Antoine ». On reconnaît au fond de l'atelier la *Transfiguration.*

L'épisode est sans fondement historique. Mais on se rappelle que Vasari (éd. 1906, pp. 353-534), mentionne l'envoi par Dürer à Raphaël d'un de ses autoportraits et le don ensuite de celui-ci au peintre allemand de plusieurs de ses dessins. J.P.C.

Paris, Bibliothèque Nationale, Cabinet des Estampes

279
Raphaël et Michel-Ange

ill. 340

Lithographie
H. 0,520 ; L. 0,638
En bas : *Raphaël et Michel-Ange* et légende.

Le sujet est proche de celui traité par H. Vernet (n° 224). Le texte parle de la douceur du caractère du peintre, entouré « d'une foule empressée qui le faisait ressembler à un prince au milieu de ses courtisans ». Un jour qu'il était « arrêté sur une place de Rome pour dessiner un admirable groupe qui lui fournit plus tard l'idée de la Vierge à la chaise, Michel-Ange vint à passer seul et rêveur » avec son « caractère sombre et envieux ». « Tu me fais l'effet... du prévot entouré de ses archers »... « Et toi, ... tu vas toujours seul comme le bourreau ». La gravure est spécialement négligée et incohérente dans l'organisation des plans ; le visage de Raphaël est inspiré par celui de son saint patron dans la *Vierge au poisson* du Prado. J.P.C.

Paris, Bibliothèque Nationale, Cabinet des Estampes

280
Raphaël présentant à Léon X le plan du Vatican

ill. 348

Lithographie
H. 0,515 ; L. 0,630
En bas : *Raphaël présentant à Léon X le plan du Vatican et légende.*

Le texte établit un parallèle entre Jules II, inspirateur de Michel-Ange et « l'aimable Médicis » (Léon X) « seul digne de comprendre les suaves productions du noble et gracieux Raphaël Sanzio ». Le nouveau pape « chargea le jeune artiste... de donner de nouveaux plans pour le Vatican, dont il lui confia l'architecture et la décoration ». J.P.C.

Paris, Bibliothèque Nationale, Cabinet des Estampes

281
Portrait du jeune Raphaël

ill. 386

Lithographie à la plume
H. 0,180 ; L. 0,117
En bas à gauche : *A. Devéria;* à droite : *H. Lalaisse;* en haut à droite : *Raphaël Sanzio d'Urbino.*

Charmante vision d'un Raphaël qui semble sortir d'une scène du théâtre romantique. Le buste et le visage paraissent lointainement dériver du tableau attribué à Titien (voir n° 303) J.P.C.

Paris, Bibliothèque Nationale, Cabinet des Estampes

Dien (Marie-François)

Paris, 1787 - id., *1865*

Graveur et peintre, il obtint le premier prix de Rome en 1809 et exposa au Salon jusqu'en 1861. Il a gravé diverses compositions de Raphaël dont la Vierge aux candélabres *et des têtes extraites de ses fresques.* M.V.

282
Les Sibylles
D'après la fresque de Santa Maria della Pace

ill. 215

Lithographie
H. 0,342 ; L. 0,644 (l'image)
Dans la marge : *LES SIBYLLES/ Peinture à fresque de Raphaël Sanzio, exécutée sous le Pontificat de Léon X à la chapelle d'Augustin Chigi, dans l'Église de Ste Marie della Pace à Rome - RAPHAEL SANZIO pinxit - MF DIEN del*[r] *et sculp*[t] *1838,* etc.

Bibliographie :
Adhémar-Lethève, 1953, VI, 47.

La planche reproduit l'arc d'entrée de la chapelle Chigi où Raphaël a peint quatre Sibylles dont on considérait, traditionnellement, qu'elles avaient prophétisé les événements de la vie du Christ. Le graveur y a ajouté, au sommet d'un tabernacle, le buste de Raphaël. Cette grande fresque, l'une des plus louées par Vasari, ne connut qu'un succès tardif dans l'estampe, si l'on excepte la gravure anonyme de l'école de Marcantonio reproduisant la Sibylle placée à l'extrême-gauche (Bartsch, 1813, XV, n° 6). M.V.

Paris, Bibliothèque Nationale, Cabinet des Estampes

Dorigny (Louis)

Paris, 1654 - Vérone, 1742

Fils du peintre Michel Dorigny et frère de Nicolas, il fut disciple de Le Brun. Il se fixa en Italie où il peignit de vastes compositions, notamment à Vérone, et grava quelques pièces à l'eau-forte. M.V.

283
La bataille d'Ostie
D'après la fresque du Vatican

ill. 196

Eau-forte, pièce cintrée
H. 0,362 ; L. 0,530
Sur la marche du trône du pape *Raphaël Urbin pinxit,* etc. ; dans la marge, longue dédicace à *Monseigneur* par *Ls Dorigny et Ns Morant* et la date : *1673.*

Bibliographie :
Passavant, 1860, II, p. 162 ;
Weigert, 1954, III, p. 44.

Cette planche a été gravée en contrepartie de la fresque de la Chambre de l'Incendie du bourg au Vatican. Soucieux de respecter son aspect illusionniste, L. Dorigny a conservé l'encadrement en trompe-l'œil de la fresque et bien mis en relief, par des ombres vives, le raccourci du passeur et les contorsions des prisonniers sarrasins et des soldats romains. Au-dessus de cette composition en frise rappelant la Colonne Trajane, il a évoqué d'une pointe légère le combat naval dans le port d'Ostie. L'on peut presque mieux y apprécier les intentions de Raphaël, son art de la narration et son interprétation vivante des reliefs antiques que dans la fresque du Vatican, exécutée avec une certaine lourdeur par ses élèves. M.V.

Paris, Bibliothèque Nationale, Cabinet des Estampes

Dorigny (Nicolas)

Paris, 1658 - id., *1746*

Son frère Louis l'appela en Italie où il travailla d'abord comme peintre puis comme graveur. Il demeura à Rome 28 ans, dessinant et gravant d'après les maîtres italiens et surtout d'après Raphaël. Il en a reproduit les compositions décoratives de la Loggia de Psyché à la Farnésine dans de vastes et brillantes planches éditées à Rome en 1693. Il a aussi gravé en 1705 la Transfiguration *(Pinacothèque Vaticane). La reine d'Angleterre lui commanda une série de gravures d'après les cartons des* Actes des Apôtres *de Raphaël alors installés au palais d'Hampton Court, qui parut en 1719 ; il demeura une quinzaine d'années à Londres et y dessina 90 têtes de ces cartons, qui furent gravées en 1722 par différents graveurs français dont Nicolas Pigné, Gaspard Duchange, Charles Dupuis et S. Thomassin (n° 325). Ses planches sont commencées à l'eau-forte et terminées au burin afin d'accorder les tons et de raffermir les principales lignes du dessin. Il a su respecter le dessin des originaux et user d'une technique assez libre et traduisant bien les effets picturaux.* M.V.

284
Le Créateur donnant l'impulsion aux planètes
D'après la mosaïque de Santa Maria del Popolo

ill. 217

Eau-forte et burin
Diamètre 0,265
Dans la marge : *Ra. Vrbinas Jnv. - N. Dorigny del. et sculp. - Fecitq. Deus duo Luminaria,* etc. - *9.*

Bibliographie :
Passavant, 1860, II, p. 386 ;
Weigert, 1954, III, p. 45.

Il s'agit de la dernière planche d'une suite de neuf reproduisant les mosaïques de la calotte de la coupole, dans la chapelle Chigi à Santa Maria del Popolo à Rome et représentant tout autour du *Créateur* les sept planètes : *Saturne, Jupiter, Mars, le Soleil, Vénus, Mercure* et la *Lune*. La première des planches montrant le *Firmament étoilé*, porte la dédicace au duc de Bourgogne. Cette suite fut exécutée en 1695 et montre l'artiste à l'apogée de sa maîtrise technique. Un treillis de larges tailles crée des ombres légères et vibrantes et les chairs sont doucement modelées par des pointillés. C'est la plus ancienne suite de gravures d'après cette composition. M.V.

Paris, Bibliothèque Nationale, Cabinet des Estampes

Duvet (Jean)

Langres ou Dijon, 1485 -?, vers 1561-1570

*Le célèbre « Maître à la licorne » fut un artiste polyvalent: orfèvre, buriniste, architecte, décorateur de fêtes et de théâtre. Il fut actif à Langres, à Dijon et à Genève. Il est surtout connu pour deux suites gravées, l'*Histoire de la Licorne, *qui lui fut sans doute commandée par Diane de Poitiers pour en tirer des tapisseries et l'*Apocalypse *en 22 planches éditée en 1561 à Lyon chez Jean de Tournes. Duvet est un esprit ouvert qui emprunte très librement, tour à tour aux maîtres germaniques (à Dürer essentiellement) et aux maîtres italiens, Mantegna ou Marcantonio Raimondi. Il est très rare qu'il imite l'ensemble d'une estampe comme dans son* Saint Jérôme pénitent *(Bersier, n° 50, copie en contrepartie de Marcantonio, Bartsch illustré, 1978, 26, p. 131, n° 101) traditionnellement attribué à Raphaël. Le plus souvent, il se limite à la reprise d'une figure, comme sa* Sibylle *(Bersier, n° 61) qui reproduit l'une des* Sibylles *peintes par Raphaël à Santa Maria della Pace, qu'il a dû connaître à travers une gravure anonyme de l'école de Marcantonio (Bartsch, 1813, XV, 6 ; en contrepartie). Parfois la figure change d'identité ; la* Lucrèce se donnant la mort *de Marcantonio (Bartsch illustré, 1978, 26, p. 188, n° 192) est devenue une* Vierge debout, le pied sur le croissant *(Bersier, n° 42). En toutes circonstances, Duvet conserve sa personnalité artistique très affirmée où la maladresse apparente du dessin et le « négligé » de la technique renforcent une conception originale de la gravure. La surface est saturée, la composition souvent incohérente, les formes difficiles à lire dans leur imbrication et la multitude des détails qui fascinent l'œil, la lumière est brisée en mille éclats imprévus et l'image entière semble flamboyer. Dans son* Saint Michel terrassant le démon *(Bersier, n° 44), libre imitation de l'estampe d'Agostino Veneziano (Bartsch illustré, 1978, 26, p. 139, n° 105) qui pourrait refléter un premier projet de Raphaël pour le* Grand *Saint Michel* du Louvre, l'espace est totalement nié par le dessin rythmé des formes, et les striures lumineuses du ciel, des ailes et des rochers; les inventions plastiques de Raphaël sont traduites en fragments de visions hallucinées.* M.V.

285
La Vierge et l'Enfant Jésus sur des nuages

ill. 307

Burin
H. 0,166 ; L. 0,116
Monogrammé sur la double tablette en bas à droite, en caractères gothiques.

Bibliographie :
Popham, 1921, n° 79 ;
Linzeler, 1932, - 5, I, n° 9 ;
Bersier, 1977, n° 41.
Eisler, 1979, p. 196, n° 11, repr.

C'est une copie, en contrepartie, de l'une des estampes les plus imitées de Marcantonio Raimondi (Bartsch illustré, 1978, 26, p. 67, n° 47 *) *. Duvet y a ajouté un angelot qui, d'une façon presque humoristique, regarde Jésus par-dessus son épaule. Son goût des effets luministes étranges l'a poussé à strier entièrement le ciel clair de l'original ; les valeurs sont ainsi inversées et les jeux graphiques supplantent l'effet plastique du groupe des figures de Marcantonio. Dès sa jeunesse florentine, Rosso a connu ce motif, qui est sans doute à mettre en rapport avec la *Madone de Foligno* (Pinacothèque Vaticane) de Raphaël ; il a repris la disposition générale, l'éclat lumineux, la grâce des attitudes dans sa *Vierge en gloire* (Leningrad), mais il en a curieusement altéré l'effet par l'exagération des expressions et l'emploi conjoint d'un dessin aigu et d'un lourd sfumato. M.V.

Londres, British Museum, Department of Prints and Drawings

286
Le jugement de Salomon

ill. 266

Burin
H. 0,152 ; L. 0,227

Bibliographie :
Robert-Dumesnil, 1871, XI, p. 86, n° 1 ;
Linzeler, 1932, I, p. 330, n° 1 ;
Bersier, 1977, n° 4.
Eisler, 1979, p. 194, n° 10, repr.

La composition est très fortement inspirée de la gravure d'Agostino Veneziano (Bartsch illustré, 1978, 26, p. 61, n° 43) exécutée en 1516 d'après un dessin ou le carton de Raphaël, l'*Aveuglement d'Elymas*, de la série des *Actes des Apôtres*. Duvet a repris en sens inverse l'architecture complexe de la basilique civile. Salomon occupe la place du proconsul Sergius, les deux femmes se disputant l'enfant, celles de saint Paul et du magicien Elymas que Dieu rendit aveugle à la demande de saint Paul. Plusieurs figures d'assistants se retrouvent dans le *Jugement de Salomon*, mais Duvet n'a pas respecté leurs proportions en fonction des plans, ni le puissant clair-obscur modelant les drapés et les corps et les ombres portées des figures. La scène perd ainsi en substance, tandis que s'affirme le graphisme mouvementé et le pittoresque des types humains presque caricaturaux. M.V.

Paris, Bibliothèque Nationale, Cabinet des Estampes

*si heureusement appliqué aux différentes choses qu'il avait à traiter, qu'il fait distinguer jusqu'à la matière de chaque objet (et arrive à) faire sentir dans l'estampe les couleurs du tableau.» (1887, II, pp. 49 et suiv.)*M.V.

287
L'ange sonnant de la sixième trompette

ill. 298

Burin
H. 0,300 ; L. 0,215 (dimensions moyennes de la série). Dans une tablette devant l'autel : HIST CAP 9 APOC - IOHANNES DUVET FAC

Bibliographie :
Robert-Dumesnil, 1841, V, p.35 ;
Linzeler, 1932, I, n° 30 ;
Bersier, 1977, n° 26.
Eisler, 1979, p. 264, n°o 47, repr.

Il s'agit de la 9e planche de l'*Apocalypse figurée* que Duvet a dû réaliser entre 1545 et 1555. Comme toutes les autres planches de cette suite, elle s'inspire de façon flagrante de l'*Apocalypse* sur bois de Dürer parue en 1498 et qui connut une fortune considérable ; ici de la planche 7. Mais au cœur de cette composition visionnaire où l'absence de tout repos pour l'œil reflète l'absence de tout répit pour les victimes des fléaux déchaînés par le son de la trompette, Duvet a placé la figure d'un ange vengeur qui reprend en l'inversant celle du bourreau de gauche dans le *Massacre des Innocents* de Marcantonio Raimondi d'après Raphaël (Bartsch illustré, 1978, 26, p. 29, n° 18) *. Dans la planche de l'*Apocalypse* de Duvet, son impact esthétique et affectif est fortement amoindri par son drapé et la mosaïque des formes qui l'encerclent. M.V.

Paris, Bibliothèque Nationale, Cabinet des Estampes

Edelinck (Gérard)

Anvers, 1640 - Paris, 1707

Après une première formation en Flandre, il rejoignit en 1666 son frère cadet à Paris. Il entra dans un cercle de graveurs parmi lesquels Robert Nanteuil dont il épousa la nièce et reçut les conseils de Philippe de Champaigne et de Charles Le Brun. Il fut reçu à l'Académie de peinture en 1677 et nommé professeur aux Gobelins. Il avait manifesté le désir de compléter sa formation en Italie, mais Colbert, de peur de perdre un graveur aussi éminent, ne lui fit pas accorder son brevet pour y aller étudier. Il fut avant tout graveur de portraits, d'après les tableaux de ses contemporains ; sa Sainte Famille *d'après Raphaël, qui fut pour beaucoup dans sa célébrité, est le seul morceau qu'il ait gravé d'après lui. Guillet de Saint-Georges a défini la nouveauté de son style : « Avant lui, nos graveurs ne connaissaient que les tailles carrées et leur travail était pour ainsi dire monotone. Il était uniforme (...). Il introduisit le losange par la variété de ses tailles et leur différent assemblage, il se forma un goût de travail très varié, si bien choisi et*

288
La Grande Sainte Famille de François Ier
D'après le tableau du Louvre*

ill. 68

Burin
H. 0,445 ; L. 0,299
Dans le bas ; *Raphaël pinx, - G. Edelinck sculp.* ; dans la marge : *La Sainte Famille de Jésus Christ, d'après le tableau de Raphaël d'Urbin hault de 6 pieds 5 p. et large de 4 pieds 3 p. qui est au Cabinet du Roy - Sacra Christi Familia,* etc. - en contrepartie du tableau du Louvre - 4 états connus : avant toute lettre ; avec la lettre ; avec l'écusson d'armes de l'abbé Colbert ; après que les armes aient été effacées - cuivre à la Chalcographie du Louvre.

Bibliographie :
Robert-Dumesnil, 1844, VII, 4 ;
Mariette, *Abecedario,* 1853-54, II, pp. 211-220 ;
Passavant, 1860, II, p. 258 ;
Delaborde, s.d., p. 34 ;
Weigert, 1961, IV, p. 340.

Comme le notait Mariette, « Gérard Edelinck ne grava pas cette planche pour le roi, mais pour M. Colbert, et pour servir à une thèse soutenue par un de ses enfants ; depuis M. Colbert la donna au roi, et l'on effaça ses noms qui étaient au bas de la planche. » Jacques-Nicolas Colbert (1654-1707), second fils de Colbert, destiné à l'état ecclésiastique, soutint une thèse de doctorat de théologie en Sorbonne ; il devint plus tard archevêque de Rouen. La planche, après la suppression des armes, parut avec la première partie des *Tableaux du Cabinet du Roi* en 1679, et Félibien lui consacra une notice. « Quoique par cette estampe on puisse juger de la grandeur de l'ordonnance, de la force du dessein, de la noblesse des expressions et de la distribution des lumières et des ombres, c'est néanmoins en voyant la Peinture mesme qu'on découvre encore mieux, l'excellence de toutes ces parties, qui jointes à l'entente des couleurs et à la beauté du pinceau, font que cet ouvrage doit estre considéré comme un chef d'œuvre de l'Art et un des plus beaux que Raphaël ait faits. »

Parmi les gravures antérieures du tableau du Louvre, mentionnons une estampe anonyme (sans doute italienne) du XVIe siècle, dans le sens de l'original, une autre portant l'adresse : *si vendano dalli Billij à Pasquino* ». La gravure de Gilles Rousselet, en contrepartie du tableau et dédiée au chancelier Séguier, a sans doute été la première reproduction faite en France. La planche de G. Edelinck a été copiée par de nombreux graveurs dont le plus fidèle fut Jacques Frey. Citons une copie en petit éditée par Bernard Picart, une chez Poilly, une chez Vallet et celle de Claude Duflos qui parut en contre-épreuve dans l'ouvrage de J.B. de Monicart, *Versailles immortalisé* (...), 1720. Les planches éditées par Pierre Drevet et Jacques Chéreau sont en revanche gravées dans le sens de l'original ; la qualité très inférieure de ces estampes montre qu'elles étaient plutôt considérées comme des images de dévotion. M.V.

Paris, Bibliothèque Nationale, Cabinet des Estampes

Edelinck (Nicolas)

Paris, 1681 - id., *1767*

Huitième enfant de Gérard Edelinck, il fut formé dans le style de gravure du XVIIe siècle, qu'il prolongea tard dans le siècle suivant. On connaît une trentaine de pièces gravées par lui, des portraits essentiellement, dont quatre portraits attribués à Raphaël, des collections royales, exécutés pour le Cabinet Crozat: *celui du* Cardinal Jules de Médicis *(perdu?), un* Portrait de jeune homme* *(Louvre, aujourd'hui considéré comme de Parmigianino) un* Portrait d'homme* *(Louvre, aujourd'hui reconnu de Franciabigio) et celui exposé ici.* M.V.

289
Portrait de Balthazar Castiglione
D'après le tableau du Louvre*

ill. 127

Eau-forte et burin
H. 0,202 ; L. 0,170
Dans la marge : *PORTRAIT DU COMTE BALTHAZAR CASTIGLIONE / d'après le Tableau de Raphaël, qui est dans le Cabinet du Roy. haut de 29 pouces, large de 24 pouces, gravé par Nicolas Edelinck — 13.*

Bibliographie :
Passavant, 1860, II, p. 155 ;
Roux, 1955, VIII, 24.

La planche fut exécutée pour le *Cabinet Crozat* (I, 1729, pl. 13). Gravé en sens inverse du tableau du Louvre, dont il s'est efforcé de traduire les valeurs lumineuses subtiles et la douceur de la touche fondue. C'est l'image ancienne la plus fidèle de ce portrait du « parfait courtisan ». Nicolas Edelinck et un certain nombre d'autres graveurs (Nicolas IV de Larmessin, Charles Simonneau, Jacques Chéreau, etc.) furent employés à l'une des entreprises les plus prestigieuses pour la fortune gravée de Raphaël en France, connue sous le nom de *Cabinet Crozat*. Ces différents artistes ont su remarquablement unifier leurs manières et respecter les qualités picturales des originaux. La précision de ces planches à laquelle s'ajoutait celle des notices érudites de Mariette, fit du recueil la première contribution française de haute qualité à une connaissance historique et critique des tableaux et dessins de Raphaël conservés en France.
M.V.

Paris, Bibliothèque Nationale, Cabinet des Estampes

Flipart (Jean-Jacques)

Paris, 1719 - id., *1752*

Fils de Jean-Charles Flipart, il fut formé à la gravure par son père puis par Laurent Cars, chez lequel il fit la connaissance de Boucher. Graveur au burin et à l'eau-forte, il sut adapter sa manière aux maîtres dont il se fit l'interprète. M.V.

Flipart d'après Boucher (François) Paris, 1703* - id., *1770

290
Frontispice avec les portraits de Raphaël et de Michel-Ange

ill. 392

Eau-forte
H. 0,144 ; L. 0.089
Dans la marge : *F. Boucher, inv. — J. J. Flipart sculp.*

Bibliographie :
Pognon, 1962, IX, 123.
Ananoff, 1976, I, p. 94, fig. 134 ;
Jean-Richard, 1978, p. 251, n° 1006, repr. (avec bibliographie).

Cette gracieuse composition emblématique de Boucher servit de frontispice à l'ouvrage de Dezallier d'Argenville, *Abrégé de la vie des plus fameux peintres* (éd. de 1762). Des Amours potelés dessinent et couronnent de guirlandes les portraits en médaillon de Michel-Ange et de Raphaël ; l'image de Raphaël est sans doute dérivée du portrait de *Jeune homme* (autrefois au musée Czartoryski, Cracovie). Le dessin de Boucher est conservé (Paris, coll. part. ; Ananoff *op. cit.*, p. 94, repr.). La légèreté enjouée de l'allégorie, l'instabilité des formes entraînées dans un tourbillon de nuées où se joue une lumière frémissante font de cet hommage à Raphaël un précieux bijou rocaille, assez inhabituel.
M.V.

Paris, Bibliothèque Nationale, Cabinet des Estampes

Forster (François)

Le Locle (Suisse), 1790 - Paris, 1868

Actif à Paris à partir de 1819, il y fit une brillante carrière après avoir obtenu le Premier Prix de Rome (1814). Il a exécuté plusieurs lithographies d'après des Vierges attribuées à Raphaël (la Vierge au bas-relief, *la* Vierge à la légende*) et d'après deux autoportraits de l'artiste (1836 et 1843). Il a aussi gravé un tableau, pour ainsi dire emblématique de l'artiste, les* Trois Grâces *(Chantilly, Musée Condé).* M.V.

291
La Vierge de la maison d'Orléans
D'après le tableau de Chantilly

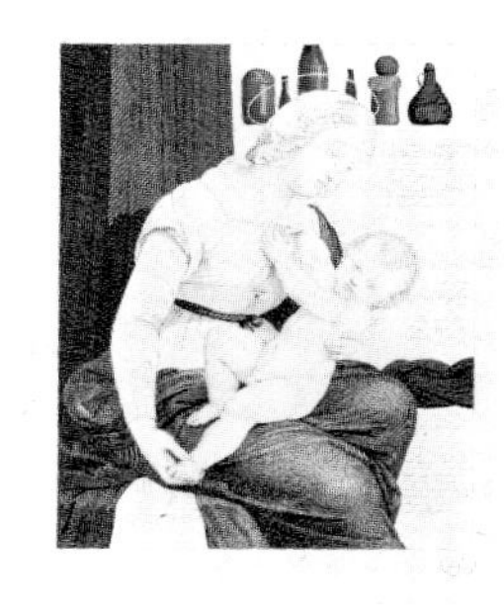

ill. 5

Lithographie
H. 0,292 ; L. 0,227
Épreuve inachevée et longuement annotée au crayon. 1er état (connue en 8 états).

Bibliographie :
Adhémar-Lethève, 1954, VIII, 22.

Ce tirage de la planche inachevée permet d'apprécier la minutie du travail de Forster. Les remarques montrent qu'il a eu pour modèle une copie dessinée mais qu'il a eu l'occasion de la confronter au tableau original de Raphaël (Chantilly). Il se montre très attentif aux tons, aux effets de la lumière sur les étoffes et aux transparences (voile de la Vierge). M.V.

Paris, Bibliothèque Nationale, Cabinet des Estampes

292
La Vierge de la maison d'Orléans
D'après le tableau de Chantilly

ill. 6

Cf. n° précédent — 8e état. Dans la marge : *Raphaël pinxit — B. Desnoyers delt. — F. Forster sculpt 1838 — LA VIERGE DE LA MAISON D'ORLÉANS — Le Tablu origl de même grandeur qui faisait partie de la célèbre collection du Palais Royal est actuelt dans celle de Mr le Marquis de las Marismas del Guadalquivir, à Paris.*

Huitième état, définitif de la gravure de Forster. Voir n° 291. M.V.

Paris, Bibliothèque Nationale, Cabinet des Estampes

Fragonard (Alexandre-Evariste)

Biographie, voir section Peintures et Dessins

293
Raphaël et la duchesse d'Urbin

ill. 335

Lithographie
H. 0,287 ; L. 0,285
En bas à gauche : *Fragonard.*
A droite : *Imp. lith. de Villain.*

Giovanna della Rovere, duchesse d'Urbin, protectrice de Raphaël, donne à celui-ci, qui semble âgé d'une douzaine d'années, une lettre qu'elle vient d'écrire où elle le recommande au gonfalonier Soderini de Florence (Raphaël avait en fait vingt et un ans à ce moment). La duchesse porte un vêtement tout voisin de celui de la *Jeanne d'Aragon** du Louvre ; le personnage à l'arrière-plan semble être Giovanni Santi, le père du jeune garçon.

J.P.C.

Paris, Bibliothèque Nationale, Cabinet des Estampes

Gaillard (Claude-Ferdinand)

Paris, 1834 - id., *1887*

La gravure fut d'abord pour lui un gagne-pain nécessaire, mais lorsqu'il eut remporté le 1er Prix de Rome en 1856 et séjourné quatre ans en Italie, il put s'adonner à la perfection de son art. Exécutant des planches très claires, qui renouaient avec le goût de la Renaissance, il fut assez critiqué, à une époque où l'on goûtait tant les clairs-obscurs dramatiques à la Rembrandt. Profondément religieux, il entra dans le Tiers-Ordre de Saint-François. Il travailla pendant plusieurs années à une estampe de 1,5 m de large d'après la Cène *de Léonard de Vinci et grava deux Madones de Raphaël. M.V.*

294
Saint Georges combattant le dragon
D'après le tableau du Louvre*

ill. 88

Burin
H. 0,300 ; L. 0,254
34e et dernier état. Dans la marge : *Raphaël pinxt — CHALCOGRAPHIE DU LOUVRE — F. Gaillard sct 1885*

Bibliographie :
H. de la Tour, *C.F. Gaillard,* 1888, pp. 42-43 ;
Adhémar-Lethève, 1954, VIII, 75.

C'est l'un des chefs-d'œuvre de l'artiste qui a su traduire les valeurs colorées et même la touche du petit panneau de Raphaël au Louvre avec délicatesse et légèreté. Malgré la lente élaboration de sa planche et sa précision scrupuleuse, l'image possède une luminosité et une souplesse sans équivalent dans la gravure de cette époque. M.V.

Paris, Bibliothèque Nationale, Cabinet des Estampes

Garnier (François)

Dates inconnues, expose aux Salons de 1824 à 1850

Girardet d'après Picot
Biographie : voir section Peintures et Dessins.

295
Raphaël et la Fornarina

ill. 355

Eau-forte
H. 0,576 ; L. 0,435
En bas à gauche : *Peint par Picot;* à droite : *Gravé par Garnier;* au centre : *Raphaël et la Fornarina / Gravé d'après le Tableau Original appartenant à Mr Le Comte de Schoenborn.*

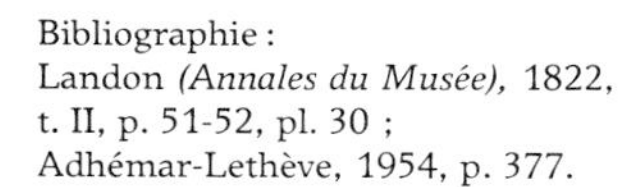

Bibliographie :
Landon *(Annales du Musée),* 1822, t. II, p. 51-52, pl. 30 ;
Adhémar-Lethève, 1954, p. 377.

Le tableau de Picot du Salon de 1822 (nº 1026) a disparu (voir Landon *Annales du Musée,* 1822, t. II, p. 51-52, pl. 30). La gravure de Garnier figura au Salon de 1824 (nº 1976). La scène est placée dans un cadre champêtre, celui de la Villa Borghèse où se trouvait le « Casino de Raphaël » que l'on identifie sur la gauche (voir nºs 132 et 190) ; le dôme de Saint-Pierre apparaît dans le fond à droite. Raphaël est occupé à dessiner, un projet pour la *Vierge à la chaise* est à ses pieds : contrairement à Ingres (nº 134), Picot habille la Fornarina, dont le mouvement ébauche, précisément, celui de la *Vierge à la chaise,* d'un costume élégant mais populaire, celui d'une Transtévérine, prête à jouer de la guitare qu'elle a posée au sol.

La pendule du Palais-Royal de Madrid (nº 397) prouve le succès de cette composition. J.P.C.

Paris, Bibliothèque Nationale, Cabinet des Estampes

Gaultier (Léonard)

Mayence, vers 1561 - Paris?, 1641

*Fils d'un marchand orfèvre allemand, il a dû être l'élève d'E. Delaune, qui s'installa à Strasbourg dès 1573. C'est peut-être Delaune qui l'incita à copier des gravures italiennes d'après Raphaël, en les réduisant aux dimensions de miniatures. Telles sont ses copies des estampes de l'*Histoire de Psyché *du Maître au dé (Linzeler, 1932-35, I, 163-195 ; sur ce motif,* cf. *Androuet Du Cerceau). Ses sujets religieux sont fréquemment marqués de souvenirs raphaélesques comme sa* Transfiguration *(Linzeler, 45) qui montre la connaissance des estampes d'après la* Transfiguration *de Raphaël. Ses planches au burin portent le monogramme LG ou son nom.* M.V.

296
Sainte Cécile entourée de quatre saints

ill. 104

Burin
H. 0,250 ; L. 0,160
En bas à droite, monogramme *LGf, 1598.*

La gravure n'est pas citée dans les Inventaires du Fonds français du XVIe ou du XVIIe siècle de la Bibliothèque Nationale. Il s'agit d'une copie de la gravure célèbre de Marcantonio Raimondi (Bartsch illustré, 1978, 26, p. 151, nº 116)* ; ce dernier nous a conservé le souvenir d'une idée de Raphaël, modifiée par la suite, pour le retable de la Pinacothèque de Bologne. Le modello pour cette gravure fut sans doute le dessin, attribué à Gianfrancesco Penni, aujourd'hui au Petit Palais à Paris. Deux dessins considérés comme de la main de Raphaël, se trouvaient en France au XVIIIe siècle : l'un appartint à R. de Piles (m. 1709), P. Crozat (vente 1741) et au marquis de Gouvernet (vente 1775) ; le second, acquis à Bologne par M. Chubéré (en 1731) comme provenant des Bentivoglio, appartint ensuite à Paignon-Dijonval (vers 1755). L. Gaultier a traduit d'une manière plus métallique et plus tranchante l'estampe de Marcantonio qui avait su créer une atmosphère lumineuse autour des puissantes figures grâce à un emploi complexe et inédit des hachures. M.V.

Paris, Bibliothèque Nationale, Cabinet des Estampes

297
Saint Georges combattant le dragon
D'après le tableau de Washington

ill. 89

Burin
H. 0,308 ; L. 0,215
En bas : *Sancte Georgii — Dive, tuo iugulata iacet fera bellua telo (...) — Iac Honervogt excud. — Leonard Gaultier incidit.*

Bibliographie :
Passavant, 1860, II, p. 43 ;
Weigert, 1954, III, p. 422, nº 48.

La gravure reproduit dans le même sens et dans ses moindres détails le tableau de Raphaël aujourd'hui à la National Gallery de Washington ;

les tailles sont très diversifiées pour suggérer les différentes textures et rendre les modulations de la lumière. Si le tableau de Washington a bien été porté à Henri VII par Balthazar Castiglione de la part du duc Guidobaldo d'Urbino, en remerciement de l'ordre de la Jarretière que lui avait conféré le souverain anglais, la gravure de Gaultier, qui doit dater de l'extrême fin du XVIe siècle ou du début du XVIIe, a été faite d'après une copie ancienne. Il faut rappeler que Félibien, en plus du *Saint Georges* de la collection royale, mentionnait deux *Saint Georges* dans des collections françaises, de composition identique, le premier qui appartint au roi Charles Ier d'Angleterre, au marquis de Sourdis (puis à M. de Montarsis, à Crozat, à son neveu le baron de Thiers et à Catherine II de Russie), et un second qui passa dans les collections du comte de Chiverni, de la marquise d'Aumont, de Desneux de la Noue et du président Tambonneau (*Entretiens,* I, éd. 1725, p. 339). D'autres gravures furent faites d'après ce motif. Bartsch (1813, XV, p. 14, n° 3) catalogue une gravure d'un « ancien maître » contemporain de Marcantonio faite d'après un dessin, avec un fond différent (Brown, 1983, fig. 84). Passavant cite plusieurs estampes flamandes. Le tableau de Washington a également été gravé en 1627 par Lucas Vorsterman lorsqu'il appartenait au comte de Pembroke. M.V.

Paris, Bibliothèque Nationale, Cabinet des Estampes

Girardet (Édouard)

Neufchâtel, 1819 - Versailles, 1880

Girardet d'après Jalabert (Charles-François), Nîmes, 1819 - Paris, 1901

298
L'atelier de Raphaël

Aquatinte et manière noire
H. 0,595 ; L. 0,880
En bas au centre : *Raphaël Sanzio.*

Bibliographie :
Jourdan, 1981, n° 84, repr.

ill. 345

Gravure, éditée par Goupil en 1859, d'un tableau du Salon de 1857 (n° 1418), aujourd'hui disparu. Raphaël dessine une paysanne tenant un enfant, qui a pris la pose de la *Vierge Sixtine.* Accoudés sur l'estrade, une paysanne âgée attend de poser pour la vieille Sibyllle de la fresque de Santa Maria della Pace, et un bambin s'entraîne pour être bien conforme, tout à l'heure, à l'idée que se fait le peintre d'un des angelots de la *Vierge Sixtine.* Dans le fond, plusieurs aides travaillent à un carton de la fresque d'*Héliodore chassé du temple;* Raphaël est auréolé par la *Vierge à la chaise,* esquissée, placée derrière lui. Sur la droite, Balthazar Castiglione et Giovanni de' Medici, futur Léon X, le regardent travailler ; à l'extrême droite, deux écuyers ressemblent, rajeunis, aux porteurs de la *Messe de Bolsène.* La scène pourrait ainsi se placer vers 1512-1513 : il semble que Jalabert ait cherché quelque cohérence dans sa représentation. Les statues antiques qui ornent l'atelier témoignent des bonnes sources de l'art du peintre ; d'ailleurs, tout à gauche, un débutant dessine d'après un buste romain. J.P.C.

Paris, Bibliothèque Nationale, Cabinet des Estampes

Grevedon (Henri)

Paris, 1776 - id., *1860*

Ce n'est qu'en 1822 que ce peintre de portraits fit ses débuts de lithographe. Il utilisa cette technique dans le même but : mettre au jour des portraits d'un genre agréable et flatteur, dans lequel il était en concurrence avec Achille Devéria. M.V.

299
Alphabet des dames
Page de titre

Lithographie
H. 0,408 ; L. 0,237
ALPHABET DES DAMES ou Recueil de vingt-cinq Portraits de Fantaisie par HENRI GREVEDON — à Paris — chez Chaillou - Potrelle.

Bibliographie :
Adhémar-Lethève, 1955, IX, 63.

ill. 310

Sur cette page de titre, l'artiste a repris et librement interprété un motif de Vierge de Raphaël, dite la *Vierge lisant,* connue par un dessin (Chatsworth, collection du duc de Devonshire) et par la gravure de Marco da Ravenna (Bartsch illustré, 1978, 26, p. 70, n° 48), tous deux tournés vers la droite. Le crayon lithographique confère au sujet un caractère très suave, avec un rien d'orientalisant dans la physionomie et le madras de la Madone ; ce style d'interprétation des figures féminines de Raphaël fut assez répandu vers 1830, moment où parut ce recueil de portraits de beautés imaginaires, coiffées et vêtues à toutes les modes passées ou exotiques, et datées entre 1830 et 1832. M.V.

Paris, Bibliothèque Nationale, Cabinet des Estampes

Julien (Bernard-Romain)

Bayonne, 1802 - id., *1871*

Élève de Gros, il fut pendant près de vingt ans un portraitiste fécond et commercial; pendant les vingt ans qui suivirent (1850-1870) il fut surtout connu comme l'auteur de très nombreux « Cours de Dessin » que les élèves de David utilisèrent dans leur enseignement. M.V.

300
Jupiter
D'après la fresque de la Farnésine

Lithographie
H. 0,632 ; L. 0,460
En bas : *Julien ; NOUVELLES ACADEMIES Lithographiées par Julien — n° 28 - Jupiter d'après Raphaël — Paris (M*on *Aumont)* etc.

ill. 234

Ce modèle de dessin reproduit en contrepartie la figure de Jupiter du *Conseil des Dieux* peint à la voûte de la Loggia de Psyché à la Farnésine (Rome). Dessiné au trait, en manière de crayon doux et gras, ce Jupiter songeur devant les plaintes de l'Amour, est traité avec le plus grand sérieux, comme s'il s'agissait d'une véritable statue antique. Comme beaucoup d'artistes survenus après le mouvement néo-classique, Julien ne semble pas avoir perçu l'attitude assez particulière de Raphaël à l'égard de l'antique dans la Loggia de Psyché. Le caractère hédoniste du lieu, l'interprétation de la fable comme une illustration du pouvoir universel de l'amour ont en effet entraîné Raphaël à jouer familièrement, non sans un certain sens de l'humour, avec les figures des dieux de l'Olympe. La même insensibilité à cette dimension ludique se retrouve chez Ingres (*Jupiter et Thétis,* Aix). M.V.

Paris. Bibliothèque Nationale, Cabinet des Estampes

La Guertière (François de)

*Actif au milieu du XVII*e *siècle*

On ne sait presque rien sur ce graveur dont Mariette rapporte : « Il était Français et peintre d'ornements. Dans un voyage qu'il fit à Rome vers le milieu du dix-septième siècle, il dessina pour son étude les agréables grotesques dont Raphaël a enrichi les Loges du Vatican, et de retour en France, il en grava plusieurs planches qu'il fit paraître sous les auspices du fameux curieux [Everard] Jabach, auquel il en fit la dédicace. Il s'en faut beaucoup qu'il ait tout gravé et, comme les peintures périssent chaque jour et que bientôt on n'en verra plus rien, on n'a que plus sujet de regretter que le tout n'ait pas été gravé par un artiste si propre à faire sentir l'élégance et la grâce de ces riches compositions. » (Abecedario, *1854-1856, III, p. 42).*
M.V.

301
Montants d'ornements
D'après les Loges du Vatican

Eau-forte
H. 0,310 ; L. 0,178
Planche 11 du recueil.

Bibliographie :
Robert-Dumesnil, 1841, V, p. 32 ;
Passavant, 1860, II, p. 171 ;
Weigert, 1973, VI, p. 127.

ill. 242

La gravure montre trois motifs de grotesques en candélabre, coupés verticalement par moitié, qui ornent les pilastres des Loges du Vatican. Elle fait partie d'une suite de 16 planches qui présentent deux à quatre motifs du même décor, peints par Giovanni da Udine et d'autres élèves de Raphaël. Le frontispice porte le titre *Recueil des Grotesques de Raphaël d'Urbin peintes dans les Loges du Vatican à Rome désignées et gravées par F. de la Guertière Peintre du Roy,* et sa traduction latine, ainsi qu'une longue dédicace latine à E. Jabach. L'exécution de ces planches est remarquable par la justesse du dessin et la légèreté du trait, qui est rendu encore plus aérien et spirituel par l'impression dans une encre pâle.

Certains panneaux d'arabesques pris des Loges ont été gravés par Agostino Veneziano (Bartsch illustré, 1978, 27, pp. 248-269, n°s 564-583). Mais il fallut attendre la fin du XVIIIe siècle pour voir une publication systématique des montants des Loges, comportant les grotesques peints et les stucs : en 1787 paraissait chez J.F. Chéreau *Les Loges peintes à Rome au palais du Vatican par Raphaël Sanzio* d'Urbin, gravées par J. Le Roy. Il semble toutefois certain que les grotesques des Loges, de la Loggetta et de la Stufetta du Vatican ont déjà intéressé les décorateurs et ornemanistes au XVIe siècle ; on en trouve des échos dans les gravures de l'École de Fontainebleau (voir Androuet Du Cerceau).

Bien que placées au-dessous des compositions historiques de Raphaël, ces compositions décoratives furent étudiées par les artistes français à Rome. La Teulière, directeur de l'Académie de France à Rome écrivait en 1692 à Colbert : « Il y a véritablement, dans les Loges de Raphaël, de quoi s'appliquer pour les (a)rabesques que l'on a imité des Anciens ; mais il faut un talent extraordinaire pour en profiter, et l'on ne saurait le faire sans savoir bien dessiner, sans une grande liberté de pinceau et une imagination heureuse, pour pouvoir remplir toutes les parties que cette sorte d'ouvrage demande, parce que, outre les rinceaux de feuillage, qui sont très peu considérables, ces (a)rabesques sont diversifiés de toute sorte de figures nues et drapées, hommes, femmes, enfants, animaux, oiseaux, poissons,mascarons, fleurs, fruits, paysage, perspective ; c'est enfin un assemblage de tout ce qu'il y a dans la nature, et dans la fable même, le tout d'un dessin et d'une délicatesse extraordinaire, parce que c'est de l'invention de Raphaël et peint par ses meilleurs élèves. » (Montaiglon., 1887, t. I, pp. 323-325). M.V.

Paris, Bibliothèque Nationale, Cabinet des Estampes

Larmessin (Nicolas I de)

Paris, ? - id., *1694*

Il fut le fondateur d'une dynastie de graveurs. Il a gravé des almanachs royaux et des portraits et les édita en série. Sa technique de buriniste manque d'élégance, de légèreté et de sens des valeurs. Contraint dans ses portraits d'hommes illustres des siècles passés à s'inspirer d'anciennes estampes, il a adopté une formule de présentation monotone et sans vie. Des tailles épaisses et serrées, qui donnent à l'impression une image sombre aux contrastes abrupts, ajoutent à la raideur étrange de ces effigies, qui sembleront bien archaïques chez un contemporain de Robert Nanteuil.

M.V.

302
Portrait dit de Bramante

Burin
H. 0,186 ; L. 0,133
En bas : *Raphaël d'Urbin pinx. — De Larmessin sculp. — BRAMANT ARCHITECTE DE ROME*
t. I, p. 347 de l'*Académie* de bullart

Bibliographie :
Weigert, 1973, VI, n°s 403 à 565.

ill. 134

La planche fait partie d'une très importante série de portraits gravés pour l'*Académie des Sciences et des Arts* (..) d'Isaac Bullart (Bruxelles, 1682) ; elle est en tête de la biographie de Donato Bramante, né à Urbin, qui, selon le témoignage de Vasari, appela Raphaël à Rome pour travailler dans les Chambres du Vatican et le forma comme architecte (éd. 1906, t. I, p. 347). Le modèle est en réalité un portrait d'homme, traditionnellement identifié comme étant celui de Marcantonio Raimondi, le graveur attitré de Raphaël, conservé au XVIIe siècle dans la famille L'Estang de Parade à Aix-en-Provence et jusqu'à une époque récente (De Vecchi, 1982, n° 166) ; la gravure est en contrepartie.

M.V.

Paris, Bibliothèque Nationale, Cabinet des Estampes

303
Portrait dit de Raphaël

Burin
H.0,189 ; L. 0,139
En bas : *Titian pin — De Larmessin sculp. — RAPHAEL D'URBIN —*
t. I, p. 359 de l'*Académie* de Bullart.

Bibliographie :
Passavant, 1860, II, p. 155 ;
Weigert, 1973, VI, n°s 403 à 565.

ill. 385

La planche peut être une copie, en contrepartie, d'une gravure du XVIIe siècle sans nom de graveur que Florent Le Comte (1700, t. III, p. 851) attribuait à W. Hollar (pour la tête) et P. Pontius. Cette gravure qui montre le modèle devant un pilastre et un paysage champêtre porte également les noms de Raphaël et de Titien. Elle fut faite d'après un portrait attribué à Titien (Genève, coll. part. ; *cf.* K. Garas, 1975, *Acta Historiae Artium* XXV ; l'auteur pense qu'il pourrait représenter Raphaël). Rappelons que rien ne prouve que le Titien ait rencontré Raphaël, même si ses œuvres reflètent un certain intérêt pour les œuvres de ce dernier, en particulier ses portraits. Nicolas I de Larmessin a également reproduit, pour la biographie que Bullart consacra à Balthazar Castiglione dans son *Académie,* le portrait de *Castiglione** du Louvre.

M.V.

Paris, Bibliothèque Nationale, Cabinet des Estampes

Larmessin (Nicolas IV de)

Paris, 1684 - id., *1755*

Fils du graveur Nicolas III, il fut formé par lui à la gravure de portraits. Sa technique rigoureuse lui valut d'être employé à reproduire les tableaux de Raphaël pour le Cabinet Crozat. *En 1730, il fut reçu à l'Académie de Peinture. Sa facture élégante et claire, parfois un peu froide, se soumet toujours scrupuleusement au modèle copié.*

M.V.

304
Portrait de Raphaël et d'un ami
D'après le tableau du Louvre*

Eau-forte et burin
H. 0,290 ; L. 0,233
Dans la marge : *Portrait de Raphaël / D'après le Tableau de ce peintre qui est dans le Cabinet du Roy, Haut de 3 pieds 8 pouces, large de 3 pieds 4 pouces, peint en bois gravé par Nicolas Larmessin - 9 -*

Bibliographie :
Passavant, 1860, II, p. 356 ;
Sjöberg, 1973, XII, p. 25.

ill. 389

Gravé en sens inverse du *Double portrait** aujourd'hui au Louvre pour le 1er volume du *Cabinet Crozat* (1729, pl. 9). La planche reflète la transformation que subit le tableau à la fin du XVIIe siècle ; il fut alors considérablement agrandi, probablement pour faire pendant au *Portrait de Jeanne d'Aragon** dans le Cabinet de Monseigneur (le Dauphin) au château de Versailles. Le parapet de pierre lui conférait un caractère plus vénitien, comme la *Schiavona* du Titien (Londres, National Gallery) et l'ombre portée du bras tendu en avant en renforçait l'illusionnisme, ce qui éclaire peut-être l'attribution ancienne du portrait à Pordenone.

M.V.

Paris, Bibliothèque Nationale, Cabinet des Estampes

Le Bas (Michel-Olivier)

Paris, 1783 - id., *1843*

Élève de Regnault et du graveur Langlois, il fut un spécialiste de la gravure au trait. Il exécuta dans cette manière plus d'une centaine de planches pour les publications de Landon, les Annales du Musée, *et les* Vies et Œuvres des peintres les plus célèbres de toutes les écoles. *M.V.*

305
Héliodore chassé du temple
D'après la fresque du Vatican

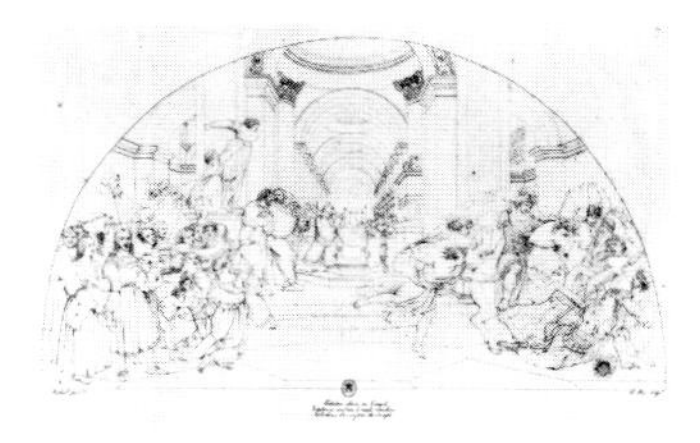

ill. 180

Gravure au trait
H. 0,224 ; L. 0,400, cintré
Dans la marge : *Raphaël pinx[t] - Heliodore chassé du temple - Le Bas sculp[t]* - parue dans *Vie et Œuvre complète de Raphaël Sanzio,* de C.P. Landon, Paris, 1805, 4 vol. de planches. (2e éd., Paris, 1844, chez Firmin-Didot).

Bibliographie :
Adhémar-Lethève, 1965, XIII, pp. 127-130.

Cette estampe est représentative d'une mode lancée par les recueils gravés d'antiques à la fin du XVIIIe siècle et développé par les dessinateurs néo-classiques, Flaxman ou Girodet. Les planches ainsi gravées d'après des tableaux sont nécessairement très interprétatives et la stylisation linéaire des modèles n'a pas toujours été heureuse dans les quelques centaines de motifs attribués à Raphaël. Interprétation radicale de l'œuvre, réduite à une épure, abstraite de toutes ses beautés sensibles, à laquelle s'en est ajoutée une autre, plus grave et responsable en partie de la profonde méconnaissance de l'œuvre de Raphaël au XIXe siècle : dans ces quatre volumes de gravures sont reproduites pêle-mêle ses fresques du Vatican, des tapisseries de son École, des Madones dessinées ou peintes et pratiquement tout l'œuvre des graveurs romains et bolonais de la première moitié du XVIe siècle.
M.V.

Paris, Bibliothèque Nationale, Cabinet des Estampes

Lelu (Pierre)

Paris, 1741 - id., *1810*

Élève de Boucher puis de Doyen, il partit en 1762 pour Rome où il étudia Raphaël, les Carrache et le Dominiquin. Il fit deux autres voyages en Italie et en rapporta des dessins. Sur les 75 pièces qu'il a gravées à l'eau-forte et en manière de lavis, certaines sont d'après des dessins qui appartenaient au comte de Saint-Morys, notamment quelques dessins qu'il attribuait à Raphaël. Il a gravé le Massacre des Innocents *(d'après un dessin ou en s'inspirant librement de la gravure de Marcantonio ;, Bartsch illustré, 1978, 26, p. 29, 18),* Dieu bénissant le monde *d'après un dessin attribué à Raphaël (Louvre, Inv. 3.890 ; première pensée pour la* Dispute du Saint-Sacrement) *et l'*Annonciation *(d'après un dessin de M. de Saint-Morys attribué à Raphaël, n° 175 de la vente de 1786). M.V.*

306
L'évanouissement de la Vierge

ill. 97

Eau-forte et clair-obscur sur cuivre
H. 0,355 ; L. 0,390
En bas : *Raphaël inv. - tiré du cab. de Mr de Saint Morys - P. Lelu sculp. 1784* - 2e état (le 1er, seul le trait à l'eau-forte).

Bibliographie :
Baudicour, 1859, I, 62.

La planche qui copie un dessin lavé d'encre brune et rehaussé de blanc, (Louvre, Cabinet des Dessins, Inv. 4293, provenant de la coll. Saint-Morys), reflète, en contrepartie, un motif en étroit rapport avec les études dessinées de Raphaël pour la *Déposition* (Rome, Galerie Borghèse). Le groupe de la Vierge défaillante soutenue par les Saintes Femmes a été gravé par Giulio Bonasone (Bartsch, 1813, XV, 50). L'exécution très finie évoque davantage les dessins de l'École de Raphaël que ceux du maître vers 1506-507, telles les deux études à la plume pour cette composition conservées au British Museum (Londres). M.V.

Paris, Bibliothèque Nationale, Cabinet des Estampes

Mignon (Jean)

Actif entre 1535 et 1555 environ

Peintre et aquafortiste, il est mentionné à Fontainebleau entre 1537 et 1540. Installé à Paris par la suite, il devint le graveur attitré de Luca Penni qui préparait à son intention des dessins très finis de sujets religieux ou mythologiques emplis de souvenirs nombreux de Raphaël. Son œuvre très abondante assura le diffusion de l'art bellifontain. M.V.

307
Sainte Famille de 1543

ill. 71

Eau-forte
H. 0,344 ; L. 0,253
Daté en haut sur un cartouche : *1543*

Bibliographie :
Bartsch, 1818, XVI, 18 des anonymes ;
Herbet, 1902, V, 15 ;
Zerner, 1969, J.M. 1 et 1972, n° 403.

L'attribution de la pièce à Jean Mignon est désormais reconnue. L'inventeur du motif est en revanche plus difficile à identifier. Il s'agit en tout cas d'un artiste connaissant bien l'art de Raphaël : l'ensemble des quatre personnages de cette *Sainte Famille* offre des ressemblances avec la *Madone au chêne* (Prado), gravée dans un décor architectural par

Giulio Bonasone (Bartsch, 1813, XV, 63) ; les enfants Jésus et Jean-Baptiste sont très proches des enfants de la *Madone du Belvédère* (Vienne) ; les deux anges chanteurs dérivent de ceux de la *Madone au baldaquin* (Pitti), que Mignon pouvait connaître aisément grâce à l'estampe du *Couronnement de Vierge* gravée par Agostino Veneziano d'après un dessin de Raphaël (Bartsch illustré, 1978, 26, p. 83, n° 56). Même si ces deux anges ont pour intermédiaires ceux de l'encadrement de stuc de la *Danaé* de la Galerie François 1er à Fontainebleau (voir la gravure d'A. Fantuzzi ; Zerner, 1969, AF 35), la source ultime en est donc raphaélesque. Les anges porteurs de guirlandes rappellent fortement les compositions raphaélesques des tapisseries des *Jeux d'enfants* dont quatre pièces comportant de gros festons végétaux, furent gravés par le même Maître au dé (Bartsch illustré, 1982, 29, pp. 189-192, n° 32-35). L'esprit même de la scène, gracieux et intimiste, le dessin élégant et les proportions élancées sans arbitraire des figures attestent une profonde affinité avec l'art de Raphaël. M.V.

Paris, Bibliothèque Nationale, Cabinet des Estampes

Milan (Pierre)

Mentionné à Paris de 1542 à 1556

Le nom de l'artiste suggère une origine italienne mais il est possible qu'il descende d'une famille installée à Paris dès le XVe siècle (Metman, 1942, p. 203). Graveur d'estampes au burin et de monnaies, sous le direction de Marc Béchot, tailleur général des monnaies, ses activités ne l'empêchèrent pas de s'endetter à diverses reprises. C'est à cette circonstance que nous devons sans doute la réattribution à Milan de nombreuses gravures sans marque que Vasari croyait de René Boyvin, ainsi que le tirage des planches mises en gage chez son créancier Claude Bernard à de multiples exemplaires (240 épreuves pour la pièce que nous cataloguons ici). P. Milan apparaît désormais comme l'un des interprètes privilégiés du Rosso. Un portrait gravé de Raphaël est mentionné parmi les cuivres mis en dépôt chez Claude Bernard (Metman, 1942, p. 212). M.V.

308
Les Parques nues

Burin
H. 0,242 ; L. 0,165

Bibliographie :
Robert-Dumesnil, 1850, VIII, n° 31 de R. Boyvin ;
Levron, 1941, n° 1790 ;
Adhémar, 1953, p. 363 ;
Zerner, 1969, P.M.2 et 1972, n° 420 ;
Carroll, 1975, p. 25.

ill. 220

L'attribution de l'estampe à P. Milan est prouvée par l'inventaire de son créancier Claude Bernard (voir Metman, 1942, p. 211). L'attribution du motif au Rosso repose sur des arguments stylistiques, notamment la proximité entre ces figures féminines et celles du dessin fait pour François 1er en 1530, *Mars désarmé par Vénus et les Grâces* (Louvre). Elle s'appuie peut-être aussi sur une mention de Van Mander, qui cite une estampe gravée par un certain Pierre de la Cuffle d'après le Rosso, représentant les *Trois Grâces ;* la confusion des deux sujets est en effet possible (et fort intéressante à l'appui du « raphaélisme » que nous y percevons). S'il s'agit bien de nos trois *Parques,* la mention de Van Mander peut concerner soit cette planche (ce qui amènerait à identifier P. Milan avec Pierre de la Cuffle, comme l'a proposé J. Adhémar, 1953, p. 363), soit la copie anonyme de cette planche (reproduite par erreur par Levron, 1941, 179). Le Rosso, qui a séjourné à Rome de 1524 à 1527 a fort bien pu s'inspirer directement du pendentif de la Loggia de Psyché à la Farnésine représentant l'*Amour et les Grâces.* La disposition des trois figures nues dans son imbrication savante et son équilibre harmonieux, la plasticité claire des corps, l'arabesque dynamique des membres fuselés, et la saveur *all'antica* des contrapposti et des visages au profil très droit sont autant d'éléments empruntés à Raphaël. Une gravure de Marcantonio Raimondi reproduisant cette fresque si célèbre (Bartsch illustré, 1978, 27 p. 39, n° 344) * a pu lui remettre en mémoire le motif alors qu'il séjournait à Fontainebleau. Ceci nous rappelle le témoignage de Vasari selon lequel le Rosso, persuadé par Baviera de rivaliser avec les planches que Marcantonio avait gravées d'après Raphaël, fit de nombreux dessins qu'il donna à graver à Jacopo Caraglio, parmi lesquels les vingt *Divinités dans des niches* sont ses créations le plus ouvertement raphaélesques (*Vie de Marcantonio,* 1906, t. V, pp. 424-425). Comme chaque fois qu'il emprunte à Raphaël, le modèle est soumis à une manipulation critique, dictée par « una certa sua opinione contraria alle maniere » (un certain esprit de contradiction à l'égard des styles) de ses prédécesseurs (Vasari, *Vie de Rosso,* 1906 t. VI, p. 156). Il est significatif que les Grâces et leurs bienfaits soient remplacées par les Parques qui filent et coupent impitoyablement le fil de la vie humaine, créatures d'un étrange érotisme, plus inquiétant qu'attrayant. Rappelons l'opinion de P. Barocchi (1950, pp. 252-253) qui jugeait les *Parques nues* inspirées de Baldung Grien : si l'auteur fait bien allusion à la gravure sur bois des *Parques* (1513 ; Mende, 32), avouons que le rapprochement n'est guère convaincant ; l'originalité du Rosso résidant dans le fait qu'il n'a pas, comme Baldung, représenté les Parques comme des figures des trois âges de la vie mais comme de jeunes femmes (Carroll, 1975, p. 25). Il est intéressant de noter, du point de vue des rapports entre Rosso et Raphaël, que le groupe des Parques nues a été inséré, par le maître verrier qui composa les 45 verrières de la galerie du château d'Ecouen, (aujourd'hui Chantilly, Musée Condé) dans la scène de *Psyché apaisant Cerbère à l'entrée des enfers,* remplaçant le groupe de trois vieilles filant du Maître au dé (Bartsch illustré, 1982, 29, p. 220, 64). M.V.

Paris, Bibliothèque nationale, cabinet des Estampes

Nanteuil (Célestin)

Rome, 1813 - Marlotte, 1873

Élève d'Ingres en 1829, il fit partie ensuite du milieu romantique et fut l'ami de Victor Hugo. Il reste surtout comme un brillant illustrateur des écrivains romantiques (eaux-fortes, lithographies, pour Hugo, Nerval, Dumas, Gautier). Peintre, il travailla à Barbizon à des paysages d'inspiration réaliste. Il succéda en 1868 à Louis Boulanger comme conservateur du musée de Dijon. J.P.C.

309
Raphaël, frontispice pour la revue l'Artiste

ill. 382

Eau-forte
H. 0,252 ; L. 0,199
En haut, sur un ruban : *L'Artiste;* à gauche : *Théâtre - Littérature - Architecture;* à droite : *Sculpture - Peinture - Gravure - Musique.* De chaque côté du médaillon central : à gauche : *La Belle Jardinière - Les Loges;* à droite : *La Tranfiguration. École d'Athènes.* Sous le médaillon : *13e vol.* Dans les angles inférieurs, à gauche : *Albert Dürer;* à droite : *Ribera;* signé et daté en bas : *Celestin Nanteuil, 1837.*

Bibliographie :
Marie, 1924, p. 70, pl. face p. 28.

Cette eau-forte de 1837 a servi de frontispice pour la revue *L'Artiste* (13e volume) ; tracée d'une pointe menue et agacée, elle se présente comme un grand encadrement où des figures féminines d'anges inquiets ou éplorés, des putti revêches, accompagnent des ornements Renaissance, dont les guirlandes et les fleurons envahis de crabes, de batraciens, de chimères paraissent se faner, se désssécher. Au centre de cet univers maladif, comme en décomposition, apparait la mine gracieuse mais chafouine d'un trop jeune Raphaël, emprunté au *Portrait de jeune homme* de Cracovie. La page est comparable à d'autres pages de titre à motifs *Renaissance* de Nanteuil, inquiétantes et séduisantes, d'une grande force poétique et aujourd'hui trop méconnues : par exemple le frontispice de *Venezia la Bella,* d'Alphonse Royer (1833 ; Marie, 1924, pl. face p. 24). Une eau-forte comparable pour Le *Musée, Salon de 1834* comporte, au centre, un minuscule portrait de Raphaël dans un médaillon. J.P.C.

Paris, Bibliothèque Nationale, Cabinet des Estampes

Perrier (François)

Salins?, 1590 - Paris, 1650

*Fils d'un orfèvre franc-comtois, il fut peintre et aquafortiste. Il fit deux longs séjours à Rome, de 1625 à 1630 et de 1635 à 1645, au cours desquels il étudia, dessina et grava les antiques et les grands maîtres. Les historiens de la gravure au XVIIIe siècle ont surtout retenu ses planches d'après les figures antiques (*Segmenta nobilium signorum et statuorum, *Rome, 1638) et la manière libre et spirituelle dont il a interprété ses modèles : parfois négligée dans le dessin, mais d'une légèreté d'exécution qui rendait la pierre vivante et frémissante. C'est avec le même esprit, original et hardi, qu'il a traduit les compositions de Raphaël à la Farnésine. Ces planches suggèrent bien plus quelque léger croquis que l'exécution parfois froide des élèves de Raphaël.*

Diverses copies d'après Raphaël sont passées, dans des ventes anciennes, sous l'attribution à Perrier : l'École d'Athènes (vente Sodefroy, 15 nov. 1785), *Héliodore frappé de verges et Attila à qui apparaissent saint Pierre et saint Paul* (vente Cailar, 2 mai 1809). M.V.

310
Le festin des dieux
D'après la fresque de la loggia de Psyché à la Farnésine

ill. 232

Eau-forte
H. 0,185 ; L. 0,480
Dans la marge : *Divum ad nuptias Psyches convivium Raphaelis Urbinatis mirus labor in palatio guisae Romae, â Francisco Perrier burgundo incisum.*

Bibliographie :
Robert-Dumesnil, 1842, VI, 34.
Passavant, 1860, II, p. 282 ;
Guillet de Saint-Georges, éd. 1887, I, p. 135 ;

F. Perrier a gravé deux fois les deux sujets du *Conseil des dieux* et de leur *Festin* de la Loggia de Psyché à la Farnésine. Les deux premières planches portent *Fr. Paria incid* et sont en sens inverse des originaux ; le 2e état porte l'adresse de G.B. de' Rossi (Robert-Dumesnil, n° 31-32). Les deux répétitions sont dans le sens des fresques et gravées avec plus de soin (Robert-Dumesnil, n° 33-34) ; un 2e état, retouché et rendu plus régulier et moins expressif porte l'adresse de François Langlois dit Ciartres.

Le motif est traité comme une frise à l'antique, une antiquité suggestive, animée d'un rythme léger, comme la vision fugace d'un âge d'or mythique. L'interprétation en est ainsi très différente de celle de Raphaël qui a conçu ses dieux et déesses comme de puissantes figures en ronde-bosse placées dans un cadre illusionniste. M.V.

Paris, Bibliothèque Nationale, Cabinet des Estampes

311
Mercure envoyé à la poursuite de Psyché
D'après la fresque de la loggia de Psyché à la Farnésine

ill. 223

Eau-forte
H. 0,188 ; L. 0,230
Vers le bas dans les marges :
R. Urbinas pinxit — 10 — F. Perrier sculpsit.

Bibliographie :
Robert-Dumesnil, 1842, VI, 30 ;
Passavant, 1860, II, p. 284.

F. Perrier gravant les dix pendentifs de la Loggia de Psyché narrant les tribulations de Psyché, a travaillé avec la même liberté et redonné à ces figures qui reposent sur des nuées ou s'élancent dans les airs la légèreté que lui semblaient impliquer leur situation et le caractère heureux de la fable. Marcantonio avait gravé très tôt cette figure de Mercure (Bartsch illustré, 1978, 27, p. 38, n° 343) * et assuré son succès prodigieux. M.V.

Paris, collection particulière

Pesne (Jean)

Rouen, 1623 - Paris, 1700

Pesne est une figure originale du monde de la gravure au XVIIe siècle. Il commença par travailler au burin d'une façon traditionnelle. Selon M. Huber, il se rendit en Italie et y reçut les conseils de Poussin. Il adopta alors une nouvelle méthode où l'esprit prévaut sur la forme : à la propreté et régularité des tailles des graveurs de métier, il substitua une technique mixte dont le but était d'imiter le plus fidèlement possible non seulement le dessin et les contrastes de son modèle, mais l'ensemble de son style, l'esprit même du peintre et son exécution. Il y parvenait en avançant assez loin le travail de ses planches à l'eau-forte, en les terminant au burin et en raccordant ce mélange par des tailles méplates et des points. Loin d'être le produit du hasard, cette pratique exigeait une bonne connaissance de l'art du maître qu'il se proposait de reproduire, et le sens des moyens techniques les plus adéquats pour y parvenir. Cette intelligence a fait de Pesne le meilleur graveur de Poussin et le plus recherché ; sa Vierge *d'après Raphaël témoigne de la même heureuse intuition.* *M.V.*

312
La Vierge à la Promenade
D'après le tableau d'Edimbourg

Eau-forte et burin
H. 0,435 ; L. 0,327
Dand la marge : *Raphaël pinxit — J. Pesne sculpsit cum Privil. Regis.*
3 états connus, le dernier avec l'adresse de Malbouré.

Bibliographie :
Robert-Dumesnil, 1838, III, 95 ;
Passavant, 1860, II p. 331.

ill. 64

La gravure reproduit en contrepartie le tableau attribué à Raphaël (Edimbourg). La planche a dû être faite à Rome alors que le tableau était dans la collection de la reine Christine de Suède (après 1654) ou dans celle du duc de Bracciano (après 1689). Une variante de ce tableau avait été gravée à Rome en 1632 par Nicolas Verdura. Après son entrée dans la collection du duc d'Orléans, la *Vierge à la Promenade* fut gravée par un anonyme chez Le Blond, et par Nicolas IV de Larmessin pour le *Cabinet Crozat* (1729, 1re partie). Tout en sachant conserver à la scène son caractère idyllique, Pesne lui a conféré un cachet beaucoup plus « classique » que ses successeurs, ce qui est sans doute l'effet de sa familiarité avec les *Saintes Familles* de Poussin et des conseils de l'artiste. Il est d'ailleurs intéressant de rappeler qu'une copie de la *Vierge à la Promenade* autrefois dans la collection Liechstenstein à Vienne était attribuée à Poussin (Passavant, 1860, II, p. 332). Sur la planche de Pesne, les formes très modelées ont un aspect sculptural, les figures respirent une maturité et une énergie spirituelle qu'on chercherait en vain sur les autres reproductions. M.V.

Paris, Bibliothèque Nationale, Cabinet des Estampes

Picasso

Biographie : voir section Peintures et Dessins

313
Raphaël et la Fornarina

Eau-forte
H. 0,15 ; L. 0,205
État unique. Tiré à 50 épreuves
En haut à gauche, dans la composition (inversé) : *2. 9. 68. I.*

Historique :
305e planche d'une suite qui en comprend 347, gravées entre le 16 mars et le 5 octobre 1968.

Bibliographie :
Leiris, 1968, n° 305 ;
Bloch, 1971, n° 1785, repr. ;
Steinberg, 1972, p. 102, fig. 2.

ill. 358

L'estampe appartient à la *Suite 347,* faite en 1968, qui comprend vingt-deux eaux-fortes, impatientes, verveuses et où l'essentiel est de dire ce que le désir veut dire, toutes sur le thème triangulaire de Raphaël, la Fornarina et un tiers, le pape généralement. Raphaël y conserve certains traits (cheveux mi-longs, falluche) de son autoportrait* prétendu du Louvre (INV.613) et l'ensemble parodie les compositions d'Ingres (n° 134 ; Geelhaar, 1981, pp. 20-21). G. Schiff (1972) et L. Steinberg (1972, p. 102) ont montré que l'invention de Picasso avait pour principe central, sur le mode de l'allégorie et du phantasme, l'équivalence de l'amour et de la peinture ; tandis que A. Chastel, dans une communication récente (1983, à paraître) a souligné que la séduction de Raphaël (artistique et personnelle) trouve une première interprétation globale et des plus opératoires pour la postérité jusqu'à Picasso, chez Lomazzo qui place le peintre sous le signe de Vénus.

Il revient à Picasso d'avoir mené au plus haut point d'évidence sensuelle ce thème de Raphaël et la Fornarina qui nous était apparu jusqu'à lui comme l'illustration terme à terme d'un passage de narration littéraire souvent emprunté à Vasari ou Comolli. Ici l'élaboration de l'image n'est plus seulement de visualisation d'un épisode biographique. Elle est aussi de mise en forme d'une dramaturgie intime. Ellle parvient à une image infiniment osée et compromettante de la condition du peintre : Picasso attribue à Raphaël, personnage anecdotique, amoureux, et d'une animalité glorieuse, la double tâche d'exprimer la condition corporelle et son double, la peinture. Il y a d'une part le couple qui dit l'inévitable contingence charnelle inhérente à la condition de l'artiste, d'autre part le portrait de l'amante, sur le chevalet, où le modèle s'est désolidarisé de son apparence physique, et qui dit la condition de l'art. Compris ainsi, le thème de Raphaël et la Fornarina n'est plus la participation affective des splendeurs tangibles de la chair à un art idéal (comme le comprenait Ingres) mais la transposition graphique du mythe de l'artiste créateur par excellence, Raphaël, qui transforme ce qu'il donne (l'amour) en ce qui le dépasse (l'art). D.C..

Paris, Bibliothèque Nationale, Cabinet des Estampes

Poilly (François de)

Abbeville, 1623 - Paris, 1693

Il était fils d'un orfèvre graveur. Il fut, selon Hecquet et Basan, élève de Pierre Daret à Paris. Il se rendit en Italie en 1649 où il dessina durant sept années. En 1656, de retour de Rome, il s'établit graveur éditeur à l'Image Saint-Benoît à Paris. Il avait une technique d'une grande virtuosité et d'une grande douceur, employant le burin pur, et son dessin précis et juste a su conserver le caractère des personnages qu'il a gravés d'après Raphaël.
M.V.

314
La vision d'Ezéchiel
D'après le tableau du Palais Pitti

ill. 108

Burin
H. 0,437 ; L. 0,304
Dans la marge : *Haec Visio Similitudinis Gloriae Domini, Ezechielis cap. 2 — R. Durbein In. — C. Errard Delin — Poilly sculp. — A. Hérault ex — cum Privil. Regis* — avant 1649.

Bibliographie :
Hecquet, 1752, p. 9.

La planche reproduit en contrepartie le tableau de Raphaël au Palais Pitti à Florence, dont une réplique appartenait (dès avant 1643) à P. Fréart de Chantelou et passa dans la suite dans la collection du duc d'Orléans. C'est vraisemblablement cet exemplaire que Charles Errard a dessiné. Il a rendu plus apparents les chérubins qui entourent Dieu, porté par les animaux ailés, symboles des 4 évangélistes. Dans sa traduction, F. de Poilly a évité tout contour, il n'a distingué les figures de l'espace que par des plages diversement hachurées, et l'effet est clair et lumineux. Il a, par cette fusion des formes, renforcé le caractère prébaroque de la composition de Raphaël avec son étrange effet de perspective, la gloire de teinte dorée qui semble se dilater autour de Dieu et le dynamisme impétueux qui transforme la théophanie en événement dramatique.
M.V.

Paris, Bibliothèque Nationale, Cabinet des Estampes

315
La Vierge au diadème
D'après le tableau du Louvre*

ill. 34

Burin
H. 0,370 ; L. 0,285
Deux états : la planche non terminée avec les armes en blanc ; avec les armes du marquis de La Vrillière.
En bas : *Raphael Vrbinas In. — F. Poilly sculp, cum privil Regis ;*
Dans la marge : *Quid Mater Natum velo tibi monstrat aperti,* etc.

Bibliographie :
Hecquet, 1752, p. 69 ;
Passavant, 1860, II, p. 109.

La gravure montre, dans le même sens, le tableau de Raphaël (Louvre) * qui appartint au marquis de la Vrillière puis au prince de Carignan et fut acquis par Louis XV. F. de Poilly l'a gravé dans sa maturité, au retour de Rome, avec beaucoup de moelleux et un sens délicat des valeurs lumineuses. Il a varié ses tailles pour suggérer les diverses textures comme celle de la fourrure qui habille le petit Jean-Baptiste. Cette planche a été copiée par Jacques Frey ; la planche de Poilly fut réutilisée pour le *Cabinet Crozat* (1re partie, 1729), retouchée par Charles Simonneau. F. de Poilly a aussi gravé la *Petite Sainte Famille* du Louvre*.
M.V.

Paris, Bibliothèque Nationale, Cabinet des Estampes

Richomme (Théodore)

Paris, 1785 - id.*, 1849*

Le Prix de Rome qu'il obtint en 1806 et ses cinq ans en Italie préludèrent à une brillante carrière et à un large succès. Il a gravé diverses œuvres de Raphaël dont la Madone de Lorette *(1813), la* Sainte Famille de François 1er *(1822) et un tableau d'après la gravure de Marcantonio (Bartsch illustré, 1978, 26, p. 148, n°113) dénommée la* « Pièce de Cinq Saints » *attribué à G.F. Penni, réquisitionné en Italie et exposé au Museum sous la Révolution et l'Empire (Parme, Galleria).*
M.V.

316
Le triomphe de Galatée
D'après la fresque de la Farnésine

ill. 208

Burin
H. 0,489 ; L. 0,377
Dans la marge : *peint a fresque par Raphaël — Dessiné et gravé par Jph Tre Richomme, en 1820.*

Bibliographie :
Thieme-Becker, 1934, p. 281

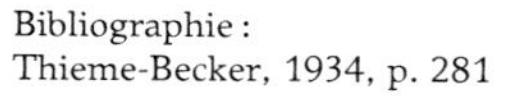

L'estampe reproduit la fresque de Raphaël à la Farnésine à Rome, dans un style qui, à une date précoce (1820) anticipe sur celui de la peinture du Second Empire. L' « hypocrisie » de telles gravures consiste à reconstituer grâce à un travail parfaitement académique, sans la moindre spontanéité, les œuvres de Raphaël ; la fidélité apparente à la « lettre » (l'exactitude des formes et la justesse des valeurs) masquant une infidélité totale à l'esprit de l'artiste, qui a exécuté son œuvre avec une touche vivante. La qualité technique élevée des planches de Richomme, leur effet net et soigné ont beaucoup séduit ses contemporains. M.V.

Paris, Bibliothèque Nationale, Cabinet des Estampes

Rouchon (Jean-Alexis)

Bort-les-Orgues, Corrèze, 1794 — Paris, 1878

Une exposition récente (1983, musée de l'Affiche) a fait le point de l'œuvre de cette attachante personnalité, « un pionnier de l'affiche illustrée ». Ce modeste imprimeur utilisa la technique de l'impression à la planche de bois, employée pour les papiers peints, pour éditer, à partir de 1845 environ, des affiches pour des spectacles et des magasins d'une belle fraîcheur d'inspiration et d'une grande force colorée. Il fit travailler Paul Baudry pour un Bon Pasteur *et s'inspira parfois de tableaux célèbres : affiche pour les magasins de nouveautés* Aux enfants d'Édouard, *1858, d'après Delaroche, ou celle exposée ici.* J.P.C.

317
A Sainte Marie - Maison de Confiance, fondée en 1825

ill. 11

Impression à la planche de bois gravée
H. 1,01 ; L. 0,76

Bibliographie :
Catal. exp. : *Rouchon, un pionnier de l'affiche illustrée,* Musée de l'Affiche et de la Publicité, 1983, n° 78, repr.

Interprétation efficace de la *Belle Jardinière* du Louvre *, et qui mérite mieux qu'un sourire condescendant : la force simplificatrice du découpage des formes trouve un équilibre dans la violence presque agressive du texte, dont certains éléments reprennent en écho la forme cintrée de l'image ; le paysage est interprété selon une vision de « station climatique » particulièrement savoureuse. L'affiche date de 1858 (voir aussi, pour une utilisation publicitaire comparable du même tableau, fig. 6). J.P.C.

Rousselet (Gilles)

Paris, 1610 - id., *1686*

Graveur de reproduction, honnête et laborieux, il fut reçu à l'Académie de peinture en 1663. Laissons Mariette nous présenter sa carrière et sa manière de graveur : « Sa gravure, il faut l'avouer, est dénuée de tous les agréments qui séduisent ; les mêmes tailles règnent partout, sans variété, sans beaucoup d'ordre, sans aucune égalité ; elles semblent partir d'un burin conduit avec peine par une main tremblante et peu hardie. Mais ce sont de légers défauts si on leur oppose cet excellent goût de dessin, si mâle, si précis, si arrêté, qui se fait ressentir dans tout ce qui sort des mains de cet artiste. L'étroite amitié qu'il avait contractée dès sa plus grande jeunesse avec l'illustre Charles Le Brun avait beaucoup contribué à lui former le goût ; cette amitié s'était accrue avec les années (...). Insensiblement Rousselet se rendit si familière la manière de dessiner de ce fameux maître qu'il la faisait passer dans tout ce qu'il gravait, même d'après d'autres maîtres, et par là il doit être regardé comme l'un des disciples de Le Brun (...) lorsque M. Colbert eut entrepris de faire graver les tableaux du roi, il eut soin de lui en faire distribuer plusieurs des principaux » (Abecedario, *1858-59 - 9, V, p. 54). Parmi les six tableaux de Raphaël qu'il a gravés, la planche la plus célèbre est son* Saint Michel Victorieux du Démon*, *exécutée pour la 1re partie des* Tableaux du Cabinet du Roy *(1679).* M.V.

318
La Belle Jardinière
D'après le tableau du Louvre*

ill. 9

Burin
H. 0,400 ; L. 0,268
Dans le bas : *Aegid. Rousselet sculp. - Cum Privilegio Regis ;* dans la marge, dédicace latine à Sublet de Noyers *ILLVSTRISSIMO VIRO DOMINO D FRANCISCO SVBLET DE NOYERS,* etc. et cartouche aux armes.

Bibliographie :
Passavant, 1860, II, p. 68.

La planche est gravée dans le sens du tableau du Louvre, mais de forme rectangulaire et non cintrée. Une autre gravure, également rectangulaire, fut éditée chez N. Poilly. Celle de Jacques Chéreau pour le *Cabinet Crozat* est cintrée et en contrepartie du tableau. Aucune de ces gravures ne porte le nom de « Belle Jardinière », qui semble cependant remonter à une tradition ancienne. Mariette expliquait dans sa notice du *Cabinet Crozat* (1729, p. 7, VI) : « Ce tableau estoit dans le chasteau de Fontainebleau, et connu sous le nom de la belle Jardinière, à cause de la simplicité avec laquelle la Ste Vierge est habillée. » La gravure de Rousselet fait preuve d'un goût assez éloigné de cette simplicité. Les tailles confèrent aux étoffes un luisant étranger à l'original et détaillent nettement les plantes variées qui parsèment le premier plan. Cette attention aux surfaces et au pittoresque, en mettant la composition au goût du jour, trahit la leçon de synthèse formelle et de spiritualité de Raphaël. M.V.

Paris, Bibliothèque Nationale, Cabinet des Estampes

319
Sainte Famille à l'oiseau

ill. 19

Burin
H. 0,250 ; L. 0,198
G.Rousselet sculp. ex. c. priv. Reg.

La gravure a probablement été réalisée d'après un tableau de Philippe de Champaigne, mentionné dans son inventaire après décès en 1674 (Guiffrey, 1892, p. 183 : «n° 22, Item, une copie d'une petite Vierge où Saint Jean présente un oyseau à Nostre Seigneur après Raphaël, prisé 60 l. »). Comme l'avait déjà vu Mariette (*Notes manuscrites,* p. 141), le modèle de Philippe de Champaigne était un dessin d'après Raphaël de la collection Jabach qui fut acquis pour le Cabinet du Roi en 1671 (Louvre, Inv. 3949). La composition, traditionnellement attribuée à Raphaël, présente de nombreuses analogies avec celle de la *Sainte Famille Canigiani* (Munich). Un dessin à la plume, d'un motif très proche, est conservé à Windsor Castle (Fischel, n° 131). La même composition a été gravée par Jean Alix, qui fut élève de Philippe de Champaigne.

G. Rousselet semble avoir eu une prédilection pour les oeuvres de Raphaël, puisqu'il grava également la *Grande Sainte Famille** du Louvre, la *Sainte Famille au palmier* (Edimbourg) et la *Sainte Marguerite** du Louvre. M.V.

Paris, Bibliothèque Nationale, Cabinet des Estampes

Saint-Morys (Charles Paul de Bourgevin, Vialart de)

?, 1743 - Ile d'Honat, 1795

Grand collectionneur de dessins, notamment de Raphaël, il a lui-même gravé les plus belles pièces qui lui appartenaient, à l'eau-forte. Ces gravures signées, en sens inverse des originaux, sont datées de 1783 à 1793 ; elles furent réunies en un recueil qui existe en fort peu d'exemplaires ; les cuivres, saisis à son domicile sous la Révolution, furent fondus. Dans ce volume de 131 planches, 21 portent le nom de Raphaël. Les dessins correspondants sont aujourd'hui en Angleterre ou au Louvre, certains sous d'autres attributions (Polidoro da Caravaggio, Baccio Bandinelli). Les dessins de Raphaël qui furent ainsi gravés sont un Saint assis *et un* visage levé *(Louvre, Inv. 3.870)*, deux études de* Vierges *(Louvre, Inv. 3.856 ; au verso du* Siège de Pérouse)* *une étude pour la* Déposition Borghèse *(Louvre, Inv. 3.967), une étude de trois figures pour la* Dispute du Saint-Sacrement *(Louvre, Inv. 3.980)*, le carton pour* Dieu le Père *dans la même fresque (Louvre, Inv. 3.868)*, le bas-relief de la* Philosophie *dans* l'Ecole d'Athènes *(Louvre, Inv. 4.188 ?), une femme agenouillée dans* l'Incendie du bourg *(Louvre, Inv. 4.008), le* Pape porté en procession *(Louvre, Inv. 3.874)* Médée *(Louvre, Inv. 3.879),* Vénus désignant Psyché *pour la Farnésine (Louvre, Inv. 4.011), le* Triomphe de David *des Loges (Budapest ; Oberhuber, 1972, IX, 468 a) et la* Mort d'Adonis *et* Adam *(Oxford, Ashmolean Museum ; Fischel, 1923, IV, 200-201).*
M.V.

320
Portrait présumé de Raphaël

ill. 378

Eau-forte, tirage sépia
H. 0,225 ; L. 0,163
A gauche, inscription mal lisible avec le nom de Raphaël ; à droite, *de Bourgevin Vialart de St Morys sculpsit 1783.*

Bibliographie :
Passavant, 1860, II, pp. 530-533.

La gravure reproduit un dessin inconnu, d'après le *Portrait de Bindo Altoviti* (Washington), ; en sens inverse, attribué à Raphaël, et où l'on a vu, surtout au XIXème siècle, un autoportrait de l'artiste. Le tableau, gravé en 1787 à Londres par Robert Strange et vers la même époque à Florence par Raphaël Morghen, répondait bien à l'image mythique que l'on se faisait alors de Raphaël : un être jeune, d'une beauté fragile, d'une grâce voilée de mélancolie, comme le pressentiment d'une mort précoce. M.V.

Paris, Bibliothèque Nationale, Cabinet des Estampes

Scalberge (Pierre)

Sedan, vers 1592 - Paris, 1640

Peintre et graveur à l'eau-forte, il voyagea en Italie puis travailla à Paris où Vouet l'employa comme collaborateur. Il a gravé une cinquantaine de pièces, d'après ses inventions ou les maîtres italiens du XVIème et du début du XVIIème siècle. Sa manière est libre et pittoresque et s'apparente à celle de ses contemporains F. Perrier ou R. Vuibert. Son dessin est assez peu respectueux des originaux. Ses planches, légèrement mordues, sont parfois terminées au pointillé. Il a gravé plusieurs compositions de Raphaël dont la Déposition *de la Galerie Borghèse à Rome, le* Jugement de Salomon *à la voûte de la Chambre de la Signature au Vatican et la* Bataille de Constantin. *Toutes sont datées de 1637. D'après l'inventaire de ses biens, Scalberge possédait une copie sur cuivre de la* Transfiguration *de Raphaël et deux autres inachevées ; l'inventaire mentionne également les cuivres de certaines planches gravées par l'artistes, d'après Raphaël (Le Blant, 1978, pp. 297-310).*
MV.

321
Le Sacrifice d'Isaac

D'après la fresque de la voûte de la Chambre d'Héliodore

ill. 177

Eau-forte
H. 0,290 ; L. 0,225.
Dans la marge : *Raphaël Durbin In - P. Scalberge delin. excu. - Abraham veut son cher fils immoler, etc. - Avec Privilège du Roy - 1637*

Bibliographie : Robert - Dumesnil, 1838, III, 2 ;
Passavant, 1860, II, p. 129.

La gravure présente, en sens inverse, l'une des 4 scènes peintes à la voûte de la Chambre d'Héliodore au Vatican. Le dessin en est quelque peu approximatif, les expressions outrées. Dans ce motif peint à l'imitation d'une tapisserie, Scalberge n'a cherché qu'un prétexte à des jeux calligraphiques animés. Agostino Veneziano avait gravé un motif un peu différent, peut-être d'après une première pensée de Raphaël (Bartsch illustré, 1978, 26, p. 14, 5) ; la fresque fut reproduite par Jérôme Cock en 1592. Notons que la composition du Vatican a fortement inspiré Jean Mignon dans sa gravure de même sujet (Zerner, 1969, J.M. 54) ou l'artiste d'après lequel il l'a exécutée. M.V.

Paris, Bibliothèque Nationale, Cabinet des Estampes

Tardieu (Nicolas)

Paris, 1674 - id, 1749

*Élève de Gérard Audran, il fonda une dynastie de graveurs et forma plusieurs artistes importants du XVIIIe siècle, comme L. Cars, ou Le Bas. Il a gravé les oeuvres de ses contemporains, notamment l'*Embarquement pour Cythère *de Watteau.* M.V.

322
Frontispice avec le portrait de Raphaël

ill. 381

Eau-forte et burin.
H. 0,342 ; L. 0,425
1er état (le 2e porte : *L. Chéron In et Del. - N. Tardieu sculp.*, le titre et l'adresse de F. Poilly)

Bibliographie :
Georgel, 1982-1983, p. 74, fig. 101.

La composition servit de frontispice au recueil de planches gravées d'après les cartons de tapisserie des *Actes des Apôtres* alors conservés à Hampton Court, publié par Thomas Bowles en 1721. Les graveurs de cette suite étaient français : N.D. de Beauvais, Cl. Dubosc et B. Lépicié. Autour du portrait de Raphaël (d'après la gravure de P. Pontius ; voir n° 332) les allégories de la Peinture, de la Sculpture, et de l'Architecture rappellent les divers talents de l'artiste, ainsi que son tableau de la *Transfiguration*, qu'un vieillard ailé figurant le Temps est contraint de dévoiler. M.V.

Paris, Bibliothèque Nationale, Cabinet des Estampes

Testelin (Henri)

Paris, 1616 - La Haye, 1695

Élève de Simon Vouet, il fut l'un des fondateurs de l'Académie de Peinture en 1648. Il en devint le secrétaire en 1650 et consigna les conférences prononcées par les artistes sur les tableaux du Cabinet du roi. Dans ses Sentimens des plus habiles peintres sur la pratique de la peinture *(...) où il réduit en préceptes les opinions des académiciens, Raphaël est plusieurs fois pris comme modèle de dessin et de composition. L'« esprit» de ses contours est particulièrement loué dans le* Saint Michel terrassant le démon* *(conférence « sur l'usage du Trait et du Dessin», Jouin, 1883 pp. 146-147); qui fournit également un exemple magistral d'une composition simple, qui doit la force de son effet au ménagement d'un contrepoint et contraste savant à tous les niveaux (conférence « sur l'Ordonnance» ; Jouin, 1883, pp. 189-190).* M.V.

323
La Sainte Famille de François 1er
D'après le tableau du Louvre*

ill. 67

Eau-forte
H. 0,325 ; L. 0,219
Planche illustrant les *Sentimens des plus habiles peintres...*, p. 29 de l'édition de 1696.

Bibliographie :
Robert-Dumesnil, 1838, III, 5 ;
Passavant, 1860, II, p. 256

Testelin, en reproduisant, en sens inverse, et aussi schématiquement le tableau de Raphaël, considéré comme l'un des fleurons de la collection de Louis XIV, semble avoir eu pour but premier de rappeler au lecteur de son ouvrage la savante composition de Raphaël. Sa planche met d'ailleurs en évidence la convergence des lignes et des regards vers l'enfant Jésus, trait que Nicolas Mignard avait loué dans la conférence qu'il prononça à l'Académie sur le tableau, le 3 septembre 1667 (Jouin, 1883, pp. 28-38) et que Testelin reprit à son compte dans sa conférence « sur l'Ordonnance » : « Les têtes, toutes inclinées vers un même objet, en font aisément connaître le héros ; on y remarque aussi une vraisemblance dans l'air grand et majestueux des actions et une naïveté si naturelle dans la correspondance de toutes les parties, qu'elles paraissent visiblement ne concourir qu'à l'expression de la principale idée du sujet, qui est le grand amour de la divinité envers l'humanité ; et la respectueuse reconnaissance de celle-ci envers celle-là » (Jouin, 1883, p. 190). La technique, presque réduite aux contours des formes, bien qu'explicable par l'intention didactique de l'auteur (la planche devant servir essentiellement d'« aide-mémoire ») est très inhabituelle pour l'époque. Testelin a également gravé, pour le même ouvrage et de la même façon *Saint Michel terrassant le démon**, qui avait fait l'objet de la première conférence tenue à l'Académie de Peinture (le 7 mai 1667, par Charles le Brun ; Jouin, 1883, pp. 1 - 28). M.V.

Paris, collection particulière

Thomassin (Philippe)

Troyes, 1562 - Rome, 1622

*Il fit son apprentissage comme orfèvre à Troyes. Il est possible qu'il ait quitté la ville pour échapper à la levée de 2000 hommes prescrite par Joachim de Dinteville, délégué par Henri III en mars 1585 à Troyes. 1585 est en effet la première date que l'on trouve sur une estampe regravée par lui à Rome. Il fut d'abord employé par Claude Duchet, éditeur d'origine franc-comtoise à rafraîchir des gravures sur cuivre fatiguées. Il devint ensuite éditeur d'estampes pour son propre compte et réédita à la fin du XVIème siècle et au début du suivant de nombreuses gravures anonymes d'après Raphaël (*La Dispute du Saint Sacrement, *l'*École d'Athènes, *l'*Incendie du Bourg*) après les avoir retouchées. Il a gravé lui-même quelques sujets d'après Raphaël, dont la* Sainte Cécile *(Bologne, Pinacothèque) et des copies de* Jésus-Christ *et des* Apôtres *de Marcantonio Raimondi (Bartsch illustré, 1978, 26, pp. 92-104, n° 64-76).*
Pour ses planches, il adopta un style de burin aux tailles larges et modulées, proche de celui de Cornelis Cort. M.V.

324
Sainte Marguerite
D'après le tableau du Louvre*

Burin
H. 0,378 ; L. 0,260
Sur le rocher à droite : *fontanableo*
en bas à droite : *Raphael Urb. invent. - Phil. Th. fe 1589;* dans la marge, dédicace latine à G.B. Raimondi, latiniste qui était à la tête de l'Imprimerie Orientale Médicéenne de la Piazza Montorio.

ill. 119

Bibliographie :
Bruwaert, 1915, p. 25 ;
Adhémar, 1938, II, 113 ;
Passavant, 1860, II, p. 261.

La planche reproduit la *Sainte Marguerite** de Raphaël, citée par Vasari dans la *Vie de Giulio Romano* (1906,t. V. p. 525) comme l'un des tableaux exécutés en grande partie par ce dernier sur le dessin de Raphaël et adressés à la famille royale de France. Comme le confirme la lettre de la gravure (« fontanableo ») le tableau était donc au château de Fontainebleau avant 1589 et c'est cette indication qui a permis à Mariette de rectifier l'erreur du Père Dan qui affirmait « qu'un Seigneur Florentin en fit présent à l'Eglise de St-Martin des Champs de Paris, d'où Henry IV l'a eu depuis. » (1642, p. 135). Bruwaert la dit gravée à Rome sur un dessin de Martin Fréminet, qui fut le premier artiste client de Thomassin et J. Turpin, associés comme éditeurs d'estampes. Le motif est un peu élargi dans le bas et à droite, le paysage est légèrement différent. On y retrouve cependant de nombreux caractères du tableau : le contraste entre la sérénité de la jeune fille et la rage impuissante du dragon qu'elle foule au pied ; le drapé mouillé que sculpte une lumière mystérieuse tombant du ciel et la palme à la main qui lui donnent l'air d'une Victoire antique ; et la pénombre de la fosse où eut lieu le miracle que rapporte la *Légende dorée.* M.V.

Paris, Bibliothèque Nationale, Cabinet des Estampes

Thomassin (Simon)

Paris, 1655 - id., *1732*

*Selon Mariette (*Abecedario, V, *p. 296), il était d'origine troyenne, de la même famille que Philippe Thomassin, graveur du siècle précédent établi à Rome. Formé par Étienne Picart, il fut ensuite pensionnaire à l'Académie de France à Rome. Il grava en 1680 la* Transfiguration *de Raphaël alors à San Pietro in Montorio ; la virtuosité de cette planche la fit choisir pour figurer dans le* Cabinet du Roi. M.V.

325
Deux têtes prises des cartons des Actes des Apôtres

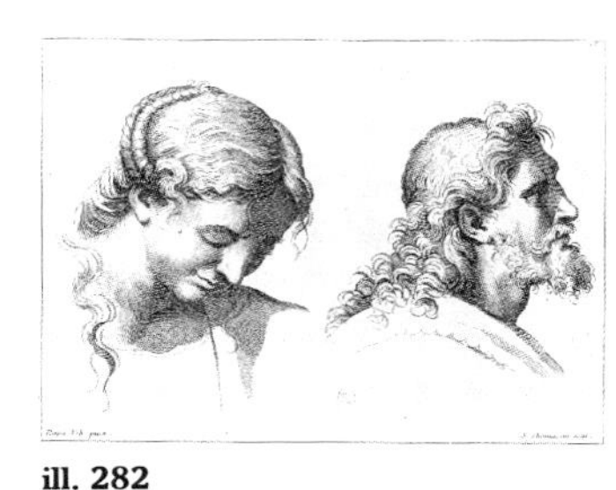

ill. 282

Eau-forte
H. 0,202 ; L. 0,275
Au bas : *Raph. Vrb. pinx. - S. Thomassin sculp.* et *n° 12.*

Bibliographie :
Passavant, 1860, II, p. 209.

Lors de son séjour à Londres, Nicolas Dorigny distribua à divers graveurs français 90 dessins de têtes d'après les cartons de Raphaël nouvellement présentés au palais d'Hampton Court. Ces études gravées parurent chez J. Boydell en 1722 sous le titre *Recueil de XC Têtes tirées des sept Cartons des Actes des Apôtres...*, en un volume en largeur de 45 planches montrant chacune deux têtes juxtaposées abstraites de tout contexte. Un index expliquait la passion précise que chacune d'elle était censée exprimer. S. Thomassin a gravé 4 planches pour cette suite. Sur celle que nous présentons ici ont été groupées deux têtes de personnages, le premier pris dans la *Prédication de saint Paul* et traduisant l'*Attention,* le second dans l'*Aveuglement d'Elymas* exprimant la *Frayeur mêlée de dévotion.* M.V.

Paris, Bibliothèque Nationale, Cabinet des Estampes

Villon (Gaston Duchamp, dit Jacques)

Damville, 1875 - Puteaux, 1963

Peintre et graveur, frère de Raymond Duchamp-Villon et de Marcel Duchamp, il s'initie à la gravure avec son grand-père, Émile Nicolle (1891) et bientôt (1897) dessine à Paris pour la presse. Son style reflète alors tour à tour la manière de Toulouse-Lautrec, Forain, Steinlen et des Nabis. Membre du groupe de la Section d'or (1911) qui spécule sur le cubisme, il opte pour une forme de peinture cubiste qui ajoute aux emboîtements des lignes la diffraction des couleurs à la fois franches et consonnantes. Va-et-vient continuel entre les moyens intrinsèques de la peinture et les principes de la figuration, sa création se fait toujours, avec discrétion et rigueur, interprétation du mouvement en soi plutôt que de la forme en mouvement, rendu de l'essence du coloris plutôt que de la couleur de l'objet. « Cubiste impressionniste » comme il se plaisait à se définir lui-même, il n'est pas étonnant que pratiquant par nécessité la gravure de reproduction de 1923 à 1930, il ait fait preuve d'une intelligence formelle des chefs-d'œuvre de Manet tout à fait exceptionnelle. D.C.

326
Le Déjeuner sur l'herbe

ill. 320

Aquatinte
H. 0,50 ; L. 0,63
Dernier état.

Historique :
Tiré à 200 épreuves en couleurs, signées et justifiées, éditées par Bernheim jeune, 1929 ; autre tirage à la Chalcographie du Louvre, non signé.

Gravure du *Déjeuner sur l'herbe* de Manet (1863, Paris, Musée d'Orsay) et qui tient lieu ici de substitut à la célèbre composition dont la dette envers Raphaël a été immédiatement dénoncée (Chesneau, 1864, p. 189) et plus tard seulement analysée (Pauli, 1908, p. 53, Fried, 1969, p. 33-35).

Manet prête en effet à ses personnages la pose de la nymphe et des dieux fleuves du *Jugement de Pâris* * gravé par Marcantonio Raimondi d'après Raphaël (Bartsch illustré, 1978, vol. 26, p. 242, nº 245). Si l'idée de placer en plein air des femmes dévêtues et des hommes en costume contemporain appartient incontestablement au *Concert champêtre* de Titien (Proust, 1897, pp. 171-172), il n'est pas assuré en revanche qu'il faille avec Théodore Reff (1969, p. 47) reconnaître dans la baigneuse de l'arrière-plan l'attitude du saint Jean de la *Pêche miraculeuse* (De Vecchi, 1982, nº 116 A).

Pour certains (Andersen, 1973, pp. 63-69), le *Déjeuner sur l'herbe* est, tout comme le *Concert champêtre,* une allégorie au sens cryptique digne des maîtres anciens (Andersen, 1973, pp. 63-69). L'emprunt à Marcantonio pour sa part est tour à tour tenu pour une déficience d'invention de la part de Manet, un rappel du modèle classique qui doit contrebalancer les audaces novatrices du métier, ou seulement une citation dérisoire d'un poncif (Georgel, 1975, p. 66). Une telle divergence d'interprétation tient beaucoup à la situation ambiguë de Manet par rapport à la modernité. D'un côté, avec le *Déjeuner sur l'herbe,* l'ancienne hiérarchie des genres devient invalide ; en même temps se dissolvent ici les termes de la querelle du coloris et du dessin qui avait naguère occupé Ingres et Delacroix. On ne peut oublier qu'à ces deux manifestations de la pensée artistique en France, Raphaël avait servi de caution ou de référence. Une autre transgression des coutumes est notée par F. Cachin (1983, p. 170) : la façon dont Manet part de l'idéal (la pose raphaélesque) pour atteindre au réel (Victorine Meurant nue) contredit les pratiques d'atelier qui voulaient qu'on « décolle » de la trivialité du modèle vivant pour parvenir à l'absolu pictural. Indépendamment de tout cela, qui tourne le dos au magistère de l'Institut, Manet a assurément cherché à faire un tableau qui puisse « tenir » face aux peintures du passé. L'emprunt, aveu de la familiarité avec les maîtres, montre ainsi la volonté de s'inscrire dans leur univers. D.C.

Paris, Bibliothèque Nationale, Cabinet des Estampes

Vouillemont (Sébastien)

Bar-sur-Aube, 1610 - ?

Daniel Rabel lui apprit à manier le burin. Il s'est ensuite rendu à Rome où il semble être longuement demeuré. Il y a peut-être travaillé sous la direction de Cornelis Bloemaert, car sa technique s'apparente à la sienne. Vouillemont n'est pas un excellent dessinateur ; il a tendance à alourdir et déformer les modèles qu'il reproduit. Il a gravé le Parnasse de Raphaël *d'après la fresque du Vatican, la* Sainte Famille à la rose *du Prado et trois planches d'après les tapisseries du Vatican.* M.V.

327
Le repas d'Emmaüs
D'après la tapisserie du Vatican

ill. 293

Burin
H. 0,475 ; L. 0,325
Dans la marge : *Eminent*^{mo} *Principi Francisco Barberino S.R.E. Card. Vicecancellario. Discipuli Christum agnorunt in fragmine panis, etc, - Raph. Urb Inv. Ex. Aulcis Vaticanis - Seb. Vouillemont Gall*^{s} *Sculp. Romae 1642.*

Bibliographie :
Passavant, 1860, II, p. 204 ;
Robert-Dumesnil, 1865, IX, 7.

La gravure reproduit une des tapisseries de la *Vie du Christ* dites de la Scuola Nuova, tissées sur les cartons des élèves de Raphaël après sa mort et conservées au Vatican. Les compositions ont été interprétées en un sens familier et anecdotique par les lissiers flamands ; les types des figures sont rustiques, des éléments de nature morte et des animaux ont été ajoutés. Ces dix sujets en tapisserie, traditionnellement attribués à Raphaël ont été fréquemment gravés. Vouillemont en a exécuté deux autres planches d'après deux parties du *Massacre des Innocents;* Jean-Baptiste Corneille a gravé de nouveau l'une de ces parties ainsi que le *Christ en jardinier apparaissant à la Madeleine* de la même série. En 1780 Louis Sommereau a gravé l'ensemble des tapisseries pour les libraires Bouchard et Gravier, à Rome. Ces compositions illustrent un des aspects de la diffusion du « raphaélisme » : une interprétation « réaliste » de ses types de figures et de compositions où l'anecdotique, l'accessoire finit par prévaloir sur la signification profonde. M.V.

Paris, Bibliothèque Nationale, Cabinet des Estampes

Vuibert (Rémy)

Troyes?, vers 1600-1607 - Paris, après 1651

Élève de Simon Vouet, sans doute à Rome, il est cité par Félibien et Florent le Comte et Poussin parle de lui comme d'un ami dans sa correspondance avec Fréart de Chantelou. Robert-Dumesnil a catalogué 29 pièces gravées à l'eau-forte, d'une pointe très déliée. Il a reproduit ses propres dessins ou des compositions de Raphaël au Vatican. Son dessin qui affecte une certaine élégance négligée et sa technique libre et variée l'apparentent à ses contemporains F. Perrier, P. Brébiette et P. Scalberge. *M.V.*

328
La dispute entre Apollon et Marsyas
D'après la fresque de la voûte de la Chambre de la Signature

ill. 147

Eau-forte
H. 0,240 ; L. 0,185
Robert-Dumesnil, n° 20, 1er état sur 2. Dans la marge : *Rafael Vrbinas Pinxit Romae in Vaticano/Remigius Vuibert Gallus sculpsit an 1635 - Romae Superior licentia.*

Bibliographie :
Passavant, 1860, II, p. 90 ;
Thuillier, 1958, p. 25, p. 36, n° 21.

Cette eau-forte reproduit en sens inverse l'une des quatre fresques peintes aux angles de la voûte de la Chambre de la Signature au Vatican. Vuibert a également gravé les trois autres rectangles historiés de la voûte. Le fond de ces compositions, qui simule la mosaïque, a été rendu par le graveur comme un champ neutre hachuré qui tend également à suggérer un relief antique ; la technique même, en partie pointillée, de Vuibert, met en valeur les nus athlétiques des protagonistes. M.V.

Paris, collection particulière

329
L'Éternité
D'après la fresque du Vatican

ill. 205

Eau-forte
H. 0,197 ; L. 0,130
Robert-Dumesnil n° 3, 3e état sur 4, Dans la marge : *AETERNITAS/Rafael Vrbinas Pinxit Romae in Vaticano - Remigius Vuibert sculpsit Romae superior licentia. 1635.*

Bibliographie :
Robert-Dumesnil, 1836, II, 3 ;
Thuillier, 1958, pp. 25, 36, n. 21.

La figure appartient à une suite de 14 allégories féminines qui reproduisent les figures peintes à fresque entourant les images des *Papes,* dans la Chambre de Constantin au Vatican. D'après le témoignage de Vasari, confirmé par les documents et des dessins, Raphaël avait élaboré ce système décoratif et deux figures, la *Justice* et la *Mansuétude,* furent exécutées de son vivant, à l'huile, sur le mur. Les autres allégories, censées symboliser les vertus majeures des papes qu'elles entourent, furent exécutées par Giulio Romano et Gianfrancesco Penni de 1520 à 1524. L'*Éternité* est ici envisagée d'un point de vue humaniste remontant à Pétrarque (l'*Africa*), comme la survivance dans la mémoire des hommes, des faits et des êtres dont la renommée fut consacrée par les écrivains. M.V.

Paris, collection particulière

Woeiriot (Pierre)

Vosges, vers 1531-32 - Nancy?, après 1596

Il appartenait à une famille d'orfèvres et fut peintre, sculpteur, médailleur et graveur. Vers 1550-1554, il fit un voyage en Italie. De 1555 à 1589, il travailla à Lyon et à Nancy. Il a gravé au moins 400 pièces, illustrations, portraits, vues et motifs d'architectures antiques, modèles d'orfèvrerie. Lorsqu'il reproduit des dessins, sa technique se fait fine et précise, parsemée de points. Sa formation d'orfèvre l'a rendu sensible aux jeux de la lumière, qui prennent dans ses estampes l'apparence de reflets métalliques. Son goût d'ornemaniste se manifeste dans les sujets d'histoire, et même dans les portraits, par une recherche d'arabesques rythmiques et une tendance à la stylisation géométrique des formes vivantes. D'où cet air d'étrangeté de ses productions, « et même, jusqu'à un certain point, de gothicisme » (Robert-Dumesnil, 1844, p. 43). Dans certaines des planches qu'il exécuta pour la Bible *parue à Lyon en 1580, il s'inspire allègrement des sujets gravés d'après les Loges du Vatican; ainsi dans son* Isaac bénissant Jacob *(Robert-Dumesnil, 1871, XI, n° 10; dérivation de la gravure d'Agostino Veneziano (Bartsch illustré, 1978, 26, p. 15, n° 6) ou son* Joseph fuyant la femme de Putiphar *(Robert-Dumesnil, 1871, XI, n° 33; reprise avec enrichissements de l'estampe de Marcantonio, Bartsch illustré, 1978, 26, p. 18, n 9). Mais sa planche la plus intéressante est peut-être le* Portrait de Raphaël *(fig. IV; Robert-Dumesnil, 1844, VII, n° 303) qui est une curieuse interprétation de la gravure de Giulio Bonasone (Bartsch illustré, 1982, 29, p. 136, n. 347), présenté comme un buste sculpté et accompagné d'un distique latin qui reprend (à un mot près) les vers composés en l'honneur de la* Sainte Cécile *de Raphaël (Bologne, Pinacoteca Nazionale) et cités par Vasari.* *M.V.*

330
La bataille de Constantin contre Maxence
D'après la fresque du Vatican

ill. 198

Burin
H. 0,152 ; L. 0,498, sur deux planches assemblées en frise
En haut à gauche, dans une tablette, explication du sujet en latin ; au centre, dans une 2e tablette, une dédicace à « Monseigneur ».

Bibliographie :
Robert-Dumesnil, 1844, VII, 208 ;
Passavant, 1860, II, p. 302 ;
Adhémar, 1938, II, 53.

La planche reproduit la vaste fresque peinte par Giulio Romano dans la Salle de Constantin au Vatican, après la mort de Raphaël. Les arrière-plans y sont supprimés ; ce n'est plus qu'une composition en bas-relief montrant la mêlée des chevaux cabrés et des soldats. La traduction, qui semble pasticher l'antique encore davantage que l'original par sa disposition en frise sans espace, est assez naïve et maladroite. Travaillant à son cuivre dans sa propriété de Champjanon (Vosges), d'après un dessin exécuté à Rome, Woeiriot a rendu semblables toutes les têtes de soldats, avec leurs gros yeux et leurs barbes hirsutes, et tous les chevaux ont les dents découvertes dans un hennissement de frayeur. La *Bataille de Constantin* a été l'une des compositions favorites des artistes et des amateurs français au XVIIe siècle. Gravée par P. Scalberge (1637), par Balthazar Pavillon d'Aix-en-Provence, copiée par Charles Poerson (1672), Blanchet (1741-1742), elle fut aussi très admirée par les critiques et notamment par Félibien (*Entretiens* 1672, t. II, pp. 141-164). M.V.

Paris, Bibliothèque Nationale, Cabinet des Estampes

Anonyme

1546

331
L'amour de Cupido et de Psyché

ill. 314

Ouvrage paru à Paris en 1546, comportant 32 planches gravées sur bois
H. 0,108 ; L. 0,069
Ouvert à la 16e planche, *Vénus sur les eaux.*

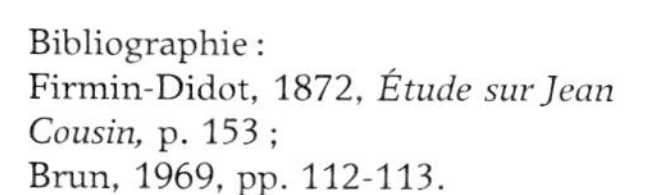

Bibliographie :
Firmin-Didot, 1872, *Étude sur Jean Cousin,* p. 153 ;
Brun, 1969, pp. 112-113.

En 1546, Jeanne de Marnef, veuve de l'imprimeur Denis Janot (mort en 1545), éditait ce petit livre d'un grand raffinement dont Jean Maugin avait réalisé le texte. Le titre complet est : *L'Amour de Cupido et de Psyché mère de volupté, prinse des cinq et sixième livres de la Métamorphose de Lucius Apuleius Philosophe. Nouvellement historiée, et exposée tant en vers italiens que français.* Les vignettes qui l'illustrent sont des copies presque toutes en sens inverse, de l'*Histoire de Psyché* du Maître au dé (Bartsch illustré, 1982, 29, pp. 195-226, n° 39-70). Ces scènes et les huitains italiens qui les commentent sont encadrés de bandeaux d'ornements de style bellifontain. Certains portent la devise *NUL NE SY FROTE* entourée de chardons ; un certain nombre comportent des motifs liés à la figure de Diane et au thème de la chasse. Le canon des figures reflète également l'influence de l'art bellifontain ; les corps étirés ont une allure dansante et une légèreté absentes des originaux. Beaucoup de scènes sont mieux composées, avec un sentiment décoratif accru, et l'étroitesse de l'espace a obligé l'artiste à simplifier et concentrer les scènes souvent dispersées des prototypes italiens. A. Firmin-Didot inclinait à voir dans ces planches le dessin de Jean Cousin le père qui travailla pour D. Janot. Les dimensions très réduites de ces délicieuses images et la schématisation qu'implique la gravure sur bois rendent l'attribution délicate. Le livre a été réédité en 1557 avec les mêmes illustrations. Les gravures au burin de Léonard Gaultier également d'après la série du Maître au dé, datées de 1586, accompagnent le même texte de Jean Maugin et parurent en volume sous le même titre. M.V.

Paris, Bibliothèque de l'Arsenal

Anonyme

Milieu du XVIIe s.

332
Portrait dit de Raphaël

ill. 380

Burin
H. 0,166 ; L. 0,120
Au bas *« Raphaël de Vrbin — Urbinum Urbs aluit pinxit sua dextera,* etc. — *B. Moncornet excudit, avec privilege du Roy.* Un 2e état, avec le cadre orné de feuillages, porte la date 1656.

Ce gracieux portrait en médaillon reproduit partiellement le *Portrait de jeune homme* de Raphaël conservé jusqu'à la dernière guerre mondiale au Musée Czartoryski à Cracovie. Le tableau a été souvent considéré comme un autoportrait, mais cette idée est maintenant abandonnée (le motif n'est pas considéré par Wagner [1969] comme un portrait de Raphaël). C'est peut-être Van Dyck qui est à l'origine de cette identification car le portrait, gravé par Paul Pontius vers 1640-1650, fut inséré dans certaines éditions de son *Iconographie* (voir Mauquoy-Hendrickx, 1956, I, p. 323 ; la planche, d'abord éditée par Pontius, le fut ensuite par I. Meyssens). Le choix de cette effigie d'un jeune homme gracieux au visage fin, au maintien aristocratique, d'une élégance vestimentaire luxueuse et négligemment « artiste » à la fois, n'est pas étonnant de la part de Van Dyck et l'image a dû l'inspirer dans ses portraits de jeunes lords anglais. Le même portrait, gravé dans un octogone, fut édité chez M. Odieuvre (m. en 1756). M.V.

Paris, collection particulière

333
Image d'Épinal : Sainte Catherine

Lithographie en couleur
H. 0,268 ; L. 0,204 avec l'encadrement fleuri
En bas : *Ste Catherine — Imp. lith. de Pellerin à Épinal — n° 18.*

ill. 102

L'image est un travestissement singulier du tableau de Raphaël aujourd'hui conservé à la National Gallery de Londres. Le pur visage de la sainte, ravie par une vision divine, est devenu celui d'une beauté à la bouche en cœur et aux grands yeux humides. Cette interprétation de Raphaël, empreinte d'une religiosité larmoyante et parfois un peu trouble, est typique de nombreuses reproductions gravées de l'artiste au XIXe siècle, destinées à une large diffusion. M.V.

Paris, Bibliothèque Nationale, Cabinet des Estampes

334
Image d'Épinal : La Sainte Famille dite la Perle

Bois colorié
H. 0,637 ; L. 0,420
LA SAINTE FAMILLE
Signée au bas : *GEORGIN — Imprimerie Pellerin.*

Historique :
Inv. n° 50.39.426.

ill. 80

La gravure (vers 1830-1850) reproduit, naïvement mais fidèlement, le tableau de Raphaël (Madrid, Prado). L'éclairage mystérieux des ruines et du ciel zébré de lueurs orageuses a disparu et la lumière uniforme transforme la composition en un « bric-à-brac » pittoresque. Georgin, l'auteur de cette image populaire, a pu s'aider d'une des nombreuses gravures d'après le tableau comme celles de Giovanni Battista del Moro (Bartsch illustré, 1979, 32, p. 286, n° 12), Jean-Baptiste Corneille (Robert-Dumesnil, 1842, VI, p. 326, n° 6) ou Guillaume Vallet. M.V.

Paris, Musée National des Arts et Traditions Populaires

335
Image de Montbéliard : La Vierge à la chaise

Bois, colorié à la main
H. 0,417 ; L. 0,330 (la feuille)
En bas : *La Sainte Vierge à la Chaise — PAR BREVET D'INVENTION De la Fabrique de DECKHERR Frères Imprimeurs à Montbeliard.*

ill. 61

La planche, qui date de 1839, est une surprenante charge du tableau de Raphaël au Palais Pitti de Florence (de forme ronde, en contre-partie). La brutalité du dessin, la lourdeur des formes, le coloris criard ont donné naissance à une image qui doit compter parmi les plus grossières dérivations de l'artiste. M.V.

Paris, Bibliothèque Nationale, Cabinet des Estampes

336
Image de Nancy : Sainte Marguerite

Bois, colorié à la main
H. 0,268 ; L. 0,206, au trait d'encadrement
Au-dessus, *SAINTE MARGUERITE, VIERGE ET MARTYRE ;* au-dessous, une *ORAISON* à la sainte et *DE LA FABRIQUE DE DESFEUILLES graveur, RUE DE LA MONNAIE A NANCY.*

ill. 121

Le graveur s'est inspiré librement, pour cette image de dévotion, de la *Sainte* Marguerite traditionnellement attribuée à Raphaël, aujourd'hui au Kunsthistorisches Museum de Vienne. Conformément aux traditions que rapporte J. de Voragine dans la *Légende Dorée,* la sainte, emprisonnée dans une fosse, pria Dieu de lui faire voir l'ennemi qu'elle avait à combattre : un affreux dragon parut alors, mais la sainte ayant fait le signe de la croix, il s'évanouit aussitôt. L'animal fabuleux est ici doté d'une étrange queue terminée par une flèche et la scène naïvement encadrée par deux palmiers. Une image d'Épinal (fabrique de Pellerin) offre pratiquement le même motif, le dragon y mordant la robe de la sainte. M.V.

Paris, Bibliothèque Nationale, Cabinet des Estampes

Papier peint, Manufact. Desfossé & Karth

337
La Belle Jardinière
D'après le tableau du Louvre*

ill. 10

Impression à la planche de bois gravée
H. 0,69 ; L. 1,04

Historique :
Don Dubois, 1893. Inv. 29.801.

Bibliographie :
Catal. exp. *Trois Siècles de Papiers Peints,* musée des Arts décoratifs, 1967, n° 277.

La manufacture Desfossé et Karth (vers 1835) a quelque peu modifié le modèle original en supprimant le paysage à l'arrière plan, au profit de motifs typiques des camées en papier peint : les palmiers, une corbeille de fleurs, et une colonne antique tronquée sur laquelle s'est posée une colombe. La scène, campée sur une terrasse, est traitée avec une sensibilité naïve. O.N.

Paris, Musée des Arts Décoratifs

Photographies

Braun (Adolphe)

Besançon, 1812 - Dornach, 1877

Essentiellement connu des historiens d'art pour les séries de reproductions de peintures et dessins des grandes collections européennes réalisées à partir des années 1860, Braun eut une importante activité de créateur avant de spécialiser son entreprise dans ce domaine. Après avoir dessiné des motifs sur étoffe, il entreprend vers 1853 en photographie une collection d'études de fleurs destinée aux artistes. Il réalise ensuite, le plus souvent avec l'aide de collaborateurs, des vues d'Alsace, de Suisse, des bords du Rhin, etc., ainsi que des études de costumes régionaux. Certaines photographies de fleurs et de nature morte comptent parmi les plus grandes créations du XIXe siècle. *P.N.*

338
Deux têtes d'anges
Fragment de la Madone de Saint Sixte du musée de Dresde

ill. 40

Reproduction photographique : tirage au charbon à partir d'un négatif verre au collodion.
H. 0,275 ; L. 0,477
Vers 1865.

Historique :
Acquis par le service d'étude et de documentation du département des Peintures, musée du Louvre.

La critique photographique qui se constitue au début des années 1850 se captiva pour le développement du nouveau médium, d'abord pour les images à trois dimensions interprétant la nature, mais aussi pour celles reproduisant les objets à deux dimensions, essentiellement la peinture. Cette critique voyait là un moyen irremplaçable de faire connaître à un public beaucoup plus large qu'auparavant les grands chefs-d'œuvre du passé, et cela d'une façon bien plus convaincante que les meilleures gravures d'interprétation. Francis Wey, l'ami de Courbet, un des premiers défenseurs de la photographie comme art et technique, propose en 1851 d'envoyer des photographes en mission pour reproduire les grandes collections d'Europe ; il propose aussi d'instituer une salle au Cabinet des Dessins du Louvre pour montrer sous forme de reproduction les chefs-d'œuvre des artistes absents des collections nationales. Les plus grands photographes des années 1850 n'ont pas dédaigné de pratiquer ce genre de photographie, et ils n'hésitaient pas à montrer de telles images à côté de leurs meilleurs créations dans les expositions photographiques et les grandes manifestations internationales. Alors que la photographie suscite des débats esthétiques passionnés, beaucoup s'accordent à lui reconnaître là une utilité évidente, Baudelaire notamment, et conviennent que ce sera là un élément déterminant pour le développement de l'histoire de la peinture. Mais la photographie n'a pas brutalement mis fin au travail des graveurs d'interprétation, et on sait qu'au début de notre siècle, Marcel Proust donnera la préférence à celui-ci sur la photographie, depuis longtemps passée dans les mœurs.

Mais la reproduction de tableaux, si elle ne soulevait pas vraiment de problème d'ordre esthétique aux contemporains, posait au début de véritable problèmes techniques (rendu de certaines valeurs, difficulté de l'éclairage surtout pour les grands formats, etc., aussi nécessité de déplacement lointain pour effectuer les prises de vue), et c'est pourquoi on réalisa souvent dans les années 50-65, des reproductions de gravures d'interprétation des œuvres peintes (il suffisait de réduire la dimension du tirage photographique pour rendre plus difficilement perceptible les traits de la gravure et donner l'illusion du rendu pictural).

Alors que la production dans ce domaine est peu conséquente et peu systématique jusqu'aux années 60, elle prend un essort considérable avec les activités de la maison Braun. En utilisant un procédé de tirage au charbon issu des découvertes d'Alphonse Poitevin (1855), Braun propose au public des épreuves inaltérables de très grande qualité, réalisées à partir de négatifs verre au collodion pouvant atteindre de très grands formats. Ses équipes sillonnent l'Europe et reproduisent un choix considérable de dessins et de peintures des musées, galeries et collections particulières les plus remarquables. Cet effort de recensement de l'art ancien s'accompagne de travaux sur la peinture contemporaine, notamment celles présentées au Salon des Beaux-Arts. Au début du siècle, Braun entreprend de photographier les musées publics et galeries particulières des États-Unis. Le choix des œuvres photographiées, tant en art ancien qu'en art moderne, est bien sûr très significatif des goûts du moment.

Dans cette production de quelque 100 000 images, l'œuvre de Raphaël occupe une place de choix, près de 800 clichés pour les ensembles et les détails. Ainsi, pour *La Madone de Saint Sixte* du musée de Dresde, Braun propose, outre la composition générale, 5 détails différents, dont celui des *Deux têtes d'anges* (cliché n° 20.080 ⁵ ter). La critique et les historiens ont insisté sur la nouvelle approche que permettait le choix de fragments dans une grande composition (cela est vrai en peinture comme en architecture), car ceux-ci acquièrent une vie propre et parfois une nouvelle signification ; c'est un apport de la photographie du XIXe siècle, que d'avoir permis d'isoler ainsi des détails de leur contexte, facilitant souvent leur découverte. Dans cet esprit, on peut se demander si cette photographie des *Deux têtes d'anges*, maintes fois reprise par la suite, n'a pas favorisé la popularité de ce fragment, un des plus célèbres de Raphaël. P.N.

Paris, Musée du Louvre, Service d'Étude et de Documentation du Département des Peintures

Delessert (Benjamin)

Paris, 1817 - id., *1868*

Issu d'une riche famille de financiers liés aux affaires publiques, Benjamin Delessert fut un collectionneur et un érudit, qui s'intéressa très tôt au développement de la photographie (membre fondateur de la Société Héliographique en 1851). Il réalisa en 1853-55 un album consacré aux gravures de Marcantonio Raimondi, illustré de photographies dont il était l'auteur, publication qui constitue une des premières du genre. P.N.

339
« La Cène » de Marcantonio Raimondi*
D'après Raphaël

Reproduction photographique : tirage sur papier salé d'après un négatif papier, monté sur carton portant les impressions suivantes : en h. : *Marc-Antoine Raimondi ;* en b. : *(Bartsch n° 26) La Cène ;* inscription manuscrite sous l'épreuve dr. : *M. Benj. Delessert.*
H. 0,288 ; L. 0,421

Planche extraite de la *« Notice sur la vie de Marc-Antoine Raimondi, graveur bolonais, accompagnée de reproductions photographiques de quelques unes de ses estampes par Benjamin Delessert »* Goupil et Cie,

ill. 301

Paris, Colnaghi et Cie, Londres

Historique :
Planche provenant d'un album factice constitué par le photographe L.A. de Brebisson acquis en 1979 ; musée d'Orsay. Pho 1979.19.

Bibliographie :
Françoise Heilbrun, « Un album de primitifs de la photographie française » *La Revue du Louvre 1981.*

Malgré la richesse et la diversité de la photographie française du XIXe siècle, on ne trouve pas vraiment d'images inspirées par l'art de Raphaël, et cela même au travers d'un artiste comme Ingres, dont la réputation était pourtant à son apogée au moment de la naissance de la photographie. C'est vers l'Angleterre qu'il faut se tourner pour découvrir une production d'images interprétant les thèmes ou l'esthétique de Raphaël ; ainsi Julia-Margaret Cameron (1815-1879) artiste qui fut très liée aux peintres pré-raphaélites, imagina dans les années 1870 des œuvres de pure fiction qui doivent souvent plus à Raphaël lui-même qu'à ses devanciers, dont se réclamaient les artistes du mouvement.

En France cependant, les photographes s'intéressèrent très tôt à l'œuvre de Raphaël pour le reproduire. Ainsi en 1853-54, l'éditeur Blanquart-Evrard publie des photographies reproduisant les cartons d'Hampton Court, 4 fresques du Vatican et plusieurs peintures dont La Vierge à la chaise et *La Transfiguration,* le plus souvent d'après des gravures (« L'Art Religieux », « Le Musée Photographique »). D'autres exemples pourraient être cités montrant l'intérêt des photographes et des éditeurs pour les peintures de Raphaël au début de la photographie sur papier. Mais l'ouvrage qui eut incontestablement le plus de renommée en son temps auprès des érudits et de la critique photographique fut la publication de Delessert sur les gravures de Raimondi d'après Raphaël (1853-1855), dont certaines planches furent présentées à différentes expositions (notamment à l'Exposition Universelle de 1855, Paris, et à l'Exposition du Crystal Palace, 1857, Sydenham). Delessert manifestait une grande admiration pour l'œuvre de Raimondi : il voyait en lui le graveur qui avait traité avec le plus de profondeur de sentiment les sujets sacrés et donné le plus de grâce exquise aux sujets profanes. Pour cette publication, il s'appliqua à choisir les meilleures épreuves du graveur bolonais, provenant pour la plupart de sa propre collection ; il eut le souci de reproduire le plus fidèlement possible les originaux, donnant à chaque planche les dimensions exactes de ceux-ci, et utilisant le négatif-papier (plutôt que le négatif-verre au collodion ou à l'albumine) afin d'éviter une dureté et une sécheresse qui n'existent pas dans les gravures de Raimondi (cf. *la note explicative des planches photographiques*). Les épreuves de cet album furent réalisées dans l'atelier de Blancquart-Evrard d'après des négatifs de Delessert ; elles ont une tonalité sépia teintée parfois de rose. Il faut remarquer que l'utilisation de l'héliogravure appliquée à la reproduction d'estampes donnera très peu de temps après des résultats beaucoup plus remarquables encore par la fidélité aux originaux, en raison de l'utilisation de papiers de gravure et d'encre d'imprimerie (*cf.* notamment les reproductions des gravures de Le Pautre par Édouard Baldus).

La planche de Delessert exposée ici reproduit *La Cène* (dite *La Cène aux pieds*)* qui est selon Bartsch, une des « plus parfaites et des plus rares de Marc-Antoine ». Elle provient d'un album constitué dans les années 60 par le photographe Louis-Alphonse de Brébisson, qui joua un rôle important dans le développement des techniques photographiques dès l'apparition du daguerréotype ; sa présence dans un tel album témoigne de l'intérêt que suscita alors les résultats obtenus par Delessert auprès d'esprit soucieux d'expériences permettant l'élargissement des champs d'application de la photographie. P.N.

Paris, Musée d'Orsay

Ducos du Hauron (Louis)

Langon, 1837 - Agen, 1920

Inventeur de la photographie des couleurs (brevet de 1868), les principes d'analyse et de synthèse des trois couleurs qu'il établit servirent à tous les procédés de photographie en couleur élaborés par la suite. En 1888, il s'intéresse à la déformation des images et réalise les premiers portraits anamorphosés; en 1891 il mit au point un procédé de restitution du relief (anaglyphe) par décalage de deux images de couleurs complémentaires.

P.N.

340
Reproduction en couleur d'une copie de la Vierge à la chaise de Raphaël

Phototypie d'une héliochromie réalisée par l'atelier Quinsac à Toulouse
H. 19,5 ; L. 18,5

Historique :
Legs Ducos du Hauron.

ill. 49

Le passage de la photographie monochrome à la photographie des couleurs constitue la plus importante conquête de la fin du XIXe siècle en vue de satisfaire les aspirations du médium à restituer la vérité de la nature. Cette découverte était particulièrement importante pour la reproduction de la peinture, qui n'était possible jusqu'alors que par des valeurs monochromes.

Pour effectuer ses expériences, Ducos du Hauron réalisa aussi bien des vues de paysages, de paysages urbains (les célèbres vues d'Agen), que de reproductions de tableaux, le plus souvent de modestes œuvres contemporaines locales. Cette reproduction de la *Vierge à la chaise* (de 1883, la première en couleur d'une œuvre de Raphaël), n'a pas été réalisée d'après l'original du Palais Pitti, mais d'après une copie assez médiocre du XIXe siècle, peut-être celle conservée au musée d'Agen. Pour diffuser les œuvres de Ducos du Hauron, André Quinsac édifia à Toulouse avec l'aide d'Alexandre Jaille, un atelier d'impression photographique en trois couleurs à côté de ses ateliers de photocollographie ; cette entreprise aurait du assurer une plus grande reconnaissance des découvertes de Ducos du Hauron, mais l'atelier de Quinsac fut la proie des flammes en 1884, et ce dernier mourut peu de temps après. P.N.

Agen, musée

Sculptures

Aizelin (Eugène Antoine)

Paris, 1821 - id., 1902

Talent délicat, dans les scènes de genre allégorique, L'Enfant et le Sablier, *1866 (musée de Nantes), l'antiquité semi-dénudée,* Suppliante, *1867 (musée de Montpellier),* l'Idylle, *1874 (Paris, Opéra),* Orphée, *1876 (musée de Reims), Aizelin affine ses qualités pour les personnages fictifs ou historiques,* Mignon, *1881,* Mme de Sévigné *1882 (Hôtel de Ville de Paris),* Marguerite se rendant à l'église, *1883.*

Le fondeur-éditeur Ferdinand Barbedienne ne se trompa pas sur ce pouvoir de séduction. Il passa un premier contrat avec Aizelin en 1863. En 1875, il avait acquis en toute propriété trente-quatre modèles. En 1900, cinq statues et huit bustes figuraient encore au catalogue de Gustave Leblanc-Barbedienne, neveu et successeur de Ferdinand.
A.P.

341
Raphaël enfant
dit aussi **Le Page**

ill. 366

Buste, plâtre
H. 0,43 ; L. 0,48

Provenance :
Don C. Thévenin, 1975. Inv. 75-6.

Bibliographie :
Paris, Salon 1887, cat. Ill., repr. p. 354 ; Lami, XIX, I. 1914, p. 9 ; Salmon, 1981, p. 53.

Aizelin exposa au Salon de 1887 une statue en plâtre intitulée : *La jeunesse de Raphaël Sanzio* (n° 3570) qui prolongeait tard dans le siècle le charme ambigu du *Chanteur florentin* de Paul Dubois (1865).

Avant l'ouverture de ce salon, le 1er janvier 1887, Aizelin avait signé avec Barbedienne un contrat accordant à ce dernier le droit exclusif de fondre tous les exemplaires de grandeur originale ainsi que trois réductions, selon le procédé d'Achille Collas (1 m, 0,75 et 0,60) pour une durée de vingt-cinq ans (jusqu'au 1er janvier 1912). Le sujet de « l'enfant célèbre » ou plutôt qui allait le devenir, avait inspiré les sculpteurs du XIXe. Au chapitre des peintres, nous citerions l'*Albert Dürer enfant,* de Frédéric Beer (Salon de 1884) édité par la maison Thiébaut (H. 0,38) ou le *Michel-Ange enfant* de P. Bazzanti de Florence. Les costumes d'époque, soigneusement rendus, répondaient au désir de plaire et à la finalité de cadeau pour héritiers méritants. En revanche, les *Giotto enfants,* en raison de leur nudité, n'auront pas la même postérité.

Pour le visage, Aizelin s'inspira du dessin d'Oxford, en l'allongeant et de l'*Autoportrait* de Florence, diffusé par la gravure comme celles de Boucher-Desnoyers et de F. Forster de 1836. Pour le costume, il reprit la chemise froncée dépassant d'un empiècement rectangulaire qu'avaient déjà empruntée au *Double portrait d'homme** du Louvre, Feuchère et Rochet. La pose du visage incliné, les yeux mi-clos, expriment le recueillement, sentiment recherché par Aizelin en 1883 dans sa *Marguerite sortant de l'église.*
A.P.

Beauvais, Musée Départemental de l'Oise

Barre (Jean-Auguste)

Paris, 1811 - id., 1896

Sans avoir remporté le Prix de Rome, ce fils aîné de Jean-Jacques Barre, graveur général des monnaies, obtint les commandes prestigieuses des tombeaux des mères de Louis-Philippe (1844-1847, Dreux) et de Napoléon III (1852-1858, Rueil). Ce double hommage des fils récompensait le portraitiste soigneux apprécié de la Cour, de la ville et du théâtre qui laissa un panorama des célébrités de la monarchie de Juillet et du Second-Empire.
A.P.

342
Louise Vernet (1814-1845)

Épouse de Paul Delaroche (1797-1856) et l'un de ses fils, soit Horace (1836-1879) soit Grégoire (1841-1882), père de Philippe Delaroche-Vernet

ill. 3

Statuette, ivoire
H. 0,413 ; L. 0,150 ; Pr. 0,133
Historique :
Legs de Mme Philippe Delaroche-Vernet, née Suzanne Paraff 1939. Inv. OA 9239.

Bibliographie :
Delaroche-Vernet 1907, p. 3 ; Catal. exp. Paris, Galerie Charpentier, 1926, n° 612 (attribué à Duret) ; Petit Palais, 1936 (hors catalogue).

L'attribution à Barre a été faite en comparant cette statuette à la *Rachel* en ivoire, signée et datée de 1848, du Louvre. La pose calme de Louise Vernet est-elle un hommage (conscient ou non) à la *Madone du Grand Duc* de Florence ? A la gravité de son visage répond le geste de l'enfant qui se détourne de sa mère pour contempler le monde. La même tendresse se retrouve dans les mains ; support religieux chez Raphaël, elles enferment le corps et la main de l'enfant chez Barre. Enfin, la minutie du costume trouve une fin en soi dans l'onctueuse matière de l'ivoire. Bouillonné, fronces, coutures, boutons, chaînettes, affiquets, rien ne manque, sans que rien ne contredise, cependant, la solidité sereine de l'ensemble.
A.P.

Paris, Musée du Louvre, Département des Sculptures

Carpeaux (Jean-Baptiste)

Valenciennes, 1827 - Courbevoie, 1875

Rude lui apprit la vérité, Duret l'élégance, mais à l'École des Beaux-Arts où il obtint, en dix ans, le Premier Grand Prix, Carpeaux s'imprégna des grands ancêtres (but exclusif de la rue Bonaparte). Celui qui le fascina toute sa vie, celui à qui il rendit un culte à Rome durant son séjour à la Villa Médicis (1856-1862), celui à qui il présenta sa fiancée en 1869 (tous deux priaient devant les moulages de la Chapelle de l'École des Beaux-Arts), ce fut Michel-Ange et non pas Raphaël. C'est pourquoi l'influence de la Madone au chardonneret *des Offices est intéressante à analyser dans l'œuvre exposée ici.* A.P.

Voir aussi section Peintures et dessins

343
Notre-Dame du Saint-Cordon

ill. 39

Épreuve, terre cuite
H. 0,35 ; L. 0,217 ; Pr. 0,195
Sur le côté droit : *JBT Carpeaux.*
Au revers chiffre et deux cachets poinçonnés : *2131 ;* ovale avec aigle et *ATELIER & DEPOT/71 RUE BOILEAU/AUTEUIL PARIS*

Historique :
Acquis comme « Charité » en 1889 de la veuve du sculpteur.
Inv. R.F. 821.

Bibliographie :
Catal. exp. Compiègne, 1953, n° 36 ; Paris, Catal. exp. Grand-Palais, 1975, n° 114 ; Hardy-Braunwald, 1978, sous le n° 129 ; Forneris-Ginepro, 1980, sous le n° 33.

Madone, Charité, Sainte Famille, le groupe retrouva son vrai nom grâce au grand dessin gouaché de la collection Foucart, acquis par le musée de Valenciennes en 1898. Exécuté le 5 mai 1864, jour de la consécration de l'église N.D. du Saint-Cordon à Valenciennes, celui-ci évoquait l'intervention de la Vierge qui, en 1008 entoura la ville d'un cordon protecteur. De cette composition (gravée par Léopold Flameng) Carpeaux tira une esquisse. Le goût pour l'œuvre inachevée revenant avec l'esprit du XVIIIe siècle, Carpeaux édita son groupe en plâtre et en terre cuite. Après sa mort, Susse et Hébrard le diffusèrent en bronze.

Au premier coup d'œil, cette composition pyramidale d'une mère et deux enfants, évoque le tableau de Raphaël, *la Madone au chardonneret* (Offices). La pose de Jean-Baptiste (saint patron du sculpteur placé au centre de la composition), debout entre les genoux de la Vierge, tendant le bras vers l'Enfant Jésus, semble même directement inspiré de la composition de Florence (à l'inversion des enfants près). Un dessin de Carpeaux conservé au Louvre (R.F. 1212) s'en rapprocherait encore. Par ailleurs l'attitude contorsionnée de l'Enfant, placé latéralement, s'apparente à celle adoptée par Raphaël dans sa *Madone de Foligno* (Vatican). Mais le vrai lien nous semble être le groupe de l'*Impératrice protégeant les orphelins et les arts* (1855) modelé par le sculpteur de Valenciennes avant son départ pour Rome. Cet exercice scolaire (et alimentaire) d'une composition équilibrée, groupant des enfants nus (l'un d'eux le bras droit levé) emprunte encore à Raphaël. Le sculpteur du mouvement va bientôt s'en dégager. La ronde autour d'un personnage inspirateur, son meilleur thème, lui servira désormais à capter et projeter le dynamisme des formes.

Cette terre cuite, au second examen, nous éloigne de Raphaël. Il n'y a pas d'axe vertical, pas de symétrie. Des obliques agitées cherchent le déséquilibre. La tension du buste de la Vierge, l'étirement excessif du petit saint Jean la tête renversée, le repli brusque de la jambe gauche de Jésus nous ramènent aux instabilités, aux violences de Michel-Ange, celle de la *Madone Médicis* de San Lorenzo que Carpeaux dessina le 14 avril 1862 (Louvre R.F. 1237) ou celle du *Jugement Dernier* de la Sixtine dont il fit une copie comme pensionnaire à la Villa (huile sur carton, musée Chéret). A.P.

Paris, Musée du Louvre, Département des Sculptures

Carrier-Belleuse (Albert Ernest)

Anisy-le-Château, 1824 - Sèvres, 1887

Sculpteur infatigable, Carrier-Belleuse fut l'un des plus heureux utilisateurs des ressources industrielles du XIXe siècle. Apprenti chez les bronziers parisiens, puis modeleur à la manufacture de porcelaine de Minton en Angleterre, la nécessité lui apprit les possibilités de l'édition appliquée à l'œuvre d'art. Décorateur de grand talent, Hôtel de Païva *(1865),* Torchères de l'Opéra *(1873), il s'éleva à la grande sculpture avec le* Messie de Saint-Vincent-de-Paul *(1861) et l'*Hébé du Louvre *(1869). Ses portraits flatteurs qui « causaient un plaisir assez vif » à Baudelaire (Salon de 1859) et ses modèles d'édition dans le goût du XVIIIe n'étaient cependant pas prisés des Goncourt, artisans du retour au rocaille (« Banal sculpteur... pacotilleur du XVIIIe... faux Clodion »,* Journal, *31 mai 1867.*

Carrier-Belleuse incarnait cependant assez bien la sève débordante de la seconde moitié du XIXe siècle qui croyait au progrès continu de la science et absorbait d'un seul coup tous les styles passés que l'industrie devait féconder. Il publia à cet effet 200 planches chez Goupil en 1884 : Application de la figure humaine à la décoration et à l'ornementation industrielles. A.P.

344
Le jeune Raphaël

ill. 383

Statuette, bronze
H. 0,597 ; L. 0,216 ; Pr. 0,21
Sur la première marche à droite : *A. CARRIER/1855 ;* à gauche : *Deniere F.T.* Devant sur la plinthe : *RAPHAEL*

Historique :
Michaël Hall Fine Arts New York.
The Ackland Art Museum
Chapell Hill. Inv. 79.9.I.

Bibliographie :
Salmon, 1892, p. 219 ;
Hargrove, 1980-1981, n° 45, p. 160, 161, 170, 171 ;
Janson, *id.*, p. 74
Lepper, 1981, pp. 185-186, p. 187 fig. 2.

Le goût pour les statuettes en pied mis à la mode par les romantiques, ne déclina pas sous l'éclectisme triomphant. Hommage décerné aux maîtres qu'on voulait imiter, hommage à l'histoire qu'on révérait, les *Van Dyck* et *Rubens* de Salmson accompagnaient les *Raphaël* et *Michel-Ange* de Carrier. L'influence de Feuchère et de Klagmann est encore sensible dans cette statuette datant du retour en France de Carrier-Belleuse, après cinq ans passés à Stoke upon Trend (Staffordshire).

Élégant comme un Félicie de Fauveau, mystérieux dans sa cape relevée sur une jambe fine, mèches tombantes et regard langoureux, emprunté au portrait de *Bindo Altoviti* qui passait au XVIIIe pour un autoportrait de Raphaël et se trouvait au XIXe dans la galerie de Munich, ou bien au portrait de *Jeune homme* de Cracovie, ce bel adolescent que Musset ne renierait pas, mettait les atouts de son côté pour séduire les peintres en herbe. « La vente de nos bronzes très recherchés fut le thermomètre de nos succès futurs... Carrier s'était affirmé tout d'abord par le costumé qu'il réussissait avec une souplesse et une somptuosité incomparable », écrivait dans ses *Souvenirs d'un Sculpteur* son ami Jules Salmson. Plus tard, Carrier proposa un modèle de statuette différent pour les éditions en zinc de Boy (avant 1863 ; fig. 185) et s'intéressa au visage seul. A la vente qui suivit sa mort en 1887 passèrent les bustes en terre cuite de Murillo, Vélasquez, Michel-Ange, Rembrandt, Dürer, Van Ostade et enfin Raphaël (H. 0,65). A.P.

Chapel Hill, The Ackland Art Museum, University of North Carolina, Ackland Fund

Feuchère (Jean-Jacques)

Paris, 1807 - id., *1852*

Fils de Jacques-François Feuchère, fondeur et ciseleur, Jean-Jacques Feuchère eut une carrière relativement brève mais son œuvre est bien caractéristique, par son ambiguïté même, des contradictions de la sculpture française à l'époque du romantisme. Dans les quelques commandes officielles dont il bénéficia, ainsi que dans ses bustes, Feuchère resta souvent, à quelques détails près, fidèle aux canons du néo-classicisme tardif. Dans ses œuvres de petit format, au contraire, il se montre plus personnel, créant des figures étranges (Satan) *ou sensuelles* (Nymphe sur un dauphin) *et son rôle dans le renouvellement de l'art décoratif ne saurait être négligé. Mais c'est surtout l'influence de l'art de la Renaissance qui caractérisait le style de Feuchère aux yeux de ses contemporains, et Jal (Salon de 1831) n'hésitait pas à parler de « serviles copies ». Si l'art et la personnalité de Jean Goujon semblent avoir été pour l'artiste une sorte d'obsession, son intérêt pour Raphaël s'est concrétisé en des œuvres variées : statue, médaillon, gravure, buste. La légende de Raphaël, sa beauté, ses amours et sa mort précoce ont-elles compté davantage dans ce choix que l'art même de Raphaël ? L'œuvre de Feuchère est encore trop mal connue pour que l'on puisse répondre avec certitude à la question.* J.R.G.

345
Raphaël

Statue, marbre
Signé et daté. *JEAN FEUCHERE, 1834.* Sur le devant : *RAPHAEL*
H. 1,00 ; L. 0,54 ; Pr. 0,44

Historique :
Modèle plâtre, Salon de 1834, n° 2036 ; marbre, Salon de 1835, n° 2242 ; acquis en 1837 par le ministre de l'Intérieur ; envoyé à Rouen, 1838. Inv. D.838.I.

ill. 371

Bibliographie :
Jal, 1831, p. 236 ;

Au Salon de 1834, Feuchère exposa le plâtre d'un *Raphaël :* il obtint le 17 juin la concession d'un petit bloc pour l'exécution du marbre qui figura au Salon de 1835 puis fut acquis, en 1837, par le ministère de l'Intérieur pour le musée de Rouen. Feuchère s'est visiblement inspiré pour les traits du visage, la coiffure et l'inclinaison de la tête, d'un *Portrait de jeune homme* du Louvre (INV. 613)* aujourd'hui restitué à Parmigianino, mais anciennement considéré comme un autoportrait de Raphaël. La grande cape qui dissimule le bras gauche, pourrait être un emprunt (inversé) à l'autoportrait de l'*École d'Athènes,* mais l'utilisation d'un large manteau drapé est presque un poncif dans les bustes et statues d'artistes à partir du début du XIXe siècle. En revanche, le pilastre à décor « au candélabre » sur lequel Raphaël est accoudé paraît une allusion précise aux grotesques des Loges du Vatican. Qualifiée de « figurine » dans une note au ministre (Arch. nat. F.21.5 - doss. 41), le *Raphaël* de Feuchère, malgré sa taille presque grandeur nature, est un bibelot agrandi. En réduction il a servi de « figure de pendule » (fig. 183) et dans cette fonction paraît mieux servir le talent de son auteur. J.R.G.
Rouen, Musée des Beaux-Arts

346
Raphaël

Médaillon ovale. Plâtre, avec coutures
H. 0,515 ; L. 0,440 ; Pr. 0,200
Signé en bas à gauche : *Jn Feuchère. ft 1834.*
Sur le champs gravé à la pointe : *l'Auteur/a Monsieur Villot.*

Historique :
Remis par Villot au Département des Sculptures ?

ill. 384

Alors sans doute qu'il venait d'achever la statue de *Raphaël,* présentée au Salon de 1834 (marbre au musée de Rouen, n° 345), Feuchère a conçu ce médaillon à partir de sources d'inspiration sensiblement différentes. Le type même de la représentation, en très fort relief mais en « fond de cuve », pourrait dériver du portrait funéraire de Marc Antoine della Torre par Riccio et les initiales du champs : R(affaellus) V(rbinensis) accentuent le caractère commémoratif. Pour le visage lui-même Feuchère s'est directement inspiré du buste de Raphaël, en marbre, par Alessandro Rondoni (Louvre, inv. MR. 2664) qui était, dès avant 1810, placé dans la Grande Galerie et correspondait au type du buste de bronze placé sur le tombeau du peintre au Panthéon.

La dédicace à Villot pousserait à placer l'exécution de cet exemplaire entre 1848 et 1853. Mais il est possible que l'inscription ait été ajoutée tardivement sur une épreuve ancienne car dans une lettre du 15 avril 1850 (Arch. Louvre, série S), Feuchère écrit à Nieuwerkerke que le moule de sa *Tête de Raphaël* est usé. Le médaillon réapparaît aussi parmi les attributs des Arts et des Sciences sur un fronton, 6, impasse de Guéménée, à Paris.

Il doit en tous cas, être distingué du *Buste de Raphaël* auquel Feuchère travaillait peu avant sa mort et dont le modèle en terre acquis par l'État en 1852, se trouvait encore chez son beau-frère A. Le Veel en 1855 (Arch. nat. F 21 79, Dossier 35) et paraît avoir disparu. J.R.G.

Paris, Musée du Louvre, Département des Sculptures

Injalbert (Jean-Antoine)

Béziers, 1845 - Paris, 1933

Injalbert appartint au groupe des artistes de « mauvais goût » dont la puissance créatrice renversa les barrières. Le sévère Dumont, son professeur à l'École des Beaux-Arts, ne réussit pas à éteindre cette fougue méridionale. La Douleur d'Orphée *en 1874 lui ouvrit les portes de la Villa Médicis. Il reçut toutes les récompenses au Salon des Artistes français (où il exposa de 1872 à 1890 et de 1920 à 1932) et à la Société nationale des Beaux-Arts (1891 à 1914). Nommé professeur à l'École des Beaux-Arts en 1891, il fut élu à l'Institut en 1905. Henri Bouchard lui succéda à ce double titre en 1929 et 1933.*

Bernin, Puget et Clodion étaient pour Injalbert les références glorieuses de ses fontaines, de ses titans, de ses satyres. Nul ne semblait autant éloigné de sa perception du monde que Raphaël. Il est donc étrange qu'il lui ait consacré le projet de monument exposé ici, bien que son intérêt pour la Renaissance italienne se soit déjà manifesté dans un buste de Filippino Lippi *et qu'il ait rendu hommage à la Renaissance française dans ses statues de* Pierre Lescot *et* Germain Pilon *qu'il sculpta en 1882 pour le nouvel Hôtel de Ville de Paris. Victor Laloux traça pour Béziers des plans d'un musée Injalbert destiné aux collections léguées par la veuve du sculpteur. Il ne vit jamais le jour.* A.P.

347
Projet de monument à Raphaël

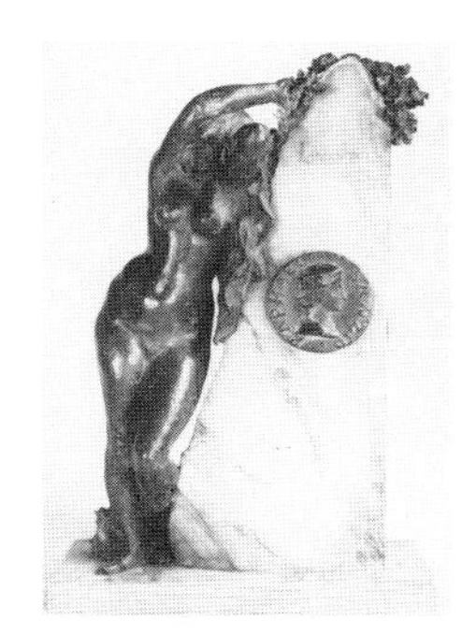

ill. 400

Petit groupe, bronze et marbre vert gris
H. 0,437 ; L. 0,291 ; Pr. 0,157
Inscription sur la stèle en marbre : *LAMENTI.* Autour du médaillon : *RAPHAEL SANZIO.*

Historique :
Don de la veuve du sculpteur destiné au musée Injalbert-Mourer à Béziers ; accepté par décret du 27 février 1935 ; déposé à Béziers par arrêté du 30 mai 1961. Inv. R.F. 2363 (à Béziers, n° 1015).

Bibliographie :
Ponsonailhe (1892) 1897 ;
Lugand, Vanderspelden, 1976, II, p. 160, n° 730, repr.

Un monument public, composé du buste ou de la statue de l'homme sur un piédestal que « fait valoir » une femme nue, c'est un poncif dont le XIXe siècle ne craignait pas d'abuser. Lorsque l'allégorie féminine joue le rôle principal, que le héros est réduit au médaillon, la prééminence funéraire l'emporte, ou le sculpteur répugne au portrait posthume ou encore le symbole se substitue à la représentation (et ce dernier choix sera bientôt consacré par Maillol).

Injalbert, sensible aux trois possibilités, privilégie l'allégorie des « Lamenti ». Le demi-abandon de ce corps de femme posé en oblique donne aux chairs le relief le plus abondant qui plaît tant au sculpteur. Cette pose inversée se retrouve dans sa statuette de *La Douleur* (bronze déposé à Béziers, R.F. 2365) ou dans un marbre qui vient de quitter la France pour le Japon (mars 1983).

Nous n'avons, actuellement, pas d'indication sur la destinée de ce monument à Raphaël. Le dossier d'artiste d'Injalbert (qui devait être épais) ne se trouve pas aux Archives Nationales et les carnets de commande conservés par M. J. Lugand à Béziers (nous le remercions de cette information) ne le mentionnent pas. L'ami d'Injalbert et son biographe, Charles Ponsonailhe, publia en 1897 un opuscule sur les *Trois Grâces de Raphaël mise en vente à Paris en 1822.* Y aurait-il une relation entre cet écrit et ce projet de monument ? A.P.

Béziers, Musée des Beaux-Arts

Marchand (François)

Orléans, vers 1500 - Paris, vers 1553

Sculpteur et sans doute fils de sculpteur, François Marchand est connu pour les décors qu'il exécuta à Chartres, à la clôture du chœur de la cathédrale (contrat de 1542), au jubé de l'église et à la chapelle de la Conception de l'abbaye de Saint-Père-en-Vallée (1543). Une quittance de 1550 le cite au côté de Pierre Bontemps « pour les frais de la construction de la sépulture » et « les ouvrages de sculpture des effigies » de François Ier et Claude de France (Saint-Denis, basilique).

François Marchand tire parti des qualités narratives et « picturales » des estampes de Marcantonio Raimondi et peut-être des tapisseries d'après Raphaël au moment même (les années 1540) où les peintres verriers, notamment dans la région de Chartres, puisent à la même source la « trame » de nombre de leurs vitraux. Le rôle qui échoit aux reliefs de Marchand et aux vitraux, les uns et les autres insérés dans la structure de l'architecture, est d'ailleurs similaire : il s'agit d'introduire aux limites des espaces construits une composante mouvante, d'une étoffe pittoresque qui puisse selon le mot d'André Chastel (1978, I, p. 302) « sublimer » l'architecture. D.C.

348
La descente de croix
D'après la gravure de Marcantonio Raimondi*

ill. 303

Bas-relief, marbre
H. 1,005 ; L. 0,780

Historique :
Fragment de la contre-table de l'autel de l'église abbatiale Saint-Père de Chartres, sans doute compris dans les paiements de 1542-1543 ; Paris, musée des Monuments

Français, 1793 ; resté à l'École des Beaux-Arts après la dispersion de 1816. Inv. 7147.

Bibliographie :
Abbé Brillon, s.d., p. 171 ;
Merlet et Bellier de la Chavignerie, 1855-1856, p. 384 ;
Montaiglon, 1855-1856, pp. 391-392 ;
Mely, 1887, pp. 219-220 ;
du Colombier, 1931, pp. 222-223, repr. ;
Beaulieu, 1972, n° 528, repr.

M. Beaulieu *(op. cit.)* a noté que la *Descente de Croix* qui « copie textuellement une gravure de Marcantoine d'après Raphaël [Bartsch illustré, vol. 26, 1978, p. 47, n° 32] ne témoigne pas en faveur de l'imagination de son auteur ». Pour juste que soit une telle considération aujourd'hui, où la quête de l'original exerce sa tyrannie, elle ne tient compte ni de l'estime dans laquelle était tenue, au XVIe siècle, l'imitation (comme faculté d'assimilation) ni de l'ingéniosité nécessaire pour transposer d'une technique dans une autre le même motif. A quoi l'on ajoutera les variantes que le sculpteur apporte à son modèle : dans le fond de paysage urbain rapproché et enrichi de figures, dans la pose de la femme à droite, dans la découpe moins spatiale des visages du Christ ou des Saintes Femmes que Marchand ramène au simple profil.

On peut replacer l'œuvre de Marchand entre une transposition plastique italienne, la *Descente de Croix* d'A. Begarelli (v. 1530-1531, Modène, San Francesco) et la brillante interprétation en bas-relief, toujours de la même estampe, due à un artiste voisin de Goujon (v. 1550 ?, New York, Metropolitan Museum, fig. 152). Moins que l'Italien, Marchand n'imprime de pathétique au mouvement, de caractère aux expressions. A l'encontre du relief proche de Goujon qui dissocie les motifs et les enveloppe d'arabesques linéaires compliquées à plaisir, son œuvre respecte la cohérence de la gravure.

Entre le raphaélisme « actif » de Begarelli, encore dans la trajectoire du maître en 1530, et le raphaélisme de tournure désinvolte et ornementale issu de Goujon, Marchand représente en sculpture un temps d'imitation parfaite, et cette séduction littérale des gravures d'après Raphaël touche conjointement à partir des années 1540, le vitrail (à Conches, à Croisy-sur-Eure) et l'émail (musée de Limoges, Inv. 342).

D.C.

Paris, École Nationale Supérieure des Beaux-Arts

349
La mort d'Ananie

Bas-relief, pierre calcaire
H. 0,85 ; L. 1,30 ; Pr. 0,17

Historique :
L'un des neuf bas-reliefs du jubé de l'église abbatiale Saint-Père de Chartres, sans doute compris dans les paiements de 1542-1543 ; démantelé dans la seconde moitié du XVIIIe siècle ; Paris, musée des Monuments Français, entre 1793 et 1802 ; resté à l'École des Beaux-Arts après la dispersion du musée en 1816 ; signalé à Saint-Denis en 1846 ; entré au Louvre, 1895. R.F. 1069.

ill. 284

Bibliographie :
Aubert, 1672, pp. 384-385 ;
Didron, 1846, pp. 59-60 ;
Guilhermy, 1847, p. 16 ;
Archives du musée des Monuments Français, 1883, I, p. 277, 1897, III, pp. 72-73 ;
Mely, 1887, p. 218 ;
Beaulieu, 1978, n° 168, repr. 114.

Depuis A. Lenoir (1806, p. 139), on sait que Marchand, pour ses reliefs du jubé de Saint-Père de Chartres, tira « la majeure partie des motifs de ces compositions dans les cartons de Raphaël » des *Actes des Apôtres* (Londres, Victoria and Albert Museum). Comme l'a noté A. de Montaiglon (1855-1856, pp. 391-392) l'édicule à péristyle circulaire de notre relief semble en effet clairement dériver de celui de la *Prédication de saint Paul* tandis que la disposition des figures renvoie à un autre carton de la série, *La mort d'Ananie.* Marchand pouvait connaître l'une et l'autre compositions de Raphaël par l'estampe, respectivement la gravure de Marcantonio Raimondi (Bartsch illustré, 1978, vol. 26, p. 63, n° 44) et celle d'Agostino Veneziano (?) (Bartsch illustré, 1978, vol. 26, p. 60, n° 42). A moins qu'il ne faille imaginer que la Tenture des *Actes des Apôtres* que François Ier venait de faire tisser d'après les cartons de Raphaël (Schneelbalg-Perelman, 1971, pp. 260-261) ait exercé très vite et sur un artiste encore provincial à cette date, une influence.

De Raphaël à Marchand, hormis les fonds d'architecture, les variantes sont moins de motifs que de style. Marchand accuse le déhanchement des figures, prononce le mouvement de certaines, exagère même le caractéristique « coup de vent » qui anime chevelures et barbes. Au premier plan, à gauche en particulier, le sculpteur « détend » certains raccourcis, et plus encore que dans la *Descente de Croix* (n° 348), le rendu en volume annihile ici curieusement un peu de l'illusion de profondeur du modèle. Marchand enfin resserre la composition tout en omettant de reproduire nombre de figures latérales, notamment Saphire à laquelle il consacre, dans le même cycle, un autre bas-relief (Paris, Louvre). Montaiglon notait en outre (1855-1856, p. 392) que dans le relief de *L'aveuglement d'Elymas,* le proconsul Sergius Paulus, Elymas devenu aveugle et l'homme qui le regarde avec étonnement sont textuellement empruntés au carton de même sujet de Raphaël. A quoi l'on ajoutera des dettes de même importance dans le relief où *Saint Pierre et saint Jean guérissent un impotent* (Chartres, église Saint-Père).

Comme pour la *Descente de croix,* le contraste avec la sculpture italienne de souffle raphaélesque peut encore valoir ici : si la référence aux grandes compositions de Raphaël est moins sensible, quoique plus littérale, dans la *Mort d'Ananie* de Marchand que dans la *Mort de Marie* d'Alfonso Lombardi (1519-1521, Bologne, S. Maria della Vita), c'est qu'on y sent moins la naturelle eurythmie du modèle et que le métier heurté du Français neutralise toute suggestion crédible de l'espace.

D.C.

Paris, Musée du Louvre, Département des Sculptures

Mercié (Antonin)

Toulouse, 1845 - Paris, 1916

Né cinq ans après Rodin, il fut son rival heureux et donna le meilleur de lui-même avant que ce dernier ne commence son œuvre. Prix de Rome à 23 ans (précocité exceptionnelle) il reçut pour son salon de 1872 une médaille de 1re classe et la croix de la Légion d'honneur, alors qu'il était encore pensionnaire à la Villa Médicis. Le David, *le* Gloria Victis, *le* Génie des Arts *des guichets du Carrousel,* La Renommée *de l'ancien palais du Trocadéro auraient suffi à sa gloire, car sa production postérieure, bien que considérable, ne sera jamais aussi heureuse. Le contact permanent des grands maîtres pendant le séjour romain, avait haussé le talent de Mercié.*

Les commandes officielles qui l'attendaient au retour allaient peu à peu épuiser cette sève.
Élu à l'Institut en 1891 il fut nommé professeur à l'École des Beaux-Arts en 1900. A.P.

350
Gloria Victis

ill. 118

Esquisse, bronze
H. 0,889 ; L. 0,43 ; Pr. 0,31
Signé au-dessus de la Terrasse :
a. Mercie. Sur la plinthe à droite :
a mon ami May / souvenir affectueux.
Devant : *Gloria victis.*

Historique :
Don Ernest May 1924. Entré au Louvre en 1926. Inv. R.F. 1835.

Bibliographie :
L'Art, 1875, II.64 ;
Leroi, *id.,* 80 ;
Fusco, 1980, nº 167 ;
Pingeot, 1981, pp. 301-303, nº 11 ;
Pingeot, 1982, p. 61.
catal. exp. *Centenaire de l'Hotel de Ville 1882-1982,* Paris, Hotel de Ville, 1982-1983, pp. 117, 151, fig. 371

Esquisse pour le groupe en bronze aujourd'hui à Paris au Petit Palais. Mercié ayant obtenu le Grand Prix en 1868 se trouvait à Rome pendant la guerre et la défaite que la Prusse infligea à la France. Son émotion emprunta pour exprimer le deuil national, l'élégance raffinée de la Renaissance florentine et le souffle baroque de la Rome des Papes. Sa composition donna la plus grande importance au mouvement, rappelant en cela le grand *Saint-Michel terrassant le démon* de Raphaël (Louvre, INV. 610)*. Comme les ailes d'un moulin sur un axe mobile, le vaincu porté par la Gloire, inaugurait le thème « revanche ».

La médaille d'honneur que Mercié obtint au Salon de 1874, où figurait le grand plâtre, ne récompensait pas seulement l'œuvre artistique du jeune sculpteur de 29 ans. La nation vaincue le remerciait de l'image qu'il renvoyait d'elle (c'est un Christ descendu de la croix, c'est Énée sauvé par Anchise...). Les élus municipaux ne s'y trompèrent pas en souhaitant d'abord ériger le *Gloria victis,* face au Panthéon, au centre du bassin si tristement occupé par les *Tritons* de Crauk, puis en obtenant l'autorisation d'utiliser des répliques du *Gloria Victis* comme monument aux morts de la guerre de 70 (Niort 1881, Agen 1883, Bordeaux 1885, Châlons-sur-Marne 1890, Cholet 1901...).

A Paris, le groupe n'obtint pas l'emplacement souhaité mais fut placé square Montholon en 1879 puis dans la cour centrale de l'Hôtel de Ville de 1884 à 1921, date à laquelle l'architecte de la ville demanda son transfert au Palais des Arts, « ce groupe n'étant plus à sa place après la victoire ». A.P.

Paris, Musée du Louvre, Département des Sculptures

Rochet (Louis) - Rochet (Charles)

Paris, 1813 - id., *1878* - *Paris, 1819* - id., *1900*

Les deux frères partagèrent leur vie et leurs activités entre la littérature, les sciences et la sculpture. Les reconstitutions historiques comme Guillaume le Conquérant *à Falaise (1851),* Bonaparte à Brienne *(1853),* La marquise de Sévigné *à Grignan (1857),* Charlemagne et ses leudes *sur le parvis de Notre-Dame (1867-1878) ou le* Général Daumesnil *à Vincennes (1873) leur permirent de mettre en valeur leur savoir. A l'occasion ils publiaient une brochure pour accompagner l'œuvre. Les dossiers de l'administration en sont pleins. La figure de* Raphaël élève du Pérugin *appartenait à cette tendance réaliste-historique mais sacrifiait sans doute davantage à l'idéal néo-florentin revu et corrigé par la gravure.* A.P.

351
Raphaël enfant

ill. 365

Buste, plâtre
H. 0,37 ; L. 0,45 ; Pr. 0,25

Historique :
Famille de l'artiste.

Bibliographie :
Lami, XIX, IV, 1921, pp. 160-161 ;
Rochet, 1978, p. 230, repr.

Louis Rochet présenta au Salon de 1869 (nº 3671) une statue en bronze argenté représentant *Raphaël élève du Pérugin 1495* dont le plâtre avait figuré au Salon précédent (1868, nº 3826).

Le 5 juillet 1881, Charles Rochet demanda à E.H. Turquet, sous-secrétaire d'État aux Beaux-Arts, l'acquisition pour 1 500 F d'un « charmant buste en marbre de *Raphaël enfant* laissé par son frère décédé en 1878 qu'il n'avait eu qu'à terminer et qui serait leur dernière œuvre de sculpteur, lui se consacrant désormais au *Grand Dictionnaire des hommes et des choses.* » L'acquisition fut refusée le 20 août. Le 6 mai 1882, après avoir exposé ce buste au salon, sous son nom (nº 4810) Charles Rochet revint à la charge, sans succès (refus du 30 juin).

Aucune de ces œuvres n'étant actuellement localisée, le plâtre de ce *Raphaël* est d'autant plus intéressant qu'il donne, sans doute, une indication du groupe dont fut vanté, à l'Exposition Internationale des Arts de Munich, en 1870, « l'attitude naturelle et dépourvue de prétention » (*cf.* Rochet).

Le visage qui nous reste est peut-être emprunté justement à l'*Autoportrait* de Munich (De Vecchi, 1982, nº 39 ; plus exactement aux gravures qui le diffusèrent, *cf.* Giuseppe Fusinati, 1826), ce tableau n'ayant pas été contesté avant 1881. A.P.

Paris, collection André Rochet

Sarazin (Jacques)

Noyon, 1592 - Paris, 1660

Sculpteur et peintre, d'abord actif à Paris auprès de Nicolas Guillain, puis à Rome (1610-1628) où il se trouvait en même temps que Vouet. A leur retour à Paris, ils furent souvent associés pour le décor d'église (Saint-Nicolas-des-Champs) ou d'hôtel (Bullion, Séguier). Membre fondateur (1648) puis recteur (1655) de l'Académie Royale de Peinture et de Sculpture, il honora les commandes des plus grands (le roi, Anne d'Autriche, Richelieu) en s'appuyant parfois sur des collaborateurs de talent (Buyster, Van Obstal, Guérin) ; et s'il mourut trop tôt pour apporter une large contribution à l'ornement de Versailles, il n'en forma pas moins beaucoup des sculpteurs de la première équipe qui y travailla (Marsy, Legros, Lerambert).

La critique a récemment mis l'accent sur les rapports de Sarazin avec les peintres : étroitement lié à Vouet (Thirion, 1972), il participe de « l'atticisme parisien » des années 1635-1655 (Thuillier, 1973, p. 321-325) pour finalement occuper dans le classicisme français une place comparable à celle de Poussin (Blunt, 1973, p. 316). Si on la rapproche de Raphaël la sculpture de Sarazin accuse le siècle qui l'en sépare. Son raphaélisme est médiat et doit au Dominiquin près duquel l'artiste travailla souvent (San Lorenzo in Miranda, Sant'Andréa della Valle, Rome). Sarazin ne put que connaître intimement les fresques de la Chapelle Sainte Cécile à Saint-Louis-des-Français, commandée par P. Polet, originaire de Noyon tout comme lui, où le Dominiquin agença les scènes selon les règles de modèles fameux de Raphaël (Stances, Actes des Apôtres). *Dans le* Sacrifice de Noé *(bas-relief, parfois attribué à Lestocart, du cénotaphe du Cardinal de Bérulle, vers 1656-1657, Louvre) le sculpteur se souvient de la manière opaline et anémiée que le peintre avait trouvée pour fondre, dans sa* Sainte Cécile refusant d'adorer les idoles, *des éléments du* Sacrifice à Lystre *et du* Sacrifice de Noé *de Raphaël.*

Pour indirecte que soit la dette, dont témoignent aussi les rondes bosses (nº 352), l'admiration est manifeste et Sarazin, en même temps qu'il se représente auprès de Michel-Ange dans le Triomphe de la Renommée *du Monument du cœur d'Henri II de Bourbon (1648-1660, Chantilly, musée Condé ; fig. 190), laisse à Raphaël et à Pétrarque le soin d'ouvrir la marche. L'hommage, plus ambitieux que celui de Chapron (nº 260), semble sans précédent dans l'art français.* *D.C.*

352
Saint Pierre repentant

Statuette, marbre blanc
H. 0,640 ; L. 0,246 ; Pr. 0,204

Historique :
Acquis à la mort de Sarazin en même temps qu'une *Sainte Madeleine* lui faisant pendant, par Ratabon pour le Cabinet du Roi ; passé au Muséum (Inventaire de 1792).
Inv. MR. Sup. 57.

ill. 165

Bibliographie :
Dussieux, 1854, I, pp. 122-123 ;
Barbet de Jouy, 1856, p. 174, nº 84 ;
Guiffrey, 1883, p. 91 ;
Courajod, 1887, III, p. 99 ;
Lami, 1898, p. 510 ;
Digard, 1934, pp. 114-115, 186, 196 et nº 60, p. 287 ;
Thirion, 1972, p. 148, fig. 4.

Généralement identifié avec le *Saint Pierre* que mentionnent Sauval (1724, II, p. 196), Piganiol de la Force (1765, III, p. 251) et Dezallier d'Argenville (1770, p. 179), en même temps qu'une *Sainte-Madeleine* dans la chapelle de l'hôtel Séguier, il ne fait pas de doute cependant, si l'on en croit Guillet de Saint-Georges (Dussieux, *op. cit.*) que la sculpture cataloguée ici, elle aussi associée à une Madeleine, est passée directement de l'atelier de Sarazin dans les collections royales et de là au musée du Louvre. La mention de Sauval pourrait en revanche s'appliquer, comme le remarque M. Charageat (notes inédites) aux statues de même sujet qui présentent de légères variantes avec celles du Louvre, de l'église Saint-Joseph-des-Carmes à Paris.

Vu de face, le *Saint Pierre* présente des analogies d'attitude avec le *Parménide* (dit aussi *Xénocrate* ou *Aristoxène)* de l'*École d'Athènes* qui, debout, se tourne en indiquant un livre qu'il tient ouvert sur le genou. Sarazin retient de Raphaël la présentation frontalement privilégiée où l'oblique des bras fait effraction et place, de la même manière, hanches et épaules selon des correspondances croisées, en marquant le retrait d'une jambe par rapport à l'autre. De proportions plus ramassées et robustes, la statuette appartient à ce courant grave et raisonné, d'un classicisme conscient, dont les venues en France de Poussin (1640-1642) et Romanelli (1645-1647) furent la manifestation symbolique.

User, au XVIIe siècle, de la représentation d'un philosophe pour sculpter l'image d'un apôtre apparaît attendu si l'on prend en compte que les estampes (telle celle éditée par Thomassin en 1617 ; Bruwaert, 1914, nº 325) proposaient de reconnaître dans l'*École d'Athènes*, non une assemblée de sages à la recherche de la vérité rationnelle, mais une *Prédication de saint Paul à Athènes*. D.C.

Paris, Musée du Louvre, Département des Sculptures

353
La Vierge à l'Enfant

Bas-relief, marbre blanc, forme ovale
H. 0,60 ; L. 0,48

Historique :
Mentionnée dans l'inventaire du Cabinet du Roi en 1690 (Archives Nationales, O[1] 1964) ; passée au Muséum (inventaire de 1792).
Inv. M.R. 2772.

ill. 24

Bibliographie :
Dussieux, 1854, p. 122 ;
Courajod, 1876, p. 8 ;
Guiffrey, 1883, p. 91 ;
Courajod, 1887, III, p. 99 ;
Digard, 1934, nº 59, p. 287 ;
Thirion, 1972, pp. 152-153, fig. 9.

Considérée comme disparue par M. Digard, identifiée dans le fonds du Louvre par J.-R. Gaborit et étudiée par J. Thirion, cette *Vierge à l'Enfant* se recommande moins par des emprunts textuels à Raphaël que par une assimilation globale des moyens de celui-ci. Le sentiment familier, en même temps que l'attitude inclinée de la Vierge, s'apparente à celui de la *Grande Madone Cowper* (Washington) que Sarazin vit peut-être à Florence à son retour de Rome. D'un autre côté, le dévers du corps de l'Enfant et la façon dont il s'inscrit, hormis la tête, dans la silhouette de la Vierge appartient à la *Madone d'Orléans* (Chantilly). Les qualités très picturales de la sculpture, avec cette égalité de valeurs que confèrent la gradation très fine du relief et la subtilité du grain et du poli, accentuent l'analogie avec les madones de Raphaël. Néanmoins, selon les modes de son temps, le modelé de Sarazin apparaît plus substantiel et ses types d'une constitution plus ronde et potelée.

Avec une semblable délicatesse d'effet la *Sainte Famille vénérée par les anges,* bas-relief tour à tour attribué à Sarazin et à Van Obstal (Louvre, Thirion, 1972, p. 152, fig. 11), présente de la même façon, dans le déséquilibre serpentin de la Vierge aux jambes croisées, une analogie avec la *Petite Sainte Famille** (Louvre) de Raphaël, qui appartint avant 1666 au comte de Brienne, puis au Roi, et que sans nul doute Sarazin put voir à Paris. On peut se demander si ces souvenirs de Raphaël, qui ne cessaient d'appartenir à la logique picturale en se fondant dans d'aussi légers bas-reliefs, n'eurent pas leur part également dans les rondes-bosses de Sarazin. On aimerait reconnaître ainsi, dans sa *Vierge à l'Enfant* en terre cuite (Louvre, R.F. 2979), sous la grâce effilée des traits et l'assujettissement ample et élégant des drapés dont Sarazin, en concurrence avec Vouet, imposa le goût, un peu de la sinueuse esquive de l'Enfant sous le regard de sa mère de la *Madone Bridgewater* (Edimbourg; alors dans la collection Seignelay à Paris). D.C.

Paris, Musée du Louvre, Département des Sculptures

Anonyme

XVIe siècle

354
Le péché originel

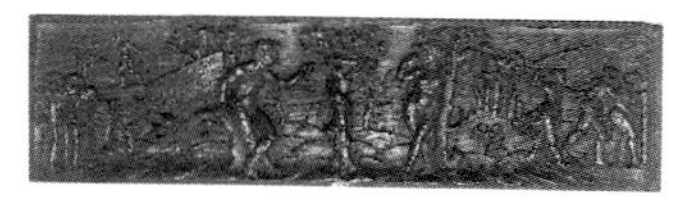

ill. 295

Panneau sculpté en bas-relief
Bois
H. 0,275 ; L. 0,995 ; Pr. 0,02

Historique :
Coll. Du Sommerard.

Bibliographie :
Harancourt, Montremy, Maillard, 1925, nº 220, p. 46.

Le motif central s'inspire librement de la *Tentation d'Adam et Ève* peinte dans la 2e Loge du Vatican par l'intermédiaire de la gravure* de Marc-Antoine, qui s'éloigne elle-même considérablement de l'original. Cette estampe, datée par Delaborde entre 1510 et 1511, est une des plus rares de l'œuvre du Maître. Il est donc vraisemblable que le sculpteur du panneau s'est inspiré non pas de la pièce originale, mais d'une copie assez médiocre, signée du monogramme M.F. et qui comporte une tablette comme le relief de Cluny, où se voit appendu à l'arbre de gauche l'inscription : *« Unius hominis delictum : omnis condempnavit ».* Une autre copie, aussi ancienne, étant presqu'aussi rare que l'original, l'hypothèse d'une troisième filiation semble devoir être écartée. Ce qui a sans doute égaré le rédacteur du catalogue de Cluny, pour lequel le panneau appartiendrait aux « Pays-Bas du Sud », ce sont les masures qui servent de fond, d'une manière tout à fait inattendue, aux bosquets du Paradis terrestre. Or des constructions du même genre émaillent également l'estampe de Marc-Antoine. Delaborde a montré comment, par un étrange caprice, dont on a beaucoup d'autres exemples, le maître avait ajouté ce décor à la scène des Loges, décor nullement de son invention d'ailleurs, mais emprunté aux estampes de Dürer, qu'il avait commencé par copier. L'anatomie puissamment musclée d'Adam et de sa compagne trahit le modèle italien. Les attitudes des deux personnages, la silhouette des arbres sur lesquels ils s'appuient sont conformes à la gravure. Le sculpteur a simplement éloigné les deux protagonistes et planté entre eux un troisième arbre curieusement rabougri.

Cet artisan qui n'a même pas su reproduire le bras droit coudé d'Ève a eu cependant une trouvaille heureuse, celle de faire passer de l'arbre contre lequel Ève est adossée, à l'arbre intermédiaire, le serpent tentateur, en retrouvant ainsi la disposition symétrique de la peinture. L'arbre de la Science du Bien et du Mal, qui ne se distinguait pas de son voisin dans l'estampe de Marc-Antoine, reprend, de ce fait, une importance conforme à la tradition iconographique.

Quant à la traduction sculptée, elle a une saveur un peu rude qui semble indiquer une origine provinciale. J.T.

Écouen, Musée National de la Renaissance

Anonyme

Vers 1600

355
Religieuse en orante sur un sarcophage, une sainte abbesse, la Vierge et l'Enfant et des anges

ill. 309

Bas-relief, marbre, forme cintrée à oreilles en haut et en bas
H. 0,98 ; L. 0,58

Historique :
Saint-Germain-les-Évreux, château de Navarre (?) ; église Saint-Taurin, Évreux, classé Monument Historique par arrêté du 24.11.1906.

Bibliographie :
Avannes, 1839, p. 130 ; Lebeurier, s.d. [1860], pp. 87-88 ; Bonnenfant, 1926, pp. 84-85, pl. XIX, fig. 4.

Ce bas-relief funéraire, dont il est difficile de décider s'il appartient à une sépulture ou à un cénotaphe, montre dans la partie supérieure, entre les anges porteurs des attributs de la Passion, une Vierge à l'Enfant nettement inspirée de la *Vierge dans les nuages** de Raphaël gravée par Marcantonio Raimondi (Gardey, 1978, nº 9). Ici, l'inclinaison fuyante et le canon étiré de la Vierge, la pose en contraposto de l'enfant, le modelé souple et un peu contourné qui dégage des saillies potelées et lustrées d'un relief par ailleurs discret donnent du motif une interprétation cursive d'un style comparable à celui de Mathieu Jacquet (v. 1545-v. 1613). On remarquera au bas, une tête d'angelot très proche de celle placée par ce dernier sur le prie-dieu de Madeleine de Laubespine (1599-1600, Magny-en-Vexin, église; Ciprut, 1967, pl. XVIII). Formellement, tout concourt d'ailleurs, comme nous le suggère G. Bresc (comm. orale) à situer l'œuvre vers 1600. En particulier la forme du tombeau représenté avec un sarcophage où alternent motifs symboliques et monogramme, qui se retrouve dans des œuvres de cette date dessinées par Gaignières (*cf.* Adhémar, 1976, p. 115, n° 1756).

Malgré des tentatives répétées, les érudits du siècle dernier et du nôtre n'ont pu donner une lecture globale du blason déconcertant de simplicité et des lettres MDLC entrelacées en monogramme. En outre l'abbesse debout au premier plan a tour à tour été considérée comme saint Benoît (Lebeurier) et comme sainte Opportune (fiche de classement M.H.). A titre d'hypothèse l'abbé Lebeurier proposait de reconnaître dans l'orante Éléonore de Bergue, duchesse de Bouillon qui vint demeurer à l'abbaye Saint-Taurin en 1655 pour y faire ériger une chapelle à la mémoire de son mari. Morte en 1657 sans avoir exécuté son projet, elle ne reçut elle-même une sépulture qu'en 1683. L'identification n'explique pas le monogramme, et, si l'on tient compte du style de la sculpture, toutes ces dates semblent trop tardives. Il s'agit en outre, non d'une veuve, mais d'une religieuse comme l'indique le costume (voir pour comparaison le tombeau de l'abbesse Louise de Lorraine par Nicolas Guillain à Soissons ; Chaleix, 1973, p. 236, fig. 12). Le bas-relief peut avoir été rapporté d'une abbaye de femmes, mais nous n'avons pu découvrir dans les couvents d'Évreux et de ses environs (*Gallia Christiana,* 1759, XI, p. 663) à qui pouvaient revenir ces armes et ces initiales. Par ailleurs si la provenance du château de Navarre, donnée par une tradition dont d'Avannes se fait le rapporteur, est fondée, il faut peut-être chercher la défunte dans les familles de Mauny, Cheripeau ou Le Mercier, qui possédèrent le château de 1564 à 1590 avant qu'il ne devint une ferme (Charpillon et Carèsme, 1868, II, p. 147).

La gravure de motifs raphaélesques a très tôt inspiré en France des compositions de bas-relief funéraire. On en voudra pour preuve l'empereur assis inscrit dans un médaillon sur le tombeau de Charles Ier comte de Lalaing (musée de Douai, détruit), qui, peut-être dû à C. Monnoyer, vers 1535 (Gonse, 1895, p. 87), utilise une estampe de Marcantonio Raimondi (Bartsch illustré, 1978, vol. 27, p. 118, n° 441). D.C.

Évreux, église Saint-Taurin

Anonyme

XVIIe siècle

356
L'histoire de Noé

Armoire à deux vantaux sculptés
en bas-relief
Bois
H. 1,87 ; L. 1,44 ; Pr. 0,60

Historique :
Coll. Sabatier d'Espeyran.

Bibliographie :
Bauquier, 1938, p. 311-314 ;
Thirion, (à paraître).

ill. 245

Les quatre panneaux principaux, qui se lisent de haut en bas et de gauche à droite, reproduisent, par l'intermédiaire de gravures, les scènes, parfaitement reconnaissables, de la 3e Loge du Vatican (Dacos, 1977, III, I-4) :

1. *La construction de l'Arche*
2. *Le déluge*
3. *La sortie de l'Arche*
4. *Le sacrifice en action de grâces*

Étant donné le grand nombre de suites gravées qui ont divulgué la « Bible de Raphaël » au début du XVIIe siècle et leurs étroites ressemblances, il est aléatoire de décider quelle est celle qui a pu être utilisée ici comme modèle. On peut cependant accorder la préférence aux magnifiques planches du Français Nicolas Chapron, publiées en 1649. Elles sont au surplus, comme les bas-reliefs, dans le même sens que les peintures. Cette date assez tardive n'est nullement contredite par le style opulent des guirlandes, des angelots, des putti et des rinceaux qui enrichissent les panneaux intermédiaires, les montants et le linteau.

Les panneaux sculptés reprennent littéralement les schémas des gravures mais les traduisent avec des simplifications expressives parfois brutales et accentuent les tensions déjà opérées par les eaux-fortes, si bien qu'ils aboutissent à transposer les compositions originelles dans le sens d'un renforcement de l'intensité dramatique, résultat assez inattendu de la part des huchiers languedociens, dont l'ardeur et le tour de main ont, dans le cas présent, fait merveille.

D'autres armoires languedociennes du XVIIe siècle reproduisent sur leurs vantaux, avec plus ou moins de bonheur, les épisodes de *La Création* d'après la 1re et la 2e Loge du Vatican. L'une provenant de Saint-Jean du Gard se trouvait jadis dans une collection nîmoise, l'autre, de qualité plus médiocre, est conservée aussi au château d'Espeyran. Diverses réminiscences des images de la « Bible de Raphaël » relatives à l'*Histoire de Joseph* et à celle de *Moïse* se discernent sur quelques autres armoires de la région. La source de ces motifs ne laisse pas de surprendre pour des meubles auxquels on attribue généralement une origine protestante et une date beaucoup trop précoce.

La clarté et la beauté formelle des compositions de Raphaël et de son école ont exercé leurs séductions dans un secteur plus vaste.

L'Apollon de l'*École d'Athènes* et la *Pallas* d'après Marcantonio Raimondi ornent la cheminée de l'ancienne collection Chabrière-Arlès, un meuble à deux-corps décoré également de divinités d'après Rosso et le magnifique cabinet de l'ancienne collection Soltykoff aujourd'hui au Paul Getty Museum à Malibu. Il serait piquant de suivre le succès des estampes d'après Raphaël dans le décor du meuble jusqu'au XIXe siècle. J.T.

Saint-Gilles du Gard. Archives nationales. Dépôt central des microfilms, Château d'Espeyran

Anonyme

Fin du XVIIe siècle

357
La Vierge et l'Enfant, sainte Élisabeth et le petit saint Jean

D'après la Petite Sainte Famille du Louvre*

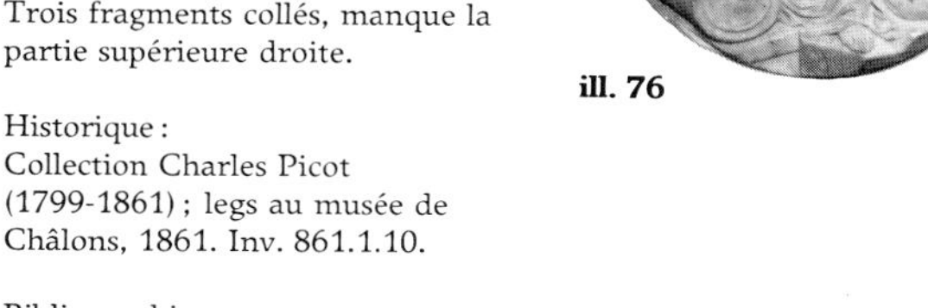

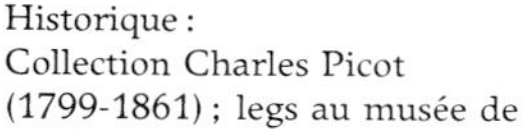

ill. 76

Bas-relief, marbre, forme ovale
H. 0,21 ; L. 0,18 ; Pr. 0,025
Trois fragments collés, manque la partie supérieure droite.

Historique :
Collection Charles Picot (1799-1861) ; legs au musée de Châlons, 1861. Inv. 861.1.10.

Bibliographie :
Gillet, 1865, p. 26, n° 10.

Il semble que ce soit du vivant même de Raphaël que la *Petite Sainte Famille** est arrivée en France. A l'époque où ce bas-relief, qui en reprend l'attitude des figures, paraît avoir été exécuté (sans doute à la fin du XVIIe siècle), elle appartenait déjà aux collections royales. Étant reproduite en contre-partie, et cadrée en ovale, la composition sculptée peut avoir été inspirée par l'estampe où l'on retrouve ces variantes : une gravure, éditée par Poilly, montre bien le motif en sens inverse ; une autre, anonyme, la réduction à l'ovale (Passavant, 1860, II, p. 265).

Que ce bas-relief ait été légué au musée de Châlons par Ch. Picot (en même temps que d'autres reflets de l'œuvre de Raphaël : une copie de Madone et des gravures des Loges ; Gillet, 1865, n° 122, 168), ne soutient aucune hypothèse sur la destination ancienne de l'objet ; et l'on ne peut découvrir à quelle occasion un sculpteur donna cette interprétation, en masses peu différenciées qu'enveloppent sans vigueur les ondulations régulières du drapé, de la *Petite Sainte Famille*. De fait, nous sommes loin ici du compromis d'équilibre et de bascule, des plissés cristallins et aigus de l'original.

Nous ne connaissons qu'une autre interprétation plastique de cette peinture, faite en Angleterre et postérieure d'une cinquantaine d'années au plus : il s'agit d'un groupe en porcelaine blanche, lui aussi dérivé d'une estampe, celle de F. de Poilly (Synge-Hutchinson, 1968, pp. 96-98).
D.C.

Châlons-sur-Marne, musées

Anonyme

Vers 1770-1780

358
Triomphe de Galatée

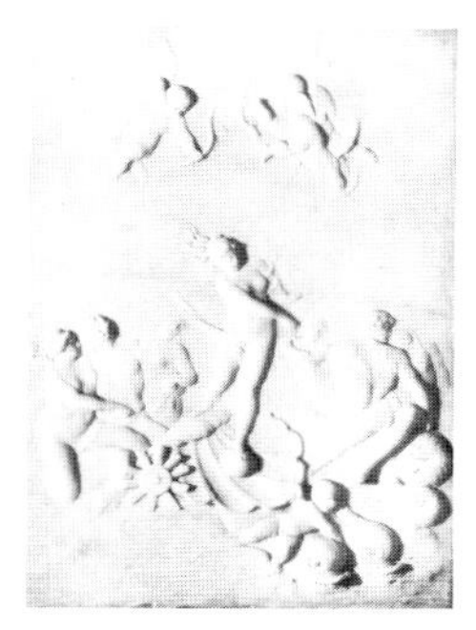

ill. 213

Bas-relief, marbre
H. 0,63 ; L. 0,42

Historique :
Saisie révolutionnaire chez le comte d'Orsay, rue de Varenne ; déposé à Maisons-Laffitte en 1912 ; retour de dépôt en 1967. Inv. M.R. sup. 81.

Sujet, proportion en hauteur, agencement général des protagonistes renvoient à la fresque du *Triomphe de Galatée* (Rome, Farnésine). Le sculpteur en donne une interprétation point par point, libre, souple et mouvementée qui adopte la clarté de structure et de ligne de la réforme néo-classique tout en retenant les conventions de la mythologie galante. Bien que respectant, du modèle raphaélesque, la place de chaque partie dans le tout, il superpose à certains motifs de la fresque tel ou tel schéma issu d'un autre répertoire : la figure de Galatée reprend le type de la Fortune debout sur une sphère, le couple du triton et de la naïade à gauche s'apparente aux sculptures, très en vogue alors, des *« Baisers »* dont Houdon a donné un exemple remarquable (Réau, 1964, II, pl. XXXVI).

Le bas-relief fait partie d'une série de trois (tous au Louvre) qui appartint d'abord au comte d'Orsay, dont les études de C. Baulez (1981) et J.-F. Méjanès (1983) ont montré l'importance comme mécène et collectionneur. Il put en faire l'acquisition à Rome où il séjourna de 1775 à 1779. Là, il fréquenta l'Académie de France, fit travailler des sculpteurs, parfois italiens (Pietro della Valle), plus souvent français (Delaistre, Valadier). C'est sans doute dans ce milieu qu'il faut situer l'auteur de notre bas-relief. Des contrepoints (répétition de la tête fléchie des naïades) ou des raccourcis (le putto archer...) quelque peu appuyés dénoncent, plutôt qu'un talent secondaire, un ciseau juvénile encore soumis au prestige de l'*effet*.
D.C.

Paris, Musée du Louvre, Département des Sculptures

Tapisseries et Tissus

Les Actes des Apôtres

359
La conversion de saint Paul

Laine et soie
H. 4,40 ; L. 5,10
7.8 fils au cm
Bordure à or rapportée aux armes du cardinal Claude de Bellièvre, archevêque de Lyon de 1604 à 1612.
Marque des ateliers parisiens dans la lisière. 8.9 fils au cm.

ill. 288

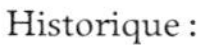

Historique :
Attribuée aux ateliers parisiens.
Collections de la Manufacture des Gobelins au XIXe siècle.
Mobilier national, GOB 2.

360
La conversion de Sergius dit aussi L'aveuglement d'Elymas

Laine et soie
H. 4,30 ; L. 4,34
7.9 fils au cm
Bordure rapportée. Voir n° 359.

ill. 264

Historique :
Voir n° 359
Mobilier national, GOB 3.

361
Saint Pierre et saint Jean guérissant le paralytique à la porte du temple dit aussi La guérison du paralytique

Laine, soie et or
H. 2,01 ; L. 2,71
Haute lisse. 9 fils au cm
Bordure composée d'un tors de feuilles de chêne et d'un tors de feuilles de laurier avec fleurs liées d'un ruban bleu.

ill. 274

Historique :
Tenture en six pièces exécutée dans les ateliers parisiens. Collection de Nicolas Foucquet, mentionnée à l'inventaire de Vaux-le-Vicomte en septembre 1661. Réservée pour le roi, entrée au Garde-Meuble le 10 mai 1666 ($O^1$3304, f° 22^v), inscrite à *l'Inventaire général du Mobilier de la Couronne sous Louis XIV* (n° 37). Augmentée d'une pièce tissée aux Gobelins en 1683, la tenture fut ensuite inventoriée sous le n° 94. Collections de la Couronne, puis de l'État. Mobilier national, GOB 17.

Bibliographie :
Félibien, 1775, p.325 ; Boyer de Sainte Suzanne, 1878, p.112 ; Bonnaffé, 1882, pp. 46, 85, 93 ; Montaiglon, 1887, I, pp.. 25-29, 31 ; Lhuillier, 1888, pp. 132-151 ; Barbier de Montault, 1889, II, p. 140 ; Guiffrey, 1892, p. 212 ; Engerand, 1899, pp. 595-596 ; Fenaille, 1903, pp. 43-49 - 1907, pp. 113-114 - 1923, pp. 279-282 ; Rambaud, 1964, I, pp. 715, 735, 745-746 - 1971, II, pp. 1059, 1064, 1072, ; 1072, 1098 ; Delesalle, 1965, pp. 205-206 ; Coural, 1967, pp. 16-24 ; Tricou, 1967, II, pp. 19-20 ; Hefford, 1977, pp. 287-288.

Le succès remporté par la tenture des *Actes des Apôtres* destinée à la Chapelle Sixtine fut, on le sait, immense. Depuis la fin de 1519, époque où les premières pièces tissées dans l'atelier de Pieter Van Aelst arrivèrent à Rome, le retentissement de cette œuvre avait été considérable. Les ateliers flamands tout d'abord, puis ceux de Mortlake en Angleterre dans le second quart du XVIIe siècle avaient exécuté de très nombreuses répétitions de la tenture du Vatican.

En France les ateliers parisiens, la Manufacture des Gobelins et celle de Beauvais en réalisèrent des tissages qui furent cependant plus rares. Il semble bien que les ateliers parisiens n'aient mis que tardivement sur métier les *Actes des Apôtres*. En effet si on se réfère aux différents inventaires après décès des directeurs de ces ateliers, on ne trouve mention ni de tentures, ni de modèles (Coural, 1967). Toutefois Jean Lefebvre, installé à partir de 1655 dans les galeries du Louvre, en exécuta des tissages, pour Mazarin notamment. Plusieurs tapisseries de la série léguée par le cardinal à son neveu le marquis de Mancini et conservée aujourd'hui au Palazzo ducale d'Urbino (Hefford, 1977 ; voir catalogue*) portent la signature de Lefebvre ; une pièce de cette même série, le *Martyre de saint Etienne,* est passée en vente en 1977 (Sotheby, 1er juillet 1977, n° 5).

Les grands collectionneurs français du milieu du XVIIe siècle, tels Mazarin, Foucquet, Servien, possédèrent un ou plusieurs exemplaires des *Actes des Apôtres*. Au cours du grand « brassage » d'œuvres d'art qui s'opère alors dans le milieu des collectionneurs on constate qu'un intérêt tout spécial est porté à cette suite dont le succès depuis plus de cent ans n'était pas épuisé. Les correspondances échangées par Mazarin avec Antoine de Bordeaux, son envoyé à Londres, ou avec Colbert en témoignent.

Au XVIIIe siècle, la présence de tentures des *Actes des Apôtres* chez de nombreux amateurs est attestée par les inventaires après décès. C'est ainsi qu'en 1741 figure chez le cardinal de Polignac — ancien ambassadeur à Rome — une tenture de Bruxelles en neuf pièces sur 3 aunes 1/2 de haut (Rambaud, 1964) ; on trouve en 1744 chez le cardinal de Gesvres une tenture en huit pièces sur 3 aunes de haut (Rambaud, 1964), en 1750 chez la duchesse d'Harcourt une tenture des Flandres sur 3 aunes 1/2 de haut (Rambaud, 1971).

Les *Actes des Apôtres* apparaissent aussi dans le commerce parisien. Une tenture fabriquée à Mortlake sur 2 aunes 3/4 de haut est mentionnée en octobre 1705 chez un maître tapissier, Louis Credde (Rambaud, 1971) ; en septembre 1715 une tenture de Bruxelles en huit pièces sur 3 aunes 1/8 plus une pièce séparée sur 2 aunes 3/4 fait partie des tapisseries inventoriées dans le magasin d'un marchand tapissier Claude-Charles Guinand (Rambaud, 1971). En février 1725, un marchand miroitier vend au Chevalier des Avennes une tenture en dix pièces sur 3 aunes de haut (Rambaud, 1964).

Parmi les membres de la famille royale, Philippe d'Orléans, frère du roi, possédait une tenture en sept pièces « partie basse lisse, partie haute lisse, fabrique de Paris, rehaussée d'or et d'argent, 27 aunes sur 3 aunes et demie » prisée 8.000^{l}, alors qu'une autre tenture, en haute lisse de Bruxelles en 7 pièces sur 2 aunes 2/8 fut estimée seulement 800^{l}. L'inventaire après décès du prince les signale toutes deux au château de Saint-Cloud (Rambaud, 1964).

Le roi lui-même avait plusieurs tentures des *Actes des Apôtres* inscrites à l'Inventaire général du Mobilier de la Couronne. Leurs origines étaient diverses. A l'exception de la tenture inventoriée sous le n° 1 des tapisseries rehaussées d'or qui provenait des collections de François Ier — commandée à Bruxelles vers 1532, elle fut envoyée à la fonte en 1797 — les différentes séries des *Actes des Apôtres* furent acquises par Louis XIV ou commandées par lui.

Aux n°s 30 et 34 des tapisseries à or figurent deux tentures en sept pièces de la manufacture de Mortlake (voir catalogue*). La première, aux armes de Henry Rich, Earl of Holland (voir catalogue*), fut achetée en septembre 1659 par Colbert à l'abbé Le Normant pour le compte de Mazarin (B.N. Ms Mélanges Colbert, t.52, f° 32 - Baluze 331, f°s 173, 215-216). Toutefois elle n'est pas mentionnée à l'inventaire après décès du cardinal. L'entrée de la tenture dans les collections du roi doit se situer très tôt en raison de son ordre d'inscription à l'inventaire du Garde-Meuble. Les sept pièces appartiennent aux collections du Mobilier national (GMTT 19).

La seconde tenture n° 34, aux armes de Charles Ier d'Angleterre, acquise par Louis XIV aux héritiers de Mazarin qui l'avait lui-même achetée à la succession d'Abel Servien en 1659, est présentée à l'exposition *Raphaël dans les collections françaises.*

Une troisième tenture de Mortlake en quatre pièces porte le n° 35 de l'Inventaire général des tapisseries à or. Traditionnellement mentionnée comme léguée par Mazarin (Fenaille, 1903), elle a, selon toute vraisemblance, la même provenance que la précédente tenture n° 34 et doit faire partie des « *Actes des Apôtres,* de M. Servien » acquis à la succession du cardinal par le roi pour 50.000^{l} (Boyer de Sainte-Suzanne, 1878). On sait par l'inventaire après décès de Servien (voir catalogue*) qu'il possédait une tenture en quatre pièces que Colbert signala aussi à Mazarin (B.N. Ms., Baluze 331, f° 173) et qu'il acheta en août 1659. Une pièce, le *Sacrifice à Lystre,* (GMTT 17) appartient aux collections du Mobilier national (en dépôt au Musée du Louvre). Indiquons enfin qu'une troisième tenture des *Actes des Apôtres* appartenant à Servien, composée de neuf pièces sans or de 40 aunes de cours ou environ sur 3 aunes 1/2 de haut pourrait bien correspondre au n° 1725 de l'inventaire après décès de Mazarin; nous ignorons ce qu'elle est devenue.

Sous le n° 37 des tentures à or du Garde-Meuble de la Couronne sont inscrites les six tapisseries « fabrique de Paris » provenant de Nicolas Foucquet. Mentionnées à l'inventaire du château de Vaux-Le-Vicomte, dans le garde-Meuble (Bonnaffé, 1882), elles furent, avant la vente des biens du surintendant, réservées pour le roi et achetées 1.500^{l}. (Il est vraisemblable qu'une autre tenture des *Actes des Apôtres* se trouvait aussi à Vaux ; ainsi décrite (Bonnaffé, 1882) : « Une tapisserie de haute lisse représentant l'histoire de Raphaël, consistant en sept pièces », elle était dans la chambre de Mme Foucquet qui dut en conserver la propriété). Remises au Garde-Meuble de la Couronne le 10 mai 1666 (O^{1}3304, f° 22^{v}), les six tapisseries de Foucquet furent augmentées d'une septième pièce — la *Mort d'Ananie* — tissée aux Gobelins en 1683 dans l'atelier de haute lisse de Jean Soüet. La tenture fut alors inventoriée sous le n° 94. De cette série, il reste au Mobilier national quatre pièces : la *Mort d'Ananie* (GOB 18), l'*Aveuglement d'Elymas, Saint Pierre et saint Jean guérissant le paralytique* (exposée ici, n° 361) et le *Sacrifice à Lystre* (GOB 16, 17, 19). Une pièce, *Saint Paul à l'aréopage,* a brûlé dans l'incendie des Gobelins en 1871 ; le *Martyre de saint Etienne* donné en 1829 par Charles X à la Chapelle de l'École polytechnique (Arch. Mob. nat.) se trouve aujourd'hui à l'église Saint-Etienne-du-Mont.

Enfin sous le n° 52 des tentures à or figure la seule série exécutée à la manufacture des Gobelins. Aux armes de France, elle comprenait dix pièces, comme la tenture de François Ier ; elle fait partie des premiers tissages exécutés par la Manufacture puisque le 22 octobre 1667 «cinq pièces des *Actes des Apôtres* de haute lisse à or contenant 24 au 1/2 sur 3 au 2/3 » sont apportées des Gobelins au Garde-Meuble de la Couronne ; quatre pièces complémentaires sont livrées le 24 avril 1669, l'entrée de la dernière pièce est du 12 mai 1670 (O^{1}3304, f°s 70^{r}, 146^{r}, 185^{v}).

La tenture des Gobelins figure en tête de la liste des tapisseries exécutées depuis l'établissement de la manufacture et une note de Jans fils qui dressa cet état en 1691 indique que « le travail a commencé par feu M. Jans dès l'année 1662, sur la fin de ladite année » (Guiffrey, 1892). Trois pièces — le *Sacrifice de saint Paul,* la *Prédication de saint Paul* et la *Mort d'Ananie* - furent tissées dans l'atelier de Jean Jans père auquel son fils succéda en 1668 ; il exécuta *La remise des clefs* et *La conversion de Sergius ;* Jean Lefebvre tissa le *Martyre de Saint Etienne,* la *Conversion de saint Paul, Dieu le Père :* deux pièces enfin furent réalisées dans l'atelier d'Henry Laurent : *Saint Pierre et saint Jean guérissant le paralytique à la porte du temple* et la *Pêche miraculeuse.* Cette tenture fut conservée au Mobilier national jusqu'à la fin du XIXe siècle.

On sait que les tapisseries de Mortlake ont été tissées d'après les copies exécutées en Angleterre par Francis Cleyn sur les cartons de Raphaël acquis par Charles Ier (voir catalogue*). Aucun renseignement aussi précis n'existe à propos des modèles pour les tentures réalisées en France. Il est vraisemblable que les ateliers parisiens travaillèrent d'après la tenture appartenant à la Couronne, celle commandée par François Ier à Bruxelles, en dix pièces, dont une plus petite, représentant le *Père Eternel dans des rayons de Gloire,* composition n'appartenant pas à la série *des Actes des Apôtres* du Vatican. Or cette dernière composition existe aussi dans la série tissée par Jean Lefebvre pour Mazarin - sixième tapisserie de la tenture en dix pièces léguée par le cardinal à son neveu le marquis de Mancini (B.N. Ms, Mélanges Colbert 75, f° 645). W. Hefford (1977) a démontré que cette tenture (conservée en partie à Urbino) fut composée de tapisseries de fabrication anglaise et française : aux trois pièces de Mortlake tissées pour lord Pembroke et acquises par Mazarin avant 1653 furent ajoutées sept pièces exécutées par Jean Lefebvre qui, pour faire une série homogène, copia les bordures des tapisseries anglaises.

Les ateliers parisiens exécutèrent les *Actes des Apôtres* aussi bien en haute qu'en basse lisse ; la mention de l'inventaire après décès du duc d'Orléans (voir supra) et l'étude de quelques tapisseries conservées le confirment.

Reste enfin le problème de la tenture des Gobelins. Ses dates de tissage (voir supra) excluent bien évidemment l'utilisation des copies faites par les pensionnaires de l'Académie de France à Rome. Le mémoire de Jans fils publié par Guiffrey (1892) indique à propos des tableaux qui servirent à son exécution : « L'on croit que c'est le frère Luc, de l'ordre de Saint-François, qui les a peints d'après les tapisseries de la Couronne » (le frère Luc, Claude François, 1615-1685, avait été un élève de Simon Vouet et de Charles Le Brun). Il paraît en effet plausible que la tenture des Gobelins ait été, elle aussi, tissée d'après celle de François Ier. Elle comportait également la pièce de *Dieu le Père.* D'après Fenaille

(1903) les modèles du frère Luc figurent sous les n°s 375 à 383 des *Esquisses, tableaux inconus et copies de tableaux de l'Inventaire général des tableaux du Roi (Engerand, 1899).* Faut-il voir dans ces modèles les « neuf grands tableaux » que le roi acheta au Grand Prieur de France Jacques de Souvré qui en reçut le paiement en mai 1667 ? (Fenaille, 1903).

Dès les débuts de l'Académie de France à Rome, Charles Errard fit copier par les pensionnaires les tapisseries de Raphaël. Le duc de Chaulnes écrit à ce sujet à Colbert le 11 février 1670 : « je vis, il y a quelques jours, les copies que les Peintres de l'Académie du Roy ont fait des tapisseries sur les desseins de Raphaël ; c'est un travail qui a ésté exécuté en perfection et dont l'on tirera plusieurs avantages : le premier que le Roy pourra avoir de plus belles tapisseries que celles qui sont icy ; le deuxième, que les tableaux seront un bel ornement partout où l'on voudra les mettre, et le troisième, que ce sera une escolle pour les Peintres où ils pourront beaucoup profitter » (Montaiglon, 1887).

Le 7 mars Colbert lui répond : « j'ay esté bien ayse de voir... que le soin que le sieur Errard a pris de faire copier les tapisseries de Raphaël ayt vostre approbation » et le même jour il écrit à l'abbé de Bourlemont, auditeur de Rote : « je suis bien ayse que vous ayez obtenu un lieu au Vatican qui est commode aux Peintres de l'Académie Royale pour achever la copie des Tapisseries de Raphaël » (ibid.). Les tableaux furent adressés en France en 1670 dans la seconde moitié de l'année (ibid.).

Ces copies ne furent pas utilisées aux Gobelins au XVIIe siècle. Envoyées à Beauvais vers 1692, elles permirent au directeur de la manufacture Philippe Béhagle de faire tisser une tenture en huit pièces ; acquise par le chapitre pour 7.000[1] elle fut tendue à partir d'août 1695 dans la cathédrale de Beauvais qui la conserve toujours (Delesalle, 1965). Exécutée en basse lisse d'après les copies faites sur les tapisseries du Vatican, la tenture de Beauvais se retrouve ainsi dans le même sens que les cartons originaux.

Deux tapisseries conservées par le Mobilier national portent aussi la marque de Béhagle ; dans des bordures identiques de fleurs, feuillages et ornements, elles répètent deux sujets de la tenture de la cathédrale : *La Remise des clefs* et *Saint Pierre et saint Jean guérissant le paralytique* mais sont beaucoup plus hautes (5,28 et 5,50 au lieu de 4,10).

Les dix copies restèrent dans les magasins de la manufacture de Beauvais ; mentionnées dans les procès-verbaux de prise de possession de la manufacture par les différents entrepreneurs en 1710, 1722, 1734, elles ne figurent plus à l'inventaire lors de l'arrivée d'A.C. Charron (janvier 1754). Les tableaux, au nombre de neuf seulement, avaient été donnés au début de 1752 par Louis XV à Mgr de Fontenilles, évêque de Meaux (Lhuillier, 1888). Ils restèrent dans la cathédrale de Meaux jusqu'en 1830. A cette date la manufacture des Gobelins souhaita entreprendre le tissage d'une nouvelle tenture des *Actes des Apôtres.* Après de nombreuses tractations, le conseil de Fabrique accepta en mai 1830 de prêter les tableaux — il n'en restait que huit — à la manufacture (Fenaille, 1912) ; on entreprit alors leur restauration. Les événements politiques retardèrent le commencement du tissage. On envisagea de présenter ces tableaux au musée du Louvre et le directeur, le comte de Forbin, s'y employa activement. Mais ce transfert au Louvre risquait de provoquer les réclamations du conseil de Fabrique et surtout du député de Meaux, La Fayette.

Ce n'est qu'en novembre 1838 qu'à la demande de Louis-Philippe les tableaux furent exposés au Louvre. Finalement, renvoyés en 1854 à Meaux, ils y demeurèrent jusqu'en 1889. Le conseil de Fabrique cherchant alors à s'en débarrasser les tableaux revinrent aux Gobelins. Ils font partie aujourd'hui des collections du musée du Louvre (INV. 20.776 à 20.783).

Cependant la manufacture des Gobelins avait commencé en juin 1832 l'exécution d'une nouvelle tenture qui se poursuivit pendant tout le XIXe siècle. Certains de ces tissages figurèrent à l'Exposition Universelle de Paris en 1855. Des bordures nouvelles avaient été réalisées d'après des dessins de Viollet-Le-Duc. En 1892 on faisait encore exécuter à Rome par H. Danger (1857-1937) une copie du *Saint Paul en prison.* Plusieurs pièces de cette tenture appartiennent aux collections du Mobilier national.

Une des raisons de ce nouveau tissage était l'état d'usure des anciennes tentures des *Actes des Apôtres.* « Vous avez vû, écrit Félibien, ces Ouvrages merveilleux qui sont dans le Garde-meuble de sa Majesté ; et que l'on expose souvent aux grandes Fêtes. Je ne parle à présent que des tapisseries du dessein de Raphaël... Les Actes des Apotres ne vous surprennent-ils pas quand vous les voyez ? » (Félibien, 1775). Aux XVIIe et XVIIIe siècles, ainsi que le révèle le Journal du Garde-Meuble, ces tapisseries étaient fréquemment utilisées pour les fêtes et les cérémonies. On sait par Chantelou que Bernin trouva fort belles les tapisseries des *Actes des Apôtres* tendues dans les cours du château de Saint-Germain pour la Fête-Dieu de 1665. L'année suivante, la tenture de François Ier et celles de Mortlake décoraient une cour de Fontainebleau. Pour le sacre de Louis XV en 1722 les différentes séries (n°s 1, 34, 35, 52, 94) furent envoyées à Reims. Lors des cérémonies des chevaliers du Saint-Esprit à Versailles on utilise le jour de la Pentecôte de 1724 la tenture à or n° 1 pour tendre la cour du château. Pour la cérémonie du Lit de Justice en septembre 1732 on met dans la Grande salle des Gardes du roi à Versailles la tenture des Gobelins n° 52. Pour la pose de la première pierre de l'église Sainte Geneviève en septembre 1764 on utilise « pour tendre la Route que Sa Majesté doit tenir [sic] en allant de la vieille Eglize à l'Eglize neuve » les tentures n°s 1 et 94. Cette dernière tenture — celle de Foucquet — était régulièrement employée dans la chapelle du Louvre et aux Tuileries pour la fête de Saint Louis. Dans le Grand Cabinet de la Reine à Versailles on met en avril 1770 la tenture de François Ier pour la cérémonie de la Cour des Pairs. Les exemples pourraient être multipliés.

Le journal du Garde-Meuble si précis toujours dans ses informations ne mentionne pas l'envoi à Strasbourg en 1770 d'une tenture des *Actes des Apôtres* pour décorer le pavillon sur le Rhin où devait avoir lieu la remise de la dauphine Marie-Antoinette. Il signale en revanche l'envoi de la tenture en 14 pièces des *Chambres du Vatican* (voir notice). On ne peut donc savoir à quelle tenture Goëthe fait allusion dans ses *Mémoires :* « C'est là que je vis pour la première fois un exemplaire de ces pièces, exécutées d'après les cartons de Raphaël, qui produisirent sur moi un effet considérable, m'apprenant à connaître la perfection de matière quand bien ce n'étaient que des reproductions. J'allais et venais partant et revenant sans jamais pouvoir en rassasier mes yeux... Aucun choix et aucune intention spéciale n'avaient présidé à l'installation du Christ et des Apôtres dans les salles d'un pavillon d'épousailles et, sans aucun doute, la mesure des chambres avait guidé le tapissier royal ; je le pardonnais volontiers, car c'était tout à mon avantage... » (cité par Fenaille, 1907).

Une tenture dont deux pièces sont présentées ici (n°s 359 et 360) ne faisait pas partie des collections de la Couronne sous l'ancien régime. Elle est inscrite aux inventaires de la manufacture des Gobelins à partir de la Restauration. A la demande du Grand Aumônier de France qui souhaitait obtenir pour la Chapelle du Consulat de Tripoli « quelques vieilles tentures avec l'écusson de France ou des fleurs de lys » une tapisserie fut offerte par Charles X en 1827. Deux pièces — la *Guérison du paralytique,* la *Mort d'Ananie* — brûlèrent dans l'incendie des Gobelins en 1871. Le Mobilier national conserve en plus des pièces exposées, le *Martyre de saint Étienne* et la *Prédication de saint Paul.* Selon Fenaille ces tapisseries auraient été offertes à Claude de Bellièvre, archevêque de Lyon de 1604 à 1612 par Henri IV dont le mariage avec Marie de Médecis avait été célébré dans la cathédrale de Lyon par Albert de Bellièvre, frère de Claude. On voit au centre de la bordure supérieure les armes de France avec au dessus la mitre et la crosse. Dans les angles supérieurs apparaissent les armes des Bellièvre (d'azur à la face d'argent accompagnée de trois trèfles d'or) et dans les angles inférieurs le chiffre de l'archevêque.

La marque des ateliers parisiens (la fleur de lys) visible dans la lisière droite des bordures a fait attribuer les tapisseries à ces ateliers (Fenaille, 1903) mais les bordures sont entièrement rapportées et un tissage flamand que signalent certains inventaires des Gobelins au XIXe siècle ne peut être exclu.

Signalons enfin qu'il existe à Rome au Palais du Latran trois tapisseries (la *Remise des clefs,* le *Sacrifice à Lystre* la *Mort d'Ananie*) et un fragment de la *Guérison du paralytique* de cette même série avec les bordures aux armes de Claude de Bellièvre et la marque des ateliers parisiens, Au XIXe siècle la *Remise des clefs* était présentée au Vatican dans la Galerie des tapisseries avec la série des *Actes des Apôtres* de Léon X (Barbier de Montault, 1889). J.C. et C.G.C.

Paris, Mobilier national

Tenture de l'Histoire de Constantin

362
La vision de Constantin

ill. 203

Laine, soie et or
H. 4,26 ; L. 4,90
Basse lisse. 8 fils au cm
Bordure composée d'un cadre d'architecture. Trophée d'armes au centre des deux montants latéraux, deux enfants ailés dans la partie supérieure tiennent l'emblème de Louis XIV, le soleil, surmonté de la couronne royale et de la devise NEC PLURIBUS IMPAR ; dans la partie inférieure, deux enfants ailés présentent à gauche les armes de France, à droite celles de Navarre.

Historique : Exécutée à la Manufacture des Gobelins dans l'atelier de Jean De La Croix ; 1re tenture, 1re pièce, tissée avant 1667. Inscrite à l'*Inventaire général du Mobilier de la Couronne sous Louis XIV* (n° 49). Collections de la Couronne, puis de l'État. Mobilier national, GMTT 44/1.

363
La bataille de Constantin

ill. 199

Laine, soie et or
H. 4,30 ; L. 9,38
Basse lisse. 9 fils au cm
Bordure : voir n° 362.

Historique : Voir n° 362. 1re tenture, 5e pièce. Mobilier national, GMTT 16/4.

Bibliographie : Fenaille, 1903, pp. 27-32 ; Thuillier, 1963, p. 69, n° 26 ; Montagu, 1963, p. 237, n° 97 et p. 251, n° 104 ; Coural, 1967, p. 60.

Le thème de l'histoire de Constantin a fait l'objet de deux grandes commandes de tapisseries en France au XVIIe siècle. On sait que l'atelier parisien du faubourg Saint Marcel tissa plusieurs tentures d'après l'*Histoire de Constantin* dont les esquisses avaient été commandées par Louis XIII à Rubens en 1622 (Coural, 1967). Pour une seconde suite sur le même thème, Nicolas Foucquet commanda de nouveaux modèles d'après la *Chambre de Constantin* du Vatican. Ils étaient destinés à la Manufacture de tapisseries que le surintendant des Finances avait établie en 1658 à Maincy près de Vaux-Le-Vicomte. Pour « avoir cette histoire complète » Foucquet chargea Charles Le Brun, directeur de Maincy qui, lors de son séjour à Rome avait d'ailleurs peint une copie de la *Bataille de Constantin,* de donner une suite aux compositions de Raphaël (Thuillier, 1963). Deux cartons complémentaires — *Le triomphe de Constantin* et *Le mariage de Constantin* — furent peints à Maincy d'après Le Brun par Baudrin Yvart (1610-1690). Les autres cartons peints d'après Raphaël étaient dûs à Yvart pour *La bataille,* Courant pour *La Vision,* et Lefebvre pour *Le baptême de Constantin* (voir aussi n°s 144 et 241).

Lors de l'arrestation de Foucquet en 1661, deux tapisseries *Le baptême* et *La vision de Constantin* étaient terminées. Réservées pour le roi, ces tapisseries entrèrent en février 1666 (O^1 3304, f° 10^r) au Garde-Meuble de la Couronne où elles furent inscrites à l'Inventaire général sous le n° 10 des « pièces dessorties à or ». Trois autres pièces à or exécutées aux Gobelins et livrées au Garde-Meuble en septembre 1666 (O^1 3304, f° 39^v) furent ajoutées aux anciennes tapisseries de Foucquet pour former une tenture en cinq pièces que Louis XIV offrit en septembre 1668 à l'Ambassadeur de Moscovie, Pierre Potemkin. Entre février et septembre 1666, les deux tapisseries de Foucquet avaient été envoyées aux Gobelins (O^1 3304, f° 39^v) pour que leurs bordures soient modifiées : le chiffre du roi, les armes de France et de Navarre, la couronne royale furent rentrayés dans les bordures aux emblèmes du surintendant exécutées à Maincy d'après Charles Le Brun (dessin à Stockholm, National museum, Montagu 1963). Cette bordure sera utilisée par la Manufacture des Gobelins pour tous les tissages ultérieurs.

L'*Histoire de Constantin* fit partie des premières tentures mises sur métier lors de l'établissement de la Manufacture des Gobelins. Deux séries furent tissées en basse lisse. La première en six pièces — la sixième pièce dûe à Le Brun était la *Suite du Triomphe* — fut exécutée dans l'atelier de Delacroix et livrée au Garde-Meuble le 29 juillet 1667 (O^1 3305, f° 39^v). Les deux tapisseries présentées à l'exposition proviennent de cette tenture qui appartient dans sa totalité aux collections du Mobilier national.

La deuxième tenture en huit pièces à or (elle comprenait en supplément l'*Aile droite de la Bataille* et l'*Aile gauche de la Bataille*) fut tissée vers 1673 dans le second atelier de basse lisse que dirigeait Jean-Baptiste Mozin depuis 1667. Elle fut inscrite sous le n° 64 à l'Inventaire général de la Couronne. Deux pièces, la *Bataille* et le *Triomphe de Constantin* appartiennent encore aux collections du Mobilier national. C.G.C.

Paris, Mobilier national

Suite des Chambres du Vatican

364
L'incendie du bourg

Laine, soie et or
H. 4,85 ; L. 8,25
Haute lisse. 9 fils au cm.
Bordure composée d'un cadre d'architecture ; au centre de la bordure supérieure les armes de France ; sur les montants latéraux, deux termes de femmes avec des festons de fleurs surmontent un écusson aux chiffres du roi qui se détache sur un trophée d'armes ; au milieu de la bordure inférieure, cartouche renfermant l'emblème de Louis XIV, le soleil, et la devise royale.

Historique :
Exécutée à la Manufacture des

ill. 192

Gobelins dans l'atelier de Jean Jans, 1re tenture, 10e pièce, tissée entre 1683 et 1687. Inscrite à l'*Inventaire général du Mobilier de la Couronne sous Louis XIV* (no 105). Augmentée de quatre entrefenêtres, la tenture fut ensuite inventoriée sous le no 124. Collections de la Couronne, puis de l'État. Mobilier national, GMTT 174/4.

365
L'École d'Athènes

Laine, soie et or
H. 4,85 ; L. 8,80
Haute lisse. 8-9 fils au cm
Bordure. Voir no 364.

Historique :
Voir no 364. Exécutée dans l'atelier de Jean Lefebvre, 1re tenture, 5e pièce, tissée entre 1683 et 1687.

ill. 154

Mobilier national, GMTT 173/1 ; déposée au Musée national du château de Fontainebleau.

366
Héliodore chassé du temple

Laine et soie
H. 4,37 ; L. 8,95
Haute lisse. 8 fils au cm
Bordure. Voir no 364. Dans les montants latéraux, les termes de femmes sont remplacés par des bustes d'hommes. Signé LEFEBVRE dans le galon bleu inférieur.

Historique :
Exécutée à la Manufacture des Gobelins dans l'atelier de Jean II Lefebvre, 3e tenture, 9e pièce, tissée de 1709 à 1715. Livrée au duc de La Feuillade pour son ambassade à

ill. 179

Rome, poste dont il ne prit jamais possession. La tenture fut inscrite le 31 décembre 1723 à l'Inventaire général du Mobilier de la Couronne sous le no 197 ; elle venait d'être remise au Garde-Meuble pour le roi le 19 novembre 1723 par l'abbé Dubois, neveu et héritier du Cardinal Dubois (O1 3309, fo 364v). Collections de la Couronne, puis de l'État. Mobilier national, GMTT 175/3.

367
Le Parnasse

Laine et soie
H. 4,53 ; L. 6,75
Haute lisse. 9 fils au cm
La pièce est signée en bas à droite : AUDRAN 1787. Sur la tablette tenue par le personnage situé à l'extrême gauche, inscription : "pein / par / le / lorrein / d'après / rapha / el en / 1746.
Bordure imitant un cadre doré avec fleurs de lys dans les angles. Dans le galon bleu rapporté à gauche, signature de *Cozette 1754.*

Historique :
Exécutée à la Manufacture des Gobelins dans l'atelier de Jean Audran, 8e tenture, 3e pièce, tissée entre 1780 et 1787 ; en magasin aux Gobelins en 1789. Collections

ill. 168

de l'État. Mobilier national, GMTT 182/2.

Bibliographie :
Montaiglon, 1887, I, pp. 13-14, 39, 62-63, 65-67, 330 ; 1897, VII, 405 ; 1898, VIII, 427 ; 1899, IX, 358, 376, 380, 383, 386, 406-407, 415, 432 ; 1900, X, 9, 32-33 ;
Guiffrey, 1897, pp. 355, 357, 368, 373, 375, 377 ; Fenaille, 1903, pp. 200-219 ; 1912, pp. 16-21.

La suite des *Chambres du Vatican,* désignée dans les inventaires du Mobilier de la Couronne sous le nom des *Loges du Vatican,* a été exécutée à la Manufacture des Gobelins à neuf reprises différentes entre 1683 et 1794, uniquement en haute lisse.

Des tableaux copiés par les pensionnaires de l'Académie de France à Rome d'après les fresques des *Stanze* de Raphaël au Vatican servirent de modèles aux lissiers des Gobelins. Deux de ces tableaux — *Attila chassé de Rome* et *le Parnasse* — furent retouchés à Paris par Houasse (1645-1710) et Monnoyer (1634-1699) en 1685.

La tenture complète comprenait dix pièces : *La bataille de Constantin, L'aile gauche de la Bataille* et *L'aile droite de la Bataille* — fresque de la *Chambre de Constantin* copiée par Charles-François Poërson (1653-1725), pensionnaire de l'Académie de France à partir de novembre 1672 —, *La vision de Constantin* — fresque de la *Chambre de Constantin* copiée par Nicolas Rabon (1644-1686) pensionnaire de l'Académie de France à partir de 1667 —, l'*École d'Athènes* — fresque de la *Chambre de la Signature* copiée par Louis de Boullogne (1654-1733), pensionnaire de l'Académie de France à partir de 1673 ; il copia aussi la *Dispute* du *Saint Sacrement* qui ne fut pas exécutée en tapisserie —, la *Messe de Bolsène* — fresque de la *Chambre d'Héliodore* copiée par Prou (né à Blois vers 1640), pensionnaire de l'Académie de France vers 1676 —, *Attila chassé de Rome* — fresque de la *Chambre d'Héliodore* copiée en 1683 par Pierre Canonville, pensionnaire de l'Académie de France à partir de novembre 1680 —, *Le Parnasse* — fresque de la *Chambre de la Signature* copiée par Charles Desforest (décédé à Rome en 1692), pensionnaire de l'Académie de France à partir de novembre 1680 —, *Héliodore chassé du temple* — fresque de la *Chambre d'Héliodore* copiée par Louis de Boullogne —, l'*Incendie du bourg* — fresque de la *Chambre de l'Incendie du Bourg* copiée par Louis de Boullogne.

Vers 1745 les dix tableaux qui jusqu'alors avaient servi de modèles aux ateliers des Gobelins furent envoyés au Palais du Luxembourg pour décorer l'appartement occupé par le maréchal de Lowendal. En 1759 à la mort de ce dernier, les tableaux furent renvoyés aux Gobelins où fut repris, après une interruption de près de vingt ans, le tissage de tentures des *Chambres du Vatican* dans les ateliers de haute lisse qui allaient bientôt manquer de modèles.

De nouvelles copies furent peintes à Rome au XVIIIe siècle. Deux seulement, dont le *Parnasse* présenté à cette exposition, furent tissées aux Gobelins. C'est en 1737 que le directeur des Bâtiments du Roi Philibert Orry avait fait part à Nicolas Wleughels, directeur de l'Académie de France, de son intention « de renouveller les copies de tableaux de Raphaël qui ont servy aux tentures de tapisseries qui se fabriquent pour le Roy aux Gobelins, le Directeur projettera un arrangement pour les faire copier fidellement d'après les originaux » (Montaiglon, 1899). L'architecte Jacques V Gabriel envoya en septembre 1738 à De Troy, nouveau directeur de l'Académie « les mesures de chaque pièce de tapisserie des anciennes tentures, sans les bordures pour qu'il s'y conformast dans ses dispositions... Il est d'une grande importance que ces copies soient tout au mieux, tant pour le trait que pour le goust de la couleur convenable à traiter en tapisserie, ce que M. de Troyes entend mieux que tout autre » (Montaiglon, 1899). En janvier 1739, Orry écrit à De Troy à propos des copies à exécuter : « ... j'ai été informé du mauvais état des originaux, et je ne doute pas que vous ne rectifiez de votre mieux les parties où le trait sera tronqué et que vous ne les remettiez dans la corection où elles doivent être en rapelant le goût des couleurs qui se trouveront effacées par la vétusté. Vous entendez bien que ce ne doit pas être l'affaire des copistes, et que c'est vous-même qui devez être attentif à conserver en tout l'esprit et la manière de l'auteur... P.S. Cet ouvrage est si important que je suis persuadé que vous y donnerez tous vos soins, les copies que le Roi fait faire devant servir à l'avenir d'original qui deviendra précieux, puisque ces originaux périssent, suivant que vous me le marquez vous-même » (Montaiglon, 1899). De Troy précise à Orry en avril 1739 : « ... je donne tous les soins dont je suis capable pour que l'esprit et l'élégance de Raphaël soient bien conservés dans ces copies et qu'elles puissent éterniser la mémoire de ce grand homme lorsque les originaux auront disparu » (Montaiglon, 1899).

Cependant un jugement sévère fut porté par le Président de Brosses en 1739 (cité par Montaiglon, 1899, pp. 406-407) : « Les élèves de notre Académie de Rome ont eu permission de copier au voile ces grandes peintures de Raphaël (celles des Stanze du Vatican). On est dans l'intention de fabriquer aux Gobelins, sur ces copies, une tenture de tapisserie pour le Roi. Je vais quelquefois les voir travailler. A ne vous rien dissimuler, je suis fort mécontent de leur ouvrage, où je ne vois rien de bon que la fidélité des contours. Ils copient le dessin correctement, à la vérité, puisqu'ils calquent sur l'original, mais d'une manière froide. Bien que le contour soit exact, on n'y retrouve plus ce feu ni ce trait hardi des originaux. Outre ceci, ils les défigurent de plus en plus par un maudit coloris plâtreux à la française, inférieur encore à celui des originaux, qui n'a jamais été trop bon, — car le coloris est la moindre partie de ces peintures, — et qui de plus a été fort gâté par le temps et les accidents. Vous savez comment on lève des copies exactes au voile, en étendant sur l'original une gaze claire, où l'on trace les contours des figures on les reporte ensuite sur la toile imprimée. Le Pape ne permet que fort rarement de copier ainsi ses peintures ; si ce n'eût pas été pour le Roi, on ne l'auroit pas souffert. C'étoit une chose imaginée à merveille que de mettre en tapisseries ces belles peintures, en les relevant par les vives couleurs de nos laines des Gobelins ; mais, si on les fait, à la Manufacture, aussi ternes que le sont les copies que l'on va leur envoyer d'ici, l'exécution de cet ouvrage ne fera pas, en France, grand honneur à Raphaël. Tous nos François sont si mauvais coloristes ! Le meilleur seroit de bâtir des salons exprès pour y mettre les copies de ces originaux en mosaïques de verre, avec tout l'éclat de leur émail. Ce projet ne seroit pas bon marché, mais il seroit digne de la magnificence du Roi, qui auroit ainsi des copies des premiers tableaux du monde, supérieurs même aux originaux ».

Ce jugement du Président de Brosses qui nous semble justifié lorsque l'on examine la tapisserie du *Parnasse* d'après la copie de Le Lorrain (no 367) fut partagé et De Troy s'en plaignait à Orry en avril 1742 : « j'ay été fort affligé en apprenant par la dernière lettre que vous m'avez fait l'honneur de m'écrire qu'on n'avoit pas été content des copies du Vatican que j'ay envoyées à la Cour. La connoissance que vous avez dans les arts et le jugement que vous en portez valent mieux que toutes les raisons que je pourrois alléguer pour les faire valoir. Cependant, Mgr, permettez-moy... de vous représenter que j'y ay apporté toute l'attention possible et que ceux qui y ont travaillé l'ont fait avec toute l'exactitude qui dépendoit d'eux ; ils n'ont dessiné aucune figure qu'après l'avoir prise au voile, et c'est une permission que je n'ay pas eu peu de peine à obtenir... de sorte que pour le dessein, je ne crois pas qu'on puisse y trouver quelque chose à reprendre ; pour ce qui est du coloris, ceux qui connoissent la fresque de Raphaël sçavent bien que ce n'est pas la partie dominante de cet admirable auteur » (Montaiglon, 1900). Les différentes copies exécutées entre 1739 et 1749 étaient l'œuvre de Antoine de Favray (1706-c. 1792, élève de De Troy et pensionnaire de l'Académie de France à partir de 1739) pour l'*Incendie du bourg*, Louis-Gabriel Blanchet (1705-1772, ancien pensionnaire) pour la *Bataille de Constantin,* Noël Hallé (1711-1781, pensionnaire de l'Académie de France à partir de 1737) pour *Héliodore chassé du temple,* François Duflos (c. 1710-1746, pensionnaire de l'Académie à partir de 1733) pour l'*École d'Athènes* (autrefois Lille) et pour la *Dispute du Saint Sacrement,* Pierre Van Loo (pensionnaire entre 1740 et 1743) pour la *Messe de Bolsène,* Louis-Joseph Le Lorrain (1715-1759), pensionnaire entre 1740 et 1749) pour le *Parnasse* qu'il exécuta entre 1746 et 1748, Michel Challes (1718-1778, pensionnaire à partir de 1742) pour *Attila chassé de Rome.*

Outre le tableau du *Parnasse* par Le Lorrain — De Troy disait de ce dernier : « c'est un jeune homme qui a des talens infinis dans tous les genres de peinture » (Montaiglon, 1900) — qui est une copie plus fidèle que celle réalisée au XVIIe siècle à laquelle Houasse avait d'ailleurs ajouté des ornements aux vêtements, ainsi que des arbres et des fleurs, le tableau de Noël Hallé pour *Héliodore chassé du temple* fut également tissé aux Gobelins. Les autres pièces mises sur métier dans la seconde moitié du XVIIIe siècle furent exécutées d'après les anciens modèles.

En septembre 1794, le jury des Arts prononça les jugements suivants sur les tableaux des *Chambres du Vatican* se trouvant aux Gobelins :
« *Héliodore chassé du temple,* copie de Raphaël par Noël Hallé. Sujet consacrant les idées de l'erreur et du fanatisme, d'ailleurs copie très défectueuse d'un superbe original, et conséquemment a rejetter ; la tapisserie sera discontinuée. »
« *Le Parnasse,* d'après Raphaël ; sujet conservé. La tapisserie qui avait été suspendue, sera reprise. »
« *L'École d'Athènes,* d'après Raphaël ; à conserver sous tous les rapports, bien que cette copie soit un peu faible. »
« *École d'Athènes,* d'après Raphaël, 6 bandes. Sujet à conserver ; tableau hors d'état de servir ».
« *Le Parnasse* d'après Raphaël. Sujet à conserver et copie préférable à celle précédemment employée. » (Guiffrey, 1897).

Aucun commentaire ne fut fait à propos des autres copies. Toutes portent la mention : « Sujet rejetté ». Dans la liste des tableaux adoptés par le jury pour être exécutés en tapisserie figurent seulement le *Parnasse* et l'*École d'Athènes.*

Le modèle des bordures de l'*Histoire d'Alexandre* d'après Charles Le Brun, tissée aux Gobelins à partir de 1664, fut utilisé pour les cinq premières tentures des *Chambres du Vatican.* Les dernières tentures ont de simples bordures étroites imitant un cadre doré.

L'exécution de 1683 à 1689 des deux premières tentures — à or — fut répartie entre les ateliers de haute lisse de Jean Jans fils et de Jean Lefebvre. En 1703 ces mêmes ateliers réalisèrent huit entre-fenêtres dont les sujets furent choisis dans les grandes tapisseries et partagés ensuite entre les tentures déjà tissées ; on constitua ainsi deux tentures de 14 pièces inscrites à l'Inventaire du Garde-Meuble sous les n°s 124 et 125. Ces tapisseries servaient pour les cérémonies : citons par exemple leur emploi à l'occasion du Sacre de Louis XV à Reims en 1722 où les deux tentures en 14 pièces décorent la cathédrale (O^1 3309, f° 338^v, 28 septembre 1722). En avril 1770, la première tenture à or (n° 124) fut envoyée en totalité à Strasbourg pour orner le pavillon construit dans une île sur le Rhin où devait avoir lieu le 7 mai 1770 la remise de la dauphine Marie-Antoinette (O^1 3319, f° 21^r). Les deux tentures en dix pièces ainsi qu'un entrefenêtre appartiennent aux collections du Mobilier national qui conserve également la troisième tenture — sans or — exécutée dans les mêmes ateliers de haute lisse entre 1706 et 1717 ; elle provient des collections du cardinal Dubois (voir historique du n° 3). Deux tentures en dix pièces sans or (4e et 5e tentures) furent mises sur métier à partir de 1730 dans les ateliers de haute lisse de Jean Lefebvre fils, Louis Ovis de La Tour, Michel Audran. La première d'entre elles fut donnée par Louis XV en 1736 à l'Electeur Palatin. Neuf pièces de l'autre tenture appartiennent aux collections du Mobilier national.

Les trois tentures suivantes tissées à partir de 1760 ne comportent plus que quatre pièces : *La Vision de Constantin, l'École d'Athènes,* le *Parnasse,* et *Héliodore chassé du temple.* Exécutées sans or dans les ateliers de Cozette et d'Audran, ces tentures furent offertes en présent l'une en 1777 au frère de Marie-Antoinette, Joseph II pendant son voyage en France, l'autre en 1782 au Grand duc de Russie, le futur Paul 1er.

Les quatres dernières pièces restèrent en magasin aux Gobelins. En 1806, Napoléon offrit au Prince de Bade à l'occasion de son mariage avec la princesse Stéphanie Napoléon, deux tapisseries : *Héliodore* et la *Vision de Constantin.* Les deux autres pièces sont conservées au Mobilier national.

En 1790 enfin un nouveau tissage fut décidé. Deux pièces, *Héliodore* et le *Parnasse* furent commencées. La première d'entre elles fut interrompue en 1794. Remise sur métier en 1806, elle ne sera terminée, après bien des avatars, qu'en février 1818. Elle disparaîtra dans l'incendie des Gobelins en 1871. Quant au *Parnasse* il fut achevé en 1806.

C.G.C.

Paris, Mobilier national (n°s 364, 366 et 367)
Paris, Mobilier national, déposé au Musée national du château de Fontainebleau (n° 365)

Tenture des Sujets de la Fable

368
Le jugement de Pâris

Laine, soie et or
H. 4,55 ; L. 6,40
Haute lisse. 8 fils au cm
Bordure rapportée.

ill. 317

Historique :
Exécutée à la Manufacture des Gobelins dans l'atelier de Jean Lefebvre ; 2e tenture, 1re pièce, tissée de mars 1691 à janvier 1703 ; inscrite à l'*Inventaire général du Mobilier de la Couronne sous Louis XIV* (n° 127) ; collections de la Couronne, puis de l'État. Mobilier national, GMTT 480.

Bibliographie :
Guillet de Saint-Georges, 1887, pp. 53-59 ; Fenaille, 1903, pp. 247, 267-278 ; Standen, 1964, pp. 143-146, 154-157.

L'accession de Louvois à la Surintendance des Bâtiments après la mort de Colbert (septembre 1683) devait marquer la fin de la toute puissance de Le Brun sur la Manufacture des Gobelins. Hostile au premier Peintre, le nouveau surintendant qui cherchait à écarter celui-ci de la direction de la Manufacture — rappelons qu'il décida d'interrompre l'exécution des tapisseries de l'*Histoire du Roi* — fit entreprendre des tissages d'après des tentures anciennes appartenant aux collections de la Couronne *(Histoire de Scipion, Chasses de Maximilien...).*

Au début de 1684, à la demande de Louvois « l'on proposa de chercher dans les dessins du Cabinet du roi des sujets pour fournir des dessins de tapisseries. M. de La Chapelle [protégé du surintendant] en choisit plusieurs qu'il fit agréer par M. de Louvois. L'on en fit des esquisses colorées et l'on les distribua à plusieurs peintres, sur quoi il me souvient que ces dessins n'étant la plupart que croqués, M. de La Chapelle, dit en la présence de tous les peintres qui devoient y travailler, à M. Le Brun, qu'il falloit que ces messieurs y changeassent ce qu'ils n'y trouveroient pas agréable... » (Guillet de Saint-Georges, cité par Standen, p. 144).

Des tableaux réalisés d'après des dessins provenant de la collection Jabach alors attribués à Giulio Romano et à Raphaël, sont à l'origine de deux séries de tentures des *Sujets de la Fable* tissées aux Gobelins à partir de 1686 (Standen, 1964). Les huit tableaux étaient l'œuvre de François Verdier (c. 1651-1733) pour *Le Ravissement d'Hélène,* Louis de Boullogne dit le jeune (1654-1733) pour l'*Hymen de Psyché et l'Amour,* Pierre de Sève (1623-1695) pour *Vénus et Adonis,* François Bonnemer (1638-1689) pour *Vénus dans son char,* Alexandre Ubeleski (1649-1718) pour deux *Danses de Nymphes* et Michel Corneille dit l'aîné (1642-1708) pour *Le Jugement de Pâris.*

Ce dernier tableau de 12 pieds de haut sur 19 pieds 3 pouces de large (3,88 m sur 5,23 m) qui fut payé 1 800 livres à Michel Corneille, prix le plus élevé de tous les tableaux de cette série, avait été réalisé d'après un dessin du XVIIe siècle de la collection Jabach (musée du Louvre, cabinet des Dessins, Inv. 4.191) pour lequel la célèbre gravure de Marcantonio avait servi de modèle (voir G.24 du catalogue*). Rappelons qu'en septembre 1794, le Jury des Arts chargé d'examiner aux Gobelins les cartons de tapisseries n'en retint sur 321 que 20. Parmi ceux-ci figurait le *Jugement de Pâris.*

Après avoir été exposés dans une chapelle des Tuileries, les huit tableaux furent envoyés au début de 1686 aux Gobelins où le tissage commença dans les ateliers de haute lisse de Jans et Lefebvre. Trois tentures à or furent exécutées. Elles comportaient une riche bordure aux armes de France, sur fond quadrillé à or, avec arabesques et figures. Jean Le Moine, Le Lorrain, Claude Guy Hallé et Bon Boulogne en avaient donné le modèle qui fut utilisé aussi pour la suite des *Sujets de la Fable* d'après Giulio Romano. Cette bordure retirée à la fin du XIXe siècle sur la pièce du *Jugement de Paris* (GMTT 480) fut remplacée par une bordure moins importante pour permettre la présentation de la tapisserie dans le Salon de l'Hémicycle du Palais de l'Élysée. Le modèle représentant un cadre doré à coquilles avec les chiffres du roi dans les angles et les armes de France avait été tissé au XVIIIe siècle d'après une composition réalisée par Pierre-Josse Perrot (connu de 1724 à 1735) peintre d'ornements aux Gobelins, pour la tenture des *Sujets de la Fable* d'après Giulio Romano.

La première tenture, achevée à la fin de 1691, ne fut livrée au Garde-Meuble de la Couronne qu'après 1701 (n° 117 de l'Inventaire général). La deuxième tenture commencée en 1690 dans les mêmes ateliers de haute lisse de Jans et de Lefebvre fut interrompue lors de la fermeture des Gobelins : cinq pièces seulement étaient achevées à la fin de 1693. Trois pièces dont le *Jugement de Pâris* furent poursuivies après la réouverture de la Manufacture. Cette tenture qui porte le n° 127 de l'Inventaire général fut, comme la précédente, modifiée entre 1700 et 1702 avant d'être livrée au Garde-Meuble. A la demande de Mme de Maintenon, tous les personnages nus furent recouverts de draperies tissées dans les ateliers des Gobelins et rentrayées dans chaque tapisserie. Ce travail est parfaitement visible dans la pièce du *Jugement de Pâris* où les figures féminines ont toutes été revêtues de tuniques.

A la fin de l'ancien régime, six pièces de la deuxième tenture étaient dans le Cabinet d'Audience de la Reine à Versailles ($0^1$3469, f° 149[2]). Cinq pièces de cette tenture appartiennent encore aux collections du Mobilier national.

La troisième tenture en huit pièces en haute lisse à or tissée dans les mêmes ateliers entre 1693 et 1704 est aujourd'hui conservée à Vienne au Kunsthistorishes Museum. Elle avait été offerte en 1730 par Louis XV à François III de Lorraine qui épousera Marie-Thérèse d'Autriche en 1736.

C.G.C.

Paris, Mobilier national

Tenture de La Farnésine

369
Adieux de Vénus à Cérès et à Junon

ill. 221

Laine et soie
H. 2,58 ; L. 2,23
Haute lisse. 9 fils au cm

Historique :
Exécutée à la Manufacture des Gobelins dans l'atelier de Louis Laforest du 15 juillet 1849 au 15 octobre 1853. Mobilier national, GOB 53.

Bibliographie :
Fenaille, 1912, pp. 23-25 ;
Vaisse, 1974, pp. 160-161.

Sur les avis et indications données par Ingres en 1848, la Manufacture des Gobelins entreprit le tissage de la tenture de *La Farnésine* d'après les scènes de l'Histoire de Psyché peintes en 1518 par Raphaël et son atelier à la voûte de la loggia de la villa de la Farnésine à Rome.

Membre du Conseil supérieur de perfectionnement des manufactures nationales des Gobelins, de Beauvais et de Sèvres institué en mars 1848, Ingres exerça certainement une influence très forte sur la Manufacture des Gobelins. Dès la première séance du Conseil (13 avril 1848) il « fait observer que depuis longtemps on s'y [à la Manufacture des Gobelins] est écarté des véritables principes de l'art des décorations murales, qu'on a commis à cet égard des contresens nombreux, et qu'il serait temps de ramener les ouvrages de cet établissement, si remarquables d'ailleurs par la perfection du travail, à la simplicité et à la pureté anciennes ». (Arch. Mob. nat. G. 320, f° 6).

Désigné le 1er mai 1848 pour former avec Charles Séchan la commission spéciale établie « pour concourir aux travaux des Gobelins et de Beauvais », Ingres rédigea un rapport dans lequel il disait « ... que l'état de caducité apparent attribué à la manufacture en général n'est dû 1°) qu'à l'abandon de l'usage des tapisseries pour l'ameublement et la décoration des Palais, Châteaux, églises et monuments publics, ainsi qu'au mauvais choix des compositions et à la mauvaise exécution comme peinture des modèles qui sont exécutés en tapisserie.
2°) que l'art de la tapisserie ne doit être considéré qu'au point de vue décoratif pour servir à l'ameublement des monuments publics, et que ces trompe l'œil que l'on y fait pour imiter des tableaux sortent entièrement du principe et de l'utilité qui créa cet établissement, principe dans lequel il faut rentrer au plus vite ». Ingres et Séchan proposèrent « que dans les monuments publics, plusieurs salles et notamment celles de réceptions soient tendues, décorées et meublées par des chefs d'œuvre des maîtres avec des bordures appropriées aux sujets et locaux » (Vaisse, 1974). En novembre 1848, Ingres précise qu'il attend pour les manufactures « les meilleurs résultats de l'emploi de modèles simples comme la fresque ou la mosaïque » (Arch. Mob. nat. G. 320, f° 52).

Pour répondre à ces directives, Pierre-Adolphe Badin, administrateur des manufactures des Gobelins et de Beauvais fit commencer « un travail d'après une copie de la Farnésine qu'il croit devoir être une pièce remarquable » (ibid., G. 320, f° 53).
Dans son désir de faire reproduire par les Manufactures de « bons modèles » Ingres avait aussi « un motif... d'insister sur une pensée qui le préoccupe sans cesse ; celle d'arracher les chefs d'œuvre à la destruction ; il voit dans ce mode de reproduction un moyen de plus de les perpétuer et de les transmettre à la postérité » (ibid, G. 320, f° 60).

L'exécution de la tenture de *La Farnésine* fut entreprise dès septembre 1848. De cette décoration célèbre, on possédait la copie que Dominique Papety (1815-1849), pensionnaire de l'Académie de France à Rome de 1837 à 1841, pendant le directorat d'Ingres, avait faite d'un des plafonds, *Psyché dans l'Olympe* ou l'*Assemblée des dieux* (1841). Il peignit également la copie d'un des pendentifs, *Psyché et l'Amour* ou *Psyché rapportant la boîte de beauté*. La mise sur métier des deux pièces date du 1er septembre 1848. Ingres qui suivait régulièrement le travail effectué aux Gobelins indique en mai 1849 dans son rapport au ministre que le « grand plafond de la Farnésine est bien commencé. La reproduction de cette belle peinture perfectionnera certainement le talent des artistes en les ramenant à la simplicité dont les avait depuis longtemps éloignés le mauvais choix des modèles » (ibid, G. 320, f°s 70-71).

La tenture de *La Farnésine* fit partie des tapisseries prévues pour l'Exposition universelle de Londres de 1851. Sur ordre du ministre, les lissiers des Gobelins travaillèrent « extraordinairement » à ces tapisseries (ibid, G. 32, f° 161). Malgré cette disposition, l'*Assemblée des dieux* ne fut pas achevée en temps voulu. Une seule pièce, le pendentif de *Psyché et l'Amour,* tombée de métier le 8 mars 1851, fut présentée à Londres. Elle fut détruite lors de l'incendie des Gobelins le 24 mai 1871. Dans ce même incendie disparut aussi la tapisserie de l'*Assemblée des dieux;* terminée le 28 février 1852, elle avait figuré à l'Exposition internationale de Dublin en 1853, puis à l'Exposition universelle de Paris en 1855.

Pendant que le tissage se poursuivait aux Gobelins, le directeur de l'Académie de France à Rome, Alaux, avait été chargé en novembre

1851 de faire copier le second plafond, les *Noces de Psyché* ou le *Repas des dieux*. La réalisation de cette copie fut confiée à Raymond Balze (1818-1909), élève d'Ingres. Mais les événements politiques modifièrent le programme initialement prévu : seules deux pièces mises sur métier pendant la seconde République — *Adieux de Vénus à Cérès et à Junon, Jupiter consolant l'Amour* — furent achevées.

L'exécution du premier de ces pendentifs aux Gobelins dans l'atelier de Louis Laforest d'après une copie peinte par Alexandre Guillemot (1786-1831, pensionnaire de l'Académie de France à Rome de 1809 à 1812) dura plus de trois ans (15 juillet 1849 - 15 octobre 1853). La tapisserie fut exposée en 1854 à Sydenham. Enfin le tissage du pendentif représentant *Jupiter consolant l'Amour* fut commencé dans l'atelier de Charles Duruy le 15 novembre 1849 d'après la copie faite par Jean Murat (1807-1863, pensionnaire de l'Académie de France de 1838 à 1842) et envoyée de Rome en 1847. Cette tapisserie qui figura à l'Exposition internationale de Dublin en 1853 est aussi conservée au Mobilier national (GOB 50). C.G.C.

Paris, Mobilier national

Grégoire (Gaspard)

Aix-en-Provence, 1751 — Paris, 1846

Grégoire est l'inventeur d'une technique qu'il fit breveter en 1788, consistant à peindre des motifs sur les fils de chaîne d'un velours (« chaîne poil ») avant tissage (voir pour une description de cette technique C. Gastinel-Coural, 1981, p. 9). Il travailla à des bouquets et à des portraits, certains d'après Greuze et David, et à des garnitures de siège (exemple de 1813 au Mobilier national, id., n° 84, p. 24). Le Musée historique des Tissus possède, parmi de nombreuses œuvres de Grégoire, plusieurs velours d'après les Heures *attribuées à Raphaël (Algoud, 1908, p. 52 ; voir pl. face p. 48). Le musée d'Aix conserve une* Vierge à l'Enfant *en buste inspirée de la* Vierge Mackintosh *(Algoud, 1908, p. 50, pl. face p. 32). J.P.C.*

370
La Vierge à la chaise
D'après le tableau du Palais Pitti

ill. 47

Velours coupé peint sur chaîne. Soie.
H. 0,31 ; L. 0,26

Historique :
Exécuté vers 1830 (?) ;
Coll. Jules Reybaud ; acquis à sa vente en 1862 par le musée d'Art et d'Industrie, Inv. 1.142 (862. XIX. 13).

Bibliographie :
Algoud, 1908, p. 48, n° 1004, p. 52 ;
Catal. musée (H. d'Hennezel), 1929, n° 413, p. 121, 1779 (XI).

Transposition, particulièrement douce, dans la technique savante mais émolliente mise au point par Grégoire, du tableau du Palais Pitti. Le Musée des Tissus de Lyon conserve un autre exemplaire du même motif (catal. musée, 1929, n° 414). Un autre velours Grégoire d'après la *Vierge à la chaise,* sur fond grenat, est mentionné au début de ce siècle dans la coll. Montagne de Firmont à Aix (Algoud, 1908, p.50). J.P.C.

Lyon, Musée historique des Tissus

Maison Burel

Lyon, vers 1865

371
Bordure(?) avec les effigies de Titien, Raphaël et Michel-Ange

ill. 398

Velours ciselé simple corps, lisèré, fond d'or par trame lancé. Soie et filé or
H. 2,16 ; L. 0,56

Historique :
Exécutée à Lyon par la maison Burel, 14 rue St-Polycarpe. Époque Napoléon III, vers 1865. Don des fabricants au musée historique des Tissus à Lyon en 1905. Inv. 27.624.

Bibliographie :
Hennezel, 1929, p. 106, n° 356, 1657 [XIV] ;
Bernus-Taylor, Devoti, Tuscherer, Vial, 1976, II, n° 183.

Ce velours à fond d'or est un exemple d'une technique qui eut une grande renommée. La maison Burel, spécialisée dans les velours façonnés, réalisa plusieurs étoffes à décor de feuillages dans lequel alternent des portraits d'hommes célèbres. Le musée historique des Tissus conserve également un velours ciselé d'un modèle identique mais avec l'effigie de Napoléon III (vers 1867). C.G.C.

Lyon, Musée historique des Tissus

Vitraux, Émaux, Céramiques et autres objets d'art

Vitraux

Pinaigrier (Nicolas)

Beauvais, vers 1540 - Paris, 1606

Fils d'un peintre verrier de Beauvais, il travailla quelques années dans cette ville, puis, en 1568, gagna Paris où ses deux frères Jacques et Pierre l'avaient précédé. Son activité reste mal connue jusqu'en 1581, date à laquelle il épousa la fille d'un maître parisien, reprit l'atelier de son beau-père et dès lors acquit une grande réputation. De cette période les églises Saint-Gervais, avec la Résurrection *et le* Lavement des pieds, *et surtout Saint-Étienne-du-Mont, avec toutes les fenêtres hautes méridionales du transept et de la nef, conservent de précieux témoignages. G.M.L.*

372
Descente de croix

Vitrail
H. 1,30 ; L. 0,90

Historique :
Voir notice.

Bibliographie :
Faudet, 1840, p. 41 ;
Lafond, 1958, p. 214 ;
Corpus Vitrearum, 1978, p. 39.

ill. 302

Datée jusqu'ici du milieu du XVIe siècle, cette *Descente de croix* est en fait nettement plus tardive, puisqu'il s'agit du seul fragment subsistant d'une verrière commandée le 22 avril 1587 à Nicolas Pinaigrier, qui devait être placée dans le bras sud du transept de l'église Saint-Étienne-du-Mont (Arch. nat., min. cent., XLI, 18). Aucun autre document ne permet de préciser la date à laquelle elle fut remaniée, mais la forme des plombs en sa partie supérieure laisse penser qu'on l'utilisa, sans doute au début du XIXe siècle, pour garnir l'une des baies en plein-ceintre de l'ancien charnier ; dès 1840, l'abbé Faudet la signale dans la deuxième fenêtre de la nef, du côté nord, place qu'elle occupe encore actuellement avec d'autres panneaux, très restaurés, dont il est difficile de déterminer l'origine. La composition, qui s'étendait vraisemblablement sur trois lancettes, reproduisait la *Descente de croix* gravée par Marcantonio Raimondi d'après un dessin de Raphaël (Bartsch illustré, vol. 26, 1978, p. 47, no 32)*, dont on reconnaît encore la partie supérieure ; le groupe des Saintes Femmes soutenant la Vierge évanouie a, en revanche, disparu. C'est un modèle qui avait fréquemment inspiré les peintres-verriers dans les années 1540, à Sainte-Foy de Conches et Saint-Germain d'Argentan notamment, mais dont le choix, en 1587, pourrait surprendre si on ne le savait imposé par le donateur, un marchand de vin de la paroisse nommé Guillaume Alain. Tenu par son contrat, Nicolas Pinaigrier a copié les personnages avec une extrême minutie, jusque dans le détail des drapés et des musculatures ; les différences que l'on peut relever avec l'estampe, comme la disparition du manteau jeté sur l'épaule de saint Jean, ainsi que certaines maladresses dans le dessin de l'avant-bras et des jambes du Christ, s'expliquant par des restaurations modernes. Cependant, il s'est octroyé davantage de liberté dans l'interprétation du paysage, en substituant à la Jérusalem esquissée dans le lointain par Marcantonio des bâtiments d'une échelle plus importante, peints en grisaille sur un verre bleu très clair. Souci de lisibilité pour un vitrail destiné à garnir une fenêtre haute, certes, mais également préoccupation maniériste de n'abandonner aucun morceau d'espace au vide, qui se manifeste aussi dans la partie supérieure par l'adjonction de feuillages débordant des lancettes aujourd'hui disparues. Mais, plus que tout, ce sont les lourds nuages menaçants couronnant la scène qui, rompant avec la sérénité du ciel de Raphaël, trahissent les trois quarts de siècle séparant le vitrail de son modèle.

L'église Saint-Étienne-du-Mont conserve d'autres œuvres de Nicolas Pinaigrier, à peu près contemporaines de la *Descente de croix,* qui sont d'une facture plus personnelle et dont certaines, comme l'*Incrédulité de saint Thomas* et surtout la *Résurrection,* témoignent même d'une bonne connaissance des courants artistiques de son temps. Ici, son talent se manifeste principalement par l'aisance et la finesse de l'exécution ainsi que par l'harmonie des tons vifs, qui marquent le retour du vitrail, en cette fin de siècle, à des gammes colorées beaucoup plus soutenues. G.M.L.

Paris, église Saint-Étienne-du-Mont

Anonyme parisien

1545

373
Portement de croix

Vitrail
H. 2,10 ; L. 1,50

Bibliographie :
Magne, 1885, pp. 106-108, repr. ;
Mâle, 1927, p. 305 ;
Perrot, 1978, pp. 81-82 ;
Corpus Vitrearum, 1978, pp. 114-115.

ill. 107

Sur une frise décorative portant des médaillons au chiffre d'Anne de Montmorency, seigneur d'Écouen, le peintre-verrier a représenté la rencontre de Jésus et de sa mère sur le chemin du Golgotha en prenant pour modèle une gravure d'Agostino Veneziano (Bartsch Illustré, 1978, vol. 26, p. 44, no 28- I) reproduisant le *Portement de croix* de Raphaël, exécuté en 1517 pour l'église Santa Maria dello Spasimo de Palerme (aujourd'hui au Prado). La scène occupe le registre supérieur d'une verrière de l'abside offerte par Marguerite de Savoie, qui contient de très beaux portraits de l'épouse du Connétable et de ses cinq filles, agenouillées sur un soubassement armorié où est inscrite la date de 1545. Aucun nom n'a pu jusqu'à présent être mis sur cet artiste, à qui il semble bien que l'on doive également les deux autres verrières du chœur, achevées la même année, ainsi que celles de la chapelle du château d'Écouen dont il ne subsiste que les portraits des donateurs, fort semblables à ceux de l'église, et qui sont datées de 1544. Son style est très nettement italianisant, mêlant l'influence de Raphaël, dont l'œuvre avait envahi les ateliers des peintres-verriers parisiens dans la décennie précédente par l'intermédiaire de ses graveurs, à celle plus récente du maniérisme bellifontain, qui se trouve un peu atténuée dans le *Portement de croix* en raison du choix de l'estampe de Veneziano comme modèle. Il n'a cependant pas cherché à reproduire celle-ci textuellement, et même en a quelque peu changé l'esprit en privilégiant le pathétique de la rencontre de la mère et de son fils au détriment des autres acteurs de la scène, et particulièrement de Simon le Cyrénéen dont la puissante figure domine pourtant le tableau du Prado et qui se trouve ici aligné dans un même registre avec tous le autres personnages. L'un des bourreaux et plusieurs soldats ont par ailleurs été supprimés pour adapter la composition à l'architecture de la baie, que respecte encore le peintre-verrier d'Écouen contrairement à certains de ses contemporains comme Jean Chastellain ou Guillaume Rondel dont les réalisations tiennent peu compte de la présence des meneaux séparant chaque lancette. Mais, si le style est moins avancé que celui des artistes ayant travaillé sur les chantiers royaux, l'influence de l'École de Fontainebleau n'en demeure pas moins sensible : les coloris, certes, sont encore assez soutenus, mais ils n'empèchent pas un travail au putois d'une grande finesse, et le tassement des figures, le rendu de certaines silhouettes féminines, et les bandeaux d'ornements peints en grisaille pour séparer les registres sont très représentatifs des tendances nouvelles de la peinture sur verre. G.M.L.

Écouen, église Saint-Acheul

Émaux

374-380
Émaux de Limoges
XVIe siècle

Vers 1530, une importante transformation s'est opérée dans le domaine de l'émaillerie limousine. Elle tint à la conjonction de deux facteurs : une technique nouvelle, l'émail peint, qui connut alors un développement inédit à Limoges sans qu'on en puisse préciser l'origine, et un répertoire figuratif nouveau, celui des formes de l'art italien de la Renaissance et du premier maniérisme. La technique privilégiée fut celle du camaïeu de gris pâle et de blanc sur un fond noir, parfois rehaussé de rose pour les chairs et de paillons d'or semés dans les fonds. Les émaux peints colorés devinrent une minorité et les teintes claires y furent travaillées en clair-obscur, comme les grisailles. Ainsi cette technique monochrome rapprochait l'émail de la technique italienne du *sgraffito*, c'est-à-dire des peintures monochromes de façades, et de la gravure. L'émail s'éloignait de l'orfèvrerie et s'apparentait plus étroitement aux « arti del disegno » où l'invention et la beauté du dessin priment sur la valeur propre du matériau. C'était l'occasion pour les artistes d'élargir et de renouveler leur répertoire de modèles. Vers 1510-1530, une première génération se tourna vers les estampes de Dürer. Puis de 1530-1540 à 1560-70, l'on se prit d'un engouement général pour les gravures italiennes où les motifs raphaélesques eurent la part essentielle. Marcantonio Raimondi, Agostino Veneziano, le Maître au dé fournirent des motifs, le plus souvent mythologiques, qui furent utilisés dans tous les ateliers de Limoges et répétés à de nombreux exemplaires. Parfois les émailleurs ont dû avoir recours à des copies françaises de ces estampes : par exemple celles de Léonard Gaultier et Jacques Androuet Du Cerceau d'après l'*Histoire de Psyché* du Maître au dé ou celles d'Étienne Delaune d'après Marcantonio.

En dehors de quelques plaques monumentales comme celle de la *Charité* d'après Marcantonio (Bartsch illustré, 1978, 27, p. 78, 386) exécutée en 1559 par Pierre Courteys pour la façade du château de Madrid au bois de Boulogne (aujourd'hui à Écouen, Musée national de la Renaissance), ces émaux montrent plutôt un Raphaël « miniaturisé ». Les compositions sont peintes soit sur des plaques, qui peuvent être assemblées en tableaux ou en coffrets, soit sur des médaillons, soit et surtout sur des pièces de vaisselle d'apparat. L'atelier de Pierre Reymond s'était presque spécialisé dans ces coupes et plats dont les surfaces courbes exigeaient une grande maîtrise technique. Le sujet le plus fréquemment mis à contribution fut le *Festin des dieux aux noces de Psyché et de l'Amour* peint par Raphaël à la voûte de la Farnésine à Rome. Les émailleurs ont utilisé soit l'estampe anonyme de l'école de Marcantonio (Bartsch, 1813, XV, n° 14) qui montre au premier plan Hercule et Omphale soit celle du Maître au dé (Bartsch, 1813, XV, n° 38) où ces personnages sont remplacés par Psyché et Cupidon enfant. Le succès du motif s'explique par son adéquation à des pièces de vaisselle et le goût des convives s'identifiant volontiers aux divinités de l'Olympe : ceci est clairement exprimé dans un plat de Léonard Limosin (Paris, coll. part.) fait pour le Connétable de Montmorency où ce dernier, Catherine de Médicis, Henri II et Diane de Poitiers ont prêté leurs traits aux dieux festoyant (fig. 158). Au Louvre un plat ovale de Pierre Courteys sur le même thème porte les armes d'Henri III. Une autre estampe favorite des émailleurs limousins fut le *Neptune* de Marcantonio (Bartsch illustré, 1978, 27, p. 49, n° 352) ; Pierre Reymond a décoré au moins quatre coupes grâce à l'un des motifs de l'encadrement qui évoquait également les plaisirs de l'amour et de la table : le *Festin de Didon et d'Énée*. D'autres sujets liés au thème de la beauté furent employés pour des coffrets à bijoux. Ainsi les deux *Toilettes de Psyché* de la série du Maître au dé décorent-elles un coffret de l'école de Pierre Courteys au Louvre. Quelques sujets religieux d'origine raphaélesque furent traduits en émail parmi lesquels ont peut citer deux plaques d'émail coloré de la *Parenté de la Vierge* (Florence, Museo Nazionale et New York, Frick collection) qui dérivent de la *Vierge au berceau* de Marcantonio (Bartsch illustré, 1978, 26, p. 90, n° 63), produites par l'atelier de Jean II Pénicaud. Les artistes qui interprétèrent le plus fréquemment les compositions raphaélesques furent Léonard Limosin, auteur de deux séries de plaques de l'*Histoire de Psyché* (aujourd'hui dispersées ; en grisaille en 1535, en couleur en 1543), Pierre Courteys, Pierre Reymond, Jean II et Jean III Pénicaud, Jean de Court, le Maître K.I.P. et M.D. Pape. Dans le dernier quart du siècle les émailleurs limousins furent davantage attirés par l'estampe d'illustration lyonnaise et, parallèlement, la qualité technique de leurs pièces décrut sensiblement.

Grâce aux émaux limousins, l'art de Raphaël (ou d'inspiration raphaélesque dans le cas de l'*Histoire de Psyché*) a trouvé place dans les demeures aristocratiques sous la forme ambiguë d'objets domestiques mais trop précieux pour qu'on en fît un usage réel. Rappelons que Raphaël lui-même dessina pour François Ier un modèle de brûle-parfums, à ses armes, connu par la gravure de Marcantonio surnommée la *Cassolette* (Bartsch illustré, 1978, vol. 27, p. 164, n° 489). Les pièces de vaisselle émaillées de Limoges ont été l'équivalent français, plus raffiné, plus sobre et plus coûteux, des majoliques italiennes qui ont utilisé le même répertoire figuratif d'estampes d'après Raphaël. M.V.

Courteys (Pierre)

Actif de 1544 à 1581, à Limoges

Il appartient à une famille de peintres verriers et émailleurs dont les membres sont mal identifiés : en effet, après lui trois autres Courteys portèrent le même prénom. Dans les nombreuses pièces de vaisselle en grisaille ou en couleurs qu'il a réalisées il a imité la manière de Pierre Reymond mais il a travaillé d'un style plus large et plus fort. Le Louvre possède un magnifique plat émaillé en couleur, La Terre et la Mer, *où se voient deux motifs d'après Marcantonio :* Neptune *sur son char marin (Bartsch illustré, 1978, vol. 27, p. 49, n° 352) et le Fleuve accoudé sur son urne du* Jugement de Pâris *(Bartsch illustré, 1978, vol. 26, p. 242, n° 245)* et plusieurs pièces en grisaille.* M.V.

374
Le jugement de Pâris

Coupe en cuivre émaillé, peinte en grisaille
H. 0,15 ; D. 0,18
Signé dans la partie creuse : « P. CORTEYS »

Historique :
Collection Turpin de Crissé.

Bibliographie :
Catal. 1933 (Recouvreur), n° 161 ;
Verdier, 1967, pp. 267-270 ;
Jestaz, 1972, n° 644.

ill. 319

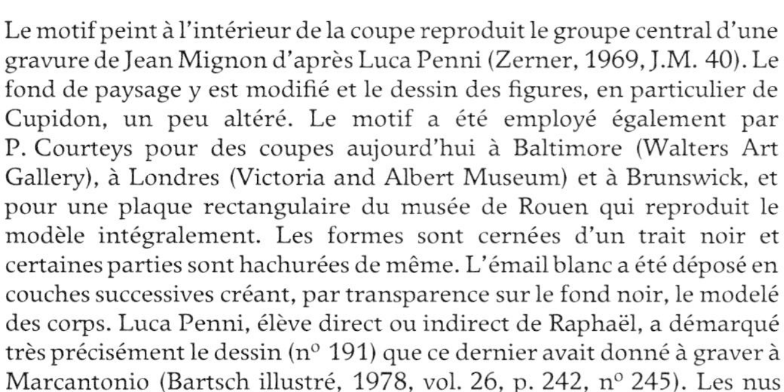

Le motif peint à l'intérieur de la coupe reproduit le groupe central d'une gravure de Jean Mignon d'après Luca Penni (Zerner, 1969, J.M. 40). Le fond de paysage y est modifié et le dessin des figures, en particulier de Cupidon, un peu altéré. Le motif a été employé également par P. Courteys pour des coupes aujourd'hui à Baltimore (Walters Art Gallery), à Londres (Victoria and Albert Museum) et à Brunswick, et pour une plaque rectangulaire du musée de Rouen qui reproduit le modèle intégralement. Les formes sont cernées d'un trait noir et certaines parties sont hachurées de même. L'émail blanc a été déposé en couches successives créant, par transparence sur le fond noir, le modelé des corps. Luca Penni, élève direct ou indirect de Raphaël, a démarqué très précisément le dessin (n° 191) que ce dernier avait donné à graver à Marcantonio (Bartsch illustré, 1978, vol. 26, p. 242, n° 245). Les nus

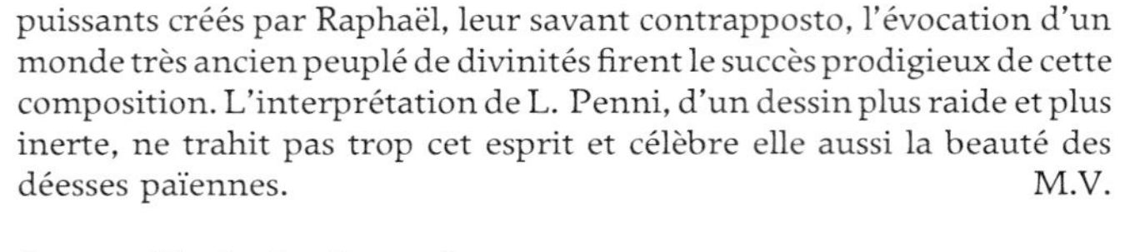

puissants créés par Raphaël, leur savant contrapposto, l'évocation d'un monde très ancien peuplé de divinités firent le succès prodigieux de cette composition. L'interprétation de L. Penni, d'un dessin plus raide et plus inerte, ne trahit pas trop cet esprit et célèbre elle aussi la beauté des déesses païennes. M.V.

Angers, Musée des Beaux-Arts

Pape (M.D.)

Actif vers 1550-1575 à Limoges

*Ce maître qui signait diversement ses pièces (*MD, MP, MDPP, *etc.) fut un artiste de haut niveau dans le domaine des émaux en grisaille. Sa technique est hardie, son dessin, énergique et gracieux à la fois, stylise les formes ; il crée des contrastes abrupts, use de hachures comme les graveurs. Ses pièces sont recouvertes d'un enduit translucide gris ou bleu qui leur donne un fini précieux. Le Louvre possède une coupe en grisaille où il a reproduit le* Triomphe de Galatée *de Raphaël, gravé par Marcantonio (Bartsch illustré, 1978, vol. 27, p. 47, n° 350) et une plaque ronde offrant un détail de l'*Enlèvement d'Hélène *gravé par le même d'après Raphaël (Bartsch illustré, 1978, vol. 26, p. 208, n° 209).* M.V.

375
Les trois Grâces

Plaque émaillée, grisaille
H. 0,247 ; L. 0,127
Monogrammé à gauche : *MP.* au bas : « SIC ROMA NIVEO CARITES EX MARMORE FULGENTE »

Historique :
Collection Spitzer, vente 1893, n° 466 ; acquis à la vente.
Inv. CI.13078

Bibliographie :
Popelin, 1881, p. 124 ;
Popelin, 1891, t. II, n° 50 bis ;
Verdier, 1967, in n° 162 ;
Fay-Hallé, 1970, n° 144.

ill. 313

Le motif reproduit une gravure de Marcantonio (Bartsch illustré, 1978, 27, p. 35, n° 340), en coupant les palmiers qui se voient dans le cintre. Il se trouve une autre plaque émaillée du même motif en sens inverse, par le même maître, à Baltimore (Walters Art Gallery ; Catal. Verdier, 1967, n° 162). La ressemblance entre le relief gravé et le petit tableau des *Trois Grâces* de Raphaël (Chantilly, musée Condé) a conduit à le rapprocher traditionnellement de l'artiste.

Le succès de ce motif est attesté par une gravure d'Enea Vico en 1542 (Bartsch, 1813, XV, n° 20) qui reprend les trois figures féminines, dont les proportions plus élancées reflètent l'évolution du maniérisme italien, placées devant un paysage rocheux. Carlo Maratta a gravé le motif des *Trois Grâces* au haut de sa planche d'après l'*École d'Athènes,* voulant exprimer par là qu'il résumait à ses yeux l'art de Raphaël. M.V.

Écouen, Musée national de la Renaissance

Attribué à M. D. Pape

376
Neptune apaisant la tempête

Plaques d'émail peint en grisaille, rehauts d'or
H. 0,20 ; L. 0,29, encadré

Historique :
Vente Debruge Duménil, 1850, n° 754 ; coll. Dutuit ;
legs Dutuit, 1902. Inv. Dutuit 1.251.

Bibliographie :
Cain, 1903, pl. 49 ;
Catal. Lapauze, 1907, n° 1251 ;
Catal. Lapauze-Gronkowski, 1925, n° 1308.

ill. 312

Cette superbe composition reproduit partiellement l'une des plus célèbres planches de Marcantonio Raimondi d'après Raphaël (Bartsch illustré, 1978, 27, p. 49, n° 352), appelée communément le *« Quos* ego », en raison des vers de l'*Énéide* de Virgile où Neptune s'adresse aux vents, leur enjoignant d'apaiser la tempête où la flotte troyenne menaçait de périr. 4 des 9 petites scènes de l'encadrement sont ici figurées : Junon sur son char et Éole (transformé en Mercure), Vénus sur son char et l'Amour, Vénus en chasseresse apparaît à Énée, Didon reçoit Énée dans son palais. La pièce, d'une très haute qualité, est attribuée à M. D. Pape. Les corps nus de Neptune et d'Éole sont modelés avec une subtilité remarquable, grâce à la transparence des couches d'émail blanc appliquées sur le fond noir. Les draperies, les chevelures, les crinières des chevaux marins sont suggérées par des rehauts blancs ondulants. Des hachures noires dans les flots déchaînés et des rehauts d'or dans le ciel où soufflent les vents achèvent de donner à ces images poétiques un fini précieux. M.V.

Paris, Musée du Petit Palais

Reymond (Pierre)

Actif à Limoges de 1534 à 1584

Les coupes et autres pièces de vaisselle que son atelier produisit en grande série sont toujours décorées de motifs empruntés à la gravure, d'abord flamande et italienne, plus tard française. Les formes assez massives sont cernées d'un contour noir qui les durcit encore. M.V.

377
Assiette avec Vénus remettant une boîte à Psyché

Émail peint en grisaille, rose et rehauts d'or sur fond noir
Diam. 0,24

ill. 315

Historique :
Coll. Dutuit ;
legs Dutuit, 1902. Inv. Dutuit 1.266.

Bibliographie :
Catal. Lapauze, 1907, n° 1266 ;
Catal. Lapauze-Gronkowski, 1925, n° 1324 ;
Catal. exp. *Trésors des Musées de la Ville de Paris,* Hôtel de Ville, 1980, n° 18.

La scène peinte au centre de la pièce est la 24e de l'*Histoire de Psyché* d'après les gravures du Maître au dé (Bartsch illustré, 1982, 29, p. 218, n° 62). Dans la partie gauche une tour animée instruit Psyché de ce qu'elle devra faire au cours de son voyage aux enfers, épreuve que lui a imposée Vénus, jalouse de sa beauté. Le style du dessin, lourd et cerné, la stylisation un peu naïve du paysage et les rinceaux dorés qui entourent la scène sont semblables aux coupes de l'*Histoire de Psyché* conservées à Munich (Bayerisches Nationalmuseum), attribuées également à Pierre Reymond. M.V.

Paris, Musée du Petit Palais

Anonyme

Limoges, XVIe siècle

378
Déploration du Christ

Médaillon circulaire, émail peint en grisaille
Diam. 0,145

Historique :
Acquis en 1974. Inv. 342.

ill. 305

La pièce, parfois attribuée au « Maître fin », reproduit une gravure de Marcantonio Raimondi (Bartsch illustré, 1978, 26, p. 54, n° 37) qui reflète une première idée de Raphaël pour le retable que lui avait commandé Atalanta Baglioni de Pérouse. L'artiste émailleur a très habilement adapté la composition à la forme circulaire : le groupement compact des personnages ajoute au pathétique. Le graphisme complexe de la gravure a été stylisé avec élégance, tout en rendant sensible l'émotion douloureuse de la Vierge et des Saintes Femmes. M.V.

Limoges, Musée Municipal

Anonyme

Limoges, XVIe siècle

379
La Cène

Médaillon, cuivre émaillé, peint en grisaille, avec rehauts dorés, encadré
Diam. 0,136

Historique :
Don de Vicq, 1887. Inv. A. 218.

ill. 300

Le médaillon reproduit une estampe de Marcantonio Raimondi ou plutôt sa copie en contrepartie par N. Béatrizet (Bartsch illustré, 1978, 26, p. 42, 26 B). Le modello dessiné par Raphaël ou son atelier pour cette composition est conservé à Windsor (Royal Library ; Popham-Wilde, 1949, nº 805). La transposition de ce motif étiré en largeur dans un format circulaire posait un problème que le maître émailleur a résolu en supprimant les bustes de deux apôtres aux extrémités et en rapprochant les autres figures. La scène a ainsi perdu le caractère classique que lui conféraient l'architecture austère et la fenêtre serlienne et les intervalles séparant les Apôtres en groupe de trois, liés par leurs attitudes. La disposition des figures dans la plaque émaillée, plus resserrées et plus proches met, en revanche, mieux en évidence les réactions psychologiques violentes et contrastées des disciples aux paroles du Christ : « L'un de vous me trahira ». La technique, fine mais tendant à styliser les formes, l'emploi de hachures pour modeler les formes et de points blancs dans les yeux rappellent la pratique de M. D. Pape. M.V.

Lille, Musée des Beaux-Arts

Anonyme

Limoges, XVIe siècle

380
Sainte Famille

Médaillon circulaire, émail peint en grisaille
Diam. 0,165

Historique :
Coll. Dominique Morlot, Langres puis Troyes ;
legs au musées de Troyes, 1833, Inv. 833.1.44.

ill. 18

Bibliographie :
Catal. musée, 1850, nº 133 ;
Catal. musée, 1864, nº 270 ;
Catal. 1890 (émaux peints), nº 24.

Il s'agit ici davantage d'un « raphaélisme » que d'une inspiration directe et précise. Le groupe de la Vierge, saint Joseph, Jésus et saint Jean-Baptiste, s'apparente à diverses *Saintes Familles* de Raphaël, notamment à la *« Vierge à la longue cuisse »* gravée par Marcantonio (Bartsch illustré, 1978, 26, p. 84, nº 57), mais la disposition des personnages est ici beaucoup plus compacte. La servante à droite paraît reproduire, en sens inverse, la figure de Psyché dans la planche II de l'*Histoire de Psyché* du Maître au dé, *Le peuple rendant des honneurs divins à Psyché* (Bartsch illustré, 1982, 29, p. 196, nº 40). Malgré le déséquilibre de la composition, le dessin est gracieux et la technique très fine. M.V.

Troyes, Musée des Beaux-Arts

Jean (P.)

Actif vers 1650-1660

Sans aucun doute le peintre sur émail qui a signé et daté en 1653 une Sainte Famille *en miniature autrefois dans les collections du duc de Rutland à Belvoir Castle (Williamson, 1904, I, p. 188) et une* Vierge à l'Enfant *d'après Mignard (catal.* Miniatures and Enamels from the D. David-Weill Collection, *Paris, 1957, nº 327, repr.). On ne sait rien de cet artiste, dont le nom comme les œuvres qu'on connaît de lui laissent présumer des attaches françaises.* D.C.

381
La Sainte Famille au palmier
D'après le tableau d'Édimbourg

Émail, forme ovale
H. 0,062 ; L. 0,075
Signé et daté au dos :
P. Jean. fecit./1660

ill. 7

Historique :
Entré dans les collections du Louvre à une date inconnue. Inv. 35.758.

Peinture sur émail d'après la *Sainte Famille au palmier (* collection du duc de Sutherland, en prêt à la National Gallery d'Édimbourg). La copie cadre en ovale une composition circulaire. Le miniaturiste a retranché en haut et en bas à l'œuvre originale, tandis que latéralement, il a étiré l'espace conçu par Raphaël. Les variantes sont infimes dans le dessin : seule manque la barrière derrière la Vierge ; et la surface bombée du support crée comme un effet de grossissement de loupe sur l'Enfant. En revanche les coloris sont, c'est une des possibilités de la technique de l'émail, d'une fraîcheur et d'une vivacité quelque peu surprenantes si l'on se réfère à l'aspect actuel de l'original. (Kelber, 1979, pl. 60 en couleur). Il est vraisemblable cependant qu'ils reflètent assez fidèlement l'état ancien du tableau, qui ne se trouvait sans doute plus quand la miniature fut peinte (1660) dans la collection de l'abbé de La Noue (mort avant 1657 selon Bonnaffé, 1884, p. 158) mais peut-être dans celle d'Antoine Tambonneau (*id.*, p. 158 ; Brigstocke, 1978, pp. 111 - 112, nº 24, 27) à Paris. L'original, malgré la transposition de bois sur toile, le voile d'un vernis jaune irrégulier, et quelques repeints, serait encore, selon H. Brigstocke (1978, p. 110), en excellent état.

D.C.

Paris, Musée du Louvre, Cabinet des Dessins

Jean (P.)

1862

382
Coupe ronde : Galatée

D'après la fresque de la Farnésine

ill. 211

Manufacture impériale de Sèvres
Décor par Jacob Meyer-Heine
Émail sur cuivre
Diam. 0,645 m

Historique :
Exécutée en 1862 ; Exposition universelle de 1862 ; attribuée au musée par la manufacture sous le nº 2-15 et avec l'estimation de 3 000 F (arrêté du 7 mai 1875) ; inventoriée en 1879. Inv. MNC. 7.549.

Le 31 octobre 1845 fut officiellement créé l'atelier d'émaillage de la Manufacture de Sèvres à la demande du Roi et sur l'instigation de Brongniart. Les premiers travaux furent présentés à l'Exposition des Manufactures royales de juin 1846. Ce sont, au début, des pièces peintes en grisaille dans le style soit indien soit Renaissance, souvent dans ce cas à l'imitation des œuvres limousines.

A la tête de l'atelier on plaça le peintre d'ornements à la Manufacture et émailleur Jacob Meyer-Heine (1805-1879), qui fut nommé peintre émailleur le 1er janvier 1846 et émailleur chef le 1er juin 1848.

Il est l'auteur de cette coupe représentant *Galatée* exécutée d'après la fresque de Raphaël à la Farnésine. L'adaptation d'une composition rectangulaire à la surface circulaire de la coupe a entraîné quelques modifications. La scène principale a été réduite par la suppression des deux tritons soufflant dans des conques marines ; celui de gauche est évoqué par l'Amour représenté dans un des médaillons réservés dans les rinceaux d'or qui ornent la bordure. Les trois putti bandant leur arc, qui voletaient dans le ciel, ont été relégués dans les trois autres médaillons. En revanche, l'artiste est resté très proche de son modèle pour l'essentiel de la scène, la fille de Nerée entraînée par le char de Polyphème et les deux groupes de naïade et triton qui l'entourent. Ces figures sont heureusement traitées en camaïeu manganèse rehaussé de blanc et d'or sur fond noir alors que le modelé, pour le moins relâché, des putti peints en rouge de fer et or sur fond blanc, comme le sont les coquilles et coraux des réserves qui alternent sur la bordure avec les médaillons circulaires, ne fait pas honneur au talent de leur auteur.

E.F.

Sèvres, Musée national de Céramique

383
Coupe ronde : les dieux

D'après la mosaïque de Santa Maria del Popolo

ill. 218

Manufacture impériale de Sèvres
Décor par A. Gobert et Philip.
Émail sur cuivre
Diam. 0,660 m
Signé sous la figure de Mars : A. Gobert et sous celle de Diane : PHILIPP E. Inscription sur le phylactère posé sur le globe : MAN/IMP./SEVRES et 1862.

Historique :
Exposition Universelle de 1862 ; attribuée au musée par la manufacture sous le nº 2-12 et avec l'estimation de 6 700 F (arrêté du 7 mai 1875) ; inventorié en 1879. Inv. MNC. 7.541.

Les émaux de Sèvres connaissant un rapide succès, on songea à donner de l'aide à Jacob Meyer Heine. Paul Delaroche, membre, avec Ingres, du Conseil supérieur de Perfectionnement des Manufactures nationales créé en 1848, recommanda un de ses élèves Alfred-Thompson Gobert (Paris, 1822 - La Garenne-Colombes, 1894) qui entra à la Manufacture comme peintre de figures le 15 février 1849. Il est inscrit sur les états du personnel à partir du 1er janvier 1852 et lorsque l'atelier d'émaillage ferma en 1872 pour raisons d'économie, il devint peintre sur porcelaine et termina sa carrière comme directeur des travaux d'art (1887-1891). Avec la collaboration de Jean-Baptiste-César Philip (1815-1877), excellent praticien et chargé de la partie technique de l'atelier d'émaillage, il réalisa la transposition sur émail de la mosaïque exécutée par le vénitien Luigi de Pace sur les dessins de Raphaël à la chapelle Chigi de l'église Sainte-Marie-du-Peuple à Rome. Le choix de la décoration d'une coupole convient parfaitement à sa copie sur une coupe. Aussi la composition originale est-elle respectée dans son essence bien que les zones ornementales en stuc aient été simplifiées, voir même supprimées. Les figures — Dieu le père, créateur du firmament, entouré des symboles des sept planètes dirigées chacune par un ange, selon la conception dantesque — reprennent fidèlement les modèles raphaélesques. On reconnaît, en dessous du Tout-Puissant, Jupiter, avec à sa droite Saturne, Diane et Mercure, et à sa gauche, Mars, Apollon, Vénus, toutes ces figures étant traitées en camaïeu bleu et détails en or sur le fond noir de la coupe. Sur le phylactère que tient l'ange situé au-dessus de Dieu le Père, la marque de la Manufacture s'est substituée au verset de la Genèse (Ch. I, v.14) qui devait (?) à l'origine expliciter la scène.

E.F.

Sèvres, Musée national de Céramique

Anonyme

Vers 1830

384
Portrait de jeune homme accoudé
D'après le tableau du Louvre*

Émail sur cuivre
H. 0,088 ; L. 0,064

Historique :
Entré dans les collections du Louvre à une date inconnue. Inv. 35.767.

ill. 367

Le *Portrait de jeune homme** autrefois tenu pour un autoportrait de Raphaël (Louvre, INV 613) a été scrupuleusement copié par le miniaturiste avant que les agrandissements apocryphes soient cachés et les vernis allégés. Le vert bouteille de l'habit, le fond jade, la coiffure anthracite et le rose fané du ruban documentent sans doute l'aspect du tableau vers 1820-1830. Il semble qu'à ce moment l'image littéraire de Raphaël, image de la grâce juvénile et de l'innocence méditative telle qu'elle apparaît chez Balzac vers 1831-1834 (II, *La femme de trente ans,* p. 1156) montre le « génie enfant rêvant sur le seuil de sa destinée » (Lamartine, Prologue à *Raphaël,* Paris, éd. 1910, p. 6) et recouvre parfaitement l'idée qu'on avait de l'artiste par cet autoportrait présumé. La réduction de l'œuvre en miniature rappelle en outre la séduction intime que pouvaient exercer les traits candides prêtés à l'artiste.
D.C.

Paris, Musée du Louvre, Cabinet des Dessins

Céramiques

Constantin (Abraham)

Genève, 1785 — id., *1855)*

La Vierge à la chaise, *exécutée en 1808 sur émail par le jeune peintre genevois peu après son arrivée à Paris, inaugure l'étonnante série de copies d'après Raphaël faites par Constantin au cours de sa carrière. Cette première copie, sur émail, fut acquise, grâce à l'intermédiaire de Gérard et de Denon, par l'Impératrice et ouvrit à son auteur le chemin de la Manufacture de Sèvres pour laquelle il commença à travailler en 1813 (voir le relevé des travaux d'Abraham Constantin à la Manufacture de Sèvres de 1813 à 1848, par M. Lechevallier-Chevignard,* in *D. Plan,* A. Constantin, peintre sur émail et sur porcelaine, *Genève, 1930).*

Les copies sur porcelaine de la Vierge au poisson *et de la* Visitation *(1817) retinrent l'attention du roi qui commanda aussitôt une réplique partielle de la* Sainte Famille de François Ier* *et valurent à Constantin sa première mission italienne (1820-1825). A Florence, il s'intéressa essentiellement à l'œuvre de Raphaël et vendit en bloc l'ensemble de ses tableaux au prince de Carignan après les avoir exposés à Gênes, Turin, Genève, Paris et Londres. Brongniart lui manifesta son estime en le plaçant à la tête de l'éphémère « École royale de peinture en couleurs vitrifiables », installée rue de Rivoli à Paris en 1826, et surtout en lui confiant l'insigne honneur de fixer pour l'éternité sur porcelaine les fresques de Raphaël au Vatican, jugées alors « dans un état de ruine, bien voisin de la destruction » — et qui « se détruisent journellement ».*

A cours de son séjour romain (1820-1833), Constantin ne put réaliser qu'une faible partie de ce programme titanesque qui semblait, à l'origine, vouloir englober tout ce que Raphaël avait peint à fresque au Vatican et même à la Farnésine. De nouveaux voyages en Italie en 1835, 1836, 1839, 1840 et 1844 lui permirent de compléter son œuvre d'après Raphaël et il se rendit même à Dresde pour y copier la Vierge de Saint Sixte. *En 1845, il regagna son pays natal où il finit ses jours.*

Son admiration passionnée pour Raphaël — qui le rapprocha d'Ingres et surtout de Stendhal — éclate dans le guide qu'il rédigea à l'intention des amateurs de peinture visitant Rome intitulé Idées italiennes sur quelques tableaux célèbres *(1840). Une grande partie de l'ouvrage est consacrée au maître d'Urbino et Constantin affirme avoir « le droit d'en parler » compte tenu du nombre d'heures passées devant ses œuvres, 1560, précise-t-il, pour la seule* Transfiguration.
E.F.

385
La libération de saint Pierre
D'après la fresque du Vatican

Manufacture royale de Sèvres
Porcelaine dure
H. 0,780 ; L. 0,920
Inscription, sur le cadre : *La délivrance de St Pierre./par Raphaël. Copiée à Rome par A. Constantin 1842*

ill. 189

Historique :
Entreprise (dessin préparatoire) en 1830. Achevée en 1842. Exposition des Manufactures royales, 1842, n° 1 ; attribuée au musée par la Manufacture avec estimation à 24 000 F (arrêté du 7 mai 1875) ; inventoriée en 1879. Inv. : MNC. 7.644.

Bibliographie :
D. Plan, 1930, pp. 105, 187.

A la lecture de la correspondance, nourrie, échangée par Brongniart et Constantin entre 1829 et 1833 (Arch. Sèvres, T12, L14, P24) on reste stupéfait en apprenant les conditions dans lesquelles les copies de la *Messe de Bolsène,* de l'*École d'Athènes* et sans doute de la *Libération de saint Pierre* (conservées au Musée national de Céramique) ont été réalisées. Les plaques blanches, choisies selon les indications du peintre, étaient envoyées à Rome. Ébauchées, elles revenaient à Sèvres pour la cuisson, repartaient à Rome pour être retouchées et étaient renvoyées à la manufacture pour l'ultime passage au feu. Ces voyages, effectués jusqu'à Marseille par les soins d'une compagnie à l'appellation de circonstance « A la garde de Dieu », puis par mer jusqu'à Civita-Vecchia, se passèrent tous sans accident.

De multiples difficultés et contretemps vinrent rapidement tempérer l'enthousiasme du peintre. Sans cesse il se plaint de l'impossibilité de mettre aux carreaux, des problèmes posés par le respect des proportions entre les différentes scènes, de l'incommodité de l'échafaudage mis à sa disposition, du manque de recul, de l'obligation de retenir sa place devant les œuvres, de la fréquente fermeture des salles à cause des fêtes ou des troubles de mars 1831, enfin et surtout, du « manque de lumière » qui lui « fatigue la vue à un point extrême ». Dès juin 1830, il décide de renoncer à la *Dispute du Saint Sacrement*. « Cet ouvrage est si considérable que je ne me sens pas le courage de l'entreprendre, malgré son extrême beauté ». A la suite des événements de 1830, Brongniart lui écrit : « Il est nécessaire de suspendre nos arrangements. Terminez les deux tableaux que vous avez en train, c'est-à-dire la Messe de Bolsena et l'École d'Athènes mais n'en commencez pas d'autres » (lettre du 15 mars 1831). De fait, la *Délivrance de saint Pierre* ne fut pas exécutée à cette époque alors que dès le 21 novembre 1829 Constantin indiquait les dimensions de la plaque nécessaire à cette copie. Le 26 avril suivant, il écrivait : « si j'avais la grandeur bien exacte de la plaque destinée au Saint Pierre, j'aurai pu... m'occuper du dessin. » En fait, il était arrivé malheur à la grande et belle plaque sélectionnée par Brongniart, trouvée cassée dans la caisse et on dut envoyer celle qui avait été initialement choisie (voir la lettre de Brongniart du 28 mai 1830).

En juin 1830, Constantin mentionne pour la dernière fois le *Saint Pierre* qui ne sera réalisé que dix ans plus tard, dans des circonstances qui demeurent totalement inconnues. E.F.

Sèvres, Musée national de Céramique

Ducluzeau (Marie-Adélaïde)

Paris, 1787 — id., *1849*

Madame Ducluzeau, née Marie-Adélaïde Durand, fut avec Victoire Jaquotot et Abraham Constantin l'une des grandes vedettes de la copie de tableaux sur porcelaine à Sèvres, sous le règne de Brongniart (1800-1847). Elle travailla à la Manufacture comme peintre de figures à partir de 1818, d'abord « en extraordinaire » jusqu'en 1824, puis fut régulièrement inscrite sur les états du personnel. Elle fut réformée par arrêté du 28 avril 1848 avec une pension mensuelle de 150 Fr. Elle apparaît moins « raphaélienne » que ses glorieux rivaux ; ses choix sont plus éclectiques : Carrache, Dominiquin, et Gérard dont elle copia la Sainte Thérèse, *se taillant ainsi un beau succès. D'après l'œuvre de Raphaël, on ne connaît que le tableau exposé ici. Ce moindre intérêt apparent pour l'œuvre du maître est peut-être dû au directeur de la Manufacture qui la jugeait sans indulgence et ne l'estimait sans doute pas digne d'une si haute tâche. Ainsi, à propos de la copie du portrait en pied de la* Duchesse de Berry *par Kinson, Brongniart annota la demande de Madame Ducluzeau : « Répondu le 22 mars 1821 que je ne pus assez de confiance dans ses moyens pratiques pour lui donner à faire une pièce de cette importance (voir M. Brunet,* Cahiers de la Céramique, du Verre et des Arts du Feu, *1956, n° 2, p. 33). Ebelmen, son successeur à la tête de la Manufacture se montra moins sévère et lui écrivit lorsqu'elle fut réformée : « je ne désespère pas, Madame de pouvoir utiliser votre talent pour le service de la Manufacture quand nous aurons à reproduire sur porcelaine des tableaux des Musées que personne aujourd'hui ne peut comprendre mieux que vous » (Arch. Sèvres, T15, L9, D12).*

E.F.

386
La Vierge au voile
D'après le tableau du Louvre*

Manufacture royale de Sèvres
Porcelaine dure
H. 0,670 ; L. 0,470
Signé et daté en bas à droite :
Adélaïde Ducluzeau. 1848./ d'après Raphaël

Historique :
Peint en 1846-1848. Exposition des Manufactures nationales, 1850, n° 1 ; attribué au Musée par la Manufacture avec estimation à 6 000 F (arrêté du 7 mai 1875) ; inventorié en 1879. Inv. : MNC. 7.659.

ill. 35

Bibliographie :
Rousseau, 1935, p. 121.

La *Vierge au voile* est le dernier tableau peint par Mme Ducluzeau et il n'apparaît à l'Exposition des Manufactures nationales qu'après la mort de l'artiste mais son élaboration se révéla d'une extrême lenteur. P.A. Jeanron rapporte que le tableau du musée resta cinq ans dans son atelier : la pratique de prêter des œuvres originales aux artistes des Manufactures d'État était alors courante. Ceci ne suffit pas à l'exigeante artiste qui obtint par protection un atelier au Louvre où l'œuvre fut laissée à sa disposition pendant trois semaines. Enfin, le 13 novembre 1848 (lettre à Brongniart, Arch. Sèvres Ob3, Adélaïde Ducluzeau, « Notes et renseignements personnels ») le tableau pouvait être réinstallé à sa place ; Mme Ducluzeau avait terminé les corrections indiquées par Ingres et pouvait s'exclamer : « C'est qu'en mon âme et conscience j'avais fini ». Moyennant quoi, en février suivant, la plaque était toujours au Louvre et Mme Laurent avait judicieusement empêché qu'on mît du bois devant !

Cette composition de Raphaël fut très en vogue chez les peintres en porcelaine ; Victoire Jaquotot en exécuta une réplique en 1834 qui fut offerte au Pape par le Roi en 1844 et reçut pour l'occasion un cadre de bronze et porcelaine. Auparavant, ce thème avait déjà tenté des décorateurs parisiens : Perche, vers 1820, et Bunel, en 1823, le peignirent au bassin d'assiettes (vente Sotheby-Parke Bernet, Monaco, 4 mai 1977, n°s 40 et 41). E.F.

Sèvre, Musée national de Céramique

Jaquotot (ou Jacquotot) (Victoire)

Paris, 1772 - Toulouse, 1855

Au terme d'une glorieuse carrière, l'ultime souhait de Victoire Jaquotot était que sur la pierre de son tombeau soient inscrits ces seuls mots : « Créateur de la Peinture inaltérable ».

En effet, cette artiste connut la célébrité sous l'Empire et la Restauration, en copiant sur porcelaine pour le compte de la manufacture de Sèvres les chefs-d'œuvre des grands Maîtres, de Raphaël en particulier. Sa vie est assez bien connue grâce à un mémoire rédigé en 1852 à l'occasion d'un procès intenté par son beau-frère après la mort de son second mari (arch. Sèvres Ob3, dossier V. Jaquotot).

Elle commença sa carrière sous l'Ancien Régime en faisant à Saint-Cloud le portrait de Marie-Antoinette. Par son mariage, elle appartient à la dynastie des Le Guay, peintres à la manufacture de Sèvres et dans divers établissements parisiens. Contrairement à ce qui a souvent été écrit, elle n'est pas née Le Guay, mais a épousé Étienne-Charles Le Guay, comme le prouve l'acte de mariage de Christophe Dihl et Mme Guerhard, où les Le Guay sont témoins (Arch. nat., Minutier central des notaires - Étude 86, 6 nivôse an VI ; renseignement communiqué par R. Plinval de Guillebon). En 1800 ou 1801, elle entra à la manufacture de Sèvres comme peintre de figures et fut gratifiée du titre de « peintre sur porcelaine du Cabinet du Roi », en 1816, et en 1828 de celui de « Premier peintre sur porcelaine du Roi ». Ses compétences l'amenèrent à ouvrir à Paris une École pour la peinture sur porcelaine qui fonctionna pendant vingt ans environ et fut fréquentée constamment par une trentaine d'élèves femmes au prix de 20 francs par mois. Elles lui valurent aussi d'être chargée par Brongniart de missions en Italie et en Allemagne. En 1842, la santé de son époux la contraignit à se retirer à Toulouse où elle passa la fin de sa vie, ruinée par la mauvaise gestion de sa fortune et la rapacité de son beau-frère.

*En son temps, Victoire Jaquotot paraît avoir fait figure de « diva ». Ingres, dans des lettres de 1844 (*Bulletin du Musée Ingres*, 1969, nº 25, pp. 21-22) l'assure de sa « haute admiration » et loue son « divin talent ». Quant à l'artiste, elle semble profondément convaincue de sa valeur et n'hésite pas à écrire à Brongniart à propos d'un projet de portrait en grand de Louis XIV : « Cette idée me plaisait à exécuter pour la Mture (sic) Royale. Je la trouvais digne d'elle et de moi » (Arch. Sèvres T6 LI D3).* E.F.

387
La Vierge à l'œillet
D'après un tableau de Raphaël

ill. 23

Manufacture royale de Sèvres
Porcelaine dure
H. 0,314 ; L. 0,266
Signé et daté en bas à gauche :
Victoire Jaquotot/Peintre du Cabinet du Roi./1817.

Historique :
Exposition des Manufactures royales 1818, nº 11 ; inventorié au Louvre sous les numéros Inv. : 32 964 et 35 600 ; déposé au musée de Sèvres (arrêté du 22 mai 1924) et inventorié en 1925. Inv. MNC 16 855.

Alexandre Brongniart écrit dans son *Traité des Arts céramiques* (1841-1844) : « C'est vers l'an 1814 qu'on a commencé à appliquer le coulage à la fabrication des plaques à peindre. » Ce perfectionnement technique donna une formidable impulsion à un genre de production que l'on avait déjà pratiqué au siècle précédent, et qui allait connaître pendant près de cinquante ans un immense succès, la copie de tableaux sur porcelaine.

La Vierge à l'œillet, d'après une version du tableau alors en possession d'un amateur, est probablement l'un des tous premiers essais de Mme Jaquotot dans un domaine où elle réussira admirablement et lui valut sans doute la pension de 1 000 F que Louis XVIII lui donna en 1818 en disant : « Madame, c'est un commencement. » Ledru-Rollin, dans une lettre du 22 septembre 1817 (in *Revue politique et littéraire, Revue bleue*, 49e année, 1911, nº 6, 6 août) rapporte un autre témoignage de l'admiration du roi pour l'artiste : « Je suis allé à Paris un jour pendant lequel on m'a présenté à Madame Jaquotot, peintre du Roi, elle nous a fait voir une *Sainte Famille* d'après Raphaël vendue 7.500 Fr... Louis XVIII, émerveillé, dit à Madame Jaquotot « Vous êtes heureuse, Madame, que Raphaël ne soit plus car il serait jaloux de votre talent ». » E.F.

Sèvres, Musée national de Céramique

388
La Vierge de Foligno
D'après le tableau du Vatican

ill. 37

Manufacture royale de Sèvres
Porcelaine dure
Diamètre 0,400
Signée, datée, au revers en rouge :
Victoire Jaquotot/d'après Raphaël/Paris 1827.

Historique :
Legs de M. Comairas au musée du Louvre ; Inv. R.F. 378 ; déposé au musée de Sèvres (arrêté du 22 mai 1924) et inventorié en 1925 ; Inv. MNC 16 852.

Nulle part mention n'est faite de ce tableau, ni dans les archives de Sèvres, ni dans les notices des Expositions des Manufactures royales. La présence du mot *Paris* dans l'inscription tracée au revers de cette plaque — plaque qui semble bien sortie, tout comme les couleurs, des ateliers de la Manufacture — pourrait laisser entendre qu'il s'agit d'un travail exécuté à l'extérieur, en l'occurence dans l'atelier-école parisien, pour le compte de l'artiste. Ce cas s'est parfois produit, comme l'explique M. Brunet à propos de la copie du portrait de la duchesse de Berry par Mlle Arsène Trouvé (*Cahiers de la Céramique, du Verre et des Arts du Feu*, 1956, nº 2, p. 34). Mais la présence d'une inscription tout à fait comparable au revers de la copie de l'*Amour et Psyché* de Gérard par la même artiste, qui, lui, a figuré à l'exposition de 1825, incite à la prudence pour proposer cette hypothèse.

Cette copie ne reproduit que la partie supérieure de l'original, à la différence de l'exemplaire qu'Abraham Constantin peindra devant le modèle quelques années plus tard (1836). A l'époque, les artistes étaient encore tenus par les dimensions limitées des plaques dont ils pouvaient disposer. E.F.

Sèvres, Musée national de Céramique

389
Portrait de Raphaël par lui-même
D'après le tableau des Offices

ill. 373

Manufacture royale de Sèvres
H. 0,505 ; L. 0,397
Signé et daté en bas à droite : *Victoire Jaquotot/Florence 1840.* Deux marques au tampon en bleu, L et P entrelacées surmontées de la Couronne et Sèvres 1840. Au centre, grand monogramme et couronne imprimés en bleu.

Historique :
Peint à Florence en 1839-1840. Exposition des Manufactures royales, 1840, nº 3, *id.* 1842, nº 4 ; attribué au musée par la Manufacture avec estimation à 14 000 F (arrêté du 7 mai 1875) ; inventorié en 1878. Inv. MNC 7256.

Immédiatement après son remariage avec le Toulousain Isidore Piney, petit-fils de capitoul, mais sans fortune, Victoire Jaquotot, en guise de voyage de noces, s'embarqua pour l'Italie, chargée par le Gouvernement de conserver pour la postérité grâce à sa peinture inaltérable « les belles créations » de Raphaël. Les époux Piney séjournèrent huit mois à Florence, puis l'artiste entreprit une longue tournée qui la conduisit à Milan, Turin, Parme, Bologne et à nouveau Florence, au cours de laquelle elle peignit notamment la *Sainte Cécile* — c'est la copie estimée le plus cher, 50 000 F, en 1875 (déposé par le Musée national de Céramique au musée de Reims) — le *Portrait de Jules II* et l'*Autoportrait* des Offices. Ce tableau, dont les dimensions sont réduites par rapport à l'original, fut exécuté en 1839 et dans les premiers mois de 1840 car l'exposition ouvrait au Louvre le 1er mai. A l'époque, l'œuvre fut évaluée à un prix assez bas, 15 000 F contre 30 000 pour la *Sainte Cécile,* mais l'artiste eut toutes les peines du monde à obtenir l'intégralité de ce paiement. E.F.

Sèvres, Musée national de Céramique

Porcelaines de Sèvres

XIXe siècle

390
Assiette plate ordinaire : Psyché enlevée par Mercure

D'après la fresque de la loggia de Psyché de la Farnésine

ill. 229

Manufacture impériale de Sèvres
Porcelaine dure
Diamètre 0,240
Signée au revers en noir : *Georget pinx.* avec l'inscription : *Psyché enlevée par Mercure.*

Historique :
Exécutée en 1804 ; livrée au musée par la Manufacture en 1835 avec estimation à 100 F ; inventoriée la même année. Inv. MNC. 1791.

Bibliographie :
Brongniart-Riocreux, 1845, p. 316, nº 556 ;
Verlet, 1951, p. 40 ;
Fourest, Hallé, Préaud, 1975, p. 12, nº 29.

Cette assiette est l'une des 68 assiettes plates avec sujets qui entraient dans la composition du « Service Olympique » offert par Napoléon Ier au tsar Alexandre de Russie en 1807. Entrepris au début de 1805, ce service était achevé en septembre de l'année suivante, livré le 21 août et le 14 septembre 1807 aux Tuileries et aussitôt expédié en Russie. Il comprenait 140 pièces auxquelles s'ajoutaient un cabaret et un surtout en biscuit.

L'exécution en revint à Depérais pour les ornements, Boullemier et Constans pour la dorure, et pour les figures à Mme Jaquotot et Jean Georget. Le miniaturiste genevois, qui travailla à la manufacture de Sèvres comme peintre de figures de 1802 à 1823, se vit confier l'exécution de l'assiette nº 5, *Mercure et Psyché d'après Raphaël* (Arch. Sèvres Pb I, LI). De fait, le décor du bassin reproduit fidèlement un écoinçon de la voûte de la galerie de Psyché à la Farnésine (De Vecchi, 1982, nº 130). L'aile n'a pas reçu la frise d'or qui devait se détacher sur le fond brun rouge car la pièce, jugée défectueuse, resta inachevée. Ce fut sans doute une pièce d'essai, comme le laisse penser la date 1804 dans l'inventaire du Musée, ce qui explique qu'elle soit entrée dans les collections au lieu d'être envoyée en Russie. E.F.

Sèvres, Musée national de Céramique

391
Vase jasmin au portrait de Raphaël

ill. 388

Manufacture royale de Sèvres
Porcelaine dure
H. 0,350 ; Diamètre 0,225.

Historique :
Entré au magasin de vente de la Manufacture le 22 février 1834 (Arch. Sèvres Pb 9 bis L III 2) ; envoyé au château de Compiègne la même année. Inv. C 1 781.

Dans les registres d'entrée au magasin de vente de la manufacture de Sèvres, pour l'année 1834, on trouve, à la date du 22 février, mention (signalée par Brigitte Ducrot) des « deux vases Jasmin Japonais 1re [grandeur], fond vert de moufle et zone fond brun pourprée. Portraits en camée de Raphaël et de Michel-Ange. Attributs en or et platine peint, et décor en couleurs varié ». La dorure fut exécutée par Moyez et la peinture des ornements et des figures par Riton. Le prix de fabrication de cette paire de vases fut estimé à 130 F et celui de vente à 215 F.

Sous la direction de Brongniart, la Manufacture semble avoir été en peine d'inspiration. Excepté la glorification des souverains et de leurs familles, on ne savait plus bien que représenter. Aussi eut-on recours aux séries des grands hommes de tous les temps et tous les pays. Dans ce répertoire, les peintres illustres figurent en bonne place et il est légitime d'y voir apparaître Raphaël à plusieurs reprises. Ainsi, Victoire Jaquotot peignit les portraits de *Raphaël* et de *Van Dyck,* sur deux vases fuseaux, 3e grandeur, fond beau bleu, qui furent offerts par l'Empereur au vice-roi d'Italie en décembre de cette même année (Arch. Sèvres Vy 20, 25°). En 1814, elle commença le *Déjeuner des grands peintres n° 11,* abandonné deux ans plus tard à la suite d'un différent avec Brongniart, qui devait représenter cinq portraits et cinq ouvrages de Raphaël, Titien, Rembrandt, Van Dyck et Rubens. En 1815, Constantin était chargé de décorer le *Déjeuner n° 5, les Portraits de Rubens.* Des notes de Brongniart précisent que le pot à sucre devait être orné des portraits de *Raphaël* et *Jules Romain.* Ce service fut livré au roi en 1816 pour le duc de Berry. A l'exposition des produits des Manufactures de 1820, figure (n° 7) un vase fond bleu orné par Mlle Jenny-Denois d'un portrait de Raphaël, d'après le tableau du Musée connu alors sous le titre de *Raphaël et son maître d'armes* ;* sur son pendant se trouvait la copie du portrait de *Balthazar Castiglione*.* Enfin on consacra au peintre un guéridon, qui a figuré à l'exposition de 1840 ; sur le plateau, Mme Ducluzeau avait peint le père de Raphaël présentant son fils au Pérugin (voir Annexe I, Bézard). E.F.

Compiègne, Musée national du Château

Faïence de Rubelles

XIXe siècle

392
Médaillon circulaire : la Vierge à la chaise

D'après le tableau du Palais Pitti

Manufacture de Rubelles
Faïence fine à émail « ombrant » gris-bleu
Diamètre 0,040.

Historique :
Don de M. Maurice Keller en 1933.
Inv. : 28491.

ill. 48

Le marquis Alexis du Tremblay établit vers 1836-1838, dans le village de Rubelles, près de Melun, une manufacture de faïence fine à « émaux ombrants » et s'associa avec le baron de Bourgoing, inventeur du procédé. Ils obtinrent un brevet en 1842 et dix ans plus tard formèrent une nouvelle société avec un troisième personnage, Jules Hocédé. Malheureusement, cette fabrication extrêmement soignée se révéla si coûteuse que la manufacture dut fermer ses portes dès 1856.

La production consistait pour l'essentiel en assiettes de services, carreaux de revêtement et — nouveauté pour l'époque — lettres d'enseigne. Quant aux sujets, ils étaient des plus variés : produits de la nature, scènes galantes, portraits d'hommes et de femmes en costumes Louis XV, vue de ports, armoiries et même épisodes de la conquête de l'Afrique. Mais les copies de tableaux célèbres constituent, semble-t-il, des exceptions. On connaît une plaque représentant également la *Vierge à la chaise,* qui fut offerte, à la suite de l'Exposition de 1839, par le marquis du Tremblay à Brongniart pour son Musée Céramique et Vitrique (en dépôt au musée de Vierzon depuis 1926) et une reproduction du tableau de Paul Delaroche : *Les enfants d'Édouard* (au musée de Melun).

Nulle part, cependant, on ne trouve trace de petits objets relevant du domaine de la parure. Une assiette du musée national de Céramique, ornée au centre d'une scène de genre dans le goût hollandais, émaillée en gris et entourée de rinceaux manganèse, permet de supposer que le médaillon en question est en réalité le fragment central d'une assiette qui aurait été ultérieurement fixé dans une monture dorée. Ce cas est bien connu, notamment dans la majolique italienne, pour des tessons que l'on avait jugés particulièrement précieux, et pourrait prouver le prix que l'on attachait à ce type de décoration dans la production de Rubelles. E.F.

Paris, Musée des Arts décoratifs

Porcelaine de Limoges

1885

393
Plaque : La guérison du paralytique

D'après le carton des Actes des Apôtres

Limoges, manufacture Peyrusson
Porcelaine « parian »
H. 0,158 ; Larg. 0,228.

Historique :
Don de l'auteur au musée Adrien-Dubouché en 1885.
Inv. : ADL 4 570.

Bibliographie :
Giacomotti, Verlet, 1965, p. 76.

ill. 276

Une inscription à l'encre noire au revers de la plaque indique qu'il s'agit du « premier essai de parian français exécuté par Édouard Peyrusson en 1885 ».

La « parian » est une forme spéciale de porcelaine, ne contenant pas de quartz, qui cherche à imiter l'apparence du marbre et qui se prête particulièrement aux colorations dans la masse par adjonction d'oxydes métalliques (ici, la bordure et les colonnes sont teintées en gris-vert). Le mérite de cette invention revient à la manufacture anglaise de Copeland en 1844. Elle connut un vif succès en Angleterre et suscita de multiples imitations du genre « carrara porcelain ». En France, en revanche, on semble avoir été assez peu séduit par son aspect savonneux et conservé ses préférences pour le biscuit. L'essai limousin fut sans lendemain.

Pour son coup d'essai, Édouard Peyrusson n'hésita pas à s'attaquer à un grand classique de l'art en copiant en bas-relief l'un des cartons de Raphaël (aujourd'hui conservés au Victoria and Albert Museum) destinés à la tenture des *Actes des Apôtres* commandée par Léon X pour la Chapelle Sixtine.

Cette représentation de la *Guérison du Paralytique* reproduit, malgré ses dimensions très réduites, de façon étonnamment précise l'original, à l'exception de la bordure de rinceaux, cassolettes et masques, ajoutée par le céramiste. Mais cette précision ne réussit pas à contrebalancer la mollesse inhérente à la nature du matériau et l'on ne peut apprécier l'œuvre que sous un éclairage frisant, la plaque s'apparentant ainsi à la lithophanie. E.F.

Limoges, Musée national Adrien-Dubouché

Autres objets d'art

France, milieu du XVIIe siècle

394
Boîtier de montre

Or émaillé
Diam. 0,042 ; H. 0,024.

Historique :
Coll. Claudius Côte, Lyon ; legs Mme Claudius Côte, 1960. Inv. OA 10077.

ill. 201

Ce boîtier de montre de forme bassine montre, sur le couvercle et sur le revers du boîtier, deux compositions émaillées correspondant à deux détails de la *Bataille de Constantin* de la Chambre de Constantin au Vatican, peinte après la mort de Raphaël par ses élèves, sur ses dessins. Sur le pourtour du boîtier, à fond noir, trois paires de satyres alternent avec trois réserves à sujets mythologiques en camaïeu carmin. L'intérieur du boîtier, en camaïeu carmin, montre deux autres détails empruntés eux aussi à la *Bataille de Constantin*. Le Louvre possède une autre montre émaillée d'un style très comparable montrant, également, sur le revers du boîtier, un détail de la même fresque (coll. Olivier ; Inv. OA 8431). J.P.C.

Paris, Musée du Louvre, Département des Objets d'Art

Yver (Abraham?)

Angoulême, fin du XVIIe siècle

395
Montre « oignon »

Argent et laiton doré
Diam. 0,06 ; H. 0.04
Mouvement signé : *Yver à Angouleme.*

Historique :
Legs Mlle Olivier, 1935. Inv. OA 8311.

Bibliographie :
Cardinal (à paraître), n° 56 (avec bibliographie complète).

ill. 219

Le fonds du boîtier, en argent repoussé et gravé, montre *Vénus et l'Amour,* composition inspirée de la fresque de la Loggia de la Farnésine (De Vecchi, 1982, n° 130). Tout autour, quatre amours tenant un trident, une fourche, un arc et une torche, sont disposés symétriquement dans des décors de lambrequins, de feuilles d'acanthe et de palmette, inspirés des modèles de Jean Bérain. J.P.C.

Paris, Musée du Louvre, Département des Objets d'Art

France, vers 1820

396
Pendule avec la Vierge au poisson

Bronze doré, plaque de porcelaine
H. 0,53 ; L. 0,26 ; Pr. 0,15
Cadran signé *BROCOT A PARIS.*

Historique :
Collections royales espagnoles, XIXe siècle. Inv. I.n. 3769.

ill. 63

La plaque de porcelaine de Sèvres, copie de la *Vierge au poisson* du Prado (De Vecchi, 1982, n° 111), constitue l'élément principal du décor. La partie antérieure du socle de bronze doré est conçue comme un simple encadrement, à l'imitation d'un cadre de bois sculpté, de ce tableau. Le cadran lui-même, simplement mais élégamment entouré d'une guirlande de fleurs sortie de deux cornes d'abondance, reste subordonné au motif principal. L'horloger est Louis-Gabriel Brocot (voir Tardy, *Dictionnaire des Horlogers Français,* I, p. 100). J.P.C.

Madrid, collections du Patrimonio Nacional, Palais Royal

France, vers 1830

397
Pendule avec Raphaël et la Fornarina

ill. 356

Bronze doré
H. 0,68 ; L. 0,53 ; Pr. 0,23.

Historique :
Collections royales espagnoles, XIXe siècle.I.n. 5628.

Cette pendule de l'époque de la Restauration, montrant Raphaël et la Fornarina, emprunte le motif des deux personnages, en le développant dans la troisième dimension, au tableau de Picot du Salon de 1822, perdu mais gravé par Garnier (nº 295).

Le trophée avec les attributs des arts, sur le socle, fait allusion aux différents talents de Raphaël pour la peinture, l'architecture et la poésie.

Une pendule du Musée des Beaux-Arts de Tours (Inv. 972 12-103) légèrement plus tardive (vers 1835 ?) s'inspire du même motif avec quelques variantes et avec une patine noire pour les deux figures ; elle comporte la tablette sur laquelle dessine l'artiste, disparue sur la pendule de Madrid. J.P.C.

Madrid, collections du Patrimonio Nacional, Palais Royal

France, vers 1845

398
Pendule avec la Vierge Bridgewater

Bronze doré et à patine verte, chiffres du cadran émaillés
H. 0,540 ; L. 0,365 ; P. 0,18.

Historique :
Marché d'art, Paris, 1983 ; collection particulière.

ill. 30

La Vierge et l'Enfant constituent une transposition inversée, agrandie pour être en pied, et développée dans les trois dimensions, de la *Vierge Bridgewater* d'Edimbourg (De Vecchi, 1983, nº 73). Le socle, d'esprit « troubadour » et dans le goût de la Renaissance, comporte, latéralement, deux anges aux costumes féminins, le front paré d'une ferronière, qui terrassent les dragons servant de pieds.

D. Alcouffe nous fait remarquer que ce style de décor, avec les motifs de cuirs, fait penser aux compositions d'Aimé Chenavard (1798-1838) et compare l'objet exposé et une pendule appelée *Le Moyen-Age et la Renaissance,* modèle de la maison Thomire exposé en 1844 (J. Burat, *Expositions de l'Industrie Française. Année 1844. Description méthodique...* 1845, grav. au trait, pl. IX).

Plusieurs pendules plus médiocres, dans la seconde moitié du siècle, reprennent, comme ici, une madone de Raphaël en lui donnant du « corps » et en l'intégrant dans une composition : elles disposent la *Vierge à la chaise* dans un groupe en ronde-bosse figurant, avec un palmier, le *Repos en Égypte* (deux modèles différents, Saint-Ouen, marché d'art, mars 1982). J.P.C.

Paris, collection particulière

Cahier (Jean-Charles)

Soissons, 1772 — ?, après 1849

399
Calice

Vermeil et émail
H. 0,32.

Historique :
Offert le 1er novembre 1823 par Monsieur, futur Charles X, à l'église Sainte-Geneviève ; transféré à Notre-Dame à la demande du chanoine Pousset, sans doute au moment de la désaffectation de l'église, devenue le Panthéon, en 1885.

ill. 97

Bibliographie :
Auzas, sd., p. 19, fig. 11.

Cahier, successeur de Biennais, fut un spécialiste de l'orfèvrerie religieuse. « Orfèvre de Monsieur », comme le proclame sa carte d'adresse de 1819 (Bouilhet, II, 1910, repr. p. 131), Cahier travailla à plusieurs reprises pour le futur Charles X, puis pour ce monarque ; le trésor de la cathédrale de Reims conserve notamment les pièces qu'il exécuta, sur des dessins de Laffitte, pour le sacre de Charles X. Le calice exposé fait partie d'une chapelle offerte par ce prince à l'église Sainte-Geneviève en 1823. Le décor comporte sur la base des médaillons avec trois épisodes de la Passion et, sur le pied en forme de balustre, trois autres médaillons avec des têtes ; les trois *Vertus théologales* de la prédelle du *Retable Oddi* (Vatican ; De Vecchi, 1982, nº 70 C), transposées dans un format ovale, douceâtres de coloris et de sentiment, décorent la coupe. De semblables médaillons avec les *Évangélistes* décorent le plateau des burettes. D. Alcouffe nous indique que l'ensemble des médaillons semble, plutôt qu'en porcelaine de Sèvres, en émail. J.P.C.

Paris, cathédrale Notre-Dame, trésor

Caqué (Augustin-Armand)

Saintes, 1793 - Paris, 1881

Formé à l'école de sculpture de Rochefort, puis, comme graveur médailliste, chez Raymond Gayrard à Paris. Après avoir été employé à la Monnaie de La Haye (1817-18), il fait en France des médailles, des sceaux et des jetons, et il est nommé graveur en médailles de Napoléon III. Il est l'auteur de nombreuses séries, dont la Galerie numismatique des Rois de France *(Salons de 1836-39) et il a participé activement à la suite* Numismatica universalis virorum ilustrium *éditée par Durand (nº 400).* D.C.

400
Raphaël Sanctius

Médaille, bronze
Diam. 0,041
Avers : *Raphaël Sanctius Caqué f.*
Revers : *Natus/Urbini/in Italia/An M. CCCC LXXXIII Obiit/Romae/An. MD XX.*
Séries Numismatica/Universalis Virorum Illustrium M DCCC XXII Durand Edidit.

ill. 387

On chercherait en vain dans l'œuvre de Raphaël un portrait de profil que la tradition ait considéré comme un autoportrait. Ce n'est donc pas là qu'il faut chercher la source immédiate de sa représentation en médaille ; l'idée de reproduire ses traits de profil apparaît moins, il est vrai, le fait de peintres que de sculpteurs. Il est clair que ceux-ci, partant d'autoportraits (présumés ou réels) de Raphaël de trois quarts ou de face, devaient, pour atteindre à une représentation convaincante en trois dimensions, se faire une idée précise du profil de leur « modèle ». Le premier exemple de portrait de Raphaël sculpté en France par Sarazin au XVIIe siècle (fig. 190) en est la démonstration suffisante. En même temps, formule stylisatrice du portrait de la Renaissance italienne, le profil en médaille semblait particulièrement bien venu pour rendre l'image de Raphaël. Si ce sont là les fondements d'une tradition qui conduise à l'effigie frappée par Caqué, on ne peut nier que sa médaille apparaît à une date (1823) où l'image de Raphaël est à tel point banalisée que l'angle adopté pour le représenter et la physionomie qu'on lui prete perdent en signification.

La médaille de Caqué appartient à une série d'hommes illustres. Elle est le prototype de l'effigie peinte, onze ans plus tard, sur un vase de Sèvres (nº 391). Mais c'est finalement dans les programmes décoratifs des grandes institutions artistiques du XIXe siècle que cette formule de profil en médailles, prenant le tour monumental du médaillon, trouve à se réaliser pleinement. On en rencontre des exemples aussi bien au début du siècle dans un projet de Percier pour une salle de musée (Louvre, Cabinet des Dessins, Inv. 32.296), qu'en 1840 dans la cour vitrée du palais des études à l'École des Beaux-Arts, sculpté par Charles-Émile Seure (Lami, 1921, p. 255), jusqu'au décor en mosaïque de la voûte de l'escalier Daru au Louvre, à la fin du siècle. D.C.

Paris, Bibliothèque Nationale, Cabinet des Médailles

Illustrations

Les illustrations sont groupées autour des œuvres de Raphaël
auxquelles elles se rapportent.

Celles-ci ont été classées, par thème et par technique, selon six chapitres :

Correspondant à chaque œuvre de Raphaël
sont présentées d'abord, chronologiquement,
les œuvres françaises directement en rapport avec elle, puis,
chronologiquement, celles qui en sont plus ou moins lointainement dérivées.

Un septième chapitre est consacré à :

Les illustrations de référence (pièces non exposées), de petit format,
ont leur propre numérotation (fig.).

Pour les légendes, les titres et les localisations ont été abrégés,
le nom seul d'une ville indiquant le principal musée de cette ville.

Œuvres en rapport avec les Madones et les Saintes Familles de Raphaël

Raphaël
Vierge du Grand Duc
Florence, Pitti

1. Ingres
La Vierge du Grand Duc
Montauban (cat. 122)

2. Denis
La Vierge du Grand Duc
Saint-Germain-en-Laye, Prieuré (cat. 73)

3. Barre
Madame Delaroche
Louvre, Sculptures (cat. 342)

fig. 1. Magritte
L'esprit de géométrie
Londres, Tate Gallery

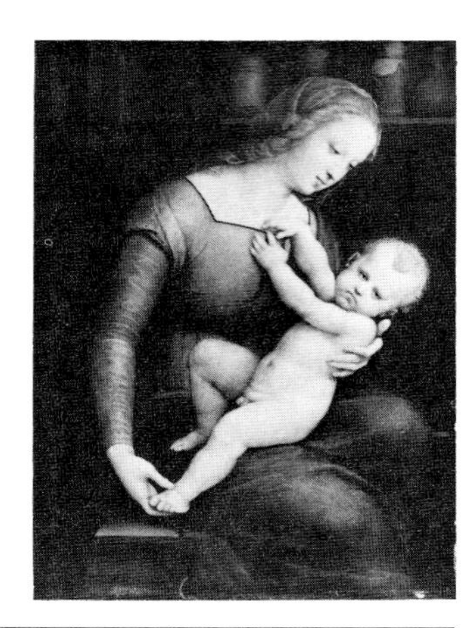

Raphaël
Vierge d'Orléans
Chantilly

4. Boucher-Desnoyers
La Vierge d'Orléans
Paris, Éc. des Beaux-Arts (cat. 29)

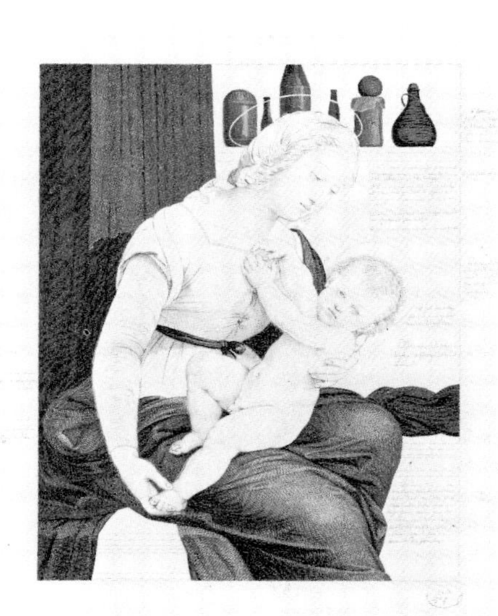

5. Forster
La Vierge d'Orléans. 1er état
Paris, B.N., Estampes (cat. 291)

6. Forster
La Vierge d'Orléans. 8e état
Paris, B.N., Estampes (cat. 292)

fig. 2. Bourgogne, v. 1530?
La Vierge et l'Enfant
Dijon, Beaux-Arts

Raphaël
Sainte Famille au palmier
Edimbourg

7. Jean
La Sainte Famille au palmier
Louvre, Cabinet des dessins (cat. 381)

Raphaël
Vierge du Belvédère, détail
Vienne

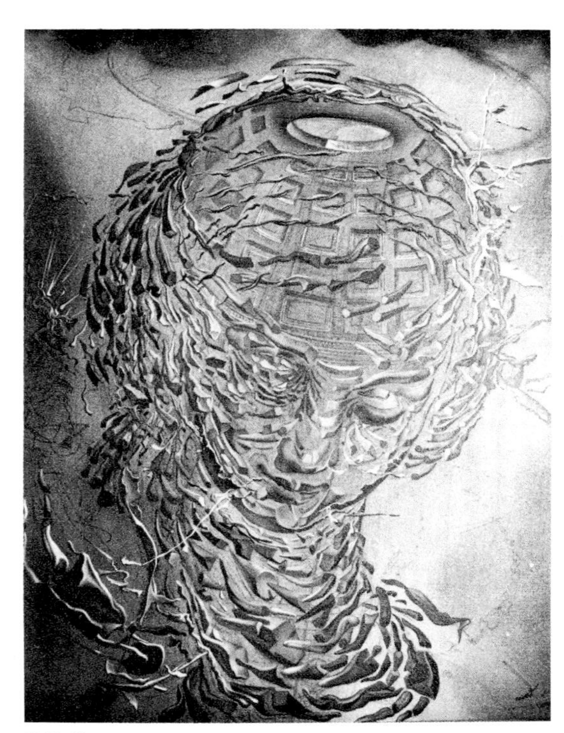

8. Dali
Tête raphaélesque éclatée
Grande-Bretagne, coll. part. (cat. 57)

fig. 3. Pougheon
Tête de Vierge
Paris, coll. part.

fig. 4. Laurencin
Vierge au chardonneret
Assiette décorée. 1901
Vente Paris, 2 mai 1983

Raphaël
Belle Jardinière
Paris, Louvre

9. Rousselet
La Belle Jardinière
Paris, B.N., Estampes (cat. 318)

11. Rouchon
A Sainte Marie. Affiche
Paris, B.N., Estampes (cat. 317)

10. Desfosse et Karth
La Belle Jardinière. Papier peint
Paris, Arts décoratifs (cat. 337)

fig. 5. Paris, éd. Vve Pillot, v. 1830
Monstra te esse matrem
Paris, B.N., Estampes

fig. 6. Chaplain, 1930
Médaille du centenaire du magasin « La Belle Jardinière »
Paris, coll. part.

fig. 7. Becquet
Virginie
Paris, coll. part.

12. Delacroix
La Vierge des moissons
Orcemont, église (cat. 68)

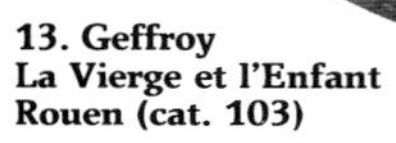

13. Geffroy
La Vierge et l'Enfant
Rouen (cat. 103)

14. Papety
La Vierge et l'Enfant
Paris, coll. part. (cat. 189)

15. Boucher-Desnoyers
La Belle Jardinière de Florence
Paris, B.N., Estampes (cat. 254)

fig. 8. N. Prévost
La Vierge et l'Enfant
U.S.A., coll. part.

fig. 9 Bouguereau
La Vierge et l'Enfant
Ponce (Porto Rico)

fig. 10. Gérôme
La Vierge et l'Enfant
Loc. inconnue

fig. 11. Picasso
Mère et l'enfant
Coll. part.

fig. 12. Page publicitaire
« L'Illustration »
23 nov. 1935

Raphaël
Sainte Famille Canigiani
Munich

17. Poussin
La Sainte Famille
Louvre (cat. 206)

16. Boyvin
La Sainte Famille Canigiani
Paris, B.N., Estampes (cat. 256)

fig. 13. Vouet
La Vierge, l'Enfant et deux saintes
Madrid, Prado

fig. 14. Bourdon
La Sainte Famille
Dublin, coll. O'Kelly

d'après Raphaël
Sainte Famille à l'oiseau
Louvre, Dessins

18. Limoges, XVIᵉ siècle
La Sainte Famille
Troyes (cat. 380)

19. Rousselet
La Sainte Famille à l'oiseau
Paris, B.N., Estampes (cat. 319)

fig. 15. P. Mignard ?
La Sainte Famille à l'oiseau
Grande-Bretagne, coll. part.

Raphaël
Vierge Esterhazy
Budapest

20. Favanne
Allégorie du sommeil ?
Stockholm (cat. 88)

Raphaël
Vierge Colonna
Berlin

21. Dali
Madone corpusculaire
Birmingham (Alabama) (cat. 58)

d'après Raphaël
Vierge à l'œillet
Louvre

22. Couvay
La Vierge à l'œillet
Paris, B.N., Estampes (cat. 268)

23. Jaquotot
La Vierge à l'œillet
Sèvres, musée (cat. 387)

24. Sarazin
La Vierge et l'Enfant
Louvre, Sculptures (cat. 353)

25. Baugin
La Vierge et l'Enfant
Rennes (cat. 14)

26. P. Mignard
La Vierge et l'Enfant
Angers (cat. 170)

27. M. Corneille le Jeune
La Vierge et l'Enfant
U.S.A., coll. J.S. Johnson (cat. 54)

28. M. Blanchard
Mère et enfant
Paris, M.A.M. de la Ville (cat. 20)

fig. 16. Despèches ?
La Vierge et l'Enfant
Paris, B.N., Estampes

fig. 17. Baudry
La Vierge et l'Enfant
Fontenay-le-Comte

Raphaël
Vierge Bridgewater
Edimbourg

29. Bourgogne, XVIe siècle
La Vierge et l'Enfant
Nolay, maison de retraite (cat. 235)

30. France, vers 1840
Pendule
Paris, coll. part. (cat. 398)

Raphaël
Vierge Tempi
Munich

32. Gris
La Vierge et l'Enfant
Paris, coll. part. (cat. 112)

31. Picart
La Vierge et l'Enfant
Paris, coll. part. (cat. 193)

fig. 18. Delaroche
La Vierge et l'Enfant
Paris, coll. part.

Raphaël
Vierge Mackintosh
Londres

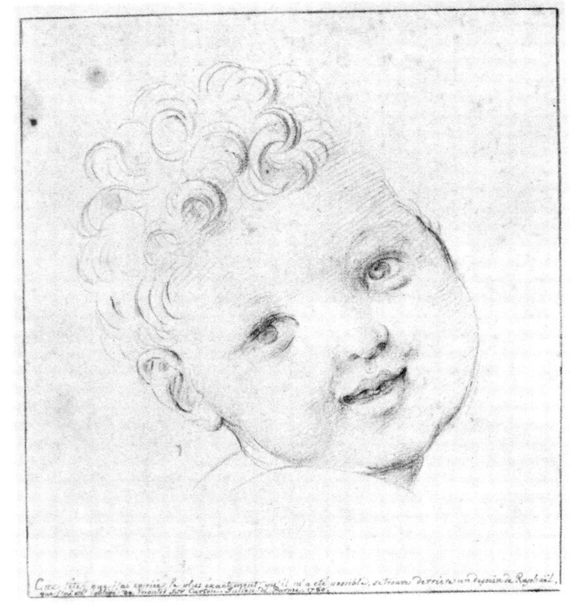

33. Julien de Parme
Tête d'enfant
Chartres (cat. 137)

Raphaël
Vierge au diadème bleu
Louvre

34. Poilly
La Vierge au diadème
Paris, B.N., Estampes (cat. 315)

35. Ducluzeau
La Vierge au diadème
Sèvres, musée (cat. 386)

Raphaël
Vierge de Lorette
Chantilly

36. Despujols
Maternité
Saint-Quentin (cat. 77)

fig. 19. P. Daret, d'après Blanchard
La Vierge et l'Enfant
Paris, B.N., Estampes

Raphaël
Vierge de Foligno
Vatican

37. Jaquotot
La Vierge de Foligno
Sèvres, musée (cat. 388)

fig. 20. Image de piété, vers 1850 ?
La Vierge aux anges
Paris, coll. part.

38. Ingres
Le vœu de Louis XIII
Montauban, cathédrale (cat. 126)

39. Carpeaux
Notre-Dame du Saint Cordon
Louvre (cat. 343)

Raphaël
Vierge Sixtine
Dresde

40. Braun, Mulhouse
La Vierge Sixtine, détail. Photographie
Louvre, S.E.D. Peintures (cat. 338)

41. Prévert
La Trinité, collage
Paris, B.N., Estampes (cat. 208)

patinés. Anglaises séparées. La
45.50 — entrelacées
GRAVURES DE

POUR ENFANTS
2190.
et ar-
t, an-
os, dé-
antaisie.
7.50

14-2195. Broche-bavoir, p^r bébé, or doublé extra, sujet « Ange gardien », long. 30 m/m ...... 16. »

fig. 21. Broche-bavoir pour bébé
Catalogue « Manufrance » 1931

fig. 22. P. Lemaigre Dubreuil
Couverture de livre, 1977

42. L. Benouville
La Vierge et l'Enfant
Paris, coll. part. (cat.16)

fig. 23. France, XIXe
Sainte Catherine et la Vierge
Gresolles (Loire), église

Raphaël ?
Vierge aux candélabres
Baltimore

43. Ingres
La Vierge aux candélabres
Blois (cat. 120)

fig. 24. Ingres
La Vierge aux candélabres
Montauban

fig. 25. Ingres
La Vierge à l'hostie
Louvre

Raphaël et atelier
Vierge de l'Impannata
Florence, Pitti

44. Ingres
La Vierge de l'Impannata
France, coll. part. (cat. 114)

Raphaël
Vierge à la chaise
Florence, Pitti

46. Fabre
La Vierge à la chaise
Montpellier (cat. 86)

45. J.H. Fragonard
Feuille d'études
Londres, British Museum (cat. 100)

47. « Velours Grégoire »
La Vierge à la chaise
Lyon, musée des Tissus (cat. 370)

48. Faïence de Rubelles
La Vierge à la chaise
Paris, Arts Décoratifs (cat. 392)

49. Ducos du Hauron
Copie de la Vierge à la chaise
Photographie en couleurs. Agen (cat.340)

50. Saint-Jean
Vierge dans une guirlande de fleurs
Lyon, coll. part. (cat.217)

51. Poussin
Sainte Famille
Windsor, Royal Library (cat.203)

52. Vigée-Le Brun
Autoportrait
Louvre (cat. 225)

53. Leguay
Portrait de Mme Jaquotot
Louvre (cat. 148)

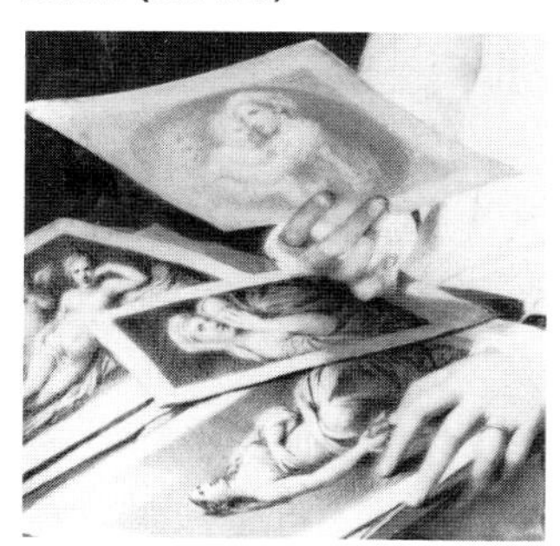

fig. 26. Leguay (détail ill. 53)

fig. 27. Ingres
Napoléon 1er, détail
Paris, musée de l'Armée

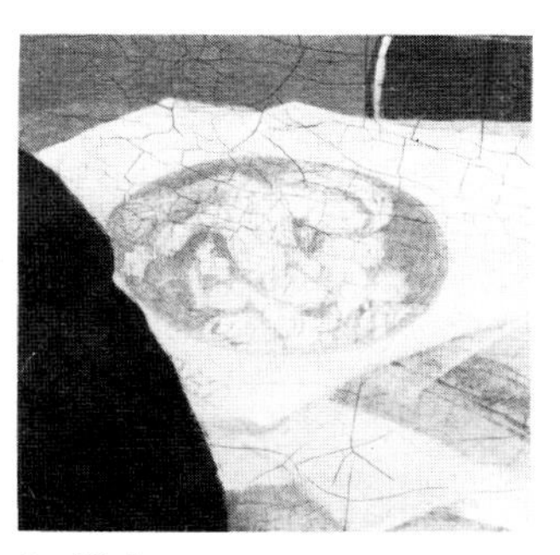

fig. 28. Ingres
Monsieur Rivière, détail
Louvre

fig. 29. Ingres
Henri IV, détail
Paris, Petit Palais

fig. 30. Montessuy
Fête paysanne, détail
Lyon

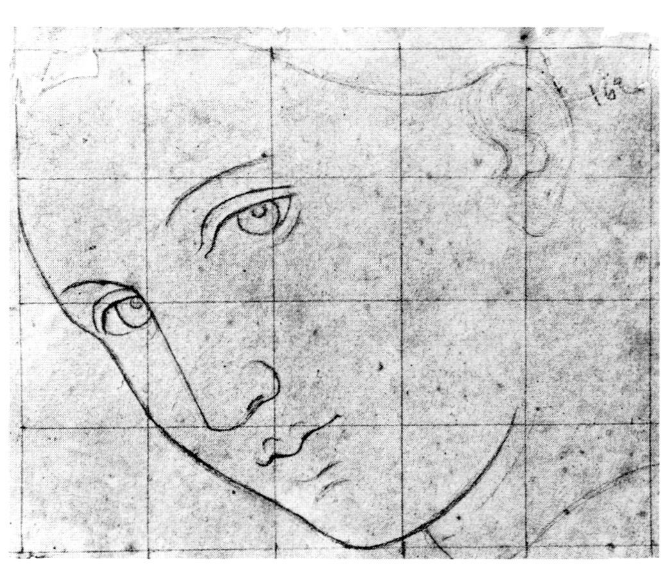

54. Ingres
Étude de tête
Montauban (cat. 123)

55. Ingres
Tête de la Grande Odalisque
Cambrai (cat. 125)

56. Ingres
Madame Ingres, dessin
Cambridge, Fogg Museum (cat. 130)

fig. 31. Ingres
Madame Ingres
Winterthur, coll. Reinhardt

57. A. Devéria
L'enfant dort
Paris, B.N., Estampes (cat. 273)

58. Delaroche
Le petit mendiant
Paris, coll. part. (cat. 71)

59. Bonnat
Italienne et son enfant
Bayonne (cat. 22)

60. Denis
Maternité à la chaise
Coll. part. (cat. 76)

fig. 32. Berthon
Petite fille avec un chat
Paris, B.N., Estampes

fig. 33. Ozenfant
Étude de maternité
Vente Londres, Sotheby's,
3 déc. 1980

61. Deckherr, Montbéliard
La Sainte Vierge à la chaise
Paris, B.N., Estampes (cat. 335)

fig. 34. La Sainte Vierge à la Chaise
Paris, B.N., Estampes

fig. 35. Gangel, Metz
La bénédiction des familles, 1854
Paris, B.N., Estampes

fig. 36. Médaille de baptême, 1900
Paris, coll. part.

fig. 37. Sennep. « Le Député au Siège »
(Flandin, Régnier, Chiappe)
« Le Rire », juin 1938

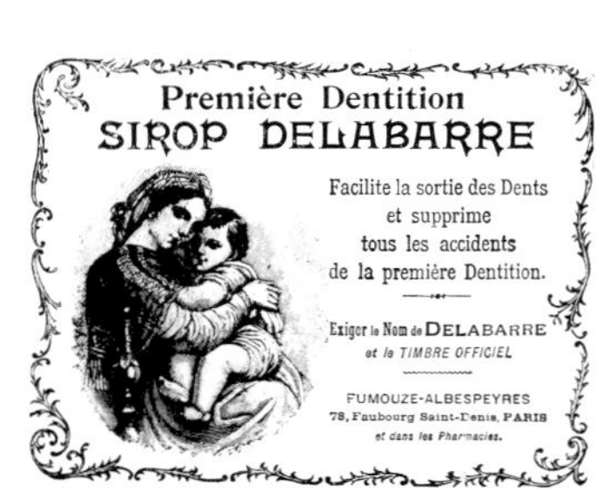

fig. 38. Encart publicitaire
« Almanach Vermot » 1906

fig. 39. Canevas à broder
Mercerie, Paris, 1981

Raphaël
Vierge au poisson
Madrid, Prado

63. France, vers 1820
Pendule
Madrid, Palais Royal (cat. 396)

62. J.G. Drouais
La Vierge au poisson
Rennes (cat. 79)

fig. 40. Ingres
La Vierge au poisson
Montauban

Raphaël ?
Vierge de la promenade
Edimbourg

64. Pesne
La Vierge à la promenade
Paris, B.N., Estampes (cat.312)

fig. 41. David
Tête de Vierge
Louvre, Dessins

65. Landon
Paul et Virginie
Alençon (cat. 141)

fig. 42. Errard ?
Sainte Famille
Paris, B.N., Estampes

Raphaël
Grande Sainte Famille
Louvre

66. Anonyme, v. 1650?
La Grande Sainte Famille
France, coll. part. (cat. 240)

67. H. Testelin
La Grande Sainte Famille
Paris, coll. part. (cat. 323)

68. G.Edelinck
La Grande Sainte Famille
Paris, B.N., Estampes (cat. 288)

69. H. Robert
Vue de la Grande Galerie
Louvre (cat. 216)

fig. 43. Robert (détail ill. 69)

70. Millet
La Grande Sainte Famille
Cherbourg (cat. 174)

71. Mignon
Sainte Famille de 1543
Paris, B.N., Estampes (cat. 307)

fig. 44. J. Boucher
La Vierge et un ange
Loc. inconnue

fig. 45. Calendrier des Postes
1928

72. Poussin
Sainte Famille
Leningrad (cat.207)

73. Stella
Sainte Famille
Toulouse (cat. 222)

74. M. Gérard
Scène familiale
Moscou (cat. 106)

fig. 46. Maître I.C.
Sainte Famille
Loc. inconnue

fig. 47. Rousselet d'après Vignon
Sainte Famille (détail)
Paris, B.N., Estampes

fig. 48. Fabre
Sainte Famille
Montpellier

Raphaël ?
Petite Sainte Famille
Louvre

75. Simon de Chalons
La Sainte Parenté
Avignon (cat. 220)

76. France, fin XVIIe siècle
Sainte Famille
Châlons-sur-Marne (cat. 357)

fig. 49. Baugin ?
Sainte Famille
Loc. inconnue

Raphaël et atelier
Sainte Famille au chène
Madrid, Prado

77. Brébiette
La Sainte Famille au chêne
Paris, B.N., Estampes (cat. 257)

fig. 50. France? vers 1550
Sainte Famille au chêne
Valence, cathédrale

78. Bourdon
Sainte Famille
France, coll. part. (cat. 34)

fig. 51. J.L. Lagrenée
La Vierge et l'Enfant
Karlsruhe

Raphaël et atelier
Sainte Famille dite La Perle
Madrid, Prado

79. E.Boulanger (Mme Cavé)
Cours de dessin. Sainte Élisabeth
Paris, B.N., Estampes (cat. 255)

80. Pélerin, Épinal
Sainte Famille
Paris, musée des A.T.P. (cat. 334)

81. Levieux
La Vierge et sainte Anne
Avignon, Pénitents Noirs (cat. 160)

fig. 52. P. Mignard
La Vierge et l'Enfant
Louvre, dépôt musée de l'Armée

Œuvres en rapport avec les tableaux religieux de Raphaël autres que les Madones et les Saintes Familles

Raphaël
Adoration des Mages, détail
Vatican

82-83. Wleughels
Écuyers
Louvre. Cabinet des Dessins (cat. 232-233)

Raphaël
Présentation au Temple, détail
Vatican

84. Wicar
Trois personnages
Lille (cat. 230)

85. J. Boucher
La Vierge et l'Enfant
Bourges (cat. 28)

Raphaël
Mariage de la Vierge
Milan, Brera

86. Wicar
Le mariage de la Vierge
Lille (cat. 231)

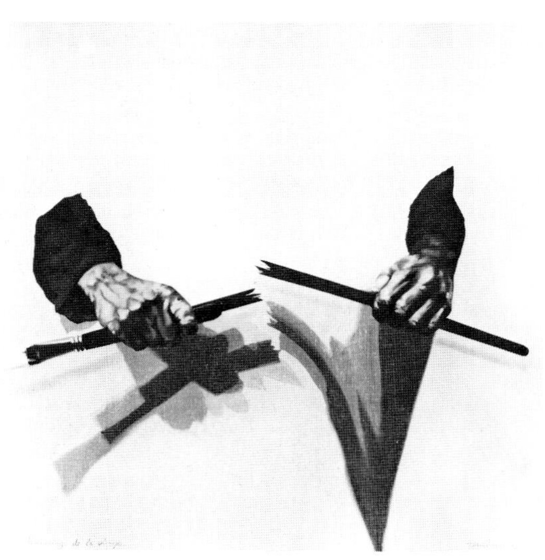

87. Recalcati
Le mariage de la Vierge
Lyon, F.R.A.C. (cat. 213)

Raphaël
Sainte Georges
Louvre

88. Gaillard
Saint Georges
Paris, B.N., Estampes (cat.294)

Raphaël
Saint Georges
Washington

89. Gaultier
Saint Georges
Paris, B.N., Estampes (cat. 297)

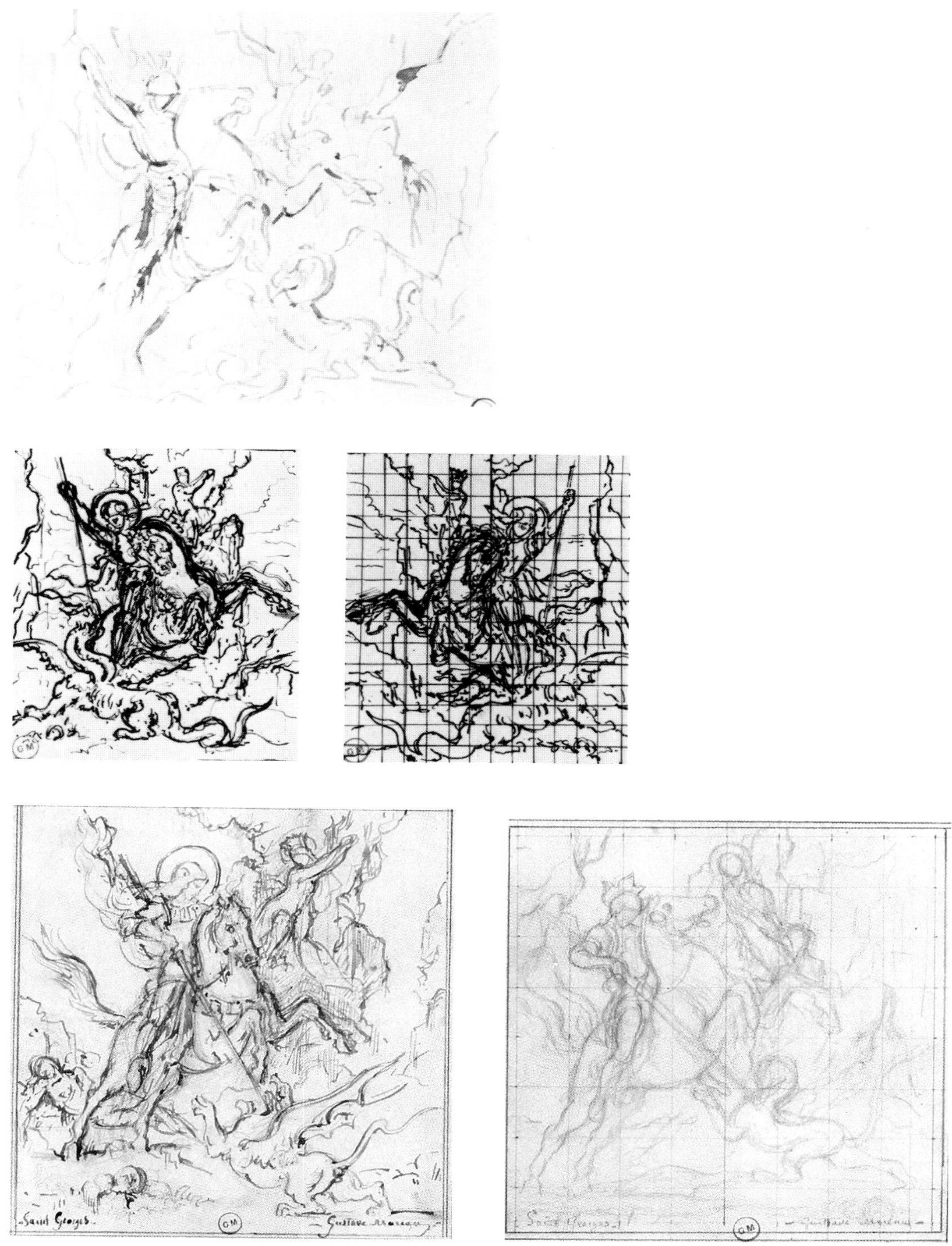

90-94. G. Moreau
Saint Georges
Paris, musée G. Moreau (cat. 181-185)

Raphaël
Déposition de croix
Rome, Gal. Borghèse

97. Lelu
L'évanouissement de la Vierge
Paris, B.N., Estampes (cat. 306)

95. Masquelier
La Déposition Borghèse
Louvre, Cabinet des Dessins (cat. 165)

fig. 53. Anonyme
d'après L. Penni
Déposition de croix

96. Géricault
La Déposition Borghèse
Lyon (cat. 107)

Raphaël
La Foi. L'Espérance. La Charité
Vatican

98. Bergeret
La Charité
Paris, B.N., Estampes (cat. 252)

97. Cahier
Calice
Paris, cathédrale Notre-Dame, trésor (cat. 399)

99-101. Ingres
L'Espérance, la Foi, la Charité
Louvre (cat.127-129)

fig. 54. Delaroche
Mère et enfants, études
Paris, coll. part.

Raphaël
Sainte Catherine
Londres

102. Pélerin, Épinal
Sainte Catherine
Paris, B.N., Estampes (cat. 333)

fig. 55. Anonyme, v.1770
La paix. Terre cuite
Paris, coll. part.

atelier de Raphaël
Saint Luc peignant la Vierge
Rome, Ac. de St-Luc

fig. 56. De Chirico
Le peintre des chevaux
Loc. inconnue

103. P. Mignard
Saint Luc peignant la Vierge
Troyes (cat. 173)

Raphaël
Sainte Cécile
Bologne

104. Gaultier
Sainte Cécile
Paris, B.N., Estampes (cat.296)

fig. 57. France, 1888
Sainte Cécile
Valmy, église

105. J. Calamatta
Sainte Cécile
Montauban (cat. 38)

fig. 58. Laujol
Sainte Cécile, 1843
Paris, B.N., Estampes

fig. 59. Benner
A la France toujours, 1883
Loc. inconnue

Raphaël
Saint Jean-Baptiste
Louvre

106. Carpeaux
Saint Jean-Baptiste
Valenciennes (cat. 41)

Raphaël
La montée au calvaire
Madrid, Prado

107. France, milieu XVIe siècle
Le Portement de croix
Écouen, église Saint-Acheul (cat. 372)

fig. 60. France, v. 1540 ?
Le portement de croix
Hampton Court

fig. 61. Valentin
Martyre des saints Procès et
Martinien (détail) Vatican

Raphaël
La vision d'Ezéchiel
Florence, Pitti

108. Poilly
La Vision d'Ezéchiel
Paris, B.N., Estampes (cat. 314)

fig. 62. Poussin
Ravissement de saint Paul
Louvre

Fig. 63. Poussin
Ravissement de saint Paul
Sarasota

Raphaël
Saint Michel
Louvre

109. Béatrizet
Saint Michel
Paris, B.N., Estampes (cat. 251)

110. France, v. 1550-70
Statuts de l'Ordre de Saint Michel
Saint-Germain-en-Laye, bibliothèque (cat. 236)

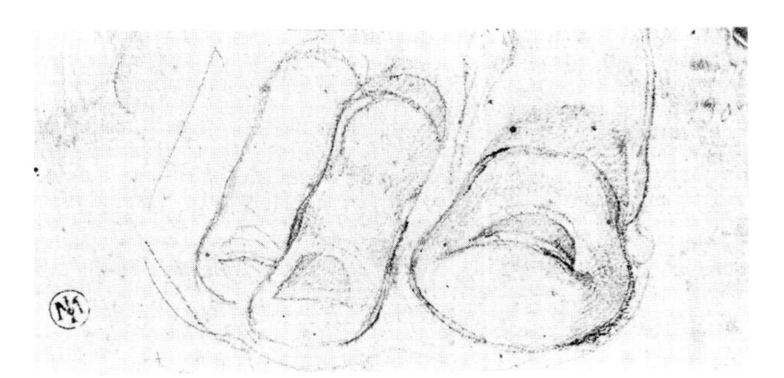

111. Ingres
Trois orteils de saint Michel
Montauban (cat. 116)

fig. 64. Image de Lille
Saint Michel
Paris, musée des A.T.P.

fig. 65. France, v. 1900
Saint Michel,
La Palisse, église

112. Primatice
Minerve
Louvre, Cabinet des Dessins (cat. 211)

113. Le Brun
Minerve
Paris, coll. part. (cat.143)

114. Le Brun
Étude d'homme nu
Louvre, Cabinet des Dessins (cat. 145)

115. P. Mignard
Étude d'après Saint Michel
Louvre, Cabinet des Dessins (cat. 167)

116. P. Mignard
Étude d'après le démon
Louvre, Cabinet des Dessins (cat. 168)

fig. 66. Limoges, fin XVIe s.
Saint Michel
Limoges

fig. 67. Géricault
Saint Michel, études (détail)
Londres, coll. part.

fig. 68. Delacroix
Saint Michel
Louvre, Dessins

fig. 69. Carpeaux
Le Génie de la danse
Paris, Ec. des Beaux-Arts

117. P. Mignard
Étude pour un Saint Michel
Louvre, Cabinet des Dessins (cat. 169)

118. Mercié
Gloria Victis
Louvre, Scuptures (cat. 350)

fig. 70. France, XIXe s.
Saint Michel
Le Mans, 174, av. Chancel

fig. 71. Maison Raffl
(anc[t] Froc-Robert), catal. 1906
Saint Michel

Raphaël et atelier
Sainte Marguerite
Louvre

119. Thomassin
Sainte Marguerite
Paris, B.N., Estampes (cat. 324)

120. Voltigeant
Sainte Marguerite
Versailles, château (cat. 228)

fig. 72. France, 1600
Sainte Marguerite. Grisaille (détail)
Brienne-le-Château, église

fig. 73. Ecole de Tassel
Sainte Marguerite
Langres, cathédrale

fig. 74. Aubusson
Sainte Marguerite (détail)
Monnetier-les-Bains, église

fig. 75. France v. 1820
Sainte Marguerite
Broderie
Paris, coll. part.

fig. 76. A. Devéria
Sainte Marguerite
Paris, B.N., Estampes

fig. 77. Image de Lille (Bloquel)
Sainte Marguerite (détail)
Paris, musée des A.T.P.

fig. 78. Peyson
Sainte Marguerite, 1838
Montpellier

atelier de Raphaël
Sainte Marguerite
Vienne

121. Desfeuilles, Nancy
Sainte Marguerite
Paris, B.N., Estampes (cat. 336)

122. Dufresnoy
Sainte Marguerite
Vienne, Albertina (cat. 82)

Raphaël
La Transfiguration
Vatican

123. Orsel
Étude pour une Transfiguration
Lyon, Arts décoratifs (cat. 188)

fig. 79. France, XVIe s.
La Transfiguration
Mesnières-en-Bray, église

fig. 80. Sud-Ouest, fin XVIIe s.
La Transfiguration
Rocamadour, musée d'Art sacré

124. Leroy
La Transfiguration
Gray (cat. 153)

125. Caylus
Deux Apôtres
Paris, B.N., Estampes (cat. 259)

fig. 81. Poussin
Miracle de saint François-Xavier
Louvre

fig. 82. Mellin
La Transfiguration
Paris, coll. part.

fig. 83. Anonyme, vers 1740
La Transfiguration
Dijon, Magnin

Œuvres en rapport avec les portraits de Raphaël

Raphaël
Maddalena Doni
Florence, Pitti

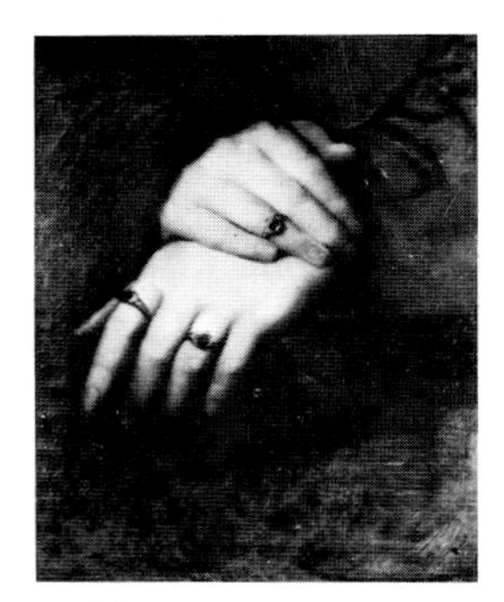

fig. 84. Ingres
Les mains de Maddalena Doni
Bayonne

fig. 85. L. Calamatta
George Sand, 1840
Paris, B.N., Estampes

fig. 85 bis. Corot
La blonde Gasconne
Northampton, Smith Collège

fig. 86. Courmes
Peggy Guggenheim, 1926
Coll. part.

126. Picasso
L'Italienne
Coll. Marina Picasso (cat. 194)

Raphaël
Balthazar Castiglione
Louvre

127. N. Edelinck
Balthazar Castiglione
Paris, B.N., Estampes (cat.289)

128. Delacroix
Balthazar Castiglione
Louvre, Cabinet des Dessins (cat. 67)

129. Matisse
Balthazar Castiglione
Bagnols-sur-Cèze (cat. 166)

130. Arikha
Balthazar Castiglione
Paris, coll. part. (cat. 3)

131. Arikha
Balthazar Castiglione
Paris, coll. part. (cat. 4)

132. Cieslewicz
Super Elephants Man
Paris, coll. part. (cat. 51)

133. Dulac
Le modèle cuisinier
Snite Museum of Art (cat. 83)

Raphaël ?
Loc. inconnue

134. N. I de Larmessin
Bramante
Paris, B.N., Estampes (cat. 302)

d'après Raphaël
Le cardinal Bibbiena
Florence, Pitti

135. Ingres
Le cardinal Bibbiena
Montauban (cat. 115)

Raphaël
La Fornarina Rome, Gal. Barberini

136. A. Devéria
La Fornarina
Paris, B.N., Estampes (cat. 272)

fig. 87. Ferrier
La Fornarina
France, coll. part.

fig. 88. Ec. de Fontainebleau
La dame au lys rouge
Atlanta

Sebastiano del Piombo
« La Fornarina »
Florence, Offices

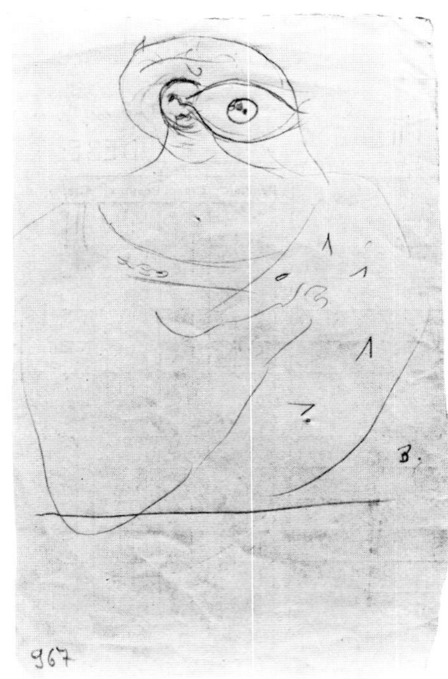

137-141. Miró
La Fornarina
Barcelone, Fond. Miró (cat. 175-179)

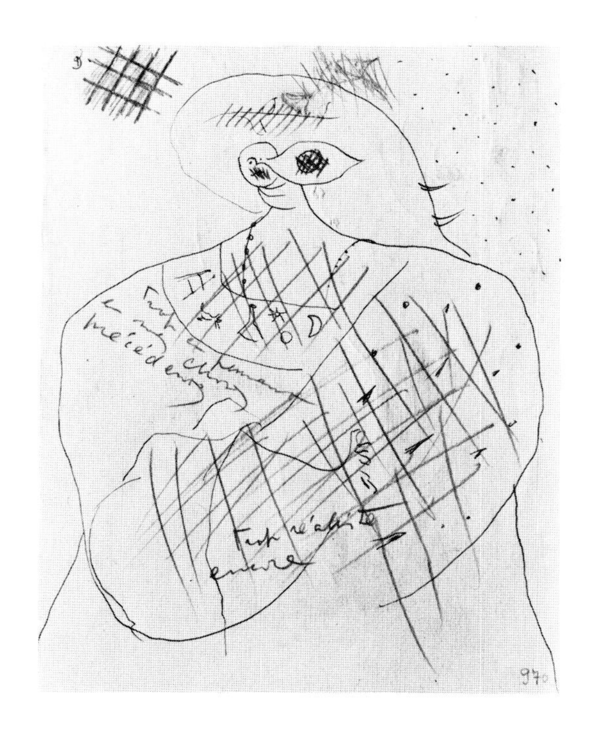

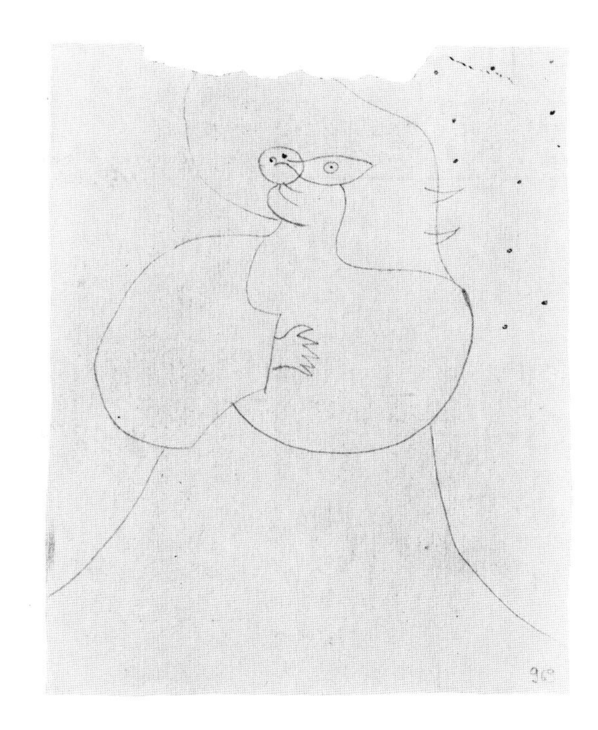

142. Picot
Talma
Paris, Comédie-Française (cat. 195)

Raphaël ?
Portrait de Raphaël
Florence, Offices

fig. 89. Degas
Autoportrait
Williamstown

Parmigianino ?
Portrait de jeune homme
Louvre

143A. Degas
Portrait dit de Raphaël (recto)
Zurich, coll. Feilchenfeldt (cat.64)

143 B. Degas
Autoportrait (verso)
Zurich, coll. Feilchenfeldt (cat. 64)

Raphaël
Portrait de Raphaël et d'un ami
Louvre

144. Degas
Degas et Valernes
Paris, Musée d'Orsay (cat. 65)

Raphaël
Portrait dit de Bindo Altoviti
Washington

145. Denis
Portait de Marthe
Paris, coll. part. (cat. 74)

Œuvres en rapport avec les fresques et les décors de Raphaël

Raphaël
Le Christ en gloire
Pérouse, S. Severo

146. Manet
Trois saints
Louvre, Cabinet des Dessins (cat. 162)

Raphaël
Apollon et Marsyas
Vatican, Chambre de la Signature

147. Vuibert
Apollon et Marsyas
Paris, coll. part. (cat. 328)

Raphaël
Adam et Ève
Vatican, Chambre de la Signature

148. Bocquet
Le Péché originel
Paris, B.N., Estampes (cat. 253)

149. Flandrin
Ève
Montauban (cat. 90)

Raphaël
La Justice
Vatican, Chambre de la Signature

150. B. Audran
La Justice
Paris, B.N., Estampes (cat. 247)

Raphaël
La Dispute du Saint Sacrement
Vatican, Chambre de la Signature

152. Benouville
Dispute du Saint Sacrement
Louvre (cat. 15)

151. P. II Dumonstier
Tête du Christ
Paris, coll. Destailleurs
(cat. 84)

153. Chatillon
Profil de jeune homme
Paris, B.N., Estampes (cat. 262)

fig. 90. France, XVIe
Présentation au temple,
détail, Conches, église

fig. 91. Suvée ?
Jeune homme écrivant
Paris, coll. part.

fig. 92. Chenavard
La Philosophie de l'Histoire
Lyon

Raphaël
L'École d'Athènes
Vatican, Chambre de la Signature

154. Gobelins, XVIIe siècle
L'École d'Athènes
Mob. Nat., dép. Fontainebleau (cat. 365)

160. Caron
Oraison funèbre de Mausole
Louvre, Cabinet des Dessins (cat. 40)

161. La Hyre
Saint Étienne et les docteurs
Louvre, Cabinet des Dessins (cat. 140)

162. Anonyme, XVIIe siècle
École de géométrie (avant restauration)
Cambrai (cat. 243)

163. Gamelin
Le Christ et les docteurs
Meaux (cat. 102)

fig. 94. Delaune
La Géométrie
Chantilly

164. Forty
Les Peuples du monde rendant hommage à l'Être Suprême
Paris, Carnavalet (cat. 93)

fig. 95. Caron
Les astronomes, détail
Londres, coll. part.

fig. 96. Broc.
L'école d'Apelle
Louvre

fig. 97. Prudhon
Le séjour de l'immortalité
Cambridge, Fogg Museum

fig. 98. Debay
Le Christ et les docteurs. 1824
Paris, Saint-Sulpice

fig. 99. Norblin
Saint Paul prêchant
Mantes, collégiale

165. Sarazin
Saint Pierre repentant
Louvre, Sculptures (cat. 352)

167. Coypel
Trois docteurs
Louvre, Cabinet des Dessins (cat. 55)

166. Le Sueur
Homme drapé
Paris, Éc. des Beaux-Arts (cat. 156)

fig. 100. France, XVIe
Apollon
Dijon, Saint-Michel, portail

CANTIQUE SPIRITUEL.
SAINT MARC,
DEUXIÈME ÉVANGÉLISTE,

fig. 101. Pélerin, Épinal
Saint Marc
Paris, musée des A.T.P.

Raphaël
Le Parnasse
Vatican, Chambre de la Signature

168. Gobelins, XVIIe siècle
Le Parnasse
Mobilier national (cat. 367)

169. Poussin
Étude d'après le Parnasse
New York, coll. Woodner (cat. 197)

170. Degas
Feuille d'études
Cambridge, Fogg Museum (cat. 62)

172. Stella
Minerve chez les Muses
Louvre (cat. 221)

171. Poussin
Le Parnasse
Madrid, Prado (cat. 201)

173. Le Sueur
Clio, Euterpe et Thalie
Louvre (cat. 159)

175. M.M. Drolling
Étude d'homme assis
Lille (cat. 78)

174. P. Mignard
Le Parnasse
Béziers (cat. 172)

fig. 102. Rosso
Le défi des Piérides
Louvre

fig. 103. Ghisi d'après L. Penni
Le Parnasse
Paris, B.N., Estampes

fig. 104. Gellée
Le Parnasse, détail
Loc. inconnue

fig. 105. Brayer
La Science, projet de fresque
Loc. inconnue

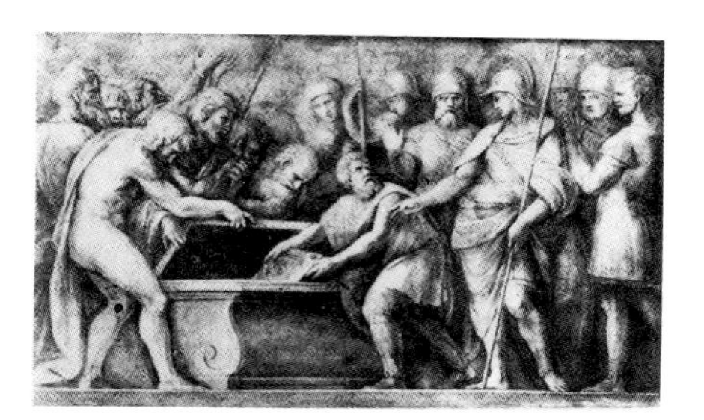

Raphaël et atelier
Alexandre au tombeau d'Achille
Vatican, Chambre de la Signature

176. David
Alexandre au tombeau d'Achille
Londres, coll. N.D. Hutchinson (cat. 61)

Raphaël
Le Sacrifice d'Isaac
Vatican, Chambre d'Héliodore

177. Scalberge
Le Sacrifice d'Isaac
Paris, B.N., Estampes (cat. 321)

Raphaël
Le buisson ardent
Vatican, Chambre d'Héliodore

178. Bourdon
Le Buisson ardent
Leningrad, Ermitage (cat. 33)

Raphaël
Héliodore chassé du temple
Vatican, Chambre d'Héliodore

179. Gobelins, XVIIe siècle
Héliodore chassé du temple
Mobilier national (cat. 366)

180. Le Bas
Héliodore chassé du temple
Paris, B.N., Estampes (cat. 305)

181. E.S. Chéron
Livre à dessiner, Tête d'ange
Paris, B.N., Estampes (cat. 263)

182. G. Demarteau, d'après Pierre
Tête d'ange
Paris, B.N., Estampes (cat. 269)

183. Bouchardon
Deux anges
Louvre, Cabinet des Dessins (cat. 23)

184. Ango
Héliodore et un ange
Louvre, Cabinet des Dessins (cat. 2)

185. Vincent
Deux têtes de femmes
Paris, coll. part. (cat. 226)

186. Poterlet
Jules II et ses porteurs
France, coll. part. (cat. 196)

187. Ingres
Femme agenouillée
Montauban (cat. 124)

188. Delacroix
Héliodore chassé du temple
Louvre, Cabinet des Dessins (cat. 69)

Raphaël
La délivrance de saint Pierre
Vatican, Chambre d'Héliodore

189. Constantin
La Libération de saint Pierre
Sèvres, musée (cat. 385)

fig. 106. La Hyre
La libération de saint Pierre
Londres, coll. part.

190. Vouet
La Libération de saint Pierre
Rennes (cat. 229)

Raphaël et atelier
Caryatide
Vatican, Chambre d'Héliodore

191. G. Audran
Le Commerce
Paris, B.N., Estampes (cat. 248)

Raphaël
L'incendie du bourg
Vatican, Chambre de l'Incendie

192. Gobelins, XVIIe siècle
L'Incendie du bourg
Mobilier national (cat. 364)

192. Gobelins, XVIIe siècle
L'Incendie du bourg (détail)
Mobilier national (cat. 364)

193. Géricault
Femme portant de l'eau
U.S.A., coll. part. (cat. 108)

194. Lenepveu
Femme portant de l'eau
Angers (cat. 152)

195. Manet
Femme portant de l'eau
Louvre, Cabinet des Dessins (cat. 163)

fig. 107. Saint-Non
Études d'après l'Incendie du bourg
Paris, B.N., Estampes

fig. 108. Robert
La fontaine antique, détail
Genève, coll. part.

fig. 109. A. Simil
Femme portant de l'eau, 1876
Paris, coll. part.

Raphaël et atelier
La bataille d'Ostie
Vatican, Chambre de l'Incendie

196. L. Dorigny
La Bataille d'Ostie
Paris, B.N., Estampes (cat. 283)

Raphaël et atelier
Le couronnement de Charlemagne
Vatican, Chambre de l'Incendie

197. M. Corneille le Jeune
Études de têtes
Lyon, coll. J.M. Peycelon (cat. 53)

fig. 110. Bourdon
Saint Pierre Nolasque
Paris, Saint-Germain-l'Auxerro

Atelier de Raphaël
La bataille de Constantin
Vatican, Chambre de Constantin

198. Wœiriot
La Bataille de Constantin
Paris, B.N., Estampes (cat. 330)

199. Gobelins, XVIIe siècle
La Bataille de Constantin
Mobilier national (cat. 363)

200. Anonyme, XVIIe siècle
La Bataille de Constantin
Limoges (cat. 241)

200. Anonyme, XVIIe siècle
La Bataille de Constantin (détail)
Limoges (cat. 241)

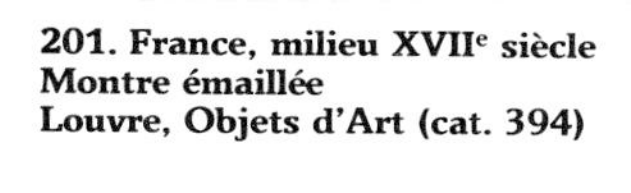

201. France, milieu XVIIe siècle
Montre émaillée
Louvre, Objets d'Art (cat. 394)

fig. 111. Manet
Soldat de dos
Louvre, Dessins

202. Le Brun
Le Passage du Granique
Louvre (cat. 144)

Atelier de Raphaël
La vision de Constantin
Vatican, Chambre de Constantin

204. Girodet
Tête de guerrier
Montargis (cat. 109)

203. Gobelins, XVIIe siècle
La Vision de Constantin
Mobilier national (cat. 362)

Raphaël ou atelier
La Justice
Vatican, Chambre de Constantin

205. Vuibert
L'Éternité
Paris, coll. part. (cat. 329)

207. Primatice
La Justice
Louvre, Cabinet des Dessins (cat. 209)

fig. 112. Dubois
Sophonisbe
Vienne, Albertina

fig. 113. Le Sueur
La Justice
Londres, coll. part.

206. J.H. Fragonard
L'Innocence et la Justice
Cambridge, Fogg Museum (cat. 98)

Raphaël
Galatée
Rome, Farnésine

208. Richomme
Galatée
Paris, B.N., Estampes (cat. 316)

210. Bouchardon
Tête de Galatée
Louvre, Cabinet des Dessins (cat. 24)

211. Émail de Sèvres, XIXe siècle
Coupe : Galatée
Sèvres, musée (cat. 382)

209. Bouguereau
Galatée
Dijon (cat. 30)

fig. 114. L. Chéron
Galatée
Vente Londres, Sotheby's, 24 fév. 1972

212. Carpeaux
Galatée
Valenciennes (cat. 42)

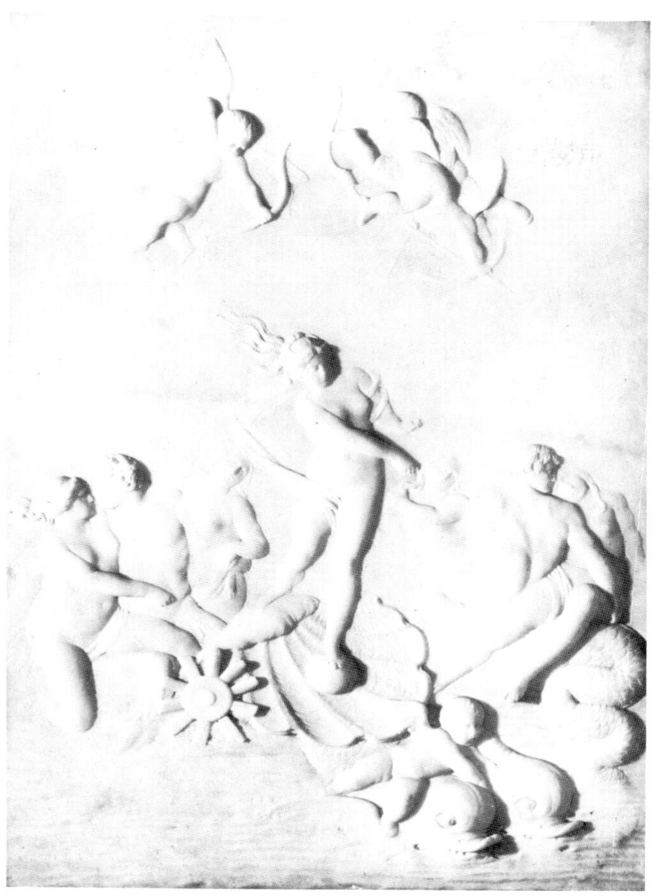

213. Anonyme, v. 1770-80
Galatée
Louvre, Sculptures (cat. 358)

214. Bouguereau
La Naissance de Vénus
Paris, Musée d'Orsay (cat. 31)

fig. 115. Poussin
Le triomphe d'Amphitrite
Washington

fig. 116. d'après Gérard
Thétis
Tableau disparu

fig. 117. Adami
Galatée
Milan, coll. part.

Raphaël
Les Sibylles
Rome, S. Maria della Pace

215. Dien
Les Sibylles
Paris, B.N., Estampes (cat. 282)

216. Primatice
Terpsichore
Louvre, Cabinet des Dessins (cat. 210)

fig. 118. H. Flandrin
Une Sibylle
Paris, coll. part.

fig. 119. Lehmann
La Tragédie et la Comédie
Paris, Carnavalet

Raphaël (mosaïques d'après)
Le Créateur et les planètes.
Rome, S. Maria del Popolo

217. N. Dorigny
Le Créateur
Paris, B.N., Estampes (cat. 284)

218. Émail de Sèvres, XIXe siècle
Coupe : les dieux
Sèvres, musée (cat. 383)

Raphaël et atelier
Vénus et l'Amour
Rome, Farnésine

219. A. Yver, Angoulême, XVIIe siècle
Montre oignon
Louvre, Objets d'Art (cat. 395)

Raphaël et atelier
L'Amour et les Grâces
Rome, Farnésine

220. Milan, d'après Rosso
Les Parques
Paris, B.N., Estampes (cat. 308)

Raphaël et atelier
Vénus, Junon et Cérès
Rome, Farnésine

222. Denis
Adam et Ève
Paris, coll. part. (cat. 75)

221. Gobelins, XIXe siècle
Vénus, Cérès et Junon
Mobilier national (cat. 369)

Raphaël et atelier
Mercure
Rome, Farnésine

223. Perrier
Mercure
Paris, B.N., Estampes (cat. 311)

224. Bouchardon
Mercure
Louvre, Cabinet des Dessins (cat. 25)

225. J.H. Fragonard
Feuille d'études
Berlin, Kupferstichkabinett (cat. 97)

226. Ingres
Mercure
Paris, Éc. des Beaux-Arts (cat. 117)

227. Regnault
La Liberté ou la Mort
Hambourg (cat. 214)

fig. 120. A. Coypel
La Vengeance
Louvre, Dessins

Raphaël
Vénus et Psyché. Dessin
Louvre

228. Cézanne
Vénus
Coll. Feilchenfeldt, Zurich (cat. 43)

Raphaël et atelier
Psyché et Mercure
Rome, Farnésine

229. Sèvres, XIXᵉ siècle
Psyché et Mercure
Sèvres, musée (cat. 390)

fig. 121. La Fresnaye
Feuille d'études
Genève, coll. part.

Raphaël et atelier
L'assemblée des dieux ; le banquet des dieux
Rome, Farnésine

230. Anonyme, XVIIe siècle
L'assemblée des dieux
Orléans (cat. 238)

231. Anonyme, XVIIe siècle
Le banquet des dieux
Orléans (cat. 239)

232. Perrier
Le banquet des dieux
Paris, B.N., Estampes (cat. 310)

233. J. Boucher
Homme appuyé sur un lion
Louvre, Cabinet des Dessins (cat. 27)

234. B.R. Julien
Jupiter
Paris, B.N., Estampes (cat. 300)

235. Le Brun
Jeune fille
Louvre, Cabinet des Dessins (cat. 146)

fig. 122. Perrier
Psyché dans l'Olympe
Chantilly

fig. 123. M. Corneille l'Aîné
Psyché dans l'Olympe
Paris, hôtel des Ambassadeurs de Hollande

Raphaël et atelier
Amour et griffon
Rome, Farnésine

236. Poussin
Griffon
Stuttgart (cat. 198)

Raphaël et atelier
Amour et flûte de Pan
Rome, Farnésine

237. Bouchardon
Amour à la flûte de Pan
Louvre, Cabinet des Dessins (cat. 26)

Raphaël et atelier
Amour et bouclier
Rome, Farnésine

238. Delacroix
Amour portant un bouclier
Louvre, Cabinet des Dessins (cat. 66)

Raphaël et atelier
Amour, lion et cheval marin
Rome, Farnésine

239. Lehmann
Enfant emporté par une Chimère
Paris, Carnavalet (cat. 149)

240. Baudry
La musique en Grèce
Paris, coll. part. (cat. 13)

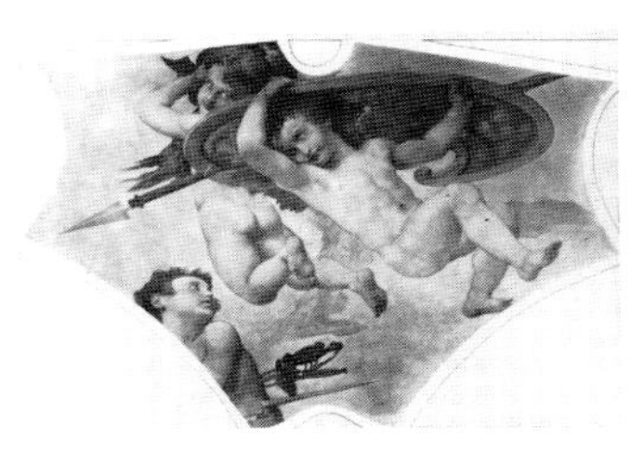

fig. 124. Baudry
Les attributs de Mars
Chantilly

Raphaël et atelier
Panneau des Loges
Vatican

241. Viollet-le-Duc
Travée des Loges
Paris, C.R.M.H. (cat. 227)

242. La Guertière
Montants d'ornements des Loges
Paris, B.N., Estampes (cat. 301)

243. David
Bacchus ivre
Louvre, Cabinet des Dessins (cat. 59)

Raphaël et atelier
Adam et Ève
Vatican, IIe Loge

244. Ingres
Ève
Montauban (cat. 118)

Raphaël et atelier
Le sacrifice de Noé
Vatican, IIIe Loge

245. France, XVIIe siècle
Armoire. Histoire de Noé
Château d'Espeyran (cat. 356)

246. Natoire
Manué offrant un sacrifice
Paris, Éc. des Beaux-Arts (cat. 187)

Raphaël et atelier
Abraham et les anges
Vatican, IVe Loge

247. Bourdon
Abraham et les anges
Saint-Germain-en-Laye (cat. 35)

248. Lafage
Abraham et les anges
Orléans (cat. 139)

Raphaël et atelier
Isaac bénissant Jacob
Vatican, Ve Loge

249. Primatice
Isaac bénissant Jacob
Louvre, Cabinet des Dessins (cat. 212)

fig. 125. France XVIIe
Isaac bénissant Jacob
Pontoise, église

fig. 126. Delacroix
Mort de Marc-Aurèle
Lyon

Raphaël et atelier
Moïse sauvé des eaux
Vatican, VIIIᵉ Loge

250. Ingres
Étude d'après Moïse sauvé des eaux
Montauban (cat. 119)

Raphaël et atelier
La colonne de fumée
Vatican, IXᵉ Loge

251. Balze
La colonne de fumée (avant restauration)
Paris, Éc. des Beaux-Arts (cat. 6)

Raphaël et atelier
Josué arrêtant le soleil
Vatican, Xe Loge

252. Chapron
Josué arrêtant le soleil
Paris, B.N., Estampes (cat. 261)

253. Poussin
La bataille de Josué contre les Amorites
Moscou (cat. 200)

Raphaël et atelier
David et Samuel
Vatican, XIe Loge

254. Gellée
David et Samuel
Haarlem (cat. 105)

Raphaël et atelier
Le jugement de Salomon
Vatican, XIIe Loge

fig. 127. Poussin
Le jugement de Salomon
Louvre

255. Boulogne
Le jugement de Salomon
Troyes (cat. 32)

Raphaël et atelier
Salomon et la reine de Saba
Vatican, XIIe Loge

256. Girodet
Joseph et ses frères
Montargis (cat. 110)

Raphaël et atelier
L'adoration des Mages
Vatican, XIIIe Loge

257. Granger
L'adoration des Mages
France, coll. part. (cat. 111)

Raphaël et atelier
La Cène
Vatican, XIIIe Loge

258. Blondel
La Cène
Gray (cat. 21)

Œuvres en rapport avec les tapisseries tissées d'après Raphaël ou les cartons de tapisseries de Raphaël

Raphaël
La pêche miraculeuse. Carton
Londres, Victoria and Albert Museum

259. Baudry
La pêche miraculeuse
Paris, coll. part. (cat. 7)

260. Chassériau
La pêche miraculeuse
Louvre, Cabinet des Dessins (cat. 47)

Raphaël
La remise des clefs. Carton
Londres, Victoria and Albert Museum

261. Dubreuil, entourage
Le Christ et tête de vieillard
Louvre, Cabinet des Dessins (cat. 81)

262. A. Colin
Étude pour le Christ
Paris, B.N., Estampes (cat. 266)

263 Le Sueur
Tête d'homme barbu
Vienne, Albertina (cat. 158)

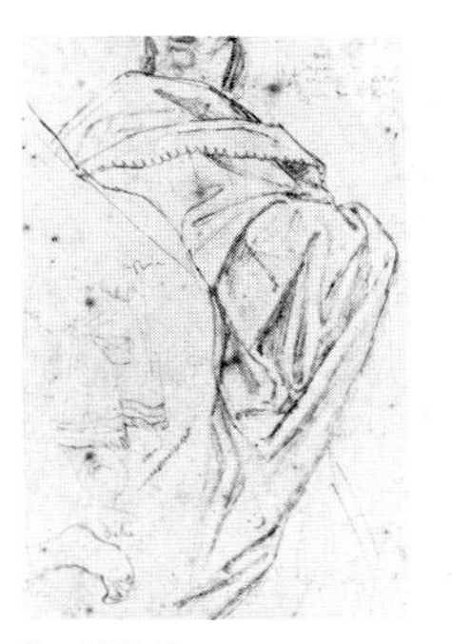

fig. 128. Ingres
Draperie d'un apôtre
Montauban

fig. 129. Ingres
La remise des clefs
Montauban

fig. 130. H. Flandrin
Le Christ et les enfants
Loc. inconnue

Raphaël
L'aveuglement d'Elymas. Carton
Londres, Victoria and Albert Museum

264. Ateliers parisiens, XVIIe siècle
L'aveuglement d'Elymas, Mobilier national (cat. 360)

265. Baudry
L'aveuglement d'Elymas
La Roche-sur-Yon (cat. 8)

266. Duvet
Jugement de Salomon
Paris, B.N., Estampes (cat. 286)

267. Poussin
Le Christ guérissant les aveugles
Windsor (cat. 204)

268. Le Sueur
Homme effrayé
Budapest (cat. 157)

269. Loir
Saint Paul et Barjésu
Paris, Carnavalet (cat. 161)

Saint Paul et saint Barnabé à Lystre
Madrid, Prado

Raphaël
La guérison du paralytique. Carton
Londres, Victoria and Albert Museum

275. Baudry
La guérison du paralytique
La Roche-sur-Yon (cat. 9)

274. Ateliers parisiens, XVIIe siècle
La guérison du paralytique
Mobilier national (cat. 361)

276. Peyrusson, Limoges
La guérison du paralytique
Limoges, musée Dubouché (cat. 393)

277. Poussin
Deux têtes et draperie
Leningrad, Ermitage (cat. 199)

278. Le Brun
Tête de femme
Louvre, Cabinet des Dessins (cat. 142)

fig. 133. France, 1544
Saint Jean et donateurs
Chantilly, chapelle

fig. 134. France XVIe
La guérison du paralytique, détail
Paris, Saint-Merri

fig. 135. Wicar
Tête d'enfant
Pérouse, Accademia

fig. 136. Pils
La guérison du paralytique, 1838
Paris, Ec. des Beaux-Arts

Raphaël
Saint Paul à Athènes. Carton
Londres, Victoria and Albert Museum

279. Baudry
Saint Paul à Athènes
La Roche-sur-Yon (cat. 12)

280 Maître CC
Le Christ prêchant
Paris, B.N., Estampes (cat. 267)

Raphaël
La mort d'Ananie. Carton
Londres, Victoria and Albert Museum

281. Baudry
La mort d'Ananie
La Roche-sur-Yon (cat. 10)

282. S. Thomassin
Deux têtes
Paris, B.N., Estampes (cat. 325)

283. Fantin-Latour
Homme effrayé
Louvre, Cabinet des Dessins (cat. 87)

fig. 137. Grandin d'après Noël
Tête d'homme. 1803
Paris, B.N., Estampes

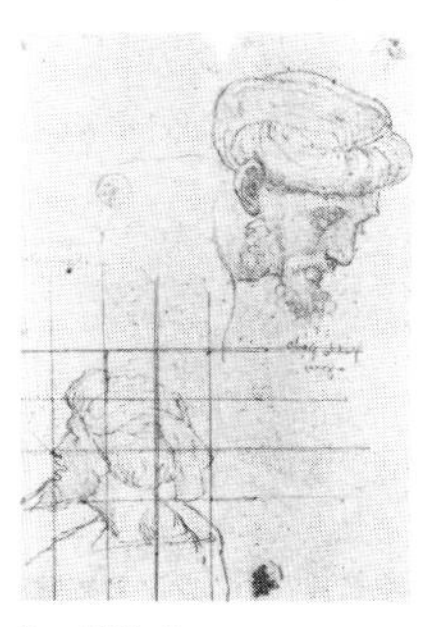

fig. 138. Ingres
Deux têtes d'hommes
Montauban

fig. 139. Degas
Cinq apôtres
Paris, coll. part.

286. Le Sueur
Saint Paul à Éphèse
Paris, cathédrale Notre-Dame (cat. 155)

284. Marchand
La mort d'Ananie
Louvre, Sculptures (cat. 349)

285. Le Sueur
La nuit de noces de Tobie
Stockholm (cat. 154)

fig. 140. France XVIe
La mort d'Ananie
Saint-Florentin, église

287. Poussin
La mort de Saphire
(cat. 205)

fig. 141. H. Robert
Ouverture du tombeau de H. Robert
Paris, coll. part.

fig. 142. Bonnat
La mort de Saphire, 1855
Bayonne

fig. 143. Ernst
Le gaulois mourant
Berlin, coll. part.

d'après Raphaël
La conversion de saint Paul. Tapisserie
Vatican

289. Penni
La conversion de saint Paul
Louvre, Cabinet des Dessins (cat. 192)

288. Ateliers parisiens
La conversion de saint Paul
Mobilier national (cat. 359)

d'après des élèves de Raphaël
Le massacre des Innocents. Trois tapisseries
Vatican

290. Att. Bourdon
Le massacre des Innocents
Coll. part. (cat. 36)

292. David
Deux têtes de femmes
Paris, coll. part. (cat. 60)

291. Att. Bourdon
Le massacre des Innocents
Coll. part. (cat. 37)

fig. 144. Peyron
Tête de femme
Paris, bibl. Art et Archéologie

fig. 145. Stella
Le massacre des Innocents
Grande-Bretagne, coll. part.

d'après des élèves de Raphaël
Le repas d'Emmaüs. Tapisserie
Vatican

293. Vouillemont
Le repas d'Emmaüs
Paris, B.N., Estampes (cat. 327)

d'après des élèves de Raphaël
L'Ascension. Tapisserie
Vatican

294. Béatrizet
L'Ascension
Paris, B.N., Estampes (cat. 250)

Œuvres en rapport avec des gravures d'après Raphaël ou des dessins de Raphaël

M.A. Raimondi d'après Raphaël
Adam et Ève

295. France, XVIe siècle
Le Péché originel
Écouen (cat. 354)

M.A. Raimondi ? d'après Raphaël
Salomon et la reine de Saba

296. Dubreuil
Diane implorant Jupiter
Louvre, Cabinet des Dessins (cat. 80)

297. L. Testelin
Esther et Assuérus
Montpellier (cat. 223)

fig. 146. Le Sueur
Salomon et la reine de Saba
Birmingham, Barber Inst.

M.A. Raimondi d'après Raphaël
Le massacre des Innocents

298. Duvet
Ange sonnant de la sixième trompette
Paris, B.N., Estampes (cat. 287)

299. P. Mignard
Le massacre des Innocents
Louvre, Cabinet des Dessins (cat. 171)

fig. 147. France XVIe
Détail de cheminée sculptée
Troyes

fig. 148. France XVIIe
Le massacre des Innocents
Besançon

fig. 149. France XVIIe
Le massacre des Innocents, grisaille
Rouen

fig. 150. David
Femme courant
Louvre, Dessins

M.A. Raimondi d'après Raphaël
La Cène

300. Limoges, XVIe siècle
La Cène
Lille (cat. 379)

301. Delessert
La Cène. Photographie
Paris, Musée d'Orsay (cat. 339)

fig. 151. France XVIe
La Cène
Bar-sur-Seine, église

M.A. Raimondi d'après Raphaël
La descente de croix

302. Pinaigrier
La descente de croix
Paris, Saint-Étienne-du-Mont (cat. 373)

303. Marchand
La descente de croix
Paris, Éc. des Beaux-Arts (cat. 348)

fig. 152. Goujon, entourage
La descente de croix
New York

fig. 153. Paris 1654
Patène, détail
Troyes, cathédrale

fig. 154. Matisse
La déposition de croix
Vence, chapelle du Rosaire

M.A. Raimondi d'après Raphaël
Vierge de douleur

304. H. Flandrin
Mater dolorosa
France, coll. part. (cat. 91)

M.A. Raimondi d'après Raphaël
La déploration du Christ

305. Limoges, XVIe siècle
Déploration du Christ
Limoges (cat. 378)

Enea Vico d'après Raphaël?
La déploration du Christ

306. Poussin
Déploration du Christ
Windsor (cat. 202)

fig. 155. France XVIe
La déposition de croix
Chatillon (Ain)

M.A. Raimondi d'après Raphaël
La Vierge sur les nuages

307. Duvet
La Vierge dans les nuages
Londres, British Museum (cat. 285)

309. France, v. 1600
Religieuse et la Vierge
Évreux, Saint-Taurin (cat. 355)

fig. 156. France v. 1650
Sainte Famille
Dijon, Magnin

308. France, XVIe siècle
Chants royaux
Paris, B.N. Manuscrits (cat. 237)

Marco da Ravenna d'après Raphaël
La Vierge lisant

310. Grevedon
Alphabet des Dames
Paris, B.N., Estampes (cat. 299)

M.A. Raimondi d'après Raphaël
« La pièce aux cinq saints », détail

311. Champaigne
Le Christ en gloire
Moscou (cat. 46)

M.A. Raimondi d'après Raphaël
« Quos ego », détail

312. Att. M.D. Pape
Quos Ego
Paris, Petit Palais (cat. 376)

M.A. Raimondi
Les trois Grâces

313. M.D. Pape
Les trois Grâces
Écouen (cat. 375)

Maître au dé d'après Raphaël ?
Vénus sur les eaux

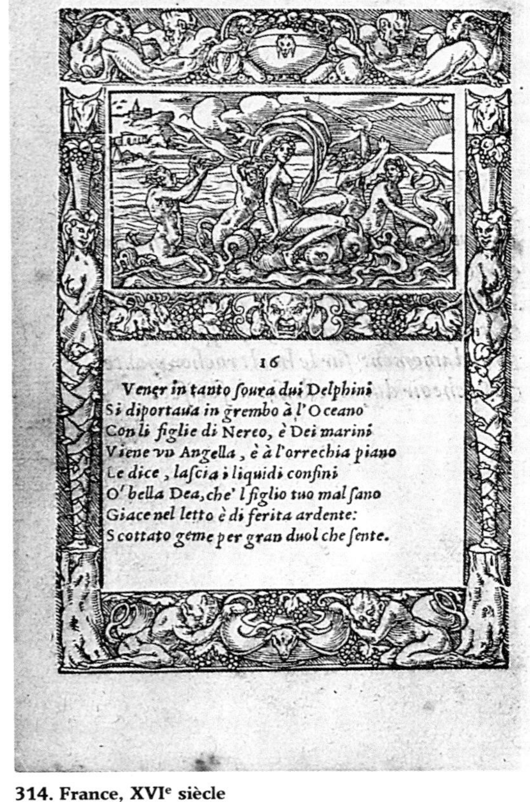

16

Vener in tanto soura dui Delphini
Si diportaua in grembo à l'Oceano
Con li figlie di Nereo, è Dei marini
Viene vn Angella, è à l'orrechia piano
Le dice, lascia i liquidi confini
O' bella Dea, che' l figlio tuo mal sano
Giace nel letto è di ferita ardente:
Scottato geme per gran duol che sente.

314. France, XVIe siècle
Amour de Cupido et Psyché
Paris, Arsenal (cat. 331)

Maître au dé d'après Raphaël ?
Vénus remettant une boîte à Psyché

315. Reymond
Vénus remettant une boîte à Psyché
Paris, Petit Palais (cat. 377)

fig. 157. France XVIe
Vénus remettant une boîte à Psyché
Chantilly

Maître au dé d'après Raphaël ?
Le festin des dieux

316. J. Androuet Du Cerceau
Le Festin des dieux
Paris, B.N., Estampes (cat. 246)

fig. 158. L. Limosin
Le festin des dieux
Paris, coll. part.

M.A. Raimondi d'après Raphaël
Le jugement de Pâris

317. Gobelins, XVIIe siècle
Le jugement de Pâris
Mobilier national (cat. 368)

318. Penni
Le jugement de Pâris
Louvre, Cabinet des Dessins (cat. 191)

319. Courteys
Le jugement de Paris
Angers (cat. 374)

320. Villon, d'après Manet
Le Déjeuner sur l'herbe
Paris, B.N., Estampes (cat. 326)

fig. 159. Lyon ou Nevers XVIe
Le jugement de Pâris
Écouen

321. Renoir
Le jugement de Pâris
Louvre, Cabinet des Dessins (cat. 215)

fig. 160. Stella
Le jugement de Pâris
Hartford

fig. 161. Moitte
Le jugement de Pâris
Vente Paris, 21 février 1891

fig. 162. Girodet
Le jugement de Pâris
Montargis, coll. part.

M. A. Raimondi d'après Raphaël
La cassolette

322. Le Brun, atelier
Figures décoratives, détail
Louvre (cat. 147)

fig. 163. Goujon
La Gloire du roi
Louvre, Cour Carrée

fig. 164. Pilon
Monument du cœur de Henri II
Louvre

Raphaël
Étude de deux hommes. Dessin
Vienne, Albertina

323. Seurat
Étude d'homme
Cambridge, Fogg Museum (cat. 219)

Raphaël ?
Alexandre et Roxane. Dessin
Vienne, Albertina

324. Cochin
Alexandre et Roxane
Paris, B.N., Estampes (cat. 264)

Atelier de Raphaël
La Calomnie d'Apelle. Dessin
Louvre

325. Denon
La Calomnie d'Apelle
Paris, B.N., Estampes (cat. 271)

fig. 165. Caron
La calomnie d'Apelle
Louvre, Dessins

fig. 166. Bézard
La calomnie d'Apelle
New York, Shepherd Gal., 1977-78

L'image de Raphaël

La vie de Raphaël

326. Ingres
La maison natale de Raphaël
Montauban (cat. 131)

327. Ingres
Le Casino de Raphaël
Paris, Arts décoratifs (cat. 132)

328. Papety
Le Casino de Raphaël
Brême (cat. 190)

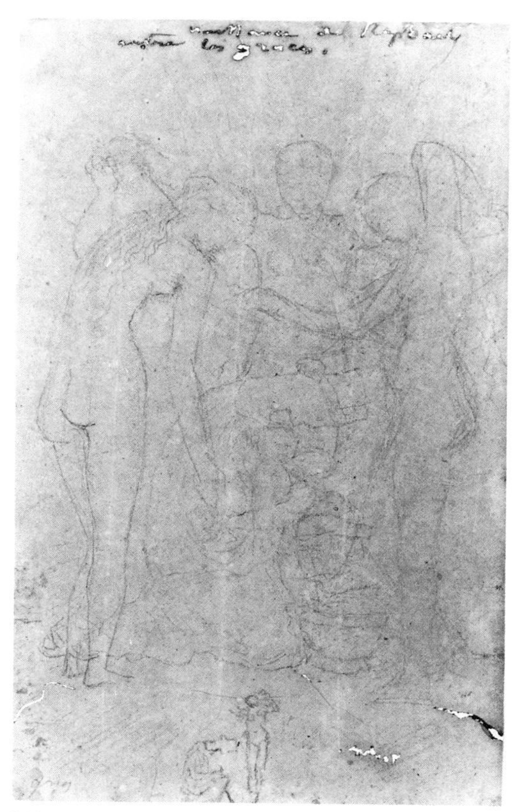

329. Ingres
La naissance de Raphaël
Montauban (cat. 133)

331. Errò
La vie de Raphaël
Paris, coll. part. (cat. 85)

330. A. Devéria
La naissane de Raphaël
Paris, B.N., Estampes (cat. 275)

332. A.E. Fragonard
Raphaël chez Pérugin
Paris, coll. part. (cat. 94)

333. Crignier
Raphaël chez Pérugin
Paris, coll. part. (cat. 56)

334. Cibot
Raphaël et Pérugin
Moulins (cat. 50)

335. A.E. Fragonard
Raphaël et la duchesse d'Urbin
Paris, B.N., Estampes (cat. 293)

336. A. Devéria
Raphaël et la duchesse d'Urbin
Paris, B.N., Estampes (cat. 276)

fig. 167. Anonyme, v. 1830?
Raphaël et la duchesse d'Urbin
Dijon, Magnin

337. A. Devéria
Raphaël à la cour de Laurent de Médicis
Paris, B.N., Estampes (cat. 277)

338. Allais, d'après Brune-Pagès
Raphaël et Léonard de Vinci
Paris, B.N., Estampes (cat. 244)

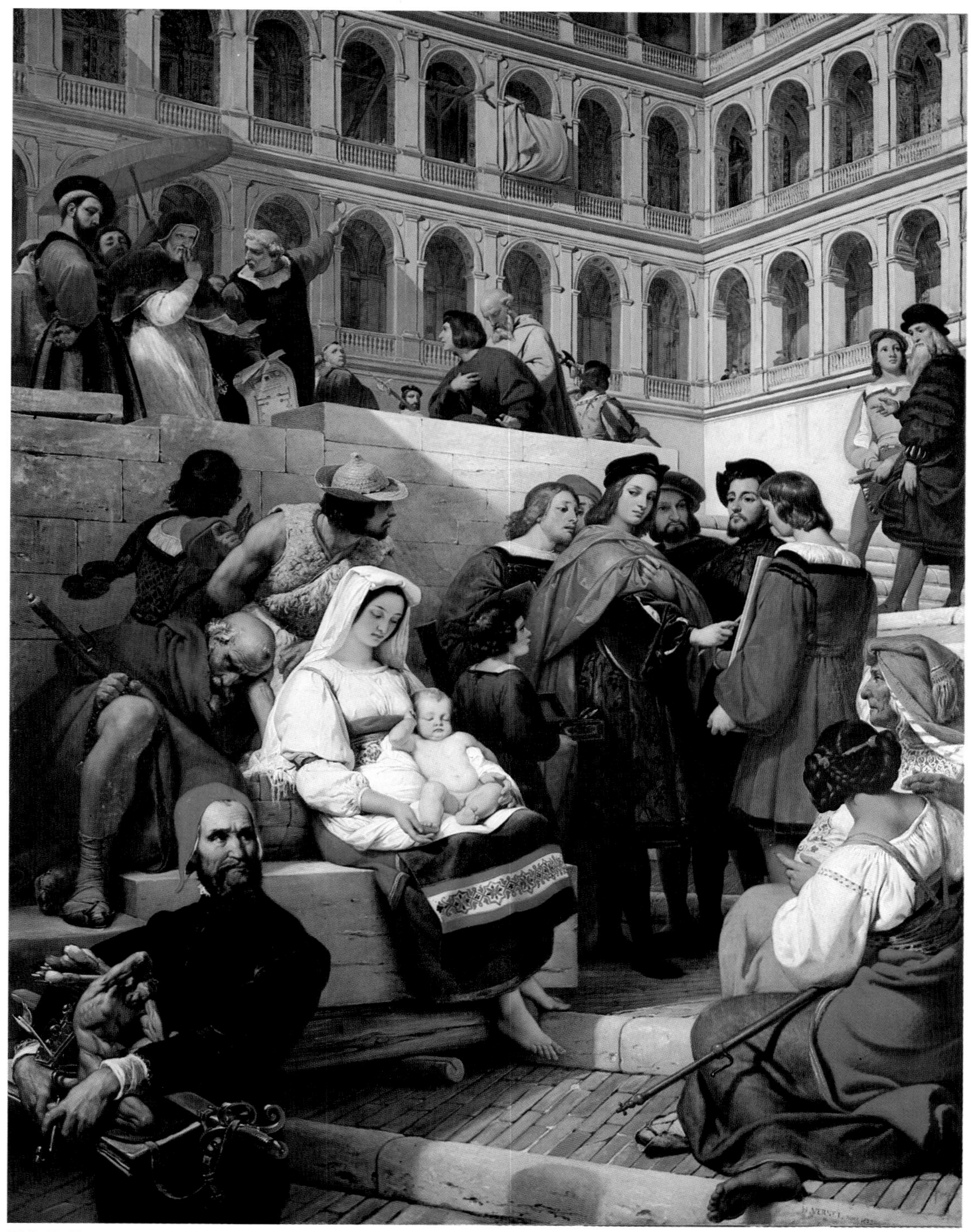

339. H. Vernet
Raphaël au Vatican
Louvre (cat. 224)

fig. 168. H. Vernet
Jules II ordonnant des travaux
Louvre

fig. 169. Gérôme
Raphaël à la Sixtine
Loc. inconnue

340. A. Devéria
Raphaël et Michel-Ange
Paris, B.N., Estampes (cat. 279)

342. Lemasle
La découverte de l'Apollon du Belvédère
Nantes (cat. 150)

341. A. Devéria
Raphaël dessinant la Vierge à la chaise
Paris, B.N., Estampes (cat. 274)

343. A. Devéria
Raphaël et Dürer
Paris, B.N., Estampes (cat. 278)

344. A.E. Fragonard
Raphaël et son modèle
Grasse (cat. 95)

345. Girardet, d'après Jalabert
L'atelier de Raphaël
Paris, B.N., Estampes (cat. 298)

346. Allais, d'après Pignerolle
Raphaël et Jeanne d'Aragon
Paris, B.N., Estampes (cat. 245)

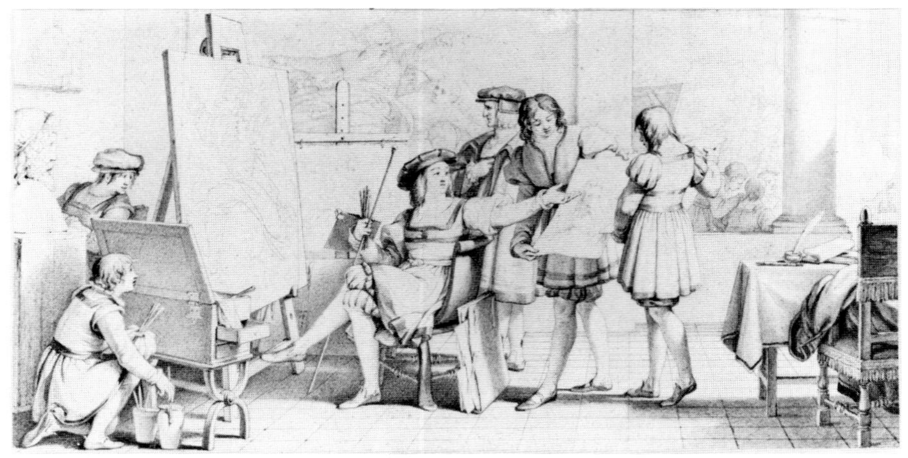

347. Moreau le Jeune
Raphaël dans son atelier
Paris, coll. part. (cat. 186)

fig. 170. A. Colin
Raphaël dans la campagne romaine
Nancy

fig. 171. Marlet
Raphël peignant
Paris, B.N., Estampes

fig. 172. Taunay
Francia devant la Sainte Cécile
Loc. inconnue

348. A. Devéria
Raphaël et Léon X
Paris, B.N., Estampes (cat. 280)

349. Chenavard
Les artistes sous Léon X
Lyon (cat. 49)

350. Marlet
Raphaël et Léon X
Dijon (cat. 164)

fig. 173. d'après Menjaud
Raphaël peignant
Paris, B.N., Estampes

351. Ingres
Les fiançailles de Raphaël
Baltimore (cat. 135)

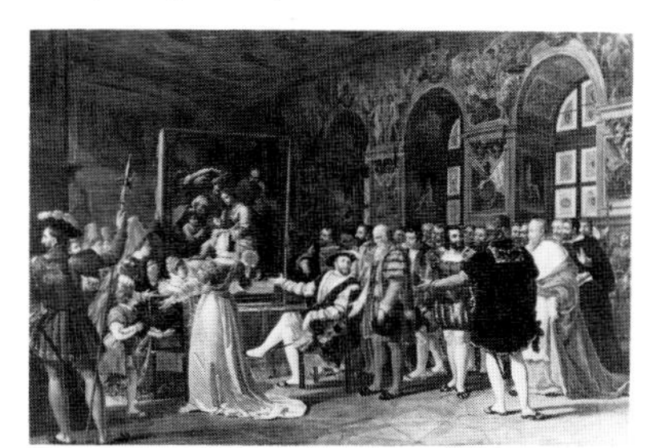

fig. 174. Lemonnier
François 1er et la Grande Sainte Famille
Rouen

352. L. Benouville
Raphaël apercevant la Fornarina
Paris, coll. part. (cat. 17)

353. H. Flandrin
Raphaël apercevant la Fornarina
Montauban (cat. 92)

fig. 175. Degas
Raphaël à la boulangerie
Loc. inconnue

354. Ingres
Raphaël et la Fornarina
New York, coll. part. (cat. 134)

355. Garnier, d'après Picot
Raphaël et la Fornarina
Paris, B.N., Estampes (cat. 295)

356. France, vers 1830
Pendule
Madrid, Palais Royal (cat. 397)

357. Salles
Raphaël et la Fornarina
France, coll. part. (cat. 218)

fig. 176. Réveil d'après Coupin de la Couperie
Raphaël et la Fornarina

358. Picasso
Raphaël et la Fornarina
Paris, B.N., Estampes (cat. 313)

fig. 177. Normand d'après Mallet
L'atelier de Raphaël

fig. 178. A. Devéria
Raphaël et la Fornarina
Paris, B.N., Estampes

fig. 179. d'après Marlet ?
Raphaël et la Fornarina
Paris, B.N., Estampes

359. Monsiau
La mort de Raphaël
Paris, coll. part. (cat. 180)

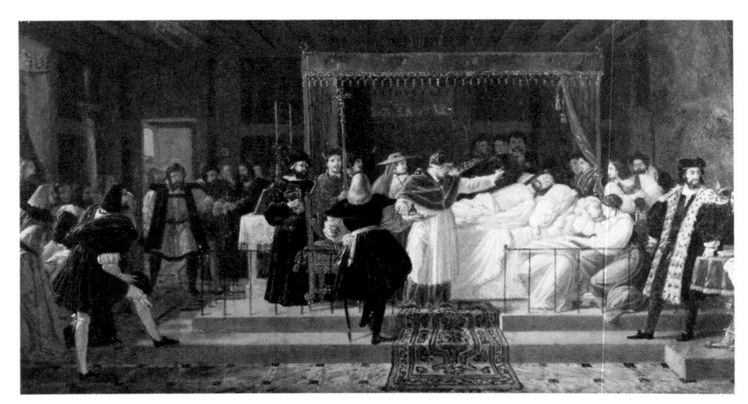

361. Bergeret
La mort de Raphaël, esquisse
Genève (cat. 19)

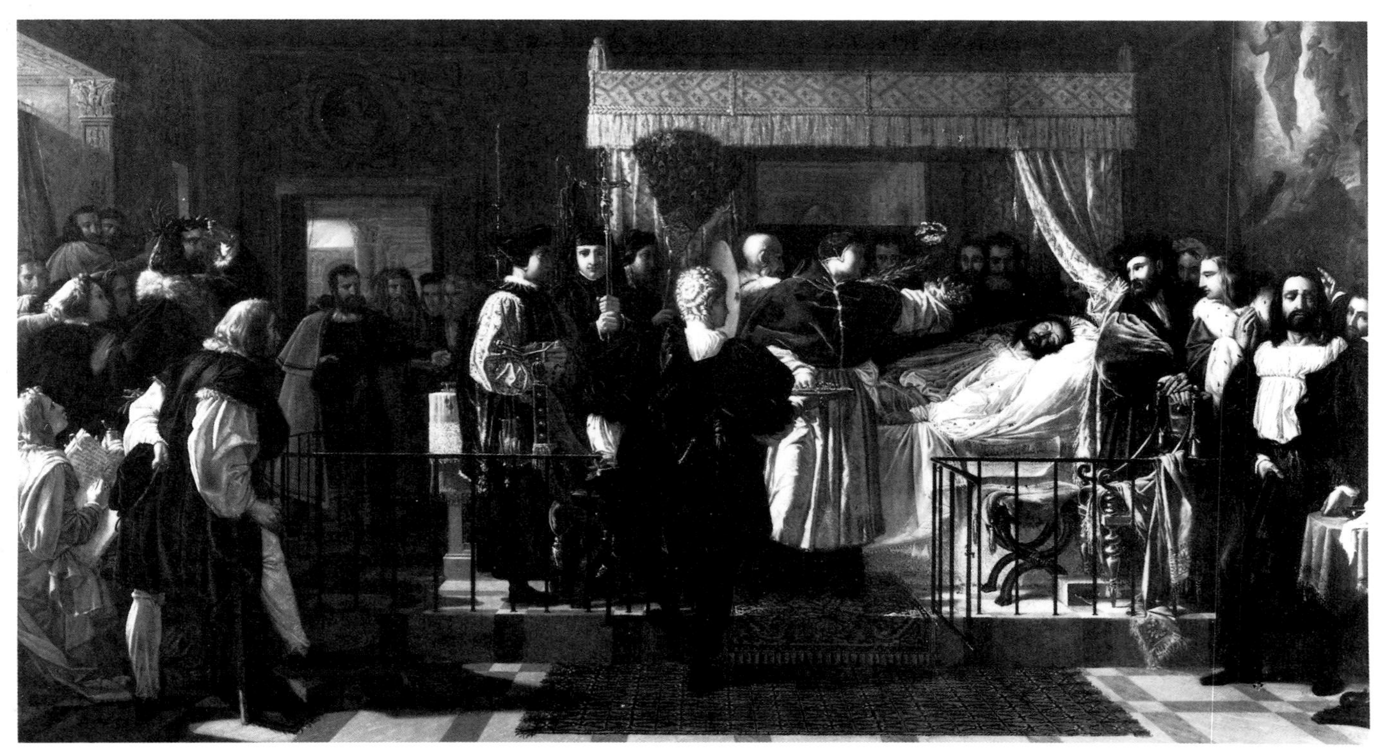

360. Bergeret
La Mort de Raphaël
Oberlin (cat. 18)

362. Harriet
La mort de Raphaël
New York, coll. part. (cat. 113)

363. Julien de Parme
La mort de Raphaël
Paris, Institut Néerlandais (cat. 138)

fig. 180. Bovinet d'après Monsiau
Raphaël mourant
Paris, B.N., Estampes

fig. 181. Ingres
La mort de Raphaël
Montauban

fig. 182. H. Vernet
L'ouverture du tombeau de Raphaël

364. Adami
L'urna, épitaphe de Raphaël
Lyon, F.R.A.C. (cat. 1)

Le visage de Raphaël

365. Rochet
Raphaël enfant
Paris, coll. part. (cat. 351)

366. Aizelin
Raphaël enfant
Beauvais (cat. 341)

Parmigianino?
Portrait de jeune homme
Louvre

367. Anonyme, v. 1830
« Raphaël »
Louvre, Cabinet des Dessins (cat. 384)

368. Cézanne
« Raphaël »
Zurich, coll. Feilchenfeldt (cat. 44)

369. Cézanne
« Raphaël » et vue du Jas de Bouffan
Rotterdam (cat. 45)

370. Degas
« Raphaël »
Zurich, coll. Feilchenfeldt (cat. 64)

371. Feuchère
Raphaël
Rouen (cat. 345)

fig. 183. France, v. 1835-1840
Pendule avec Raphaël
Paris, coll. part.

Raphaël ?
Portrait de Raphaël
Florence, Offices

372. Ingres
Raphaël
Montauban (cat. 121)

373. Jaquotot
Raphaël
Sèvres, musée (cat. 389)

fig. 184. France, v. 1850 ?
Raphaël
Paris, coll. part.

374. Baron
Raphaël
Paris, B.N., Estampes (cat. 249)

375. Arroyo
Raffaello e Andrea dal Sarto
Milan, coll. Galimberti (cat. 5)

fig. 185. Carrier-Belleuse, Edit. par Boy
Raphaël
Catal. Glyptographie Sylvestre et cie

Raphaël
Raphaël et Pérugin, détail de l'École d'Athènes
Vatican

376. Carré, d'après Daffrique
L'Homme immortel et son maître
Paris, B.N., Estampes (cat. 258)

Raphaël
F.M. della Rovere ? détail de l'École d'Athènes
Vatican

377. G.A. Demarteau, d'après Monsiau
« Raphaël »
Paris, B.N., Estampes (cat. 270)

Raphaël
Portrait dit de Bindo Altoviti
Washington

378. Saint-Morys
« Raphaël »
Paris, B.N., Estampes (cat. 320)

fig. 186. Denon
"Raphaël"
Paris, B.N., Estampes

fig. 187. Sudre d'après Girodet
"Raphaël"
Paris, B.N, Estampes

fig. 188. Boucquet
Raphaël
Florence, Palais Sabatier

fig. 189. J. Montanès
Raphaël Sanzio, Les belles histoires de l'oncle Paul
Spirou, 12 déc. 1956, détail

379. Delacroix
Feuille d'étude avec tête de Raphaël
Louvre, Cabinet des Dessins (cat. 70)

Raphaël
Portrait de jeune homme
Autrefois Cracovie

380. Anonyme, v. 1650-1660
« Raphaël »
Paris, coll. part. (cat. 332)

381. Tardieu, d'après L. Chéron
Frontispice avec « Raphaël »
Paris, B.N., Estampes (cat. 322)

382. C. Nanteuil
Frontispice avec « Raphaël »
Paris, B.N., , Estampes (cat. 309)

383. Carrier-Belleuse
Le jeune Raphaël
Chapel-Hill (cat. 344)

384. Feuchère
Raphaël
Louvre, Sculptures (cat. 346)

Titien?
Portrait de Raphaël?
Genève, coll. part.

385. N. de Larmessin
« Raphaël »
Paris, B.N., Estampes (cat. 303)

386. A. Devéria
Le jeune Raphaël
Paris, B.N., Estampes (cat. 281)

387. Caqué
Raphaël Sanctius
Paris, B.N., Estampes (cat. 400)

388. Sèvres, 1834
Vase jasmin au portrait de Raphaël
Compiègne (cat. 391)

Raphaël
Portrait de Raphaël et d'un ami
Louvre

389. N. IV de Larmessin
Portrait de Raphaël
Paris, B.N., Estampes (cat. 304)

Raphaël hors du temps

390. Chapron
Chapron et le buste de Raphaël
Paris, B.N., Estampes (cat. 260)

391. Chauveau
Raphaël et A. Carrache. Projet de plafond, détail
Stockholm (cat. 48)

392. Flipart, d'après Boucher
Frontispice avec portrait de Raphaël
Paris, B.N., Estampes (cat. 290)

393. Callet
Le Génie de la Peinture
Paris, coll. part. (cat. 39)

fig. 190. Sarazin
Triomphe de la Renommée (Raphaël de profil à droite)
Chantilly

fig. 191. A. Coypel
La peinture (Raphaël à droite)
Paris, B.N., Estampes

fig. 192. Natoire
L'union de la peinture et du dessin
Vente Londres, Sotheby's, 8 déc. 1972

fig. 193. Wleughels
Frontispice avec Titien, Michel-Ange
et Vasari sous le buste de Raphaël

fig. 194. Julien de Parme
Sujet allégorique
Vienne, Albertina

394. A.E. Fragonard
Le Musée Napoléon
Sèvres, manufacture (cat. 96)

395. Feuchère
Raphaël accueillant Poussin aux Champs-Élysées
Paris, Éc. des Beaux-Arts (cat. 89)

396. Ingres
Étude pour l'Apothéose d'Homère
Louvre (cat. 136)

397. Delaroche
L'Hémicycle des Beaux-Arts, esquisse, détail
Nantes (cat. 72)

398. Lyon. v. 1865
Michel-Ange, Raphaël, Titien. Velours ciselé
Lyon, musée des Tissus (cat. 371)

399. Ziegler
L'Imagination
Langres (cat. 234)

400 Injalbert
Monument à Raphaël
Béziers (cat. 347)

fig. 195. David d'Angers
Les bienfaits de l'imprimerie, détail
Angers

fig. 196. Chenavard
La Philosophie de l'Histoire, détail
(Raphaël et Mozart) Lyon

fig. 197. Ehrmann
L'art de la Renaissance, détail
Loc. inconnue

fig. 198. Ernst
Au rendez-vous des amis, détail
Cologne

Annexe I

Épisodes de la vie de Raphaël traités par les peintres français XVIIIe-XXe siècles

(S = Salon de ; le n° suivant entre parenthèses correspond au n° du Salon)

Baille (Édouard)
Léon X visitant les loges de Raphaël
S. 1842 (n° 41). Perdu.

Benouville (Léon)
S. 1857 ; v. cat. 17. Perdu.

Bergeret (Pierre-Nolasque)
S. 1806 ; v. cat. 18-19 et biographie.

Bézard (Jean-Louis)
Raphaël présenté par son père à Pérugin, vers 1836-1837. Projet sur toile pour le médaillon central du plateau du « *Guéridon de Raphaël* », exécuté à Sèvres à partir de février 1837 ; le plateau comportait aussi des *Enfants dans des guirlandes* d'après A.E. Fragonard interprètant des gravures d'après Raphaël, et des médaillons d'après ceux de la voûte de la Chambre de la Signature. L'ensemble fut exécuté par Mme Ducluzeau, sur un projet général de Chenavard (v. n° 391). Le guéridon, exposé en mai 1840 (*Exposition des Manufactures Royales,* n° 6), fut offert par Louis XVIII au roi de Hollande (juin 1841) ; il ne se trouve plus dans les collections royales néerlandaises (aimable comm. écrite de Mme Brenninkmeyer de Rooij). Le projet de Bézard ne se trouve plus à Sèvres, où les archives de la manufacture conservent plusieurs projets dessinés pour le guéridon (DS 10 1837 N° 2 D, R8) ; voir pour une gravure du guéridon et de son plateau A. Brongniart et D. Riocreux ; *Description méthodique du Musée Céramique de la Manufacture Royale de Porcelaine de Sèvres,* 1845, p. 417, n° 29, pl. VI, fig. 1.

Boisselat (Jean-François)
Le rêve de Raphaël
S. 1841 (n° 182). Perdu.

Bouchet (Jules-Frédéric)
Léon X et Raphaël dans une architecture de fantaisie 1831. (aquarelle) Compiègne, musée Vivenel (cat. musée, 1900 [Bly], n° 204).

Brune Pagès (Aimée)
S. 1845 ; v. cat. 244.

Carré (Michel)
Raphaël et la Fornarina
S. 1844 (n° 275). Perdu.

Chrétien (Nicolas)
Raphaël chez le Pérugin
S. 1845 (n° 332). Perdu.

Cibot (François-Édouard)
S. 1843 ; v. cat. 50.

Clérian (Noël-Thomas-Joseph)
Raphaël chez la Fornarina
S. 1836 (n° 361). Perdu.

Colin (Alexandre)
Raphaël dessinant dans la campagne de Rome
S. 1857 (n° 569). Nancy, Musée des Beaux-Arts ; v. fig. 170.

Coupin de la Couperie (Marie-Philippe)
Raphaël ajustant la coiffure de la Fornarina
S. 1824 (n° 380 ; « commandé par Mme la duchesse de Raguse ») ; v. fig. 176. Perdu.

Crignier (Louis)
S. 1831 ; v. cat. 56.

Dauvergne (Anatole)
Raphaël et la Fornarina
S. 1841 (n° 468). Perdu.

Decaisne (Henri)
Dernière visite de Raphaël à son atelier
S. 1849 (n° 496). Perdu.

Degas (Édgar)
v. biographie et fig. 175.

Dehérain (Hermine)
Raphaël présenté au Pérugin par son père
S. 1827 (n° 285). Perdu.

Delacroix (Eugène)
S. 1831 ; v. cat. 70. Perdu.

Desmoulins (Auguste-François-Barthélémy)
Raphaël dans son atelier
S. 1819 (n° 337 ; « il peint le tableau de la Sainte Cécile »). Perdu.

Devéria (Achille)
v. cat. 274-280.

Erro
La vie de Raphaël 1977 ; v. cat. 85.

Fragonard (Alexandre-Evariste)
v. cat. 94-95, 293.

Granet (François-Marius)
Raphaël et la Fornarina (plume ; vente Paris 29 juin 1945 *cf.* Bénézit, t. IV, p. 391). Perdu.

Granger (Jean-Perrin)
Raphaël enfant présenté à Léonard de Vinci (ou plutôt *à Pérugin?)* dessin. Moulins, Musée ; v. Méjanés, 1980, s.p.

Gérôme (Jean-Léon)
Raphaël et Bramante à la Sixtine 1880 ; loc. inconnue ; v. fig. 169 (esquisse de ce tableau coll. N. Butkin, Cleveland, jusqu'en 1980).

Harriet (Fulchran-Jean)
S. 1800 ; v. cat. 113. Perdu.

Housez (Charles-Gustave)
Raphaël et la Fornarina
S. 1864 (n° 963). Perdu.

Ingres (Jean-Auguste-Dominique)
1813 ; 1827 (?) ; v. cat. 133-135 et *infra,* annexe II.

Jalabert (Charles-François)
S. 1857 ; v. cat. 298. Perdu.

Jeanron (Auguste)
Raphaël et la Fornarina
S. 1857 (n° 1432 ; « appartient à M. Silèm de Hambourg »). Perdu.

Julien de Parme (Jean-Antoine)
1774 ; v. cat. 138.

Lemasle (Louis-Nicolas)
S. 1837 ; v. cat. 150.

Lemonnier (Anicet-Charles-Gabriel)
François 1er recevant dans la salle des Suisses à Fontainebleau le tableau de la Sainte Famille que Raphaël avait exécuté pour lui
S. 1814 (n° 629) Rouen, Musée des Beaux-Arts ; v. fig. 174.

Lestang-Parade (Joseph Léon de)
Le pape Léon X
S. 1833 (n° 1601 ; « accompagné de Raphaël, il visite, dans le palais du Vatican, la galerie dite des Loges, dont ce grand maître vient de terminer les peintures »). Perdu.

Mallet (Jean-Baptiste)
Intérieur de l'atelier de Raphaël
S. 1814 (n° 655) Grenoble, musée des Beaux-Arts ; v. fig. 177 (gravure de Normand). L'état de conservation du tableau de Grenoble, ruiné par l'abus des bitumes employés par le peintre, a empêché de le faire figurer à l'exposition.

Marlet (Jean-Henri)
S. 1812, 1814, 1817, 1833 ; v. cat. 164 ; v. fig. 179, peut-être le tableau du Salon de 1817. Perdu. V. aussi fig. 171.

Menjaud (Alexandre)
Raphaël et la Fornarina
S. 1819 (n° 823 ; Raphaël travaille, d'après la Fornarina, à son tableau de la Vierge aux anges ») v. fig. 173, gravure anonyme. Perdu.

Raphaël
S. 1822 (n° 928 ; « Raphaël à peine âge de quinze ans, est présenté par son père à la duchesse d'Urbin, qui lui donne une lettre de recommadation pour aller étudier la peinture chez le Pérugin »). Perdu.

Monsiau (Nicolas-André)
v. cat. 180 et biographie. Perdu.

Moreau le Jeune (Jean-Michel)
1808 ; v. cat. 186.

Picasso (Pablo)
1968 ; v. cat. 313.

Picot (François Édouard)
S. 1822 ; v. cat. 295. Perdu.

Pignerolle (Charles-Marcel de)
S. 1859 ; v. cat. 245. Perdu.

Salles (Jules)
1843 ; v. cat. 218.

Taunay (Nicolas-Antoine)
Francia et la Sainte Cécile de Raphaël. Loc. inconnue ; v. fig. 172.

Vernet (Horace)
S. 1833 ; v. cat. 224 et biographie.

Anonyme
vers 1830 ? *Raphaël et la duchesse d'Urbin.* Dijon, musée Magnin (att. à Ingres ; cat. J. Magnin, 1938, n° 522) v. fig. 167.

Anonyme
vers 1810-1820 ? *Raphaël dans son atelier.* (dessin). Montpellier, musée Fabre (att. à Girodet).

Note : Il ne semble pas que le dessin du Louvre attribué à Domenico Fiorentino et que comme tel on pourrait rattacher à l'art français (Cabinet des Dessins) puisse représenter Raphaël mourant emporté sur un brancard hors du bâtiment où se trouve son atelier, comme le pense Hugo Wagner (1969, pp. 59-62, fig. 46). Ce beau dessin, proche de Rosso, montre plutôt *le Miracle d'un saint évêque :* un évêque, à droite, auréolé, bénit un jeune homme, malade ou mort, porté sur un brancard, et il semble s'agir d'une scène de guérison, ou de résurrection, qui reste à identifier. J.P.C.

Annexe II

Ingres et la vie de Raphaël

Ingres a-t-il réellement envisagé de réaliser, de façon cohérente, une « suite » de tableaux représentant les différents épisodes de la vie de Raphaël, comme on l'a toujours écrit en se fondant sur les notes prises dans son cahier IX (musée de Montauban) ? Il est permis d'en douter, dans la mesure où ces notes semblent d'époques diverses et où les tableaux ou dessins conservés se rapportant à ces thèmes sont de dimensions, de proportions et de styles différents ; dans la mesure aussi où le cahier IX comporte bien des notes de « sujets » pris dans la vie d'autres peintres : Poussin, notamment, dont Ingres paraît, à consulter le même carnet, avoir projeté une « vie », dont ne resterait pas même un croqueton. Imaginer des sujets de tableaux paraît avoir été, chez Ingres, presque une manie. Il était compréhensible que, s'agissant de son cher Raphaël, son imagination s'exerçât de façon plus vive. Delaborde a peut-être ajouté quelque confusion en voulant apporter ordre et cohérence aux notes d'Ingres, et en dégageant huit « sujets de la vie de Raphaël » projetés par le peintre comme un tout cohérent (Delaborde, pp. 327-328) ; et on a, depuis, souvent repris cette idée d'une *Vie de Raphaël* en huit épisodes, voulue par Ingres.

Il paraît sage de reprendre le problème à partir des notes du cahier IX, telles que les publie Lapauze (1901, pp. 215-216). Le mot *sujet* précédant un titre ou une idée de tableau paraît figurer de façon presque arbitraire ; il ne figure pas, par exemple, pour les *Fiançailles de Raphaël*, et ne peut donc servir à distinguer des tableaux projetés de simples notes aide-mémoire.

Folio 29

Sujet : Naissance de Raphaël. Les Grâces descendent du ciel et environnent l'Enfant divin (deux dessins à Montauban ; voir ici n° 133).

Sujet : Le jeune Raphaël prend congé de la duchesse d'Urbin, sa protectrice, qui lui remet une lettre de recommandation pour le Pérugin. Il est accompagné de son père. Le duc, présent, lisant une lettre que lui remet un page; ou bien il s'arme pour une escarmouche (un dessin de ce sujet à Dijon, Musée Magnin, faussement attribué à Ingres ; voir Annexe I).

Folio 30

Sujet : Le Pérugin reçoit le jeune Raphaël pour disciple, son père y étant. / Raphaël peignant sur le tableau, celui-ci le considère avec intérêt et admiration. Il y peignait lui-même (un dessin célèbre et souvent reproduit, conservé à l'École des Beaux-Arts — Inv. 1103 —, étude d'un jeune homme nu de profil, assis et dessinant, porte une annotation à peine lisible : *Raphaël peignant sur les tableaux de son maître* qui permet de le relier à cette mention).

Folio 32

Léon X et Raphaël dans les Loges accompagnés de Bramante il Bembo.

Il lui promet le chapeau de cardinal.

Raphaël à la Farnesina avec la Fornarina (biffé, d'après Schlenoff, 1956, n. 3, p. 135 ; voir ici n° 134).

Le cardinal de Bibbiena offre sa nièce en mariage à Raphaël. (Le Pérugin pare et fait belle de bijoux et de beaux habits sa femme ; ce sujet vient à la suite du précédent, et montre bien l'absence d'idée d'ensemble ; voir ici n° 135).

Sujet : Raphaël voit pour la première fois la Fornarina se lavant les pieds au Tibre, du côté de Santa Cecilia où elle loge, et s'en rend amoureux tant elle était belle.

Folio 33

Raphaël allant au cours [le Corso, à Rome] *est accompagné de cinquante peintres par amour de sa gentille et amoureuse personne et pour lui faire honneur. On voit, dans le fond, Michel-Ange tout seul* (cette dernière phrase au crayon).

Folio 35

Raphaël reçoit le portrait d'Albert Dürer.

Sujet : Le pape Jules II devant le tableau de la Dispute du Saint-Sacrement. Le pape accompagné de Bramante et Raphaël, etc. (...) (deux sujets, ou un seul ? dans la première hypothèse, le second membre de phrase pourrait se rapporter à un *Raphaël présenté à Jules II par Bramante* dont existe un dessin en largeur, dont le trait discontinu indique qu'il suit un calque, dans le fond de Montauban [867.2776 ; Momméja 254].

Folio 36

(...) Deux tableaux. Sujet : Raphaël avec sa maîtresse. Raphaël se peignant, sa maîtresse derrière lui (un ou deux sujets ? voir ici n° 134 ; phrase suivante : *La mort du Corrège*).

Folio 37

Funérailles de Raphaël. / Ses élèves fondent en larmes. / Léon X y assiste. / Effet de nuit. La scène éclairée par de grands candélabres (un croquis à la plume, au centre de la feuille, montre une composition en hauteur, presque carrée, disposée symétriquement avec dans l'axe le lit de mort et à la tête, semble-t-il, la *Transfiguration ;* plusieurs annotations sur le croquis). *Voir la scène par la porte et des personnages sur le devant, le Pape ou ses amis* (un croquis tout aussi schématique, au crayon, se trouve à Montauban [867.2767 ; Momméja 256], annoté : *mort de Raphaël. portraits des cardinaux Médicis Bibiena* et (à la plume) *rien que Léon X qui pleure ;* il montre une composition légèrement différente, avec le lit et le tableau visibles derrière une arcade, fig. 181).

Pompe funèbre de Raphaël (son tableau porté derrière ses restes) en procession. Le tableau cache son corps (cette dernière phrase au crayon).

En bas de page, d'une écriture plus tardive : *Le pape Jules 2 en face de la fresque du St Sacrement, disant : Je te remercie, ô grand Dieu de m'avoir donné un aussi grand peintre sous mon Pontificat* (même sujet que folio 35 ? un croquis très rapide de Montauban [867.2768 : Momméja 257] montrant trois personnages dont, semble-t-il, Jules II au centre, pourrait être une esquisse en rapport avec le sujet, plutôt qu'avec la *Mort de Raphaël,* comme le suppose Momméja).

Nous arrivons ainsi, de façon approximative, à quatorze sujets au moins, dont deux seulement finalement réalisés, *Les fiançailles* (ici n° 135) et *Raphaël et la Fornarina* (ici n° 134), et quatre ébauchés par des croquis d'ensemble : *Naissance, Présentation au pape par Bramante, Mort,* ou préparé par un dessin de détail : *Raphaël peignant sur un tableau de Pérugin.*

Il est difficile de dater précisément les cahiers d'Ingres, qu'il reprit, annota et surchargea constamment ; il est pourtant logique de placer l'essentiel des notes du cahier IX sur Raphaël vers 1808-1810 à Rome. La plupart des épisodes sont inspirés de passages de Vasari et de Comolli ; certains, comme Raphaël peignant sur un tableau de Pérugin ou rencontrant la Fornarina se baignant les pieds nus dans le Tibre, paraissent totalement romancés. J.P.C.

Bibliographie

Abadie, 1979-1980
D. Abadie, *in* catal. exp., *Salvador Dali, rétrospective, 1920-1980,* Paris, Centre Georges Pompidou, 1979-1980, 2ᵉ éd. revue, 2 vol.
Adhémar, 1938
J. Adhémar, *Bibliothèque Nationale, Cabinet des Estampes, Inventaire du Fonds Français. Graveurs du XVIᵉ siècle,* t. II, Paris, 1938.
Adhémar, 1949
J. Adhémar, *Bibliothèque Nationale, Cabinet des Estampes, Inventaire du Fonds Français après 1800,* t. IV et V, Paris, 1949.
Adhémar, 1953
J. Adhémar, « Pierre Milan et les origines de l'École de Fontainebleau », *Gazette des Beaux-Arts,* mai 1953, pp. 361-364.
Adhémar et Lethève, 1953
J. Adhémar, J. Lethève, *Bibliothèque Nationale, Cabinet des Estampes, Inventaire du Fonds Français après 1800,* t. VI à XIII, Paris, 1953-1965.
Adhémar, 1954
J. Adhémar, *Le dessin français au XVIᵉ siècle,* Lausanne, 1954.
Adhémar, 1976
J. Adhémar et G. Dorder, « Les tombeaux de la collection Gaignières, Dessins d'archéologie du XVIIᵉ siècle, tome II, suite du catalogue », *Gazette des Beaux-Arts,* juillet-août 1976, pp. 3-128.
Adhémar
Voir aussi Laran
Adhémar
Voir aussi Sterling
Adriani, 1978
G. Adriani, *Paul Cézanne Zeichnungen,* Cologne, 1978.
Aillagon
Voir aussi Viollet-le-Duc.
Alain, 1949
Alain, *Ingres,* Paris, 1949.
Alazard, 1936
J. Alazard, « Ce que J.-D., Ingres doit aux primitifs italiens », *Gazette des Beaux-Arts,* novembre 1936, pp. 167-175.
Algoud, 1908
H. Algoud, *Gaspard Grégoire et ses velours d'art,* Paris, 1908.
Allister Johnson
Voir Mc Allister Johnson
Amaury-Duval, 1878
Amaury-Duval, *L'atelier d'Ingres,* Paris, 1878.
Ames, 1975
W. Ames, « Bouchardon and Company », *Master Drawings,* 1975, t. IV, nº 13, pp. 379-400.
Amprimoz, 1977
F.X. Amprimoz, « Dominique Papety à Rome au temps de Monsieur Ingres », *Actes du Colloque International Ingres et le Néo-classicisme, Montauban, octobre 1975, Bulletin spécial des Amis du Musée Ingres,* pp. 169-180.
Ananoff
A. Ananoff, *L'Œuvre dessiné de Jean-Honoré Fragonard, 1732-1806,* Paris, 1961-1970, 4 vol.
Ananoff, 1976
A. Ananoff, *François Boucher,* avec la collaboration de D. Wildenstein, Paris-Lausanne, 1976, 2 vol.
Andersen, 1973
W. Andersen, « Manet and the Judgement of Pâris », *Art News,* février 1973, LXXII, pp. 63-69.
Andrews, 1968
K. Andrews, *National Gallery of Scotland, Catalogue of Italian Drawings,* Cambridge, 1968, t. I.
Angoulvent, 1933
P.J. Angoulvent, *Musée National du Louvre, La chalcographie du Louvre, catalogue général,* Paris, 1933.
Angrand et Naef, 1970
P. Angrand, H. Naef, « Ingres et la famille de Pastoret. Correspondance inédite », II, *Bulletin du Musée Ingres,* décembre 1970, nº 28, pp. 7-22.
Appolinaire, 1981
G. Apollinaire, *Chroniques d'art, 1902-1918,* Paris, 1981.
Arikha, 1981
A. Arikha, catal. exp. *Jean-Auguste-Dominique Ingres. 53 dessins sur le vif du Musée Ingres et du Musée du Louvre,* Jérusalem, Musée d'Israël, 1981.
Astier, 1982
P. Astier, *Eduardo Arroyo,* Paris, 1982.
Aubert, 1672
Dom B. Aubert, « Véritable inventaire de la Royale abbaye de Saint-Pierre-en-Vallée de Chartres, 1672 », *Archives de l'Art Français,* t. 4, 1855-1856, pp. 382-394.
Aubrun, 1981
M.M. Aubrun, *Léon Benouville 1821-1859. Catalogue raisonné de l'œuvre,* Paris, 1981.
Aubrun, 1983
M.M. Aubrun, catal. exp., *Henri Lehmann, 1814-1882, Portraits et décors parisiens,* Paris, Musée Carnavalet, 1983.
Auzas, 1949
P.M. Auzas, « Les grands Mays de Notre-Dame de Paris », *Gazette des Beaux-Arts,* 1949, 2ᵉ semestre, pp. 197-200.
Auzas, 1957
P.M. Auzas, « Lubin Baugin, dit le Petit Guide », *Bulletin de la Société de l'Histoire de l'Art Français,* 1957, pp. 47-54.
Auzas, 1958
P.M. Auzas, « Lubin Baugin à Notre-Dame de Paris », *Gazette des Beaux-Arts,* mars 1958, pp. 129-140.
Auzas, 1961
P.M. Auzas, « Les quatre Mays des trois Corneille », *La Revue du Louvre et des Musées de France,* 1961, nº 4-5, pp. 187-196.
Auzas, s.d.
P.M. Auzas, *Notre-Dame de Paris. Le trésor,* Paris, s.d.
Avannes, 1839
d'Avannes, *Esquisse sur Navarre, notes et pièces justificatives,* Évreux, 1839.
Baatsch, 1979
M.A. Baatsch, *in* catal. exp., *Antonio Recalcati, huile sur toile, 1978-79,* Paris, Musée d'Art Moderne de la Ville de Paris, ARC, 1979.
Babelon, 1972
J.P. Babelon, « Nouveaux documents sur la décoration de l'hôtel Lambert », *Bulletin de la Société de l'Histoire de l'Art Français,* 1972, pp. 135-143.
Bacou, 1972
R. Bacou, *in* catal. exp., *L'École de Fontainebleau,* Paris, Grand-Palais, 1972-1973.
Bacou et Béguin, 1972
R. Bacou, S. Béguin, *in* catal. exp., *L'École de Fontainebleau,* Paris, Grand Palais, 1972-1973.
Bacou et Mc Allister Johnson, 1972
R. Bacou, et Mc Allister Johnson, *in* catal. exp., *L'École de Fontainebleau,* Paris, Grand Palais, 1972-1973.
Badt, 1969
K. Badt, *Die Kunst des Nicolas Poussin,* Cologne, 1969.
Baglione, 1642
G. Baglione, *Le vite de'pittori,* Rome, 1642.
Baillio, 1981
J. Baillio, « Marie-Antoinette et ses enfants par Mme Vigée Le Brun, II », *L'Œil,* mai 1981, pp. 52-61.
Bailly, 1975
J.-Ch., Bailly, catal. exp., *Antonio Recalcati,* 31 janvier 1801, Rennes, 1975.
Baldinucci, 1686
F. Baldinucci, *Cominciamento e progresso dell'arte dell'intagliare in rame,* Florence, 1686.
Balzac, 1976
H. de Balzac, *La Comédie humaine,* t. II, La femme de trente ans, Paris, 1976, éd. La Pléïade.
Barbet de Jouy, 1856
H. Barbet de Jouy, *Musée impérial du Louvre, Description des Sculptures modernes,* Paris, 1856.
Barbier de Montault, 1889
X. Barbier de Montault, *Œuvres complètes,* Poitiers, 1889.
Barocchi, 1950
P. Barocchi, *Il Rosso fiorentino,* Rome, 1950.
Barocchi, 1951
P. Barocchi, « Precisazione sul Primaticcio », *Com-*

mentari, 1951, juillet-décembre 1951, n° 3-4, pp. 203-223.
Barousse, 1980
P. Barousse, « A propos du vœu de Louis XIII : la valeur du sens du sacré chez Ingres », *Actes du Colloque International Ingres et son influence, Bulletin spécial du Musée Ingres*, Montauban, 1980, pp. 131-145.
Barr, 1946
A.H. Barr Jr., *Picasso, Fifty Years of this Art*, New York, the Museum of Modern Art, 1946.
Barr, 1966
A.H. Barr Jr., *Matisse, his art and his public*, The Museum of Modern Art, New York, 1966.
Bartsch
A. Bartsch, *Le Peintre-Graveur*, 21 vol., Vienne, 1803-1821.
Bartsch illustré, 1978, vol. 26
The Illustrated Bartsch, The works of Marcantonio Raimondi and his school, vol. 26, formerly vol. 14 (Part. 1), edited by K. Oberhuber, New York, 1978.
Bartsch illustré, 1978, vol. 27
The Illustrated Bartsch, The works of Marcantonio Raimondi and his school, vol. 27, formerly vol. 14 (Part. 2), edited by K. Oberhuber, New York, 1978.
Bartsch illustré, 1979
The Illustrated Bartsch, Italian Artists of the Sixteenth Century, School of Fontainebleau, vol. 33, formerly vol. 16 (Part. 2), edited by H. Zerner, New York, 1979.
Bartsch illustré, 1982
The Illustrated Bartsch, Italian Master of the Sixteenth Century, vol. 29, formerly vol. 15 (Part. 2), edited by Suzanne Boorsch, 1982.
Baticle, 1976
J. Baticle, *in* catal. exp., *Technique de la peinture. L'atelier*, Les dossiers du département des Peintures, n° 12, Paris, Louvre, 1976.
Baudelaire
C. Baudelaire, *Curiosités esthétiques*, introduction de M. Guillemin, Genève, Paris, Montréal, s.d.
Baudicour, 1859
P. de Baudicour, *Le Peintre-Graveur français continué*, Paris, 1859.
Baulez, 1981
C. Baulez, *in* catal. exp., *Le Faubourg Saint-Germain. La Rue de Varenne*, Paris, Musée Rodin, 1981.
Bauquier, 1938
H. Bauquier, « Les meubles à décoration biblique du Languedoc Cévenol », *Bulletin de la Société de l'histoire du protestantisme français*, 1938, pp. 311-314.
Beaucamp, 1939
F. Beaucamp, *Le peintre lillois Jean-Baptiste Wicar (1762-1834). Son œuvre et son temps*, Lille, 1939.
Beaulieu, 1972
M. Beaulieu, *in* catal. exp., *L'École de Fontainebleau*, Paris, Grand Palais, 1972-1973.
Beaulieu, 1978
M. Beaulieu, Musée du Louvre, *Description raisonnée des Sculptures de la Renaissance française*, Paris, 1978.
Béguin, 1954
S. Béguin, « Note sur l'Enlèvement d'Hélène de Bowes Museum », *Revue des Arts*, 1954, n° 1, pp. 27-30.
Béguin, 1960
S. Béguin, *L'École de Fontainebleau, le Maniérisme à la cour de France*, Paris, 1960.
Béguin, 1964
S. Béguin, « Toussaint Dubreuil, premier peintre de Henri IV », *Art de France*, 1964, n° 4, pp. 86-107.
Béguin, 1965
S. Béguin, *in* catal. exp., *Le seizième siècle européen, Peintures et dessins dans les collections publiques françaises*, Paris, Petit Palais, 1965-1966.
Béguin, 1967
S. Béguin, *in* catal. exp., *Le Cabinet d'un grand amateur. P.J. Mariette*, Paris, Musée du Louvre, 1967.
Béguin, 1969
S. Béguin, « La Vierge, reine des Anges par le Primatice », *La Revue du Louvre et des Musées de France*, 1969, n° 3, pp. 143-156.
Béguin, 1972
S. Béguin, *in* catal. exp., *L'École de Fontainebleau*, Paris, Grand Palais, 1972-1973.
Béguin, 1975
S. Béguin, « Nouvelles attributions à Toussaint Dubreuil », *Études d'art français offertes à Charles Sterling*, Paris, 1975, pp. 165-174.
Béguin, 1975
S. Béguin, « Un tableau de Luca Penni », *La Revue du Louvre et des Musées de France*, 1975, n° 5-6, pp. 359-366.
Béguin, 1982
S. Béguin, « Contributo allo studio dei disegni del Primaticcio », *Bollettino d'Arte*, juillet-septembre 1982, n° 15, pp. 27-52.
Béguin
Voir aussi Bacou.
Bellier-Auvray
E. Bellier de la Chavignerie, continué par L. Auvray, *Dictionnnaire général des artistes de l'École française depuis l'origine des arts du dessin jusqu'à nos jours*, Paris, 1882, 2 vol.
Bellier de la Chavignerie
Voir aussi Merlet
Bellori, 1672
G.P. Bellori, *Le vite de'pittori, scultori e architetti moderni*, Rome, 1672.
Bergot, 1972
F. Bergot, catal. exp., *Dessins de la Collection du marquis de Robien, conservés au Musée de Rennes*, Paris, Musée du Louvre, Cabinet des Dessins, 1972.
Bergot, Provoyeur et Vilain, 1976
F. Bergot, P. Provoyeur, J. Vilain, catal. exp., *30 peintres du XVIIe siècle français. Tableaux d'inspiration religieuse des musées de province*. Nice, Musée National Message Biblique ; Rennes, Musée des Beaux-Arts, 1976-1977.
Bergot et Ramade, 1979
F. Bergot, P. Ramade, « Catalogue des peintures de l'École française du XVIIe siècle du Musée des Beaux-Arts de Rennes », *Bulletin des Amis du Musée de Rennes*, n° 3, printemps 1979.
Bersier, 1977
J.-E. Bersier, *Jean Duvet : le maître à la licorne, 1485-1570 ?*, Paris, 1977.
Berthold, 1958
G. Berthold, *Cézanne und die alten Meister*, Stuttgart, 1958.
Berthoud, 1937
D. Berthoud, *La peinture française d'aujourd'hui*, Paris, 1973.
Bianchi, 1968
L. Bianchi, « La fortuna di Raffaello nell'incisione », *in* M. Salmi (sous la direction de), *Raffaello. L'Opéra. Le Fonti. La Fortuna*. t. II, Novare, 1968, pp. 647-690
Bittler et Mathieu, 1983
P. Bittler, R.L. Mathieu, *Catalogue des dessins de Gustave Moreau*, Paris, 1983.
Bjurström, 1976
P. Bjurström, *Drawings in Swedish Public Collections 2. French Drawings. Sixteenth and Seventeenth Centuries*. National museum Stockholm, 1976.
Blanc, 1870
C. Blanc, *Ingres, sa vie et ses ouvrages*, Paris, 1870.
Bloch, 1971
G. Bloch, *Pablo Picasso, catalogue de l'œuvre gravé et lithographié, 1966-1969*, t. II, Berne, 1971.
Blum et Lauer, 1930
A. Blum, P. Lauer, *La miniature française aux XVe et XVIe siècles*, Paris, 1930.
Blunt, 1945
A. Blunt, *The French Drawings... at Windsor Castle*, Londres, 1945.
Blunt, 1953
A. Blunt, « Géricault at the Marlborough Gallery », *The Burlington Magazine*, janvier 1953, pp. 24-27.
Blunt, 1964
A. Blunt (éd.) *Nicolas Poussin. Lettres et propos sur l'art*, Paris, 1964.
Blunt, 1966
A. Blunt, *The Paintings of Nicolas Poussin. A Critical Catalogue*, Londres, 1966.
Blunt, 1967
A. Blunt, *Nicolas Poussin*, The A.W. Mellon Lectures, Londres et New York, 1967.
Blunt, 1973 et 1977
A. Blunt, *Art and Architecture in France. 1500-1700*, Londres, 1973 et 1977 (1re éd. 1953).
Blunt, 1974
A. Blunt, « Newly identified Drawings by Poussin and His Followers », *Master Drawings*, XII, 1974, n° 3, pp. 239-248, pl. 1-25.
Blunt, 1977
Voir aussi Blunt, 1973.
Blunt, 1979
A. Blunt, *The Drawings of Poussin*, New Haven et Londres, 1979.
Blunt
Voir aussi Friedlaender
Bocher, 1882
E. Bocher, *Jean-Michel Moreau le Jeune*, Paris, 1882.
Boggs, 1958
J.S. Boggs, « Degas Note-books at the Bibliothèque nationale », *The Burlington Magazine*, 1958,

vol. C., pp. 163-171, 196-205, 240-246.
Boggs, 1962
J.S. Boggs, *Portraits by Degas,* Los Angeles-Berkeley, 1962.
Bologna et Causa, 1952
F. Bologna, R. Causa, catal. exp., *Fontainebleau e la maniera italiana,* Naples, 20 juillet-12 octobre 1952.
Bonnaffé, 1882
E. Bonnaffé, *Les amateurs de l'ancienne France, Le surintendant Fouquet,* Paris, 1882.
Bonnaffé, 1884
E. Bonnaffé, *Dictionnaire des Amateurs français au XVIIe siècle,* Paris, 1884.
Bonnenfant, 1926
Chanoine Bonnenfant, *L'Église Saint-Taurin d'Évreux et la châsse,* Paris, 1926.
Boorsh, 1982
Voir Bartsch illustré.
Bosse, 1649
A. Bosse, *Sentiments sur la distinction des diverses manières de peinture, dessin et gravure...,* éd. R.A. Weigert, Paris 1964 (1re éd. Paris, 1649).
Bosse, 1667
A. Bosse, *Le peintre converti aux précises et universelles règles de son art,* éd. R.A. Weigert, Paris, 1964 (1re éd. Paris, 1667).
Bouchot-Saupique, 1960
J. Bouchot-Saupique, « Étude de quelques dessins de Manet faisant partie de l'ancienne collection Pellerin », *Bulletin de la Société de l'Histoire de l'Art français,* 1960 (Paris, 1961), pp. 129-136.
Bouchot-Saupique, 1961
J. Bouchot-Saupique, « Manet dessinateur », *La Revue du Louvre et des Musées de France,* 1961, n° 2, pp. 63-72.
Bouilhet, 1910
H. Bouilhet, *L'orfèvrerie française aux XVIIIe et XIXe siècles,* t. II, Paris, 1910.
Boun, 1981
E. Boun, « The Portable Raphaël, *in* catal. exp., *The Engravings of Marcantonio Raimondi,* Spencer Museum of Art, Lawrence; Ackland Art Museum, Chapel Hill; Wellesley College Art Museum, Wellesley, 1981-1982.
Bourel, 1982
Y. Bourel, « Les œuvres de Fantin-Latour au Musée des Beaux-Arts de Lille », *La Revue du Louvre et des Musées de France,* 1982, n° 4, pp. 245-253.
Bousquet, 1966
A. Bousquet, *Entretiens avec Salvador Dali,* Paris, 1966.
Boutet-Loyer, 1983
J. Boutet-Loyer, catal. exp., *Girodet. Dessins du Musée,* Montargis, Musée Girodet, 1983.
Boyer, 1928
F. Boyer, « Les inventaires après décès de Nicolas Poussin et de Claude Lorrain », *Bulletin de la Société d'Histoire de l'Art français,* 1928, pp. 143-162.
Boÿer, 1971-1972
J. Boyer, « Deux peintres oubliés du XVIe siècle : Étienne Martellange et César de Nostredame », *Bulletin de la Société de l'Histoire de l'Art français,* Paris, 1972 (Communication du 8 mai 1971).
Boyer, 1980
J.C. Boyer, « L'inventaire après décès de l'atelier de Pierre Mignard », *Bulletin de la Société de l'Histoire de l'Art français,* 1980, pp. 137-165.
Boyer d'Agen, 1909
Boyer d'Agen, *Ingres d'après une correspondance inédite,* Paris, 1909.
Boyer de Sainte-Suzanne, 1878
Baron Boyer de Sainte Suzanne, *Notes d'un curieux,* Paris, 1878.
Bozo, 1972
D. Bozo, *in* catal. exp., *L'École de Fontainebleau,* Paris, Grand Palais, 1972.
Braunwald
Voir aussi Hardy
Brejon de Lavergnée, 1983
B. Brejon de Lavergnée, *Catalogue raisonné des dessins de Simon Vouet,* thèse de IIIe cycle dactylographiée, Université de Paris IV, 1983.
Brigstocke, 1978
H. Brigstocke, *Italian and Spanish Painting in the National Gallery of Scotland,* Edimbourg, 1978.
Brillon (abbé)
Abbé Brillon, *Addition à la Bibliothèque chartraine: manuscrit de la bibliothèque de Chartres,* Chartres, s.d.
Brongniart
Al. Brongniart, *Traité des Arts céramiques,* Paris, 1841-1844.
Brongniart-Riocreux, 1845.
A. Brongniart, D. Riocreux, *Description Méthodique du Musée Céramique de la Manufacture Royale de Porcelaine de Sèvres,* Paris, 1845.
Brown, 1983
D.A. Brown, catal. exp. *Raphaël and America,* Washington, National Gallery of Art, 1983.
Brun, 1969
R. Brun, *Le Livre français illustré de la Renaissance,* Paris, 1969.
Brunet, 1956
M. Brunet, *« Cahiers de la Céramique, du Verre et des Arts du Feu »,* 1956, n° 2, p. 34.
Bruwaert, 1914
E. Bruwaert, *La vie et les œuvres de Philippe Thomassin graveur troyen, 1562-1622,* Paris et Troyes, 1915.
Cachin, 1983
F. Cachin, *in* catal. exp., *Manet,* Paris, Grand Palais, 1983.
Cailleux, 1963
J. Cailleux, « Introduction au catalogue critique des *Griffonis* de Saint-Non », *Bulletin de la Société de l'Histoire de l'Art français,* 1963, pp. 297-372.
Cailleux et Roland-Michel, 1983
J. Cailleux, M. Roland-Michel, catal. exp., *Rome 1760-1770. Fragonard, Hubert Robert et leurs Amis,* Paris, Galerie Cailleux, 1983.
Cain, 1903
G. Cain, *La collection Dutuit au Petit Palais des Champs-Élysées,* Paris, 1903
Caix de Saint-Aymour, 1919
Comte de Caix de Saint-Aymour, *Une famille d'artistes et de financiers aux XVIIe et XVIIIe siècles, les Boullongne,* Paris, 1919.
Camesasca
Voir aussi Ternois.
Camesasca, 1967
E. Camesasca, *Tout l'œuvre peint de Michel-Ange,* Paris, 1967.
Campoy, 1980
A.M. Campoy, *Maria Blanchard,* Madrid, 1980.
Cantarel-Besson, 1981
Y. Cantarel-Besson, *La naissance du Musée du Louvre. La politique muséologique sous la Révolution d'après les archives des Musées Nationaux,* Paris, 1981.
Carandente, 1981
G. Carandente, *in* catal. exp., *Pablo Picasso, Eine Ausstellung zum hundersten Geburstag, Werke aus der Sammlung Marina Picasso,* Munich, Haus der Kunst, 1981.
Cardinal, à paraître
C. Cardinal, *Catalogue des montres du Musée du Louvre provenant de la collection Olivier,* (à paraître).
Caresme
Voir aussi Charpillon.
Caroll, 1975
E. Caroll, « Rosso in France », *Actes du colloque sur l'Art de Fontainebleau (1972),* Paris, 1975, pp. 17-28.
Causa, 1952
Voir aussi Bologna.
Cazals, 1978
H. de Cazals, catal. exp., *L'art moderne dans les musées de province,* Paris, Grand-Palais, 1978.
Chaleix, 1973
P. Chaleix, « De la sculpture funéraire sous Henri IV et Louis XIII, quelques œuvres peu connues », *Gazette des Beaux-Arts,* avril 1973, pp. 227-240.
Champeaux, 1890
A. de Champeaux, *Histoire de la peinture décorative,* Paris, 1890.
Champris, 1960
R. de Champris, *Picasso, ombre et soleil,* Paris, 1960.
Chappuis, 1973
A. Chappuis, *The Drawings of Paul Cézanne. A Catalogue Raisonné,* Londres et Greenwich (Conn.), 1973.
Charpillon-Carèsme, 1868
Charpillon et Carèsme, *Dictionnaire Historique du Département de l'Eure,* Les Andelys, 1868, 2 vol.
Chastel, 1954
A. Chastel, « Henri Matisse », *Le Monde,* 5 novembre 1954.
Chastel, 1968
A. Chastel, *La crise de la Renaissance, 1520-1600,* Genève, 1968.
Chastel, 1978
A. Chastel, *Fables, Formes, Figures,* Paris, 1978, 2 vol.
Chastel, 1983
A. Chastel, « Amour sacré et amour profane dans l'art et la pensée de Raphaël », actes du Convegno Raffaellesco, Rome, 1983 (à paraître).
Chaudonneret, 1979
M.C. Chaudonneret, *Ingres: Paolo et Francesca,* dossier, Bayonne, Musée Bonnat, (1979).
Chaussard, 1806
(P. Chaussard), *Le Pausanias Français, ou Descrip-*

tion du Salon de 1806 : état des arts du dessin en France, à l'ouverture du XIXe siècle..., Paris, 1806.
Chennevières,
Voir aussi Dussieux.
Chesneau, 1864
E. Chesneau, *L'art et les artistes modernes en France et en Angleterre*, Paris, 1864.
Chevalley, 1974
S. Chevalley, catal. exp., *La Comédie Française. Collections et Documents*, exposition circulante de la Direction des Musées de France, 1974.
Chevillard, 1893
A. Chevillard, *Un peintre romantique. Théodore Chassériau*, Paris, 1893.
Chomer, 1982
G. Chomer, *Le peintre Victor Orsel, 1795-1850*, thèse de troisième cycle dactylographiée, Université de Lyon II, 1982.
Ciprut, 1967
E.J. Ciprut, *Mathieu Jacquet, sculpteur d'Henri IV*, Paris, 1967.
Clark, 1969
K. Clark, *Le nu*, t. II, Paris, 1969.
Clay, 1983
J. Clay, *in* catal. exp., *Bonjour Monsieur Manet*, Paris, Centre Georges-Pompidou, 1983.
Cochin, 1758
C.N. Cochin, *Voyage d'Italie*, Paris, 1758.
Cohn et Siegfried, 1980
M.B. Cohn et S.L. Siegfried, *Works by J.A.D., Ingres in the collection of the Fogg Art Museum*, Cambridge, 1980.
Comolli, 1790
A. Comolli, *Vita inedita di Raffaello da Urbino illustrata con note*, Rome, 1790.
Compiègne, 1953
Catal. exp., *Le temps des crinolines*, Compiègne, Musée, 1953.
Constans, 1980
Cl. Constans, *Musée National du Château de Versailles, catalogue des Peintures*, Paris, 1980.
Cooper, 1955
D. Cooper, « Si vous êtes dans le Midi de la France », *L'Œil*, été 1955, n° 7/8, pp. 38-45.
Cooper, 1967
D. Cooper, *Picasso et le Théâtre*, Paris, 1967.
Cornillot, 1957
M.L. Cornillot, *Collection Pierre-Adrien Pâris. Besançon* (Inventaire Général des Dessins des Musées de Province, I), Paris, 1957.
Corpus Vitrearum, 1978
L. Grodecki, F. Perrot, J. Taralon [sous la direction de], *Corpus Vitrearum medii crevi, France, Recensement. Les Vitraux de Paris, de la région parisienne, de la Picardie et du Nord-Pas-de-Calais*, vol. I, Paris, 1978.
Courajod, 1876
L. Courajod, *Sculpture de Gérard van Obstal, le Cabinet Historique*, Paris, 1876.
Courajod, 1878, 1887
L. Courajod, *Alexandre Lenoir, son journal et le Musée des Monuments français*, Paris, 1878-1887, 3 vol.
Coural, 1967
J. Coural, *in* catal. exp., *Chefs d'œuvre de la tapisserie parisienne, 1597-1662*, Orangerie de Versailles, 1967.
Coural, 1972
J. Coural, *in* catal. exp., *L'École de Fontainebleau*, Paris, Grand Palais, 1972.
Courboin, 1923-1924
F. Courboin, *Histoire illustrée de la gravure en France*, Paris, 1923-1924, 2 vol.
Cox-Raerick, 1972
J. Cox-Raerick, catal. exp., *La collection de François 1er*, Les dossiers du département des Peintres, n° 5, Paris, Louvre, 1972.
Crelly, 1962
W. Crelly, *The paintings of Simon Vouet*, New Haven et Londres, 1962.
Cuzin, 1983
J.P. Cuzin, *Raphaël, vie et œuvre*, Fribourg, 1983.
Cuzin
Voir aussi De Vecchi.
Dacos, 1977
N. Dacos, *Le Logge di Raffaello. Maestro e bottega di fronte all'antico*, Rome, 1977.
Daix, 1977
P. Daix, *La vie de peintre de Pablo Picasso*, Paris, 1977.
Dali, 1964
S. Dali, *Journal d'un génie*, Paris, 1964.
Dali, 1974
S. Dali, *A Panorama of his Art Ninety Three oils. 1917-1970*. Published by The Salvador Dali Museum, Cleveland, 1974.
Dali, 1979
S. Dali, *La vie secrète de Salvador Dali*, (1941), Paris, 1979.
Père Dan, 1642
Père Dan, *Le Trésor des Merveilles de la Maison Royale de Fontainebleau*, Paris, 1642.
Dandré-Bardon, 1765
M.F. Dandré-Bardon, *Traité de Peinture suivi d'un essai sur la sculpture*, Paris, 1765, 2 vol.
Daret, 1651
P. Daret, *Abrégé de la vie de Raphaël Sansio d'Urbin*, Paris, 1651.
Daulte, 1958
F. Daulte, *Pierre-Auguste Renoir : Aquarelles, pastels et dessins en couleurs*, Bâle, 1958.
Daulte, 1978
F. Daulte, « Hiroshima Museum of Art. », *L'Œil*, décembre 1978, n° 281, pp. 44-51.
Dawn Ades, 1982
Dawn Ades, *Dali*, Londres, 1982.
Dayot, 1898
A. Dayot, *Les Vernet*, Paris, 1898.
Delaborde, s.d.
H. Delaborde, *Gérard Edelinck*, Paris, s.d.
Delaborde, 1850
Cte Delaborde, *La Renaissance des Arts à la cour de France, étude sur le seizième siècle*, t. I, Paris, 1850, t. II, Paris, 1855.
Delaborde, 1865
H. Delaborde, *Lettres et pensées d'Hippolyte Flandrin*, Paris, 1865.
Delaborde, 1870
H. Delaborde, *Ingres, sa vie, ses travaux, sa doctrine d'après les notes manuscrites et les lettres du maître*, Paris, 1870.
Delacroix, Correspondance
E. Delacroix, *Correspondance générale* publiée par A. Joubin, Paris, 1936-1938, 5 vol.
Delacroix, Journal
E. Delacroix, *Journal. 1822-1863*, éd., Paris, 1980.
Delaporte, 1958
Y. Delaporte, « Andrée Félibien en Italie (1647-1649), ses visites à Poussin et à Claude Lorrain », *Gazette des Beaux-Arts*, avril 1958, pp. 192-214.
Delaroche-Vernet, 1907
M. Delaroche-Vernet, *Recherches généalogiques sur Horace Vernet, Paul Delaroche et leur famille*, Paris, 1907.
Delesalle, 1965
H. Delesalle, « Tapisseries exécutées à Beauvais pour le troisième centenaire de la Manufacture Royale, 1664-1964 », *La Revue du Louvre et des Musées de France*, 1965, n° 4-5, pp. 201-208.
Delisle, 1900
L. Delisle, *Les Heures du connétable Anne de Montmorency*, Chantilly, Musée Condé, 1900.
Demarteau, 1788
G.A. Demarteau, *Catalogue des estampes gravées au crayon d'après différents Maîtres qui se vendent à Paris chez Demarteau, 2*, Paris, 1788.
Denieul-Cormier, 1962
A. Denieul-Cormier, *La France de la Renaissance, 1488-1559*, Paris, 1962.
Denis, *Journal*
M. Denis, *Journal*, Paris, 1957-1959, 3 vol.
De Piles, 1699
R. de Piles, *Abrégé de la vie des Peintres avec des réflexions sur leurs ouvrages*, Paris, 1699.
Derbie, 1982
Ch. Derbie, *Le Musée Antoine-Lécuyer de Saint-Quentin*, Paris, 1982.
Derouet, 1981
C. Derouet, « Les réalismes en France. Rupture ou rature », *in* catal. exp., *Les Réalismes. 1919-1939*, Paris, Centre Georges-Pompidou, 1981.
Descharnes, 1962
R. Descharnes, *Dali de Gala*, Paris, 1962.
De Vecchi, 1982
P.L. De Vecchi, *Tout l'œuvre peint de Raphaël*, Paris, 1982. Introd. par H. Zerner, éd. revue par J.P. Cuzin.
Dezallier d'Argenville, 1762
A.N. Dezallier d'Argenville, *Abrégé de la vie des plus fameux peintres*, 1762, 4 vol.
Dezallier d'Argenville, 1770
A.N. Dezallier d'Argenville, *Voyage pittoresque de Paris, ...*, Paris, 1770, 5e éd.
Didot, 1872
F. Didot, *Étude sur Jean Cousin*, Paris, 1872.
Didron, 1846
Didron, *Annales Archéologiques*, 1846, t. IV, pp. 59-60.
Diehl, 1954
G. Diehl, *Henri Matisse*, Paris, 1954.
Digard, 1934
M. Digard, *Jacques Sarrazin, son œuvre, son influence*, Paris, 1934.
Dimier, 1900
L. Dimier, *Le Primatice, peintre, sculpteur et architecte des rois de France*, Paris, 1900.

Dimier, 1909
L. Dimier, *Critique et controverse touchant différents points de l'histoire des Arts,* Paris, 1909.
Dimier, 1924
L. Dimier, « Tableaux de Nicolas Dhocq et de Josse Voltigeant », *Bulletin de la Société de l'Histoire de l'Art français,* 1924, t. I, pp. 23-27.
Dimier, 1925, Histoire du portrait
L. Dimier, *Histoire du portrait en France au XVIe siècle,* vol. 2, Paris, 1925.
Dimier, 1925, Histoire de la peinture française
L. Dimier, *Histoire de la peinture française des origines au retour de Vouet, 1300 à 1627,* Paris et Bruxelles, 1925.
Dittrich, 1980
C. Dittrich, « Drei unbekannte Zeichnungen des Antoine Caron », *Dresdener Kunstblätter, Zweimondtsschrift der Staatlichen Kunstsammlungen Dresden,* 1980.
Dobai, 1961
J. Dobai, « Uber das Verhältnis Cézannes zu seinen Vorbildern », *Du,* 21 mai 1961, p. 13.
Doran, 1978
P.M. Doran, *Conversations avec Cézanne,* éd. critique présentée par P.M. Doran, Paris, 1978.
Dorden, 1976
Voir aussi Adhémar.
Dorez, 1909
L. Dorez, *Psautier de Paul III,* Paris, 1909.
Dorival, 1975
B. Dorival, « Quelques sources méconnues de divers ouvrages de Manet, de la sculpture gothique à la photographie », *Bulletin de la Société de l'Histoire de l'Art français,* 1975, pp. 315-340.
Dorival, 1976
B. Dorival, *Philippe de Champaigne (1602-1674),* Paris, 1976.
Dubaut, 1952
P. Dubaut, catal. exp., *Théodore Géricault,* Londres, Marlborough Art Gallery, 1952.
Duchartre et Saulnier, 1944
P.L. Duchartre et R. Saulnier, *L'imagerie parisienne,* Paris, 1944.
Duclaux, 1964
L. Duclaux, *Dessins de sculpteurs, de Pajou à Rodin,* XXXIIe exposition du Cabinet des Dessins, Paris, Louvre, Cabinet des Dessins, 1964.
Du Colombier, 1931
P. du Colombier, « Jean Goujon et l'Italie », *L'Amour de l'Art,* juin 1931, n° 6, pp. 221-229.
Dunlop, 1979
I. Dunlop, *Degas,* Neuchâtel, 1979.
Dupin, 1961
J. Dupin, *Joan Miró,* Paris, 1961.
Durrieu, 1911
Comte P. Durrieu, « Les manuscrits des statuts de l'ordre de Saint Michel », *Bulletin de la Société française de reproductions des manuscrits à peintures,* Paris, 1911, pp. 17-47.
Durrieu, 1911
P. Durrieu, *in* A. Michel, *Histoire de l'Art,* 1911, t. IV, 2e partie, pp. 767-768.
Dussieux, 1852
L. Dussieux, « Nouvelles recherches sur la vie et les ouvrages de Le Sueur », *Archives de l'Art Français,* 1852, t. II, pp. 1-121.
Dussieux, 1854
L. Dussieux, E. Soulié, Ph. de Chennevières, P. Mantz, A. de Montaiglon, *Mémoires inédits sur la vie et les ouvrages des principaux membres de l'Académie Royale de Peinture et de Sculpture,* Paris, 1854.
Dussieux, 1887
Dussieux, (éd.) *Mémoires inédits sur la vie et les ouvrages des membres de l'Académie Royale de Peinture et de Sculpture,* Paris, 1887.
Dussler, 1971
L. Dussler, *Raphaël. A critical catalogue of his pictures, wall-paintings, and tapestries,* Londres et New York, 1971 (1re éd. allemande, Munich, 1966).
Ehrmann, 1950
J. Ehrmann, « Antoine Caron », *The Burlington Magazine,* février 1950, n° 563, pp. 34-36.
Ehrmann, 1955
J. Ehrmann, *Antoine Caron, peintre à la cour des Valois (1521-1599),* Lille et Genève, 1955.
Eisler, 1979
C. Eisler, *The Master of the unicorn, the life and work of Jean Duvet,* New York, 1979.
Engerand, 1899
F. Engerand, *Inventaire des tableaux du roy rédigé en 1709 et 1710 par Nicolas Bailly,* Paris, 1899.
Ephrussi, 1887
Ch. Ephrussi, *Paul Baudry, Sa vie et son œuvre,* Paris, 1887.
Errò, 1976
Errõ, Catalogue général, Paris-Milan, 1976.
Errò, 1979
Catal. exp., *Errõ, La vie des peintres,* Bruxelles, 1979.
Escholier, 1936
R. Escholier, catal. exp., *Gros, ses amis et ses élèves,* Paris, Petit Palais, 1936.
Escholier, 1956
R. Escholier, *Matisse, ce vivant,* Paris, 1956.
Estelban, 1982
P. Estelban, *in* catal. exp., *Maria Blanchard,* Madrid, Museo Español de Arte contemporaneo, 1982.
Fantin-Latour, 1911
Mme Fantin-Latour, *Catalogue complet (1849-1909) de Fantin-Latour,* Paris, 1911, réimpr. Amsterdam et New York, 1969.
Farwell, 1969
B. Farwell, « Manet's Espada and Marcantonio », *Metropolitan Museum Journal,* 1969, n° 2, pp. 197-207.
Faudet, 1840
Abbé Faudet, *Notice historique sur la paroisse de Saint-Etienne-du-Mont,* Paris, 1840.
Faÿ-Hallé, 1970
A. Faÿ-Hallé, *Catalogue des émaux peints de la Renaissance du Musée de Cluny,* Mémoire de l'École du Louvre (dactylographié), 1970.
Félibien, 1666
A. Félibien, *Entretiens sur les vies et sur les ouvrages des plus excellents peintres anciens et modernes,* 1666-1688, 5 parties, éd., Paris, 1725, 6 vol.
Félibien, 1679
A. Félibien, *Tableaux du Cabinet du Roi,* 1re partie, Paris, 1679.
Fenaille, 1903-1932
M. Fenaille, *État Général des Tapisseries de la Manufacture des Gobelins depuis son origine jusqu'à nos jours, 1600-1900,* Paris, 1903-1923, 6 vol.
Fermigier, 1969
A. Fermigier, *Picasso,* Paris, 1969.
Fèvre, 1949
J. Fèvre, *Mon oncle Degas,* Genève, 1949.
Fischel
O. Fischel, *Raffaels Zeichnungen,* Berlin, 1913-1941, 8 vol.
Flandrin, 1902
L. Flandrin, *Hippolyte Flandrin. Sa vie et son œuvre,* Paris, 1902.
Florisoone, 1938
M. Florisoone, *Renoir,* Paris, 1938.
Florisoone, 1938
M. Florisoone, « Renoir et la famille Charpentier », *L'Amour de l'Art,* février 1938.
Focillon, 1926
H. Focillon, *Raphaël,* Paris, 1926.
Fohr, 1982
R. Fohr, *Tours, Musée des Beaux-Arts... Tableaux français et italiens du XVIIe siècle,* (Inventaire des collections publiques françaises, n° 27), Paris, 1982.
Fontaine, 1903
A. Fontaine, *Conférences inédites de l'Académie de Peinture,* Paris, 1903.
Fontaine, 1910
A. Fontaine. *Comte de Caylus, Vies d'artistes du XVIIIe siècle. Discours sur la peinture et la sculpture...,* Paris, 1910.
Fontaine, 1910
A. Fontaine, *Les collections de l'Académie Royale de peinture et de sculpture,* Paris, 1910.
Forneris et Ginepro, 1980
J. Forneris, C. Fournet, J. Ginepro, catal. exp., *J.-B. Carpeaux,* Nice, Galerie des Ponchettes, 1980.
Foucart, 1967-1968
J. Foucart, *in* catal. exp., *Ingres,* Paris, Petit Palais, 1967-1968.
Foucart, 1968
J. Foucart, catal. exp., *Ingres in Italia (1806-1824, 1835-1841),* Rome, Villa Médicis, 1968.
Foucart, 1974-1975
J. Foucart, *in* catal. exp., *De David à Delacroix,* Paris, Grand Palais, 1974-1975.
Foucart, 1978
J. Foucart, « L'ingrisme dans le monde », *Bulletin du Musée Ingres,* juillet 1978, n° 41, pp. 15-30.
Foucart, 1982
J. Foucart, « L'ingrisme en France et dans le monde en 1981 et 1982 », *Bulletin du Musée Ingres,* décembre 1982, n° 49, pp. 71-98.
Foucart-Prat, 1980
J. Foucart, L.A. Prat, *Les peintures de l'Opéra de Paris de Baudry à Chagall,* introduction, Paris, 1980.
Fouchet, 1974
M.P. Fouchet, *Les nus de Renoir,* Lausanne, 1974.
Fourcade, 1978
Henri Matisse, écrits et propos sur l'art, Textes, notes et index par D. Fourcade, Paris, 1978.

Fourest, Hallé et Préaud, 1975
H. P. Fourest, A. Hallé, T. Préaud, catal. exp. *Porcelaines de Sèvres au XIXe siècle,* Paris, 1975.
Freedberg, 1972
S.J. Freedberg, *Painting of the High Renaissance in Rome and Florence,* New York, 1972 (1re éd. 1961).
Fried, 1969
M. Fried, « Manet's sources. Aspects of his Art, 1859-1865 », *Art Forum,* t. VII, mars 1969, pp. 21-82.
Friedländer, 1972
M.J. Friedländer, *Early netherlandish Painting, Jan Gossart and Bernart van Orley,* vol. VIII, Leyde et Bruxelles, 1972.
Friedländer, 1972
M.J. Friedländer, *Early netherlandish Painting, Josse van Cleve,* vol. IX a, Leyde et Bruxelles, 1972.
Friedlaender et Blunt, 1939-1974
W. Friedlaender, A. Blunt, *The Drawings of Nicolas Poussin,* Londres, 1939-1974, 5 vol.
Frölich-Bum
Voir aussi Stix
Fusco, 1980
P. Fusco, *in* catal. exp., *The romantics to Rodin, French Nineteenth Century Sculpture from North American Collections;* Los Angeles, County Museum ; Minneapolis, Institute of Arts ; Detroit, The Detroit Institute of Arts ; Indianapolis, Museum of Art, 1980-1981.
G., 1806
G., *Athenaeum ou Galerie Française des productions de tous les arts,* Paris, mars 1806, n° 3.
Garas, 1975
K. Garas, « Bildnisse der Renaissance, III, Der junge Raffael und der alte Tizian », *Acta Historia Artium,* 1975, t. XXI, pp. 53-74.
Gardey et Lethève, 1958
F. Gardey, J. Lethève, *Bibliothèque Nationale, Cabinet des Estampes, Inventaire du Fonds Français. Graveurs après 1800,* t. X à XIV, Paris, 1958 à 1967.
Gardey, 1962
F. Gardey, *Bibliothèque Nationale, Cabinet des Estampes, Inventaire du Fonds Français. Graveurs du XVIIIe siècle,* Paris, 1962.
Gardey, 1978
Fr. Gardey, « Marc-Antoine Raimondi, illustration du catalogue de son œuvre gravé par Henri Delaborde publié en 1878 », *Gazette des Beaux-Arts,* juillet-août 1978, pp. 1-51.
Gastinel-Coural, 1981
C. Gastinel-Coural, catal. exp., *Fabriques et manufactures sous le Premier Empire, Lyon-Beauvais-Les Gobelins,* Beauvais, Galerie nationale de la tapisserie et d'art textile, 1981.
Gaya-Nuño, 1974
J.A. Gaya-Nuño, *Juan Gris,* Paris, 1974.
Geelhaar, 1981
C. Geelhaar, *in* catal. exp., *Picasso : Das Spätwerk,* Bâle, Kunstmuseum, 1981.
Georgel, 1975
P. Georgel, « Les transformations de la peinture vers 1848, 1855, 1863 », *Revue de l'Art,* 1975, n° 27, pp. 62-77.
Georgel, 1976
P. Georgel, *in* catal. exp., *Technique de la peinture. L'atelier,* Les dossiers du département des Peintures, n° 12, Paris, Louvre, 1976.
Georgel, 1978-1979
P. Georgel, catal. exp., *Dessins de Miró provenant de l'atelier de l'artiste et de la Fondation Joan Miró de Barcelone,* Paris, Centre Georges Pompidou, 1978-1979.
Georgel, 1982-1983
P. Georgel. *in* catal. exp., *La peinture dans la peinture,* Dijon, Musée des Beaux-Arts, 1982-1983.
Georgievskaïa
Voir aussi Kuznetsova.
Gérard, 1974
M. Gérard, *Dali... Dali... Dali...,* Paris, 1974.
Gerkens et Heiderich, 1973
G. Gerkens, U. Heiderich, *Katalog der Gemälde des 19. und 20. Jahrhunderts in der Kunsthalle Bremen,* Brème, 1973.
Geymüller
H. Geymüller. *Les Du Cerceau,* Paris, 1887.
Giacomotti et Verlet, 1965
J. Giacomotti, P. Verlet, *Le Musée national Adrien-Dubouché à Limoges,* Paris, 1965.
Gillet, 1865
Ch. Gillet, *Vie de Charles Picot et catalogue du musée qu'il a laissé à la ville de Châlons-sur-Marne,* Châlons, s.d. (1865).
Goguel et Viatte, 1980
C. Goguel, F. Viatte, *in* catal. exp., *Roman Drawings of the sixteenth century from the Musée du Louvre,* Paris, Chicago, The Art Institute of Chicago, 1979-1980.
Golson, 1957
L. Golson, « Luca Penni, a pupil of Raphaël at the court of Fontainebleau », *Gazette des Beaux-Arts,* janvier 1957, pp. 18-36.
Golzio, 1968 (Vita)
V. Golzio, « La Vita », *in* M. Salmi (sous la direction de), *Raffaello. L'Opera. Le Fonti. La Fortuna,* t. II, Novare, 1968, pp. 587-604.
Golzio, 1968 (Fortuna)
V. Golzio, « La fortuna critica », *in* M. Salmi (sous la direction de), *Raffaello. L'Opera. Le Fonti. La Fortuna,* t. II, Novare, 1968, pp. 609-646.
Golzio, 1971
V. Golzio, *Raffaello nei documenti,* Vatican, 1971 (1re éd., 1936).
Gomez de la Serna, 1979
R. Gomez de la Serna, *Dali,* Paris, 1979.
Gonse, 1895
L. Gonse, *La Sculpture française depuis le XIVe siècle,* Paris, 1895.
Grandjean, 1964
S. Grandjean, *Inventaire après décès de l'Impératrice Joséphine à Malmaison,* Paris, 1964.
Grodecki
Voir Corpus Vitrearum
Grunchec, 1976-1978
P. Grunchec, « L'inventaire posthume de Théodore Géricault (1791-1824) », *Bulletin de la Société de l'Histoire de l'Art français,* 1976 (paru en 1978).
Grunchec, 1978
P. Grunchec, *Tout l'œuvre peint de Géricault* (introduction de J. Thuillier), Paris, 1978.
Grunewald, 1977
M.A. Grunewald, *Paul Chenavard et la décoration du Panthéon de Paris en 1848,* Lyon, 1977.
Grunewald, 1980
M.A. Grunewald. « Paul Chenavard (1807-1895). La palingénésie sociale ou la Philosophie de l'Histoire. 1830?-1852? », *Bulletin des Musées et Monuments lyonnais,* t. VI, 1980, n° 1, pp. 317-343.
Guiffrey, J., 1883
J. Guiffrey, « Scellés et inventaires d'artistes », *Nouvelles Archives de l'Art Français,* 1883, t. IV.
Guiffrey, 1887-1912
Voir aussi Montaiglon.
Guiffrey, 1887
J. Guiffrey, « Les Mays de Notre-Dame de Paris d'après un Manuscrit conservé aux Archives Nationales », *Mémoire de la Société de l'Histoire de Paris et de l'Ile-de-France,* 1886, t. XII, Paris, 1887, pp. 289-316.
Guiffrey, 1891
J. G[uiffrey], [note à] Requin, « Testament de Simon de Chalons, peintre du XVIe siècle », *Nouvelles Archives de l'Art français,* 1891, t. VII, pp. 135-140.
Guiffrey, 1892
J. Guiffrey, « Les manufactures parisiennes de tapisseries au XVIIe siècle », *Mémoires de la Société de l'Histoire de Paris et de l'Ile de France,* 1892, t. XIX, p. 212.
Guiffrey, 1892
J. Guiffrey, « Les peintres Philippe et Jean-Baptiste de Champaigne. Nouveaux documents et inventaires après décès », *Nouvelles Archives de l'Art Français,* 1892, 3e série, t. VIII, pp. 172-218.
Guiffrey, 1897
J. Guiffrey, « Les modèles des Gobelins devant le jury des Arts en septembre 1794 », *Nouvelles Archives de l'Art Français,* 1897, t. XIII, pp. 349-389.
Guiffrey, 1907, (Dumonstiers)
J. Guiffrey, « Les Dumonstiers, dessinateurs de portraits au crayon (XVIe et XVIIe siècles) », *Revue de l'Art Ancien et Moderne,* 1907, t. XX, pp. 321-326.
Guiffrey, 1907, (Observations)
J. Guiffrey, « Observations à l'occasion de l'exposition des portraits au crayon à la Bibliothèque Nationale », *Bulletin de la Société d'Histoire de l'Art français,* Paris, 1907, pp. 45-48.
Guiffrey, 1907, (Meubles)
J. Guiffrey, « État des meubles d'Anne Dallières, femme de Pierre Dumonstiers, peintre et valet de chambre du roi, décédée en septembre 1652 », *Archives de l'Art français,* nouvelle période, Paris, 1907, t. I, pp. 225-243.
Guiffrey, 1920
J. Guiffrey, *Les dessins de l'histoire des rois de France,* Paris, 1920.
Guiffrey et Marcel
J. Guiffrey, P. Marcel, *Inventaire général des dessins du Musée du Louvre et du Musée de Versailles, École française,* Paris, 1907 et ss., 10 vol.
Guilbert, 1731
Abbé Guilbert, *Description historique des châteaux,*

bourg et forest de Fontainebleau, Paris, 1731, 2 vol.

Guilhermy, 1847
F. Guilhermy, *Monographie des tombeaux de Saint-Denis,* 1847.

Guillaume, 1980
M. Guillaume, *Catalogue raisonné du Musée des Beaux-Arts de Dijon. Peintures italiennes.* Dijon, 1980.

Guillet de Saint-Georges, 1887
Guillet de Saint-Georges, *Mémoires inédits sur la vie et sur les ouvrages des membres de l'Académie Royale de Peinture et de Sculpture,* éd. Paris, 1887.

Guilmard, 1880
D. Guilmard, *Les maîtres ornemanistes,* 1880.

Hahn, 1979
J. Hahn, catal. exp., *Jacques Gamelin, 1738-1803,* Paris, Galerie Hahn, 1979.

Harancourt, Montremy et Maillard, 1925
E. Harancourt, F. de Montremy, E. Maillard, *Musée des Thermes et de l'Hôtel de Cluny, Catalogue des bois sculptés et meubles,* Paris, 1925.

Hardoin-Fugier, 1980
E. Hardoin-Fugier, *Simon Saint-Jean (1808-1860),* Leigh-on-Sea, 1980.

Hardoin-Fugier, 1981
E. Hardoin-Fugier, *in* catal. exp., *Les peintres de l'Ame,* Lyon, Musée des Beaux-Arts, 1981.

Hardy et Braunwald, 1978
A. Hardy, A. Braunwald, *Catalogue des peintures et sculptures de Jean-Baptiste Carpeaux à Valenciennes,* Valenciennes, 1978.

Hargrove, 1980-1981
J. Hargrove, *in* catal. exp. *Romantics to Rodin French Nineteenth Century Sculpture from North American Collections,* Los Angeles, county Museum ; Minneapolis, Institute of Arts ; Detroit, The Detroit Institute of Arts ; Indianapolis, Museum of art, 1980-1981.

Haskell, 1971
F. Haskell, « The Old Masters in 19th Century French painting », *Art Quarterly,* printemps 1971, vol. 34, n° 1, pp. 55-85.

Haskell, 1976
F. Haskell, *Rediscoveries in Art. Some aspects of Taste, Fashion and Collecting in England and France,* The Wrightsman Lectures, New York, 1976.

Hattis, 1966
P. Hattis, « Le portrait de Mme Delphine Ingres, 1855 », *Bulletin du Musée Ingres,* décembre 1966, n° 20, pp. 7-18.

De Hauke, 1961
C.M. de Hauke, *Seurat et son œuvre,* Paris, 1961, 2 vol.

Hébert, 1980-1981
D. Hébert, *in* catal. exp., *La Renaissance à Rouen,* Rouen, 1980-1981.

Hédiart, 1901
G. Hédiart, « Les dessins de M. Fantin-Latour », *Gazette des Beaux-Arts,* décembre 1901, pp. 459-467.

Hefford, 1977
W. Hefford, « Cardinal Mazarin and the Earl of Pembroke's tapestries », *The Connoisseur,* août 1977, n° 786, pp. 286-290.

Heindrich
Voir aussi Gerkens.

Heineken, 1778
C.G. von Heineken, *Dictionnaire des artistes dont nous avons des estampes,* Leipzig, 1778-1790, 4 vol.

Hecquet, 1752
R. Hecquet, *Catalogue de l'œuvre de François de Poilly,* 1752.

Herbet, 1902
F. Herbet, *Les graveurs de l'École de Fontainebleau,* Fontainebleau, 1896-1902, 5 vol.

Herbert, 1962
R.L. Herbert, *Seurat's drawings,* New York, 1962.

Hercenberg, 1975
B. Hercenberg, *Nicolas Vleughels, 1668-1757, peintre et directeur de l'Académie de France à Rome,* Paris, 1975.

Hintz, 1980
B. Hintz, « La peinture durant le IIIe Reich et l'antagonisme de ses origines ». *in* catal. exp., *Les Réalismes, 1919-1929,* Paris, Centre Georges Pompidou, 1980-1981.

Hodin, 1953
J.P. Hodin, « A Madonna motif in the work of Munch and Dali », *The Art Quarterly,* été 1953, vol. XVI, pp. 106-113.

Hoetink, 1968
Hoetink, *in* catal. exp., *Franse Tekeningen int de 19e Eeuw,* Catalogues van de verzameling in het Museum Boymans-van Beuningen, Rotterdam, 1968.

Holma, 1940
K. Holma, *David, son évolution et son style,* Paris, 1940.

Hoogewerf, 1965
G. Hoogewerf, « Raffaello nella Villa Farnesina. Affreschi e arazzi », *Mededeling en van het Nederlands historisch Institut te Rome,* 1965, pp. 5-19.

Huyghe, 1929
R. Huyghe, « Peintures et dessins. De nouvelles œuvres d'Ingres au Musée du Louvre », *Bulletin des Musées de France,* juillet 1929, pp. 145-148.

Huyghe, 1955
R. Huyghe, *Dialogue avec le visible,* Paris, 1955

Jal, 1831
A. Jal, *Salon de 1831, ébauches critiques,* Paris, 1831.

Janin, 1932
L. Janin, « Les éléments du style », *A.B.C.,* octobre 1932, pp. 265-268.

Janson, 1980-1981
H.W. Janson, *in* catal. exp., *The Romantics to Rodin, French Nineteenth Century Sculpture from north america collection;* Los Angeles, County Museum ; Minneapolis, Institute of Arts ; Detroit, The Detroit Institute of Arts ; Indianapolis, Museum of Art, 1980-1981.

Jean-Richard, 1978
P. Jean-Richard, *Musée National du Louvre, Inventaire générale des gravures, École Française, t. I : l'œuvre gravé de François Boucher dans la collection Edmond de Rotschild,* Paris, 1978.

Jean-Richard, 1979
P. Jean-Richard, *Catalogue des dessins français de la Fondation Custodia, Institut Néerlandais,* manuscrit, 1979.

Jestaz, 1972
B. Jestaz, *in* catal. exp., *L'École de Fontainebleau,* Paris, Grand Palais, 1972.

Johnson, 1981
L. Johnson, *The Painting of Eugène Delacroix, a critical catalogue.* 1816-1831, Oxford, 1981, 2 vol.

Johnston, 1982
W.R. Johnston, *The Nineteenth Century Paintings in the Walters Art Gallery,* Baltimore, 1982.

Jouan, 1966
A. Jouan, « Notes sur quelques radiographies », *Bulletin du laboratoire du Musée du Louvre,* 1966, n° 11, pp. 17-29.

Jouin, 1883
H. Jouin, *Conférences de l'Académie Royale de Peinture et de Sculpture,* Paris, 1883.

Jouin, 1889
H. Jouin, *Charles Le Brun et les Arts sous Louis XIV,* Paris, 1889.

Jourdan, 1981
A. Jourdan, catal. exp., *Charles-François Jalabert, 1819-1901,* Nîmes, Musée des Beaux-Arts, 1981.

Jullien, 1909
A. Jullien, *Fantin-Latour, sa Vie et ses Amitiés,* Paris, 1909.

Kahnweiler, 1920
D.H. Kahnweiler, *Der Weg zum Kubismus von Daniel Henry,* Munich, 1920.

Kahnweiler, 1964
D.H. Kahnweiler, *Juan Gris, sa vie, son œuvre, ses écrits,* nouvelle édition, Paris, 1964.

Kahnweiler, 1968
D.H. Kahnweiler, préface catal. exp., *Cranach et Picasso,* Nuremberg, Kunsthalle, 1968.

Kamenskaïa et Novoselskaïa, 1971
T. Kamenskaïa, I. Novoselskaïa, *Les dessins de Poussin dans les collections de l'Ermitage,* Leningrad, 1971.

Kaplan, 1974
J. Kaplan, catal. exp., *Gustave Moreau,* Los Angeles County Museum of Art, 1974.

Kelber, 1979
W. Kelber, *Raphaël von Urbino, Leben und Werk,* Stuttgart, 1979.

Kennedy, 1953
R.W. Kennedy, « Degas and Raphaël », *Smith College Museum of Art Bulletin,* 1953, n° 34-35, pp. 5-12.

Kitson, 1963
M. Kitson, « The Place of Drawings in the Art of Claude Lorrain », *Acts of the XX International Congress of the History of Art,* Princeton, 1963, vol. III, pp. 96 et ss.

Kocks, 1981
D. Kocks, *Jean-Baptiste Carpeaux, Rezeption und Originalität,* Sankt Augustin, 1981.

Kuraszewski, 1974
G. Kuraszewski, « La cheminée du Salon de la Guerre au château de Versailles. Sa création et ses transformations successives », *Bulletin de la Société de l'Histoire de l'Art Français,* 1974, pp. 63-69.

Kuznetsova et Georgievskaïa, 1979
I. Kuznetsova, E. Georgievskaïa, *French painting*

from the Pushkin Museum, New York et Leningrad, 1979.
Lacambre, 1974-1975
J. Lacambre, *in* catal. exp., *Le Néo-classicisme français. Dessins des Musées de province,* Paris, Grand Palais, 1974-1975.
Laclotte, 1958
M. Laclotte, catal. exp., *Le XVIIe siècle français : chefs-d'œuvre des Musées de Province,* Paris, Petit Palais, 1958.
Laclotte, 1965
M. Laclotte, *in* catal. exp., *Le seizième siècle européen. Peintures et dessins dans les collections publiques françaises,* Paris, Petit Palais, 1965-1966.
Laclotte, 1967
M. Laclotte, « Quelques tableaux bourguignons du XVIe siècle », *Studies in Renaissance and Baroque Art presented to Anthony Blunt,* Londres, 1967, pp. 83-85.
Lafenestre, 1886
P. Lafenestre, « Paul Baudry et son exposition posthume », *Gazette des Beaux-Arts,* mai 1886, pp. 395-412.
Lafond, 1933-1934
Jean Lafond, « Chants royaux du Puy des Palinods de Rouen », *Société des Bibliophiles Normands,* 1933-34, n° 88 (l'introduction et les notes sont restées inédites).
Lafond, 1958
J. Lafond, « A travers les manuscrits des palinods de Rouen, Puy d'Amour et Puy de Risée au XVIe siècle », *Revue des Sociétés Savantes de Haute-Normandie,* 1958, n° 12.
Lafond, 1958
J. Lafond, *La Renaissance. Le Vitrail français,* Paris, 1958.
Lami, 1898
S. Lami, *Dictionnaire des sculpteurs de l'école française du Moyen Age au règne de Louis XIV,* Paris, 1898.
Lami, 1914-1921
S. Lami, *Dictionnaire des sculpteurs de l'École française au XIXe siècle,* Paris, 1914-1921, 4 vol.
Landon, 1805
C.P. Landon, *Vie et Œuvre complète de Raphaël Sanzio,* Paris, 1805, 4 vol.
Lapalus, 1978
M. Lapalus, *Le peintre Édouard Cibot, 1799-1877,* mémoire de maîtrise dactylographié, Université de Dijon, 1978.
Lapauze, 1901
H. Lapauze, *Les dessins de J.A.D. Ingres du Musée de Montauban,* Paris, 1901 (1 vol. de texte, 4 vol. de pl.).
Lapauze, 1907
H. Lapauze, *Catalogue sommaire des collections Dutuit,* Paris, 1907.
Lapauze, 1911
H. Lapauze, *Ingres, sa vie, son œuvre,* Paris, 1911.
Lapauze, 1921
H. Lapauze, « La nouvelle leçon de Ingres », *La Renaissance de l'Art Français et des industries de Luxe,* mai 1921, pp. 190-193.
Lapauze et Gronkowsky, 1925.
H. Lapauze et C. Gronkowsky, *Catalogue sommaire des collections Dutuit,* Paris, 1925.
Laran, 1909
J. Laran, « Un dessin de Pierre II du Monstier », *Bulletin de la Société d'Histoire de l'Art français,* Paris, 1909, pp. 17-19.
Laran, 1930
J. Laran, *Bibliothèque Nationale, Cabinet des Estampes, Inventaire du Fonds Français après 1800,* t. I, 1930. t. II, 1937, t. III (avec J. Adhémar), 1942.
Lassalle, 1983
C. et V. Lassalle, catal. exp., *Jules Salles, 1814-1900,* Nîmes, Musée des Beaux-Arts, 1983.
La Tour, 1888
H. de La Tour, *C.F. Gaillard,* 1888.
Lauer, 1930
Voir aussi Blum.
Lauriol, 1972
Cl. Lauriol, « Répertoire des ensembles décoratifs cités », *in* catal. exp., *L'École de Fontainebleau,* Paris, Grand Palais, 1972-1973.
Laveissière, 1983
S. Laveissière, catal. exp., *Bénigne Gagneraux (1756-1795) un pittore francese nella Roma di Pio VI,* Rome, Galerie Borghèse, Dijon, Musée des Beaux-Arts, 1983.
Lavedan, 1913
P. Lavedan, *Léonard Limousin et les émailleurs français,* Paris, 1913.
Lebeurier, 1860
Abbé Lebeurier, *Histoire d'Évreux et description des monuments,* s.l.n.d., [Évreux, vers 1860].
Le Blant, 1978
R. Le Blant, « Les Scalberge, peintres et graveurs du XVIIe siècle », *Actes du 103e Congrès des Sociétés Savantes,* Nancy-Metz, 1978, pp. 297-310.
Lebrun-Dalbanne, 1878
Lebrun-Dalbanne, *Étude sur Pierre Mignard, sa vie, sa famille et son œuvre,* Paris, 1978.
Le Comte, 1700
F. Le Comte, *Cabinet des Singularitez d'architecture, peinture, sculpture et gravure,* Paris, 1699-1799, 3 vol.
Lecoq, 1982-1983
A.M. Lecoq, *in* catal. exp., *La peinture dans la peinture,* Dijon, Musée des Beaux-Arts, 1982-1983.
Leiris, 1968
A. de Leiris, catal. exp. *Picasso, 347 gravures 13/3/68-5/10/68,* Paris, galerie Louise Leiris, 1968.
Leiris, 1969
A. de Leiris, *The drawings of Edouard Manet,* Los Angeles-Berkeley, 1969.
Lemoisne, 1946
P.A. Lemoisne, *Degas et son œuvre,* Paris, 1946, 3 vol.
Lemonnier, 1917
H. Lemonnier, « La peinture murale de Paul Delaroche à l'Hémicycle de l'École des Beaux-Arts », *Gazette des Beaux-Arts,* n° 690, janvier-mars 1917, pp. 173-182.
Lenoir, 1806
A. Lenoir, *Description historique et chronologique des monuments de sculpture remis au musée des monuments français,* Paris, 1806.
Lepoittevin, 1973
L. Lepoittevin, *Jean-François Millet, II, L'ambiguïté de l'image, essai,* Paris, 1973.
Lepper, 1981
B. Lepper, « Werke von Albert Carrier-Belleuse in Berlin », *Jahrbuch des Berliner Museum,* 23, 1981, pp. 179-225.
Leroi, 1875
P. Leroi, « Salon de 1875. Suite : Autres membres de l'Institut », *L'Art,* 1875, II, pp. 77-80.
Lethève
Voir aussi Adhémar.
Lethève
Voir aussi Gardey.
Levey, 1981
M. Levey, *The Painter Depicted as a Subject in Painting,* Londres, 1981.
Levron, 1941
J. Levron, *René Boyvin, graveur angevin du XVIe siècle,* Angers, 1941.
Leymarie, 1971
J. Leymarie, *Picasso, métamorphose et unité,* Paris, 1971.
Lhuillier, 1888
T. Lhuillier, « Notes sur quelques tableaux de la cathédrale de Meaux... », *Réunion des Sociétés des Beaux-Arts des Départements,* Paris, 1888, pp. 132-151.
Lichtenstein, 1971
S. Lichtenstein, « Delacroix's Copies after Raphaël » I et II, *The Burlington Magazine,* septembre 1971, pp. 525-533, octobre 1971, pp. 593-603.
Lichtenstein, 1977
S. Lichenstein, « More about Delacroix copies after Raphaël », *The Burlington Magazine,* juillet 1977, pp. 503-504.
Lichenstein, 1979
S. Lichtenstein, *Delacroix and Raphaël,* (Garland), 1979.
Linzeler, 1932
A. Linzeler, *Bibliothèque Nationale, Cabinet des Estampes, Inventaire du Fonds Français. Graveurs du XVIe siècle,* Paris, 1932-1935, t. I.
Lossky, 1972
B. Losky, « L'Art de Mantegna, Le Primatice et l'École de Fontainebleau », *Renaissance, Maniérisme, Baroque, Actes du XIe stage international de Tours,* Paris, 1972.
Lossky, 1979
B. Lossky, *Le maniérisme en France et en Europe du Nord,* Genève, 1979.
Lugand et Vanderspelden, 1976
J. Lugand, J.-P. Vanderspelden, *Ville de Béziers, Musée des Beaux-Arts, Catalogue,* t. II, Béziers, 1960-76.
Mabilleau, 1894
L. Mabilleau, « Les dessins d'Ingres au Musée de Montauban », II, *Gazette des Beaux-Arts,* 1894, t. XII, pp. 371-390.
Magimel, 1851
A. Magimel, *Œuvres de J.A. Ingres, gravées au trait sur acier par A. Réveil, 1800-1850,* Paris, 1851.
Magne, 1885
L. Magne, *L'œuvre des peintres-verriers français. Verrières des monuments élevés par les Montmorency, Montmorency, Écouen, Chantilly,* Paris, 1885.

Mahérault, 1880
M.J.F. Mahérault, *L'œuvre gravée de Jean-Michel Moreau le Jeune (1741-1814)*, Paris, 1880.
Mâle, 1927
E. Mâle, *Art et artistes du Moyen Age*, Paris, 1927.
Mc. Allister Johnson, 1966
W. Mc. Allister Johnson, « Primaticcio Revisited : Aspect of Draughtsmanship in the School of Fontainebleau », *Art Quarterly*, XXIX, 1966, pp. 252-255.
Mc. Allister Johnson, 1969
W. Mc. Allister Johnson, « Les débuts de Primatice à Fontainebleau », *Revue de l'Art*, 1969, n° 6, pp. 8-18.
Mc. Allister Johnson, 1973
W. Mc. Allister Johnson, « Primaticcio's Prudence Recovered », *Master Drawings*, 1973, t. XI, n° 3, p. 268.
Mc. Allister Johnson
Voir aussi Bacou.
Mantz
Voir aussi Dussieux.
Marie, 1924
A. Marie, *Célestin Nanteuil, Peintre, Aquafortiste et Lithographe*, 1813-1873, Paris, 1924.
Mariette, Abecedario
P.J, Mariette, *Abecedario*, édité par Ph. de Chennevières et A. de Montaiglon, publié par les *Archives de l'Art français*, 1851-1860, 6 vol.
Mariette, notes manuscrites
P.J. Mariette, *Notes manuscrites. Les grands peintres, I, École d'Italie*, éd. fac-similé, Paris, s.d.
Mariette, 1729
P.J. Mariette, « Abrégé de la vie des peintres de l'école romaine et Description de leurs tableaux et dessins contenus dans ce volume », in *Cabinet Crozat, Recueil d'estampes...*, Paris, 1729.
Marlier, 1966
G. Marlier, *Pierre Coeck d'Alost*, Bruxelles, 1966.
Marolles, 1666
M. de Marolles, *Catalogue de livres d'estampes et de figures en taille-douce*, Paris, 1666.
Martin, 1904
H. Martin, *in* catal. exp., *Les primitifs français*, Paris, Louvre et Bibliothèque Nationale, 1904.
Mathey, 1955
J. Mathey, *Ingres, dessins*, Paris, s.d. (1955).
Mathieu, 1976
P.L. Mathieu, *Gustave Moreau, sa vie, son œuvre, catalogue raisonné de l'œuvre achevé*, Paris, 1976.
Mathieu, 1983
Voir aussi Bittler.
Mauclair, 1925
C. Mauclair, *Histoire de la miniature française féminine*, Paris, 1925.
Mauquoy-Hendrickx, 1956
M. Mauquoy-Hendrickx, *L'Iconographie d'Antoine Van Dyck*. Bruxelles, 1956, 2 vol.
Méjanès, 1980
J.F. Méjanès, « Petit journal » exp., *Ingres*, Paris, Louvre, Cabinet des Dessins, 1980.
Méjanès, 1983
J.F. Méjanès, catal. exp., *Les collections du comte d'Orsay : dessins du musée du Louvre*, Paris, Louvre, Cabinet des Dessins, 1983.
Mely, 1887
F. de Mely, « François Marchand et le tombeau de François Ier », *Réunion de la Société des Beaux-Arts des Départements*, Paris, 1887, pp. 215-228.
Mende, 1978
M. Mende, *Hans Baldung-Grien. Das graphische Werk*, Unterscheidheim, 1978.
Merlet et Bellier de la Chavignerie, 1855-56
L. Merlet, E. Bellier de la Chavignerie, « Documents sur des travaux exécutés à Notre-Dame de Chartres et dans d'autres églises du pays chartrain pendant le seizième siècle », *Archives de l'Art Français*, t. IV, 1855-56, pp. 355-400.
Mérot, 1982
A. Mérot, « La renommée d'Eustache Le Sueur et l'estampe », *Les Nouvelles de l'Estampe*, 1982, n° 55, pp. 57-65.
Metman, 1942
Y. Metman, « Un graveur inconnu de l'École de Fontainebleau : Pierre Milan », *Bibliothèque d'Humanisme et Renaissance*, 1942, pp. 202-214.
Michel, 1979
O. Michel, « (Gamelin) jeunesse et période romaine », *in* catal. exp. *Jacques Gamelin, 1758-1803*, Paris, Galerie Hahn, 1970 (s.p.).
Milanesi
Voir Vasari.
Minervino
Voir Russoli.
Mirimonde, 1975
A.P. de Mirimonde, *L'Iconographie musicale sous les rois Bourbons. La Musique dans les arts plastiques XVIIe-XVIIIe siècles*, Paris, 1975-1977, 2 vol.
Moeglin-Delcroix, 1982
Voir aussi Woimant.
Molinier, 1885
E. Molinier, *Dictionnaire des Émailleurs depuis le Moyen Age juqu'à la fin du XVIIIe siècle*, Paris, 1885.
Molinier, 1885
Voir aussi Müntz, 1885.
Momméja, 1898
J. Momméja, « La jeunesse d'Ingres », *Gazette des Beaux-Arts*, août 1898, pp. 89-106 ; septembre 1898, pp. 188-208.
Momméja, 1905
J. Momméja, « Collection Ingres au Musée de Montauban », *Inventaire général des Richesses d'Art de la France, Province, Monuments Civils*, Paris, 1905, t. VII, pp. 29-256.
Momméja, 1906
J. Momméja, « Le Bain Turc d'Ingres », *Gazette des Beaux-Arts*, 1906, t. II, pp. 177-198.
Mongan et Sachs, 1940
A. Mongan, P. Sachs, *Drawings in the Fogg Museum of Art*, Cambridge, Mass., 1940, 3 vol.
Montagu, 1958
J. Montagu, « Charles Le Brun's use of a figure from Raphaël », *Gazette des Beaux-Arts*, février 1958, pp. 91-96.
Montagu, 1963
J. Montagu, *in* catal. exp., *Charles Le Brun, 1619-1690*, Versailles, château, 1963.
Montaiglon
Voir aussi Dussieux.
Montaiglon 1850
A. de Montaiglon, « Antoine Caron, peintre au XVIe siècle », *l'Artiste, Revue de Paris*, février 1850.
Montaiglon, 1855-1856
A. de Montaiglon, « Note sur les bas-reliefs de François Marchand, conservés à Saint-Denis », *Archives de l'Art Français*, 1855-56, pp. 390-394.
Montaiglon, 1872
A. de Montaiglon, « Daniel Dumonstier, pièces relatives à l'abandon des droits du roi sur la vente de la terre du Plessis-Bertrand, 1612-1614 », *Nouvelles Archives de l'Art Français*, Paris, 1872, pp. 183-187.
Montaiglon, 1887-1912
A. de Montaiglon, J. Guiffrey, *Correspondance des Directeurs de l'Académie de France à Rome avec les Surintendants des Bâtiments*, Paris, 1887-1912, 18 vol.
Monville, 1730
Abbé de Monville, *La vie de Pierre Mignard premier peintre du Roy*, Paris, 1730.
Moreau-Nélaton, 1924
E. Moreau-Nélaton, *les Clouet et leurs émules*, Paris, 1924, 2 vol.
Morel d'Arleux
Morel d'Arleux, *Inventaire manuscrit des dessins du Louvre... établi... de 1797 à 1827*, 9 vol.
Mundy, 1981
E.J. Mundy, catal. exp., *Master Drawings rediscovered*, Mount Holy-College Art Museum, 1981.
Müntz et Molinier, 1885
E. Müntz, E. Molinier, « Le Château de Fontainebleau en 1625, d'après le Diarum du Commandeur Casiano del Pozzo », *Le Château de Fontainebleau au XVIIe siècle*, Paris, 1886, pp. 5-28.
Müntz, 1886
E. Müntz, *Raphaël, sa vie, son œuvre et son temps*, Paris, 1886.
Müntz, 1897
E. Muntz, *Les tapisseries de Raphaël au Vatican. Étude historique et critique*, Paris, 1897.
Naef, 1956
H. Naef, « Paolo und Francesca, zum Problem der schöpferischen Nachahmung bei Ingres », *Zeitschrift für Kunstwissenschaft*, Berlin, 1956, t. X, n° 1-2, pp. 97-108.
Naef, 1967
H. Naef, « L'exposition Ingres du Musée Fogg », *Bulletin du Musée Ingres*, juillet 1967, pp. 5-7.
Naef, 1967
H. Naef, « Au sujet du portrait de Mme Delphine Ingres de 185(5) », *Bulletin du Musée Ingres*, juillet 1967, pp. 9-13.
Naef, 1973
H. Naef, catal. exp., *Rome vue par Ingres*, Montauban, Musée Ingres, 1973.
Naef, 1975
H. Naef, « Ingres et son collègue Pierre-Nolasque Bergeret », *Bulletin du Musée Ingres*, juillet 1975, n° 37, pp. 3-18.
Naef, 1977-1980
H. Naef, *Die Bildniszeichnungen von J.A.D. Ingres*, Berne, 1977-1980, 5 vol.
Novoselskaïa
Voir aussi Kamenskaïa.

Oberheide, 1933
A. Oberheide, *Der Einfluss Marcantonio Raimondi auf die nordische Kunst des 16. Jahrunderts,* Hambourg, 1933.
Oberhuber, 1972
K. Oberhuber, *Raphaël Zeichnungen,* Abteilung IX, Berlin 1972.
Oberhuber, 1978
Voir aussi Bartsch illustré.
O'Brian, 1979
P. O'Brian, *Pablo Ruiz Picasso,* Paris, 1979 (éd. angl., 1976).
Oppé, 1970
A.P. Oppé, *Raphaël,* Londres, 1970 (1re éd. 1909).
Paladilhe et Rupps, 1974
J. Paladilhe (préface de H. Rupps), *Musée Gustave Moreau,* Paris, 1974.
Pampolini, 1943
E. Pampolini, « Incontro Picasso », *Cinquanta disegni di Pablo Picasso (1905-1938) con scritti di Carlo Carrà, Enrico Pampolini, Alberto Savinio, Gino Severini, Ardengo Soffici,* Novare, 1943 (en anglais, *A Picasso Anthology,* Londres, Art Council, 1981, pp. 122-124).
Paris, Galerie Charpentier, 1926
Catal. exp., *Louis-Philippe,* Paris, Galerie Jean Charpentier, 1926.
Paris, Grand Palais, 1975
Catal. exp., *Sur les traces de Jean-Baptiste Carpeaux,* Paris, Grand Palais, 1975.
Parker, 1972
K.T. Parker, *Catalogue of the Collection of Drawings in the Ashmolean Museum. Italian School,* Oxford, 1972, 2 vol. (1re éd. 1956).
Parmelin, 1966
H. Parmelin, *Picasso dit...,* Paris, 1966.
Passavant, 1860
J.D. Passavant, *Raphaël d'Urbin et son père Giovanni Santi,* Paris, 1860, 2 vol.
Passavant, 1860-1866
J.D. Passavant, *Le Peintre-Graveur,* 1860-1864, 4 vol.
Passeron, 1978
R. Passeron, *Salvador Dali,* Paris, 1978.
Paulhan, 1952
J. Paulhan, *Braque le Patron,* Paris, 1952.
Pauli, 1908
G. Pauli, « Raphaël und Manet », *Monatshefte für Kunstwissenschaft,* I, janvier-février 1908, pp. 53-55.
Pellicer, 1979
L. Pellicer, « Rapports sous la Révolution et l'Empire », *Actes du colloque Florence et la France,* Florence, juin 1977, Florence et Paris, 1979.
Pellicer, 1983
L. Pellicer, *Le peintre François-Xavier Fabre (1766-1837),* thèse de doctorat d'État, Université de Paris IV, 1983.
Perrot, 1978
F. Perrot, « Chefs-d'œuvre méconnus de la Renaissance : les vitraux d'Écouen », *Les Dossiers de l'archéologie,* 1978, n° 28, pp. 76-85.
Perrot
Voir aussi Corpus Vitrearum.
Peyrouton, 1887
A. Peyrouton, *Paul Chenavard et son œuvre. Première partie, Le Panthéon* (Lithographies de F. Armbruster), Lyon, 1887.
Pickvance, 1964
R. Pickvance, « Drawings by Degas in English public collections, 1 », *The Connoiseur,* octobre 1964, pp. 82-83.
Picot, 1913
E. Picot, *Notice sur Jacques Le Lieur, échevin de Rouen et sur ses heures manuscrites,* Rouen, 1913.
Piganiol de la Force, 1765
Piganiol de la Force, *Description historique de la Ville de Paris et de ses environs,* Nouvelle éd. Paris, 1765.
Pingeot, 1981
A. Pingeot, *in* catal. exp., *Rodin rediscovered,* Washington, 1981-1982.
Pingeot, 1982
A. Pingeot, *in* catal. exp., *De Carpeaux à Matisse, la sculpture française de 1850 à 1914 dans les musées et les collections publiques du Nord de la France, Calais, Lille, Arras, Boulogne-sur-Mer,* Paris, Musée Rodin, 1982-1983.
Pinkham, 1978
R. Pinkham, « Attributions to the Master M.P. and Master I.V.L. », *Apollo,* novembre 1978, pp. 332-335.
Plan, 1930
D. Plan, *A. Constantin, peintre sur émail et sur porcelaine,* Genève, 1930.
Planchenault, 1933
R. Planchenault, « La collection du marquis de Livois. L'art français », *Gazette des Beaux-Arts,* octobre 1933, pp. 220-237.
Pognon, 1962
E. Pognon, *Inventaire du Fonds Français, Graveurs du XVIIIe siècle,* t. IX, 1962, t. X, 1968.
Ponchateau, 1978
D. Ponchateau, « Une œuvre magistrale de Laurent de La Hyre. Les dessins pour les tapisseries de Saint-Étienne-du-Mont », *L'Estampille,* octobre 1978, pp. 76-81.
Ponsonailhe, 1892
C. Ponsonailhe, *Jean Antonin Injalbert, l'artiste et l'œuvre,* Paris, s.d. [1892 ?].
Ponsonailhe, 1897
C. Ponsonailhe, *Les trois grâces de Raphaël mise en vente à Paris en 1822,* Paris, 1897.
Pope-Hennessy, 1970
J. Pope-Hennessy, *Raphaël,* The Wrightsman Lectures, New York, 1970.
Popelin, 1881
C. Popelin, « Les émaux peints de la collection Spitzer », *Gazette des Beaux-Arts,* 1881, t. I, p. 24.
Popelin, 1891
C. Popelin, *La collection Spitzer,* t. II, Paris, 1891.
Popham, 1921
A.E. Popham, « Jean Duvet », *Print Collector's Quarterly,* juillet 1921, t. VII, pp. 123-150.
Popham et Wilde, 1949
A.E. Popham, J, Wilde, *The Italian Drawings of the XVth and XVIth Centuries in the Collection of His Majesty the King at Windsor Castle,* Londres, 1949.
Pozner, 1982
A. Pozner, *Jacques Prévert, les collages,* introduction de Ph. Soupault, Paris, 1982.
Pradel, 1979
J.L. Pradel, « Antonio Recalcati », *Opus internatio-nal,* printemps 1979, n° 72, pp. 41-43.
Prat
Voir aussi Foucart.
Prévert, 1972
J. Prévert, *Fatras,* Paris, 1972.
Proust, 1897
A. Proust, « Édouard Manet, souvenirs (1) », *Revue Blanche,* 1er mai 1897, pp. 168-180.
Provoyeur
Voir aussi Bergot.
Pruvost, 1953
J. Pruvost, *Musée d'Orléans. Catalogue des dessins. Dessins français des XVIe et XVIIe siècles,* Orléans, 1953.
Pruvost-Auzas, 1958
J. Pruvost-Auzas, *in* catal. exp., *Artistes orléanais du XVIIe siècle,* Orléans, Musée des Beaux-Arts, 1958.
Pruvost-Auzas, 1967
J. Pruvost-Auzas, in catal. exp., *Girodet. Exposition du deuxième centenaire,* Montargis, Musée Girodet, 1967.
Putscher, 1955
M. Putscher, *Raphaël Sixtinische Madonna. Das Werk und seine Wirkung,* Tübingen, 1955.
Quatremère de Quincy, 1824
A.C. Quatremère de Quincy, *L'histoire de la vie et des ouvrages de Raphaël,* Paris, 1824.
Ramade
Voir aussi Bergot.
Randall, 1965
R.H. Randall, « Ingres and Titian », *Apollo,* novembre 1965, pp. 366-369.
Ratcliffe, 1973
R.W. Ratcliffe, *in* catal. exp., *Water-colour and pencil Drawings by Cézanne,* Newcastle-upon-Tyne et Londres, 1973.
Réau, 1964
L. Réau, *Houdon, sa vie et son œuvre,* Paris, 1964, 2 vol.
Recouvreur, 1933
A. Recouvreur, *Musée Turpin de Crissé (Hôtel Pincé), catalogue-guide,* Angers, 1933.
Reff, 1960
T. Reff, « Reproductions and books in Cézanne's studio », *Gazette des Beaux-Arts,* novembre 1960, pp. 303-309.
Reff, 1963
T. Reff, « Degas's Copies of older Art », *The Burlington Magazine,* juin 1963, pp. 241-251.
Reff, 1964
T. Reff, « New Light on Degas's Copies, », *The Burlington Magazine,* juin 1964, pp. 250-259.
Reff, 1964, copyists
T. Reff, « Copyists in the Louvre, 1850-1870 », *The Art Bulletin,* décembre 1964, pp. 552-559.
Reff, 1969
T. Reff, « Manet's sources : a critical evaluation », *Art Forum,* t. VIII, septembre 1969, pp. 40-48.
Reff, 1971
T. Reff, « Further thoughts on Degas's Copies, *The Burlington Magazine,* septembre 1971, n° 822, pp. 534-543.

Reff, 1976
T. Reff, *The Notebooks of Edgar Degas. A Catalogue of the Thirthy eight Notebooks in the Bibliothèque Nationale and other collections,* Oxford, 1976, 2 vol.
Reff, 1980
T. Reff, « Themes of Love and Death in Picasso's early work », in *Picasso in Retrospect,* New York, 1980.
Regteren Altena, 1966
I.Q. van Regteren Altena, *Les dessins italiens de la reine Christine de Suède* (Analecta Reginensia, II), Stockholm, 1966.
Regteren Altena et Ward-Jackson, 1970
I.Q. van Regteren Altena, P.W. Ward-Jackson, catal. exp., *Drawings from the Teylor Museum Haarlem,* Londres, Victoria and Albert Museum, 1970.
Renan, 1900
A. Renan, *Gustave Moreau, 1826-1898,* Paris, 1900.
Renouvier, 1854
J. Renouvier, *Des types et des manières des maîtres graveurs, XVIe siècle,* Montpellier, 1854.
Requin, 1891
Abbé Requin, « Testament de Simon de Chalons, peintre du XVIe siècle », *Nouvelles Archives de l'Art français,* 1891, t. VII, pp. 135-140.
Rewald, 1939
J. Rewald, *Cézanne, sa vie, son œuvre, son amitié pour Zola,* Paris, 1939.
Rewald, 1978
P. Cézanne, *Correspondance,* recueillie, annotée et préfacée par J. Rewald, nouvelle édition augmentée, Paris, 1978.
Rivière, 1921
G. Rivière, *Renoir et ses amis,* Paris, 1921.
Rivière, 1923
G. Rivière, *Le Maître Paul Cézanne,* Paris, 1923.
Rivière. 1935
G. Rivière, *M. Degas, Bourgeois de Paris,* Paris, 1935.
Robert-Dumesnil, 1838, 1842, 1865
A.P.F. Robert-Dumesnil, *Le Peintre-graveur français,* Paris, 1835-1871, 11 vol.
Roberts, 1971
K. Roberts, *in* catal. exp., *Art into Art. Works of Art as a Source of Inspiration,* presented by *The Burlington Magazine,* Londres, Sotheby and Co., septembre 1971.
Rochet, 1978
A. Rochet, *Louis Rochet, sculpteur et sinologue 1813-1878,* Paris, 1978.
Roethlisberger, 1968
M. Roethlisberger, *Claude Lorrain, The Drawings,* Los Angeles-Berkeley, 1968, 2 vol.
Roethlisberger, 1979
M. Roethlisberger, *Claude Lorrain, The Paintings,* New York, 1979, 2 vol. (1re éd. 1961).
Roland Michel
Voir aussi Cailleux
Roland Michel, 1981
M. Roland Michel, « Un peintre français nommé Ango », *The Burlington Magazine,* décembre 1981 (« L'Art du XVIIIe siècle », no 40).
Roland Michel, 1983
M. Roland Michel, « A Rome dans les années 1760 », introduction, catal. exp., *Rome 1760-1770. Fragonard, Hubert Robert et leurs Amis,* Paris, Galerie Cailleux, 1983.
Roques, 1981
J. Rocques, *Guide du Tarn,* Albi 1981.
Rosenberg (M.I.), 1979
M.I. Rosenberg, *Raphaël in French Art Theory, criticism and practice (1660-1830),* Ann Arbor-Londres, 1979.
Rosenberg (P.), 1961
P. Rosenberg, catal. exp., *Nicolas Poussin et son temps,* Rouen, Musée des Beaux-Arts, 1961.
Rosenberg (P.), 1971
P. Rosenberg, *I designi dei Maestri. Il seicento francese,* Milan, 1971.
Rosenberg (P.), 1972
P. Rosenberg, « Dessins de Le Sueur à Budapest », *Bulletin du Musée Hongrois des Beaux-Arts,* Budapest, 1972, no 39, pp. 63-75.
Rosenberg (P.), 1975
P. Rosenberg, catal. exp., *The Age of Louis XV. French Painting 1715-1774,* Toledo, Chicago, Ottawa, 1975-1976.
Rosenberg (P.), 1977
P. Rosenberg, *in* catal. exp., *Charles-Joseph Natoire (Nimes, 1700 — Castel Gandolfo, 1777) peintures, dessins, estampes et tapisseries des collections publiques françaises,* Troyes, Nimes, Rome, 1977.
Rosenberg (P.), 1977-1978
P. Rosenberg, catal. exp. *Nicolas Poussin 1594-1665,* Rome, Villa Médicis, 1977-1978, Düsseldorf, Kunstmuseum, 1978.
Rosenberg (P.), 1982
P. Rosenberg, « La fin d'Ango », *The Burlington Magazine,* avril 1982, pp. 236-239.
Rosenblum, 1967
R. Rosenblum, *Transformations in late Eighteenth Century Art,* Princeton, 1967.
Rosenblum, 1968
R. Rosenblum, *Jean-Auguste-Dominique Ingres,* Paris, 1968 (Éd. française ; 1re édition, New York, 1968).
Rosenblum, 1969
R. Rosenblum « (Compte rendu de l'exposition) Ingres », *Revue de l'Art,* 1969, no 3, pp. 101-103.
Rossi, 1714
Domenico de' Rossi, *Indice delle Stampe,* 1714.
Rouart-Wildenstein, 1975
D. Rouart et D. Wildenstein, *Manet, Pastels, Aquarelles et Dessins,* t. II, Lausanne, 1975.
Rouchès, 1923.
G. Rouchès, *Eustache Le Sueur,* Paris, 1923.
Rousseau, 1935
M. Rousseau, *P.A. Jeanron,* thèse dactylographiée de l'École du Louvre, 1935.
Roux, 1940, 1955
M. Roux, puis M. Roux et E. Pognon, *Bibliothèque Nationale, Cabinet des Estampes, Inventaire du Fonds Français, Graveurs du XVIIIe siècle,* Paris, 1931-1955, t. I à VIII.
Rubin, 1973
W. Rubin, *Miro in the collection of the Museum of Modern Art,* New York, The Museum of Modern Art, 1973.
Ruland, 1876
C. Ruland, *The Works of Raphaël Santi da Urbino as represented in the collection of Her Majesty at Windsor Castle,* Londres, 1876.
Russoli et Minervino, 1970
Fr. Russoli et F. Minervino, *L'Opera completa di Degas,* Milan, 1970.
Sachs
Voir aussi Mongan.
Sahut, 1979
M.C. Sahut, catal. exp., *Le Louvre de Hubert Robert,* Les dossiers du département des Peintures, no 18, Paris, Louvre, 1979.
Salerno, 1960
L. Salerno, « Il profeta Isaia di Raffaello, il putto della Accademia di S. Luca », *Bolletino d'Arte,* 1960, pp. 81-96.
Salmon, 1981
M.-J. Salmon, *Beauvais, musée départemental de l'Oise,* Nantes, 1981.
Sandoz, 1974
M. Sandoz, *Théodore Chassériau. Catalogue raisonné des peintures et estampes,* Paris, 1974.
Sapin, 1978
M. Sapin, « Contribution à l'étude de quelques œuvres d'Eustache Le Sueur », *La Revue du Louvre et des Musées de France,* 1978, no 4, pp. 242-254.
Sauval, 1724
M. Sauval, *Histoire et recherches des antiquités de la ville de Paris,* Paris, 1724-1733, 3 vol.
Schauz, 1978
V. Schauz, *in* catal. exp., *Sammlung Schloss Fasch-senfeldt, Zeichnungen, Bozzetti und Aquarelle aus fünf Jahrhunderten in Verehrung der Staatsgalerie Stuttgart,* Stuttgart, Staatsgalerie, 1978.
Schele, 1965
S. Schele, *Cornelis Bos, A study of the origins of the netherland grotesque,* Stockholm, 1965.
Schiff, 1972
G. Schiff, in *Woman as Sex Object,* New York, 1972.
Schlenoff, 1956
N. Schlenoff, *Ingres, Ses sources littéraires,* Paris, 1956.
Schlenoff, 1959
N. Schlenoff, « Ingres and Italy », *Actes du XIXe Congrès International d'Histoire de l'Art,* 1958, Paris, 1959, pp. 529-534.
Schnapper, 1968
A. Schnapper, catal. exp., *Au temps du Roi Soleil. Les peintres de Louis XIV,* Lille, Musée des Beaux-Arts, 1968.
Schnapper, 1980
A. Schnapper, *David, témoin de son temps,* Fribourg, 1980
Schneebalg-Perelman, 1971
S. Schneebalg-Perelman, « Richesses du Garde-Meuble parisien de François 1er, inventaires inédits de 1542 et 1551 », *Gazette des Beaux-Arts,* novembre 1971, pp. 253-290.
Schneider, 1910
R. Schneider, *Quatremère de Quincy et son intervention dans les arts, 1788-1850,* Paris, 1910.
Seligman, 1969
G. Seligman, *Roger de La Fresnaye, avec un catalogue raisonné,* Neuchâtel, 1969.
Sérullaz (A.), 1965

A. Calvet (A. Sérullaz), *Catalogue raisonné des dessins et albums de croquis de David conservés au Musée du Louvre,* thèse dactylographiée de la section supérieure de l'École du Louvre, 1965.

Sérullaz (A.), 1977
A.. Sérullaz, « A propos d'un album de dessins de Jean-Germain Drouais au Musée de Rennes », *La Revue du Louvre et des Musées de France,* 1977, n° 4-5, pp. 380-387.

Sérullaz (A.), 1981-1982
A. Sérullaz, *in* catal. exp., *David e Roma,* Rome, Villa Médicis, 1981-1982.

Sérullaz (A.), 1983
A. Sérullaz, *in* catal. exp., *L'Aquarelle en France au XIXe siècle,* Paris, Louvre, Cabinet des Dessins, 1983.

Sérullaz (M.), 1956
M. Sérullaz, catal. exp., *Donation de D. David-Weill au Musée du Louvre, Miniatures et émaux,* Paris, Louvre, Cabinet des Dessins, 1956-1957.

Sérullaz (M.), 1963
M. Sérullaz, *Mémorial de l'exposition Eugène Delacroix,* Paris, 1963.

Sérullaz (M.), 1984
M. Sérullaz, *Musée du Louvre, Cabinet des Dessins. Inventaire général des dessins. École française, Delacroix,* Paris (à paraître), 1984.

Shapley, 1979
F.R. Shapley, *Catalogue of the Italian Paintings, National Gallery of Art Washington,* Washington, 1979.

Shearman, 1972
J. Shearman, *Raphaël's cartoons in the Collection of Her Majesty the Queen and the Tapestries for the Sistine Chapel,* Londres, 1972.

Shearman, 1979
J. Shearman, « Le Portrait de Baldassare Castiglione par Raphaël », *La Revue du Louvre et des Musées de France,* 1979, n° 4, pp. 261-270.

Simonet-Lenglart, 1979
M. Simonet-Lenglart, *Louis-David, 1748-1825, Dessins du premier séjour romain, 1775-1780,* catal. exp., Paris, Galerie De Bayser, 1979.

Sjöberg, 1973
Y. Sjöberg, *Bibliothèque Nationale, Cabinet des Estampes, Inventaire du Fonds Français, Graveurs du XVIIIe siècle,* t. XI, 1970, t. XII, 1973.

Sonnenburg, 1983
M. von Sonnenburg, *Raphaël in der Alten Pinakothek,* Munich, 1983.

Soulié
Voir aussi Dussieux

Soulié, 1852
E. Soulié, *Notice des Peintures et Sculptures placées au Palais de Trianon,* 1852.

Spies-Carandente-Metken, 1981
W. Spies, *in* catal exp., *Pablo Picasso, Eine Ausstellung zum hundersten Geburstag, Werke aus der Sammlung Marina Picasso,* Munich, 1981.

Standen, 1964
E. Standen, « The sujets de La Fable Gobelins tapestries », *The Art Bulletin,* XLVI, 1964, pp. 143-157.

Steinberg, 1972
L. Steinberg « A working equation or — Picasso in the Momestretch », *The Print Collector's News Letter,* III, n° 5, novembre-décembre 1972, pp. 102-105.

Stein, 1938
G. Stein, *Picasso,* Paris, 1938.

Sterling, 1933
C. Sterling, catal. exp., *Renoir,* Paris, Musée de l'Orangerie, 1933.

Sterling, 1936
C. Sterling, catal. exp., *Cézanne,* Paris, Orangerie, 1936.

Sterling, 1936, Cézanne et les Maîtres
C. Sterling, « Cézanne et les Maîtres », *La Renaisance,* mai-juin 1936, pp. 7-15.

Sterling, 1955
C. Sterling, *in* catal. exp., *Le triomphe du Maniérisme européen de Michel-Ange au Greco,* Amsterdam, Rijksmuseum, 1955.

Sterling, 1967
C. Sterling, « Un portrait inconnu par Jean Clouet », *Studies in Renaissance and Baroque Art presented to Anthony Blunt,* Londres et New York, 1967, pp. 86-90.

Sterling-Adhémar, 1965
C. Sterling et H. Adhémar, *Musée National du Louvre. Peinture. École française XIVe, XVe et XVIe siècles,* Paris, 1965.

Stix et Frölich-Bum, 1932
A. Stix et L. Frölich-Bum, *Die Zeichnungen der toskanischen, umbrischen und römischen Schulen, Albertina Kat. III,* Vienne, 1932.

Synge-Hutchinson, 1968
P. Synge-Hutchinson, « The Master-piece of an unknown craftsman », *The Connoisseur,* juin 1968, pp. 96-98.

Takashina, 1981
S. Takashina, catal. exp., *Ingres,* Tokyo, Musée National d'Art Occidental, Osaka, Musée National d'Art, 1981.

Talbot, 1980
W.J. Talbot, « Cogniet and Vernet at the Villa Medici », *The Bulletin of the Cleveland Museum of Art,* mai 1980, pp. 134-149.

Tallemant des Réaux
Tallemant des Réaux, *Historiettes,* vol. I, éd. Paris, 1967.

Taralon
Voir aussi Corpus Vitrearum

Tavernier, 1855
L. Tavernier, *Le Musée d'Angers. Notes pour servir à l'histoire de cet établissement,* Angers, 1855.

Ternois, 1952
D. Ternois, catal. exp., *Flâneries et voyages de M. Ingres,* Montauban, Musée Ingres, 1952.

Ternois, 1954
D. Ternois, catal. exp., *Ingres aquarelliste* (in *Amis du Musée Ingres,* n° 5), Montauban, Musée Ingres, 1954.

Ternois, 1956
D. Ternois, « Les livres de compte de Madame Ingres. Ingres à Rome et à Paris, 1835-1843 », *Gazette des Beaux-Arts,* décembre 1956, pp. 163-176.

Ternois, 1965
D. Ternois, *Montauban, Musée Ingres, peintures, Ingres et son temps, Inventaire des collections publiques françaises, 11,* Paris 1965.

Ternois, 1967
D. Ternois, « La présentation du vœu de Louis XIII », *Bulletin du Musée Ingres,* décembre 1967, n° 22, pp. 11-21.

Ternois, 1967
D. Ternois, catal. exp., *Ingres et son temps,* Montauban, Musée Ingres, 1967.

Ternois, 1967-1968
D. Ternois, *in* catal. exp., *Ingres,* Paris, Petit Palais, 1967-1968.

Ternois, 1980
D. Ternois, *Ingres,* Milan, 1980.

Ternois-Camesasca, 1971
D. Ternois et E. Camesasca, *Tout l'œuvre peint de Ingres,* Paris, 1971.

Ternois (M.J.), 1958
M.J. Ternois, « Ingres et le vœu de Louis XIII », *Bulletin de la Société Archéologique du Tarn-et-Garonne,* 1957 (paru en 1958).

Tervarent, 1958
G. de Tervarent, *Attributs et symboles dans l'art profane, 1450-1600,* Genève, 1959, 2 vol.

Thiébault, 1979-1980
D. Thiébaut, *in* catal. exp *Le Pérugin et l'école ombrienne,* Paris, Musée d'Art et d'Essai, 1979-1980.

Thiéry, 1784
Thiéry, *Almanach du Voyageur à Paris,* Paris, 1784.

Thimme, 1974
J. Thimme, catal. exp., *Picasso und die Antike,* Karlsruhe et Francfort-sur-le-Main, 1974-1975.

Thirion, 1972
J. Thirion, « A propos d'une nouvelle terre cuite, sculptures religieuses de Jacques Sarazin au Musée du Louvre », *La Revue du Louvre et des Musées de France,* 1972, n° 3, pp. 145-154.

Thirion, à paraître
J. Thirion, « Meubles français du XVIe et XVIIe siècles à sujets sculptés d'après des motifs de Raphaël », *Bulletin de la Société de l'Histoire de l'Art français* (à paraître).

Thuillier, 1958
J. Thuillier, « Pour un peintre oublié, Rémy Vuibert », *Paragone,* janvier 1958, n° 97, pp. 22-41.

Thuillier, 1960
J. Thuillier, « Pour un "Corpus poussinianum" », (Actes du colloque) *Nicolas Poussin* (sous la direction d'A. Chastel), 1958, Paris, 1960, II, pp. 49-238.

Thuillier, 1960
J. Thuillier, « Poussin et ses premiers compagnons français à Rome », (Actes du colloque) *Nicolas Poussin* (1958), Paris, 1960, I, pp. 71-116.

Thuillier, 1963
J. Thuillier, *in* catal. exp., *Charles Le Brun, 1619-1690,* Versailles, Château, 1963.

Thuillier, 1963
J. Thuillier, « Lubin Baugin », *L'Oeil,* n° 102, juin 1963, pp. 16-27 et 69-70.

Thuillier, 1964
A. Chatelet-J. Thuillier, *La Peinture Française, I, De Fouquet à Poussin,* Genève, 1963 ; *II, De Le Nain à Fragonard,* Genève, 1964.

Thuillier, 1965
J. Thuillier, « Les "Observations sur la peinture" de Charles-Alphonse Dufresnoy », *Walter Friedlaender zum 90. Geburstag. Eine Festgabe seiner*

europaïschen Schüler, Freunde und Verehrer, Berlin, 1965, pp. 193-209.
Thuillier, 1973
J. Thuillier, « Un peintre oublié : Le Sculpteur Jacques Sarazin », *Album Amicorum J.G. van Gelder,* La Haye, 1973, pp. 321-325.
Thuillier, 1974
J. Thuillier, *Tout l'œuvre peint de Poussin,* Paris, 1974.
Thuillier, 1975
J. Thuillier, « Fontainebleau et la peinture française du XVIIe siècle, in *Actes du Colloque International sur l'art de Fontainebleau,* Fontainebleau-Paris 1972. Études réunies et présentées par André Chastel. Paris, 1975, pp. 249-260.
Thuillier, 1980
J. Thuillier, « Du "maniérisme" romain à l'"atticisme" parisien : Louis Brandin, Jean Boucher, Pierre Brébiette, Laurent de la Hyre », *La donation Suzanne et Henri Baderou au Musée de Rouen, école française. Études de la Revue du Louvre,* n° 1, Paris, 1980, pp. 23-31.
Tournier, 1974
M. Tournier, « Eduardo Arroyo ou l'homme compromis », *in* catal. exp., *Arroyo, Portraits,* Paris, Galerie Karl Flinker, 1974.
Tricou, 1967
J. Tricou, *Armorial et Répertoire Lyonnais,* Paris, 1967.
Vachon, 1900
M. Vachon, *Bouguereau,* Paris, 1900.
Vaisse, 1974
P. Vaisse, « Le Conseil Supérieur de perfectionnement des Manufactures nationales sous la deuxième république », *Bulletin de la Société de l'Histoire de l'Art français,* 1974, pp. 153-171.
Vanaise, 1966
Vanaise, « Précisions concernant la biographie et l'œuvre de Luca Penni », *Gazette des Beaux-Arts,* février 1966, pp. 80-90.
Vanderspelden
Voir aussi Lugand.
Van Mander
C. van Mander, *Le Livre des Peintres,* trad. et notes par H. Hymans, Paris, 1884, 2 vol.
Vasari
G. Vasari, *Le vite de' più eccellenti pittori scultori ed architettori scritte da Giorgio Vasari pittore aretino con nuove annotazioni e commenti di Gaetano Milanesi,* éd. Florence, 1906.
Venturi, 1936
L. Venturi, *Cézanne, son art, son œuvre,* Paris, 1936, 2 vol.
Venturi, 1939
L. Venturi, *Archives de l'Impressionnisme,* Paris, 1939.
Vera Christi, 1977
M. Vera Christi, *in* catal. exp., *100 disegni dell'Accademia di Belle Arti di Perugia, XVII-XIX secolo,* Rome, Pérouse, Spolète, 1977.
Verdier, 1967
P. Verdier, *The Walters Art Gallery. Catalogue of the painted Enamels of the Renaissance,* Baltimore, 1967.
Verlet, 1951
P. Verlet, *in* catal. exp. *Les grands services de Sèvres,* Sèvres, Musée National de Céramique, 1951.
Viatte
Voir aussi Goguel.
Vigée Lebrun, 1835
L.E. Vigée-Lebrun, *« Souvenirs de Madame Louise-Elisabeth Vigée-Lebrun... »,* Paris, 1835, 2 vol.
Vilain, 1974-1975
J. Vilain, *in* catal. exp., *De David à Delacroix,* Paris, Grand Palais, 1974-1975.
Vilain
Voir aussi Bergot.
Viollet-le-Duc, 1980
G. Viollet-le-Duc, « Viollet-le-Duc, apprenti sans maître », *in* catal. exp., *Le voyage d'Italie d'Eugène Viollet-le-Duc,* Paris, École des Beaux-Arts, 1980.
Viollet-le-Duc et Aillagon, 1980
G. Viollet-le-Duc et J.J. Aillagon, catal. exp., *Le voyage d'Italie d'Eugène Viollet-le-Duc,* Paris, École des Beaux-Arts, 1980.
Vollard, 1919
A. Vollard, *La vie et l'œuvre de Pierre-Auguste Renoir,* Paris, 1919.
Wagner, 1969
H. Wagner, *Raffael im Bildnis,* Berne, 1969.
Walker, 1933
J. Walker, « Degas et les Maîtres anciens », *Gazette des Beaux-Arts,* novembre 1933, pp. 173-185.
Ward Jackson
Voir aussi Regteren Altena.
Weigert, 1939, 1951, 1954, 1973
R.A. Weigert, *Inventaire du Fonds Français, Graveurs du XVIIe siècle,* t. I à VII, Paris, 1939-1976.
White, 1969
B. Ehrlich White, « Renoir's trip to Italy », *The Art Bulletin,* 1969, t. LI, pp. 333-351.
Wild, 1966
D. Wild, « Charles Mellin ou Nicolas Poussin », *Gazette des Beaux-Arts,* octobre 1966, pp. 177-214, janvier 1967, pp. 3-44.
Wildenstein, 1954
G. Wildenstein, *Ingres, catalogue complet des peintures,* Londres, 1954.
Wildenstein, 1959
G. Wildenstein, « Les Vierges de Nicolas Loir, contribution à l'histoire de l'Académisme », *Gazette des Beaux-Arts,* mars 1959, pp. 145-152.
Wildenstein, 1975
Voir aussi Rouart.
Williamson, 1904
G.C. Williamson, *The History of Portrait Miniatures,* Londres, 1904, 2 vol.
Winner, 1973
M. Winner, *in* catal. exp., *Vom späten Mittelalter bis zu Jacques Louis David,* Berlin, Staatliche Museen preussicher Kulturbesitz, Kupferstichkabinett, 1973.
Witenhove, 1971
H. Witenhove, *Reynaud Levieux,* Mémoire dactylographié, Université de Provence, Aix-Marseille, 1971.
Witenhove, 1978
H. Witenhove, *in* catal. exp., *La peinture en Provence au XVIIe siècle,* Marseille, Musée des Beaux-Arts, 1978.
Woimant et Moeglin-Delcroix, 1982
Fr. Woimant et A. Moeglin-Delcroix, catal. exp., *Les Prévert de Prévert, Collages,* Paris, Bibliothèque Nationale, 1982.
Zafran, 1978
R.L. Zafran, catal. exp., *The Artist and the Studio in the XVIII and XIXth C.,* The Cleveland Museum of Art, 1978.
Zerner, 1969
H. Zerner, *L'École de Fontainebleau, Graveurs,* Paris, 1969.
Zerner, 1972
H. Zerner, *in* catal. exp., *L'École de Fontainebleau,* Paris, Grand Palais, 1972-1973.
Zerner
Voir aussi Bartsch illustré.
Zerner
Voir aussi De Vecchi.
Zervos, 1932-78
C. Zervos, *Pablo Picasso,* Paris, 1932-1978, vol. I à XXXIII.
Ziff, 1977
N.D. Ziff, *Paul Delaroche. A Study in Nineteenth-Century French History Painting,* (Garland) New York et Londres, 1977.

I. Index des artistes cités

Les chiffres en **caractères gras** désignent les pages des notices du catalogue consacrées à l'artiste cité

D

E

F

G

H

I

K

L

M

N

O

P

Q

R

S

T

U

V

W

Y

Z

II. Index des œuvres de Raphaël citées

I

J

L

M

N

P

Q

R

S

T

V

Œuvres autrefois attribuées à Raphaël

Œuvres de graveurs de Raphaël

Errata et Addenda

page 111, nº 88 (Favanne)
dimensions : H. 0,730 ; L. 0,595

page 124, nº 114 (Ingres)
l'inscription au dos du montage se lit :
à Me Del Ingres. Le cadeau est donc contemporain
du mariage, ou postérieur.